V&R

Der Theologe Thomas Müntzer

Untersuchungen
zu seiner Entwicklung
und Lehre

Herausgegeben von
Siegfried Bräuer und Helmar Junghans

Vandenhoeck & Ruprecht
in Göttingen

CIP-Titelaufnahme der Deutschen Bibliothek

Der Theologe Thomas Müntzer :
Unters. zu seiner Entwicklung u. Lehre /
hrsg. von Siegfried Bräuer u. Helmar Junghans. –
Göttingen : Vandenhoeck u. Ruprecht ;
Berlin : Evang. Verl.-Anst., 1989
ISBN 3-525-55410-9
NE: Bräuer, Siegfried (Hrsg.)

1. Auflage 1989
© Evangelische Verlagsanstalt GmbH Berlin 1989
ISBN 3-374-00488-1 (EVA)
ISBN 3-525-55410-9 (V & R)

Vorwort

„Thomas Müntzer war Theologe und, selbst an den Maßstäben seiner Zeit gemessen, ein tief religiöser Mensch." Dieses Urteil, das der Leipziger Historiker Gerhard Zschäbitz 1958 in seiner Dissertation abgab, wird heute in Fachkreisen niemanden überraschen. Seinerzeit vertrat Zschäbitz unter den Historikern noch die Auffassung von wenigen. Bei den Kirchenhistorikern war dieses Müntzerverständnis zwar kaum vergessen worden, allerdings ohne daß dieses Wissen erkennbaren Niederschlag in den wissenschaftlichen Publikationen zur Reformation gefunden hätte.

Untersuchungen zur Theologie Müntzers sind auch in jüngster Zeit selten geblieben, obgleich der Zugang zu den Quellen wesentlich günstiger ist als früher. Müntzers Gedanken erwiesen sich für Theologie und Kirche immer noch als sperrig.

1989 wird in besonderer Weise dieses reformatorischen Theologen gedacht, der wahrscheinlich um das Jahr 1489 in Stolberg (Harz) geboren wurde. Dieses Jubiläum war für die Herausgeber ein willkommener Anlaß, Kirchenhistoriker und Historiker um Beiträge zu Schwerpunkten der theologischen Lehre Müntzers zu bitten. Sein Verhältnis zu wichtigen theologiegeschichtlichen und zeitgenössischen Strömungen sollte ebenfalls berücksichtigt werden. Nicht alle Wünsche waren zu erfüllen. Die vorgesehenen Beiträge über Müntzers Gesetzesverständnis und über den Einfluß der Apokalyptik auf sein Denken und Wirken konnten aus terminlichen Gründen nicht erarbeitet werden.

Den Autoren wurde die Aufgabe gestellt, nach einem Überblick über die Forschungslage möglichst quellennah zu arbeiten. Von diesen Vorgaben abgesehen, mußte sich jeder Autor den Zugang zu seinem Thema selbst suchen. Die Quellenlage, der unterschiedliche Verlauf der Forschung, aber auch die Positionen der Autoren stehen einer möglichen Erwartung, ein geschlossenes Bild des Theologen Thomas Müntzer durch den vorliegenden Band geboten zu bekommen, von vornherein im Wege. Durch eine stärkere Berücksichtigung der bislang wenig ausgewerteten Randbemerkungen Müntzers zu einigen Schriften von Tertullianus und Cyprianus ergeben sich neue Züge. Unverkennbar ist in vielen Äußerungen auch eine größere Nähe zu Luther, als sie gemeinhin angenommen wird. Die Unterschiede zu dem Wittenberger Reformator treten jedoch ebenfalls deutlich hervor. So ergänzen sich die meisten Beiträge schließlich zu einer weitgehend übereinstimmenden Darstellung.

An mehreren Stellen korrigieren die Autoren Text und Kommentierung der Müntzerausgabe von Günther Franz. Die Mängel dieser Ausgabe sollten nicht vergessen lassen, daß sich die Müntzerforschung seit 1968 auf sie gründet und ihr viel verdankt. Erfreulicherweise haben die Vorbereitungen auf das Müntzergedenken im Jahre 1989 die Arbeiten an der notwendigen Neuedition der Briefe und Schriften Müntzers in Gang gebracht.

Die Herausgeber haben die Hoffnung, daß die vertieften Erkenntnisse über theologische Gedanken Thomas Müntzers dazu beitragen werden, eine Gesamtschau seiner Theologie zu schaffen und die vielgestaltige Reformation differenzierter zu sehen.

Die Autoren und Herausgeber

Theologischer Direktor Dr. Siegfried Bräuer, Evangelische Verlagsanstalt GmbH, Berlin (DDR)

Professor Dr. Martin Brecht, Westfälische Wilhelms-Universität, Fachbereich Evangelische Theologie, Münster (BRD)

Professor Dr. Ulrich Bubenheimer, Pädagogische Hochschule, Heidelberg (BRD)

Oberassistent Dr. Dieter Fauth, Pädagogische Hochschule, Reutlingen (BRD)

Professor Dr. Hans-Jürgen Goertz, Universität Hamburg, Institut für Sozial- und Wirtschaftsgeschichte, Hamburg (BRD)

Professor Dr. Eric W. Gritsch, Lutheran Theological Seminary, Gettysburg, Pennsylvania (USA)

Professor Dr. Siegfried Hoyer, Karl-Marx-Universität, Sektion Geschichte, Leipzig (DDR)

Professor Dr. Dr. h. c. Helmar Junghans, Karl-Marx-Universität, Sektion Theologie, Leipzig (DDR)

Dozent Dr. Ernst Koch, Theologisches Seminar, Leipzig (DDR)

Dozent Dr. habil. Rudolf Mau, Sprachenkonvikt der Evangelischen Kirche in Berlin-Brandenburg, Berlin (DDR)

Professor Dr. Siegfried Raeder, Eberhard-Karls-Universität, Evangelisch-theologische Fakultät, Tübingen (BRD)

Professor Dr. Reinhard Schwarz, Universität München, Evangelische Fakultät, Institut für Kirchengeschichte, München (BRD)

Dozent Dr. Wolfgang Ullmann, Sprachenkonvikt der Evangelischen Kirche in Berlin-Brandenburg, Berlin (DDR)

Professor Dr. Günter Vogler, Humboldt-Universität zu Berlin, Sektion Geschichte, Berlin (DDR)

Professor Dr. Eike Wolgast, Ruprecht-Karls-Universität, Historisches Seminar, Heidelberg (BRD)

Inhalt

8   Inhalt

Abkürzungsverzeichnis

ABKG	Akten und Briefe zur Kirchenpolitik Herzog Georgs von Sachsen/ hrsg. von Felician Geß. 2 Bde. Nachdruck der Ausgabe Leipzig 1905, 1907. Leipzig / Köln / Wien 1985
ALW	Archiv für Liturgiewissenschaft. Regensburg 1950 ff
ARG	Archiv für Reformationsgeschichte. Berlin u. a. 1903/04 ff
AWA	Archiv zur Weimarer Ausgabe der Werke Martin Luthers. Köln / Wien 1981 ff
BSLK	Die Bekenntnisschriften der evangelisch-lutherischen Kirche/ hrsg. vom Deutschen Evangelischen Kirchenausschuß im Gedenkjahr der Augsburgischen Konfession 1930. 7. Aufl. Göttingen 1976 / Berlin 1978
CChr.SL	Corpus Christianorum: series Latina. Turnholt 1953 ff
COp	Caecilius Thascius Cyprianus: Opera/ hrsg. von Erasmus von Rotterdam. Baseleae: Froben, 1520 – Dresden, Sächsische Landesbibliothek: Mscr. Dresd. App. 747 mit Randbemerkungen von Thomas Müntzer
CR	Corpus reformatorum. Bd. 1–28/ hrsg. von Karl Gottlieb Bretschneider und Heinrich Ernst Bindseil. Halis Saxonum / Brunsvigae 1834–1860
CSEL	Corpus scriptorum ecclesiasticorum Latinorum. Wien 1866 ff
ETM	Walter Elliger: Thomas Müntzer: Leben und Werk. Göttingen 1975; 3. Aufl. 1976
FlB	Flugschriften der Bauernkriegszeit/ unter Leitung von Adolf Laube und Hans Werner Seiffert bearb. von Christel Laufer . . . Berlin 1975
GCS	Die griechischen christlichen Schriftsteller der ersten drei Jahrhunderte. Berlin 1897 ff
HLM	Carl Hinrichs: Luther und Müntzer: ihre Auseinandersetzung über Obrigkeit und Widerstandsrecht. 2. Aufl. Berlin 1962
Lu	Luther: Mitteilungen der Luther-Gesellschaft. Berlin u. a. 1919 ff
LuJ	Lutherjahrbuch. Leipzig u. a. 1919 ff
MBF	Thomas Müntzer: Briefwechsel: Lichtdrucke Nr. 1–73 nach Originalen aus dem Sächsischen Landeshauptarchiv Dresden/ bearb. von H. Müller. [Leipzig 1953]
MBW	Thomas Müntzer: Briefwechsel/ hrsg. von Heinrich Boehmer und Paul Kirn. Leipzig 1931
MLB	Moskau, Leninbibliothek der UdSSR, Handschriftenabteilung: Fonds 218, Nr. 390 (bis 1949 Dresden, Sächsisches Landeshauptarchiv, Geh. Rat, Loc. 10327, Alte Briefe und Zettel)
MPS	Thomas Müntzer: Politische Schriften/ hrsg. von Carl Hinrichs. Halle 1950
MPSM	Thomas Müntzer: Politische Schriften, Manifeste, Briefe 1524/25/ eingel.,

	komm. und hrsg. von Manfred Bensing und Bernd Rüdiger. 2. Aufl. Leipzig 1973
MSB	Thomas Müntzer: Schriften und Briefe: kritische Gesamtausgabe/ unter Mitarbeit von Paul Kirn hrsg. von Günther Franz. Gütersloh 1968
MThS	Thomas Müntzer: Theologische Schriften aus dem Jahr 1524/ hrsg. von Siegfried Bräuer und Wolfgang Ullmann. 2. Aufl. Berlin 1982
PG	Patrologiae cursus completus: series Graeca/ hrsg. von Jacques-Paul Migne. 161 Bde. Paris 1857–1866
PL	Patrologiae cursus completus: series Latina/ hrsg. von Jacques-Paul Migne. 221 Bde. Paris 1844–1864
QGB	Quellen zur Geschichte des Bauernkrieges/ ges. und hrsg. von Günther Franz. Darmstadt 1963
StA	Martin Luther: Studienausgabe/ in Zusammenarbeit mit Michael Beyer (ab Bd. 4), Helmar Junghans, Reinhold Pietz, Joachim Rogge und Günther Wartenberg hrsg. von Hans-Ulrich Delius. Berlin 1979 ff
TCCh	Quintus Septimius Florens Tertullianus: De carne Christi
ThLZ	Theologische Literaturzeitung. Leipzig u. a. 1876 ff
TMD	Thomas Müntzer: Anfragen an Theologie und Kirche/ hrsg. im Auftrag des Sekretariats des Bundes der Evangelischen Kirchen in der DDR von Christoph Demke. Berlin 1977
TMFG	Thomas Müntzer/ hrsg. von Abraham Friesen und Hans-Jürgen Goertz. Darmstadt 1978
TOp	Quintus Septimius Florens Tertullianus: Opera/ hrsg. von Beatus Rhenanus. Baseleae: Froben, Juli 1521 – Dresden, Sächsische Landesbibliothek: Mscr. Dresd. App. 747 mit Randbemerkungen von Thomas Müntzer
TOp.M	Thomas Müntzers Randbemerkungen in TOp
TOp.R	Beigaben des Beatus Rhenanus in TOp
TPr	Die Predigten Taulers/ hrsg. von Ferdinand Vetter. Nachdruck der Ausgabe Berlin 1910. Dublin / Zürich 1968
TRE	Theologische Realenzyklopädie/ hrsg. von Gerhard Krause und Gerhard Müller. Berlin / New York 1976 ff
TRM	Quintus Septimius Florens Tertullianus: De resurrectione mortuorum (in CSEL unter dem Titel „De carnis resurrectione")
WA	Martin Luther: D. Martin Luthers Werke: kritische Gesamtausgabe. Weimar 1883 ff
WA Br	Dass.: Briefwechsel. 18 Bde. Weimar 1930–1985
WA DB	Dass.: Die Deutsche Bibel. Bd. 1–12 (in 15 Bdn.). Weimar 1906–1961
WA RN	Dass.: Revisionsnachtrag
WA TR	Dass.: Tischreden. 6 Bde. Weimar 1912–1921
ZdZ	Die Zeichen der Zeit. Berlin 1947 ff
ZGW	Zeitschrift für Geschichtswissenschaft. Berlin 1953 ff
ZKG	Zeitschrift für Kirchengeschichte. Stuttgart u. a. 1877 ff

Gott und Schöpfung bei Thomas Müntzer

Von Rudolf Mau

I Zum Stand der Forschung

Während Müntzers Gottesverständnis und seine Anschauungen von der Schöpfung in der bisherigen Müntzerforschung und -deutung bis auf eine Ausnahme keine thematische Beachtung gefunden haben, sind Einzelfragen, die diese Thematik betreffen, schon mehrfach berührt worden. So vertritt z. B. Hans-Jürgen Goertz, der Müntzer von Johannes Tauler her zu deuten versucht, die These, daß für Müntzer eine „mystische Denkform" bestimmend sei, „die das Verhältnis von Gott und Mensch aus einer letzten Einheit Gottes mit dem Menschen begreift". Insbesondere versteht Goertz auch Müntzers Rede von der „Ordnung Gottes" als Ausdruck dieser mystischen Denkform.[1] Erstmalig thematisiert wurde das Gottesverständnis Müntzers in dem Aufsatz von Wolfgang Ullmann über „Thomas Müntzers Lehre von Gott und von der Offenbarung Gottes". Ullmann hebt hervor, daß für Müntzer „der Glaube" die theologische Grundkategorie darstelle, also auch das Kriterium hinsichtlich der Gottesfrage bilde, und zwar auf der Grundlage der von Müntzer stark betonten Unterscheidung und Scheidung von Gott und Geschöpf. Das besondere Interesse Ullmanns gilt dann dem Verhältnis von Christologie und Pneumatologie in Müntzers Auffassung von der Offenbarung Gottes. In den Überlegungen Ullmanns wird die biblische Orientierung des Müntzerischen Denkens deutlich hervorgehoben.[2] Die Arbeit bietet wichtige Anregungen, erhebt aber nicht den Anspruch einer umfassenden Behandlung der Gottesfrage bei Müntzer. Weiterführende Aussagen zu unserem Thema findet man in der Untersuchung von Reinhard Schwarz über „Die apokalyptische Theologie Thomas Müntzers und der Taboriten", insbesondere in dem Kapitel „Die Rückkehr des Menschen in das ursprüngliche Verhältnis zu Gott und zu den Kreaturen". Der Verfasser bietet hier wichtige Hinweise zu der Rede Müntzers von der Ordnung Gottes und der Kreaturen. Für das Gottesverständnis Müntzers verweist er auf den Einfluß der neuplatonischen Ontologie: Die Grundlage des Müntzerischen Gottesbegriffs sei „der Begriff des unbeweglichen Gottes".[3]

Das Interesse an traditionsgeschichtlicher Herleitung wichtiger Gedanken Müntzers hat, wie auch die eben genannten Auffassungen zum Gottes- und Kreaturverständnis Müntzers zeigen, in der bisherigen Forschung eine bedeutende Rolle gespielt. Der im folgenden unternommene Versuch, Müntzers Verständnis von Gott und von der Schöpfung in seinen Grundzügen darzustellen, ist jedoch nicht von diesem Interesse geleitet. Die Darstellung ist vielmehr ganz daran orientiert, anhand des innerhalb des erhaltenen Gesamtwerkes Müntzers zugänglichen Materials Müntzer selbst zur genannten Thematik zu Worte kommen zu lassen. Sie wird das in drei Kapiteln („Die Lehre von Gott als Problem und Aufgabe", „Die Gotteserfahrung des Glaubens" und „Das Verständnis der Schöpfung") durchführen.

II Die Lehre von Gott als Problem und Aufgabe

1 Das Versagen der Kirche hinsichtlich der Glaubenslehre

Die erste programmatische Erklärung, mit der Müntzer sich an eine größere Öffentlichkeit wandte, ist bestimmt von der Frage nach der Erkenntnis Gottes. Gleich zu Beginn des „Prager Manifestes" bekundet Müntzer in der Form eines feierlichen Selbstzeugnisses, er habe von Jugend auf seinen „allerhochsten fleyß furgewant", um zu „erkennen, wie der heilige, unuberwintliche christenglaube gegrundet weher".[4] Aber niemand, kein Mönch oder Pfaffe und kein Gelehrter, habe ihm solche Erkenntnis vermitteln können. Dieses zunächst bei persönlichem Suchen erlebte Unvermögen hat sich ihm dann als ein schuldhaftes Versagen der Kirche von geschichtlichem Ausmaß erwiesen. Aufgrund der Machenschaften der Priester, die „allezceyt wollen obenansitzen",[5] habe es von Anfang an kein rechtes Konzil geben können, das in der Lage gewesen wäre, Auskunft über den wahren Glauben zu geben.[6]

An welche Art von Erkenntnis denkt Müntzer hier? Müntzer spricht von der rechten Übung des Glaubens, von der nützlichen Anfechtung, die den Glauben im Geist der Furcht Gottes zur Klarheit bringt, vom siebenmaligen Empfangen des Heiligen Geistes – von diesem allen als Voraussetzung dafür, den lebendigen Gott selbst zu hören und zu verstehen.[7] Die Kirche ergeht sich in vielen unnützen Äußerlichkeiten; was sie aber nicht bietet und zu lehren vermag, ist Glaubensübung, die zum Hören des Wortes Gottes befähigen würde. Müntzer kann dieses katastrophale Defizit bisheriger kirchlicher Unterweisung auch dahingehend charakterisieren, daß kein Gelehrter etwas von der „Ordnung Gottes" weiß.[8] Gerade hinsichtlich dessen also, was von der Kirche dringlich zu erwarten gewesen wäre, der Anleitung zur rechten Glaubensübung (infallibilia orthodoxae fidei exercitia)[9], haben die dafür Verantwortlichen in verhängnisvoller Weise versagt. Durch Schuld ihrer Amtsträger waren der Kirche die entscheidenden Einsichten schon in frühester Zeit verlorengegangen. Wirklich den Glauben, d. h. die notwendige „Übung" des Glaubens, zu lehren und so den Weg zur Gotteserfahrung, d. h. zum Hören des lebendigen Gotteswortes, zu bahnen kann daher in der von Müntzer erlebten Situation der Kirche nur als ein einziges, unerhört dringliches Desiderat geltend gemacht werden. Hier muß – seit den Zeiten der Apostelschüler! – erst wieder angefangen werden. Er selbst, Müntzer, weiß sich als den, der gerufen ist, hier „die Posaune zu blasen".[10]

2 Müntzers These: „Gotteserkenntnis ist nicht lehrbar"

Von der Hand Georg Spalatins gibt es Aufzeichnungen über einen Gesprächsgang zwischen dem Weimarer Prediger Wolfgang Stein und Thomas Müntzer. Er bezieht sich auf die Frage der Lehrbarkeit von Gotteserkenntnis. Müntzer betont am Anfang die Notwendigkeit von Gotteserkenntnis. Die Frage aber, was denn Gotteserkenntnis sei, und die weiter nachfassenden Fragen, wie man sie erlange bzw. wie man zu dem gelange, was Müntzer als ihre Voraussetzung bezeichnet, werden stereotyp mit der Antwort versehen: Das ist nicht lehrbar (non posse doceri). Die inhaltlichen Auskünfte Müntzers bewegen sich diesen Aufzeichnungen zufolge in einem Zirkel. Wer wissen will, was Gotteserkenntnis sei, wird auf Glauben und Glaubenserfahrung verwiesen. Zum Begriff Glauben wird nochmals auf experientia fidei hingewiesen. Zu ihr aber könne man nur aufgrund von Gotteserkenntnis (ex scientia Dei) gelangen. Gotteserkenntnis wiederum sei nur vermittelbar an denjenigen, der schon „den Geist und Gotteserkenntnis hat". Diese aber seien nicht lehrbar außer unter Gefahren und Mühen. „Du must dir es gar sauer lassen werden, dann es ist mir gar sauer worden."[11]

Es spricht nichts dagegen, daß in diesen Aufzeichnungen die Meinung Müntzers – vermutlich bis in die Formulierung hinein – zutreffend wiedergegeben ist. Was hier gesagt wird, hat Müntzer seit dem „Prager Manifest" oft zum Ausdruck gebracht. Gotteserkenntnis, die diesen Namen verdienen soll, gibt es nur im Zusammenhang mit geistgewirktem, erfahrungsgesättigtem Glauben. Gotteserkenntnis ohne vorangehende Präsenz von Glauben „lehren" zu wollen ist unmöglich; m. a. W., was man so lehren würde, wäre ganz gewiß keine *Gottes*erkenntnis. Nur im Zusammenhang mit dem Glauben – verstanden als geistgewirktes, den Menschen radikal veränderndes Widerfahrnis – gibt es ein auf Gott bezogenes und ihn aussagendes Lehren. Man wird hier hinzufügen können: Müntzer selbst weiß sich aufgrund dieser bei ihm gegebenen Voraussetzung zum Lehren befähigt und berufen.

Das Müntzerische „Non posse doceri" trifft der Sache nach die traditionelle Auffassung von Gotteserkenntnis und Glauben im Sinne lehrhaft zu vermittelnder und zu rezipierender Inhalte.[12] Der Schluß der genannten Notizen zeigt aber, daß Müntzer sich hier auch und im besonderen gegen das Lutherische Glaubensverständnis wendet. Dieses ist für ihn untragbar, insofern die Lutherische Evangeliums- und Christusverkündigung nicht das Durchschreiten eines bestimmten Leidensweges als strikte Bedingung für die Entstehung von Glauben proklamiert.[13]

So sehr zu fragen sein mag, ob nicht in der hier skizzierten Müntzerischen Sicht das Lutherische Glaubensverständnis verzeichnet wird – hinsichtlich eines wichtigen Aspektes ist der Dissens jedenfalls deutlich benannt. Denn mit der Lehrbarkeit von schriftbegründeter Gotteserkenntnis (im Sinne der „Klarheit" der Heiligen Schrift) steht und fällt nach Lutherischem Verständnis in der Tat die Reformation selbst. Für Müntzer dagegen ist solche Schrifttheologie bloße Glaubensfiktion. Die „Schriftgelehrten" Lutherischer Prägung maßen sich an, von etwas zu reden, was sie nicht verstanden, d. h. nicht erfahren haben. Auch sie verführen, wie es eh und je in der Kirche geschehen ist, die nach dem lebendigen Worte Gottes Verlangenden. Sie tun es dadurch, daß sie sie nicht auf den schlechterdings notwendigen Weg zum Glauben weisen – den Weg tiefer und anhaltender, mit großer Geduld zu ertragender Leidenserfahrungen, sondern sie in die Selbsttäuschung eines leicht zu erlangenden, fiktiven Glaubens treiben. Zunehmend in dieser Front sieht Müntzer sich genötigt, die radikale Unterschiedenheit des wahren vom nur fiktiven Glauben, der wahren von der nur fiktiven Gotteserkenntnis zu thematisieren.

3 Die Wegbereitung für den Glauben als Aufgabe des Predigers

Müntzers provokantes „Non posse doceri" will das Problem des in der Kirche notwendigen Lehrens scharf ins Bewußtsein rücken. Es ist nicht agnostizistisch gemeint; es plädiert nicht für eine Rücknahme von Glauben und Gotteserfahrung in die Sphäre schlechthin nicht aussagbaren, allen verbalen Kriterien entzogenen Fühlens. Von dem, was geistlich geschieht und geschehen muß, obwohl es nicht via docendi vermittelt, d. h. zur Erfahrung gebracht werden kann, weiß Müntzer gleichwohl sehr beharrlich, mit Nachdruck und dem Bemühen um unmißverständliche Deutlichkeit zu reden. Nahezu alles hängt daran, daß diejenigen, die aufgrund eigener, originärer Erfahrung wissen (oder wissen müßten!), um was es in Sachen Glauben und Gotteserkenntnis geht, davon auch der armen, verirrten Christenheit in aller Deutlichkeit und mit jedem verfügbaren Mittel Kunde geben.

Daß dies permanent unterblieben ist, verleiht seiner Anklage der „Pfaffen" ihre schneidende Schärfe und seinem Auftrag die unerhörte Dringlichkeit. Wie aber vollzieht sich und was bewirkt solches aus eigenster Glaubenserfahrung erwachsendes Lehren?

Obwohl scientia Dei nach Müntzer nicht „lehrbar" ist, sondern sich nur in jeweils originärer Erfahrung ereignen kann, ist es doch nicht nur möglich, sondern äußerst dringlich, ihr bei den Menschen den Weg zu bereiten. Vor allem dieser Aufgabe dient die Predigt, und zwar eine entschieden seelsorgerlich orientierte Predigt. Schon Müntzers Rede von dem „arme erbermelich heuffelein", das so „dorstig" ist nach dem Worte Gottes,[14] weist deutlich in diese Richtung. Dieser Menschen, das heißt aber im Sinne reformatorischer Erfahrung und Vision Müntzers: des „Volkes",[15] müssen die Prediger sich annehmen, indem sie wie die Henne um ihre Kinder hergehen und sie „warm" machen.[16] Die rechten Prediger können also viel dazu tun, daß die Menschen für Gottes Wort empfänglich werden, ja sie vermögen sogar „dye gutten natur" des Wortes Gottes „in dye herczen" zu geben.[17] Das wird man zwar nach dem zuvor Gesagten nicht schon als wirksame Vermittlung des Wortes Gottes von „außen" her verstehen dürfen. Wohl aber ist es Sache der geistlich erfahrenen, „christformigen gotsknechte",[18] es den Menschen so deutlich wie möglich zu machen, was ihnen als Erfahrung des Wortes Gottes in Aussicht steht.

Dieser Aufgabe dient dann auch und im besonderen der Gottesdienst. Durch ihn, das im reformatorischen Sinne gänzlich neu gestaltete, von der Gemeinde selbst in der eigenen Sprache, vor allem im Psalmengesang zu vollziehende und deutlich im Sinne des geistlichen Handelns Gottes an seinen Erwählten akzentuierte Kirchenamt, tritt an die Stelle des bisherigen sakral-klerikalen Vollzugs der Messe die Erbauung der „zunemenden christenheyt".[19] Auch hier wird es nach Müntzer zwar nicht darum gehen, daß von außen her Erkenntnis Gottes oder Glaube bewirkt wird, wohl aber darum, daß wiedererwachender Glaube der Christenheit hier seinen Ort und höchst lebendigen Ausdruck findet und den suchend und verlangend Hinzuströmenden entscheidende Hilfe auf dem Wege zur eigentlichen und je eigenen geistlichen Erfahrung des „Glaubens" bietet.

Diesem Geschehen – der „warm" machenden Predigt, dem seelsorgerlichen Mühen rechter „Seelwarter", dem auf das geistliche Leben einer in der Glaubenserfahrung wachsenden Gemeinde bezogenen Gottesdienst – zugeordnet ist dann das sich steigernd kämpferische Eintreten Müntzers dafür, daß aller Widerstand der „Gottlosen" gegen dieses geistliche Erwachen zunichte wird. Hier ist nach Müntzer ohne Kompromisse zu sagen, was geschehen muß, damit jenes Wiedererwachen und Wachsen der Christenheit weitergeht und zum Ziel kommt. Es geht darum, daß den Menschen Zeit gewährt wird, deren sie bedürfen, um zu geistlichen Einsichten und zur Übung und Erfahrung des Glaubens zu gelangen.[20] Sie dürfen nicht gehindert werden, sich zu solchen Gottesdiensten zu versammeln, die der Erbauung der Christenheit dienen, und gegen die die Christenheit verderbende „Abgötterei" vorzugehen.[21] Schonung, Zurückhaltung, Rücksicht auf „Schwache" sind hier nicht am Platze.[22] Die Regierenden – Fürsten wie Stadtobrigkeiten – haben die Aufgabe, dieser Erneuerung der Christenheit zu dienen. Solche Verpflichtung erwächst unmittelbar aus ihrem obrigkeitlichen Auftrag. Verweigern sie sich ihr, so muß die Erneuerung der Christenheit ohne und gegen sie durchgesetzt werden.[23]

Dieses alles anzumahnen, darauf öffentlich und mit aller Entschiedenheit zu dringen, m. a. W. Gottes Willen zu proklamieren, ist die bis zur äußersten Konsequenz zu erfüllende Aufgabe des Predigers. Durch sie scheint das Bild vom Wirken Müntzers nahezu total bestimmt zu sein. Man muß aber beachten, daß diese Seite der von Müntzer gesehenen Aufgabe ganz und bis zuletzt bezogen bleibt auf das Geschehen der geistlichen Erneuerung selbst.[24] Ihr dient die Predigt, das Lehren, der Gottesdienst, die Seelsorge und ebenso die Proklamation des Kampfes wider die Gottlosen. Obwohl durch dies alles nicht der „Glaube" gewirkt werden kann, gewinnt es doch eine eminente Bedeutung für das Geschehen der Wiedergeburt des Glaubens in der Christenheit.

4 Das richtige Lehren von Gott und der Schöpfung

Die notwendige Einsicht in den „ordo rerum"

Das katastrophale Lehrdefizit in der Kirche, ihre Unfähigkeit, die „rechte Übung des Glaubens" zu vermitteln, kann Müntzer auch als Unkenntnis der Gelehrten hinsichtlich der „Ordnung Gottes" beschreiben. Im „Prager Manifest" und in der „Ausgedrückten Entblößung des falschen Glaubens der ungetreuen Welt" benutzt Müntzer an wichtigen Stellen diesen Begriff, mit variierender Formulierung im einzelnen. Er spricht von der „in alle creaturn" gesetzten Ordnung Gottes,[25] aber auch von der „in Got vnnd alle creaturn" gesetzten Ordnung.[26] Des öfteren ist auch vom „ordo rerum" die Rede;[27] Müntzer kann auch das Absolutum „dye ordenunge" oder „dye oberste ordenunge" verwenden.[28]

Die gelegentliche betonte Verwendung des Begriffs vor allem im „Prager Manifest" und in der „Ausgedrückten Entblößung..." bietet noch keinen hinreichenden Aufschluß über seinen genauen Sinn. Müntzers Randbemerkungen zu Tertullian zeigen, daß von der Ordnung (ordo) in recht verschiedenartigen Zusammenhängen die Rede sein kann. So glossiert Müntzer z. B. Tertullians antignostische Polemik mit der Bemerkung, daß die Häretiker den „ordo" nicht erkannt hätten. Das kann sich auf die von Tertullian referierte gnostische Seelenlehre beziehen,[29] aber auch auf das Verkennen wichtiger Entsprechungen zwischen Adam und Christus.[30] Zu einem hierauf bezogenen Gedankengang bemerkt Müntzer, man könne deutlich erkennen, wie Tertullian hier „den ordo rerum verknüpft".[31] Eine von Tertullian dargelegte Entsprechung von Eva und Maria hinsichtlich der von ihnen erfahrenen „Empfängnis" durch das Wort des Teufels bzw. des Engels veranlaßt Müntzer zu der Bemerkung, hier werde der ordo rerum bezüglich der Empfängnis von Verschiedenem berührt.[32] Tertullians „De resurrectione mortuorum" wiederum bietet Müntzer Anlaß, den ordo-Begriff auf den Auferstehungsglauben zu beziehen. Die Vorrede des Beatus Rhenanus zu dieser Tertullianschrift kommentiert Müntzer mit der Bemerkung: „Ex ordine rerum probat resurrectionem."[33] Das von Tertullian selbst im 2. Kapitel dieser Schrift gebotene Stichwort „ordo" zieht dann Müntzers besondere Aufmerksamkeit auf sich. Tertullian führt hier ein antignostisches Argumentationsmuster vor – den Erweis der Auferstehung des Fleisches aus der Entsprechung von Gott als Schöpfer und Christus als Erlöser des Fleisches – und fügt dem die von Müntzer unterstrichene und am Rande mit „ORDO RERUM" glossierte Bemerkung hinzu, daß der ordo immer die Ableitung vom Ursprünglichen her fordere.[34]

Diese thematisch deutlich variierenden Beispiele zeigen, daß der Begriff „ordo rerum" sich bei Müntzer jeweils dort einstellt, wo er auf eine ihn überzeugende, klare und schlüssige Darlegung theologischer Zusammenhänge trifft. In diesem Sinne hat der Begriff „ordo" offensichtlich einen rein formalen Charakter. Jedoch tritt ein theologisch-inhaltlicher Bezug hinzu. Überzeugend ist für Müntzer diejenige Argumentation, die ein Verstehen vom Ursprünglichen, also von Gott bzw. vom Ursprungsgeschehen her, erkennen läßt: So muß man mit den Häretikern disputieren;[35] nur eine solche Argumentation wird dem ordo rerum gerecht. Gott selbst also ist, wie Müntzer wiederholt betont, der eine und eigentliche Erkenntnisgrund der „Ordnung".[36]

Wie geschieht solches Verstehen von Gott bzw. vom Ursprung her? Welche Bedeutung kommt hier insbesondere der Bibel zu? Eine bloße Schrifttheologie kann der hier vorliegenden Erkenntnisaufgabe nach Müntzer nicht gerecht werden. Der Pervertierung grundlegender Glaubensaussagen durch die Häretiker kann man nach Müntzer nicht allein durch die Berufung auf die Bibel begegnen, da die Schrift verschiedener Deutung unterliegt. Die „Doktoren" konnten auf diesem Wege keinen einzigen Häretiker widerlegen. Denn keiner von ihnen war in der Lage, den ordo rerum darzulegen.[37] Nur wo Gottes Geist wirksam ist und die rechte Übung des Glaubens geschieht, erschließt sich der Zugang zu solcher Erkenntnis.[38] Dennoch redet auch die Bibel deutlich genug von der Ordnung Gottes – für den, der sie recht zu lesen vermag. So bietet schon der „Anfang der Bibel" deutlichen Aufschluß über das richtige Gott-Kreatur-Verhältnis.[39] Aber es kommt hier nicht zur Einsicht, weil und solange von Adam her die Menschen durch das „Sich-Verwickeln" mit den Kreaturen von diesen abhängig bleiben und dadurch auch die angeborene Vernunft sich gegen die oberste Ordnung stellt. Erst durch Christus und den Geist ist das rechte Verhältnis zur Ordnung Gottes und deren Verständnis wieder möglich geworden.[40]

Das Verstehen vom „Ganzen" her

Das Erkennen der Ordnung Gottes kann nach Müntzer nur eine Erkenntnis vom „Ganzen" her sein. Dieser Gesichtspunkt wird von Müntzer wiederholt hervorgehoben. Er richtet sich noch einmal und im besonderen gegen eine Schrifttheologie, die sich ohne die Erfahrung des Geistes auf die Bibel beruft, sie in „stuckwerkischer weise" benutzt und den nach dem Worte Gottes Dürstenden nur unverdauliche Brocken vorwirft.[41] Im Hinblick auf solche illegitime Schriftbenutzung betont Müntzer die Notwendigkeit, die Bibel „vom anfang zum ende" zu lesen oder zu hören und „den gantzen context" im Gedächtnis zu haben.[42] Das ist aber weniger im Sinne einer hermeneutischen Kunstregel als vielmehr des nachdrücklichen Hinweises gemeint, sich nicht etwa der entscheidenden Aussage der Schrift, dem Wort vom gekreuzigten Christus, zu entziehen.[43]

Die Forderung des Verstehens vom Ganzen her beschränkt sich bei Müntzer aber nicht auf die Frage des Bibelverständnisses, sondern tendiert, wie andere Äußerungen zeigen, zu universalem Verstehen hin. Der auf das „Ganze" gerichtete Erkenntniswille zeigt sich z. B. in einem Predigtentwurf Müntzers, der am Schluß eine von den vier Elementen bis zu Gott aufsteigende Betrachtung vorsieht.[44] Notizen auf der Rückseite eines Briefentwurfs sprechen davon, daß „im Ganzen" jede Erkenntnis der Geschöpfe ihren Anfang nehmen müsse. Solche auf die Geschöpfe, nämlich auf die Werke der Hände Gottes bezogene Erkenntnis sei gleich lobenswert wie die Erkenntnis Gottes selbst, da sie „im Ganzen" (in toto) begriffen werde.[45] Die letztere Bemerkung unterstreicht, daß für Müntzer das Verstehen „im Ganzen" gleichbedeutend ist mit einem Verstehen „in Gott".[46]

Was Müntzer zur Frage des theologischen Erkennens zu sagen hat, bewegt sich deutlich im Umkreis traditioneller Gedanken. Die Nähe zu einer neuplatonisch-augustinisch geprägten Erkenntnislehre ist unverkennbar. Das Erkennen „vom Ursprünglichen" her bzw. „im Ganzen" bzw. „in Gott" entspricht diesem Ansatz. Das eigentliche Erkenntnisproblem ist für Müntzer aber die von Adam her bestehende und auch in der Kirche seit der nachapostolischen Zeit herrschende Verschlossenheit des Menschen gegenüber notwendiger, von Gott her kommender Einsicht. Die Meinung, daß durch die Institutionen kirchlichen Lehrens bzw. durch den Besitz der Bibel die notwendige Gotteserkenntnis vermittelt und garantiert werde, führt nach Müntzer dazu, daß gerade in der Christenheit jene

Verschlossenheit hoffnungslos verfestigt wird. Wichtige Einsichten finden eher bei den Juden und Heiden als bei den Christen Gehör.[47] Hier ist ein Aufbruch, ja vielmehr ein Aufgebrochenwerden durch radikales „Erleiden" von Gotteserkenntnis notwendig.[48] Nur solche, denen dies widerfährt, können die dringliche Aufgabe des Lehrens, d. h. einer Wegbereitung für den je selbst zu erfahrenden Glauben, wahrnehmen. „Lehrbar" im eigentlichen Sinne des Begriffs ist Gotteserkenntnis, wie schon gesagt, ohnehin nicht. Hier kann nur Gott allein der Lehrende sein und will und wird es auch für diejenigen sein, die sich auf den Weg der Gottesfurcht begeben.

III Die Gotteserfahrung des Glaubens

1 Der durch das Wort handelnde Gott

Der in scharfer Polemik vertretene Gegensatz Müntzers gegen die Lutherische Auffassung vom Worte Gottes könnte den Blick dafür verstellen, daß auch Müntzer eine „Theologie des Wortes Gottes" vertritt, ja gerade ihr erst zu dem Recht, der Überzeugungs- und Wirkkraft zu verhelfen meint, die seinem Urteil nach im Rahmen der Wittenberger Schrifttheologie unerreichbar ist. Nicht nur den Altgläubigen, sondern auch den Wittenbergern wirft Müntzer vor, daß bei ihnen Gott „stumm" bleibt. Wer nur in der Bibel Gottes Wort zu finden meint, nicht aber sich für ein geistgewirktes, neue Offenbarungen bringendes Reden Gottes öffnet, betet – fixiert auf einen nur „erdichteten" Glauben – einen stummen Gott an.[49] Alles liegt aber daran, daß das lebendige Wort, das „aus dem Munde Gottes und nicht aus Büchern hervorgeht", gehört wird.[50] Für dieses Wort muß man empfänglich werden und es als von Gott selber in die Seele gesprochenes hören.[51]

Müntzers Insistieren auf dem inneren Hören des Gotteswortes hat nicht zur Folge, daß dessen Wortcharakter in Frage gestellt oder gemindert wird. Auch durch den von Müntzer für die Gegenwart betont in Anspruch genommenen, als Erfüllung der Pfingstverheißung verstandenen visionären Offenbarungsmodus soll der Wortbezug der Glaubenserfahrung nicht überlagert oder verdrängt werden. Denn visionäre Bekundungen Gottes bewirken für sich noch nichts, sondern sind auf worthafte Deutung angewiesen, um in die Gegenwart hinein „sprechen" zu können. Erst so vollzieht sich, wie Daniels Deutung des Nebukadnezartraumes zeigt, der Durchbruch zum Hören und Verstehen des Wortes und Willens Gottes. Im übrigen aber bleibt jede gegenwärtige visionäre Offenbarung inhaltlich dem Kriterium biblischer Entsprechungen unterworfen.[52]

Gott wird von seinen Erwählten als der zu ihnen Redende erfahren. Das ist das Grunddatum von Gotteserfahrung im Sinne Müntzers. Gegen die Wittenberger richtet er den Vorwurf, daß sie sich gerade mit ihrer Schrifttheologie gegen das aktuelle Reden Gottes zu den Seinen sperren, so daß der von ihnen vertretene „Glaube" eine Fiktion bleibt.[53]

Obwohl Müntzer als Glaubenserfahrung nur das Vernehmen des mit dem äußeren Wort nicht identischen inneren Redens Gottes anerkennt, behält doch, wie aus dem oben (Abschnitt II 3) Gesagten hervorgeht, auch das äußere Wort eine eminente Bedeutung. Zwar wird nach Müntzer nicht durch das äußere, gepredigte Wort der Glaube gewirkt. Ohne Frage aber ist auch nach Müntzer Gott selbst am Werk, wann und wo immer ein von Gott Erwählter den ihm offenbarten Willen Gottes verkündigt. Das wird durch das prophetische Selbstbewußtsein Müntzers selber deutlich belegt. Wenn es sich dabei nicht schon um Glaubensvermittlung, sondern um die Proklamation des Gerichts Gottes über die Gottlosen und um den Ruf auf den Weg der Gottesfurcht und des Glaubens handelt, so genügt nach Müntzer doch schon dies, um eine Wende von heilsgeschichtlicher Dimension in Gang zu setzen. In diesem Sinne wird Gott auch als der durch das „äußere" Wort Handelnde erfahren.

2 Der prädestinierende, die Gottlosen von den Frommen scheidende Gott

Prädestinationsgewißheit ist für Müntzer ein wichtiges Element des Glaubens. Das geht schon aus einer frühen Äußerung hervor, wie sie in dem im Juli 1520 aus Zwickau an Luther gerichteten Brief Müntzers vorliegt. Hier zitiert er in einer Reihe unevangelischer Sätze der Zwickauer Franziskaner auch die Aussage: „Predestinatio est res imaginaria, non debet poni in fidem, ut per eam nos certos sciamus,…"[54] Im selben Brief spricht Müntzer angesichts von Anfeindungen, denen er ausgesetzt ist, und von schwereren Kämpfen, die ihm noch bevorstehen, davon, daß durch den Rat Luthers und „aller Christen" Gott selbst das Geschehen lenken werde.[55]

An zahlreichen Formulierungen Müntzers auch in späteren Äußerungen wird deutlich, daß der Glaube es mit dem umwandelbaren Willen Gottes zu tun hat und seiner innewird. So kann Müntzer von der „unvorrucklichen… barmhertzikeit" Gottes, von seiner „unwandelbare[n] lieb", von „Gottis unvorru(e)cklichem willen", seinem „unbetrieglichen geyst"[56] sprechen.

Die Unwandelbarkeit Gottes und die Zielgerichtetheit seines Handelns ist für Müntzer ein wichtiges Element der Gotteserfahrung des Glaubens. Wer Visionen empfängt und sie deutet, muß darauf achten, ob sie auch wirklich aus Gottes unverrücklichem Willen hervorgegangen sind.[57] Von solchen, die ohne Vermittlung der Bibel zum Glauben gekommen sind, kann Müntzer sagen, daß sie den Glauben „vom unbetrieglichen Got gescho(e)pfft" haben.[58] Was in diesem Sinne vom Wesen und Willen Gottes zu sagen ist, gewinnt für Müntzer besondere Bedeutung als Grund von Erwählungsgewißheit und zugleich der Endgültigkeit des Urteils über die Gottlosen. Auf dem Wege der Gotteserfahrung, auf den die Erwählten sich einlassen müssen, ist eine wichtige Station das Begnadetwerden mit der Erkenntnis, daß der eigene Name im Himmel geschrieben sei (Luk 10,20). Nur so hat man Frieden, Freude und Gerechtigkeit im eigenen Gewissen und kann aus ganzem Herzen Gottes Namen suchen.[59] Die genannte Gewißheit kann Müntzer geradezu als das Ziel geistlicher Erkenntnis, auf das sich das eigene „Forschen" richten soll, bezeichnen.[60] Man muß merken, daß man Gottes Tempel sei, Gott von Ewigkeit zugehörig.[61] Wer glaubt, daß er vor der Gründung der Welt erwählt sei, und glaubend die darauf sich beziehenden Werke Gottes als Zeugnis annimmt, kann nicht von der Welt sein.[62] Wie diese Äußerungen erkennen lassen, ist Erwählungsgewißheit für Müntzer nicht im traditionellen Sinne das Privileg einzelner, aber auch nicht im Lutherischen Sinne ein Merkmal des auf das Evangelium bezogenen Glaubens, sondern sie ist gedacht als Frucht vollzogener und erlittener[63] Glaubensexistenz. Auf diesem Wege aber gewinnt der Erwählte Anteil an der in diesen Zusammenhängen immer wieder genannten Unwandelbarkeit Gottes selbst: Gott macht ihn zu einem Menschen, „der in Ewigkeit nicht wankend werden wird".[64] In einer besonderen Weise bezieht sich Gottes prädestinierendes Handeln auf die zur Arbeit in seiner „Ernte" bestimmten Prediger. Johannes der Täufer ist der Typos derer, die Gott „vom anfang ires lebens geschliffen hat wie ein starcke sensen oder sicheln".[65]

Das im gegenwärtigen Geschehen – in der Zeit der Ernte – sich manifestierende Ziel des göttlichen Handelns ist es nach Müntzer, die Gottlosen von den Auserwählten zu sondern. Müntzer stellt zwar keine Reflexionen über die Frage einer doppelten Prädestination an, aber die Endgültigkeit der gerade sich vollziehenden Scheidung ist für ihn unbezweifelbar. Da die „Pfaffen" schon zur ewigen Verdammnis verurteilt sind, „warumb solte ich sie nicht auch vorthümen"?[66] Müntzers Urteil, daß die sich den Frommen hindernd in den Weg stellenden Gottlosen „kein recht zcu leben" haben,[67] appelliert zwar aktuell an die Inhaber der Schwertgewalt, gewinnt jedoch im Kontext der genannten Äußerungen zugleich den Charakter prädestinatianischer Endgültigkeit. In dem gerade seinem Höhepunkt entgegentreibenden Konflikt, der eben sich vollziehenden Scheidung der Gottlosen von den Frommen, kommt im Sinne Müntzers Gottes ewiger, „unverrücklicher" Wille zum Ziel.

3 Gottes „Werk" und „Allmacht", „Mögliches" und „Unmögliches"

Wie setzt sich der „unwandelbare Wille" Gottes durch? Hat die Betonung des prädestinatianischen Aspektes bei Müntzer die Rückführung alles Geschehens auf die göttliche Allmacht zur Folge? Es fällt auf, daß gerade dies nicht geschieht. Müntzer spricht zwar des öfteren von „Gott dem Allmächtigen",[68] benutzt diese Bezeichnung aber überwiegend im Sinne eines geläufigen Majestätsprädikats ohne spezifischen Aussagegehalt im betreffenden Kontext. Nur vereinzelt gewinnt der Hinweis auf Gottes große Macht einen prägnanten Sinn. So appelliert Müntzer an die Sangerhausener, sich auch angesichts äußerer Bedrohung an Nahrung und Leben entschlossen für den Glauben einzusetzen, da „Got so geweldig sey", daß er mehr zu geben vermag, als sie zu verlieren fürchten.[69] Gottes Macht erscheint hier als selbstverständliches, sonst kaum der Erwähnung bedürftiges Vertrauensmotiv: Um mehr als einen „Kinderglauben" geht es hier noch nicht.[70]

Häufig und sehr betont spricht Müntzer von dem „Werk" Gottes. Dieser Begriff hat bei ihm einen prägnanten Sinn. Unter „Gottes Werk" versteht er das zum Glauben führende Wirken Gottes an den Erwählten, das für diese den Charakter unumgänglicher Leidenserfahrungen hat. Die Lutherische Lehre von der Rechtfertigung durch den Glauben „ohne Werke" verkennt nach Müntzer, daß der Mensch erst durch das vor und über allem zu erwartende und zu erleidende „Werk Gottes" zum Glauben kommen kann. Es muß also Entscheidendes am und im Menschen „bewirkt" werden. Man darf sich daher nicht zu schnell auf die in der Schrift enthaltenen („buchstabischen") Zusagen berufen, denn durch diese „ercleret" Gott nur seine in allen Auserwählten zur Wirkung kommende „almugende crafft".[71] Anders ausgedrückt: Gerade in den unumgänglichen Leidens- und Ohnmachtserfahrungen werden die Erwählten der Allmacht Gottes inne, die von ihnen erfahren wird als in die äußerste Anfechtung und so zum Glauben führende Kraft Gottes. In dem zu erleidenden Werk Gottes also kommt Gottes Allmacht – um hier einen Ausdruck Luthers zu gebrauchen – sub contrario (unter dem Gegenteil) zur Erfahrung.[72]

Im Zusammenhang der Müntzerischen Auffassung von Gottes Allmacht und Werk verdient auch die häufiger begegnende Rede von „Möglichem" und „Unmöglichem" Beachtung. Es handelt sich hier um Urteile, in denen Gottes Macht und Wirken zu einem bestimmten menschlichen Erfahrungshorizont, dem der fleischlichen Menschen, in Beziehung gesetzt werden. Für fleischliche Menschen ist der Glaube „ein unmu(e)glich ding". Aber nicht nur ihnen erscheint es so, sondern, wie Müntzer in seiner Auslegung von Luk. 1 anhand der Gestalten von Maria, Zacharias und Elisabeth zeigt, auch „allen wolglaubigen menschen".[73] Denn Glaube ist der Natur „gantz ein unmu(e)glichs, ungedachts, ungeho(e)rts ding": daß nämlich wir fleischlichen, irdischen Menschen von Gott selbst gelehrt, vergottet und in ihn „gantz und gar verwandelt" werden sollen.[74] So kann es dann auch heißen: Die Kraft des Allerhöchsten gebiert „das unmu(e)gliche werck Gottes in unserm leyden".[75]

Die Rede von Möglichem und Unmöglichem ist hier deutlich bestimmt durch den eingeschränkten Verstehenshorizont der Nichtglaubenden bzw. auch der auf dem Weg zum Glauben noch nicht ans Ziel Gelangten. Solange noch nicht die „ankunfft des glaubens" stattgefunden hat,[76] muß selbst von den biblischen Vorbildern des Glaubens gesagt werden, daß sie sich mit dem Glauben schwer tun.[77] Sie bleiben damit für Müntzer in eigentümlicher Nähe zu den „gotlosen und langsamen außerwelten", die Christus steinigen wollten.[78] Die Analogie zu gegenwärtigem Geschehen ist hier für Müntzer unmittelbar gegeben: „. . . , wie unsinnig wirt die welt, wenn ir die stimm Gotes mit rechter weyß wirt fu(e)rgehalten in der unmu(e)gligkeit und ankunfft des glaubens zu(o) warten und entlich zu(o) harren, . . ."[79] „Unmöglichkeit" (nämlich: zu glauben) wird hier Zustandsbeschreibung für alle, die sich durch ihre eigenen Begierden leiten lassen, Ehre suchen und den Reichtümern dienen.[80] Aus ihrer Sicht erscheint auch das, was jetzt geschehen soll – die Entmachtung der Gottlosen und der Übergang der Herrschaft an die Niedrigen im Sinne der Verheißung von Luk. 1 – als „unmöglich".[81] Solche Urteilsinkompetenz in der gegenwärtigen Christenheit wird durch die Lehre Luthers, derzufolge man in der Sicht Müntzers „zwei Herren dienen" solle, in verhängnisvoller Weise verfestigt.[82] Erst die im Glauben Ereignis werdende radikale Veränderung der menschlichen Existenz eröffnet die Einsicht in das von Gott her Mögliche, das identisch ist mit dem, was unter Gottes erwählendem Willen zum Ziel kommt. Bei Gott ist möglich, was Menschen für unmöglich halten. Von dieser Gewißheit weiß Müntzer sich bis in die letzten Tage und Stunden seines Kampfes gegen die „Gottlosen" geleitet, und in ihr sucht er seine Anhänger unermüdlich zu bestärken.

Müntzer kann nun aber auch in den gleichen Zusammenhängen deutlich von den *Grenzen* der Macht Gottes sprechen. Wiederholt begegnet die Rede von dem, was selbst Gott „nicht kann". Damit wird in der Regel die Unumgänglichkeit von radikalen Leidenserfahrungen des Menschen auf dem Wege zum Glauben unterstrichen. Zur Zeit der Propheten war die Gemeinde der Auserwählten Gottes, wie Müntzer in der Fürstenpredigt sagt, so sehr „in die abgo(e)ttische weise geraten", „das yr auch Got nit helffen mo(e)cht",[83] sondern sie in die Gefangenschaft und in das Leiden führen mußte. Der noch viel schlimmer verstockten gegenwärtigen Christenheit gilt die Frage: „Was sol dann Gott der almechtige mit uns zu schaffen haben? Drumb muß er uns sein guthe entzihn."[84] Es ist der Unglaube, der dem Wirken Gottes als entscheidendes Hindernis in den Weg tritt. Gott ist seinen Erwählten holdselig; wenn er sie „im allergeringsten ku(e)ndt warnen", würde er es auch tun. Durch ihren Unglauben aber werden sie dafür unempfänglich.[85] Nur dann „kann" Gott sich über uns erbarmen, wenn wir ihn von ganzem Herzen fürchten.[86] Wer „Gott vom abgrund seynes hertzens nicht alleyn fo(e)rchtet, dem kan auch Gott nicht gnedig seyn".[87] Solange uns die Furcht Gottes nicht „leer macht", kann Gott unsere Finsternis, die wir selbst nicht als solche erkennen, nicht erleuchten.[88] Und nur da, wo höchste Gottesfurcht waltet, „kann" Gott den Glauben des „Senfkorns", der den Unglauben überwunden hat, vermehren.[89]

Was Müntzer hier wiederholt und deutlich pointiert über die „Grenzen" von Gottes Macht zu sagen hat, ergibt sich für ihn aus biblischen Zeugnissen vom Handeln Gottes. Es geht ihm in solchen Zusammenhängen immer wieder um das äußerst dringliche

Appellieren an die Gottesfurcht. So, wie Müntzer dieses Erfordernis thematisiert, ist aber auch die Nähe zum scholastischen Gedanken einer „Disposition" für den Empfang der göttlichen Gnade unverkennbar. Müntzer benennt Voraussetzungen auf seiten des Menschen, deren Nichtgegebensein ein zum Heil führendes Wirken Gottes ausschließt. In seiner eigenen Sprache ausgedrückt: Erst durch den Geist der Furcht Gottes wird „das hertz gantz und gar mu(e)rbe" für den Empfang von Gottes Gabe;[90] erst die Furcht Gottes gibt dem Heiligen Geiste Raum;[91] der Mensch muß der von Gott ins Herz kommenden Bewegung nachgeben.[92] Bei Müntzer stellt sich das dispositio-Problem offensichtlich strenger, als es in der Regel in der Scholastik gesehen wird. Handelt es sich dort vor allem darum, das dem Menschen verbliebene liberum arbitrium bei der Heilsverwirklichung als natürlich-ontische Potenz zur Geltung zu bringen, so geht es Müntzer gerade um das Erreichen des Zustandes einer totalen Empfänglichkeit, die durch nichts aus der „Natur" des Menschen Kommendes gestört wird, d. h. um ein absolutes Leerwerden für das Wirken Gottes in der Seele. Dies geschieht aber nur auf dem dem Menschen zuzumutenden und von ihm bis zur äußersten Konsequenz zu verfolgenden und auszuhaltenden Weg der radikalen, alles andere ausschließenden Furcht Gottes.

Was ergibt sich aus dem Gesagten für den theologischen Topos von Gottes „Allmacht"? Nirgends zeigt sich ein Interesse Müntzers, dieses Gottesprädikat zum Gegenstand einer allgemeinen theologischen Reflexion zu machen. Bedeutung gewinnt der Begriff der Allmacht vor allem im Zusammenhang der den Menschen radikal verändernden Gotteserfahrung, d. h. von Aussagen über den Weg des Glaubens. Durch den Begriff „Allmacht" wird ein wichtiger Aspekt der hier sich ereignenden Gotteserfahrung bezeichnet: Gott begegnet als der, der das vom Menschen für unmöglich Gehaltene bewirkt. Der Begriff scheint bei Müntzer geradezu reserviert zu sein für das sehr persönlich zu erfahrende, auf den Menschen bezogene Handeln Gottes. In diesen Zusammenhang fügt sich offensichtlich widerspruchslos das Appellieren an die Bereitschaft des Menschen, sich in jeder Weise, im Leiden und Tun, auf Gottes Handeln einzulassen, weil sonst „unmöglich" Gottes Werk zum Ziel kommen kann. Wo immer Gottes Wirken am Verhalten des Menschen scheitert, steht nicht etwa das Majestätsprädikat seiner Allmacht auf dem Spiel. Denn in diesen Fällen handelt es sich um die Gottlosen, die Verworfenen, mit denen Gott nichts zu schaffen haben „will" und die schon jetzt dem Untergang geweiht und dem Verderben überantwortet sind.[93]

4 Gottes Liebe, Barmherzigkeit, Gnade

Müntzer weiß zwar sehr beredt von Gottes Zorn und Grimm zu sprechen,[94] schweigt jedoch fast gänzlich von Gottes Liebe und hat für den Begriff Gnade so gut wie keine Verwendung. Was besagt dieser Befund für das Gottesverständnis Müntzers?

Müntzers Grundverständnis von der Situation der Christenheit seiner Zeit macht es in gewisser Weise verständlich, daß er kaum Veranlassung sieht, von der *Liebe* Gottes zu reden. Der heillose Zustand, den er vor Augen hat, provoziert vor allem eine unerbittliche Polemik gegen den nur „gedichteten" Glauben unversuchter Menschen und gegen eine illusionäre Heilsvergewisserung, wie er sie in Gestalt des von Luther verkündeten „süßen Christus" brandmarken zu müssen meint. Nur ganz vereinzelt und im klar bezeichneten Erfahrungskontext tiefster Angefochtenheit sieht Müntzer Anlaß, ausdrücklich von Gottes Liebe zu sprechen. Wenn sich jemand im Sinne von Ps. 32 von seinen Sünden zu Gott wendet, seinen Unglauben bekennt, nach dem Arzt schreit, der Sünde feind und der Gerechtigkeit aufs herzlichste geneigt wird, „da wirt er erst seyner seligkeit versichert und vernimpt clerlich, das in Got durch seyne unwandelbare lieb zum gu(o)ten vom bo(e)sen getriben hat . . .".[95] Eine Vergewisserung hinsichtlich der Liebe Gottes erfolgt hier nicht im Zusammenhang einer Zusage oder Botschaft, sondern ergibt sich erst aus bereits durchschrittener Veränderung der eigenen Existenz „zum Guten". Erst dann, so scheint es, kann und darf von der Liebe Gottes die Rede sein, die angesichts solcher Selbsterfahrung als Element seines prädestinierenden Willens („unwandelbare lieb") erkennbar wird. Konkrete Leidenserfahrungen können für Müntzer aber auch zum Anlaß werden, im Sinne eines Zuspruchs an Angefochtene von Gottes Liebe zu reden. So in seinem Brief an die reformatorisch Gesinnten in Sangerhausen: „Nu hat euch Got der almechtige jo so liep, als er den lieben Jop mit allen heyligen merterern gehat hat . . .".[96] Müntzer spricht hier von einer Liebe, die ausschließlich den leidenden Erwählten zugewandt ist. Denn gewiß werden sie dieser Liebe gerade angesichts des bevorstehenden Gerichts über die Gottlosen: „Was wolt yr dann vorzagen? Dann ich sage euch vorware, es ist dye zeyt vorhanden, das ein blutvorgyssen uber die vorstogkte welt sol ergehen umb yres unglaubens willen."[97] Der Gedanke eines universalen Liebeswillens Gottes ist bei Müntzer nirgends anzutreffen.

Häufiger spricht Müntzer von Gottes *Barmherzigkeit*. Aber nirgends außer in liturgischem Zusammenhang [98] ist Gottes Barmherzigkeit ein um seiner selbst willen wichtiges Thema für Müntzer. Vielmehr geht es ihm – in deutlicher Abwehr vor allem lutherischer Predigt – um eine Bekräftigung dessen, daß Erweise der Barmherzigkeit Gottes streng konditional an die radikale Gottesfurcht gebunden sind.[99] Müntzer polemisiert gegen die unversuchten Menschen, die sich in ihrem gedichteten Glauben mit einer erdichteten Barmherzigkeit Gottes behelfen.[100] Auf Gottes unverrückliche Barmherzigkeit muß man lange warten.[101] Man darf Gottes Barmherzigkeit nicht seiner Gerechtigkeit überordnen, wie es der „ertzteuffel" Luther tut, der damit Gott zu einer Ursache des Bösen macht.[102] Sich auf solche Weise auf Gottes Barmherzigkeit zu berufen (d. h., ohne sich auf Gottes Gerechtigkeit, den Weg der Furcht Gottes, einzulassen), ist nach Müntzer selber schon ein Zeichen grausamster Strafe Gottes über den Vertreter solcher Lehre.[103] Nur gelegentlich spricht Müntzer von Gottes Barmherzigkeit auch ohne Betonung ihres streng konditionalen Bezugs, nämlich in solchen Zusammenhängen, in denen dieser ohnehin schon zweifelsfrei zur Geltung kommt. So schreibt er den „gotforchtigen" zu Sangerhausen, daß „Gotts unvorrugkliche barmherzigkeit" sie „mit rechten predigern begnadt und underricht hat".[104] Und in eigener Sache kann er an seine „unversuchten" Widersacher appellieren, sich „umb der barmhertzickeit Gottis willen" mit ihrem Urteil über ihn nicht zu übereilen.[105] Gottes „Barmherzigkeit" steht hier offenbar für etwas, was auch seinen Gegnern wichtig sein muß, durch unbedachtes Urteilen aber verleugnet werden würde.

Ganz analog zum Begriff der Barmherzigkeit kommt bei Müntzer auch der der *Güte* Gottes vor. Wichtig ist ihm hier wieder die Abwehr einer falschen, irreführenden Berufung auf Gottes Güte.[106]

Nahezu gänzlich fehlt bei Müntzer der Begriff der *Gnade* Gottes.[107] Auf die traditionelle heilsgeschichtliche Periodisierung[108] nimmt Müntzer Bezug, wenn er vermerkt, daß Herodes regierte, „da die gnad Gotes durch die gepurt Johannis und empfengnus Christi verku(e)ndiget ward".[109] Wichtig ist ihm hier, daß das edelste, höchste Gut den sich ihm gegenüber manifestierenden Widerstand des Gottlosen hervorruft.[110] Mit entschiedener Polemik wendet sich Müntzer gegen das lutherische „sola gratia". Die sich auf Röm. 4 stützende Behauptung, daß „Abraham umbsunst Gottes gnade uberkommen habe", bedarf der Korrektur von Gen. 15 und Ps. 32 her, wo von den mancherlei Stacheln des Gewissens die Rede ist. Erst durch sie werde der Mensch „von Gott zu erklerung der gnaden, die schon vorhyn drynnen ym herzen wonet, getrieben".[111] Was Müntzer unter der hier erwähnten, dem Menschen bereits innewohnenden Gnade versteht, geht aus dem Zusammenhang der zitierten Stelle nicht hervor. Vermutlich bezeichnet „Gnade" hier das „innerliche Wort" Gottes, das der Mensch im „Abgrund der Seele" zu hören vermag, sofern er dafür empfänglich bzw. „empfindlich" wird.[112] Müntzer weist hier hin auf das, was nur im eigenen Durchschreiten des von ihm immer wieder thematisierten Weges geistlicher Erfahrung „erklärt" werden kann. Auf diesen Weg – nämlich den der reinen Gottesfurcht – kommt auch hier alles an.[113] Alles liegt daran, daß Gnade nicht als Gegenstand vorschnellen Zugriffs oder Zuspruchs gedacht und gelehrt wird.

Die zuletzt zitierte Äußerung unterstreicht und verdeutlicht in ihrer Weise die betonte Zurückhaltung Müntzers in bezug auf den Begriff der Gnade. Aufgrund seines Verständnisses vom Anfechtungs- und Leidensweg zum Glauben kann Gnade ebenso wie Gottes Liebe oder Barmherzigkeit für Müntzer kein positiv zu entfaltendes Thema sein. Nur ausnahmsweise, wo in der Sicht Müntzers mit Evidenz der Weg des Leidens beschritten ist, sieht er es als erlaubt und notwendig an, in der Weise des Zuspruchs an Betroffene von Gottes Liebe oder Barmherzigkeit zu sprechen. An die Stelle des in der Tradition vorherrschenden Begriffs der Gnade als „donum", d. h. als den Menschen auf dem Wege zum Heil begleitender und verändernder göttlicher Kraft, tritt bei Müntzer faktisch der Begriff „Werk" oder „Wirkung Gottes" im Sinne des vom Menschen willig anzunehmenden Leidenswiderfahrnisses. Im Kontext der Müntzerischen Theologie wäre der im genannten Sinne gefüllte Gnadenbegriff fehl am Platz bzw. nur im Sinne einer stets zu vollziehenden konträren Deutung verwendbar. Müntzers Verdikt über Luther mit „deinem Augustino"[114] trifft auch diesen Begriff.

5 Gottes Zorn und Gericht

So indirekt, nur im stets zu betonenden Zusammenhang mit Gottesfurcht und Leidenserfahrung, nach Müntzer von Gottes Liebe, Barmherzigkeit, Güte oder Gnade zu sprechen ist, so klar und direkt sieht sich Müntzer beauftragt, Gottes Gericht als jetzt anstehend zu bezeugen, es sehr konkret anzukündigen und selber an seinem Vollzug in unfehlbar erkanntem prophetischem Auftrag mitzuwirken.[115] Angesichts dieses eindeutigen Befundes ist es fast verwunderlich, daß eine ausführliche begriffliche Thematisierung von Gottes Zorn und Gericht nicht stattfindet. Sie ist – so könnte man dies verstehen – gar nicht erforderlich in einer Situation, die ganz bestimmt ist durch die konkrete Ansage dessen, was in diesem Sinne jetzt geschehen soll und wird. Die „ketzerisschen pfaffen" behaupten zwar, man könne dem Zorn Gottes entfliehen „mit guten wercken, mit kostparlichenn tugenden". Aber sie wissen nicht wirklich, was Gott, was rechter Glaube, was Tugenden und gute Werke sind, und so wäre es nicht verwunderlich, wenn Gott uns alle, die Auserwählten mit den Verdammten, „mit eyner vil ernster sintflut den vor zceytten" verderbt und auch alle diejenigen verdammt hätte, die nur als Verführte an dem gottlosen Zustand der Kirche Anteil haben.[116] Geht es zunächst, diesen Äußerungen im „Prager Manifest" zufolge, vor allem darum, ein deutliches Bewußtsein von der Bedrohung durch Gottes Zorn und Gericht überhaupt erst zu erwecken, so gewinnt die Gerichtsansage später konkretere Gestalt. In seinem ersten Brief an Friedrich den Weisen unterstreicht Müntzer den Ernst seines Appells, sich als Fürst in den Dienst der Reformation zu stellen, durch den Hinweis darauf, daß Christus „am tage seyns grimmes" die wilden Tiere von seiner Herde vertreiben und die Könige zerbrechen werde.[117] An die Adresse der sächsischen Fürsten in der Predigt über Dan. 2: Auch die „allerliebsten so(e)hne" Gottes bleiben nicht verschont, wenn Gott „in seynem kortzen zcorn" entbrannt ist. Es werde sich aber, wenn sie es um des Evangeliums willen wagen würden, nur um ein „freuntlich steupen" handeln.[118] Angesichts dessen, daß die Mächtigen der Welt sich der Sache Christi entgegenstellen, wird für Müntzer klar, was von dem durch Luther gepriesenen weltlichen Regiment zu halten sei. In Hos. 13,11 findet er das Entscheidende gesagt: „Gott hat die herren und fu(e)rsten in seynem grymm der welt gegeben, und er wil sie in der erbitterung wider weg thu(o)n."[119] Das gleiche Wort dient dann auch der konkreten Gerichtsankündigung, die Müntzer drei Tage vor der Schlacht von Frankenhausen an Graf Albrecht von Mansfeld ergehen läßt: „Meynstu, das Gott der herr seyn unverstendlich volk nicht erregen konne, die tyrannen abzusetzen yn seynem grym, ...?"[120] Und am selben Tage an Ernst von Mansfeld: „Got hat dich verstockt wie den ko(e)nig Pharaonem ..."; „... du bist durch Gottes kreftige gewalt der verterbunge ubirantwort."[121] In die Sprache persönlichen Hasses aber mündet die Gerichtsandrohung bzw. -anwünschung gegen Luther ein, den Müntzer nur noch der Vernichtung wert erachtet: „Ich rüche dich lieber gepraten in deinem trotz durch Gotes grymm im hafen oder topff peym fewr, Hierem. 1, dann in deinem aygen so(e)tlein gekocht, solte dich der teuffel fressen, Ezechielis 23."[122]

Die Sprache Müntzers ist eindeutig und zeigt, wie er vom gegenwärtigen und unmittelbar bevorstehenden Handeln Gottes denkt. Was jetzt geschieht, ist bestimmt vom Zorn Gottes über die Gottlosen; es ist Vollzug des Gerichts. In dieser Weise wird Gott jetzt erfahren. Nur durch diese Erfahrung hindurch kann dann auch im Blick auf die Erwählten von der Liebe und Barmherzigkeit Gottes die Rede sein.

6 Die Gotteserfahrung des Glaubens: der trinitarische Gott

Auf dem Weg des Glaubens, der im Hören des „lebendigen Wortes Gottes" zum Ziel kommt, geht es nach Müntzer um nichts Geringeres als die Erkenntnis, „was Got sey".[123] Müntzer wirft im „Prager Manifest" den „ketzerisschen pfaffen" vor, daß sie nicht zu sagen wissen, „was Got sei in erfarunge".[124] Unverkennbar ist „Glauben" für Müntzer identisch mit *Gotteserfahrung*. Wo nicht wirklich sie sich ereignet, d. h., wo nicht Gottes Geist präsent ist und es nicht zum inneren Hören des lebendigen Wortes Gottes kommt, kann auch nicht von Glauben die Rede sein. Wie weit aber läßt sich nach Müntzer das eben zitierte, auf Gott bezogene „Was" verdeutlichen? Welche Hinweise bietet er zum Inhalt von Gotteserfahrung?

Es wäre sicher berechtigt, auf diese Frage hin das bisher schon zu Müntzers Gottesverständnis Ausgeführte zu resümieren: Gott als der durch sein Wort Handelnde; der im Vollzug von Prädestination die Gottlosen von den Frommen Scheidende; der Allmächtige, sein durch Leiden führendes Werk an den Frommen Vollziehende; Gott, dessen Liebe und Barmherzigkeit nur erfahrbar wird durch seinen Zorn und das gegenwärtig ergehende Gericht hindurch. Zweifellos ist mit diesem allen Wichtiges, von der zeitgenössischen Kirche zur Frage, „was Gott sei", nicht Erkanntes benannt. Die eigentliche Antwort Müntzers auf diese Frage aber dürfte, sehr traditionell klingend und doch ganz eigen geprägt, lauten: Glaube erfährt den trinitarischen Gott.

Einen wichtigen Hinweis in dieser Richtung bieten schon die von Müntzer geschaffenen liturgischen Formulare. Sie sind deutlich bestimmt von wichtigen Grundgedanken der Theologie Müntzers; in ihnen kommt die in der Gemeinde der Auserwählten lebende Erwartung aktuellen Handelns Gottes in deutlich pointierter, eigenwilliger Wiedergabe biblischer Texte zum Ausdruck.[125] Angesichts dessen verdient es Beachtung, daß zu den tragenden Elementen gottesdienstlichen Geschehens für Müntzer die Anrufung und der Lobpreis des trinitarischen Gottes gehört.[126] Hier handelt es sich ohne Frage nicht nur um die Übernahme von Traditionsgut unter dem Gesichtspunkt christlicher Identität, sondern um ein für die Erfahrung des Glaubens selbst grundlegendes und auf deren Erneuerung hin zu bekundendes Element des Gottesdienstes.

Die trinitarische Prägung der Erfahrung, „was Gott sei", wird auch in anderen Zusammenhängen von Müntzer deutlich zum Ausdruck gebracht. Besonders sprechend ist in dieser Hinsicht eine Stelle am Schluß der „Ausgedrückten Entblößung...": „...der allerho(e)chste Gott, unser lieber Herr, wil uns den allerhöchsten christenglauben durch das mittel der menschwerdung Christi geben, so wir im gleychfo(e)rmig in seynem leyden und leben werden durch umbschetigung des heyligen geysts..."[127] Der christologische Bezug begründet hier den leidensbestimmten Weg zum Glauben; der Heilige Geist wirkt den Glauben selbst. Denn, so heißt es unmittelbar zuvor: „Da gepyrt die krafft des allerho(e)chsten das unmügliche werck Gottes in unserm leyden... und wirt gantz und gar durchglastet vom liecht der welt, welchs ist der warhafftig, ungetichte su(o)n Gottes Jhesus Christus."[128] Mit anderen Worten: Der Heilige Geist bewirkt den Glauben; geprägt aber ist die Glaubensexistenz ganz von Jesus Christus her. Das gleiche kann Müntzer auch ausdrücken, indem er sagt, daß Gott der Vater den Sohn im Herzen des Menschen (an)spricht, der Mensch also als inneres Wort göttlichen Ursprungs Christus erfährt: Es gibt kein gewisseres Zeugnis, durch das die davon nur äußerlich handelnde Bibel bestätigt wird, als „dye lebendige rede Gots, do der vater den szon ausspricht im hertzen des menschen".[129] Unmittelbar zuvor aber ist vom Schreiben Gottes im Herzen „mit seinem lebendigen finger",[130] also mit dem Heiligen Geist, die Rede. Wo Müntzer vom „lebendigen Wort Gottes" oder vom „Ansprechen des Sohnes" im Herzen des Menschen redet, ist die Präsenz und Wirkung des Heiligen Geistes gemeint. Das *trinitarische* Mit- und Ineinander der den Glauben kennzeichnenden Gotteserfahrung ist für Müntzer, wie gerade die wiederholte, im einzelnen variierende Formulierung dieses Sachverhalts zeigt,[131] ein Urdatum des Glaubens selbst. Im Unterschied zu dem von den „Schriftgelehrten" überkommenen erdichteten Glauben entsteht der rechte Christenglaube, wie Müntzer in knapper trinitarischer Formulierung sagen kann, „durchs ewige, krefftig wort des vatters im su(o)n mit erleu(e)therung des heyligen geysts".[132]

Was Müntzer im eben gezeigten Sinne über die Glaubenserfahrung des einzelnen Christen oder Erwählten zu sagen hat, soll in ganz analoger Weise seine Ausprägung auch im Gottesdienst der Gemeinde finden. Die Aufeinanderfolge der Lesungen kennzeichnet für jedermann den von Müntzer häufig beschriebenen Weg zum Glauben. Durch die Epistellesung wird das Volk erinnert, „wie ein yder außerwelter mensch der wirckung Gottis sol stadt geben, ehe dann Got der vatter seinen allerliebsten son durch das evangelion außrede".[133] Von der vorbereitenden Leidenserfahrung (= „Wirkung Gottes"; siehe oben III 3) soll der Weg zum Vernehmen des lebendigen Gotteswortes führen. Für letzteres kann hier, im Vollzug gottesdienstlichen Handelns, freilich noch nicht das Geistwiderfahrnis selbst benannt werden, sondern nur das auf dieses verweisende äußere Wort der Evangelienlesung. Es verdient aber Beachtung, daß Müntzer für sie hier die gleiche Formulierung wählt, die er für das Sprechen Gottes im Herzen des Menschen zu benutzen pflegt. Die schon in anderem Zusammenhang (oben II 3) beobachtete Affinität jenes äußeren zum eigentlichen, inneren Geschehen findet hier ihre Bestätigung.

Die Gotteserfahrung des Glaubens ist, wie aus dem Gesagten zur Genüge deutlich geworden sein dürfte, für Müntzer in einem sehr pointierten Sinne Erfahrung des dreieinigen Gottes. Damit ist freilich noch nicht alles gesagt, was der Glaube für den Menschen selbst – als grundlegende Wandlung seiner Existenz – bedeutet. Darauf werden wir im Zusammenhang der Frage nach Müntzers Verständnis von der Schöpfung, bei der es vor allem um die Stellung des Menschen zu den „Kreaturen" gehen wird, zurückkommen müssen.

IV Das Verständnis der Schöpfung

1 Die Frage nach den „Kreaturen" im Zusammenhang der Theologie Müntzers

Schon die Bedeutung und Verwendung des Begriffs „ordo rerum" bei Müntzer läßt vermuten, daß das Verständnis der Schöpfung für ihn ein wichtiges Thema ist. Hängt doch das totale Versagen der Kirche und der Theologie seiner Zeit in der Sicht Müntzers damit zusammen, daß diejenigen, die in der Kirche zu lehren haben, nichts von der „in alle Kreaturen" gesetzten Ordnung Gottes zu sagen wissen. Kenntnis davon ist aber nach Müntzer, wie wir sahen, nur dort möglich, wo die „rechte Übung des Glaubens" geschieht und somit der Geist Gottes waltet. In der Tat ist dann auch fast überall, wo Müntzer das große Thema des Glaubens behandelt, von den Kreaturen – genauer: vom rechten Verhältnis des Menschen zu ihnen – die Rede. Das ist der Gesichtspunkt, unter dem das Thema Schöpfung für Müntzer von brennendem Interesse ist: Das Verhältnis des Menschen zu den Kreaturen liegt völlig im argen; hier kann nur und muß durch den Geist der Gottesfurcht, durch die Ankunft des Glaubens die radikale Wende geschehen. Nur so gewinnt die von Gott gesetzte Ordnung wieder ihr Recht und ihre Geltung.

Äußerungen Müntzers zum Thema Schöpfung, die nicht deutlich dem eben genannten Thema – Umkehr des Menschen im Zeichen von Gottesfurcht und Glauben – zugeordnet wären, sind kaum anzutreffen. Allenfalls könnte man Müntzers Unterstreichungen und Randbemerkungen zu bestimmten Tertulliantexten ein vom genannten Bezug unabhängiges Interesse an schöpfungstheologischen Fragen entnehmen. So wendet er z. B der von Tertullian vertretenen Seelenlehre seine Aufmerksamkeit zu.[134] Jedoch werden auch hier wieder uns schon geläufige Gesichtspunkte hervorgehoben. So etwa der Gedanke, daß alle Dinge auf ihren Ursprung zu beziehen seien.[135] Zu dem von Tertullian gegebenen Stichwort „ignorantia animae" ist für Müntzer wichtig, daß die Seele, wenn sie nicht die Unkenntnis ihrer selbst überwindet, weder Gott noch die Kreatur begreifen könne.[136] Auch hier also meldet sich das auf das „Ganze" (siehe oben II 4) gerichtete Erkenntnisinteresse Müntzers zu Wort.

2 Die von Gott gesetzte „Ordnung"

Eine Äußerung, in der das Thema Schöpfung wenigstens andeutungsweise eine gewisse inhaltliche Konkretion gewinnt, findet sich in einem stichwortartigen Predigtentwurf Müntzers vom Juni 1523. Die Predigt sollte diesem Entwurf zufolge in eine Betrachtung der „Ordnung" ausmünden. Für das „Betrachten" und „Machen" der Ordnung stellt Münzer eine bestimmte Reihenfolge auf: zuerst die vier Elemente und der Himmel, dann das Gewächs, die Tiere, der Mensch, danach Christus, „dornach Got vater almechtigk, ungeschaffener, do vorstehet man alle ding yhnnen".[137] Dieser knappe schöpfungstheologische oder, richtiger gesagt, ontologische Aufriß zeichnet sich in der Folge seiner Stichworte kaum durch Originalität aus. Genannt werden geläufige Topoi des an Aussagen von Gen. 1 anknüpfenden mittelalterlichen Weltbildes; der Mensch findet sich eingereiht in die ihn umgebende, in ontolo-

gisch aufsteigender Reihe bezeichnete Gesamtwirklichkeit, zu der zuoberst Christus und
Gott gehören. Aber nicht so sehr diese Reihe selbst, sondern der Gedanke, daß alle Dinge
nur in Gott wirklich verstanden werden können, dürfte hier für Müntzer wichtig sein. Vom
Gesamtduktus der Predigtgedanken her, an deren Schluß die genannten Stichworte stehen,
wird dies noch deutlicher. Wie so oft, liegt auch in den neun vorangehenden Punkten alles
Gewicht auf dem Weg zum Glauben, für den das Erleiden des Werkes Gottes das entscheidende Erfordernis ist. Erst dem, der auf diesem Wege zum Ziel gelangt ist, steht das Erkennen aller Dinge in Aussicht, für das Müntzer eine der „Ordnung" entsprechende Anleitung zu bieten hat. Nimmt man den folgenden Predigtentwurf hinzu, so wird die strikte
Bindung solcher Erkenntnis an den Glauben noch unterstrichen, insofern Müntzer hier betont, daß die adamitische „vornunfft dye oberste ordenunge nicht annimmet".[138] So bleibt
das, was man am Ende des ersten Predigtentwurfs zum Thema Schöpfung findet, doch recht
blaß und allgemein. Wichtig ist für Müntzer, daß dem Glauben ein „Verstehen" aller Dinge
– was immer dies heißen mag – in Aussicht steht und vor allem, auf welchem Wege man
dorthin gelangen, d. h., die solche Erkenntnis verhindernde adamitische Verkehrtheit überwinden kann.

Hinsichtlich dieses Problems aber ist für Müntzer das von den Menschen gelebte Verhältnis zu den Kreaturen von außerordentlicher Bedeutung. Nahezu das gesamte schöpfungstheologische Interesse Müntzers – sofern von einem solchen im eigentlichen Sinne die Rede
sein kann – ist dieser Frage zugewandt. Bei näherem Hinsehen zeigt sich, daß alles, was
Müntzer über die Kreaturen, d. h. über das Verhältnis des Menschen zu ihnen, zu sagen hat,
auf die hamartiologisch-soteriologische Problematik bezogen und von ihr her bestimmt ist.

Die deutlichste zusammenfassende Formulierung zu der Frage, wie im Rahmen der „Ordnung" Gottes das Verhältnis des Menschen zu Gott und zu den Kreaturen sein soll, findet
sich an einer Stelle der handschriftlichen Fassung der „Ausgedrückten Entblößung...".
Dort spricht Müntzer „von der besizung Gottes uber uns und von unser uber die creaturen".[139] Beim Begriff Besitz ist hier offensichtlich an Verfügungsgewalt und Herrschaft auf
Grund einer bestehenden Rangordnung gedacht: So wie Gott das Besitzrecht, die Herrschaft
über den Menschen hat (und der Mensch ihm dies in uneingeschränktem Sinne einzuräumen
hat), so soll der Mensch über die Kreatur herrschen (und sich nicht etwa von ihr beherrschen
lassen). Daß es sich bei dieser Rede vom „Besitzen" um eine inhaltliche Aussage zum oft genannten Thema der „Ordnung" handelt, wird durch die Druckfassung bestätigt, die an der
zitierten Stelle ergänzt und variiert „. . . von Gott und seyner ordnung . . ., von der besitzung
nach uns und zu(o) Got . . ." und kurz danach noch einmal von der „besitzung Gottes und
unser u(e)ber die creaturen" spricht.[140] Der letztgenannten Formulierung nach übt der
Mensch mit Gott zusammen – offenbar geleitet durch seinen Geist – das Besitzrecht über die
Kreaturen aus.

Der Gedanke von Gott als dem „Besitzer" des Menschen begegnet schon im „Prager
Manifest". Dort bezeichnet Müntzer den Heiligen Geist als den Besitzer, wobei dieser abso-
lut gebrauchte Titel hier offensichtlich nur den rechtmäßigen Inhaber, also den Eigentümer,
meint.[141] Das nachdrücklich benannte Problem besteht darin, daß die Menschen sich dem
Heiligen Geist bzw. Gott als ihrem Besitzer verweigern. Sie geben nicht, wie sie es müßten,
dem Geist der Gottesfurcht Raum. Dadurch werden sie mehr und mehr verstockt: Sie „kunnen und wollen nit leher werden, dan . . ., es ehkelt yhn vor orem besitzer".[142] Solche Ver-
faßtheit und Haltung des Menschen blockiert das Zustandekommen des der Ordnung entsprechenden Gott-Mensch-Besitzverhältnisses. Denn dieses hat zur Voraussetzung die volle
Offenheit des Menschen für das Erleiden Gottes: „. . . Goth redt alleine in die leidligkeyt der

creatüren, welche dye hertzen der ungleubigen nicht habn."[143] Es geht hier also um ein uneingeschränktes Verfügen Gottes – des Heiligen Geistes – über den Menschen. Das Gemeinte kann Müntzer auch in dem Bild ausdrücken, daß „das herze eyn stul Gottes" wird und erkennt, „das es Got gewisslich zu seyner besitzunge erweleth habe".[144]

Müntzer verweist für das, wovon hier die Rede ist, auf den Anfang der Bibel. Dort könne man „die besitzung Gottes und unser u(e)ber die creaturen" lernen. Wer „den anfang der biblien nit recht lernen" will, werde „weder Got noch creaturen recht . . . verstehen und verordnen".[145] Müntzer denkt hier, wie auch durch andere Äußerungen bestätigt wird, an Einsichten, die aus den ersten Kapiteln der Genesis zu gewinnen sind.[146] Dementsprechend ist für ihn auch die Verkehrung der göttlichen Ordnung durch Adam samt der daraus für die adamitische Menschheit erwachsenen Folgen ein wichtiges Thema. Gott hat Adam durch ein einziges Gebot vor zukünftigem Schaden gewarnt. Diese Warnung zielte nach Müntzer darauf, daß Adam „durch der creaturen lüste nit vermanchfeltigt würde, sonder sich allain in Got belüstigte".[147] Geboten war dem Menschen die Lust an dem Einen, [148] an Gott und seinem schlechthin verbindlichen Willen; statt dessen aber hat der Mensch sich zur Lust an den Kreaturen, der Vielfalt der geschöpflichen Welt, verführen lassen. Müntzers Grundverständnis von der von Gott gesetzten Ordnung und ihrer Verkehrung durch den Menschen ist, wie der hier betonte Gegensatz der Vielheit zum Einen und Einfachen zeigt, von einer neuplatonisch gefärbten Sicht bestimmt.[149]

3 Die Verführungsmächtigkeit der Kreaturen

Wie schon erwähnt, ist ein positives Interesse Müntzers an einem Verständnis der Welt als Gottes Schöpfung, obwohl generell benannt, konkret kaum zu erkennen. Insbesondere erweist sich der Begriff der „Kreaturen" bei Müntzer als durchweg negativ besetzt: Die Kreaturen treten dem Menschen gegenüber in eine Art von Konkurrenz zu Gott und seinem Geist, indem sie den Menschen zum Ungehorsam und Unglauben verführen und ihn seiner Bestimmung, allein an Gott seine Lust zu finden, entfremden. Für den Menschen, der der Verführungsmacht der Kreaturen erliegt, wird Gott geradezu unerkennbar. Der „Hinterlist" der Kreatur wäre selbst ein Mose erlegen, so daß er Gott für einen Teufel gehalten hätte, wenn er nicht gemäß der „ordenung, die in Got und creaturn gesatzt ist", jene Hinterlist und Gottes Einfalt erkannt hätte.[150] Die Verführung und Bindung des Menschen in gottwidrigem Sinne durch kreaturbezogene Lust und Furcht ist denn auch für Müntzer ein fast unerschöpfliches Thema. Nur wenn man sich aus ihr gänzlich löst, kann es zu einer Erneuerung der Christenheit kommen. Schon Anfang 1522 bezieht sich die entschiedene Warnung Müntzers an die Wittenberger auf die mangelnde Klarheit und Konsequenz in dieser Hinsicht. So ist es bezeichnend, daß Müntzer in seinem Brief an Melanchthon vom 27. März 1522, seiner Stellungnahme zu den ersten reformatorischen Schritten in Wittenberg, die Freigabe der Ehe für Geistliche zum Hauptthema macht. Er billigt zwar die hierin bekundete Lösung von der „larva Rhomana",[151] rügt aber, daß die Wittenberger sich bei ihrem Vorgehen vom „stummen Mund" Gottes (der Bibel) statt von seinem lebendigen Wort leiten lassen, daher auch nicht zwischen Erwählten und Verworfenen unterscheiden und das strikteste christliche Gebot, das der Heiligung, mißachten.[152] Sie sind nicht in der Lage, Gott zu vernehmen, da wir „voller Begierden" sind.[153] Sie verleiten die Menschen zur Ehe, obwohl das Bett nicht rein, sondern ein Satansbordell ist. Das Beherrschtsein durch jene Begierden verhindert ihre Heiligung; erst durch die Heiligung wird bewirkt, daß nicht die Seele die niederen Ergötzungen als „falschen Besitzer" annimmt.[154] Das Schwatzen der Wittenberger

Theologen vom „Glauben" bewirkt denn auch, wie Müntzer später urteilt, nichts anderes als die „freyheyt des fleyschs".[155] Die „wollu(e)stigen, ehrgeitzigen" predigen das, was sie selber nicht versucht haben; ihnen darf man daher nichts glauben.[156]

Das dringlich zu Überwindende ist nach Müntzer also das Beherrschtsein der Menschen durch kreaturbezogene Lust: Die Seele muß „leer" werden von aller „Sättigung" an den Kreaturen.[157] Daß in der Problemsicht Müntzers die Sexualität eine bedeutende Rolle spielt, geht aus dem Gesagten zur Genüge hervor; aber auch im Streben nach Ehre und Reichtum findet kreaturbezogene Lust ihren Ausdruck.[158] Wenn Müntzer nun angesichts des Versagens derer, die sich der Sache Gottes hätten annehmen müssen, nämlich der Pfaffen und der Regenten, seine Hoffnung auf das Volk setzt, so muß auch hier zunächst das genannte elementare Hindernis überwunden werden. Wegen der „uno(e)rdenlichen lu(o)st . . ., die also u(e)ppig die zeyt verkurtzweylen", also es nicht zum geduldigen Warten auf Gottes Offenbarung kommen lassen, muß „das volck gantz hart gestrafft werden". Erst dann kann die Beseitigung der gottlosen Regenten geschehen.[159] Daß diese elementare Voraussetzung einer Reformation schließlich doch nicht erreicht wurde, vielmehr jeder seinen eigenen Nutzen mehr suchte als die „rechtfertigung der christenheyt", wertet Müntzer rückblickend nach der eingetretenen Katastrophe als deren Ursache.[160]

Die Kehrseite und notwendige Konsequenz der Lust an den Kreaturen ist nach Müntzer die ihnen geltende Furcht. „Darumb das der mensch von Gott zun creaturn gefallen, ist u(e)ber die massen billich gewesen, das er die creatur (zu(o) seynem schaden) meher dann Gott mu(o)ß fo(e)rchten."[161] Hier also zeigt sich nach Müntzer deutlich, was der Mensch sich eingehandelt hat, indem er den von den Kreaturen ausgehenden Verlockungen verfiel, statt Gott allein Inhalt seines Begehrens sein und bleiben zu lassen. Die Bevorzugung der Kreatur Gott gegenüber ist das „böse Werk" schlechthin.[162] Aus diesem bösen Werk aber erwächst eine Henkersfurcht, durch die vor allem das Verhältnis zu den Herren und Fürsten charakterisiert ist. Denn die Fürsten sind nichts anderes als „hencker und bu(e)ttel; da ist ir gantzes hantwerck".[163]

Müntzer sieht, daß die Bindung der Menschen an die Kreaturen in der Weise der auf sie bezogenen Lust und Furcht nahezu unüberwindlich ist. Die Christenheit „klebet also hart an den creaturn", daß es nur um sie bei allem Hader und Zank geht und nur an sie alle Gedanken verschwendet werden. Sobald aber jemandem „von Gotte gesaget wyrt", ist er „wye eyn eychenbloch".[164] Und doch muß ja die entschiedene und radikale Lösung von dieser Kreaturgebundenheit der adamitischen Menschheit – einschließlich der gegenwärtigen Christenheit – stattfinden. Sie kann nach Müntzer ihren Anfang nur durch eine Wende auf der Ebene der Furcht nehmen. Im Zeichen der Gottesfurcht muß die Furcht vor den Kreaturen überwunden werden. Unablässig beschwört Müntzer den „Geist der Furcht Gottes"[165] und appelliert an jedermann, zur Gottesfurcht umzukehren.[166] Nur wo Gottesfurcht die Oberhand gewinnt, wird das jetzt notwendige entschiedene und entschlossene Handeln möglich, bis hin zum Blutvergießen um des Glaubens willen.[167] Gottesfurcht bedeutet notwendigerweise ein Aufs-Spiel-Setzen „der ding . . ., die wir auf erden forchten".[168] Indem die Furcht des Menschen in strenger Ausschließlichkeit Gott zugewandt wird, wird es möglich, von der bisherigen „Verwicklung" mit den Kreaturen wieder frei zu werden. Im Zeichen der Gottesfurcht begibt man sich auf den Christusweg des Glaubens. Wie Adam „dye ordenunge vorkert und sich mit den creaturn vorwickelt" hat, so hat „Christus sich zum obersten gehalten unde dye creaturn voracht[169]."

Aus allem, was bei Müntzer zum Thema „Kreatur" zu finden ist, ergibt sich für diesen Begriff eine ausgesprochen negative Akzentuierung. Gewiß wird den Kreaturen in Müntzers

Aussagen über die von Gott gesetzte Ordnung der ihnen gebührende Platz zugewiesen. Aber dieser ist nur gekennzeichnet durch Nachordnung gegenüber dem Menschen in der ontologischen Hierarchie, Besitzrecht des Menschen (bzw. Gottes und des Menschen) an der Kreatur, „Verachtung" der Kreaturen (im Sinne eines Sich-Erhebens über sie) zugunsten des Sich-Haltens an Gott allein. Zur Frage eines erneuerten, positiven Verhältnisses des Menschen zu den Kreaturen findet man bei Müntzer kaum etwas. Das immerhin von ihm benannte Thema der vom Menschen auch nach „unten" hin zu realisierenden „Ordnung" liegt faktisch außerhalb seines Interesses. Unablässig aber ist Müntzer bemüht, seinen Lesern die Inferiorität von Kreatürlichem bis in alle Konsequenzen hinein einzuschärfen. Als Mittel oder Vermittlung für das rechte Gottesverhältnis des Menschen kommt es schlechterdings nicht in Betracht. Gott allein gibt den Glauben; Kreatürliches steht hier nur im Wege. Selbst die Bibel bleibt hierbei „verschlossen"; keine Kreatur kann sie auftun: „. . ., ja du must alle becleidung, do du von allen creaturn angezogen bist, lassen Got durch sein werck abwerffen."[170] Bis in die Eigenart Müntzerischer Bildrede hinein wird es greifbar, daß Kreatürliches für ihn fast nur als Gegenstand der Abwehr, ja von Abscheu und Ekel in Betracht kommt.[171] Von Müntzers Hauptthema her – der im Zeichen von Gottesfurcht und Glauben zu vollziehenden Absage gegenüber dem lust- und furchtbesetzten Kreaturverhältnis der adamitischen Menschheit – fällt ein tiefer Schatten auf Geschöpfliches außerhalb und „unterhalb" des Menschen. Die ontologische Inferiorität und bleibende Bedrohlichkeit von Kreatürlichem hinsichtlich der nur via crucis, in radikaler Absage an Kreatürliches zu erreichenden „Vergottung" des Menschen (siehe unten) bewirken nach Müntzer offensichtlich, daß dem Thema eines in positvem Sinne neu zu gestaltenden Verhältnisses des Menschen zur übrigen Schöpfung nahezu der Boden entzogen ist.

4 Der Mensch als „Gottes Wohnung"

Wo immer nach dem Verständnis von Schöpfung gefragt wird, ergibt sich die Frage, wie der Mensch im Zusammenhang der übrigen Schöpfung gesehen und wie sein Verhältnis zu ihr gedacht wird. Auch ungeachtet der eben benannten Problematik – der Bedrohlichkeit von „Kreatürlichem" für den Menschen – wäre hier doch begriffliche Klarheit zu erwarten. Aber Müntzers Aussagen über die „Ordnung" bieten keine eindeutige Zuordnung des Menschen zur Schöpfung insgesamt, sondern bezeichnen nur seine Stellung zwischen Gott und den „Kreaturen".[172] Im übrigen scheint es hier für Müntzer nur das Thema der Pervertierung der adamitischen Menschheit im Sinne der Kreaturabhängigkeit, also eines mit allen Mitteln und mit äußerster Konsequenz zu überwindenden Zustandes, zu geben.[173] Während so die Zugehörigkeit des Menschen zur „Kreatur" im ungewissen zu bleiben scheint, betont Müntzer in jeder Weise die ursprüngliche und wiederzugewinnende, ja in gewisser Hinsicht sogar auch während des Zustandes der Kreaturgebundenheit sich durchhaltende Gottzugehörigkeit des Menschen. Der lebendige Gott redet im Innern des Menschen. Alles liegt aber daran, daß solches Reden Gottes auch vernommen wird und nicht die „fleischlichen luste" solches Wahrnehmen unmöglich machen.[174] Wer sich der Verführung durch das „natürliche Licht" entziehen könnte, „wu(e)rde bald empfynden die wirckung go(e)ttlichs wordts auß seynem hertzen quellen".[175] Ein wollüstiger Mensch freilich unterdrückt „alle wirckung des worts, das Gott in die selen redet. Drumb, wann Got scho(e)n sein heiliges wort in die selen spricht, so kan es der mensch nicht ho(e)ren, so er ungeu(e)bt ist, dan er thut keinen einkehr oder einsehn in sich selber und in abgrundt seiner selen."[176] Wenn aber das Herz, der Acker des Wortes Gottes, gereinigt ist, dann „wirt der mensch erst gewar, das er Gotis und des heilgen geists wonung sey in der lenge seiner tage. Ja, das er warhafftig geschaffen sey allein der ursach, das er Gottis gezeugnis in sinem leben erforschen sol."[177]

In dem Bild von der Seele als Wohnung Gottes treffen wir auf die entscheidende Aussage Müntzers über die Bestimmung des Menschen. Müntzer bezieht sich an der zitierten Stelle auf den 93. Psalm, der im gleichen Sinne auch in anderen Zusammenhängen angeführt wird.[178] Der Mensch soll in sich selbst Gott erkennen – als den, dessen Wort er im eigenen Leben und Herzen vernehmen kann und der als in ihm Wohnender anwesend ist. In solcher Geist-Gegenwart Gottes wird für den Menschen erkennbar, daß er selber ebenso „eyn son Gottis" ist wie Christus „der uberste yn den sonen Gottis".

Was Christus kraft göttlicher Natur ist, sind die Auserwählten aufgrund von Gnade.[179] Im Hinblick auf die „Ankunft" des Glaubens kann Müntzer das gleiche auch als ein völliges Verwandelt-, ja Vergottetwerden des Menschen beschreiben, dessen irdisches Leben sich in den Himmel „schwenkt". Hier geschieht, was der Natur „unmöglich" erscheint: „. . ., das wir fleyschlichen, yrdischen menschen sollen go(e)tter werden durch die menschwerdung Christi und also mit im Gotes schu(o)ler seyn, von im selber gelert werden und vergottet seyn, ja wol vil mher, in in gantz und gar verwandelt, auff das sich das yrdische leben schwencke in den hymel . . ."[180] Müntzer spricht hier eindeutig von der schon jetzt erfahrbaren Glaubensexistenz der Erwählten,[181] nicht etwa von einem Geschehen künftiger, eschatologischer Vollendung. Er beschreibt den Gegensatz von natürlicher (fleischlicher) und Glaubensexistenz. Die Kennzeichnung der letzteren bestätigt die Beobachtungen, die sich zu Müntzers Verständnis vom Kreatürlichen ergaben. Der Schritt von der pervertierenden Kreaturbindung zum Leben im Glauben wird von Müntzer nicht eigentlich als Befreiung zu echter Geschöpflichkeit verstanden und beschrieben, sondern als Überwindung des kreatürlichen, irdischen Lebens. Die Glaubensexistenz der Erwählten vollzieht sich zwar noch als zeitlich-irdische, scheint aber angesichts der Totalbestimmtheit durch die Präsenz Gottes und ihrer den Menschen verwandelnden, „vergottenden" Mächtigkeit nicht mehr wirklich durch Kreatürlich-Irdisches mitbestimmt und -betroffen zu sein. Man ist versucht, Müntzers Auffassung vom Gottes- und Weltverhältnis des seiner Bestimmung entsprechenden Menschen als weltflüchtig zu bezeichnen. Wer in sich selber Gott als Redenden vernimmt, Gott als anwesend erfährt und in diesem Sinne Vergottung erlebt, hat mit der Kreatur im Grunde nichts mehr zu schaffen.

V Zusammenfassung

Die Frage nach *Gott* ist im Leben und Denken Müntzers ein Urdatum von konfessorischer Eindeutigkeit. Antwort auf sie gibt es, wie ihm aus eigenster Erfahrung gewiß geworden ist, nur so, daß Gott sich als die die Existenz des Menschen schlechthin bestimmende Wirklichkeit manifestiert. Das geschieht, indem Gott als der mit seinem lebendigen Wort in der Seele des Menschen Redende vernommen wird. Müntzer sieht sich mit solcher Erfahrung zunächst einsam inmitten einer gottvergessenen, in Scheinglauben befangenen Christenheit, in der jedoch zugleich der Durst nach dem lebendigen Gotteswort spürbar ist. Er weiß sich beauftragt zur Wegbereitung für wirklichen Glauben, d. h. für eine der seinen gleichartige Gotteserfahrung bei allen Auserwählten.

Das Thema *Schöpfung* gewinnt bei Müntzer nur sekundär, in der Beziehung auf die zu erfahrende Gotteswirklichkeit, Bedeutung. Die Kreatur erscheint als der in der Hierarchie des Seienden inferiore Bereich, von dem her durch Verlockung und Knechtung der Mensch seiner Gottesbestimmtheit entfremdet wurde und noch ist. Die Lösung aus solcher Gebundenheit wird den Erwählten nur durch als Gottes Werk an ihnen begegnende tiefe Leidenserfahrungen zuteil. Die Gottlosen, die sich der jetzt in der Christenheit wiedererstehenden Gotteserfahrung in den Weg stellen, sind dem von den Erwählten zu vollziehenden Gericht Gottes verfallen.

Gotteserfahrung geschieht nach Müntzer in der Weise eines sich aus dem zuvor dominierenden Außenbezug lösenden, innenorientierten Hörens des Menschen. Eine in der mystischen Tradition ausgebildete Sprache dient der Darlegung des von Müntzer Gemeinten. Das Verhältnis von Gott und Kreatur wird von Müntzer mit deutlich neuplatonischer Färbung als der Gegensatz des Einen, Beständigen zum Vielfältigen, Veränderlichen bestimmt. Innerhalb dieser Relation bedeutet die dem Menschen neu zuteil werdende Erfahrung der Gotteswirklichkeit, daß der Mensch die Kehre von bisheriger Kreaturgebundenheit zu der ihm zukommenden Gottesbestimmtheit – in diesem Sinne „Vergottung" – erlebt. Eine eigenständige Bedeutung veränderter Welt- oder Schöpfungserfahrung im Zeichen der erneuerten Gottesbestimmtheit des Menschen wird bei Müntzer nicht erkennbar. Erfahrung Gottes, wie sie sich durch Kreuz und Gericht hindurch ereignet, ist das erste und letzte Wort in der Theologie Thomas Müntzers.

[1] H[ans]-J[ürgen] GOERTZ: Innere und äußere Ordnung in der Theologie Thomas Müntzers. Leiden 1967, 38. 39 f.
[2] Wolfgang ULLMANN: Thomas Müntzers Lehre von Gott und von der Offenbarung Gottes. Theol. Versuche 6 (1975), 89–104.
[3] Reinhard SCHWÄRZ: Die apokalyptische Theologie Thomas Müntzers und der Taboriten. Tübingen 1977, 114.
[4] MSB, 495, 10–12.
[5] MSB, 503, 3.
[6] MSB 510, 1–3.
[7] MSB, 491, 8–10; 496, 7–9; 505, 11–15.
[8] MSB, 491, 12; 496, 11; 505, 16 – 506, 1.
[9] MSB, 505, 11: „unfehlbare Übungen des rechten Glaubens".
[10] MSB, 495, 4 f; 505, 2 f; vgl. 395, 9 f.
[11] MSB, 565, 2–12; vgl. hierzu ETM, 238 f.
[12] So kommt z. B. Gabriel BIEL: Collectorium circa quattuor libros Sententiarum. Bd. 1: Prologus et Liber primus/ hrsg. von Wilfrid Werbeck und Udo Hofmann. Tübingen 1973, 32–38 (Prologus, qu. 2), zu dem Ergebnis, daß ein eigentliches Wissen (scientia proprie dicta) in bezug auf demonstrierbare, d. h. nicht auf dem Wege von Erfahrung vermittelte, theologische Wahrheiten möglich ist.
[13] Vgl. MSB, 565, 15 f.
[14] MSB, 500, 4.
[15] MSB, 500, 3.
[16] MSB, 492, 31 f.
[17] MSB, 492, 32–34.
[18] MSB, 528, 4.
[19] MSB, 30, 4 f.
[20] Vgl. MSB, 275, 26–34.
[21] Vgl. die von Müntzer inspirierte Stellungnahme des Allstedter Rats zur Zerstörung der Mallerbachschen Kapelle (MSB, 405, 15–24 [50]).

[22] MSB, 381, 20–25 (31).

[23] Vgl. MSB, 261, 14–20.

[24] Vgl. Müntzers Brief an die Mühlhausener vom 17. Mai 1525 (MSB, 473 f [94]).

[25] MSB, 491, 12.

[26] MSB, 496, 11. Vgl. die Formulierung in der lateinischen Fassung (505, 16 – 506, 1): „ordinem deo et creaturis congenitum" („die auf Gott und die Kreaturen bezogene ursprüngliche Ordnung"), d. h. ihr Verhältnis zueinander betreffend.

[27] MSB, 510, 3; vgl. im übrigen diesen Begriff in TOp.M.

[28] MSB, 519, 17; 520, 1.

[29] TCCh 11, 1; 12, 6 (CChr.Sl 2, 894, 1–9; 897, 29–35 / CSEL 70, 218, 29 – 219, 2; 222, 29–35). Dazu Müntzers Randbemerkungen: „omnes haeretici ignoraverunt ordinem"; „Apertissime cognostis quomodo hic nectat ordinem rerum" (TOp.M, 23). Hier und im folgenden beziehe ich mich auf die von Wolfgang Ullmann angefertigte Abschrift dieses bisher unveröffentlichten Materials, die er mir dankenswerterweise zur Verfügung gestellt hat.

[30] Zu dem von Tertullian vorgetragenen Gedanken von Adam als Bild des kommenden Christus, der wohl zu bedenkenden hohen Kunst Gottes, der Adam, das Bild des kommenden Christus, aus dem Schlamm bildete (TRM 6, 5 [CChr.SL 2, 928, 19–25 / CSEL 47, 33, 19–25]), bemerkt Müntzer (TOp.M, 38): „Heretici contempnunt viles creatures: quia ordinem rerum minime intelligunt" („Die Häretiker verachten die schwachen Kreaturen, weil sie die Ordnung der Dinge überhaupt nicht begreifen").

[31] Die Menschwerdung Christi zielte nach TCCh 12, 6 (CChr.SL 2, 897, 31–34 / CSEL 70, 222, 32–34) nicht darauf, daß die Seele sich selbst in Christus, sondern daß sie Christus in sich selbst erkennen sollte. Müntzers Randbemerkung dazu siehe oben Anm. 29.

[32] TOp.M, 28: „Hic rursus tangit ordinem rerum de conceptione diversorum", zu TCCh 17, 5 (CChr.SL 2, 905, 31–37 / CSEL 70, 233, 31–38).

[33] „Aus der Ordnung der Dinge beweist er die Auferstehung" (TOp.M, 34). Aufgrund der hier benutzten Tinte könnte diese Stelle zu den von Ullmann vermuteten älteren Eintragungen Müntzers gehören.

[34] TRM 2, 7 (CChr.SL 2, 922, 31 f / CSEL 47, 27, 6): „nam et ordo semper a principalibus deduci exposcit" (TOp.M, 36).

[35] TRM 2, 7 (CChr.SL 2, 922, 30 f / CSEL 47, 27, 5 f): „Hoc ferme modo dicimus ineundam cum haereticis disceptationem, . . ." (es folgt das Zitat oben Anm. 34).

[36] Vgl. MSB, 519, 20; 534, 17 f. Ohne Frage sind die oben Seite 15 zitierten variierenden Formulierungen im „Prager Manifest" von diesem Grundgedanken her zu verstehen.

[37] Zu dem von Tertullian ausgeführten Gedanken, daß die Häretiker, die den Gott des Mose verwerfen, dennoch dessen Schriften und dessen Welt benutzen, jedoch Christus und die Engel falsch aufeinander beziehen (TCCh 6, 4 f [CChr.SL 2, 884, 24–37 / CSEL 70, 204, 24 – 205, 37]), bemerkt Müntzer: „Nullus doctorum scripsit ordinem, ob id non potuerunt vincere unum haereticum, nisi scripturis, quae possunt vario glossemate innotui et comparari" (TOp.M, 18).

[38] Vgl. die oben Seite 13 zitierten Aussagen im „Prager Manifest". Mittels der von ihnen „gestohlenen" Schrift sind die Gelehrten und Pfaffen nicht in der Lage, die Ordnung Gottes zu erklären (MSB, 491, 11 – 492, 4).

[39] MSB, 314, 26–31; 219, 24–26: Müntzer spricht von der Erkenntnis der „Hinterlist" der Kreatur und der „Einfältigkeit" Gottes „nach der ordenung, die in Got und creatur gesatzt ist", und bringt dazu am Rande den Hinweis „Gene. 1".

[40] Vgl. den Predigtentwurf MSB, 519, 21 – 520, 14, sowie den Anfang der Niederschrift über die Menschwerdung Christi (520 unten, 1 – 521, 2).

[41] MSB, 228, 16–18; 290, 31 – 291, 2; 492, 20–23.

[42] MSB, 236, 21 f; 309, 34 f.

[43] MSB, 324, 12 f. 16–20.

[44] MSB, 519, 17–20.

[45] MSB, 534, 15–18.

[46] Vgl. den Begründungssatz MSB, 534, 17 f: „Sed cum in Deum regeritur, optima est rerum scientia." Auf ein Verstehen „in Gott" zielt auch die von den vier Elementen aufsteigende Betrachtung (siehe oben Seite 16); 519, 19 f: „. . . Got vater . . ., do verstehet man alle ding yhnnen."

[47] MSB, 311, 12–16; 314, 3–10.

[48] In seinen Briefen an Christoph Meinhard vom 11. Dezember 1523 und vom 30. Mai 1524 spricht

Müntzer von Leuten, „die do meynen, man kunne Gottis kunst ym augenblick uberkommen, sehen abber nicht, wye vil muhe es eynem kostet, Gottis werk zu erdulden ym hochsten grad die forcht gottis wye den morder am creutz tragen" (MSB, 399, 15–18 [47]); „. . . die nacht" erleiden (402, 12 f [49]).

[49]   MSB, 269, 1; 295, 17 f; 297, 32–35.

[50]   MSB, 380, 12 (31); vgl. 493, 11.

[51]   MSB, 251, 3–9. 15 f; 252, 18 f.

[52]   Rudolf MAU: Müntzers Verständnis von der Bibel. In: TMD, 35 f.

[53]   Nach dem Verständnis der Wittenberger dagegen wird nur durch das Hören auf das Wort der Schrift Gott als der gegenwärtig Redende erfahren: Indem Müntzer der Heiligen Schrift nur eine sekundäre Bedeutung gegenüber dem unmittelbar zu vernehmenden inneren Wort zuerkennt, erliegt er der Gefahr eines illusionären Glaubens.

[54]   MSB, 359, 25 f (13): „Die Prädestination ist eine eingebildete Sache. Sie darf nicht dem Glauben zugeordnet werden, so daß wir uns durch sie sicher wissen würden . . .“

[55]   MSB, 358, 22–24 (13).

[56]   MSB, 237, 18 f; 302, 24; 253, 9; 339, 27.

[57]   MSB, 253, 6–11.

[58]   MSB, 278, 3 f.

[59]   MSB, 301, 11–20.

[60]   MSB, 382, 14 f (32).

[61]   MSB, 292, 33–38.

[62]   MSB, 382, 16–18 (32).

[63]   Siehe unten Abschnitt III 3 zu Gottes „Werk".

[64]   MSB, 382, 21 f (32). Müntzers freie Übersetzung der hier zitierten Stelle Ps. 93 / 92,1 betont gerade diesen Aspekt; vgl. 115, 9 f.

[65]   MSB, 307, 17–20.

[66]   MSB, 499, 30 f. Bemerkenswert ist die Meinung Müntzers, es wäre nicht verwunderlich, wenn Gott „unß alle", die (verführten) Auserwählten mit den Verdammten, gänzlich verderbt hätte (502, 15–19). Gemeint ist offenbar: Die einen und die anderen werden im Zustand des Unglaubens angetroffen; die Auserwählten aber erweisen sich als bereit für die Kehre zum Glauben und den hier zu beschreitenden Weg.

[67]   MSB, 259, 15.

[68]   Vgl. MSB, 209, 21; 248, 9; 253, 20 f; 395, 8 (45); 414, 3 (55); 432, 12 f (65); 462, 14 (83).

[69]   MSB, 413, 22–26 (55).

[70]   MSB, 413, 26–29 (55). Also ein sehr vorläufiges, nur auf Irdisches bezogenes Anfangsstadium von Glauben, dem der auf ewiges Leben bezogene „übernatürliche" Glaube erst noch folgen müßte. Aber selbst jene Anfangsstufe vermißt Müntzer noch bei den Sangerhausenern. Die Annahme von Goertz: AaO, 93, wonach Müntzer unter „Kinderglauben" die „vernünftige(n) Einsicht der natürlichen Vernunft" versteht und in diesem Sinne den Kinderglauben als gegeben ansieht, dürfte kaum haltbar sein.

[71]   MSB, 236, 4 f.

[72]   Zu diesem Sprachgebrauch von „Werk Gottes" bei Müntzer vgl. MSB, 224, 31; 233, 27–29; 235, 31 f; 237, 15–17; 301, 8–11; 315, 33 f; 402, 21 f (49); 404, 5 f. 10 f (49); 519, 8–10.

[73]   MSB, 280, 35 – 281, 6.

[74]   MSB, 281, 17 f. 26–30.

[75]   MSB, 318, 13–15.

[76]   MSB, 281, 20 f.

[77]   MSB, 219, 22–24 (Marginalie): „Zacharias, Elisabet, Maria omnes difficiles ad credendum".

[78]   MSB, 281, 33–37.

[79]   MSB, 282, 2–7.

[80]   MSB, 282, 11–26.

[81]   MSB, 289, 19–24.

[82]   MSB, 288, 6–31.

[83]   MSB, 242, 19 f.

[84]   MSB, 248, 9 f.

[85]   MSB, 249, 33 – 250, 3, mit Bezug auf biblische Texte, die davon sprechen, daß die Erwählten sich Gott entziehen: Deut. 1,32; 32,15–18; Matth. 23,37.

[86] MSB, 247, 3–5.

[87] MSB, 286, 8–11. Dies folgert Müntzer aus dem „gegenteyl der wort Marie", ebd, 12 f, d. h. aus der der ihren entgegengesetzten Haltung.

[88] MSB, 286, 16–21.

[89] MSB, 272, 13–22.

[90] MSB, 292, 3 f.

[91] MSB, 273, 32 f.

[92] MSB, 251, 23–25.

[93] Das wird von Müntzer auch konkret ad personam ausgesprochen, vgl. seinen Brief an Graf Ernst von Mansfeld vom 12. Mai 1525: „. . . Got hat dich verstockt wie den ko(e)nig Pharaonem, . . ."; „. . . du bist durch Gottes kreftige gewalt der verterbunge ubirantwort" (MSB, 468, 16 f. 21 f [88]). Auch hier freilich fügt Müntzer noch in Form einer Drohung den Ruf zur Umkehr hinzu (ebd, 22–24).

[94] Gottes allerliebsten Söhnen gilt nur sein kurzer Zorn (MSB, 260, 1). Die Herren und Fürsten hat Gott „in seynem grymm der welt gegeben, und er wil sie in der erbitterung wider weg thu(o)n" (285, 1–3); vgl. unten Abschnitt III 5.

[95] MSB, 302, 22–26.

[96] MSB, 414, 3 f (55).

[97] MSB, 414, 6–9 (55).

[98] MSB, 117, 8; 149, 7 = Ps. 118 / 117,1.29.

[99] MSB, 247, 3–5: „Gott mag sich auch uber uns nit erbarmen . . ., es sey dann, das wir yn auß gantzem hertzen allein forchten." 286, 16–19: „. . . die hertzliche barmhertzigkeyt Gottes kan unser unerkante finsternuß nit erleu(e)chten, dieweyl uns die forcht Gottes nicht leer macht . . ." 319, 2–8: In den Lobgesängen Mariä und Zachariä wird „von der hertzlichen barmhertzigkeyt also klerlich geredt . . ., welch durch den geyst der forcht Gottes u(e)berkumen wirt."

[100] Das geschieht, indem man („wir unversuchten menschen") biblische Worte von Gottes Barmherzigkeit als „ein natu(e)rlich promission ader zusage" versteht, d. h. als eine der unveränderten adamitischen Natur geltende Verheißung, mit der man „den himmel sto(e)rmen" will. Demgegenüber betont Müntzer, daß die Bibel dazu dienen soll, „zu to(e)dten . . . und nicht lebendig zu machen wie das lebendige wort, das eine lere sele ho(e)rt" (MSB, 220, 19–25).

[101] MSB, 237, 18 f.

[102] MSB, 339, 7–13.

[103] MSB, 339, 13 f.

[104] MSB, 408, 1–4 (53).

[105] MSB, 240, 19–21 (Schlußsatz der „Protestation oder Erbietung").

[106] MSB, 248, 1–10: Wegen der Verstocktheit des Gottesvolkes kann „die allerho(e)chste gute" nur durch die Drohung mit dem Ernst des Gerichts erklärt werden, ja muß Gott „uns sein guthe entzihen". 256, 19: Die heuchlerischen Pfaffen reden von „getichter gedult und gute". 260, 4–8: Die Gelehrten, die Müntzer „die gu(e)ttigkeit Christi vorhalten", sollten auch den Eifer Christi, mit dem er die Wurzeln der Gottlosigkeit zerstört, ansehen. 307, 31 – 308, 1: Die „bo(e)ßwichtischen ertzheu(e)chler" wollen „gu(e)tiger denn Gott seyn", indem sie die falschen Prediger verteidigen. 328, 9 f: Luther hält Müntzer, der den Ernst des Gesetzes predigt, „die gu(e)ttigkeyt des son Gottes" vor; 331, 1 f: Er verteidigt „mit schmeichelender gu(e)tigkeyt . . . mit den worten Christi" die Gottlosen; 331, 8–10: Er heuchelt mittels des teuren Schatzes „der gu(e)tigkeyt Christi und machet den vatter mit seinem ernst des gesetzs zu(o) schanden durch die gedult des sones". 408, 20–22: Die „gotliche guthe" hat jetzt so reichlich vorgesorgt, daß zahlreiche Bündnisse von Auserwählten bestehen.

[107] Seine Briefadressaten redet Müntzer überwiegend mit der Aufforderung zur „Furcht Gottes" an (siehe unten Anm. 116); nur bei solchen Adressaten, bei denen er kein Mißverständnis befürchtet, verwendet er den biblischen Gruß „Gnade und Friede" (MSB, 398, 23 [47]; 411, 2 [53]; 424, 14 [61]; vgl. 387, 19 [38]: „ewyge barmhertzigkeyt").

[108] Als geschichtliches Gliederungsprinzip begegnet z. B. das Schema „natürliches Gesetz", „geschriebenes Gesetz" und „Gnade" bei Hugo von St. Viktor: De sacramentis christianae fidei (PL 176 [1854], 343 f).

[109] MSB, 283, 3–6.

[110] Gerade durch ihren Aufruhr gegenüber Gott erweist sich die Gottlosigkeit als solche und bestätigt die Anwesenheit des göttlichen Lichtes in der Welt (MSB, 283, 6–18).

[111] MSB, 403, 37 – 404, 4 (49).

[112] MSB, 251, 15–17; vgl. unten Abschnitt III 6.

[113] Vgl. MSB, 403, 28–31 (49).

[114] MSB, 339, 18.

[115] Vgl. zu dieser Thematik Gottfried MARON: Thomas Müntzer als Theologe des Gerichts: das „Urteil" – ein Schlüsselbegriff seines Denkens. ZKG 83 (1972), 195–225 / TMFG, 339–382.

[116] MSB, 502, 10–19.

[117] MSB, 397, 5–7 (45), mit Bezug auf Ps. 110,5; Hes. 34,10.

[118] MSB, 259, 29 – 260, 2.

[119] MSB, 284, 38 – 285, 3.

[120] MSB, 469, 11–13 (89), mit Bezug auf Hos. 13,11: „Dabo tibi regem in furore meo, et auferam in indignatione mea."

[121] MSB, 468, 16 f. 21 f (88).

[122] MSB, 341, 27 – 342, 1.

[123] MSB, 502, 3 f.

[124] MSB, 502, 13.

[125] Vgl. Walter ELLIGER: Müntzers Übersetzung des 93. Psalms im „Deutsch kirchen ampt". In: Solange es „heute" heißt: Festgabe für Rudolf Hermann zum 70. Geburtstag. Berlin 1957, 56–63.

[126] Vgl. MSB, 30, 13; 32, 11 f; 34, 25; 36, 20; 38, 17; 42, 12 u. s. f.

[127] MSB, 318, 25–32.

[128] MSB, 318, 13–21 (Kraft des Allerhöchsten = Heiliger Geist nach Luk. 1,35).

[129] MSB, 498, 27–29 (das „anspricht" in MSB ist nach Reinhard SCHWARZ: Thomas Müntzer und die Mystik, vgl. unten Seite 291 mit Anm. 98, in „ausspricht" verbessert).

[130] MSB, 498, 25 f.

[131] Vgl. z. B. auch MSB, 520 unten, 3–6, wo es heißt, Christus sei Mensch geworden, damit der Heilige Geist in den Herzen der Auserwählten „erclert" werde als der, der in Christus zugenommen hat. Es geht hier laut Fortsetzung um das Wachsen im Geist, das „unßerm vornunfftigen, sinlichen vichischen vorstande" entgegenwirkt (521, 4 f).

[132] MSB, 298, 21–23.

[133] MSB, 209, 16–18.

[134] An einer Reihe diesbezüglicher Stellen von TCCh finden sich in TOp Unterstreichungen und Randbemerkungen Müntzers.

[135] Zu TCCh 9, 1: „Omnis materia sine testimonio originis suae non est" (CChr.SL 2, 891, 3 f / CSEL 70, 215, 3 f) bemerkt Müntzer: „omnia ad originem trahenda" (TOp.M, 22).

[136] Zu TCCh 12, 3–5 (CChr.SL 2, 896, 16–27 / CSEL 70, 221, 16 – 222, 27) notiert Müntzer: „Ignorantiam sui habet anima et nisi eam diluat nec deum nec creaturam potest comprehendere" (Top.M, 24).

[137] MSB, 519, 17–20.

[138] MSB, 520, 1 f.

[139] MSB, 314, 9 f.

[140] MSB, 314, 7–10. 23 f.

[141] Vgl. MSB, 497, 22 f; 506, 25; 403, 7 (49): Die Stimme Christi als „des warhaftigen besitzers yn der sele". Von seiten des Menschen geschieht es allerdings, daß er „ehr und gu(e)tter zum besitzer nimpt" (282, 27–29). Erst die Heiligung schließt aus, daß die Seele niedere Gelüste („delectationes . . . inferiores") als falschen Besitzer („in falsum possessorem") nimmt (380, 27 f [31]).

[142] MSB, 499, 21–23.

[143] MSB, 499, 19–21.

[144] MSB, 21, 16 f.

[145] MSB, 314, 22–25. 28–31. „Verordnen" heißt hier offenbar: in richtiger Weise einordnen.

[146] Zu der Rede von der „ordenung, die in Got und creaturn gesatzt ist" (MSB, 219, 25 f), bietet Müntzer am Rande die Hinweise „Gene. 1 Luce. 4 Isaie 61". Hier dürfte vor allem an die Ordnung der Geschöpfe nach Gen. 1,27–30 und an deren Erfüllung durch Christus Luk. 4,4.14.18–21 in der Präsenz des Geistes Jes. 61 gedacht sein. Weitergehende Erwägungen zum Bezug des Gedankens der Ordnung auf Gen. 1 bietet Schwarz: AaO, 109–123.

[147] MSB, 334, 24–26.

[148] Im Zusammenhang dieses Gedankengangs geht Müntzer von der Mahnung des Paulus 2. Kor. 11,3 aus, bei der „Einfältigkeit Christi" zu bleiben.

[149] Vgl. Schwarz: AaO, 114. Das zeigt besonders auch die Adam-Christus-Typologie MSB, 520, 12–14 (die Auflösung 520, 12 muß „[Ad]am", nicht „[Abrah]am" lauten).

[150] MSB, 219, 23–26.

[151] MSB, 380, 5 (31).

[152] MSB, 380, 25 f (31).

[153] MSB, 380, 18 f (31).

[154] MSB, 380, 20–23. 27 f (31).

[155] MSB, 306, 18 f.

[156] MSB, 305, 35–38. Schon im „Prager Manifest" führt Müntzer irreführende Lehre auf eigensüchtiges Streben der Gelehrten zurück (494, 4).

[157] MSB, 520, 7; vgl. 520, 12 f: Adam hat „sich mit den creaturn vorwickelt".

[158] MSB, 282, 11–30. Der Grund für Unglauben und falsche Lehre bei Luther liegt in der Sicht Müntzers klar zutage: Er will „seyne fu(e)rgenummene lu(e)st alle inß werck fu(e)ren, seyne pracht und reychthumer behalten und gleychwol eynen bewerten glauben haben, . . .".

[159] MSB, 300, 25–29. In der handschriftlichen Fassung der „Ausgedrückten Entblößung . . ." heißt es (ohne Differenzierung zwischen Volk und Regenten): „Dan die gegenwertige cristenheit muss umb irer lust willen gantz und gar hart gestrafft werden, . . ."

[160] MSB, 473, 20 (94), Müntzer an die Mühlhausener am 17. Mai 1525.

[161] MSB, 285, 4–9.

[162] MSB, 285, 17–21.

[163] MSB, 285, 16 f.

[164] MSB, 421, 28–30 (59).

[165] Vgl. MSB, 319, 7; 327, 3; 402, 20 (49); 403, 30 (49); 492, 24; 496, 4; 499, 10. 12 f; 500, 1. 10. Der gelegentlich genannte Bezug auf Jes. 11,2 ist hier stets vorauszusetzen.

[166] Das bei Müntzer ständig präsente Thema „Furcht Gottes" gewinnt seit seinem Brief an Friedrich den Weisen vom 4. Oktober 1523 zunehmend seinen Ort auch am Briefeingang in Form eines Appells an so zu ermahnende Adressaten; vgl. MSB, 395, 7 (45); 405, 1 (50); 409, 25 (54); 416, 20 (57); 430, 3 (64); 454, 1 (75); 461, 2 (81); 462, 13 (83); 463, 8 (84); 467, 15 (88): drohend variiert an Graf Albrecht von Mansfeld: „Forcht und zittern sey eym yedern, der ubel thut." Der Gnaden- oder Friedenswunsch bleibt solchen vorbehalten, bei denen Müntzer die Gottesfurcht voraussetzt bzw. nur begleitend anmahnen muß; vgl. an die Sangerhausener: „. . . gnad und frid mit der reynen ungetichten furcht Gotts . . ." (411, 2 [55]).

[167] Gegenüber Hans Zeiß klagt Müntzer am 25. Juli 1524, daß die Christenheit dazu noch „zur zeyt ungeschickt" sei (MSB, 421, 26–28 [59]).

[168] MSB, 408, 18 f (53).

[169] MSB, 520, 12–14.

[170] MSB, 234, 4–10.

[171] Gewiß dienen Ausdrücke wie die im folgenden zitierten der Kennzeichnung gottloser Verkehrtheit der Menschen, aber es ist zu beachten, daß in der Sicht Müntzers gerade hierfür Kreatürliches vielfältige Anschauung liefert und so, wie es dem Menschen begegnet, als Typos eigener Perversion erscheinen kann. Zu der Frage Tertullians (TRM 4, 2 [CChr.SL 2, 925, 3–11 / CSEL 47, 30, 3–11]), ob man von einem gnostischen Häretiker denn etwas anderes als von einem Heiden höre, nämlich überall Beschimpfung des Fleisches, gerichtet gegen seinen Ursprung, gegen die Materie, gegen sein Zugrundegehen, gegen seine Entstehung aus der Hefe der Erde, aus dem Schlamm seines Samens, so daß nach der ganzen Grabrede auf die niedere Herkunft nur noch der Name Kadaver und Tod bleibe, bemerkt Müntzer (wie es scheint, im Sinne einer Zustimmung zur hier charakterisierten Sichtweise): „Nausea naturalium rerum in Tertuliano" (! – TOp.M, 37). Vgl. im übrigen MSB, 220, 6: „wansynnigen, wollustigen schweyne"; 222, 13: „wie ein molchelein oder pantherthier lebendig . . ."; 234, 2: „scho(e)ne kornro(e)belin" (als Unkraut); 256, 10 f: „wie sich die o(e)le [Aale] und schlangen zusammen vorunkeuschen . . ."; 303, 17 f: „. . . die gottlosen ineynander wie kro(e)tenreych henkken"; 304, 10 f: „das sagt man den schweynen im koet"; 305, 27–33: Wenn jemand sich stellen will „wie eyner, der gespeyet hett, und saget on allen unterlaß: glaub, glaub, das dir der rotz vor der nasen pflastere, der ist den schweynen und nicht den Menschen zu(o)stendig". 327, 18–22 erscheint Luther (wie noch mehrfach) in der Gestalt des „tu(e)ckischen kulckraben", der dem Aas „gerne auffsytzet", während Müntzer selbst – hier nun in einem lichtvollen Bild in anreichernder Anlehnung an Ps. 68 / 67,14 – von sich sagt, er habe „wie ein ainfeltige taube" seine „federn geschwungen, durch sylber uberzogen, das syben mall gefegt, und am rucken lassen goldtfarb werden, . . ., und uberflogen und verhasset das aß, . . .". Das hier benutzte Bild spricht – zumal in seiner steigernden, Müntzerischen Stilisierung – zu den Lesern weniger von „natürlich" Gegebenem her als

vielmehr durch die Elemente seiner traditionsbestimmt auf Ewiges verweisenden Symbolsprache. Es kommen freilich auch ursprünglich natürliche, positiv gemeinte Bilder vor, wie das biblisch vorgegebene (Matth. 23,37) von der „hennen, dye do warm macht yhre kynder" (500, 25; vgl. 492, 31–34: „... dye umb ore kinder her gheth, unde sye warm macht, ..."), aber die andere Seite der Bildsprache dominiert, vgl. 496, 10: „eselfortzigen doctor"; 501, 8 f: „hurnhengestiger pfaff"; 501, 30: „hodenseckysschen doctores"; 527, 3: „smeysfliegen" u. s. f.

[172] MSB, 519, 17–20. Im Zusammenhang der hier nicht vorzunehmenden spezielleren Erkundung der Anthropologie Müntzers könnten sich Aspekte deutlicheren Eingebundenseins des Menschen in die Schöpfung als ganze ergeben. Hierfür dürfte aber z. B. kaum der von Müntzer häufiger gebrauchte Begriff der „Natur" des Menschen in Betracht kommen, der die dem Wirken Gottes widerstrebende Art der adamitischen Menschheit bezeichnet, d. h., immer schon das zu überwindende Verhaftetsein an Kreatürliches zum Ausdruck bringt.

[173] Im Zusammenhang solcher Befreiung von der Kreaturherrschaft können und sollen „natürliche" Realitäten geradezu ignoriert werden, so z. B. in Müntzers Aufrufen zum Kampf in unbeirrbarer Gewißheit des von Gott schon gegebenen Sieges; vgl. MSB, 454, 19–21 (75); 455, 14–19 (75); 461, 18–23 (81) (unter Berufung auf Bibelworte wie 2. Chron. 20,15–17 und Ps. 3,7). Auch die erwähnte Selbstcharakteristik Müntzers (oben Anm. 171), wonach er wie eine Taube nur seine Federn geschwungen und das Aas überflogen und „verhasset" (verabscheut) habe, enthält deutlich das Moment der von der Bindung an Kreatürliches gelösten Gottnähe des Geistträgers.

[174] Vgl. MSB, 251, 21–29.

[175] MSB, 250, 28 – 251, 4.

[176] MSB, 252, 17–21.

[177] MSB, 252, 27–30.

[178] In Müntzers Übersetzung dieses Psalms im „Deutschen Kirchenamt" kommt wieder der Gedanke von Gott als dem „Besitzer" des Menschen (der Erwählte als Gottes „Stuhl") zum Ausdruck: „Dorumb, das du ein unwandelbar Got bist, hast du den außerwelten gemacht zu deynem stule ... do siht der mensch, das er ein wonung Gottis sey in der lanckweil seyner tage" (MSB, 115, 9 f. 17f).

[179] MSB, 425, 22–24 (61).

[180] MSB, 281, 22–31.

[181] Vgl. MSB, 521, 5–7: „Das wort Gottis muß uns vorgoten, wan es unßern vorstandt in dye dinsparkeit des glaubens gefangen nympt, ..."

Das Menschenbild bei Thomas Müntzer[1]

Von Dieter Fauth

Thomas Müntzers Anthropologie können wir zum einen aus direkten Aussagen über den Menschen erheben, zum anderen als anthropologische Implikationen aus angrenzenden theologischen Topoi Müntzers ableiten. In beider Hinsicht sind die Quellen ergiebig.

Die bisherige Forschung hat der Frage nach Müntzers Bild vom Menschen kaum Aufmerksamkeit gewidmet. Die erste hier zu nennende Arbeit ist gleichzeitig die einzige, die sich ausdrücklich mit Müntzers Anthropologie beschäftigt: Georg Born[2] fragt in einem Teil seiner Arbeit nach „Gedanken Müntzers über den Menschen". Hayo Gerdes[3] hat mit seinen Ausführungen zum Gewissen in Müntzers Theologie ein sonst nicht mehr verhandeltes anthropologisch wichtiges Teilthema dargestellt. Hans-Jürgen Goertz[4] verdient Erwähnung wegen seiner Auseinandersetzung mit den Zusammenhängen von menschlichem Geist, Seele, Seelengrund und dessen Beziehung zum göttlichen Geist. Hans Otto Spillmann[5] untersucht anthropologisch bedeutsame Begriffe Müntzers aus dem Bereich der intellektuellen Möglichkeiten des Menschen. Im Rahmen von Wolfgang Gerickes[6] Fragen nach Müntzers Ansicht von der „Erziehung der Menschheit" begegnen gehäuft anthropologisch bedeutsame Bemerkungen, ohne daß freilich die Frage nach Müntzers Anthropologie systematisch aufgegriffen worden wäre. Reinhard Schwarz[7] diskutiert mit Müntzers Gedanken zur „erwählten Nachkommenschaft"[8] und mit dessen Vorstellung vom Menschen nach dem Fall[9] für Müntzers Anthropologie wichtige Aspekte. Insgesamt steht die Forschung bezüglich der Frage nach Müntzers Menschenbild noch am Anfang.

I Die theologische Anthropologie

Ursprung, Wesen und Ziel des Menschen als die drei die Anthropologie bestimmenden Loci treten in der biblisch-dogmatischen Sicht vom Menschen in der Lehre von Urstand, Fall und Erlösung auf. Da Müntzer wie die Theologie seiner Zeit insgesamt in diesen grundlegenden heilsgeschichtlichen Kategorien über den Menschen nachdachte, ist es angebracht, zuerst mit diesen Kategorien die Quellen zu befragen.

Über Müntzers Vorstellung vom Menschen im Urstand gibt es nur wenige, aber klare Aussagen: „Der Mensch ist ein Diener, der deswegen erschaffen ist, daß er den Namen des Herrn heilige in allen seinen Werken und durch diese geübt werde, in einem ungedichteten Glauben Gott zu erkennen ...."[10] Zweierlei wird durch diese Aussage deutlich: Der Mensch ist Diener Gottes, und seine Bestimmung ist die Gotteserkenntnis. Er steht von Anfang an unter Gott, und zwar in dem Maß, wie die übrige Schöpfung unter dem Menschen steht. „... wye euch dye creaturn, also solt yr got untertanig seyn, ..."[11] Wegen dieses „doppelten Besitzverhältnisses",[12] in dem der Mensch zwischen Kreatur und Gott gestellt ist, muß der Mensch bereits im Urstand ein körperliches Sein führen. Nur so kann er die geschaffene

Kreatur gemäß seiner schöpfungsmäßigen Bestimmung studieren: „Wegen des Studiums aller Kreatur lebt der Mensch im Fleisch."[13] Die Einbeziehung des Menschen in die Kreatur steht im Dienst seiner Ausrichtung auf Gott; das „Studium aller Kreatur" dient der Gotteserkenntnis. Ihr soll das vornehmste Bemühen des Menschen gelten.

Neben dem Studium der Kreatur ist dem Menschen in seinem Leben eine weitere Quelle der Gotteserkenntnis gegeben. Der Mensch ist „... warhafftig geschaffen ... allein der ursach, das er Gottis gezeugnis in seinem leben erforschen sol".[14] Diese Ansicht weist auf Müntzers Hochschätzung der Erfahrung hin. Religiöse Erfahrung wird von ihm als hermeneutischer Schlüssel zum Verständnis der Bibel,[15] Gottes,[16] des Glaubens[17] oder des Geistes[18] gebraucht. Dabei ist der Mensch bereits von der Schöpfung her sowohl auf das Studium der Kreatur als auch auf das religiöse Lernen aus seiner Erfahrung ausgerichtet.

Aussagen Müntzers zum gefallenen Menschen sind häufiger und daher auch für differenziertere Beobachtungen zugänglich. Der postlapsarische Mensch erscheint Müntzer als „grobes"[19] und „verstocktes"[20] Wesen. Er ist aus sich heraus unvollkommen, ein „... elender und dorfftiger mensche".[21] Er kann nicht von sich aus zu seiner letzten Bestimmung vordringen. „... nyemandt vormag etwas auß seynen eygnen krefften."[22] Seine Erkenntnis ist korrumpiert. „Die Seele hat Unkenntnis von sich selbst ..."[23] In diesem status corruptionis „... ist alles falsch [!], was mensche gedencket; ...".[24] Auch in seinem Wollen ist der Mensch nicht mehr auf Gott ausgerichtet, sondern von „schlemmerey" und „lu(e)ste[n]",[25] also von der „wollust"[26] (concupiscentia), beherrscht. Damit ist der Mensch von seinen tierischen Anteilen bestimmt. Der „thirische mensch"[27] bzw. der „... vichische vornympt nichts, 1. Cho. 3., dan eytel fleysch".[28] Der gefallene Mensch klebt im Gegensatz zum Menschen im Urstand auch mit seinem Geist am Kreatürlichen, in Müntzers Sprache: Er ist „mit den creaturn vorwickelt".[29]

Müntzer vergleicht den gefallenen Menschen mit einem Fisch, der sich in tiefen, trüben, sauerstoffarmen, „faulen" Wasserschichten bewegt. Doch „... eyn mensche [wird] seynes ursprungs gewar ... ym wylden meer seyner begegnung, wan erh nun mitten ym schwank ist, so mus er thun wie eyn fisch, der dem faulen wasser von oben ernydder nachgangen ist: kert widder umb, schwymmet, klimmet das wasser widder nauf, auf das er yn seynen ersten ursprung muege kommen".[30] Der gefallene Mensch – hier im Bild vom gesunkenen Fisch angesprochen – vermag „yn seynen ersten ursprung" zu kommen. Erlösung ist Rückkehr zum Ursprung. Dem gefallenen Menschen, der nicht ganz im Kreatürlichen versunken ist, ist diese Rückkehr möglich. Denn dem Menschen verblieb ein „... cleines funckeleyn, das schier wil auffwachen zcum zcunderfewr".[31] Dieses Fünklein hat seinen Sitz im „Herz", d. h. in der Seele des Menschen. Der Mensch wird zu dessen Erkenntnis über die Anfechtungen seines Gewissens hingeführt: „... der mensche [wird] durch maniche stacheln seynes gewissens von Gott zu erklerung der gnaden, die schon vorhynn drynnen ym herzen wonet, getrieben ..."[32] Aufgrund dieser über den Fall des Menschen hinaus wirkenden göttlichen Prägung des Innersten im Menschen ist es schließlich möglich, daß sich „... das yrdische leben schwencke in den hymel, Philip. 3"[33] und daß der Mensch zum „Hymelische[n] menschen"[34] werde.

Die Erlösung des Menschen wird von Müntzer als heilsgeschichtliches Geschehen unter anderem in der Adam-Christus-Typologie oder der Eva-Maria-Typologie[35] beschrieben.

Abb. 1 Eyn deutsch Theologia/ hrsg. von Martin Luther. Wittenberg 1518,
Titelblatt mit Holzschnitt von Lukas Cranach d. Ä.
Niedersächsische Staats- und Universitätsbibliothek Göttingen (Signatur: 8° Mulert 256)

Eyn deutsch Theologia, das ist

Eyn edles Buchleyn/von rechtem vorstand/was
Adam vnd Christus sey/vnd wie Adam yn
vns sterben/vnd Christus ersteen sall.

Aussagen Müntzers zu Adam bzw. zu Eva sind, da diese als Typoi des Menschen verstanden werden, generell anthropologisch relevant. Wie Adam bzw. Eva dem Menschen den Fall brachten, so kam in Christus bzw. Maria die Erlösung von diesem Fall. Das „. . . kegenteyl ist Christus gleichwie [Ad]am[36] dye ordenunge vorkert und sich mit den creaturn vorwickelt, alßo Christus sich zum obersten gehalten unde dye creaturn voracht".[37]

In einem von Martin Luther herausgegebenen Druck der „Theologia Deutsch" (1518),[38] einer Schrift, die im Interessenhorizont Müntzers lag,[39] ist eine Adam-Christus-Typologie im Titelholzschnitt dargestellt.[40] Danach muß im Menschen der „alte Adam" begraben werden und Christus auferstehen. Dieses Titelblatt belegt, daß die als äußeres (historisches) Heilsgeschehen aufgefaßte Überwindung Adams durch Christus zur Zeit Müntzers als inneres Geschehen im Menschen begriffen wurde.

Auch Müntzer konnte den Weg zur Erlösung mit Worten erläutern, die die Innerlichkeit des Menschen betreffen. Der Weg zur Erlösung gleicht nach Müntzer einem inneren „Zerbrechen".[41] Auf diesem Weg müssen die „armuth des geysts"[42] und die „swacheyt"[43] unter „quelung der hellen"[44] in Geduld[45] gesucht werden. Müntzer spricht in diesem Sinn vom „widerspyl",[46] das der Mensch zu erleiden und zu deuten habe. Der Weg des Menschen zur Erlösung ist also ein Weg des Leidens. „. . . der leyb Christi wart dargegeben, offs creutze geopffert, wye wyr sollen Got geopffert werden."[47] Das ist der wegen des Falls zu zollende Tribut: Heil läßt sich nicht mehr direkt erreichen, sondern nur noch sub contrario, d. h. über den Weg des Leidens. Von diesem inneren Erlösungsgeschehen erhofft sich Müntzer, daß sich die Unkenntnis der menschlichen Seele über sich selbst auflöst und der Mensch Gott und die Kreatur begreifen kann.[48]

II Die Typisierung des Menschen

Der Mensch ist nach Müntzer offen für ein an der Kreatur oder an Gott ausgerichtetes Leben. Entscheidend dafür, welcher Seite sich der Mensch zuwenden wird, ist seine Gottesfurcht. „Dann gleich so wenig als man seligklich zcweyen herren dienen magk, Matth. 6, so wenig mag man auch Gott und creaturen seliglich fo(e)rchten."[49] Die Gottesfurcht ist das Kriterium, ob der Mensch zu den Verdammten oder den Auserwählten gezählt wird.[50] Mit diesen Begriffen wird eine weitere in der Bibel verbreitete Unterscheidung für Müntzers Menschenbild bedeutsam. Jeder Mensch ist einer dieser beiden Gruppen der Auserwählten oder der Verdammten zuzurechnen. Es gibt keine dritte Möglichkeit, etwa Menschen, über die eine solche Entscheidung gar nicht gefällt ist.[51] Über Müntzers Vorstellung von der zahlenmäßigen Verteilung von Auserwählten und Verdammten gibt es die gegensätzlichsten Ansichten. Spillmann meint, daß wenigen Auserwählten eine Masse Verdammter gegenüberstehe.[52] Das entspräche der Vorstellung, wonach nur die Plätze der gefallenen Engel mit Auserwählten aufgefüllt würden, was zum „numerus electorum" und zur „massa impiorum" führt. Michael Müller ist gegenteiliger Ansicht und meint, daß nur die geistliche und weltliche Herrscherschicht in Müntzers Augen verdammt sei, die Masse der Menschen aber auserwählt.[53] Die Durchsicht der einschlägigen Stellen[54] bestätigt Müllers Ansicht in ihrer Tendenz. Der Kreis der Verdammten muß aber doch weiter gezogen werden, da Müntzer den Verdammten solche „studenten unde pfaffen unde münniche" zurechnet, die sich sperren gegen „. . . dye lebendige rede Gots, do der vater den szon anspricht im hertzen des menschen".[55]

Von außen betrachtet, sind die Auserwählten oft nicht von den Verdammten zu unterscheiden. Denn es gibt unter den Auserwählten in Anlehnung an Joh. 10,25f und Ps. 82,5–7 auch die

„faulen" oder „langsamen",[56] die „schier gleich dem teil der vordampten" sind,[57] ohne allerdings aus der Gruppe der Auserwählten ausgeschieden zu werden. Den Grund dafür, daß die Auserwählten bezüglich ihrer Werke oft von den Verdammten nicht zu unterscheiden sind,[58] sieht Müntzer in dem schon lange anhaltenden, stetig fortschreitenden Verfall der Kirche.[59]

Müntzer geht also nicht davon aus, daß die Auserwählten von vornherein ihrer schöpfungsmäßigen Bestimmung gerecht würden. Sie müssen zu diesem Ziel hingeführt werden. Hier liegt die pädagogische Hauptaufgabe des Seelsorgers. Müntzer begreift den Menschen prozeßorientiert; er mißt ihn an seinem „ernst",[60] sich zu entfalten. Die Auserwählten sind fähig, sich zu bekehren.[61] Ihre „natürliche"[62] Vernunft muß in eine „aufgethane" bzw. „eröffnete"[63] verwandelt werden. Es ist geradezu das Privileg der Auserwählten, „versucht" zu werden.[64] „Die auserweleten muegen nicht zu weytt von Gote kommen, ehr sendet aus seyn feuer, Luce XII, fur wilchem sich niemand verbergen kan, das es seyn herz, seyne gewissen nicht solt treyben."[65] Wenn sich der Auserwählte dieser mit Leiden verbundenen Anfechtung willig stellt, kann er so weit kommen, die Sünde zu meiden.[66]

Neben der Vorstellung vom einzelnen Auserwählten gibt es bei Müntzer Gedanken über eine Gruppe solcher Menschen: die „Kirche der Auserwählten".[67] Damit macht Müntzer deutlich, daß Erwählung nicht mit Individualisierung verbunden ist, sondern daß auch der Auserwählte der Gemeinschaft bedarf. Die Mitglieder der ecclesia electorum kommen als Auserwählte aus allen Nationen und Religionen der Erde.[68] Der Antityp ist die Amtskirche, die Müntzer als „ecclesi[a] phantastic[a]" bezeichnet,[69] als „erdichtete Kirche". Die Korrespondenz dieses Begriffs mit Müntzers Rede vom „gedichteten Glauben" liegt auf der Hand.

Für die Einschätzung von Müntzers Menschenbild muß im Zusammenhang der Erwählung noch erörtert werden, von welchen Faktoren nach Müntzer diese beeinflußt ist und wie sich der Mensch seiner Erwählung bewußt werden könne.

Als eine Antwort auf die Frage nach den Faktoren, die für das Bewußtwerden der Erwählung bedeutsam sind, wurde bereits Müntzers Überzeugung genannt, der Mensch müsse sich von der Kreatur abwenden und sein Leben auf Gott hin ausrichten. Gott wende sich dann an den Menschen, indem er ihn „. . . anspricht im hertzen . . .", d. h. also in der Seele.[70] Für die Erwählungsfrage wird sich bei Müntzer bereits die Entstehung der Seele als bedeutsam erweisen. Ich erörtere daher auf dem Hintergrund der einschlägigen dogmatischen Vorstellungen Müntzers Haltung zur Frage der Entstehung der menschlichen Seele.

Nach dogmatischer Sicht gibt es unter anderen zwei sich gegenseitig ausschließende Anschauungen darüber, wie die Seele entsteht: kreatianisch oder traduzianisch. Gemäß kreatianischer Lehre erschafft Gott die Seele jedes einzelnen Menschen immateriell aus dem Nichts und gibt sie dem elterlichen Zeugungsprodukt ein. Die Seele entsteht also nicht durch „generatio", sondern durch „creatio". Gemäß traduzianischer Vorstellung entsteht die Seele durch die elterliche Zeugung, d. h. durch den in der Geschlechterfolge übertragenen Keim (Samen), also „ex traduce". Dieser „tradux animae" ist im ursprünglichen Traduzianismus, z. B. bei Quintus Septimius Florens Tertullianus, materiell gedacht, wird aber, z. B. beim späten Aurelius Augustinus, auch immateriell aufgefaßt.[71]

Müntzer teilt, wie dies auch bei den Hauptreformatoren – z. B. bei Martin Luther[72] und Philipp Melanchthon[73] – der Fall war, die Position des Traduzianismus[74]: „Die Seele ist ‚ex traduce' entstanden."[75] Insbesondere betont Müntzer die Bedeutung des männlichen Erzeugers. „Die Seele wird durch den Überträger des Samens erzeugt."[76] Im Rahmen dieser traduzianischen Anschauung gibt es nach Müntzer nur zwei Ausnahmen: Adam und Christus. „So wie Adam aus einer Jungfrau, der Erde, geboren ist, so mußte es auch im zweiten Adam geschehen."[77] Die Seelen aller anderen Menschen sind durch die Zeugung traduzianisch bestimmt.

Müntzer äußert sich detailliert über die für die Entstehung der Seele bedeutsame Zeugung. Sie muß ohne „niedere Lüste",[78] d. h. ohne „libido",[79] sein. Müntzer ist es wichtig, daß wir statt in der Lust „. . . unser kinder in der forcht Gotis zeugten",[80] denn „. . . alle leybs lu(e)ste [sind] verhinderung der wirckung des heyligen geysts . . .".[81] Müntzer setzt also anstelle des durch die Lust veranlaßten Beischlafs die durch den Heiligen Geist gewirkte Zeugung. Die Zeugung muß – einschließlich ihrem Zeitpunkt –[82] von Gott inspiriert sein.[83] Müntzer sieht jedoch, daß es praktisch nicht möglich ist, den Geschlechtsakt vollkommen von der Lust zu abstrahieren. Daher bleibt der Beischlaf in jedem Fall sündig. „Es ist die größte Sünde, seine Frau zu erkennen, auch im Fall der Nachkommenschaft."[84]

Gelingt es dem Menschen, die „viehische Lust"[85] im Zeugungsakt weitgehendst auszublenden und statt dessen von der „. . . Furcht Gottes und dem Geist der Weisheit . . ."[86] bestimmt zu sein, kann der Mensch gewiß sein, eine „auserwählte Nachkommenschaft"[87] gezeugt zu haben. Müntzer entfaltet diese Ansicht in einem an Melanchthon gerichteten – aber auch Luther[88] und Johann Agricola[89] bekanntgewordenen – Brief von Ende März 1522.[90] Danach vertritt Müntzer die Vorstellung einer Auserwähltheit in utero.

Aus Luthers[91] und Agricolas[92] Nachrichten über Müntzers eigenen Nachkommen kann – trotz der eventuell legendären Ausschmückung – ein zusätzlicher Gesichtspunkt zu Müntzers Vorstellung von der Auserwählung abgeleitet werden. Müntzer soll, als ihm die Geburt seines Sohnes Ostern 1524 bekanntwurde, nach langem Schweigen ausgerufen haben: „Nu sehet yhr furwar / das ich den creaturen gantz entrissen bin."[93] Den Kreaturen ganz entrissen zu sein, ist für Müntzer ein Kriterium der Auserwähltheit. In der Auserwähltheit der Nachkommenschaft erweist sich also auch die Erwähltheit der väterlichen Generation.[94]

Zum Schluß des Abschnitts seien noch weitergehende Vorstellungen Müntzers über die Möglichkeiten des Bewußtwerdens der Auserwählung angesprochen. Dazu ist der Blick auf die Rolle der Gottesfurcht zu richten. Es wurde bereits deutlich, daß bei der Zeugung die Gottesfurcht für die Erwählung bedeutsam ist. Die Gottesfurcht ist auch später für das Bewußtwerden der Erwählung entscheidend.[95] Die Möglichkeiten des Menschen, sich seiner möglichen Erwähltheit bewußt zu werden, entsprechen also dem Maß der Aktivität des Menschen bei der Aneignung der Gottesfurcht. Die Frage nach dem Beitrag des Menschen, um zur Gottesfurcht zu gelangen, ist bei Müntzer selbst nur am Rand diskutiert.[96] Müntzer vergleicht den Prozeß der Aneignung der Gottesfurcht mit einem Lehrer-Schüler-Verhältnis zwischen Gott und Mensch. Danach kann sich der Mensch die Gottesfurcht „vornehmen", indem er Tag und Nacht mit ganzem Herzen seufzt, schreit und bittet.[97] Der Mensch kann „fleiß verwenden", um die Gottesfurcht zu erlangen.[98] Letztlich bleibt der Mensch aber auf Gott angewiesen, der ihn die Gottesfurcht „lehrt".[99] Insgesamt scheint nach Müntzers Auffassung der Erwerb der Gottesfurcht und damit des Bewußtseins der Erwählung stark vom „ernst" des Menschen bestimmt, der die Wirkung der Gnade vorbereitet. Daß der Mensch in die Gottesfurcht bzw. zum Bewußtsein seiner möglichen Erwähltheit gelangt, ist letztlich aber doch ein Akt der Gnade.

III Der Gedanke der proles electa in der Geistesgeschichte

Die Frage, in welche geistesgeschichtliche Linie Müntzers Gedanke der Zeugung auserwählter Nachkommenschaft einzuordnen ist, wurde in der Forschung bisher kaum aufgeworfen.[100] Ich möchte dem nachgehen, weil diese Betrachtung noch ein vertieftes Verständnis von Müntzers Anthropologie ermöglicht.

Bei näherem Zusehen fällt die Häufigkeit auf, mit der bei den von Müntzer gelesenen Autoritäten der Gedanke irgendeines Aus- oder gar Zuchtwahlprinzips im Blick auf Partnerfindung und Nachkommenschaft begegnet. Bereits Adamantios Origenes, der von Müntzer im Rahmen seiner Sexualauffassung genannt wird,[101] verurteilt die Zeugung aus libido und betont die Bedeutung der Geistinspiration: „Wenn wir im Fleisch säen, ist das Kind . . . ohne Sehnen, schlaff und körperlich. Wenn wir aber gegen die Ewigkeit blicken, unseren Geist zum Besseren erheben und wenn wir Frucht tragen von den Früchten des Geistes, dann sind unsere Kinder männlich."[102] Hier begegnet wie bei Müntzer die Vorstellung von der geistinspirierten Zeugung als Voraussetzung dafür, daß sich die Nachkommen nicht auf zeitliche, fleischliche Güter, sondern auf die Ewigkeit hin ausrichten werden.

Auch bei Sophronius Eusebius Hieronymus, der sich intensiv mit Origenes beschäftigt hat und von Müntzer gelesen wurde,[103] findet sich mit der Ansicht, daß die Partnerfindung im Blick auf die erwählte Nachkommenschaft zu erfolgen habe,[104] mit Müntzers Vorstellungen verwandtes Gedankengut.

In der Schrift „De civitate dei" des Augustinus konnte Müntzer lesen,[105] daß dieser Kirchenvater die libido aus der Paradiesehe ausschließt und der Mensch – wäre er nicht der Sünde verfallen – „liebens- bzw. annehmenswerte Nachkommen" (diligendam prolem) hätte zeugen können.[106] Diese Vorstellung von der Paradiesehe könnte zwar ein Vorbild für Müntzers Ansicht von der heiligen Ehe gewesen sein, aus der die proles electa entspringt, jedoch ist eine Gleichsetzung der paradiesischen Nachkommenschaft im Sinne des Augustinus mit Müntzers proles electa nicht statthaft.[107] Müntzers Begriff hebt die Auserwählung der Nachkommenschaft *durch Gott* hervor, während Augustinus an der genannten Stelle die im Urstand ohne libido gezeugte Nachkommenschaft als *für den Menschen* liebenswert bezeichnet.[108] Weiterhin entspringt nach Augustinus die Nachkommenschaft der Paradiesehe einem völlig ohne libido und ganz vom Willen des Menschen bestimmten Zeugungsakt,[109] während nach Müntzer in der heiligen Ehe nach dem Fall der Zeugungsakt auch causa prolis sündig bleibt.[110] Nicht nur der Vergleich der Vorstellungen des Augustinus über die Paradiesehe mit den Ansichten Müntzers über die heilige Ehe ergibt wesentliche Differenzen. Auch die Äußerungen des Augustinus zur heiligen Ehe des Menschen nach dem Fall weichen von Müntzers Vorstellungen ab. Augustinus verwirft die praktischen Konkretionen der Ehegestaltung, die für Müntzer so bedeutsam sind. Für den Kirchenvater ist es „eine einzige Torheit",[111] daß „man sich den Tag für die Heirat aussucht",[112] „. . . die Stunde um seiner Frau beizuwohnen auswählt . . .",[113] um „einen herrlichen Sohn zu bekommen".[114] Müntzer konnte an den Ausführungen des Augustinus jedoch die Verbreitung dieser Praktiken sehen und konnte, da er auch sonst eine selbständige und kritische Haltung gegenüber Augustinus zeigt,[115] durchaus davon angesprochen sein. Näher scheint Müntzer der Ansicht des Hieronymus zu stehen, nach der Adam und Eva im Paradies jungfräulich geblieben waren und erst nach dem Fall die Ehe vollzogen. Nach dieser Auffassung ist der Geschlechtsakt von vornherein mit Sünde befleckt. Gerade aus diesem Grund ist die Heiligung der Ehe so wichtig,[116] um die sündige libido zu minimieren, wenn sie schon nicht eliminiert werden kann.

Neben den Kirchenvätern läßt sich aus den antiken staatsphilosophischen Quellen ebenfalls eine deutliche einschlägige Tradition des Gedankens von der Zeugung auserwählter Nachkommenschaft rekonstruieren. Deren Wurzel liegt bei Platon, den Müntzer studierte.[117] In seiner Schrift „Nomoi" widmet Platon dem Thema der Kinderzeugung breiten Raum.[118] Hier stellt er es als entscheidend heraus, daß die Menschen „. . . beim Kinderzeugen . . . auf sich selbst und die Unternehmungen [d. h. die Interessen des Staates] ihren Sinn richten".[119] Wie bei Müntzer wird also schon hier die Forderung der Zeugung aus höheren Motiven aufgestellt.

Direkt in Abhängigkeit von Müntzer oder geprägt von gemeinsam dahinter liegenden Traditionen, war der Gedanke an eine auserwählte Nachkommenschaft auch im direkten Umfeld Müntzers lebendig. Ein Beispiel von 1521/22 sind die Zwickauer Propheten,[120] von denen Joachim Camerarius berichtet: „Vom Anfang und Wachstum dieses neuen Geschlechts lehrten sie [sc. Nikolaus Storch und die Zwickauer Propheten], daß Sorgfalt und Umsicht bei der Zeugung der Nachkommenschaft notwendig sei. Und daher solle niemand eine Ehefrau nehmen, ohne zu wissen, daß er von ihr fromme und dem ewigen Gott gefällige Kinder bekommen werde, die auserwählt sind zur Gemeinschaft des himmlischen Reiches. Dies aber könne nicht anders als durch eine von Gott selbst kommende Offenbarung gewußt werden."[121] Auch Valentin Icklsamer vertritt die Vorstellung der Auswahl des Geschlechtspartners aufgrund eines „Gezeugnisses".[122] Weiterhin kann Jörg Haug als Beleg für die bei Müntzer begegnende Vorstellung von der erwählten Nachkommenschaft genannt werden. Er ist ein Vertreter des niederen Klerus aus dem Bekanntenkreis Müntzers um Hans Hut.[123] Haug vertritt in seiner Schrift „Ain Christliche Ordenung", in der an allen Orten Müntzers intensiver Einfluß bemerkbar ist,[124] die Auffassung, „dz Got förchtige kinder der wellt geborn wurden. Der gröste schade der welt ist / das man die kinder nitt in diser forcht erzeucht. Es muß die menschen forcht durch Gots forcht in vns / wie in allen außerwölten erklärt werden."[125] Das sind Beispiele für den Gedanken der proles electa im Umfeld Müntzers.

Auch die Utopisten vor und nach Müntzer verbreiteten die Idee, die Zeugung der Nachkommenschaft sei im Sinn eines höheren utopischen Zieles zu reglementieren. Neben Thomas Morus und Francis Bacon, bei denen dieser Gedanke in für Müntzer unspezifischer Weise begegnet,[126] sind vor allem Tommaso Campanellas „Sonnenstaat" (um 1620) und Johann Valentin Andreaes „Christianopolis" (1619) zu erwähnen. Campanella will den rechten Beischlaf wegen „der Harmonie des Ganzen mit den Teilen" astrologisch reglementiert wissen.[127] Andreae betont: „Der ehelichen Keuschheit befleißigen sie [sc. die Männer] sich sehr und halten sie in großem Wert, damit sie nicht durch die Wollust sich selbst schwächen und verzehren. Die Zeugung der Nachkommenschaft bleibt in ihrer Würde . . ."[128] Die Zeugung ist bei Andreae von dem Grundsatz bestimmt, „zuerst für den Himmel zu sorgen, dann für die Erde".[129] Wir sehen Müntzer geistesgeschichtlich also auch in der Traditionslinie der Utopien stehen.[130] So wird exemplarisch deutlich, daß sein Menschenbild auch utopische Elemente enthält.

IV Die pädagogische Anthropologie

Im folgenden Abschnitt sollen einige pädagogische Grundpositionen Müntzers aus seinem Menschenbild heraus verständlich gemacht werden. Nicht nur in der heutigen pädagogischen Anthropologie wird dem Menschenbild grundsätzliche Bedeutsamkeit für die erzieherischen Auffassungen zugesprochen, Anthropologie also als Grundwissenschaft der Pädagogik begriffen. Auch in Humanismus und Reformation wurden Vorstellungen von der Erziehung des Menschen aus dem Bild vom Menschen abgeleitet.

Müntzer zieht aus seiner Betonung der erb- und anlagebestimmten Faktoren der menschlichen Seele keine erziehungspessimistischen Konsequenzen. Die auf traduzianischem Weg ererbte Sündhaftigkeit des Menschen wird von Müntzer vielmehr pädagogisch thematisiert. Er hat – von Paulus und unter Einflüssen Johannes Taulers, wie im folgenden Abschnitt zu zeigen sein wird – ein anthropologisches Schichtenmodell übernommen. Im Reden vom tierischen, vernünftigen und himmlischen Menschen kommt Müntzers Auffassung zum Ausdruck, der Mensch sei in Schichten angelegt.

Vor allem die „tierische Schicht" ist Sitz der menschlichen Sündhaftigkeit. Diesen „tierischen Menschen" will Müntzer ausrotten, er selbst sagt „to(e)then",[131] wie das analog auch in der mystischen Anthropologie ausgedrückt wird. Wir lernten dieses Denken bereits in dem der paulinischen Tradition entnommenen Bild vom „alten Adam" bzw. „alten Kleid" kennen. Müntzer fragt, wie einer „yn der warheyt seins lebens sein [kann], der den alten rock kein mal außgezogen hat".[132] „Flihet die lu(e)ste mit yren liebhabern",[133] empfiehlt Müntzer den Stolbergern im Blick auf die concupiscentia als einer der wichtigsten Konkretionen der Sündhaftigkeit. Im Blick auf die Sündhaftigkeit des Menschen betont Müntzer an vielen Stellen die erzieherische Bedeutung der Askese.

Müntzer bedenkt in seinen pädagogischen Empfehlungen nicht nur den Leib, in Analogie zum tierischen Menschen. Nach Müntzers Bild vom Menschen liegen die Chancen eines entfalteten Seins in der Vertiefung in die eigene Seele[134] als den Sitz des „vernünftigen Menschen".[135] Müntzer nennt diese Vertiefung in die eigene Seele, über die der Mensch letztlich zu seinem Seelengrund vordringt, in Anlehnung an mystische Terminologie die „einkehr" oder das „einsehn in sich selber".[136] In seinem Sendbrief nach Stolberg betont er, daß Seelen-„Arbeit" für ihn wichtig ist.[137] Indem Müntzer in diesem Schreiben die Seelenbewegungen mit den Wellenbewegungen des Meeres und mit deren Kraft vergleicht,[138] gibt er einen Eindruck von der überwältigenden Macht, die er dem seelischen Bereich für das Menschsein beimißt. Zugleich kommt im Symbol des Meeres zum Ausdruck, daß auch die menschliche Seele durchs Leiden bewegt werden muß.

Ein wichtiges Medium, über das die praktische Arbeit an der Seele ermöglicht wird, ist der Traum. Einigermaßen geschlossen und differenziert bringt Müntzer seine Auffassung vom Traum in seiner Fürstenpredigt zum Ausdruck. Über die Traumsymbole seiner Seele werden dem Menschen nach Müntzer essentiell bedeutsame Stoffe vor Augen geführt. Doch erscheinen dem Menschen auf diesem Weg auch Symbolgebilde, die ihn in seiner Seinsfindung in die Irre führen oder aber einfach belanglos sind. Müntzer sagt, Träume seien „. . . von Got gegeben . . . odder vom teuffel oder natur".[139] Anthropologisch bedeutsam sind nur die beiden erstgenannten, nicht aber „Naturträume".[140] Über die Seelenarbeit vermag der Mensch eine Klassifikation vorzunehmen. Dabei ist deutlich die kognitive Komponente des Menschen in Seinsfragen untergeordnet. „Do wirdt der mensch klerlich fynden, das er mit dem kopff durch den hymmel nit lauffen kan, . . ."[141] Gefragt sind hier affektive Komponenten, also das „hertz", welches sogar ein Symbol für die Seele schlechthin ist.[142]

Korrespondierend mit dem „himmlischen Menschen" ist für Müntzer auch die Erziehung der Geistebene des Menschen wichtig. Im selben Brief an die Stolberger, in dem Müntzer rät, die Lüste zu fliehen und an der Seele zu arbeiten, empfiehlt er den Leuten, daß sie „der bu(e)lgen warnemen mit den wasserstramen, die auff unsern geist fallen".[143] Das Leiden, das hier erneut im Symbol des Wassers begegnet, ist die Basis für das pädagogische Konzept, in das die Erziehung des Geistes einbezogen ist.

Eine geistige Wurzel dieses leidenspädagogischen Konzepts sind die Überlieferungen von Platons Akademie. Müntzer schreibt in einer Wittenberger Hieronymusvorlesung (1517/18)[144] die Aussage des Hieronymus auf,[145] Platon habe für seine Akademie nicht nur einen verlassenen Ort außerhalb Athens ausgesucht, sondern auch einen ungesunden, damit durch die Bedrängnis der Krankheiten die Lüste der Schüler gebrochen würden und diese ihre Begierde ganz auf die Lerninhalte richteten.[146] Müntzer konnte hier erkennen, daß die Hochschätzung des Leidens im Rahmen pädagogischer Überlegungen bis auf Platon zurückführbar ist, der zu Müntzers Zeiten aufgrund humanistischer Einflüsse intensiv studiert wurde. Dies bestätigt die These von Max Steinmetz, daß Müntzers „Glauben an die Erziehbarkeit des Menschen" auf ein vom „Humanismus zu eigen gemacht[es] ... Menschenbild" rückführbar sei.[147]

Müntzer hat diese leidenspädagogische Sicht, in die unter anderen auch biblische Traditionen einflossen, auch losgelöst von Platon vertreten. Müntzer meint, daß uns Gott „in des geists gesundheit durch kranckheit des leybs" setzt.[148] Körper und Geist haben eine innere Zuordnung zueinander in wechselseitigem pädagogischen Dienst. Das Schichtendenken führt bei Müntzer nicht zu der Konsequenz einer Erziehung in isolierten Bereichen, die den Menschen nicht mehr in seiner Ganzheit im Blick hätte.

An welchem Ort und in welchem Rahmen kann diese Erziehung der Innerlichkeit nun geschehen? Müntzer betont die Notwendigkeit, daß „... sich der mensch von aller ku(e)rtzweil absondern ..." muß,[149] um in mystische „langweyl"[150] – ein Zustand, in dem sich der Mensch von allem Weltlichen fernhält – zu gelangen. Luther hat bei Müntzer das Streben nach „apatheia", d. h. nach einer von Freiheit von den Affekten bzw. von den Lüsten bestimmten Lebenshaltung nach Art der Mönche gesehen.[151] Müntzer, der selbst nie Mönch war,[152] geht aber nicht so weit, das Klosterleben zu empfehlen. Er hält diesen Weg nur in Ausnahmen für erfolgversprechend.[153] Schon gar nicht sei die Praxis zu loben, Kinder ins Kloster zu geben.[154] Seine Begründung dieses Standpunkts ist aus seinem Menschenbild abgeleitet. Keuschheit ist wider die Natur des Menschen. „Die Menschen dürfen nicht zur Keuschheit gezwungen werden",[155] denn bereits „... Maria ... hatte die Keuschheit nicht von Natur aus, sondern aus dem Überfluß der Gnade ...".[156] So schwankt Müntzer zwischen dem Keuschheitsideal als einer lobenswerten Sache und gleichzeitigen anthropologischen Bedenken dagegen. Die Macht der Natur respektierend, tendiert Müntzer zur Empfehlung eines asketischen, halbmonastischen Lebens außerhalb der Klostermauern.

V Die geistigen Wurzeln

Ich habe im Verlauf der Darstellung schon einige Male auf geistesgeschichtliche Hintergründe von Müntzers Anthropologie hingewiesen. Insbesondere wurde bereits die Tradition des Gedankens von der proles electa entfaltet. Der Einbettung von Müntzers Anthropologie in geistesgeschichtliche Traditionen will ich nun einen geschlossenen Abschnitt widmen. Darin werden zum einen die bereits behandelten anthropologischen Ansichten Müntzers historisch eingeordnet, zum anderen aber auch zusätzliche Inhalte im historischen Kontext eingeführt. Neben die für Müntzer bedeutsame biblische Überlieferung, die ich vor allem in den ersten beiden Abschnitten herauszustellen versuchte, tritt mit der klassischen und patristischen Literatur der Antike ein weiterer Bereich, in dem Müntzers anthropologische Anschauungen verwurzelt sind.

Ich gehe aus von einigen klassischen und patristischen Autoren, die Müntzer nachweislich gelesen hat, um im Vergleich mit diesen Autoritäten Müntzers Anthropologie noch vertiefter und differenzierter zu verstehen. Beginnen möchte ich mit *Platon*, den Müntzer in einer lateinischen Übersetzung von Marsilio Ficino im Druck von Venedig 1517 las.[157] Eine Abschrift des Inhaltsverzeichnisses dieser Ausgabe von Müntzers Hand findet sich im Nachlaß Müntzers.[158] Andere Notizen von Müntzers Hand zu Platon[159] belegen seine Beschäftigung mit dem Philosophen als Hörer einer Vorlesung an der Universität Wittenberg im Wintersemester 1517/18.[160] Von Platons Schrift „Politeia"[161] war Müntzer zumindest der Inhalt geläufig.[162]

Wie bei Müntzer baut auch Platons anthropologisches Verständnis bereits auf einer dualistischen Typenlehre auf. Freilich unterscheiden sich die Typen. Platons idealen Menschen,
der darin zur Vollkommenheit gelangt, daß er sein Leben an der philosophischen Idee aus-
richtet,[163] lehnt Müntzer ab. Ironisch kommentiert Müntzer: „..., er [sc. der Glaube der
Schriftgelehrten] wirt wol ein subtyl volck anrichten, wie Plato, der philosophus, speculiert
hat, de republica, und Apuleius vom gu(e)lden Esel, und wie Isaias sagt am 29. von dem
treu(e)mer etc.“[164] Über Müntzers Vergleich von Platons „Politeia“ mit den „Metamorphoses“ des Apuleius läßt sich erhellen, was konkret Müntzer als „Spekulation“ abqualifiziert.
Es ist die platonische Ideenlehre, wonach sich der Mensch über seine Ideenkraft vom sinn-
lichen Anschein der Welt befreit und das „wahrhaft Gute“ erkennt.[165] Diese Vorstellung
wird in den „Metamorphoses“ des Apuleius angegriffen, wo die Idee des Lucius vom fliegen-
den Menschen letztlich in dessen Verwandlung in einen Esel endet.[166] Daß Müntzer an Platons „Politeia“ gerade diesen Aspekt der Vervollkommnung des Menschen durch die Idee
kritisiert, wird neben dem Vergleich der Schrift Platons mit Apuleius zusätzlich durch den
zweiten Vergleich von Platons „Politeia“ mit dem 29. Kapitel aus Jesaja gestützt. Müntzer
verbindet hier Platons Ideenlehre mit einem leeren Traum. Platons idealer Mensch ist für
Müntzer wie der Hungrige aus Jesaja, der „...träumt, daß er esse – wenn er aber aufwacht,
so ist sein Verlangen nicht gestillt...“.[167] Positive Verbindungen zwischen Platons und
Müntzers Menschenbild gibt es nur pauschaler Art und insoweit, als mit Platons Ausrichtung der Seele an der Idee und mit Müntzers Ausrichtung des Menschen am Heiligen Geist
Einstellungen für die Vervollkommnung des Menschen maßgebend sind, die über den Menschen hinausweisen.

Bedeutsamer als die philosophischen Traditionen sind für Müntzers Menschenbild vor
allem die Kirchenväter. Von diesen kannte Müntzer *Augustinus* besonders gut aus der
Amerbachschen Ausgabe,[168] von der er mindestens die ersten sechs Bände wiederholt las,[169]
sowie aus Ausgaben von Briefen[170] und Predigten.[171] Mit Augustinus teilt Müntzer die grundsätzliche Kritik an der Philosophie. Augustinus, der die Platoniker und andere Philosophen[172] lange Zeit seines Lebens schätzte,[173] dann eine Synthese Platons mit der Bibel
erhoffte,[174] kritisierte letztlich, daß die eigentliche Erkenntnis den Weisen verborgen sei.[175] Er
nennt daher die Philosophie eine seelenlose Bildung.[176]

Im Leben des Augustinus wechselten extreme anthropologische Grundvorstellungen.
Zuerst Anhänger der philosophischen Ansicht von der Verwirklichung der Idee im Menschen, glaubte er dann skeptizistisch, der Mensch könne kein Körnchen über sich selbst entdecken,[177] um sich schließlich an der Bibel auszurichten. Müntzers anthropologische Ansichten kommen dem alten Augustinus am nächsten. Beide[178] glaubten, der Mensch müsse
„...zu seiner Rettung zu Boden geschlagen und geschunden...“ werden,[179] erst der
gedemütigte Mensch[180] könne zu wahren Einsichten finden. Dieses Los habe der Mensch zu
tragen, damit er nach seiner biologischen Geburt einer zweiten geistlichen gewahr werde.[181]
Müntzer spricht von der Notwendigkeit, daß der Mensch „...gantz und gar zum innerlichen
narren werden“ muß: „Do volgen alsbald die schmertzen wie eyner gebererin,...“[182] Erfolgt
diese zweite Geburt nicht, ist der Mensch im eigentlichen Sinn tot.

Müntzer ist geprägt vom Wissen um die Nähe des Todes. In jedem seiner letzten sieben
Lebensjahre macht er Äußerungen zu seinem Tod.[183] Mit Matth. 4,16 konnte er sich „mitten
im Schatten des Todes“ wandelnd fühlen.[184] Auch die Beziehung des Augustinus zum Leben
ist getragen von der Allgegenwärtigkeit des Sterbens. Er fragt sich, ob er besser vom sterblichen Leben oder vom lebendigen Sterben reden soll.[185] Er spürt, daß er ein sterbliches
Dasein führt, von Verwesung überfallen.[186] Geprägt von dieser ständigen Bedrohung des

Lebendigen durch das Nichtlebendige im Menschen, zielen die Anthropologien von Müntzer wie von Augustinus auf die geistige Verlebendigung des Menschen ab, ausgedrückt zum Beispiel in der für beide oben gezeigten Sehnsucht nach Wiedergeburt.

Daß der Mensch sein Sein nicht über den Verstand zu erfassen vermag, ist eine weitere Übereinstimmung zwischen Augustinus und Müntzer. Über die ratio kann auch nach Augustinus der Mensch nicht zu seinem Wesen vordringen.[187] Der Verstand wird vielmehr, weil er nicht mehr auf seine Herkunft hinterfragt wird, oftmals nur irrtümlich für das Höchste gehalten.[188] Bei Augustinus gelangt der Mensch zu seiner vollen Entfaltung über den Willen: „Der Wille ist nämlich in allen Regungen: ja vielmehr alle [sc. Regungen] sind nichts anderes als Wille.“[189] Mit dem „ernst“ ist auch in Müntzers Anthropologie eine voluntative Kraft von zentraler Bedeutung. Über den „ernst“ wird der Mensch – durch das Leiden hindurch – zur Vollkommenheit bzw. Heiligung geführt. Müntzer ist davon überzeugt, daß der Mensch „... Gott ... allein mit emsigem ernste, mit all seynem thu(o)n und lassen ...“ erfahren könne.[190] Wille und Ernst bezeichnen bei Augustinus und bei Müntzer jeweils die Kraft des Menschen, seine wahre Seinsbestimmung zu erfassen. Durchaus handelt es sich bei Augustinus wie bei Müntzer um die Grundposition einer voluntaristischen Anthropologie.

Übereinstimmung zwischen Augustinus und Müntzer herrscht auch über den Sitz der jeweiligen Kraft: die Seele. Auch bei Augustinus bildet – wie für Müntzer oben gezeigt – die Seele den Fokus für alle anthropologischen Überlegungen.[191] Diese analoge Sicht der Bedeutung der Seele schlägt sich in der Verwendung von „Herz“, „Flut“ oder „Haus“ bis in die Wahl gleicher Symbole für die Seele nieder.[192] Insbesondere das Symbol des Herzens ist für beide zentral für die Beschreibung innerer seelischer Prozesse des Menschen.

Sosehr Müntzer in seiner Überzeugung von der Bedeutung der Seele für das Menschsein mit Augustinus übereinstimmt, sosehr unterscheiden sich beider Vorstellungen über die Beschaffenheit der Seele. In dem Bemühen, sich die Beschaffenheit der Seele vorzustellen, hat Augustinus viele Stadien durchlaufen. Lange war er völlig davon gefangen, alles irgendwie körperlich zu denken.[193] Augustinus war in dieser Zeit Anhänger des Traduzianismus, wie ihn vor ihm auch *Tertullianus* vertreten hatte.[194] Doch eine Auseinandersetzung mit der Position des Tertullianus, die Augustinus in seiner Schrift „De genesi ad litteram“ führt,[195] zeigt, daß er die traduzianische Haltung überwunden hat. Augustinus vertritt nach dieser Zeit die Anschauung, daß das Unkörperliche nicht gleich ein Nichts zu sein braucht.[196] Rückblickend bezeichnet er in den „Confessiones“ die alte Position als die Hauptursache seines Irrtums.[197] Schon in „De genesi ad litteram“ bemerkt er zu Tertullianus' körperlicher Sicht der Seele, wonach diese nach derselben Anatomie wie der Körper gebaut sei: „Wer hätte geglaubt, daß ein Mann mit solchem Verstand so etwas zusammenreden könnte?“[198] Müntzer hat diese Ausführungen des Augustinus als Zitat in einer Vorrede des Beatus Rhenanus zu dessen Werkausgabe des Tertullianus von Basel 1521 gelesen.[199] Er widerspricht Augustinus aufs entschiedenste: „Die Seele wird [sc. bei Tertullianus] schön beschrieben.“[200] Mit der körperlichen Sicht der Seele geht bei Tertullianus eine materielle Sicht einher. Müntzer wird von Tertullianus' „Vergleich [der Seele] mit dem Gold“[201] als einer besonders edlen Materie angesprochen. Daraus folgt, daß Müntzer die aus platonischer Tradition stammende Vorstellung des Augustinus von einer unmateriellen Seele ablehnt. Müntzer sagt: „Die Seele entsteht aus der Materie des Körpers.“[202] Sie ist sogar gebaut wie der Körper. „[Tertullianus] sagt, die Seele habe innere Glieder.“[203] Müntzers Überzeugung von der materiellen Beschaffenheit der Seele bildet den Hintergrund für seine bereits oben dargestellte Vorstellung von der stofflichen Fortpflanzung der Seele „ex traduce“.

Bei der nun folgenden weiteren Analyse von Müntzers Anthropologie im Licht seines Studiums von Tertullianus kann ich von einer qualitativ besseren Quellenlage als bei den bisher erörterten literarischen Vorlagen Müntzers ausgehen. Weil Müntzers Lektüreexemplar heute noch erhalten ist, versehen mit einer Fülle von Randbemerkungen, brauche ich mich nicht auf einen allgemeinen Vergleich der anthropologischen Grundauffassungen Müntzers mit denjenigen des von ihm gelesenen Autors zu beschränken, wie dies bei Platon und weitgehend auch bei Augustinus der Fall war.

Bei seinen anthropologischen Ausführungen, die nur als Randgebiet seiner Christologie erschlossen werden können, setzt sich der Kirchenvater stets mit *Paulus* auseinander. Wir bekommen deshalb Tertullianus' und entsprechend auch Müntzers Anthropologie in den bei Paulus zentralen anthropologischen Kategorien von Leib, Seele, Fleisch und Geist in den Blick. Müntzer hat diese Kategorien übernommen. Die Paulinische Unterscheidung von Leib (σῶμα) und Fleisch (σάρξ) begegnet bei Müntzer jedoch zumindest terminologisch nicht durchgehend. Mehrmals[204] spricht Müntzer von „caro", wo paulinisch gedacht „corpus" gesagt werden müßte. Wegen der Vermischung der Begriffe Leib (corpus) und Fleisch (caro) muß jeweils aus dem Kontext das Gemeinte erschlossen werden. Müntzer teilt jedoch inhaltlich die Unterscheidung des Paulus und spricht vom Fleisch (caro) und dessen Werken (opera).[205]

Neben der Unterscheidung von Leib und Geist findet sich bei Tertullianus und bei Müntzer die Paulinische Vorstellung von der Dichotomie des Menschen.[206] Müntzer hält diese Vorstellung mit folgender Bemerkung fest: „der zweifache Mensch: innerlich und äußerlich".[207] Tertullianus schafft sich nun durch Kombination beider Systeme die Basis für seine anthropologischen Überlegungen. Sie kreisen im Wesentlichen um die Sicht des Leibes, um die Sicht des Verhältnisses von Leib und Geist bzw. um das Verhältnis von Leib und Seele.

Im Blick auf die Bedeutsamkeit des Leibes für das Wesen des Menschen ist Müntzer Tertullianus' Verständnis von Paulus wichtig, wonach der Leib als Substanz (substantia) von dessen Gesinnung (sensus) zu unterscheiden sei.[208] Müntzer hebt hervor: „Der Apostel verurteilt nicht das Fleisch, sondern dessen Werke."[209] Tertullianus will, daß nicht der Substanz des Fleisches die Ehre entzogen wird, sondern den Werken (actus) des Fleisches.[210] Wer verdammt denn schon ein Haus wegen seiner Bewohner?[211] Aufgrund dieser scharfen Trennung zwischen dem Fleisch als Substanz und der fleischlichen Gesinnung kommt Tertullianus zu einer positiven Sicht des Leibes an sich. Müntzer glossiert entsprechende Äußerungen des Tertullianus mit der Notiz: „Gott liebt unser Fleisch"[212] bzw. mit Tertullianus' Formulierung vom „geadelten Lehm".[213]

Im Blick auf die Gesinnung des Fleisches sollen nach Tertullianus nicht nur dessen schädlische, sondern auch die ruhmvollen Wirkungen betont werden.[214] Müntzer registriert zum einen die Verwerflichkeit der fleischlichen Werke: „Es werden die Werke des Fleisches verworfen."[215] An anderer Stelle hält Müntzer fest: „Die Gesinnung des Fleisches ist der Tod."[216] Ihm ist aber auch wichtig, daß bei Tertullianus nicht nur von der Schande, sondern auch vom Ruhm unseres Fleisches die Rede ist.[217]

Neben Müntzers Äußerungen über den Leib begegnen im Zusammenhang seines Studiums von Tertullianus auch Reflexionen über das Verhältnis von Körper und Geist. Es ist wieder wichtig, vorab die Position des Paulus zu diesem Punkt zu bedenken. Paulus wehrt dem von ihm in Korinth vorgefundenen Denken, wonach der Körper von einem höheren pneumatischen Selbst unterschieden wurde und christologisch (und implizit damit anthropologisch) keine Bedeutung für das Sein hatte. Am Rand von Tertullianus' Ausführungen der Paulinischen Sicht notiert Müntzer: „Das Fleisch ist ein Tempel Gottes"[218] und kein Gefängnis oder gar Grab des Geistigen. Auch für Müntzer ist der Körper kein Hindernis für den Geist. „Viele leben im Körper nach dem Geist und nicht nach dem Fleisch."[219] Die Überzeugung von der Durchdringung des Körpers vom Geist schlägt sich auch ganz praktisch in der Sorge um Nahrung nieder, die nicht nur um der physischen, sondern auch um der Sättigung des Geistes willen nötig ist. Müntzer tadelt an anderer Stelle, daß der Mensch wegen der Sorge um seine Nahrung weder zur Erkenntnis des Unglaubens noch zum rechten Glauben komme.[220]

Nach der Darstellung von Müntzers Sicht des Leibes sowie seiner Sicht des Verhältnisses von Körper und Geist seien im folgenden Müntzers Anschauungen zum Verhältnis von Leib und Seele im Kontext seiner Tertullianuslektüre dargestellt. Ich kam bereits im Rahmen der Kritik des Augustinus an Tertullianus darauf zu sprechen, wie nach Tertullianus' Verständnis des Paulinischen Begriffs von der Seele diese wie der Leib substantiell begriffen werden muß. Die Seele selbst zählt wie der Leib zum äußeren Menschen, und analog wie bei diesem ist auch bei der Seele lediglich deren Gesinnung (mens) bzw. deren Geschmack (sapor) zum inneren Menschen zu zählen.[221] Leib und Seele werden als prinzipiell gleich aufgebaut vorgestellt. Müntzer teilt diese anatomische Vorstellung von der Seele.[222]

In Tertullianus' System seiner „Substanzen-Anthropologie" ist die Frage bedeutsam, wie denn die essentiellen Dimensionen der substantiell gedachten Seele (mens, sapor) beeinflußt werden können. Die Antwort auf diese Frage zeigt, auf welchem Weg der Mensch zu seiner eigentlichen Bestimmung, seinem Wesen, vordringen könnte. Ich möchte die Gedanken des Tertullianus zu diesem Punkt noch darstellen, weil über die Randbemerkungen Müntzers an den einschlägigen Stellen seiner Ausgabe der Werke dieses Kirchenvaters weiteres Licht auf Müntzers anthropologischen Standpunkt fällt.

Tertullianus vertritt die Position, daß die Seele „vor allen Dingen mit Vernunft begabt sei"[223] und „Bewußtsein" (notitia) besitze.[224] Infolgedessen kann die Seele auch kraft der Vernunft ganz begriffen werden. Müntzer widerspricht dieser rationalistischen Naivität, indem er auf den status corruptionis des Menschen verweist. „Die Seele hat Unkenntnis von sich selbst, und wenn sie diese nicht auflöst, kann sie weder Gott noch die Kreatur begreifen."[225] Der Mensch wird im übrigen wie in der biblischen Tradition zwischen Gott und Kreatur stehend begriffen. Sehr schön kommt in jener Formulierung zum Ausdruck, wie Müntzer gerade das Seelische im Menschen als Brücke zu beiden Bereichen versteht. In dieser Bedeutsamkeit des Seelischen erscheint ihm eine rationale Verkürzung unangebracht. Wir wissen aus anderen Quellen, daß Müntzer den menschlichen Verstand skeptisch beurteilt. Er ist für ihn vernünftig, sinnlich und viehisch.[226] Der Verstand vermag zu dem Wesen des Menschen nicht vorzudringen. „. . . dye vornunfft [nimmt] dye oberste ordenunge nichtt" an.[227] Die Vernunft ist aber nicht zu verwerfen. „. . . dye vornunfft des menschens ist gut, so sie das wergk Gots erleidet."[228] So geht es letztlich darum, die natürliche Vernunft in eine (durch die Offenbarung) aufgetane zu verwandeln.[229]

Über ein weiteres wichtiges literarisches Vorbild Müntzers läßt sich unter anderem Müntzers Sicht der Vernunft anthropologisch weitergehend erfassen. Es ist Tauler. Er wurde kraft seiner Autorität in Müntzers Zeit ebenfalls unter die Kirchenväter gereiht, so zum Beispiel von Luther[230] und Melanchthon.[231] Auf Müntzers Taulerstudium wird in Bemerkungen von Müntzer persönlich Bekannten wie der Nonne „Ursula Scho."[232] oder dem Lutherschüler Martin Glaser[233] direkt hingewiesen. Es ist auch durch die Entdeckung eines Doppelbandes aus Müntzers Besitz im Jahr 1703, der zum einen Teil aus Predigten Taulers in der Ausgabe 1508 bestand,[234] gesichert.

Einzelne Aspekte, in denen Müntzers und Taulers Anthropologie übereinstimmen, weisen auf Tauler als eine Wurzel von Müntzers Menschenbild hin. Die „Gelassenheit" – ein Zustand, in dem der Mensch sich von allem losgesagt hat[235] – ist eine Zentralkategorie Taulers und Müntzers.[236] Auch Müntzers Bild vom „funckeleyn", mit dem er seine Vorstellung vom supralapsarischen Erbe im gefallenen Menschen ausdrückt,[237] ist ein Begriff Taulers, mit dem die Hoffnung auf Erlösung zum Ausdruck gebracht wird.[238]

Tragend für Taulers wie für Müntzers Anthropologie ist die Überzeugung, daß die Entscheidung des Menschen für Gott oder die Kreatur von existentieller Bedeutung ist. Tauler fragt, „... in weler wise der mensche mit allen sinen kreften, den obersten und den nidersten, gekert ist".[239] Ist er „zu Gotte gekert" oder wird er seine „lust kerent zu den creaturen"?[240] Hinter solchen Fragen steht die Vorstellung, der Mensch sei in Schichten angelegt, die Müntzer ebenfalls mit Tauler teilt. Tauler spricht in freier Anlehnung an 1. Kor 15,40. 44–47 vom „uswendig vihelich sinneliche[n]", dem „vernunftige[n] mensche"[241] und dem „gotformige[n] gotgebildete[n] mensche".[242] Er faßt den Menschen also als dreifachen Menschen auf. „... der mensche ist rechte als ob er drú menschen si und ist doch ein mensche."[243] In diesem Modell ist es für Tauler offen, ob die in der Mittelstellung sich befindende Vernunft an der unteren oder der oberen Schicht des Menschen partizipiert. Auch bei Müntzer begegneten im Verlauf der Darstellung das von Paulus stammende Denken in Schichten des tierischen und des himmlischen Menschen.[244] Und wie bei Tauler ist für Müntzer die Ausrichtung des Verstands offen. Der Mensch kann von seinem „sinlichen vichischen vorstande" oder vom „gotlichen vorstandt" bestimmt sein.[245] In gewisser Abweichung von Tauler scheint mir Müntzer jedoch kein Vertreter des triplex homo zu sein, sondern ein Anhänger des duplex homo. Für Tauler ist der „vornunftige mensche" eine eigenständige anthropologische Schicht, während Müntzer den Verstand von vornherein zur „sinlichen vichischen" Schicht oder aber, als „aufgethane vornunfft",[246] zum „Himelische[n] mensche" zieht. Gerade aber in der Vorstellung von der obersten Schicht, die in der „unio mystica" ihre Vollendung findet, ist Müntzer so nahe bei Tauler,[247] daß er direkt als „Verweser der Mystik"[248] begriffen werden kann.

Als abschließende Standortbestimmung läßt sich festhalten: Müntzer ist in seiner Sicht vom Menschen wesentlich von der Bibel bestimmt. Er denkt in den biblischen Kategorien von Urstand, Fall und Erlösung. Die Adam-Christus-Typologie ist für seine Anthropologie grundlegend. Auch in seiner Scheidung der Menschen in Auserwählte und Verdammte ist Müntzer von der Bibel beeinflußt. Mit Paulus stellt er sich den Menschen aufgeteilt in Leib, Seele und Geist vor.

Daneben ist Müntzer in seinem Menschenbild auch stark von seinen patristischen Studien geprägt. Neben Hieronymus, der im Blick auf die Anthropologie vor allem Müntzers Befürwortung der Sexualaskese bestimmt hat, erweisen sich mit Tertullianus und Augustinus zwei in ihren Positionen recht unterschiedliche Kirchenväter für Müntzers Anthropologie als bedeutsam. Gegen die kreatianische Sicht des Menschen, die beim älteren Augustin vorherrscht, übernimmt Müntzer Tertullianus' Traduzianismus. Die traduzianische Sicht der Seele bildet für wichtige anthropologische Themen bei Müntzer eine Grundlage. Insbesondere die Erwählungsfrage, die eng an die traduzianische Entstehung der Seele gebunden ist, sowie Müntzers Sexualauffassungen sind dafür Beispiele.

Wenn Müntzer sich auch in seiner traduzianischen Haltung gegen Augustinus Tertullianus angeschlossen hat, ist Müntzer doch in anderen anthropologischen Fragen von Augustinus bestimmt. Insbesondere verbindet beide die hohe Einschätzung der Bedeutung der Seele für das Menschsein, was bei Augustinus wie bei Müntzer zu einer Vorliebe für die Beschreibung innerer Prozesse führt. Mit Augustinus schätzt Müntzer die voluntativen Seelenvermögen hoch und lehnt gegen Tertullianus die Betonung der rationalen Kräfte der Seele ab. Müntzers Abhängigkeit von Augustinus zeigt sich auch zum Beispiel darin, daß die in der Bibel bereits zu findende Unterscheidung der Menschen in Auserwählte und Verdammte bei Müntzer[249] ebenso zentral ist wie bei Augustinus – dort vor allem entfaltet in „De civitate dei".

Auch in der patristischen Anthropologie ist die Trichotomie von Leib, Seele und Geist allgemein vertreten. Bereits bei den Vätern findet sich die Differenzierung der Seele in obere und untere Seelenvermögen, die sich entweder gelöst von der Materie (anima separata) mit dem Geist verbinden oder aber gebunden an die Materie (anima inhaerens) mit der Kreatur verwickeln. Müntzer hat diese Differenzierung – wie die Analogie in der Terminologie belegt – nicht direkt von den Vätern, sondern aus der Mystik Taulers geschöpft. Müntzers Anthropologie ist zumindest in diesem wichtigen Punkt von seiner mystischen Bildung geprägt.

Die Bedeutsamkeit der philosophischen Traditionen für Müntzers Anthropologie ist nicht so hoch einzuschätzen wie der patristische Einfluß.[250] Insbesondere Platon widerspricht Müntzer eher, als daß er mit ihm übereinstimmt.

Insgesamt läßt sich sagen, daß Müntzer seine anthropologischen Überzeugungen in intensiver Auseinandersetzung mit der Tradition gewonnen hat. Müntzer hat biblische, klassische, patristische und mystische Quellen auf dem Hintergrund der dogmatischen Vorstellungen seiner Zeit selbständig zu seinem Bild vom Menschen zusammengebracht.

[1]   Ich danke meinem Lehrer, Prof. Dr. Ulrich Bubenheimer, Pädagogische Hochschule Heidelberg, für die Betreuung dieses Beitrags.
[2]   Georg Born: Geist, Wissen und Bildung bei Thomas Müntzer und Valentin Icklsamer. Erlangen 1952, 22–43 (MS) – Erlangen, Univ., theol. Diss. 1952.
[3]   Hayo Gerdes: Luthers Streit mit den Schwärmern um das rechte Verständnis des Gesetzes Mose. Göttingen 1955, 76–105.
[4]   Hans-Jürgen Goertz: Innere und äußere Ordnung in der Theologie Thomas Müntzers. Leiden 1967, 92–109.
[5]   Hans Otto Spillmann: Untersuchungen zum Wortschatz in Thomas Müntzers deutschen Schriften. Berlin / New York 1971, 37–65.
[6]   Wolfgang Gericke: Der Theologe des Heiligen Geistes. Die Kirche 30 (1975), Nr. 21; ders.: Thomas Müntzer als Theologe des Geistes und seine Sicht von der Erziehung der Menschheit. Herbergen der Christenheit 11 (1977/78), 52–58.
[7]   Reinhard Schwarz: Die apokalyptische Theologie Thomas Müntzers und der Taboriten. Tübingen 1977, 35–46. 109–126.
[8]   Ebd, 35–46.
[9]   Ebd, 109–126.
[10]   MSB, 523, 28–30: „Servus homo est, qui propterea creatus est, ut sanctificet nomen domini omnibus operibus suis exerceaturque in eis, ut fide non ficta deum cognoscat ...".
[11]   MSB, 400, 11 f (47); vgl. 314, 3–11.
[12]   Schwarz: AaO, 109 f. Müntzers Interesse am Besitzverhältnis zwischen Gott und Mensch wird auch durch eine von ihm angefertigte Konkordanz zum Stichwort „possessor" (MSB, 528, 14–17) belegt.
[13]   TOp.M, 40 zu Quintus Septimius Florens Tertullianus: De resurrectione mortuorum 8 (CChr.SL 2 [1954], 931, 8 / CSEL 47 [1906], 37, 2): „Propter studium omnis creature homo vivit in carne."
[14]   MSB, 252, 29 f.
[15]   MSB, 499, 14–16.
[16]   MSB, 502, 13.
[17]   MSB, 406, 21 (51); 502, 9; 565, 4. 6 f u. ö.

[18] MSB, 23, 7.

[19] MSB, 162, 22–24; 245, 20; 282, 19–21. 25 f; 286, 32–36 u. ö.

[20] MSB, 23, 17; 242, 25; 249, 20 u. ö.

[21] MSB, 34, 14 f.

[22] MSB, 45, 4 f.

[23] Siehe unten Anm. 48.

[24] MSB, 519, 22.

[25] MSB, 24, 21 f. Müntzer bezieht sich auf Luk. 21,34 und 1. Petr 5,8 (Vg) bzw. auf 2. Tim. 3,4.6 (Vg) (desideria = „lu(e)ste").

[26] MSB, 251, 23 f.

[27] MSB, 251, 26.

[28] MSB, 521, 32 f.

[29] MSB, 520, 13.

[30] MSB, 403, 13–17 (49).

[31] MSB, 503, 25 f.

[32] MSB, 404, 2–4 (49).

[33] MSB, 281, 30–32.

[34] MSB, 402, 15 (49); vgl. 1. Kor. 15,47.

[35] TOp.M, 28 zu Quintus Septimius Florens TERTULLIANUS: De carne Christi 17 (CChr.SL 2 [1954], 905, 31 f / CSEL 70 [1942], 233, 32) bedient Müntzer sich nicht nur der Adam-Christus-Typologie, sondern – von Tertullianus angeregt – mit Eva und Maria auch des weiblichen Analogons.

[36] Günther Franz, in: MSB, 520, 12, ergänzt hier falsch: „[Abrah]am".

[37] MSB, 520, 12–14; vgl. 397, 29 f.

[38] Die Schrift wurde von Martin Luther 1516 unvollständig und 1518 vollständig herausgegeben (Josef BENZING: Lutherbibliographie. Baden-Baden 1966, 14 [69] bzw. 24 [160]).

[39] Vgl. die Anführung der Schrift in Müntzers „Bücherliste" (MSB, 558, 19).

[40] Vgl. die Abb. des von Lukas Cranach stammenden Holzschnitts auf Seite 41 sowie Dieter KOEPPLIN / Tilmann FALK: Lukas Cranach: Gemälde, Zeichnungen, Druckgraphik. Bd. 1. 2. Aufl. Basel / Stuttgart 1974, 315; Bd. 2. 1976, 454 (249).

[41] MSB, 21, 5 f.

[42] MSB, 21, 4.

[43] MSB, 21,9.

[44] MSB, 22, 10.

[45] Müntzers Hochschätzung der Geduld wird neben einigen Randbemerkungen Müntzers zu Tertullianus' Schrift „De patientia" (TOp.M, 1–12 zu Quintus Septimius Florens TERTULLIANUS: De patientia, CChr.SL 1 [1971], 299–317 / CSEL 47 [1906], 1–24) durch folgende Stellen belegt: MSB, 34, 37; 269, 22 f; 385,7 f (35); 394, 30 (44); 524, 19. Negative Bemerkungen Müntzers zur Geduld beschränken sich auf den Umgang mit den Gottlosen; vgl. z. B. MSB, 431, 14 f (64); 435, 6–8 (67).

[46] MSB, 23, 21; 280, 9; 325, 17; 394, 25 (44) u. ö. Analog begegnet auch „gegenteil / gegensatz" in MSB, 210, 6; 224, 15; 228, 9. 16; 260, 6 f; 268, 14–16; 286, 12; 464, 12 (84); 497, 12 u. ö. bzw. die lateinischen Begriffe „oppositum" in 226, 21; 234, 2; 237, 28 und „contrarium" in 224, 14. Überwiegend gebraucht Müntzer die Begriffe im einfachen Verständnis von „Gegenteil". Zumindest in 23, 21; 268, 15 f wird „widerspyl" bzw. „gegenteyl" im dialektischen Sinne eines Widerstreits gegensätzlicher Haltungen (Antagonismen) verwendet.

[47] MSB, 522, 9 f.

[48] TOp.M, 24 zu TCCh 12 (CChr.SL 2, 896, 20–27 / CSEL 70, 221, 18–222, 27): „Ignorantiam sui habet anima et nisi eam diluat nec deum nec creaturam potest comprehendere."

[49] MSB, 247, 1–3.

[50] MSB, 381, 7 f (31) u. ö. belegt die Gottesfurcht als Kriterium der Auserwähltheit. Die Auserwählten „. . . haben gemeinsame Werke mit den Verdammten mit Ausnahme der Gottesfurcht, die sie von jenen absondert (. . . habent opera cum reprobis communia excepto Dei timore, qui eos separat ab illis)".

[51] MSB, 504, 12 f spricht Müntzer im Zusammenhang von Gottes Gericht von den Werken „aller menschen, der auserwelten und der vortumpten".

[52] Spillmann: AaO, 19.

[53] Michael MÜLLER: Die Gottlosen bei Thomas Müntzer – mit einem Vergleich zu Martin Luther. LuJ 46 (1979), 112.

[54] Spillmann: AaO, 154. 172. 203, zählt die Worte „verdammt" und „gottlos" 124mal, „auserwählt" 118mal. Lateinische Entsprechungen kommen noch hinzu.

[55] MSB, 498, 27 – 499, 9. Im Kontext betont Müntzer: „Aber am volk zcweiffel ich nicht" (MSB, 500, 3). – Zur Korrektur von „anspricht" in „ausspricht" vgl. unten den Beitrag von Reinhard SCHWARZ: Thomas Müntzer und die Mystik, 291 mit Anm. 98.

[56] MSB, 23, 4 bzw. 281, 34 f.

[57] MSB, 23, 4 f; vgl. 281, 34 f.

[58] Vgl. oben Anm. 51.

[59] MSB, 501, 13 f. 21–23.

[60] Zur Bedeutung des Ernstes in Müntzers Theologie vgl. folgende ausgewählte Stellen: MSB, 162, 7; 238, 20; 258, 13; 285, 24; 300, 24. 30; 306, 24; 322, 6; 328, 10. 12; 330, 3. 6. 16; 331, 3. 5. 6. 10. 18; 399, 10 (47); 432, 4 (64); 434, 28 (67).

[61] MSB, 53, 16.

[62] MSB, 303, 31; 326, 16 nennt Müntzer diese Vernunft auch „menschliche".

[63] MSB, 492, 9 f; 381, 6 f (31).

[64] MSB, 218, 23 f.

[65] MSB, 403, 17–21 (49).

[66] MSB, 403, 22 f (49).

[67] MSB, 505, 3 f u. ö.; TOp.M zu TOp.R, b 4^r. b 8^v: „ecclesia electorum".

[68] MSB, 278, 25–27; 407, 21–25 (52); 430, 30 f (64). So sind z. B. auch Türken und Mitglieder der römischen Kirche in der ecclesia electorum vertreten (MSB, 407, 21–25).

[69] TOp.M, b 4^r zu TOp.R.

[70] MSB, 498, 29.

[71] Helmut RIEDLINGER: Generatianismus und Traduzianismus. Historisches Wörterbuch der Philosophie/ hrsg. von Joachim Ritter. Bd. 3. Darmstadt 1974, 272 f; DERS.: Kreatianismus. Ebd 4 (1976), 1193 f.

[72] WA 39 II, 341, 7–13; 348, 4 – 352, 2.

[73] CR 13, 17 f.

[74] Zur Auseinandersetzung Müntzers mit Augustinus und Tertullianus zum Thema des Traduzianismus siehe oben Seite 50.

[75] TOp.M, 24 zu TCCh 12 (CChr.SL 2, 896, 14 / CSEL 70, 221, 14): „Anima ex traduce est orta."

[76] TOp.M, b 8^v zu TOp.R: „anima generatur per traducem seminis."

[77] TOp.M, 28 zu TCCh 16 (CChr.SL 2, 903, 26 / CSEL 70, 231, 23): „Sicut Adam natus ex virgine terra, ita decuit in secundo Adam fieri."

[78] MSB, 380, 27 (31): „delectationes . . . inferiores."

[79] Vgl. den Gebrauch dieses Wortes bei Müntzer in Abhängigkeit von den Ausführungen des Beatus Rhenanus zur „satana libido" in TOp.M, b 6^r zu TOp.R: „de libidine coniugum".

[80] MSB, 233, 18; vgl. 381, 3 (31).

[81] MSB, 305, 18–20.

[82] MSB, 381, 2 (31): „. . ., ut firmiter sciatis, *quando* tribuendum sit pro prole . . ."

[83] MSB, 381, 1 f (31).

[84] TOp.M, b 6^r zu TOp.R: „Peccatum maximum est cognoscere vxorem etiam causa prolis."

[85] MSB, 381, 3 f (31): „bruti concupiscentiam".

[86] MSB, 381, 3 (31): „. . . timor Dei et spiritus sapientie . . ."

[87] MSB, 381, 3: „pro prole electa".

[88] WA TR 1, 600, 1 f (1204), bezeichnet Luther den Brief an sich und Melanchthon zugleich geschrieben: „Scripsit [Müntzer] aliquando ad utrosque Luth(erum) et Phil(ippum) Mel(anchthonem): . . ." Im Kontext ist belegt, daß Luther Müntzers Haltung in der Frage der erwählten Nachkommenschaft nicht nur aus dem Brief Müntzers an Melanchthon kannte (WA TR 1, 600, 3–6 [1204]).

[89] Agricola hat den Brief als erster 1525 herausgegeben (Johann AGRICOLA: Auslegung des XIX Psalm. Wittenberg 1525. In: DIE LUTHERISCHEN PAMPHLETE GEGEN THOMAS MÜNTZER/ hrsg. von Ludwig Fischer. Tübingen 1976, 76,19 – 78,15).

[90] MSB, 380, 26 – 381, 4. 8 f (31).

[91] WA 44, 493, 17, zitiert bei Georg Theodor STROBEL: Leben, Schriften und Lehren Thomae Müntzers, des Urhebers des Bauernaufruhrs in Thüringen. Nürnberg 1795, 137 f.

[92] Agricola: AaO, 54, 10–31.

[93] Ebd, 54, 20 f.

[94] In diesem Licht wird übrigens Müntzers Vorschlag (vor dem 19. Juli 1524) an Andreas Bodenstein, seinen Sohn Abraham zu nennen (MSB, 416, 15), als Beleg für Müntzers Hochschätzung Bodensteins verständlich, denn Abraham ist für Müntzer ein Typos des auserwählten Menschen.

[95] Siehe oben Anm. 50.

[96] Vgl. dieses Urteil bereits bei Rolf DISMER: Geschichte, Glaube, Revolution. Zur Schriftauslegung Thomas Müntzers. Hamburg 1974, 185 (MS) – Hamburg, Univ., theol. Diss. 1974.

[97] MSB, 411, 23. 28 f (55).

[98] MSB, 247, 8.

[99] MSB, 411, 29 f (55).

[100] Vgl. lediglich die Ausführungen von Schwarz: AaO, 43–45, wo Müntzers Anschauungen zur proles electa mit denen der Taboriten, des Augustinus, Gregors des Großen und Alexanders von Hales verglichen werden.

[101] MSB, 392, 5. Ohne hier die Argumente im einzelnen aufführen zu können, sei vermerkt, daß der Versuch, auf der Basis dieses Müntzerzitats die genau zugrunde liegende Originalstelle zu identifizieren, sowohl bei Wolfgang ULLMANN: Das Geschichtsverständnis Thomas Müntzers, TMD, 61, Anm. 33, als auch bei Siegfried BRÄUER: [Rezension von ETM]. ThLZ 102 (1977), 219, fehlgeht.

[102] Adamantios ORIGENES: Selecta in Exodum 23, 17 (PG 12 [1857], 296 D), zitiert und übersetzt in Adrian EISENBERGER: Die Geschlechtergemeinschaft bei Origenes: ein Beitrag zur Sexualauffassung bei Origenes. München 1967, Anm. 15. „Männlich" braucht in dem gebotenen Zitat nicht nur wörtlich als Geschlechtsangabe verstanden zu werden, sondern steht bei Origenes auch im übertragenen Sinn für „alles im christlichen Sinne Gute" (ebd, 9).

[103] MSB, 354, 6 (8). Vgl. den Beitrag von Ulrich BUBENHEIMER: Thomas Müntzer und der Humanismus, unten Seite 307. 311, wo Müntzers Lektüre von Hieronymus, Epistula 53 und der gleich zu zitierenden Schrift „Adversus Iovinianum" nachgewiesen ist.

[104] Sophronius Eusebius HIERONYMUS: Epistula 22, 20 (CSEL 54 [1910], 143–211; 170 f). Hieronymus drückt die Auserwählung im Bild der „jungfräulichen Kinder" aus (ebd, 170, 7 f). Zur Vorstellung des Hieronymus von der Zeugung vgl. Pierre NAUTIN: Hieronymus. TRE 15 (1986), 313, 4–14.

[105] In der von Müntzer verwendeten Augustinausgabe (siehe unten Anm. 168) steht diese Schrift in Band 7. Am 1. Januar 1520 schreibt Müntzer, er sei gerade bei der wiederholten Lektüre der Augustinuswerke. Er hatte „De civitate dei" also schon früher gelesen.

[106] Aurelius AUGUSTINUS: De civitate dei 14, 23 (CChr.SL 48 [1955], 445, 12–14 / CSEL 40 II [1900], 47, 19–21): „So würden die paradiesischen Glückes würdigen Ehen, wenn es keine Sünde gegeben hätte, wohl zu liebende Nachkommen erzeugt, aber keine Wollust gekannt haben, deren man sich hätte schämen müssen (Et ideo illae nuptiae dignae felicitate paradisi, si peccatum non fuisset, et diligendam prolem gignerent et pudendam libidinem non haberent)."

[107] Gegen Schwarz: AaO, 45.

[108] Ebd, 44 versteht Schwarz falsch Gott anstatt den Menschen als Sinnsubjekt von diligere. In dem oben Anm. 106 gebotenen Zitat steht „diligendam prolem" aber in Parallele zu „pudendam libidinem". Bei beiden Gerundiva ist der Mensch das Sinnsubjekt.

[109] Augustinus: De civitate dei 14, 23 (CChr.SL 48, 445, 15–36 / CSEL 40 II, 47, 22 – 48, 16).

[110] Vgl. oben Anm. 84.

[111] Augustinus: De civitate dei 5, 7 (CChr.SL 47 [1955], 134, 6 f / CSEL 40 I [1899], 219, 16).

[112] Ebd (CChr.SL 47, 134, 7 / CSEL 40 I, 219, 16): „Eligitur dies ut ducatur uxor."

[113] Ebd (CChr.SL 47,134, 4 f / CSEL 40 I, 219, 13 f): „. . . eligit horam qua misceretur uxori . . ."

[114] Ebd (CChr.SL 47, 134, 3 / CSEL 40 I, 219, 12): „. . . ut haberet admirabilem filium . . ."

[115] Vgl. Müntzers Glossierung einer Stelle aus Augustinus' Schrift „De genesi ad litteram" (TOp.M, b 1ᵛ–b 2ᵛ zu TOp.R), die oben Seite 50 noch diskutiert wird.

[116] Sophronius Eusebius HIERONYMUS: Adversus Iovinianum 1, 16. 29 (PL 23 [1845], 235 A–B. 251 B–C).

[117] Siehe unten Anm. 157–162 und den Beitrag von Bubenheimer unten Seite 306.

[118] PLATON: Nomoi 4, 721c–d; 6, 774a. 775c–e. 776b. 783a–785b (Platon: Werke in acht Bänden: griechisch und deutsch/ hrsg. von Gunther Eigler. Bd. 8 I. Darmstadt 1977, 270–273. 400–409. 426–433).

[119] Platon: Nomoi 6, 783e (Werke . . . 8 I, 428 f). Vgl. die weitergehende Entfaltung dieser Gedanken beim Platonschüler ARISTOTELES: Politeia 1265b. 1266b, besonders aber 1335b (Aristoteles: Werke: griechisch und deutsch mit sacherklärenden Anmerkungen/ hrsg. von Franz Sulemihl. Bd. 6. Leipzig 1879, 186, 1 – 188, 16; 194, 8–14; 468, 38 – 474, 43).

[120] Die u. a. von Paul WAPPLER: Thomas Müntzer in Zwickau und die Zwickauer Propheten. Nachdruck der Ausgabe Zwickau 1908/ hrsg. von Heinrich Bornkamm. Gütersloh 1966, 12 f, und von ETM, 122, aufgestellte Behauptung der geistigen Abhängigkeit Müntzers von Nikolaus Storch muß zumindest seit Siegfried HOYER: Die Zwickauer Storchianer – Vorläufer der Täufer? Jahrbuch für Regionalgeschichte 13 (1986), 60–78; 73 f. 78, zurückgewiesen werden.

[121] Joachim CAMERARIUS: De vita Ph. Melanchthonis Narratio (1566)/ hrsg. von Theodor Strobel. Halle 1777, 46: „Ad cuius [novi generis] exordium atque incrementa docebant [sc. Nikolaus Storch und andere „Zwickauer Propheten"] necessariam esse curam et diligentiam in procreanda sobole. Et ideo neminem ducere uxorem debere, ex qua non sciret se liberos pios et gratos aeterno Deo et ad communionem regni coelestis electos, suscepturum esse. Id autem non aliter quam ipso Deo patefaciente sciri posse."

[122] Valentin ICKLSAMER: Clag etlicher brüder: an alle christen von der grossen vngerechtickeyt vnd Tirannei, so Endressen Bodensteyn von Carolstat yetzo von Luther zu Wittenbergk geschicht. (1525). In: AUS DEM KAMPF DER SCHWÄRMER GEGEN LUTHER: drei Flugschriften (1524. 1525)/ hrsg. von Ludwig Enders. Halle 1893, 47.

[123] Gottfried SEEBASS: Müntzers Erbe: Werk, Leben und Theologie des Hans Hut (1527). Bd. 1. Erlangen 1972, 104–111; Bd. 2. Erlangen 1972, 144–147 (MS) – Erlangen, Univ., theol. Habil. 1972

[124] Die Fülle der Parallelen erlaubt in der Kürze keine Einzelanalyse. Siehe Jörg HAUG: Ain Christliche Ordenung / aines warhafftigen Christen / zu verantwurtten / die ankunfft seines Glaubens ... Augsburg: Philipp Ulhart, 1526 (Staatsbibliothek München: Asc. 442. 4°).

[125] Ebd, B 1ʳ.

[126] DER UTOPISCHE STAAT: Morus: Utopia. Campanella: Sonnenstaat. Bacon: Neu-Atlantis/ übers. und hrsg. von Klaus J. Heinisch. Reinbek bei Hamburg 1960, 58 f. 200–202.

[127] Ebd, 132.

[128] Johann Valentin ANDREAE: Christianopolis 1619: Originaltext und Übertragung nach D. S. Georgi 1741/ eingel. und hrsg. von Richard van Dülmen. Stuttgart 1972, 204: „Coniugalis castitatis maximum studium est apud illos [sc. viros], ac pretium, ne voluptate sese frangant, et enervent. Sobolis propagatio decus suum habet."

[129] Ebd: „... primum curare coelum, postea et terram."

[130] Diese Einordnung findet sich bei Michael WINTER: Compendium Utopiarum: Typologie und Bibliographie literarischer Utopien. Erster Teilband: Von der Antike bis zur deutschen Aufklärung. Stuttgart 1978, XXXI–XLIV. XLVI–LI.

[131] MSB, 251, 24.

[132] MSB, 223, 1 f; vgl. 399, 12 (47); 424, 25 (61).

[133] Siehe oben Anm. 25.

[134] Vgl. MSB, 210, 34 – 211, 2, mystische Anschauung der Geburt Gottes in der menschlichen Seele.

[135] Zum Ort der Vernunft in diesem Schema vom triplex homo siehe Genaueres oben Seite 52 f.

[136] MSB, 252, 20.

[137] MSB, 22, 7.

[138] MSB, 22, 1–5.

[139] MSB, 250, 11 f.

[140] MSB, 250, 26 f.

[141] MSB, 250, 17 f.

[142] MSB, 251, 7–9 u. ö.; vgl. Abb. oben Seite 41.

[143] MSB, 24, 4 f.

[144] Vgl. den Beitrag von Bubenheimer: unten Seite 307.

[145] Hieronymus: Adversus Iovinianum 2,9 (PL 23, 298 B–C); vgl. Bubenheimer: unten Seite 311.

[146] MLB, 23ᵛ, Zeile 7–11; zitiert bei Bubenheimer: unten Seite 324, Anm. 96.

[147] Max STEINMETZ: Das Erbe Thomas Müntzers. ZGW 17 (1969), 1124.

[148] MSB, 211, 5; Müntzer verweist am Rand auf 1. Kor. 1,27 f; 2,2 f.

[149] MSB, 252, 4.

[150] MSB, 403, 23 (49).

[151] WA 44, 553, 42 – 554, 3.

[152] Gegen Hermann GOEBKE: Neue Forschungen über Thomas Müntzer bis zum Jahre 1520: seine Abstammung und die Wurzeln seiner religiösen, politischen und sozialen Ziele. Harz-Zeitschrift 9 (1957), 5, und mit Adolar ZUMKELLER: Thomas Müntzer – Augustiner? Augustiniana 9 (Louvain 1959), 380–385.

[153] MSB, 519, 6 f: „Selten ist der Sieg der Keuschheit (. . . rara victoria in castitate)!" Daß diese und die folgenden Stellen auf das monastische Leben zu beziehen sind, belegt Müntzers Rückbindung seiner Ausführungen an Matth. 19, der Kardinalstelle der Patristik zur Begründung monastischen Lebens. Vgl. Hubert Kirchner: Neue Müntzeriana. ZKG 72 (1961), 115.

[154] MSB, 519, 7 f: „Niemals geschieht es ohne Todsünde, daß man Kinder ins Kloster hineindrängt (Numquam fit sine peccato mortali pueros intrudere in monasteria)."

[155] MSB, 519, 7: „Non sunt homines arctandi ad castitatem."

[156] MSB, 518, 14 f: „. . . castitatem, . . . non a natura habuit, sed a superfluitate gracie, virgo Maria . . ."

[157] Bubenheimer: unten Seite 322, Anm. 43.

[158] MLB, 86^r.

[159] MLB, 23.

[160] Bubenheimer: unten Seite 307–309.

[161] Platon: Politeia [De republica. Der Staat], 327a–621c (ders.: Werke in acht Bänden: griechisch und deutsch/ hrsg. von Gunther Eigler. Bd. 4. Darmstadt 1971).

[162] MSB, 290, 11–23.

[163] Platon: Politeia 520a–521b (Werke . . . 4, 570–575).

[164] MSB, 290, 20–25.

[165] Vgl. das gesamte Höhlengleichnis und die Auslegung bei Platon: Politeia 522e–530e (Werke . . . 4, 580–605).

[166] Apuleius: Metamorphoses 3, 24 (hrsg. von Rudolf Helm. Berlin 1956, 98); vgl. Franz, MSB, 290, Anm. 150.

[167] Jes. 29,8.

[168] Aurelius Augustinus: Prima [Undecima] pars librorum divi Aurelii Augustini. Basel: Johannes Amerbach; Johannes Petri; Johannes Froben, [1504–1506] (Universitätsbibliothek Tübingen: Gb 11. fol).

[169] MSB, 353, 6 (7): „Relegi".

[170] Aurelius Augustinus: Liber Epistolarum . . . Paris: Johannes Parvus und Jodocus Badius, 1515 (Universitätsbibliothek Tübingen: GB 73. fol).

[171] MSB, 353, 6 (7); vgl. Georg Wolfgang Panzer: Annales typographici. Bd. 8. Nachdruck der Ausgabe Nürnberg 1800. Hildesheim 1963, 28 (838).

[172] Aurelius Augustinus: Confessiones 8, 2 (CChr.SL 27 [1981], 114, 3 f. 7 / CSEL 33 [1896], 171, 8 f. 12).

[173] Ebd 5, 3 (CChr.SL 27, 58, 10 f / CSEL 33, 91. 4): „. . . multa philosophorum legeram . . ."

[174] Ebd 5, 14 (CChr.SL 27, 71, 7–16 / CSEL 33, 111, 9–18). Der Neuplatoniker Bischof Ambrosius schürte diese Hoffnung, so daß Augustinus glaubte, die platonische Idee ziele auf Gott ab. Vgl. auch ebd 8, 2 (CChr.SL 27, 114, 8 f / CSEL 33, 171, 14 f).

[175] Ebd 8, 2 (CChr.SL 27, 114, 9 f / CSEL 33, 171, 15 f).

[176] Ebd 8, 8 (CChr.SL 27, 125, 5 / CSEL 33, 186, 3): „. . . cum doctrinis . . . sine corde . . ."

[177] Ebd 5, 10 (CChr.SL 27, 68, 26 / CSEL 33, 106, 6): „. . . nec aliquid veri . . ."

[178] Zu Müntzer siehe oben Seite 42.

[179] Augustinus: Confessiones 4, 1 (CChr.SL 27, 40, 13 / CSEL 33, 64, 4): „. . . salubriter prostrati et elesi . . ."

[180] Ebd 4, 15 nach Ps. 50,19 (CChr.SL 27, 54, 58 / CSEL 33, 85, 16).

[181] Ebd 5, 9 (CChr.SL 27, 66, 22 f / CSEL 33, 103, 20 f): „. . . unter wieviel größeren Schmerzen sie [sc. Augustinus' Mutter] mich [sc. Augustinus] im Geist gebar als im Fleisch hervorgebracht hatte (. . . quanto maiore sollicitudine me parturiebat spiritu, quam carne pepererat)." Ebd 8, 6 (CChr.SL 27, 123, 66 / CSEL 33, 183, 1 f): „. . . im Drang der Wehen eines neuen Lebens . . . (. . . turbidus partituritione novae vitae . . .)."

[182] MSB 250, 18–21. Müntzer verweist auf Ps. 48,7 und Joh. 16,21.

[183] MSB, 563, 16 f; 562, 36 (für das Jahr 1519); 361, 5 (13; für 1520); 372, 27–29 (25); 371, 9 (24); 494, 15 f (für 1521); TOp.M, 41 zu TRM 8 (CChr.SL, 2, 932, 27 / CSEL 47, 37, 17): „vices reddere christo est mori pro ipso" (für ca. 1522); MSB, 240, 5 f; 388, 9 (38; für 1523); 435, 5 (67); 295, 27 f (für 1524).

[184] MSB, 361, 5 (13): „. . . ambulavero in medio umbre mortis, . . ."

[185] Augustinus: Confessiones 1, 6 (CChr.SL 27, 4, 5 f / CSEL 33, 5, 20): „. . . dico vitam mortalem an mortem vitalem?"

[186] Ebd 2, 1 f (CChr.SL 27, 18, 9. 9 / CSEL 33, 29, 14; 30, 7 f): „computrui"; „Obsurdueram stridore

catenae mortalitatis meae . . .“ Vgl. die Zusammenstellung von weiteren Quellenbelegen zu Augustinus' Beziehung zum Tod auch aus anderen Schriften des Kirchenvaters bei Bernhard GROETHUYSEN: Philosophische Anthropologie: Handbuch der Philosophie. Abteilung 3 A. München / Berlin 1928, 80.

[187] Augustinus: Confessiones 4, 16 (CChr.SL 27, 55, 55–58 / CSEL 33, 88, 3–6).

[188] Ebd 5, 3 (CChr.SL 27, 59, 27–32 / CSEL 33, 91, 22 – 92, 4).

[189] Augustinus: De civitate dei 14, 6 (CChr.SL 48, 421, 3–5 / CSEL 40 II, 11, 15–17): „Voluntas est quippe in omnibus [sc. motibus]: immo omnes nihil aliud quam voluntates sunt.“ Weitere Quellenbelege bei Groethuysen: AaO, 83 f. 89 f.

[190] MSB, 285, 22–25.

[191] Groethuysen: AaO, 78–81.

[192] Augustinus: Confessiones 8, 6 (CChr.SL 27, 123, 69 / CSEL 33, 183, 5): „fluctus cordis“ bzw. ebd 8, 8 (CChr.SL 27, 125, 1–3 / CSEL 33, 185, 22 – 186, 1): „Tum in illa grandi rixa domus meae, quam fortiter excitaueram cum anima mea in cubiculo nostro, corde meo, tam vultu quam mente turbatus invado Alypium . . .“ Bezüglich Müntzer vgl. MSB, 22, 1–9; 118, 1. 22; 235, 7; 318, 10 f.

[193] Augustinus: Confessiones 5, 11 (CChr.SL 27, 69, 11–13 / CSEL 33, 108, 19–21).

[194] Vgl. unten Anm. 198.

[195] Aurelius AUGUSTINUS: De genesi ad litteram 10, 25 f (CSEL 28 [1894], 328, 11 – 332, 8).

[196] Ebd 10, 25 (CSEL 28, 328, 13).

[197] Augustinus: Confessiones 5, 10 (CChr.SL 27, 68, 42 f / CSEL 33, 107, 1 f): „. . . maxima et prope sola causa . . . erroris mei.“ Vgl. auch ebd 5, 14; 7, 1 (CChr.SL 27, 71, 24 f; 92, 3 f / CSEL 33, 112, 27 f; 140, 3 f).

[198] Ebd 10, 26 (CSEL 28, 331, 12 f): „Quis hunc crederet cum isto corde tam disertum esse potuisse?“

[199] Augustinus: De genesi ad litteram 10, 25 f (CSEL 28, 328, 11 – 332, 8) ist vollständig zitiert in TOp.R, b 1ᵛ–b 2ᵛ. Die besondere Bedeutung liegt darin, daß dies der einzige heute bekannte von Müntzer glossierte Augustinustext ist.

[200] TOp.M, b 2ᵛ zu TOp.R: „Anima pulchre describitur.“

[201] Ebd, b 2ʳ: „Comp[a]ratio de auro.“

[202] Ebd: „Ex materia corporis fit anima.“

[203] Ebd: „Dixit [sc. Tertullianus] animam habere interiora membra.“

[204] Vgl. unten Anm. 209. 213. 215.

[205] Vgl. unten Anm. 209.

[206] 2. Kor. 4, 16.

[207] TOp.M, b 1ᵛ zu TOp.R: „Duplex homo interior et exterior.“

[208] TRM 46 (CChr.SL 2, 984, 50 f / CSEL 47, 95, 7 f).

[209] TOp.M, 68 zu TRM 46 (CChr.SL 2, 983, 1–7 / CSEL 47, 93, 17–22): „Carnem non damnat apostolus sed opera eius.“

[210] TRM 10 (CChr.SL 2, 933, 12 / CSEL 47, 39, 4 f).

[211] TRM 46 (CChr.SL 2, 984, 32–49 / CSEL 47, 94, 16 – 95, 6).

[212] TOp.M, 41 zu TRM 9 (CChr.SL 2, 932, 5 / CSEL 47, 37, 29): „deus diliget carnem nostram.“

[213] TOp.M, 40 zu TRM 7 (CChr.SL 2, 930, 28 f / CSEL 47, 36, 5 f): „gloriosus limus“.

[214] TRM 10 (CChr.SL 2, 932, 1 f / CSEL 47, 38, 18 f).

[215] TOp.M, 42 zu TRM 10 (CChr.SL 2, 933, 10 / CSEL 47, 39, 3–5): „actus carnis respuitur.“

[216] TOp.M, 68 zu TRM 46 (CChr.SL 2, 984, 47 / CSEL 47, 95, 5): „Sensus carnis mors.“

[217] TOp.M, 41 zu TRM 9 f (CChr.SL 2, 933, 5 / CSEL 47, 38, 18): „Gloria et ignomi[ni]a carnis nostrae.“

[218] TOp.M, 42 zu TRM 10 (CChr.SL 2, 933, 16 / CSEL 47, 39, 9): „Caro templum dei.“

[219] TOp.M, 68 zu TRM 46 (CChr.SL 2, 983, 10 / CSEL 47, 93, 25): „Multi in corpore secundum spiritum et non secundum carnem vivunt.“

[220] MSB, 293, 39 – 294, 1; vgl. 303, 20–22.

[221] TRM 40 (CChr. SL 2, 973 f / CSEL 47, 82–84).

[222] Vgl. oben Anm. 199.

[223] TCCh 12 (CChr.SL 2, 896, 20 / CSEL 70, 221, 23): „. . . ipsa [sc. anima] in primis rationalis.“

[224] Ebd (CChr.SL 2, 896, 17 / CSEL 70, 221, 19).

[225] Vgl. oben Anm. 48.

[226] MSB, 521, 4 f.

[227] MSB, 520, 1.

228 MSB, 520, 3 f.

229 Vgl. oben Anm. 62 f und das Folgende.

230 WA 10 II, 329, 25–27.

231 CR 25, 80. 609. 862.

232 MSB, 356, 16–18 (11).

233 Wilhelm Ernst Tentzel: Historischer Bericht vom Anfang und ersten Fortgang der Reformation Lutheri/ hrsg. von Ernst Salomon Cyprian. Teil 2. Leipzig 1718, 334 f.

234 Burkhard Gotthelf Struvius: Manuscriptum Thomae Monetarii, alias Muntzeri. In: ders.: Acta litteraria: sive collectio manuscriptorum. I [Jena 1703], 196–198.

235 Vgl. Müntzers eigene Ausführungen (MSB, 411, 34–36 [55]): „. . . wie ein frommer mensch sol gelassen stehen umb Gotts willen und sich erwegen seyns leybs, gutts, hauß und hoff, kynder und weyber, vater und mutter sampt der ganzen welt."

236 TPr, 460 a: Stichwort „gelâzen"; bezüglich Müntzer vergleiche folgende Stellen: MSB, 21, 8–10; 141, 11; 219, 4–9. 12. 16 f; 231, 15; 308, 31–33; 411, 34–36 (55); 412, 5 (55); 413, 36 (55); 454, 3–5. 19 f (75).

237 MSB, 503, 25.

238 TPr, 46, 20 (9); 74, 28 (16); 80, 13 (19); 137, 1 (36); 322, 14 (60h); 347, 11. 14 (64) u. ö.

239 TPr, 157, 7 f (39).

240 TPr, 235, 14 f (52).

241 TPr, 348, 22 f (64).

242 TPr, 357, 18 f (65).

243 TPr, 348, 21 f (64).

244 Vgl. oben Anm. 28. 34.

245 MSB, 521, 3–7.

246 Vgl. oben Anm. 63.

247 Vgl. oben Seite 40. 47 meine Ausführungen zum himmlischen Menschen und zur Vergottung bei Müntzer.

248 Goertz: AaO, 148.

249 Bei Müntzer (vgl. oben Seite 43) ist wie bei Augustinus (vgl. Bengt Hägglund: Geschichte der Theologie: ein Abriß. Berlin 1983, 94–101) auch der jeweilige Kirchenbegriff vom Gedanken der Auserwählung geprägt.

250 Dabei ist der Vorbehalt zu machen, daß das gewonnene Bild möglicherweise durch die noch begrenzte Erforschung der von Müntzer rezipierten Traditionen verzerrt ist.

Thomas Müntzers Christologie

Von Martin Brecht

Die Forschung hat sich bisher mit der Christologie oder, vorsichtiger gesagt, der Christusvorstellung Müntzers kaum einmal ausführlich beschäftigt. Das ist verständlich, denn sie scheint nicht unbedingt ein Eckpfeiler seines theologischen Systems zu sein. Dennoch dürfte es interessant, möglicherweise sogar aufschlußreich sein, die Funktion, die ihr Müntzer zuweist, zu kennen.

Willis M. Stoesz stellte 1964 Müntzers Denken anhand seiner Christologie dar[1] und ging dabei von Christus als dem Lehrer oder Gesetzgeber, dem inneren Wort und dem Haupt oder Beispiel aus. Mit diesen Begriffen ist zwar einiges erfaßt, sowohl ihre Interpretation als auch ihre Zuordnung entbehren aber der Genauigkeit. Wesentlich präziser deutete Hans-Jürgen Goertz[2] 1967 Müntzer ganz von seiner mystischen Denkform her, in die er neben der Gottesvorstellung und der Heilsordnung auch die Christologie verzahnt sah. Goertz begriff Müntzers wichtige Kategorie der Ordnung zunächst als innere, mystische Ordnung, die er dann mit der ewigen identifizierte. Eine Trinitätslehre, glaubte er, sei bei Müntzer nur angedeutet und in die Pneumatologie verflüchtigt, während die Christologie ganz in den Dienst der Soteriologie genommen sei. Die Geburt Christi in uns passe sich ganz in die innere Ordnung ein. Seine Menschwerdung sei als Mittel mit der Kreuzesmystik identisch. Das Kreuz Christi interpretiere die Notwendigkeit des Leidens zur Überwindung der Sünde lediglich nachträglich. Die Sichtweise von Goertz erscheint weithin zutreffend. Allerdings wirkt sein Versuch, die innere mystische Ordnung mit der äußeren Ordnung der Welt und ihrer Umgestaltung zu verbinden, nicht überzeugend und ist ohne Anhalt an Müntzers eigenen Begriffen und Aussagen. Dies könnte damit zusammenhängen, daß Müntzers Theologie eben doch einseitig von der Mystik her erfaßt ist, während tatsächlich die Zusammenhänge umfassender sind. Dies soll im folgenden hinsichtlich der Christologie überprüft werden.

Bei der hier unternommenen Annäherung an das Thema wird einem sofort einmal mehr schmerzlich bewußt, daß über Müntzers theologische Ausbildung und mithin auch über den Hintergrund seiner Christologie nahezu nichts bekannt ist.[3] Darum muß man sich über einzelne einschlägige Äußerungen Müntzers an das Problem herantasten. Dabei dürfte es geboten sein, chronologisch-genetisch vorzugehen, um auch etwaiger Modifikationen ansichtig zu werden. Dieses Verfahren ist beschwerlich, weil es sich mit einer schnellen Systematisierung zurückhält. Es läßt jedoch gesichertere Erkenntnisse erhoffen.

I Frühe Äußerungen zur Christologie

Aus einem Brief an Franz Günther vom 1. Januar 1520 wird ersichtlich, daß der gekreuzigte Jesus für Müntzer von besonderer Bedeutung war. Den Beistand des Gekreuzigten wünscht er dem Briefempfänger und erbittet das gleiche für sich: Der Gekreuzigte möge „durch den

Glauben an die Heilige Schrift in Ewigkeit" mit ihm sein. Kreuzestheologie und ein bestimmtes Schriftverständnis scheinen zusammenzugehören. Zuvor hatte Müntzer als sein „im Herrn Jesus bisher bitteres Kreuz" bezeichnet, daß ihm die meisten zu seinem Studium benötigten Bücher, vermutlich Ausgaben der Kirchenväter, nicht zur Verfügung stünden. Die Nöte eines engagierten Theologen scheinen damit etwas überzeichnet, aber Müntzer meinte seine Forschungen nicht für sich, sondern „für den Herrn" zu betreiben. Sein eigenes, anscheinend wenig befriedigendes Geschick wollte er als göttliches Geschick akzeptieren.[4] Dabei ging es nicht um die Folgen persönlicher Schuld, sondern der Theologe Müntzer begriff sein Leben als Entsprechung zur Existenz des Gekreuzigten. Es wird sich zeigen, daß dies ein zentraler Komplex in Müntzers Theologie war. Der Gekreuzigte wird dabei nicht Gegenstand selbständiger theologischer Betrachtung, sondern ist bezogen auf die persönliche Existenz.

Wie Müntzers Brief vom 13. Juli 1520 an Luther zeigt, galten ihm auch seine Auseinandersetzungen mit den Zwickauer Franziskanern als Schicksal eines Jüngers Christi und waren ihm darum geradezu willkommen. Er gab jedoch selbst zu, „mein Kreuz ist noch nicht vollkommen", da er in dem Konflikt vom Zwickauer Rat unterstützt werde.[5] Im selben Brief erwähnt Müntzer Thesen, die der Franziskaner Tiburtius gegen ihn vertreten habe. Möglicherweise hat der Briefschreiber sie in seiner Wiedergabe zugespitzt, aber jedenfalls erkennt man auf dieser Folie, worum es Müntzer selbst ging. Die erste dieser Thesen betrifft die Christologie: „Christus ist einmal für uns gestorben, damit er in uns nicht sterbe, und sein Sakrament ist nicht für uns zum Trost und sein Beispiel ist nicht zur Nachahmung zu verwenden. Im Amt der Messe erlangen wir, daß wir in dieser Welt nicht leiden mögen."[6] Tiburtius hatte also die von Müntzer vertretene Gleichförmigkeit des Christen mit dem Sterben Christi, die Trost und Forderung zugleich bedeutete, bestritten und dagegen den Vollzug der Messe geradezu als Versicherung vor dem Leiden bezeichnet. Müntzer meinte, mit seiner Auffassung mit Luther übereinzustimmen. Er war entschlossen, den Christus angetanen Schmähungen entgegenzutreten.[7]

Daß Müntzers Christusvorstellung nicht ausschließlich auf den Gedankenkreis der Konformität beschränkt war, zeigt seine Predigt zum Fest Mariä Geburt (8. September) 1520, der als Text der Stammbaum Jesu Matth. 1,1–17 zugrunde lag.[8] Müntzer war der Ansicht, Matthäus habe sich gegen den Widerspruch wehren müssen, Jesus sei nicht der Messias, weil er dessen verheißene Werke nicht aufweisen konnte. Dazu gehörten die Unterwerfung des Erdkreises, die Sammlung der zerstreuten Juden, die Herstellung des Friedens, daß die Waffen zu Pflugscharen und Sicheln gemacht werden, die Überwindung des Todes, das Abwischen aller Tränen und die Tilgung der Schmach des Gottesvolkes. Man wird hier der biblisch begründeten messianischen Erwartungen Müntzers ansichtig. Den Beweis für die Messianität liefert der Stammbaum Christi mit seinen je 14 Patriarchen, Königen und Priestern, wobei das Problem, daß dieser Stammbaum auf Joseph und nicht auf Maria führt, umgangen wird. Maria selbst wird vielmehr als Patriarchin, Königin und Priester bezeichnet. Sie wird mit der „Morgenröte" in Hohesl. 6,10 identifiziert, die Christus als der Sonne der Gerechtigkeit vorangeht. Insofern kommt ihr eine Mittlerstellung zu. Sie läßt die bedrängten Menschen bereits träumen von dem, der die Sünde wegnimmt und der Schlange den Kopf zertritt. Den Teufel vermochte Maria durch ihre Demut und Keuschheit zu überwinden, die sie freilich nicht aus sich, sondern aus dem Überfluß der Gnade hatte. Auffällig ist, daß hinsichtlich der Mittlerfunktion nicht schärfer zwischen Christus und Maria unterschieden wird. Deshalb auf eine Einebnung der Christologie zu schließen, würde jedoch wohl zu weit gehen. Ob Müntzer der Meinung war, mit dem Verweis auf Maria das eingangs angerissene

Problem der Messianität Jesu erledigt zu haben, läßt sich der Predigtnachschrift nicht mit Sicherheit entnehmen.

An dem angefügten pseudohieronymianischen, Paschasius Radbertus zugeschriebenen mariologischen Text dürfte Müntzer der Schluß interessiert haben, wo es von Maria heißt: „die den Himmeln die Ehre, der Erde den Frieden gab, die den Heiden den Glauben, das Ende der Laster, die Ordnung des Lebens und Zucht der Sitten zurückerstattete".[9] 1522 begann Müntzer einen Brief mit dem Wunsch: „Das Heil des Sohnes der Jungfrau."[10] Die Wendung läßt auf ein gewisses Interesse an der Inkarnation schließen. Sie wirkt eigentlich nicht gerade mystisch.

Von einer wenig bekannten Seite präsentiert sich Müntzer in seinem Brief an Bürgermeister und Rat von Neustadt an der Orla vom 21. Januar 1521, mit dem er sich für die Gültigkeit eines Eheversprechens einsetzte.[11] Interessant ist dabei die Begründung: „Nach dem Wort Christi, auf welches die heilige Kirche gebaut ist", hielt es Müntzer für seinen Auftrag, wie Christus die Armen zu trösten und die Verlassenen und Kranken gesund zu machen. Er berief sich dafür auf den Sendungsbefehl Joh. 20,21, an den er sich zu halten habe, wolle er nicht ein Priester sein, der lediglich sich selbst weide. Müntzer griff dabei in einen beim geistlichen Gericht anhängigen Ehefall ein. Ob dies in der Absicht geschah, beschwerten Gewissen zu helfen, oder ob er lediglich wie die Wittenberger die Gültigkeit des ersten Eheversprechens durchsetzen sollte, läßt sich nicht feststellen. Jedenfalls beschränkte sich seine Christusbeziehung nicht allein auf die Konformität mit dem leidenden Christus, sondern hatte auch die Übereinstimmung mit dem tröstenden Handeln Christi zum Inhalt.

Nicht nur im Konflikt mit den Zwickauer Franziskanern, sondern auch in Müntzers Auseinandersetzung mit seinem Kollegen Johannes Sylvius Egranus spielte die Christusauffassung eine Rolle. Dies wird wiederum erkennbar auf der Folie einer Aufzeichnung der Thesen seines Gegners durch Müntzer.[12] Egranus hatte bestritten, daß Christus der Erlöser aller Menschen, also auch der alttestamentlichen Juden oder der Heiden vor seiner Menschwerdung sei. Dementsprechend waren die Väter des Alten Testaments auch nicht aus der Gnade Christi, sondern aus ihrer eigenen Tugend gerecht. Anders als Müntzer sah Egranus den Sinn des Kommens Christi in die Welt nicht darin, daß er uns lehre, unsere Leiden geduldig zu tragen und ihm nachzufolgen, vielmehr bedeute sein Leiden gerade eine Absicherung vor aller Bitterkeit. Müntzer verwies dagegen auf die im 1. Petrusbrief bezeugte Einbeziehung der Christen in das Leiden Christi. Egranus faßte das Leiden Christi nicht als so radikal auf wie Müntzer, wie er überhaupt den Tod des Menschen als eine süße Auflösung des Zusammenhangs von Seele und Leib betrachtete. Die Frucht des Leidens Christi bestand für ihn lediglich in einer (gnadenhaften?) Disposition, gute Werke zu tun. Die Geschichten der Evangelien verstand er nur historisch und nicht als exemplarisch für die christliche Existenz überhaupt. Er nahm auch die Bitte des Vaterunsers um das tägliche Brot wörtlich und begriff dieses nicht wie Müntzer und auch Luther[13] als das in Christus verkörperte Lebensbrot. Müntzer kritisierte Egranus also von einer an Christus orientierten Leidenstheologie her, die aber hinsichtlich der Menschheit Christi nicht einfach in der Nachfolge aufging. Überdies ist Christus als das Lebensbrot begriffen.

Nach seiner Vertreibung aus Zwickau beschrieb Müntzer im Juni 1521 seine Absichten mit einer paulinischen Wendung (1. Kor. 9,22). „Ich wollte, wenn ich könnte, allen alles werden, daß sie den Gekreuzigten in der Übereinstimmung ihrer Absage [nämlich an die Welt] erkennen."[14] Paulus sei es darum gegangen, einige selig zu machen. Dies ist letztlich auch von Müntzer intendiert, aber nach seiner Auffassung bedarf es dazu der Gleichförmigkeit mit dem Gekreuzigten. Wie ein gleichzeitiger Brief an Nikolaus Hausmann zeigt, hatte

Müntzer so auch sein Amt in Zwickau verstanden, und dasselbe mutete er Hausmann zu[15]: Der Gekreuzigte kann nur gepredigt werden, indem der Jünger sich nicht über seinen Meister erhebt. Das Verfolgtsein gehört zum Schicksal des Predigers, und Müntzer ersehnte darum die Verfolgung. Das hinderte nicht, daß er die gewann, die durch ihn bekehrt werden sollten. Die erste Reise nach Böhmen hatte er nicht aus Ehr- oder Gewinnsucht unternommen, sondern in Erwartung des zukünftigen Todes. „Das will ich, damit das Geheimnis des Kreuzes, das ich gepredigt habe, nicht ausgelöscht werden kann." Das Christusmysterium konzentrierte sich für Müntzer ganz auf das Kreuz. Darin sah er auch sein eigenes Geschick vorgegeben, zumal er bereits die Zeit des Antichrists für angebrochen hielt.

Das „Prager Manifest" vom November 1521 enthält nur wenige Äußerungen zur Christologie. Es findet sich bereits die mystische Vorstellung, daß der Vater den Sohn mit seiner lebendigen Rede im Herzen des Menschen anspricht und dadurch das Bibelwort bestätigt wird. Die Inkarnation erfolgt demnach im Herzen des Menschen. Der trinitarische Zusammenhang geht jedoch keineswegs in der Konformitätslehre auf.[16] Der ungläubigen Geistlichkeit wird vorgeworfen, von dem Wort, das Mensch geworden ist, zu weichen. Sie wollen nicht mit dem leidenden Christus gleichförmig werden.[17] Den Überschuß der Logoschristologie über die Anschauung von der Konformität wird man nicht übersehen dürfen. Das Verhältnis Christi zu den Seinen kann auch als das „einer hennen, dye do warm macht yhre kynder", beschrieben werden.[18] Es wird betont, daß Christus den Auserwählten sein Evangelium unmittelbar, also nicht allein durch die Bibel, vorpredigen muß.[19] Müntzer will „vmb des bluts Christi willen" gegen die Feinde des Glaubens kämpfen. Damit dürfte angedeutet sein, daß dem Blut Christi im Heilsprozeß zentrale Bedeutung zukommt. Müntzer versteht sich in diesem Kampf als der Vorläufer Christi „in dem geist Helie" (Luk. 1,17). Hier weitet sich die Christologie in die Apokalyptik, was mit Müntzers Erwartung des Antichrists übereinstimmt.[20] In einem Brief von 1522 beabsichtigte Müntzer, die wahre Kirche Jesu von Nazareth allen gottlosen Betrügern darzustellen. Ihnen wirft er vor, das Ihre und nicht, was Christi ist, zu suchen.[21] Alles in allem weisen die einschlägigen Aussagen des Prager Manifests über die mystische Konzeption hinaus unterschiedliche Aspekte auf, die auf eine umfassende Christologie hindeuten und jedenfalls bereits den endzeitlichen Horizont einbeziehen.

II Die Stellungnahme zu Tertullian

Nach dem bisherigen Befund scheinen bei Müntzer hinsichtlich der Christusbeziehung die Gedanken der Nachfolge und Gleichförmigkeit vorherrschend gewesen zu sein. Daneben deutete sich immerhin auch an, daß Müntzer sich das Werk Christi umfassend als die Überwindung aller menschlichen Not vorstellte. Aber erst die 1522 oder später entstandenen Randbemerkungen Müntzers zu Schriften Cyprians und vor allem Tertullians beweisen, daß er sich auch eingehender mit Problemen der Christologie beschäftigt hat und daß dieser möglicherweise eine größere Bedeutung im Zusammenhang seines theologischen Denkens zukam, als bisher erkennbar gewesen war.[22]

Die wichtigsten Randbemerkungen zur Christologie finden sich zu der gegen Markion gerichteten Schrift Tertullians „De carne Christi". Um auch hier eine vorschnelle Systematisierung zu vermeiden, werden sie in der Abfolge der Schrift Tertullians vorgeführt und erörtert. Mit Tertullians Argument, wenn Gott nicht hätte geboren werden wollen, hätte er sich auch nicht als Mensch gezeigt, war Müntzer offenbar nicht einverstanden, denn er notierte: „Ex ordine nihil probat; de innocentia Christi et peccato Adam probanda est nativitas domini.“[23] Die Menschwerdung des unschuldigen Christus wurde notwendig, weil Adam in Sünde gefallen war. Die Adam-Christus-Parallele von Röm. 5 wird sich auch im folgenden als zentral für Müntzers Christologie herausstellen. Allerdings scheint ihm mehr an der Unschuld Christi als an seiner Gerechtigkeit und der Gnade gelegen zu sein.

Aufhorchen läßt ferner der Begriff „Ordnung“. Er begegnet bereits pointiert im Prager Manifest, wo Müntzer den Gelehrten zweimal vorwirft, nichts von „der Ordnung Gottes in alle Kreaturen gesetzt“ vernommen zu haben.[24] Man war bisher davon ausgegangen, daß Müntzer die Vorstellung von der Ordnung Gottes aus Johannes Tauler oder der „Deutsch Theologia“ übernommen hatte und darum darunter die einzelnen Schritte des Heilsprozesses beim Menschen verstand.[25] Man wird aber nicht vergessen dürfen, daß Müntzer wohl auch Augustins Schrift „De ordine“ kannte, in der es um die Gott und die Welt umfassende Ordnung geht.[26] Jedenfalls erweist sich nunmehr, daß Müntzer den Ordnungsbegriff auch prinzipiell für das Heilshandeln Gottes und Christi verwandte.

Wie Tertullian war auch Müntzer der Meinung, daß sich Christus in seiner Menschwerdung mit der ganzen Leiblichkeit des Menschen eingelassen hat, und spottete deshalb über den Doketismus Marcions: „Cauteriata conscientia haereticorum nausea est plena.“ Wenig später wird von Müntzer das Zitat 1. Kor 1,27 wiederholt: „Das Törichte hat Gott erwählt, daß er die Weisen zuschanden mache.“[27]

Wegen seiner doketischen Christologie, die vom Islam geteilt wird, wird Markion als fundamentum Turcarum bezeichnet. Später kann seine und die Auffassung der Türken umgekehrt auch einmal als ebionitisch charakterisiert werden. Der Differenz war sich Müntzer offensichtlich nicht bewußt. Der deus Marcionis ist ein unwirkliches Schemen.[28] Die indirekte Argumentation Tertullians befriedigte Müntzer erneut nicht: „Quare non probas ex ordine rerum contra negantem scripturas.“[29] Angesichts der Schwierigkeiten, die Tertullian mit den Schriftbeweisen Markions hatte, bemerkt Müntzer: „Nullus doctorum scripsit ordinem, ob id non potuerunt vincere unum haereticum, nisi scripturis, quae possunt vario glossemate involui et comparari.“[30] Weil den Theologen eine klare Vorstellung von der Ordnung Gottes fehlte, konnten sie die Häretiker nicht überwinden, zumal ihre Schriftbeweise sich auf verschiedene Weise interpretieren ließen. Die doketische Berufung des Marcionschülers Apelles auf das Wort Jesu Matth. 12,48: „Wer ist meine Mutter, wer sind meine Brüder“, wird zutreffend als „Sophisma haereticorum“ bewertet. Müntzer bemerkt sodann zu den Darlegungen Tertullians: „Cum littera convincit haereticos illos.“ Daß dies nicht unbedingt als Lob gemeint ist, zeigt die folgende Bemerkung: „In littera versantur omnes doctores, palpant utrique tenebras.“[31] Auch die am Buchstaben haftenden Gelehrten schmeicheln der Finsternis.

Mit Tertullian stellt Müntzer fest: „Caro Christi similis carni nostrae.“ Er registriert in diesem Zusammenhang die Bewunderung, die Christus und seinen Erwählten in der Lehre der Menschen zuteil wird.[32] Befriedigt wird notiert, Tertullian beweise, daß das Fleisch Christi nicht himmlisch sei, und der Kirchenvater verspotte somit den Häretiker.[33] Zur Bestreitung der Häretiker, daß die Seele Christi einen wirklichen Leib angenommen habe, wird erneut festgestellt: „Omnes haeretici ignoraverunt ordinem.“[34] Während Tertullian ein Selbstbewußtsein der Seele annimmt, ist Müntzer offensichtlich anderer Auffassung: „Ignorantiam sui habet anima et nisi eam diluat nec deum nec creaturam potest comprehendere.“ Im folgenden betont Tertullian, Christus sei nicht gekommen, daß die Seele *sich* erkenne, sondern Christus; dadurch werde sie gerettet. Müntzer notierte kritisch: „Apertissime cognoscis quod hic negat ordinem rerum. Ponit salutem ignorantia pessima.“ Zum Heilswerk Christ gehörte für Müntzer auch die neue Erkenntnis.[35] Ganz einverstanden war er hingegen mit dem Schriftbeweis, den Tertullian gegen den Gnostiker Valentinos für die Menschheit Christi führte.[36] Die Anfragen der Heiden, warum sich die Auferstehung Christi nicht auch an uns erweise, scheinen Müntzer imponiert zu haben, denn er notiert: „Optime contrariati sunt: Quia volutabant ordinem quem theologi ignoraverunt a principio."[37] Daß die Ordnung der Dinge mit der Entsprechung von Adam und Christus zu tun hat, wird in Übereinstimmung mit Tertullian erneut festgestellt: „Ordo rerum unica [?] hic [?] vice tangitur. Adam non est factus ex semine viri, sic in Christo." Ebenso lautet eine Notiz oben auf der gleichen Seite: „Sicut Adam natus ex virgine terra ita decuit in 2° Adam fieri."[38] Christus scheint in strenger Analogie zum ersten Adam gedacht zu sein. Zu der folgenden Parallelisierung von Eva und Maria heißt es: „Hic rursus tangit ordinem rerum de conceptione diversorum."[39] Zu Müntzers Vorstellung von der Ordnung dürfte auch die auf Christus und die Glaubenden zu beziehende Geburt aus dem Geist gehört haben: „. . . omnia in Christum et credentes eius."[40]

Mit Tertullian beharrt Müntzer darauf, Christus sei von Maria wirklich geboren worden: „EX VULVA". Als Beweis gilt Ps. 21,10 (Vulg.): „Avellitur ex utero, qui adhaeret illi."[41] Über Tertullian hinaus wird die bleibende Jungfräulichkeit Mariens als Symbol der geistlichen Wiedergeburt behauptet.[42] Schon in der Einleitung des Rhenanus hatte Müntzer der Behauptung widersprochen, Maria habe nach der Geburt Jesu geheiratet: „Non, non." Er lehnte auch die Ansicht Tertullians ab, die Jungfräulichkeit der Maria sei durch die Geburt Jesu beendet worden: „Patefacto corpore Christus non est natus."[43]

Aus dem Argument des Rhenanus zu Tertullians „De carnis resurrectione" schreibt sich Müntzer natürlich heraus: „Ex ordine rerum probat resurrectionem." Ebenso hält er die auch von ihm abgelehnte Meinung fest: „Quidem voluerunt resurrectionem spiritualiter intelligere."[44] Den hier auch bei Tertullian begegnenden Begriff „ordo" schreibt Müntzer mit Majuskeln an den Rand.[45] Die meisten Randbemerkungen zu dieser Schrift betreffen eher die Anthropologie als die Christologie. Der Mensch gilt als nach dem Bilde Christi geschaffen, das schon vor der Schöpfung bestand. Müntzer bejaht die Erschaffung des Menschen aus Erde: „Haeretici contempnunt viles creaturas; quia ordinem rerum minime intelligunt."[46] Wie Müntzer die Fleischwerdung Christi ernst nahm, so stellte er sich überhaupt positiv zu der Tatsache, daß der Mensch Fleisch ist. In dieser Hinsicht war er nicht ohne weiteres Spiritualist. Das Sterben des Christen für Christus wird als Entsprechung zu dessen eigenem Verhalten verstanden.[47] Die von Tertullian behauptete Ordnung der Wiederbringung wird von Müntzer als „conclusio pulcherrima de resurrectione mortuorum" bezeichnet.[48]

Aus den Randbemerkungen ergibt sich deutlich und zwanglos, daß Müntzer eine feste Vorstellung von der „Ordnung der Dinge" hatte, die für ihn normative Bedeutung besaß. Genaugenommen handelt es sich dabei um eine umfassende und keineswegs lediglich mystisch verstandene Heilsordnung. Der Mensch ist nach dem Bild Christi geschaffen. Weil durch die Sünde Adams das Heil verwirkt worden ist, muß es durch Christus als den zweiten Adam wiedergewonnen werden. Wie das geschieht, wird, abgesehen von der Betonung der Unschuld Christi, nicht näher ausgeführt. Der zweite Adam entspricht in vieler Hinsicht dem ersten. Er ist Fleisch gewordener Mensch. Dies hat Konsequenzen für die Ausgestaltung der Mariologie. Die Erlösung erstreckt sich nicht nur auf die Seele des Menschen, sondern auch auf sein Fleisch, das durch das Fleisch Christi lebendig gemacht wird.[49] Im Heilsprozeß spielt aber zugleich die durch Christus erfolgte Information über den Zustand des Menschen eine Rolle, wobei nicht klar ist, wie sich diese Vorstellung zu der der Lebendigmachung verhält. Die häufige Kritik Müntzers an den Theologen besagt, diese hätten die Ordnung nicht erfaßt und operierten gegenüber den Häretikern mehr oder weniger erfolgreich lediglich mit einzelnen Bibelstellen. Müntzer liegt also an einer konsequenteren Darlegung und Vertretung der Heilsordnung. Diese kann man als christozentrisch und zugleich auf den ganzen Menschen ausgerichtet bezeichnen.

III Die Christologie der Liedübertragungen und Gottesdienstordnungen

So aufschlußreich die Randbemerkungen für das Gerüst von Müntzers Theologie auch sind, indem sie viel umfassendere Zusammenhänge als seine früheren Äußerungen erkennen lassen, könnte es dennoch aus guten Gründen naheliegen, diesen beiläufigen Notizen nicht allzuviel Gewicht beizulegen. Es ist jedoch noch an einer anderen Stelle zu einer geradezu offiziellen Aufnahme und selbständigen Verarbeitung vorwiegend altkirchlicher Theologie durch Müntzer gekommen. In seinem Deutschen Kirchenamt und der Deutsch-Evangelischen Messe übernahm Müntzer herkömmliche Hymnen. Wie schon Siegfried Bräuer in einer instruktiven Untersuchung[50] gezeigt hat, begnügte sich Müntzer nicht mit wörtlichen Übersetzungen der Hymnen, sondern interpretierte, veränderte und ergänzte sie in seinem Sinn. Auf dem Hintergrund der Randbemerkungen läßt sich dies noch genauer erkennen als bisher. Den Festen des Kirchenjahres entsprechend beziehen sich viele der Hymnen auf Christus.

„O Herr Erlöser alles Volks" ist die Übertragung des Hymnus „Veni redemptor gentium" des Ambrosius.[51] Der zweite Teil der 1. Strophe

> „es wundern sich all creaturen,
> das Christ also ist mensch worden."

> „Miretur omne saeculum:
> talis decet partus deum."

ist zwar in der Müntzer eigentümlichen Terminologie[52] formuliert, bleibt jedoch nahe an der Vorlage, wobei die letzte Zeile nunmehr stärker den geschichtlichen Ablauf schildert. Wenn in der 2. Strophe die Inkarnation des Wortes mit „vormenschet" ausgedrückt wird, wird man neben der Herkunft dieses Wortes aus der Mystik beachten müssen, daß es auch den Vorstellungen der Randbemerkungen entspricht.[53] Die Strophen 3 und 4 des ambrosianischen Hymnus werden von Müntzer umgestellt, vermutlich weil es der „Ordnung" besser entsprach, zuerst Christi Ausgang vom Himmel und danach die Empfängnis zu schildern. Im Grunde formulierte Müntzer seine 3. Strophe neu:

> „Also ist nun deyn heylges fleisch
> der welt kunth worden allermeist,
> do Christ vom hymel hernydder kam
> und unser sunde auff sich nam."

Bezeichnend ist die Wendung „heylges fleisch". Die Inkarnation ist auch hier zugleich eine Information und die Übernahme der Sünde durch Christus, von der allerdings nicht gesagt wird, wie Müntzer sie sich vorstellte.

Die 4. Strophe faßte Müntzer gleichfalls neu:

> „Er schwank sich in der junckfrawen schoß,
> groß freude wart auch solchem loß,
> in uns zu wonen, er begeret hat,
> beschlossen durch gotlichen rath."

> „Alvus tumescit virginis,
> claustra pudoris permanent,
> Vexilla virtutum miscant,
> versatur in templo deus."

Müntzer ist weniger an der Mariologie interessiert. Damit umgeht er zugleich das Problem der fortbestehenden Jungfräulichkeit, das auch in den Randbemerkungen begegnet. Gottes Entschluß ist es, in uns zu wohnen. Leibliche und mystische Inkarnation sind nebeneinandergestellt.

Die zweite Hälfte der 5. Strophe hat Müntzer verstärkt und weiter ausgeführt:

> „steyg zu der hellen mit grosser macht,
> nach dem der todt wart do geschlacht."

> „Excursus usque ad inferos,
> recursus ad sedem dei."

Bei der Höllenfahrt findet die Überwindung des Todes statt. Damit ist mehr gesagt als in der Schlußzeile des Ambrosius, die nahezu eine Dublette zur zweiten Zeile war.

Auch die 6. Strophe ist in der zweiten Hälfte verändert:

> „uns zu leren, seynen willen thun,
> das wir ym glauben nemen zu."

> „Infirma nostri corporis
> virtute firmans perpetim."

Das Werk des Erhöhten wird hier und auch in anderen Hymnen konkreter als Belehrung und positiv als Zunahme im Glauben beschrieben.[54]

Die 7. Strophe des Ambrosius, eine Art Krippenmeditation, hat Müntzer weggelassen. Wahrscheinlich schien sie ihm in die gedankliche Abfolge nicht zu passen. Müntzers Vorlage schloß mit einer Gloriastrophe, die er seinerseits charakteristisch bearbeitete[55]:

> „Got vater sey nun lob und preyß,
> der alle ding in warheyt weyß,
> Jhesu Christ, aller werlet heylant,
> der uns seynen geyst hat gesant. Amen."

> „Deo patri sit gloria
> eiusque soli filio
> cum spiritu paracleto
> et nunc et in perpetuum."

Gottes Allwissen und Christus als Heiland werden hervorgehoben. Der Paraklet-Geist gilt als von Christus gesandt (vgl. Joh. 15,26).

Die 1. Strophe von *„Gott, heiliger Schöpfer aller Stern"*[56] zieht Müntzer zu einem einzigen Gedankengang zusammen:

> „Got, heylger scho(e)pffer allerstern,
> erleucht uns, die wir seint so ferr,
> zurkennen deynen waren Christ,
> der vor uns hye mensch worden ist."

> „Conditor alme siderum,
> aeterna lux credentium,
> Christe, redemptor omnium,
> exaudi preces supplicum."

Betont wird die Ferne der Menschen von Gott. Inhalt der Bitte ist die Erkenntnis Christi. Die Funktion des Heilands wird mit der für uns erfolgten Menschwerdung umschrieben, deren Bedeutung jedoch offenbleibt. In der 2. Strophe ist für Müntzer der Mensch nicht wie in der Vorlage im Gesetz, sondern im verdienten Todesschicksal gefangen, das dann Christus auf sich nimmt. Die 3. Strophe berichtet wie die Vorlage von der Geburt durch die jungfräuliche Maria: „die junckfraw blieb zart und gantz reyn". Die 4. Strophe verstärkt gegenüber der Vorlage geringfügig den Erweis der Macht Gottes.

Die 5. Strophe wurde von Müntzer neu geschaffen:

> „Alles, was durch yhn geschaffen ist,
> dem gibt er krafft, wesen und frist
> nach seynes willens ordnung zwar,
> yhn zu erkennen offenbar."

Nicht von ungefähr begegnet hier eine kurze Zusammenfassung von Müntzers Theologie: Nach der von Gott gewollten Ordnung will er in einem geschichtlichen Prozeß von aller Kreatur erkannt werden. Die 6. Strophe wendet sich an Christus als den künftigen Richter. Es wird jedoch nicht wie in der Vorlage um Bewahrung, sondern wieder um das Tun des Willens Gottes und die Zunahme im Glauben gebeten.

Die erste Zeile des Hymnus *„Hostis Herodes impie"*[57] wird von Müntzer verbreitert:

> „Herodes, o du bo(e)sewicht,
> mit all deynem otterngetzicht, . . ."

Nebenbei sei bemerkt, daß Müntzer die Erwähnung der Gaben der Magier ersetzt durch den Hinweis auf die von ihm hochgeschätzten Visionen, die die Magier leiteten. Die Weinwandlung durch Christus auf der Hochzeit zu Kana (4. Strophe) kommentiert Müntzer selbständig: „domit er sein krafft offenbart". Neu ist die letzte Strophe:

> „Drumb gib uns, o Herr aler ding,
> das uns durch deynen Christ geling,
> Herodes art zu meyden gar,
> deyn reych zu besitzen vorwar. Amen."

Wie der Beistand Christi aussieht, wird nicht gesagt. Da schon in der 1. Strophe festgestellt wurde, Christus begehre das Reich des Herodes nicht, wird man das Reich auch hier nicht politisch deuten dürfen.

Das Lied *„Laßt uns von Herzen singen"* („A Solis ortus cardine") wird auch Hans Hut zugeschrieben.[58] Daß es mit seiner freieren Übersetzungstechnik sich von anderen Übertragungen Müntzers unterscheidet, wurde schon mehrmals festgestellt. Darunter leidet auch mehrfach die theologische Präzision der Gedankenführung. So erstaunt es in der 2. Strophe, daß das Müntzer eigentlich sympathische „carne carnem liberans" nicht aufgenommen ist. Es scheint darum nicht geraten, das Lied in eine Darstellung von Müntzers Theologie einzubeziehen, auch wenn dies bedeutet, daß auf die eindrucksvolle Entgegensetzung von unserer Vergottung und Christi „Vermenschung" in der letzten Strophe verzichtet werden muß. Sie läßt sich an sich auch bei Müntzer belegen,[59] wird jedoch hier eigentümlich aus dem „ewigen Gut" hergeleitet.

Anders als das vorige Lied ist „*König Christe, Schöpfer aller Ding*" („Rex Christe, factor omnium")[60] insgesamt sehr wörtlich übertragen. Lediglich in der 5. Strophe wird bei der Schilderung des Todes Jesu samt Sonnenfinsternis und Erdbeben entsprechend der 1. und 3. Strophe auch vom Tod des „Schöpfers" statt von dem des „redemptor" gesprochen.

Bei dem Lied „*Des Königs Panier gehn hervor*" („Vexilla regis prodeunt")[61] fällt zunächst auf, daß Müntzer das „mysterium crucis" in der 1. Strophe mit „frucht des creutzes" und in der letzten als „des [erlösenden] fron creutzes todt" wiedergibt. Im ersten Fall ist damit gemeint, daß das Kreuz schließlich doch ein Siegeszeichen ist. Ähnlich ist auch der Sinn in der Schlußstrophe: Der knechtische Tod hat paradoxerweise erlösende Wirkung.[62] Das Austreten von Wasser und Blut aus der Seitenwunde (2. Strophe) geschieht nach Müntzer „zur tilgung der hellischen glut", während es in der Vorlage heißt: „ut nos lavaret crimine". Der Akzent ist von der Schuld auf die Schuldfolge verlagert. In die 5. Strophe schreibt Müntzer von sich aus hinein: „der sunden burd er auf sich nam". Stark verändert ist die vorletzte Strophe:

> „Solchs creutz billich zu preysen ist,
> doran man Gots geheimnis list,
> daran leid aller christen trost,
> den Got verbeut all fremde lust."

> „O crux ave, spes unica
> hoc passionis tempore,
> Auge piis iustitiam
> reisque dona veniam."

Erstaunlich ist, daß Müntzer nunmehr doch den Begriff „Geheimnis" (mysterium) gebraucht, allerdings handelt es sich um Gottes Geheimnis. Es hat zum Inhalt aller Christen Trost, womit wohl die spes unica der Vorlage aufgenommen wird. Eigenständig betont Müntzer sodann die Ausschließlichkeit dieses Trostes: Alle andere Lust ist den Christen in der Nachfolge des Gekreuzigten verboten. Der ethische Rigorismus von Müntzers Kreuzestheologie kommt hier zum Vorschein.

Die Übertragung des Osterliedes „*Laßt uns nun alle vorsichtig sein*" („Ad coenam agni providi")[63] hebt in der 1. Strophe stärker hervor, daß das Osterlamm „mit reynem hertzen" zu genießen ist, daß „Christ in uns werde suße". Nach Müntzer dürfte dies die Erfahrung des Leidens in der Nachfolge zur Voraussetzung haben.[64] In der 2. Strophe betont Müntzer, daß das Blut Christi am Kreuz „seyen außerwelten zu gut" vergossen worden sei. Stärker als die Vorlage rühmt die 4. Strophe die Errungenschaften des Osterlammes, „wilchs der welt sunde hynwegnam, ... gewan also des todes sieg". Auch die Gefangenschaft „unter den helschen scharn" (5. Strophe) beschreibt Müntzer drastischer als die Vorlage. Die Überwindung des Teufels und die Öffnung des Paradieses durch Christus geben für Müntzer „all ding" Anlaß zur Mitfreude. Die seelsorgerliche Anwendung ist frei formuliert:

> „Wir bitten dich, Herr aller ding,
> auß hertzen grundt, das dyß geling,
> das du in dyser osterzeyt
> uns zu deynem werck machst bereyt."

Die 1. Strophe des Osterliedes „*Der Heilgen Leben*" („Vita sanctorum, decus angelo-rum")[65] hat Müntzer stark verändert:

> „Der heylgen leben thut stets nach got streben,
> und alle außerwelten hye auff erden soln Christ
> gleich werden,
> drumb ist er gestorben, yhn solchs zu werden."

> „Vita sanctorum, decus angelorum,
> vita cunctorum pariter piorum,
> Christe, qui mortis moriens ministrum exsuperasti."

Aus der Christusdoxologie ist eine Beschreibung des gottgerichteten Lebens der Heiligen und der Gleichförmigkeit der Auserwählten mit Christus geworden. Diese Gleichförmigkeit ist es, die er mit seinem Tod erworben hat. Während die Vorlage um Bewahrung für den Empfang des Sakraments in der Osterzeit bittet, richtet sich Müntzers Gebet auf die Erneuerung von innen, denn es gilt in der Osterzeit „gar zu entsagen, aller werlde freuden ernstlich zu meyden". Selbst die christliche Existenz in der Osterzeit bleibt scharf von allem Welt-lichen getrennt. Die kraftvolle 3. Strophe Müntzers hat nur noch lockeren Anhalt an der Vorlage:

> „Des todes kempffer Christ, Gotes son, scho(e)pffer,
> mit preyß erstanden von des todes banden,
> uns erlo(e)set hat, mit theurbarem lone
> also gewunnen."

Hymnisch sind die Epitheta, die Christus zugesprochen werden, die gekonnt verbunden sind mit der Erlösungstat der Auferstehung. Die folgende Strophe handelt von Christus als dem Richter. Müntzer hat hier konkretisiert: Er wird „richten aller menschen boßheit mit ern-stem urteil". Die vorletzte Strophe nimmt das auf: „O mensch, bedenck das fleissig on unterlaß, ... das du seyner freuden wirst nit beraubet." Am Schluß ist unter Verzicht auf die Doxologie die Bitte, daß wir Gottes Willen gewärtig und für seinen Geist empfänglich sein mögen, verstärkt.

In der 1. Strophe des Liedes „*Jesu unser Erlösung gar*" („Jesu nostra redemptio")[66] ver-ändert Müntzer die Bezeichnung Christi als „amor et desiderium" wieder in eine Bitte: „dein lieb und freud uns offenbar". Am Schluß der zweiten Strophe spricht die Vorlage von der Bewahrung vor dem Tod, Müntzer hingegen von der vor der Hölle. Das Sterben gehört zur christlichen Existenz. Die Befreiten bezeichnet er eigenständig als Christi Gliedmaßen. Die beiden letzten Strophen sind bewußt sehr frei gestaltet:

> „O Herr, denck an deyn gu(e)tigkeyt,
> mach uns zu deynem wergk bereyt,
> deyns willens gewertig zu seyn,
> dich zurkennen mit clarem scheyn.

> Preyß sey dir Christ, o tewrer helt,
> schaff in uns, was dir wolgefelt,
> dann du sitzest zur rechten hant
> deins vaters, durch den geyst bekant. Amen."

Müntzer bittet um das Wirken des Erhöhten an uns durch seinen Geist, durch das Christi Wille verwirklicht wird.

Von dem Pfingstlied *„Kumm zu uns Schöpfer, Heiliger Geist"* („Veni Creator spiritus")[67] verändert Müntzer u. a. die 2. Strophe, und zwar auch in christologisch bedeutsamer Hinsicht:

> „Der du ein warer tro(e)ster bist,
> ler uns erkennen deynen Christ,
> im rechten glauben sicherlich
> seyner zu nyessen ewiglich."

> „Qui paraclitus diceris,
> donum dei altissimi.
> Fons vivus, ignis, charitas
> et spriritalis unctio."

Müntzer geht nicht von den Eigenschaften des Geistes aus, sondern von seiner Funktion als Tröster, und gewinnt damit die Beziehung zu Christus. In der letzten Strophe wird Christus stärker als in der Vorlage von „des vaters art" abgehoben, durch den Zusatz „der geliden hat".

„Der Hymnus von dem Nachtmahl" („Wir danksagen dir, Herr Gott der Ehren")[68] ist das einzige bekannte Lied, das Müntzer ohne Vorlage frei gedichtet hat. Es geht in der 1. Strophe von der Vorstellung aus, daß Gott die Menschen speist. Dem wird der Gedanke zur Seite gestellt, daß durch Christi Sterben das Heil erworben wird. Beides wird in der 2. Strophe in gedrängter Kombination verbunden: Christus ist das Weizenkorn, das in seinem Leiden gemahlen wird und so für unsere Sünde bezahlt. Auf diese Weise ist er das Lebensbrot, das im Akt seines Kreuzestodes gegeben wird. Empfangen können es darum nur die, die unter das Kreuz eilen und ihm gleichförmig werden. So kann es gewagt, aber bezeichnend heißen, daß sie mit ihrem Leiden im Herrn des Vaters Reich erwerben. Dabei handelt es sich jedoch nicht um eine Konkurrenz zum heilschaffenden Sterben der Menschheit Christi. Die Gleichförmigkeit ist vielmehr die Voraussetzung, um den Geist Christi zu erkennen und die Heilstat zu verstehen. Die Speisung mit dem Leib Christi kann nur im Geist erfolgen, das Abendmahlsbrot ist lediglich Symbol. Mit der geistgewirkten Erkenntnis oder dem geistgewirkten Leben gehört das Feuer göttlicher Liebe zusammen, die die Rebe mit dem Weinstock verbindet. Geistbegabung und Mitteilung des Leibes Christi sind eigentlich identisch.

Müntzers Liedübertragungen bestätigen, daß er die christologischen Aussagen der altkirchlichen Hymnen weithin übernommen hat. Dabei kam es allerdings zu gewissen Veränderungen. Die eher statische Doxologie wird durch die Bitte um das Kundwerden und die Erkenntnis Christi ersetzt. Müntzer ist am Geschehen und Prozeß interessiert. Unmittelbar für die Christologie bedeutsam ist die Vorstellung von Christus als dem Schöpfer. Er ist es auch, von dem der Geist ausgeht. Mehrfach hat Müntzer die Vorstellungen von der Überwindung des Todes und des Teufels verstärkt. Hingegen tritt das Gesetz als christuswidrige Macht zurück. Insgesamt scheint aber Müntzer sich den Vorgang der Erlösung auch sehr realistisch und keineswegs nur spiritualisiert vorgestellt zu haben. Die Christologie der Liedübertragungen ist nicht ausschließlich mystisch bestimmt. Dabei führt Müntzer freilich nirgends präzise aus, inwiefern Christus die Sünde trägt, obwohl immer wieder davon die Rede ist. Vielleicht sind Leiden und Tod als spezifische Aktionsweisen Christi gedacht. Dazu würde passen, daß die dem Handeln Christi entsprechende Ethik deutlich weltverneinende und weltflüchtige Züge aufweist. Das Tun des Willens Gottes fordert das reine Herz, die Entsagung aller fremden Lust oder der Welt und die Gleichförmigkeit mit dem leidenden Christus. Die Welt gehört zu den gottwidrigen Realitäten, mit denen sich der Mensch nicht sündhaft einlassen darf.

Die Verbindung von Christologie und Weltentsagung kommt auch in den Kollektengebeten der *„Deutsch-evangelischen Messe"* zum Vorschein, die Müntzer anscheinend selbst formuliert hat. Die Kollekte des Adventsamtes lautet: „O milder Gott, der du dein ewiges wort der menschen natur hast lassen an sich nemen vom unvorruckten leybe der junckfrawen Marie, vorley deinen außerwelten, urlob zu geben den fleyschlichen lusten, auff das sie all deiner heymsuchung stat geben, durch denselbigen Jesum Christum, deynen lieben sohn, unsern herrn, der mit dir lebet und regiret in eynigkeit des heyligen geysts von welt zu werlet."[69] Gottes Wort nimmt Menschennatur an in der Geburt durch die jungfräuliche Maria. Dem entspricht die Entsagung der Auserwählten von den fleischlichen Lüsten, die darin wie Maria der Heimsuchung Gottes, durch die dieser in ihnen wohnen will, stattgeben. Die Bedeutung Marias liegt nunmehr im Bereich einer Vorbildchristologie. Die Inkarnation geht jedoch nicht in der Einwohnung Gottes im Menschen auf. Der menschgewordene Sohn herrscht mit dem Vater und dem Geist in Ewigkeit. Alle Kollekten Müntzers münden in diese doxologische Schlußformel.

Etwas anders akzentuiert ist die Schlußkollekte: „O herr Got, sthe hart bey uns, das wyr von unsern grewlichen lastern mu(e)gen abzychtung [Entsagung] thun, nachdem wyr uns durch den geyst Christi, deines sones, mit dir unwidderrufflich verbunden haben durch dis heylige zeychen seines zarten fleyschs und thewren Bluthes, . . ."[70] Die Absage an die Welt steht diesmal vornan. Die Verbindung mit Gott gilt als durch den Geist Christi bewirkt. Die Kommunion symbolisiert diese Gemeinschaft.

In der Messe von der Geburt Christi lautet die Kollekte: „O allmechtiger Gott, vorley, das die new gepurt deynes eynigen sones im fleysch volfuret, uns erlo(e)se vom enthichristischen regiment der gotlosen, das wyr durch unser sunde vordinet haben, . . ."[71] Wie diese Erlösung durch die Menschwerdung konkret erfolgt, wird nicht gesagt. Hingegen wird die nicht näher spezifizierte antichristliche Herrschaft als Straffolge der persönlichen Sünde bezeichnet. Die Schlußkollekte bittet: „O gu(e)ttiger Gott, ero(e)ffne uns den abgrundt unser selen, das wir die unsterblickeit unsers gemu(e)tes mu(e)gen vornemen durch die new gepurt deynes sones in der krafft seynes fleyschs und thewren bluts, . . ."[72] Die Menschwerdung Christi erschließt wieder die durch Adam verlorene Unsterblichkeit und macht dies bekannt. Auch hier wird auf die Kommunion Bezug genommen.

Die Eingangskollekte des „Amts vom Leiden Christi" ist stark durch Vorstellungen der Nachfolge bestimmt: „O gu(e)ttiger Got, du wilt vil lieber deinem volck gnedig sein, dann deinen zorn uber ymant ergissen. Vorley allen außerwelten durch das leyden deynes sohnes, zu vorhassen yhre sunde, auff das sie deynen trost mu(e)gen emphangen . . ."[73] Der Haß auf die Sünde ist die Voraussetzung für Gottes Gnade und den Empfang seines Trostes. In der Schlußkollekte wird dies aufgenommen: „O Herr, gyb deynem armen volcke zu erkennen deyne veterliche zucht und ruthe, auff das deine gemeine mu(e)ge geu(e)bet werden und zcunemen im glauben, wie disse thewren geheymnis [des Abendmahls] uns unttterrichten . . ."[74]

Die Osterkollekte[75] geht zunächst auf Christi Sieg über den Tod ein, der den Zugang zum ewigen Leben eröffnet. Dies wird kombiniert mit der Bitte um die entsprechende „begyr unsers hertzens" und deren Verwirklichung. Dahinter dürfte sich wieder das Motiv der Weltentsagung verbergen. Die Schlußkollekte[76] bittet um den Geist der Liebe und die Eintracht derer, die mit dem Osterlamm gesättigt worden sind.

Von der Christologie her wird zum Teil auch die Liturgie in *„Ordnung und Berechnung des Deutschen Amtes zu Allstedt"* gedeutet. Der nach allgemeiner Auffassung von David stammende Introituspsalm wird zu Beginn des Gottesdienstes gesungen, weil der die Erkenntnis der Geheimnisse Gottes eröffnende „Schlüssel Davids" auf den Schultern Christi ist.[77] Wenn die Gemeinde auf die Salutatio „Der Herr sei mit euch" dem Knecht Gottes, d. h. dem Pfarrer, antwortet „und mit deinem Geist", wünscht sie ihm nach Müntzer den Geist Christi, ohne den man Gottes Kind nicht sein kann und dessen es bei der Leitung der Kirche unbedingt bedarf.[78] Die Epistellesung fordert dazu auf, der Wirkung Gottes stattzugeben, „ehe dann Got der vatter seinen allerliebsten son durch das evangelion außrede".[79] Christus ist somit als im Gottesdienst gegenwärtig gedacht, was jedoch kein Gegensatz zu seiner mystischen Präsenz in den Herzen zu sein braucht. Weil Christus befohlen hat, das Evangelium aller Kreatur zu verkündigen (Mark. 16,15), wird es in der Messe deutsch gelesen.[80] Das Sanctus soll auf die Teilnahme am Sakrament vorbereiten, indem es dem Menschen erklärt, „daß Gott in ihm sei", wie er Himmel und Erde erfüllt. Der Vater gebiert den Sohn in uns, und der Heilige Geist erklärt den Gekreuzigten in uns durch herzliche Betrübnis.[81] Gott erfüllt zwar auch den Kosmos, aber das Heilsgeschehen ereignet sich nicht mehr in der Geschichte, sondern in der Seele des Erwählten, und zwar mit dem Christus entsprechenden Leiden. Demgemäß erfüllt Christus in der Konsekration auch allein die hungrigen Seelen.[82] Zum Agnus Dei kann es dann allerdings heißen: „Dann Christus ist umb unser sunde willen gestorben und erstanden, auff das er uns wolt rechtfertigen, wilchs er allein thut, und wir mussen sie erleiden."[83] Damit dürfte jedoch nicht die Haltung bloßer Passivität, sondern die Teilnahme an Jesu Schicksal gemeint sein. In der liturgischen Theorie kommt die mystische Deutung sichtlich noch stärker zum Vorschein als in den Liedübertragungen oder Gebeten.

IV Äußerungen zur Christologie am Anfang der Allstedter Zeit

Abgesehen vom „Prager Manifest" sind alle großen selbständigen Schriften Müntzers ab Ende 1523 in der Auseinandersetzung mit Luther entstanden. Über Müntzers christologische Vorstellungen vom Anfang der Allstedter Zeit im Frühjahr 1523 an geben neben den Gottesdienstordnungen einige Briefe und sonstige kurze Texte Auskunft. Seinen Anhängern in Halle machte er im März 1523 klar: Christi Leiden ist die Voraussetzung für das Kommen des Tröster-Geistes, den jedoch nur die Trostlosen empfangen können. Die christliche Existenz muß dem Bild des leidenden Christus gleichwerden.[84]

In dem undatierten Brief an den nicht weiter bekannten Jeori (Georg), der wahrscheinlich zu Beginn der Allstedter Zeit abgefaßt worden ist, beschreibt Müntzer in mehreren Bildern den Umgang Christi mit den Glaubenden.[85] Ein Prediger wird sie „ye strackts naus weysen auf das todgeslagne lemleyn, welchs nach eylet dem verlornen scheffleyn yn der wustney". In der typischen Manier Müntzerischer assoziierender Schriftauslegung ist hier die Vorstellung vom Lamm Gottes (Joh. 1,29) mit der vom verlorenen Schaf (Luk. 15,4–6; 1. Petr. 2,25) kombiniert und versinnbildlicht dann ihrerseits den Prozeß vom gedichteten zum wahrhaftigen Glauben. Wenig später wird der Seewandel Christi in der Sturmnacht (Matth. 14,24–33) als Gleichnis seines Kommens zu den Betrübten genommen, die es darauf wagen, ihm über das Wasser entgegenzugehen. Dies wird wild kontrastiert mit dem Verhalten der Gerasener, die Jesus von sich weisen. Sie gleichen den Schweinen, die in den Wassern ersaufen (Matth. 8,28–34). Sie lassen sich nicht vom Geist mitteilen, daß sie Söhne Gottes sind. Christus wird dabei als der oberste unter den Söhnen Gottes bezeichnet, denn er ist es „durch gotlich natur", während es die Auserwählten nur aus Gnade sind. Trotz aller spiritualisierender Adaption der evangelischen Geschichten auf den persönlichen Heilsprozeß wird der allgemeine Rahmen der Christologie noch angedeutet. In diesem Zusammenhang wird wieder einmal, leider jedoch nicht ganz klar, die Ordnung Gottes erwähnt.

In einem Predigtentwurf vom 16. Juni 1523 geht es darum, daß das Werk Gottes, das den Menschen trostlos macht, in Gang kommt. Dies beginnt am besten mit einer Betrachtung des Lebens. Müntzer empfiehlt dafür eine „Ordnung" von den vier Elementen über die Gewächse, das Vieh, den Menschen, Christus bis zu Gott Vater dem Allmächtigen und Ungeschaffenen.[86] In nicht näher bezeichneter Weise soll dabei die Nichtigkeit erfahren werden. Ein weiterer Predigtentwurf vom 19. Juni führt diese Überlegungen fort. Im Menschen ist von Adam her nichts Gutes, „wil dye vornunfft dye oberste ordenunge nicht annimmet", d. h. an den Kreaturen haftet. Während „Adam dye ordenunge vorkert und sich mit den creaturn vorwickelt" hat, hat „Christus sich zum obersten gehalten unde dye creaturn voracht".[87] Die Bedeutung der Adam-Christus-Parallele in Müntzers Christologie wird wieder einmal erkennbar, wobei der Gehorsam Christi betont wird. Auf die Adam-Christus-Vorstellung weist auch die folgende Erweiterung des Liedes „Christ ist erstanden von Marter und Jammers und Schaden Adams alle".[88] Der Sendbrief an die Brüder zu Stolberg vom 18. Juli 1523 behauptet, daß die, die die Wirkung des lebendigen Wortes erlitten haben, gemäß der Ordnung „den unterscheyt des go(e)tlichen wercks und der creaturn" wissen.[89]

In dem Brief vom 9. Juli 1523, in dem sich Müntzer mit Luther zu verständigen suchte, erläuterte er ihm auch seine Auffassung von der Erkenntnis des Willens Gottes, die uns durch Christus mit Weisheit und geistlichem Verständnis erfüllen soll.[90] Dies kann nur geschehen in Konformität mit dem Gekreuzigten. Zu den Schafen Christi gehört nur, wer mit ihm leidet. Ein solcher Mensch urteilt dann allerdings aus unmittelbarer göttlicher Offenbarung. Im fast gleichzeitigen Entwurf des Sendbriefes an die Brüder zu Stolberg gilt die Armut des Geistes als Voraussetzung für den Anfang des „regiments Christi".[91]

In einer undatierten Niederschrift[92] fordert Müntzer, die gottförmige Lehre dürfe nur durch „christformige menschen", d. h. solche, die in der Nachfolge stehen, getrieben werden. Ausdrücklich wird betont, das Lamm Gottes habe nicht nur der Welt Sünde getragen, sondern es sei auch erwürgt worden und damit sei das Geschick seiner Nachfolger vorgezeichnet. Nur in der Nachfolge vernehmen die Auserwählten die Stimme des Lammes und werden zu seinen Schafen.

Wie in Müntzers liturgischen Arbeiten tritt auch in den sonstigen Äußerungen aus dem Anfang der Allstedter Zeit die mystische Denkform deutlich in den Vordergrund. Man darf jedoch nicht übersehen, daß dies auf dem Hintergrund einer umfassenderen Christologie geschieht.

V Das Insistieren auf Christus als dem Gekreuzigten und dem Richter

Auf das Titelblatt der Ende 1523 entstandenen und bereits gegen Luther gerichteten „Protestation oder Erbietung" setzte Müntzer programmatisch: „Horst welt! Ich predige dir Jesum Christum den gecreuzigten, . . . und dich und mich mit ym. Gefelt dir's, nym es auff, so nicht, verwirff es!"[93] Damals, im Dezember 1523, schrieb er an Christoph Meinhard: „Christus ist nit kommen, das ehr also uns erloset hat, das wyr nicht solten erleyden (durch entsetzung all unser entgetzlykeit [Ergötzlichkeit]) den armut unsers geysts. Es ist seyn eynigs ampt, das dye armen sollen alleyn getro(e)st werden und dye unforsuchten den peyniger uberantwort." Die Erlösung gibt es nur in der Gleichförmigkeit mit Christus. Die Tröstung der Gleichförmigen und die Verwerfung der anderen sind lediglich die beiden Seiten des einen Amtes Christi, das sich hier sehr auf die richterliche Funktion zu reduzieren scheint.[94] Etwas später erwähnt Müntzer mit Joh. 16,8 das Strafamt des von Christus gesandten Geistes.[95] Zum Glauben genügt es nicht, die Worte Christi zu bedenken, sondern das Unkraut muß aus dem Herzen gerissen werden. Unserer „morderischen natur" darf nicht lediglich der „honigsusse Christus" gepredigt werden.[96] Wer solche scharfe Predigt übt, ist freilich wie einer der „hinfelligen regenwurmer mit Christo" (Ps. 22,7).[97] Die Gleichförmigkeit mit Christus ist jedoch nicht allein ethisch gedacht, sondern als Zusammenhang des Hauptes mit den Gliedern, bzw. so, daß Christus uns zu seinen Brüdern macht.[98]

Sowohl die wichtige Vorstellung von Christus als dem Richter als auch die von ihm als dem Haupt lassen wiederum eine umfassendere Christologie erkennen, in die Mystik und Kreuzestheologie eingebettet sind. Infolgedessen war der Innenraum der Mystik nie gegen Welt, Kosmos und Himmel abgeschlossen.

Die Schrift „Von dem gedichteten Glauben" ist faktisch eine Auseinandersetzung mit Luthers Glaubensverständnis. Müntzer hatte von ihm übernommen, daß der Glaube sich auf die leider nicht näher spezifizierte „Zusage Christi" bezieht. Dies ist jedoch bei Müntzer an die Vorbedingung geknüpft, daß der Hörer wie ein Schüler sich nach dem Vorbild des Meisters richtet und dementsprechend Versuchung und Anfechtung auf sich nimmt.[99] Das geschlachtete Gotteslamm, das die Sünde der Welt trägt, ist aber „bron [Brunnen] der selikkeit". Aber damit ist nicht nur gedanklich, sondern faktisch des Geschick der Christen als Schlachtschafe (Röm. 8,36) assoziiert. Aus seiner „wunsamen [wonnevollen] lieb" hat das erwürgte Lamm, das das Buch mit den sieben Siegeln aufschließt (Offenb. 5), die Schlachtschafe sich gleichgemacht.[100] Die Predigt von einem lediglich zu glaubenden „sußen Cristus" ist Gift, Verführung und weist nicht den Weg zum ewigen Leben.[101] In einem Nachtrag zu „Von dem gedichteten Glauben" stellte Müntzer ausdrücklich fest, daß das Leiden nicht allein Christus zukommt. Er begründete dies wiederum mit der Adam-Christus-Parallele als der Grundfigur seiner Christologie. Der Ungehorsam Adams mit seinen schädlichen Folgen ist überwunden durch den Gehorsam des fleischgewordenen Wortes. Die Glieder Christi müssen in der Nachfolge seinem Gehorsam entsprechen.[102] Wie ihnen dies möglich ist, führte Müntzer nicht aus; er setzte es einfach voraus.

Die Auslegung des 18./19. Psalms vom 30. Mai 1524 macht wieder die Abtötung oder das Hören der Predigt Christi im Herzen „durch den geyst der forcht Gottes" zum Anfang des Heilsprozesses.[103] Während Christus schläft (Matth. 8,23–27), gefährdet „der stormwynd der frechen gottlosen" das Schiff aufs äußerste. Erst dann steht der Bräutigam aus seiner Kammer auf (Ps. 19,6). Jesu Leidenstaufe ist auch das Geschick der Erwählten.[104] Für Müntzer ist eine Theologie faul, die Christus zum Erfüller des Gesetzes erklärt, denn sie sucht sich mit Hinweis auf sein Kreuz dem Leiden schaffenden Werk Gottes zu entziehen.[105]

In der „Auslegung des anderen Unterschieds Danielis" (Fürstenpredigt) vom 13. Juli 1524 wird Christus mit dem Stein (Dan. 2,34) verglichen, der die Weltreiche zermalmt. Dies wird kombiniert mit dem Bild Christi vom verworfenen Eckstein, ein Geschick, das Christus bis in die Gegenwart widerfährt.[106] Nunmehr ist der Stein jedoch groß geworden, und das Gericht über die Mächtigen, vollzogen von den Bauern oder den Untertanen, steht bevor, wie es Christus selbst angesagt hat.[107] Christus tritt nunmehr als der Richter auf. Den Einwand, das sei mit seiner Güte nicht vereinbar, wischt Müntzer weg: Christus hat die alttestamentlichen Gerichtsprophezeiungen nicht aufgehoben, sondern hilft, sie zu erfüllen.[108] Die rechten Freunde Gottes sollen sich freuen, daß „den feynden des creutzes das hertz in die bruch [Hose] gefallen ist".[109] Gegenüber seinen fürstlichen Zuhörern stellte Müntzer bewußt allein Christus als den Richter heraus.

Etwa gleichzeitig tröstete er die verfolgten Christen in Sangerhausen mit dem Hinweis, daß bereits Christus ihr Geschick vorausgesagt habe. Der Glaube an die Erlösung durch Christus beginnt auch in dieser Situation mit der Gottesfurcht, die allem anderen, auch der Sorge um das eigene Leben, vorzuordnen ist. Die Verfolgten werden der Liebe Gottes versichert, denn „er hat euch mit dem bluet seynes zarten sons Jhesu Cristi gleich so theuer gekaufft" (wie die Märtyrer) und will den Verfolgten seinen Geist mitteilen.[110]

Die „Ausgedrückte Entblößung des falschen Glaubens der ungetreuen Welt" will anhand von Luk. 1 die Entstehung des Glaubens überhaupt erklären, wobei dann der auszulegende Bibeltext freilich stark entgeschichtlicht wird. Maria und Zacharias sind vor allem Typen der Glaubenden. Der Glaube wird nicht durch die Schriftgelehrten vermittelt, „sonder durchs ewige, krefftig wort des vatters im su(o)n mit erleu(e)therung des heyligen geysts".[111] Dazu bedarf es der ernsthaften Vorbereitung. Das Argument, Christus verachte die Sünder nicht, läßt Müntzer in diesem Zusammenhang nicht gelten.[112] Die Jungfrauengeburt hat für die Entstehung des Glaubens noetische Bedeutung: „Christus ist darumb von eyner reynen jungfrawen durch den heyligen geyst empfangen, auff das wir den schaden der su(e)nd mit alle seyner ankunfft [Grund] erkennen sollen, denn er ist durch unser ersten eltern, ... herkumen, ...".[113] Den Hintergrund bildet auch hier die Adam-Christus-Parallele. Zu predigen ist der gekreuzigte Christus, und das vermag nur, wer mit ihm gleichförmig ist. Nicht von ungefähr konnten die „Schriftdiebe" nicht verstehen, daß der Zimmermannssohn aus dem unscheinbaren Nazareth Christus ist.[114] Die Aussage, Gott will uns mit der Menschwerdung seines Sohnes vergotten, wird faktisch zur Chiffre für den Leidensweg des Christen als Voraussetzung für die Gleichwerdung mit der Herrlichkeit des Gottessohnes.[115] Müntzer kann darum zusammenfassen: „Die summa dises ersten capitels ist von der sterckung des geysts im glauben, ist nichts anderst, denn das der allerho(e)chste Gott, unser lieber Herr, wil uns den allerho(e)chsten christenglauben durch das mittel der menschwerdung Christi geben, so wir im gleychfo(e)rmig in seynem leyden und leben werden durch umbschetigung [Umschattung, Schutz] des heyligen geysts", der von der Welt aufs gröbste verspottet wird.[116] Die Menschwerdung Christi gehört hier nicht mehr im direkten Sinn zur Heilstat Christi, sondern ist Vorbild für den rechten Glauben. Die Christologie geht hier nahezu auf in einer Methode des Glaubens.

Anders lautet der Tenor des Anfangs der „Hochverursachten Schutzrede und Antwort wider das geistlose, sanftlebende Fleisch zu Wittenberg". Das Gebet am Anfang beginnt mit Ps. 118 / 119, 134: „Erlöse mich von der Menschen Frevel, so will ich halten deine Befehle." Die Fortsetzung ist offensichtlich von Müntzer selbst formuliert: „und will verkünden, die in deinem Sohn verborgene Wahrheit, damit die Machenschaften der Übelwollenden nicht ferner andauern." Die von Christus auszusagende Wahrheit setzt dem Bösen ein Ende. Müntzer trägt die Schutzrede vor „Dem durchleüchtigsten, erstgebornen fürsten und allmechtigen herren Jesu Christo, dem gu(e)tigen ko(e)nig aller ko(e)nige, dem tapfern hertzogen aller gelaubigen, . . ., und seiner betru(e)btem ainigen brawt, der armen christenhayt" vor. Die Anrede beginnt: „Aller preyß, name, eer und wirde, titel und alle herlichkeyt sey dir allain, du ewiger gottessone, Philipp. 2 [9–11]." Christus wird dabei vorgestellt als der, der den Geist besitzt und ihn den Auserwählten mitteilt. Müntzer selbst versteht sich als ein von Christus erworbenes Glied.[117] Die ganze Bibel samt allen Kreaturen bezeugt nichts anderes als den gekreuzigten Gottessohn, was die Schriftgelehrten und Pfaffen jedoch nicht wahrhaben wollen.[118] Christus gilt als der Erklärer und Erfüller des Gesetzes, das darum nicht außer Kraft gesetzt, sondern Vorbedingung des Glaubens ist. Christus straft die geistlosen Übertreter des Gesetzes. Luthers Hinweis auf den gütigen Christus wird zurückgewiesen.[119] Die von Christus bezeugte Güte Gottes steht nicht im Widerspruch zum Strafamt des Gesetzes, das seine unentbehrliche Funktion im Heilsprozeß hat. Der Gekreuzigte ist dafür das Modell, und darum ist das Gesetz durch ihn keineswegs aufgehoben. Auch die Vergebung des Evangeliums setzt die Strafe des Gesetzes voraus. Die Kritik, die Müntzer deswegen von Luther trifft, gilt ihm als Teilhabe am kostbaren Leiden Christi.[120] Luther wird der schwere Vorwurf gemacht, selbst ein neuer, lediglich erlösender Christus und Seligmacher zu sein.[121] Umgekehrt gilt der auf Gott vertrauende David als „figur deiner, o Christe, in deinen lieben frewnden". Christus scheint hier wieder in seinen Nachfolgern aufzugehen. Zugleich ist er es jedoch, der sie ewig bewahrt.[122] Von ihrer ganzen Anlage her geht die Schutzrede nicht in einer Kreuzestheologie auf, sondern setzt Christus als den Herrscher, Richter und Vollender voraus.

Wohl Ende 1524 dürfte die kurze Aufzeichnung über die Menschwerdung Christi entstanden sein.[123] Sie ist somit vermutlich Müntzers letzte erhaltene Äußerung zum Thema, da danach nichts Einschlägiges mehr bekannt ist. Als einzige Ursache der Menschwerdung gilt, daß „der heylige geyst in den hertzen der außerwelten solte erclert werden". Christi göttlicher „vorstandt" sollte unseren „vornunfftigen, sinlichen vichischen vorstande" ersetzen. Das Wort Gottes vergottet uns, indem es unseren Verstand in die Dienstbarkeit des Glaubens gefangen nimmt. Indem Jesus seinen Jüngern beim letzten Mahl seinen Leib und Blut als bittere Speise gab, erklärte er ihnen den Willen Gottes. Die Durchsetzung des Willens Gottes wird in Gethsemane und am Kreuz erkennbar. Ohne fruchtbare Verkündigung des Todes seines Sohnes kann nicht recht vom Handeln Gottes geredet werden. „Wer mit dem osterlam nit worden ist eyn schaff des todes, . . ., der kan nicht vornemen dye geheymnis seynes todes ym sacrament." Das Opfer Christi am Kreuz ist das Vorbild unseres eigenen Opfers. Die Konformität wird hergestellt durch den Geist Christi. In welcher Weise sich das Geheimnis des Todes Christi eschatologisch entschlüsselt, gibt Müntzer nicht an.

VI Ergebnis

Die Christologie und die mit ihr verbundene Soteriologie ist nicht das Hauptthema von Müntzers Theologie. Gleichwohl kommt ihr für deren Verständnis eine gewisse Bedeutung zu. Die Kreuzestheologie, und mit ihr zusammenhängend die Gleichförmigkeit mit Christus, ist für Müntzer von 1520 an, wahrscheinlich sogar früher, ein wesentlicher Aspekt seiner Theologie und ein wichtiges Kriterium, das ständig angewendet wird. Andere Aussagen, z. B. daß Christus die Sünde trägt oder durch sein Blut erlöst, bleiben beharrlich unentfaltet und werden zum mystischen Inkarnationsverständnis nicht in Beziehung gesetzt. In den vorhandenen Quellen bleibt manches unausgeführt, möglicherweise auch unausgeglichen. Fest steht nunmehr, daß für Müntzer die „Ordnung Gottes" keineswegs nur mit einer mystischen Methode oder Denkform zusammenfällt, sondern Bezeichnung für die ganze Heilsveranstaltung Gottes ist, die von der Adam-Christus-Parallele her gedacht wird. Müntzer scheint dabei das Werk Christi allerdings eher vorbildlich als gnadenhaft rechtfertigend verstanden zu haben. Abgesehen von Einzelheiten, z. B. der Jungfrauengeburt, ist Müntzer dabei nicht oder nicht dauerhaft an Spezialproblemen der überkommenen Christologie interessiert, was sich schon daran zeigt, daß meist mit allerdings eigenwillig kombiniertem biblischem Material argumentiert wird. Ob sich Müntzers sichtliche Wertschätzung der „Fleischlichkeit" Christi und des Menschen, die freilich in gewisser Spannung zu den mystischen Vorstellungen steht, durchgehalten und auf sein Denken und Handeln ausgewirkt hat, läßt sich nicht feststellen. Bei aller Konzentration auf Kreuzestheologie und Konformität deutet sich der umfassendere theologische Rahmen, der bis in trinitarische Dimensionen reicht, immer wieder an. Von daher kann Müntzer seine Kreuzesmystik zum kritischen Prinzip erheben, das nicht nur für sein Denken und Handeln maßgebend ist, sondern nach seiner Auffassung auch das sichere Gericht für seine Gegner bedeutet. Dadurch, daß die Konformität zur Vorbedingung und weithin auch zum Inhalt des Verhältnisses zu Christus gemacht wird, bekommt die Christusbeziehung ihre gesetzliche Strenge. Ein Bereich der durch Christus erworbenen Freiheit und Erlösung wird auch dahinter zumindest kaum konkret erkennbar, sondern lediglich das den Widersachern drohende Gericht. Über die Schranke einer kritischen Kreuzestheologie scheint Müntzer im Ergebnis nicht hinausgekommen zu sein.

[1] Willis Milton STOESZ: At the foundations of anabaptism: a study of Thomas Müntzer, Hans Denck and Hans Hut. New York 1964, 125–147. 301–307 (MS) – New York, Columbia Univ., Diss.

[2] H[ans]-J[ürgen] GOERTZ: Innere und äußere Ordnung in der Theologie Thomas Müntzers. Leiden 1967, 43. 67. 77 f. 85. 131 f. 133–149. – Mit Müntzers Christologie befaßt sich ferner Rolf DISMER: Geschichte, Glaube, Revolution: zur Schriftauslegung Thomas Müntzers, Hamburg 1974, 28–38 (MS) – Hamburg, Univ., theol. Diss. 1974.

[3] Am ehesten wäre an Konrad Wimpina in Frankfurt (Oder) als theologischen Lehrer Müntzers zu denken. Diesbezügliche Nachforschungen blieben jedoch ohne Ergebnis.

[4] MSB, 353, 7–15 (7).

[5] MSB, 358, 15 f. 21–27 (13).

[6] MSB, 359, 9–11 (13); vgl. ETM, 82–85.

[7] MSB, 360, 11–16 (13).

[8] MSB, 517, 1 – 518, 22.

[9] MSB, 518, 23 – 519, 3. Das in MSB nicht nachgewiesene Zitat findet sich PL 30 (1846), 130; vgl. CLAVIS PATRUM LATINORUM/ hrsg. von E. Dekkers. 2. Aufl. Steenbrugge 1961, 144.

[10] MSB, 384, 27 (35).

[11] MSB, 366 f (19). Konkretes läßt sich auch aus Nikolaus Hausmanns Schreiben an Friedrich den Weisen vom 7. September 1521 nicht entnehmen; vgl. Paul KIRN: Friedrich der Weise und die Kirche. Beiträge zur Kulturgeschichte des Mittelalters und der Renaissance 30 (1926), 183–187, bes. 185 f.

[12] Einschlägig sind die Thesen 1–3. 5 und 9 f (MSB, 513, 1–11. 16–18; 514, 8–13).

[13] Vgl. WA 2, 105, 28 – 116, 2.

[14] MSB, 371, 7–9 (24).

[15] MSB, 372, 16 – 373, 10 (25).

[16] MSB, 498, 27–30.

[17] MSB, 499, 23–26; vgl. 507, 24–27.

[18] MSB, 500, 24 f.

[19] MSB, 501, 23–30.

[20] MSB, 504, 27–29; vgl. 510, 28–30; 501, 1–3.

[21] MSB, 384, 30 f (35); vgl. Eph. 3,11, im Apparat nicht nachgewiesen. MSB, 385, 12 f (35); vgl. auch 504, 30.

[22] Der Konvolut mit COp und TOp befindet sich in der Sächsischen Landesbibliothek Dresden. Mit ihrer Zustimmung stellte mir Ulrich Bubenheimer einen Film mit den Randbemerkungen Müntzers zur Verfügung, wofür allen Beteiligten gedankt sei. Vgl. Wolfgang ULLMANN: Ordo rerum: Müntzers Randbemerkungen als Quelle für das Verständnis seiner Theologie. Theol. Versuche 7 (1976), 125–140.

[23] CSEL 70 (1942), 193, 5–7; TOp, 15.

[24] MSB, 491, 12–14; vgl. 496, 9–12 und 505, 16 f; 504, 10–12; vgl. 510, 3 f.

[25] TPr, Register; WA 60, 5, 41; 6, 23; 17, 26; Goertz: AaO, 39–85.

[26] Aurelius AUGUSTINUS: Prima pars librorum. Basel 1506, wo „De ordine" abgedruckt ist; vgl. MSB, 353, 6 f (7).

[27] CSEL 70, 196, 3–8; 198, 40 f; TOp, 16.

[28] TOp, 17; vgl. 26.

[29] CSEL 70, 200, 21 f; TOp, 17.

[30] CSEL 70, 205, 28–30; TOp, 18; Ullmann: AaO, 131, liest „innotui" statt „involui".

[31] CSEL 70, 208, 7 f; TOp, 20.

[32] CSEL 70, 216, 22; TOp, 22.

[33] CSEL 70, 216, 39 – 217, 42; TOp, 23.

[34] CSEL 70, 218, 3–7; TOp, 23.

[35] CSEL 70, 221, 18 – 222, 36; TOp, 24 f. Im zweiten Zitat liest Ullmann: AaO, 129, fälschlich „quomodo" statt „quod".

[36] CSEL 70, 227, 1 – 228, 14; TOp, 26 f.

[37] CSEL 70, 229, 27–30; TOp, 27.

[38] CSEL 70, 231, 32–38; 232, 9 f; TOp, 28. Das erste Zitat ist in der Kopie nicht sicher lesbar.

[39] CSEL 70, 233, 31–41; TOp, 28.

[40] CSEL 70, 235, 32 – 236, 34; TOp, 29.

[41] CSEL 70, 237–240; TOp, 30.

[42] CSEL 70, 241, 51–56; TOp, 31.

[43] TOp, 13; vgl. CSEL 70, 247, 20; TOp, 32.

[44] TOp, 34.

[45] CSEL 47 (1906), 27, 6; TOp, 36.

[46] CSEL 47, 33, 16 f. 21–25; TOp, 39.

[47] CSEL 47, 37, 10–19; TOp, 43.

[48] CSEL 47, 41, 20 f; TOp, 43.

[49] Cyprian: De bono patientiae, CSEL 3 I, 403, 7 f; COp, 200: „Vivificatio carnis Christi".

[50] Siegfried BRÄUER: Thomas Müntzers Liedschaffen: die theologischen Intentionen der Hymnenübertragungen im Allstedter Gottesdienst von 1523/24 und im Abendmahlslied Müntzers. LuJ 41 (1974), 45–102 / TMFG, 227–295. Bräuer interpretiert die Lieder häufig vom mystischen Hintergrund her. Da Müntzer jedoch, wie gezeigt, unmittelbare patristische Kenntnisse besaß, darf die Deutung nicht vorschnell festgelegt werden.

[51] MSB, 45, 21 – 46, 26; DAS DEUTSCHE KIRCHENLIED VON DER ÄLTESTEN ZEIT BIS ZUM ANFANG DES XVII. JAHRHUNDERTS/ hrsg. von Philipp Wackernagel. Bd. 1. Leipzig 1864, 16 f (12).

[52] Auch MSB, 67, 18 wird „saeculum" mit „creatur" wiedergegeben.

[53] Vgl. Bräuer: AaO, 58 / TMFG, 235.

[54] Vgl. MSB, 121, 11 f.

[55] Bräuer: AaO, 59 / TMFG, 236 f.

[56] MSB, 48, 5 – 49, 4; Das deutsche Kirchenlied . . . 1, 79 (112).

[57] MSB, 64, 9 – 65, 12; Das deutsche Kirchenlied . . . 1, 46 f (50).

[58] MSB, 67, 13 – 68, 18; Das deutsche Kirchenlied . . . 1, 45 f (48); vgl. Bräuer: AaO, 66–70 / TMFG, 244–247.

[59] Vgl. MSB, 317, 30–35; 521, 5–7.

[60] MSB, 90, 23 – 91, 21; Das deutsche Kirchenlied . . . 1, 74 f (102).
[61] MSB, 98, 19 – 99, 24; Das deutsche Kirchenlied . . . 1, 63 (80).
[62] Vgl. die m. E. unzutreffende Erklärung „Gerichtskreuz" (MSB, 99, Anm. 399).
[63] MSB, 120, 7 – 121, 12; Das deutsche Kirchenlied . . . 1, 81 (116).
[64] Vgl. MSB, 210, 34 – 211, 7.
[65] MSB, 124, 20 – 125, 21; Das deutsche Kirchenlied . . . 1, 114 (178).
[66] MSB, 150, 13 – 151, 14; Das deutsche Kirchenlied . . . 1, 55 (65).
[67] MSB, 153, 1 – 154, 4; Das deutsche Kirchenlied . . . 1, 75 (104).
[68] MSB, 529 f.
[69] MSB, 169, 8–13.
[70] MSB, 180, 1–5.
[71] MSB, 183, 3–6.
[72] MSB, 187, 11 – 188, 2.
[73] MSB, 189, 6–9.
[74] MSB, 192, 1–4.
[75] MSB, 194, 12 – 195, 2.
[76] MSB, 200, 6–8.
[77] MSB, 208, 12–14; vgl. Jes. 22,22.
[78] MSB, 209, 4–11.
[79] MSB, 209, 15–18.
[80] MSB, 210, 10–12.
[81] MSB, 210, 32 – 211, 7.
[82] MSB, 211, 33 – 212, 5.
[83] MSB, 212, 34–36.
[84] MSB, 387, 26 – 388, 3 (38).
[85] MSB, 424–427, bes. 425, 7–38 (61). Für die Datierung dieses Briefes gibt es folgende Anhaltspunkte: Müntzer arbeitet offensichtlich am „Deutschen Kirchenamt" (424, 29 f). Das erwähnte Mandat des Kaisers stammt vom März 1523, das Herzog Georgs ist nicht sicher identifizierbar (426, 30), dürfte aber wie das entsprechende kursächsische Mandat im Mai 1523 veröffentlicht worden sein.
[86] MSB, 519, 1–20, bes. 14–20.
[87] MSB, 519, 21 – 520, 14; 520, 12 ist statt „Abraham" zweifellos „Adam" zu ergänzen.
[88] MSB, 520, 21 f; vgl. dazu die einleuchtende Konjektur von Siegfried Bräuer in seiner Besprechung von MSB, LuJ 38 (1971), 121–131, hier 129.
[89] MSB, 23, 21–26.
[90] MSB, 389–392, bes. 390, 6 – 391, 21 (40); vgl. Kol. 1,9.
[91] MSB, 21, 2–8.
[92] MSB, 527 f. Der Text weist Anklänge an Müntzers Brief an Luther vom 9. Juli 1523 auf (MSB, 389–392 [40]).
[93] MSB, 225, 1–6.
[94] MSB, 399, 2–9 (47). – Die Erklärung von „Entsetzung" mit „Versetzung" (Anm. 4) ist wie viele andere in dieser Ausgabe problematisch.
[95] MSB, 230, 27–29.
[96] MSB, 233, 27–31; 234, 23 f.
[97] MSB, 239, 12 f.
[98] MSB, 234, 14–17; 240, 13 f.
[99] MSB, 218, 5–15. 23–27.
[100] MSB, 221, 28 – 222, 5; 223, 6–10; 224, 20 f.
[101] MSB, 222, 7–9.
[102] MSB, 397, 20 – 398, 12 (46).
[103] MSB, 402, 16–21.
[104] MSB, 403, 4–11.
[105] MSB, 404, 10–13.
[106] MSB, 244, 22 – 246, 4.
[107] MSB, 256, 20–29; 258, 13–26; 259, 6–9.
[108] MSB, 260, 4–14.
[109] MSB, 263, 2–4.
[110] MSB, 411, 1–17; 412, 4–11; 414, 3–6 (55).

[111] MSB, 298, 16–27.
[112] MSB, 304, 16–35.
[113] MSB, 305, 8–24.
[114] MSB, 308, 23–30; 316, 4 – 317, 17.
[115] MSB, 317, 18 – 318, 21.
[116] MSB, 318, 22–34.
[117] MSB, 322, 1 – 323, 17.
[118] MSB, 324, 12 – 325, 21.
[119] MSB, 326, 13 – 327, 17; 328, 7–14.
[120] MSB, 330, 1 – 332, 27.
[121] MSB, 335, 29 –.336, 24; vgl. 339, 20–25.
[122] Vgl. MSB, 343, 1–3.
[123] MSB, 520–522. Bräuer hat in seiner Besprechung von MSB in LuJ 38 (1971), 121, der Ansetzung des Stückes auf Ende 1524 widersprochen. Sie könnte dennoch zutreffend sein, da die Abendmahlslehre der im Herbst 1524 in Basel von Andreas Bodenstein aus Karlstadt veröffentlichten Abendmahlstraktate anzuklingen scheint (MSB, 522, 9–21).

Zu Thomas Müntzers Geistverständnis

Von Hans-Jürgen Goertz

Wer sich mit Thomas Müntzer auch nur ein wenig beschäftigt hat, weiß, daß die Frage nach dem Geistverständnis ins Zentrum seiner Theologie führt, nicht nur seines theologischen Denkens, sondern auch seiner seelsorgerlichen und revolutionären Praxis, seiner Gottesdienstreform in Allstedt genauso wie seines charismatischen Engagements im Bauernkrieg. Daran läßt die Forschung keinen Zweifel.

I Eine knappe Forschungsübersicht

Nach Karl Holl findet der Gegensatz zu Luther vor allem und zuerst in der Anschauung vom „lebendigen Geist", der „unmittelbaren" Belehrung der Gläubigen durch Gott, seinen şinnfälligsten Ausdruck. Diese Lehre, urteilte Holl, ist „ein vollkommen klarer, fest in sich zusammengefügter Gedankengang",[1] das Herzstück der Müntzerischen Theologie, allerdings vermochte Holl die Wendung zu revolutionärer Agitation nicht mehr aus diesem Zusammenhang abzuleiten. Sie markiert zwar keinen theologisch unerklärbaren Bruch im Wirken Müntzers, wie Annemarie Lohmann es auf ihre Weise für die geistige Entwicklung Müntzers annahm, wird aber aus der Ekklesiologie abgeleitet, die sich in einem gewissen Gegensatz zur mystisch gefärbten, „selbstisch" zu verstehenden Pneumatologie befinde.[2]

Anders stellte sich dieser Sachverhalt bei Carl Hinrichs dar. Er arbeitete den „revolutionären Charakter" gerade schon der Geistlehre heraus, entdeckte in ihr das Motiv zu grundstürzender Erneuerung der Gesellschaft und sprach von der „politisch-revolutionären Anwendung", die diese Geisttheologie, verschmolzen mit einer apokalyptischen Geschichtsauffassung, schließlich gefunden habe.[3] Geistverständnis und revolutionäre Praxis gingen auch in der Interpretation Manfred Bensings eine enge Verbindung ein: „Die Erkenntnis der Wahrheit war für ihn [Müntzer] ein durch die Unmittelbarkeit des Geistes bestimmter, an der Schrift überprüfter und in der Praxis bewährter Prozeß. Geist, Schrift und Praxis gehörten zusammen."[4] Mit diesem Dreiklang meinte Bensing, der an einer Analyse der theologischen Argumentation im einzelnen nicht sonderlich interessiert war, den Grundakkord des Müntzerischen Denkens und Handelns angeschlagen zu haben. Die sozioökonomische Basisproblematik steht im Mittelpunkt dieser Interpretation; auf der Ebene der Ideologie aber wird der Pneumatologie eine beherrschende Stellung eingeräumt.

Eindringlicher als Hinrichs und Bensing bemühte sich Thomas Nipperdey um den Zusammenhang von Theologie und Revolution und sah das „Auffälligste" an der Theologie Müntzers in der Antithese von Geist und Schrift, mit der der Lutherische Reformationsansatz, dem er zunächst verpflichtet war, verlassen und gesetzlich übersteigert wurde.[5] Das konnte nach Nipperdey nur dazu führen, der politischen und gesellschaftlichen Ordnung Gewalt anzutun und revolutionäre Kräfte zu entfesseln. Für ihn war die Theologie der Revolution aus einem Mißverständnis der Lutherischen Rechtfertigungslehre bzw. der Trennung von Geistlichem und Weltlichem erwachsen. Dieses Argument ist allerdings wenig geeignet, die gebotene Unparteilichkeit des Historikers unter Beweis zu stellen. Gemessen an Luther, ist Müntzer allemal der Unterlegene, seine Theologie höchst bedenklich, wenn sie zur Geburtshelferin revolutionärer Militanz wird. Mußte es eigentlich zu diesem Mißverständnis kommen? Auf diese Frage gibt Nipperdey eine scharfsinnige Antwort, die der Rationalität des angeblichen Mißverständnisses folgt. Eine Antwort aber, die mit der Möglichkeit rechnet, Müntzer zunächst einmal als einen Theologen verstehen zu können, der seine Zeit auf unverblendete, nicht von einem Mißverständnis verstellte Weise betrachtete und eine Lösung anbot, die neben der reformatorischen Programmatik Luthers auch ihre historische Berechtigung besaß, wird nicht gesucht.

Einen anderen Weg habe ich beschritten, um dasselbe Problem, die theologische Begründung der Revolution nämlich, genauer zu analysieren. Dabei ist mir aufgefallen, daß das Geistverständnis als „wesentliches Element" in jeden Begriff eindringt, den Müntzer aufnimmt oder neu durchdenkt – Begriffe, die sich auf die Innerlichkeit des Menschen genauso beziehen wie auf die Erscheinungen der äußeren Welt. Von der Theologie Luthers her ließ sich diese pneumatologische Ausstrahlung des Müntzerischen Denkens kaum bündig erklären; so spürte ich seiner Begrifflichkeit nach, die in zahlreichen Fällen auf die mittelalterliche Mystik zurückwies, und versuchte zu zeigen, daß Müntzer über die sprachlichen Anleihen hinaus sein pneumatologisches Konzept insgesamt im Traditionsgefälle dieser Mystik ausbildete und in Konfrontation mit der frühreformatorischen Situation zu einer revolutionären Konsequenz führte. Um es formelhaft abzukürzen: Wie die Herrschaft der Sünde im Inneren des Menschen gebrochen werden mußte, mußte auch die Herrschaft in der Welt vernichtet werden, die einer sündhaften Innerlichkeit entsprungen war, um dem Reich, in dem Gottes Geist über alles Fleisch ausgegossen wird, zum Durchbruch zu verhelfen. Müntzer hat das Geistverständnis der Mystik aufgenommen und zu einer Mystik eigener Art umgestaltet, ihr einen gesellschaftlichen Wirkungsbereich erschlossen, der den Visionären der Mystik bisher nicht in den Blick gekommen war.[6] Leider habe ich es damals versäumt, die Rezeption der Mystik aus den kirchlichen und gesellschaftlichen Erfahrungen zu erklären, die Müntzer in den frühen Jahren der Reformation gesammelt hatte und die er theologisch verarbeitete. Heute weiß ich, daß die sozialgeschichtliche Frage nach dem „Sitz im Leben" ein integraler Bestandteil jeder theologie- und traditionsgeschichtlichen Analyse sein muß. Nur so läßt sich eine plausible Erklärung dafür finden, warum eine bestimmte Tradition (Mystik) aufgenommen, weiterentwickelt und verändert wurde, auch wie die Beziehungen zu anderen Einflüssen (Apokalyptik, Humanismus, Lutherische Theologie), die sich ebenfalls geltend machten, zu beurteilen sind und schließlich, wie der historische Ort Müntzers zu bestimmen ist.

Walter Elliger hat keine Anstrengung gescheut, den sozialrevolutionären Aspekt der Theologie Müntzers in den Hintergrund treten zu lassen, allerdings nicht, indem er gleichzeitig auch die Pneumatologie beiseite drängte, sondern umgekehrt, indem er gerade „die entscheidende Funktion des göttlichen Geistes im Glaubensprozeß auf der Basis des ordo deo et creaturis congenitus" als das „Kernstück" der Müntzerischen Theologie herausstrich und als die Grunddifferenz zu Luther bestimmte, wie sie sich nach der Flucht Müntzers aus Zwickau allmählich herausbildete.[7] Müntzer war von seinem prophetischen Auftrag als Gottesknecht erfüllt und fühlte sich berufen, den Willen Gottes am Ende der Tage zu vollstrecken, so „daß der ‚Revolutionär' im Namen und Auftrage Gottes weder ein ‚Bauernführer' noch ein ‚sozialer Agitator' war, daß es ihm primär nicht auf Menschenrechte und sozialen Fortschritt ankam, sondern auf Gottes Gesetz und eine im Glauben und Leben gotthörige, geistes-mächtige Christenheit, die dann, im Gehorsam gegen Gott, auch den Dingen dieser Welt die rechte Gestalt und Ordnung einfach geben muß".[8] Elliger hatte sich vor allem gegen die marxistischen Darstellungen gewandt, die zwischen dem religiösen „Deckmantel" (Friedrich Engels) und dem gesellschaftlichen Kern der Theologie unterschieden und in Müntzer einen Kämpfer für soziale Gerechtigkeit und geschichtlichen Fortschritt sahen. Demgegenüber betonte Elliger die rein religiöse Absicht Müntzers und erklärte die gesellschaftlichen Re-formvorstellungen sozusagen zu einer Begleiterscheinung seines theologischen Wirkens. Auch Elliger trennte, was Müntzer zusammenhielt und als Einheit begriff: die theologischen und sozialen Aspekte seines Denkens und Handelns. So war die große Biographie Elligers auf einen Forschungsstand zurückgefallen, der eigentlich schon überwunden war.

Schließlich rückte Reinhard Schwarz das Geistverständnis ins Zentrum einer Interpreta-tion, die Müntzer als einen Apokalyptiker erweisen sollte. Nicht dem Wirken des Geistes in den Auserwählten zum Durchbruch zu verhelfen, sei der Grundansatz seiner pneumatischen Theologie, was zweifellos auf ihren Ursprung im Geist der Mystik gewiesen hätte, sondern die im Chiliasmus der Taboriten erwartete „unvermittelte Geistbelehrung" aller Menschen am Ende der Tage, die Universalität und Exklusivität göttlichen Heilshandelns durch den Heiligen Geist.[9] Allerdings weist Schwarz auf eine wichtige Umformung der chiliastischen Tradition durch Müntzer hin: Was die Taboriten für eine ferne Zukunft erwarteten, sah Müntzer bereits in der eigenen Gegenwart in Erfüllung gehen. Leider wurde der Begriff des Chiliasmus aber nicht problematisiert: Strenggenommen war Müntzer nämlich kein Chi-liast, er erwartete nicht das Tausendjährige Reich Christi auf Erden, das Zwischenreich, dem die endgültige Gottesherrschaft nach dem Weltgericht dann erst noch folgen werde, sondern sogleich das göttliche Reich. Er wähnte sich nicht im Anbruch des chiliastisch zu verstehen-den Christusreichs, sondern in der „Zeit des Antichrists", und er schrieb: „..., sed quarta bestia dominabitur universae terrae et regnum eius maius omnibus erit."[10] In Müntzers Denken spielt die Apokalyptik sicherlich eine bedeutende Rolle, darauf hatte bereits Mi-chael Müller mit aller Eindringlichkeit hingewiesen;[11] es ist aber problematisch, dem Topos von der universalen Geistbelehrung ein stärkeres Gewicht beizulegen als dem soteriolo-gischen Interesse, das Müntzer mit dem pneumatisch gelenkten Heilsprozeß im Menschen verband und mit unablässiger Beharrlichkeit auf wesentlich breiterem Raum zum Ausdruck brachte. Abgesehen davon ist Schwarz den Nachweis für eine direkt aufgenommene Über-lieferung taboritischer Gedanken durch Müntzer schuldig geblieben, während die Beschäfti-gung Müntzers mit dem Schrifttum der deutschen Mystik gut belegt ist. Schwarz hat die mystischen Einflüsse nicht geleugnet, meinte aber, sie würden sich in den Rahmen, der von der apokalyptisch bestimmten Geistlehre abgesteckt worden war, dienend einfügen.[12] Sollte hingegen auch der umgekehrte Weg begehbar sein, wäre noch einmal über die Dominanz einer aus dem Geist der Mystik geschöpften Pneumatologie nachzudenken.

Aus dieser knappen Forschungsübersicht folgt, daß an der grundlegenden Bedeutung des Geistverständnisses für den Aufbau der Theologie Müntzers überhaupt kein Zweifel beste-hen kann. Die unmittelbare Offenbarung des göttlichen Geistes im Menschen ist tatsächlich das „heuptstu(e)ck der seligkeit", wie Müntzer seinen Anhängern in Stolberg schrieb.[13] Die Interpretationen dieses Hauptstücks weichen allerdings weit voneinander ab. Ob Müntzer als Mystiker, Apokalyptiker oder Revolutionär charakterisiert wird, macht schon einen Unter-schied aus. Am ehesten wird eine Interpretation befriedigen, die die Affinität der Pneumato-logie zu Mystik, Apokalyptik und Revolution gleichermaßen beschreibt und nach den Argumentationen sucht, die eine Fusion dieser unterschiedlichen Einflüsse und Problembereiche ermöglichten. Zuvor muß aber nach den Erfahrungen gefragt werden, die Müntzer in den frühreformatorischen Auseinandersetzungen sammelte, um einen Aufschluß darüber zu erhalten, warum er gerade dem Geistverständnis soviel Aufmerksamkeit zuwandte; denn erst vom „Sitz im Leben" seiner Theologie her ist es möglich zu entscheiden, welche Tradition und welches Grundproblem der Zeit seinen theologischen Überlegungen Fundament und Form verliehen.

II Der antiklerikale Erfahrungshintergrund

Die Quellen zum frühen Wirken Müntzers fließen spärlich. Es ist kaum möglich, sich ein genaues Bild von den Stationen seines Werdegangs und der Suche nach einem theologischen Profil zu machen. Soviel ist sicher: Müntzer bewegte sich bald nach seinem Studium in reformerischen Kreisen und trat, erstmals deutlich greifbar, 1519 in Jüterbog an der Seite des Lutherschülers Franz Günther im Streit gegen die Franziskanermönche auf den Plan.[14] Hierbei muß es sich um Streitigkeiten gehandelt haben, die alle Merkmale des antiklerikalen Kampfes aufwiesen, wie sie in den frühen Jahren der Reformation allenthalben üblich waren. Welche Vorwürfe gegen den altgläubigen Klerus und welche Themen in den Vordergrund traten, wird erst in den Auseinandersetzungen deutlicher, die Müntzer in Zwickau mit den dortigen Franziskanern führte. Er berichtete Luther in einem Brief von den Heuchlern, die „alle um einen Brocken Brot die Seelen zum Leben bestimmen, die doch nicht leben" (Hes. 13,19), und „mit langen Gebeten die Häuser der Witwen auffressen" (Matth. 13,14), um ihre „unersättliche Habsucht" zu befriedigen; er sprach von den Mönchen und Priestern, die die Kirche „verführt" hätten (allerdings auch von dem Volk, das kaum bessere Geistliche verdient habe); die Kleriker wurden von ihm als „Ungeheuer" beschimpft und als „zerfleischende Harpyien". Müntzer hatte die „Zeremonien" und „Ordnungen" der alten Kirche angegriffen, ebenso das Meßopfer und das kanonische Recht, offensichtlich auch gegen den Reichtum der Kirche und die Werkgerechtigkeit gepredigt; er hatte den Mangel an moralischer Bewährung und an Heilsgewißheit kritisiert und vom „Reich des Glaubens" gesprochen, „das in uns liegt". Das sind Vorwürfe und Themen, die in der antiklerikalen Szene jener Zeit fast schon stereotyp wiederkehren. Müntzer hat in diesem antiklerikalen Milieu zu eigenem Selbstbewußtsein gefunden: „Solange noch ein einiger Geist mich belebt, werde ich diese Klagen, die Verstellungen der Heuchler nicht dulden, ich werde dagegen kämpfen mit unaufhörlichem Seufzen und mit der Tuba des Wortes Gottes, damit nicht der Name des Herrn mit denen gelästert werde, die vornehmlich Christen scheinen wollen, während ihre Füße eilend sind [Röm. 3,15], einen Aufruhr im Volke Gottes zu machen und Himmel und Erde zu vermischen."[15]

Ebenso wie in Zwickau sieht Müntzer sich in Prag genötigt, seine reformerischen Aktivitäten im antiklerikalen Auseinandersetzungsstil zu rechtfertigen: „Wer ist doch unter allen menschen, der do mochte sagen, daß diß dye rechten diener Gots weren, zcu bezceugen das gotliche worth? und das sie seyn dye unerschrocken prediger gotlicher gnaden, indem das sie vom hunrotussen babst gesmirt sein mit dem oel des sunders, am CXL. psalm, welchs fleust vom heupt wann auf die fusse zcu einer vorsmeyssunge oder vorgifft der gantzen christlichen kyrchen. Das ist ßo vihl gesaget: vom teuffel ist yhr anfangk, welcher yn yren hertzen grund unde bodem vorterbet hat, wie geschribn steht am funften psalm, dan sie seyn eytel ane besytzer den heiligen geist. Dorumbme syn sie geweihet von der weiher dem teuffel yhrem rechten vater, der mit yhn nicht horen will das rechte lebendige gotsworth, . . .“[16] Er bestreitet den Gegnern die Legitimation ihres Amtes, indem er den durch die Weihe verliehenen character indelebilis in Frage stellt und nur das Amt derer anerkennt, die die Schafe mit der „lebendigen stymme“ Gottes erquicken. Im „Prager Manifest“ kommt es Müntzer darauf an zu zeigen, daß der Herrschaftsanspruch der Pfaffen an der Autorität des redenden Gottes zerbricht: Nicht nur „alle rechte pfaffen“, sondern auch die „schaffe“ sollen Offenbarungen haben, „das sie yres dinges gewiß sein“.[17]

Das ist ein deutlicher Hinweis auf das Wirken des göttlichen Geistes im Menschen. Wer sich diesem Wirken nicht öffnet, verfällt dem göttlichen Gericht. Der Gegensatz zwischen dem Priester und dem Laien wird an der Bereitschaft des Menschen sichtbar, um es abgekürzt zu sagen, das Werk des Heiligen Geistes zu erleiden und das Zeugnis dieses Geistes im „Abgrund der Seele“ zu vernehmen. Um diesen pneumatologischen Ausgangspunkt christlicher Existenz kreist das „Prager Manifest“. Wenn Müntzer in Zwickau von der Kanzel gepredigt haben soll, daß geistbegabte Laien wie der Tuchknappe Nikolaus Storch „mussen unser Prelaten und Pfarrer werden“, dann ist das in dem Sinne seiner Ausführungen in Prag zu verstehen.[18] Im Grunde liefert Müntzer der frühreformatorischen Losung vom „Priestertum aller Gläubigen“ eine pneumatologische Begründung; sie rechtfertigt nicht nur seinen Kampf gegen den altgläubigen Klerus, sondern bald auch gegen die Wittenberger Reformatoren: Weil diese nicht zwischen dem „gedichteten“ und dem „ungedichteten“ Glauben zu unterscheiden wüßten, „seint sie noch neophiti, das seint unversuchte menschen, sollen keine selwarter sein, sunder noch langezeit chatecumini, das ist vleyssige schuler seins go(e)tlichs wergs und nicht ehr lernen [lehren], sie weren dan von Gott gelert“[19]. Und schließlich gleitet das pneumatologisch begründete Argument gegen den Klerus in eine massive Kritik an der weltlichen Obrigkeit über, wenn Müntzer den Fürsten droht, „das man die gotlosen regenten, sunderlich pfaffen und mo(e)nche to(e)dten sol, die uns das heylge evangelion ketzerey schelten und wollen gleichwol die besten christen sein“[20]. Es kann keine Frage sein, daß Müntzer im Kampfmilieu gegen die geistliche und weltliche Herrschaftselite politische und soziale Erfahrungen sammelte, die ihn für antiklerikale Gedanken besonders empfänglich machten: Der pervertierten Glaubenspraxis der Kleriker, die eine Personifikation des Übels in dieser Welt darstellten, wurde die Frömmigkeit der Laien gegenübergestellt. Im Antiklerikalismus haben die schroffen, unerbittlichen Alternativen ihren Ursprung: Auserwählte oder Gottlose, große Hansen oder armes Volk; hier setzt auch der Auftrag ein, „dye lautbaren beweglichen pasaunen zu blosen, das sye erhallen myt dem eyfer der kunst Gottes, keynen menschen auf dusser erden zu verschonen, der dem wort gottes wydder strebt“;[21] hier liegt auch der Grund, warum die theologischen Kernaussagen in der Form der Glaubensaneignung vorgetragen werden, die objektiven Heilstatsachen als subjektiv erfahrbares Heilsgeschehen, das den Menschen aus dem Typ, den der Kleriker repräsentiert, in den Typ des frommen Laien verwandelt. Und hier wurzelt schließlich die verbale Militanz, die im Bauernkrieg zu revolutionärer Gewalt wurde, die Ausrottung der Gottlosen. Der Antiklerikalismus gibt dem Denken und Handeln Müntzers Form und Richtung, er sichert ihnen Widerhall und ruft Widerspruch hervor. Er prägt sie durch und durch.

III Das Wirken des göttlichen Geistes im Menschen

Thomas Müntzer war davon überzeugt, daß der ruinöse Zustand der Christenheit vom Klerus verursacht worden sei, der die Menschen mit den Forderungen des Zeremonialgesetzes zu einem veräußerlichten Glauben verführt und jede ursprüngliche Gottesbeziehung in dieser Welt verhindert habe. In Jüterbog bewegte Müntzer sich noch ganz im Fahrwasser der allgemeinen reformatorisch-antiklerikalen Propaganda und Agitation. Er stellte die Autorität der Heiligen Schrift gegen die Autorität des kirchlichen Rechts und der klerikalen Hierarchie. In Zwickau jedoch begann der Hinweis auf den Heiligen Geist das Schriftargument bereits zu ergänzen bzw. zu vertiefen. Müntzer führte die Autorität, die noch hinter der Schrift stand, ins Feld,[22] um die größte, d. h. aus der rigorosen Konsequenz des Gegensatzes erwachsende, Wirkung zu erzielen: der geistlose Priester hier, der geisterfüllte, von demselben Geist, der schon die Schrift hervorgebracht hatte, ergriffene Laie dort. Allerdings deutete sich die Verlagerung vom Schrift- zum Geistargument in Zwickau erst nur an. Daß Müntzer dort schon als „schwirmig geist" verspottet wurde,[23] wird sowohl auf seine Verbindung mit den sogenannten Zwickauer Propheten[24] als auch auf seine gewiß überspitzten Äußerungen selber zurückzuführen sein. Über das wahre Ausmaß dieser Äußerungen läßt sich aber kein klares Bild gewinnen. In den „Propositiones probi viri d. egrani", mit denen Müntzer Thesen seines Zwickauer Gegners innerhalb des reformatorischen Lagers nicht immer ohne polemische Überzeichnung zusammenstellte, um ihn als „infans in vera theologia" bloßzustellen, spielt das Geistargument noch keine hervorragende Rolle. Es taucht dort zwar auf,[25] fügt sich aber ganz dem Anliegen Müntzers ein, die humanistische Intellektualität des Egranus, seinen Mangel an religiöser Vitalität und seine Unfähigkeit, die Offenbarung im Modus der Glaubensaneignung zu erläutern, als ein Hindernis auf dem Weg zur Reformation anzugreifen und die Erneuerung der Christenheit aus den Tiefen einer von Gott ergriffenen Innerlichkeit zu erwarten, eben aus dem „Reich des Glaubens, das in uns liegt".[26]

Ganz und gar von pneumatologischen Argumenten durchdrungen ist dann schon das „Prager Manifest" (1521). Nicht die „pfaffen unde affen" sollten die wahre Kirche sein, schreibt Müntzer, sondern „es solln dye auserweleten freunde Gots wort auch lernen prophetien, wye Paulus lernet, das sye mugen warhafftig erfaren, wye freuntlich Got ach so hertzlich gerne mit allen seynen auserwelten redet"[27]. An dieser Stelle greift Müntzer noch nicht die endzeitliche Vorstellung von dem Geist auf, der über alles Fleisch ausgegossen und allen Auserwählten Träume und Gesichte eingeben wird (Joel 3).[28] Er will hier nur zum Ausdruck bringen: Die wahre Rede von Gott entspringt allein aus der Gewißheit der Gotteskindschaft, daraus nämlich, daß der Heilige Geist „gnucksam gczeutnusz gybt unserm geysth" (Röm. 8,9).[29] Wer diese innere Rede vernimmt, ist ein Auserwählter, wer sie nicht vernimmt, ein Verdammter. Die „new kirche", verheißt Müntzer den Böhmen, wird mit den Auserwählten anheben, die verdammten Pfaffen haben hier nichts mehr zu vermelden: „Wan wer den geyst Christi nyt in ym sporeth, ja der yn nit gwyszlich haet, der ist nit eyn glidt Christi, er ist des teufels ad Ro.8 [,9]."[30] Auf diese Weise erhielt die reformatorisch-antiklerikale Losung vom „Priestertum aller Gläubigen" eine pneumatologische Begründung und konnte mit Hilfe pneumatologischer Argumente so entfaltet werden, daß sie allmählich das Profil einer eigenständigen Theologie zu erkennen gab. Soviel trat jetzt aber schon deutlich genug hervor: Die Konzentration auf das Wirken des Heiligen Geistes bedeutet – im Gegenzug zum Angriff auf den Priester als der Personifikation des kirchlichen Mißstandes – eine Konzentration auf das Wirken des göttlichen Geistes im Menschen, d. h. auf den Aufbau einer geistdurchwirkten Existenz.

Im „Prager Manifest" legt Müntzer erst einmal Wert darauf, das Volk von der Notwendigkeit zu überzeugen, sich allein dem Zeugnis anzuvertrauen, das „der heilige geist reth in oren hertzn".[31] Er will zunächst nur auf den Grund des Glaubens hinweisen, von dem „kein pechgesalbeter pfaffe, keyn geystscheynender münnich" bisher zu berichten wußte.[32] Doch es käme genaugenommen nicht darauf an, meint Müntzer, diesen Grund zur Kenntnis zu nehmen, er müsse vielmehr erfahren werden, dem Volk müsse beigebracht werden, „was Got sei in erfarunge".[33] So steht es in der längeren deutschen Fassung des „Prager Manifests". Die entsprechende Stelle in der kürzeren Fassung lautet: „So hab ich alle meyne lebtag (Got weysz, das ich nit lyge) von keynem munch adder pffaffen mugen vo(e)rsthen dye rechte ubungk des glaubens, auch dye nutzbarliche anfechtungk, dye den glauben vorclereth ym geyst der forcht Gots, mitsampt inhaldungk, das eyn auserwelter, musz haben den heyligen geyst czu syben maln."[34] Hier wird deutlich, daß der „Grund" des Glaubens offensichtlich die „Übung" des Glaubens einschließt, d. h. den Weg, der zur Erfahrung des Glaubens führt. Darüber wird im „Prager Manifest" nur andeutungsweise und reichlich verschlüsselt gesprochen: Der Mensch muß sich von dem „Geist der Furcht Gottes" in Anfechtung und Leid führen lassen, mit dem leidenden Christus gleichförmig werden, damit rechnen, daß Gott allein in die „leidligkeyt der creatüren" spricht; die Menschen müssen „leherwerden" (leer werden); ihre eigenen Kräfte, auf die sie sich sonst verlassen, müssen ihnen „entsincken".[35] Erst wenn der Mensch diesen leidvollen Prozeß durchgestanden hat, ist er in der Lage, das Zeugnis des Heiligen Geistes in seinem Herzen zu vernehmen, und erst von diesem Zeugnis her erschließt sich auch der Sinn der Heiligen Schrift: „Ich becrefftige unde schwere bey dem lebendigen Goth: wer do nicht horeth auß dem mu(o)nde Gots das rechte lebendige worth Gots, was bibel und Babe, ist nicht anders dann ein todt ding."[36] Von der Notwendigkeit des Leidens hatte Müntzer schon in Zwickau gesprochen, besonders auch in den Propositionen des Egranus; hier wird der Hinweis auf das Leiden nun mit dem Wirken des göttlichen Geistes verbunden, sozusagen in den pneumatologischen Zusammenhang seines Denkens überführt; gleichzeitig wird angedeutet, daß die altgläubige Lehre von den „guten wercken" und den „kostparlichenn tugenden" einen Versuch darstellt, sich dem Leidensprozeß zu entziehen.[37] Mit dieser kurz umrissenen Konzeption von der „ubungk des glaubens" hat Müntzer auf seine Weise das Gegenstück zur Lehre von der Werkgerechtigkeit formuliert. Heiko A. Oberman hat geschrieben: „So wissenschaftlich und schreibtischorientiert das Koordinatensystem von Luthers reformatorischem Durchbruch auch heute vielfach vorgestellt wird, das Ziel seiner Theologie war die Erneuerung der Frömmigkeit des Laien. Seine überraschenden Erfolge wenigstens bis 1522 zeigen, wie sehr es ihm gelang, die Rechtfertigungslehre als Befähigung zur wahren Frömmigkeit darzustellen."[38] Was für Luther gilt, trifft mutatis mutandis auch auf Müntzer zu. Er wollte die Laien aus der Bevormundung durch den Klerus lösen, der sowohl Gott als auch dem Volk den Mund gestopft hatte,[39] und an die Quelle einer Frömmigkeit führen, die sich nicht an Äußerlichkeiten verliert. Allerdings war es ihm nicht gelungen, die Prager auf seine Seite zu ziehen; Resonanz im Volk fand erst die Entfaltung der im Manifest sichtbar gewordenen pneumatologischen Ansätze auf dem weiteren Weg.

Der Weg dieser Entfaltung kann jetzt nicht im einzelnen nachgezeichnet, sondern nur in seiner allgemeinen Richtung verfolgt werden. Unübersehbar ist, daß Müntzer sich fortan bemüht, den Prozeß des göttlichen Geistwirkens im Menschen genauer zu beschreiben und zum argumentativen Schwerpunkt seines Denkens und Handelns auszugestalten.

Mit Nachdruck weist er in seinen Briefen und Schriften auf die Notwendigkeit des Leidens hin und warnt davor, Not und Trübsal aus dem Wege zu gehen. Der „Abgrund der Seele" ist von Dornen und Disteln überwuchert und muß gesäubert, von Lüsten und Begierden, vom „ancleben disser welt" befreit werden.[40] Die „Welt in unserem Herzen" muß vernichtet werden.[41] Das ist in den Augen Müntzers nicht ein harmloses Erdulden mancherlei Unbill, sondern ein Akt, in dem Anfechtung und Leid zu einer aggressiven Bedrohung werden, die an die Grundfesten menschlicher Existenz rührt. „Ehr es abber dozu kumpt, das der mensche seyner salikeit gewyß werde, kommen also vil wasserstrome unde derselbygen grausams brausen, das dem menschen vorgehet dye lusth zu leben, dan die bulgen dusses wilden meres wag vorslindeth manchen, der do meynt, er habe schon gewunnen. Darumb sal man dusse bulge nicht flygen, sundern meysterlich brechen, wye dye gelerten schiffleuth; dan der Herre wil nymant seyne heylige gezeugnuß geben, ehr habe sich dan zuvorn dorch erbeytet myt seyner vorwunderunge; darumb werden der menschen herzen also selten behefftet myt dem warhafftigen geyst Christi, besitzer der selen, darumb das sye den vorsmack des ewygen lebens, ehe dan das hertze dorch quelung der hellen bereytet wirt zu der lenge der ewigen tage.“[42] Nur wenn der Eigenwille des Menschen zerbricht und die „Armut des Geistes“ sich einstellt, wenn der Mensch nicht mehr ein noch aus weiß, in der „nacht, wan dye trubsalikeit am hochsten ist“, sucht ihn Christus auf, wird ihm Gnade eingegossen, wird er mit göttlichem Geist ganz und gar erfüllt.[43] Dieser ganze schmerzliche Prozeß steht unter der Führung des Heiligen Geistes. Er beginnt mit der anfänglichen Bewegung des Geistes im Inneren des Menschen und der Verwunderung darüber, daß er zum Heil bestimmt sei, führt in das leidvolle Stadium, in dem der „Geist der Furcht Gottes“ ihn von der „Welt“ reißt, gleitet in eine Haltung der „Gelassenheit“ über (frei vom eigenen Willen) und endet in einer Verwandlung, die in der „Ausgedrückten Entblößung des falschen Glaubens der ungetreuen Welt“ so beschrieben wird: „Warlich, umb des willen, das es der natur gantz ein unmu(e)glichs, ungedachts, ungeho(e)rts ding war, 1. Cor. 2, Isaie 64, wie es uns denn allen in der ankunfft des glaubens mu(o)ß widerfaren und gehalten werden, das wir fleyschlichen, yrdischen menschen sollen go(e)tter werden durch die menschwerdung Christi und also mit im Gotes schu(e)ler seyn, von im selber gelert werden und vergottet seyn, ja wol vil mher, in in gantz und gar verwandelt, auff das sich das yrdische leben schwencke in den hymel, Philip. 3.“[44]

Dieses innere Geschehen ist das „Werk Gottes“, das erlitten werden muß, um mit der „Ankunft des Glaubens“ des Heils gewiß zu werden: das „heuptstu(e)ck der seligkeit“. Sich einzig und allein auf das göttliche Werk zu verlassen heißt, sich der altgläubigen Werkgerechtigkeit zu widersetzen; dieses Werk durchzustehen und als Verwandelter daraus hervorzugehen bedeutet für Müntzer, „der evangelischen prediger lere in ein besser weßen“ zu führen.[45] So antwortete er auf den Autoritätsverlust des römischen Klerus mit dem Aufbau einer neuen, geistlichen Autorität im Laien. Zwei geradezu empirisch faßbare Gruppen stehen sich gegenüber: die Gottlosen und die Auserwählten.

IV Argumentationshilfe aus der Tradition der Mystik

Das „Werk Gottes“ hat Müntzer in der Begrifflichkeit und mit den Metaphern beschrieben, die auf die Tradition der deutschen Mystik zurückweisen: Abgrund der Seele, Ursprung, inneres Wort, Bewegung, Verwunderung, Geist der Furcht Gottes, Leiden, Armut des Geistes, Leerwerden, Entgröberung, Ankunft des Glaubens, Erfahrung Gottes, Vergottung. Das sind Grundbegriffe, mit deren Hilfe die Mystiker zur Einübung des Glaubens anleiteten. Dieser Beobachtung wird in der Forschung kaum widersprochen, es wird jedoch gelegentlich behauptet, daß Müntzer zwar dem Vokabular der Mystik verpflichtet gewesen sei, nicht jedoch ihrem Geist.[46] Diese Behauptung scheint mir höchst problematisch zu sein, wenn man sieht, wie konzentriert die mystische Terminologie im Zentrum seiner Theologie präsent ist, und wenn man beachtet, wie eng Sprache und Inhalt gerade in der mystischen Tradition miteinander verbunden sind. Die Sprache „ist kein beliebiges ‚Gefäß‘ für ihre

Inhalte, sondern geht mit ihnen ein eigentümliches conubium ein. Denk- und Sprachgestalt werden eins – wie vergleichsweise im lyrischen Gedicht."[47] Müntzer steht zwar nicht mehr an der Quelle der Mystik, an ihrer sprachschöpferischen Ursprünglichkeit, so mächtig seine Sprache gelegentlich ist, neigt er doch zu einer formelhaften Verwendung der mystischen Begrifflichkeit. Aber er hat die Mystikertexte, vor allem Johannes Tauler und die „Theologia Deutsch",[48] gründlich gelesen und offensichtlich geradezu in sich eingesogen; anders ist die Häufung mystischer Begrifflichkeit zur Explikation der reformatorischen Intention nicht zu erklären. Mystische Grundvorstellungen boten sich ihm offensichtlich an, die antiklerikale Situation der frühen Reformationsjahre theologisch zu verarbeiten.

Hier kann nur in aller Kürze auf einige Grundvorstellungen eingegangen werden; ich vermeide es bewußt, an dieser Stelle noch einmal den schwierigen Begriff der „ordennünge (in Got vnnd alle creaturn gesatzth)" zu erörtern, mit dessen Hilfe ich einst das Verhältnis Müntzers zur mittelalterlichen Mystik zu bestimmen versuchte und der inzwischen auch andere Interpretationen erfahren hat.[49] Ich werde darauf bei anderer Gelegenheit zurückkommen.

1. Dem Verständnis Müntzers vom Wirken des göttlichen Geistes im Menschen liegt die Annahme zugrunde, daß der Mensch von Gott zu den Kreaturen gefallen sei und fortan keine Möglichkeit besitze, sich aus eigener Kraft wieder seinem Ursprung zuzuwenden. Christoph Windhorst sprach von der „ontologischen Schranke", die in der Tradition des augustinischen Spiritualismus, der vor allem in der Mystik zur Wirkung kam, Göttliches und Kreatürliches voneinander trennt.[50] Durchbrochen werden kann diese Schranke nur von Gott selbst.

2. Dieses „Werk Gottes" vollzieht sich im Inneren des Menschen, insofern es an den göttlichen Geist anzuknüpfen vermag, der im „Abgrund der Seele" verborgen liegt. Die erwähnte Schranke kann also nur durchbrochen werden, wenn eine ursprüngliche Einheit zwischen Gott und Mensch angenommen wird, die jetzt aber durch die Sünde zerstört wurde, d. h. die Neigung der Seele, sich an das Kreatürliche zu zerstreuen und dadurch den Seelengrund zu verunreinigen. Gott kann nur auf „unvermittelte" Weise handeln, wenn er an seinen in den menschlichen Grund versenkten Geist anknüpft und ihm die Möglichkeit schafft, sich im Menschen voll zu entfalten.

3. Zur Fülle gebracht werden kann der Geist nur, wenn der Zustand, der im Inneren eingerissen ist, beseitigt wird. Dieses mortifikatorische Geschehen kann unterschiedliche Formen annehmen und mehrere Stufen durchlaufen. Tauler betonte besonders das Leiden, an dessen Ende die Vereinigung des Menschen mit Gott bzw. die Vergottung des Menschen steht.[51]

Das sind Grundannahmen, die Müntzer mit der mystischen Tradition teilt. Auch ihm geht es darum, die Oberflächlichkeit der Frömmigkeit zu überwinden, die sich an Äußerlichkeiten verliert und es versäumt, sich auf Gott zu konzentrieren und Gewißheit des Heils in der Erfahrung des göttlichen Werkes zu suchen. Waren die Mystiker bemüht, die praxis pietatis in den Orden zu erneuern, so versucht Müntzer es nun mit einer Erneuerung der Frömmigkeit im Volk. Voraussetzung für diese Ausweitung ist die frühreformatorische Losung vom „Priestertum aller Gläubigen". Der Klerus wird jetzt von Müntzer als Stand bekämpft, der den Laien daran hindert, Gott im Abgrund der Seele zu erfahren, d. h., zur Substanz des Glaubens oder dem Grund seiner Verläßlichkeit durchzustoßen.

Im Kampf gegen die Altgläubigen und gegen seinen humanistisch orientierten Kollegen Egranus in Zwickau gelangt Müntzer zu der Erkenntnis, daß mit dem betonten Hinweis der Wittenberger Reformatoren auf das sola scriptura der veräußerlichte, der „gedichtete" Glauben eigentlich noch nicht überwunden ist. Auch die Wittenberger verweisen den Menschen an

Äußerliches, Kreatürliches, nämlich den Buchstaben der Heiligen Schrift. Ein solcher Gebrauch der Schrift vermag aber nicht den Verfall des Menschen an die Kreaturen aufzuhalten; er verstärkt ihn nur. So geraten nicht nur Pfaffen und Priester in die Schußlinie seiner Kritik, sondern auch die Gelehrten, die den Laien raten, sich auf die Heilige Schrift zu verlassen, und sie nicht mehr auf den Gedanken kommen lassen, das Werk des göttlichen Geistes, das auch hinter der Schrift steht, an sich selber erfahren zu können. Wie die Mystiker kann auch Müntzer sagen, daß die Schrift dazu bestimmt sei, zu töten und nicht lebendig zu machen.[52] Oder er formuliert es auf zugespitzte Weise so: „Und wilcher mensch dieses nit gewar und empfindtlich worden ist durch das lebendige gezceugnis Gottis, Roma. 8, der weiß von Gotte nichts gru(e)ndtlich zu sagen, wenn er gleich hunderttausent biblien hett gefressen."[53] Durch die Vermittlung des Kreatürlichen ist nicht zu Gott zu gelangen.

In diese Fluchtlinie zeichnete Müntzer auch die Rechtfertigungslehre Luthers ein. Einmal von den Grundannahmen der mystischen Tradition überzeugt, mußte sie ihm als Appell erscheinen, sich auf Äußerliches zu verlassen und dem Leiden, das er als Nachfolge Christi begriff,[54] aus dem Wege zu gehen. „Des ziels wirt weyt gefeylt, so man predigt, der glaub muß uns rechtfertig machen und nicht die werck. Ist ein unbescheidene rede. Do wirt der natur nicht furgehalten, wie der mensche durch Gotis werck zum glauben kompt, welchs er muß vor allen und uber alle ding wartten. Anderst ist der glaube nicht eines pfifferlings wert und ist nach unser wirckung zu podeme erlogen."[55]

Versucht man Müntzer also im Traditionsgefälle der mittelalterlichen Mystik zu deuten, wird sowohl seine Frontstellung gegen Altgläubige und Reformatoren verständlich als auch sein Anliegen, die Erfahrung des geistgewirkten Glaubens zum „heuptstu(e)ck der seligkeit" zu erklären, d. h. auch zum Kernstück seiner Theologie.

V Apokalyptik, Revolution und Heiliger Geist

Die mystische Frömmigkeit steht gewöhnlich im Geruch, eine introvertierte, vom alltäglichen Geschehen abgewandte Glaubenshaltung zu sein. Von Müntzer ist aber genau das Gegenteil bekannt. Er hat sich nicht nur mit Vehemenz in den reformatorischen Tageskampf geworfen, sondern hat auch mit apokalyptischem Eifer und revolutionärer Energie auf den Sturz geistlicher und weltlicher Obrigkeiten hingearbeitet, um das Reich Gottes vorbereiten zu helfen. Unter diesem Gesichtspunkt fiel es manchem schwer, ihn grundsätzlich noch im Einflußbereich der mystischen Tradition stehen zu sehen. Beachtet man jedoch, daß die Mystik im ausgehenden Mittelalter keineswegs einen homogenen Typus darstellte, sondern sich mit anderen reformerischen und endzeitlichen Strömungen verbinden konnte, daß „eine Reihe von Mystikern sogar aus dem stillen Winkel in den apokalyptischen Endkampf" zogen,[56] dürfte es nicht abwegig sein, nach den Verbindungsstellen von mystisch konzipierter Pneumatologie und Apokalyptik bzw. revolutionärer Agitation bei Müntzer zu suchen.

Erste Hinweise auf apokalyptisches Gedankengut finden sich im „Prager Manifest", allerdings beherrschen sie die Argumentation Müntzers längst nicht in dem Maße wie die mystischen, sie werden vielmehr nur zur Erläuterung und Stärkung der fast schon stereotyp betonten Notwendigkeit eingesetzt, die lebendige Stimme Gottes im Inneren zu vernehmen. So wird jetzt die Forderung, daß alle Auserwählten „offenbarunge haben" sollen,[57] nicht mehr, wie einige Abschnitte zuvor, mit 1. Kor. 14,30, sondern mit Joel 3,1 begründet. Die apokalyptische Zeitvorstellung, die bei Joel eine Rolle spielte, wird aber nicht angesprochen, der Gedankengang gleitet sofort wieder in die übliche mystisch-pneumatologische Argumentation zurück. Lediglich die Bemerkung, daß die Hirten ihre Schafe „lange zceyt" nicht mit der lebendigen Stimme Gottes erquickt hätten,[58] ist ein vager Hinweis darauf, daß Müntzer sich jetzt im Anbruch einer neuen Zeit wähnt, da die „newen lobgesange des heiligen geystes", wie es eingangs heißt, zu hören sind.[59] Von einer „universalen Geistbelehrung" am Ende der Tage, die schon das Endzeitbewußtsein im „Prager Manifest" geprägt haben soll, ist noch nichts zu spüren.[60] Erst am Schluß des Manifests spricht Müntzer davon, daß die Zeit angebrochen sei, da „Got will absundern den weussen von unkrauth", damit sichtbar wird, wer die Auserwählten solange verführt hat.[61] Er selber fühle sich von Gott in die Ernte, die nun angebrochen sei, gesandt, habe seine „sichel scharff gemacht"[62] und sei in Böhmen angetreten, um gegen die Feinde des Glaubens zu kämpfen: „Ich will sie fur ewern augen in dem geist Helie zcu schanden mache."[63] Hier spielt Müntzer auf den Propheten Elia an, der mehrere Hundert Baalspriester umgebracht hat. Nichts deutet darauf hin, daß Müntzer an dieser Stelle an ein tätliches, martialisches Strafgericht gedacht habe; aus dem Zusammenhang geht eher hervor, er könne diesen Hinweis als Drohung in übertragenem Sinn gemeint haben. Er wird an seine Strafpredigt gedacht haben, die ins Fegefeuer der Anfechtung führt und die falschen Priester entlarven wird, so daß sie keine Macht mehr über das Volk haben werden. Neben Elia wird später auch Johannes der Täufer gesetzt, die „figur aller prediger",[64] d. h. derjenigen, die die Menschen auf unerbittliche Weise von der Notwendigkeit des inneren Strafgerichts überzeugen wollen und auf diese Weise die Ankunft Christi ankündigen. Schließlich mündet das „Prager Manifest" in die Andeutung einer großen endzeitlichen Perspektive ein: „Wer do solche vormanünge wyrt vorachten, der ist itzunde schon uberantwort in die hende des Türken. Nach wilch wutende brunst wyrth der recht personliche enthechrist regryen [!], das rechte kegenteyl Christi, der yhm kortzen wyrt das reich dysser welt geben seinen auserwelten in secula seculorum."[65] Dieser Satz enthält keine spezielle Aussage, die nur vom taboritischen Chiliasmus her verständlich würde, sondern ist Droh- und Heilswort, wie es dem Zeitempfinden damals durchaus allgemein entsprach, von der Argumentation Müntzers her nicht eigentlich Bedingung als vielmehr Perspektive des göttlichen Geistwirkens im Auserwählten.

Noch spärlicher sind Anklänge an apokalyptisches Vorstellungsgut in den frühen Allstedter Schriften „Von dem gedichteten Glauben" und „Protestation und Erbietung". Sie bestätigen die Intention des „Prager Manifests", das Hauptstück des Glaubens, wie es bisher herausgearbeitet wurde, zur Sprache zu bringen.

Erst in der sogenannten Fürstenpredigt gewinnt der Gedanke an das Ende der Welt und den Anbruch des Gottesreiches deutlich an Boden. Die Gelegenheit dazu bietet der biblische Text, den Müntzer auf dem Allstedter Schloß auslegt: der Traum Nebukadnezars vom Niedergang der Weltreiche (Dan. 2). Die Zeit des letzten Weltreiches geht zu Ende; ohne Zutun der Menschen wird sich von dem Berg, der Christus ist, der Stein lösen, d. h. sein Geist, und das letzte Reich endgültig in Trümmer legen. Das kann hier nicht weiter ausgeführt werden; wichtig ist nur die Beobachtung, daß der endzeitliche Gedanke sich mit dem pneumatologischen verbindet, nämlich mit dem Wirken des Heiligen Geistes in der Welt. Dieser Geist, daran läßt Müntzer gar keinen Zweifel, verändert jedoch nicht von außen her den Zustand der Welt, sondern entspricht der „reynen ungetichten forcht Gottis",[66] d. h., er dringt über die geistgewirkte Verwandlung des einzelnen Menschen in die Welt ein. Davon ist dann auch in dieser Predigt wieder ausführlich die Rede.

Die Auserwählten sollen allerdings nicht untätig bleiben; sie sind aufgerufen, in allem Eifer mitzuhelfen, das Gericht an den Gottlosen zu vollstrecken. Zunächst gilt der Aufruf der Obrigkeit, die ihr Schwert gegen die Gottlosen ziehen soll. Als die Obrigkeit sich dieser Aufforderung jedoch versagte, fiel der Auftrag zur strafenden Gewaltanwendung an das Volk, genauer an die Auserwählten. „Die engel aber, wilche yre sicheln darzu scherffen, seint die ernsten knechte Gottis, die den eyfer go(e)tlicher weyßheit volfu(e)ren" (Mal. 3,1–6).[67] Der Eifer göttlicher Weisheit ist der Eifer des göttlichen Geistes. An diesem Punkt gewinnt der apokalyptische Gedanke vom Endgericht ein relatives Eigengewicht, er bleibt aber auf das Werk bezogen, in dem der göttliche Geist sich des Menschen bemächtigt.

Noch ein weiterer apokalyptischer Gedanke wird aufgenommen: die Verheißung von der Ausgießung des göttlichen Geistes über alles Fleisch am Ende der Tage. Gott „wil sie [die Welt] von yrer schande entledigen und wil seinen geist uber alles fleisch außgissen und unser so(e)ne und to(e)chter sollen weyssagen und sollen trewme und gesichte haben etc."[68]. Schwarz hat aus dem Hinweis auf solche Stellen geschlossen, daß Müntzer grundsätzlich von einer neuen Qualität in den Beziehungen zwischen Gott und Mensch ausgehe, die sich mit dem Anbruch eines neuen, auch gegenüber der Apostelzeit veränderten Reiches eingestellt habe.[69] Doch das zu betonen lag hier überhaupt nicht in der Absicht Müntzers. Er wollte nicht das Trennende, sondern das Verbindende zum Ausdruck bringen: „Derhalben waren die lieben aposteln der gesichte gantz und gar gewonet, ..."[70] Er wollte sagen, daß die „Veränderung der Welt" sich in dem Geschehen ankündigt und vollzieht, in dem der göttliche Geist die Menschen erfaßt und in ihnen hervorbricht. „Da ist der ursprung alles gu(o)ten, das recht reych der hymel; ..."[71] Auch hier zeigt sich, daß der apokalyptische Gedanke nicht selbständig neben den mystisch-pneumatologischen tritt, er verbindet sich vielmehr mit diesem, ja mehr noch: er fügt sich diesem geradezu dienend ein. Mit dem apokalyptischen Gedanken wird der Ernst der Situation unterstrichen, in die eine geistvergessene Christenheit geraten ist, und die bittere Notwendigkeit vor Augen geführt, sich dem Wirken des göttlichen Geistes zu öffnen, um endlich neue Zustände heraufzuführen. Von der Apokalyptik her geht aber nicht die Kraft aus, die das gesamte Denken Müntzers von Grund auf prägt und gestaltet.

Dieser Eindruck verändert sich in den weiteren Äußerungen Müntzers nicht mehr; in der „Ausgedrückten Entblößung..." und in der „Hochverursachten Schutzrede und Antwort wider das geistlose, sanftlebende Fleisch zu Wittenberg" spielt die Apokalyptik keine große Rolle; und in den Briefen, die während des bäuerlichen Kampfes geschrieben wurden, verleihen apokalyptische Wendungen seinen Aussagen nur Schwung und Nachdruck, nicht jedoch mehr neue Inhalte.[72]

Auch die Aufforderung zu revolutionärer Agitation ist mit dem pneumatologischen Grundgedanken seiner Theologie verknüpft. Das kann hier ebenfalls nur in aller Kürze erörtert werden. Im „Werk Gottes", das dem Heiligen Geist zum Durchbruch im Menschen verhilft, muß der Mensch sich von dem „ancleben der welt" lösen bzw. die Furcht vor den Kreaturen gegen die Gottesfurcht eintauschen. Damit ist gesagt, daß alle Verhältnisse, die den Menschen in Abhängigkeit von den Kreaturen halten und von der Konzentration auf Gott ablenken, beseitigt werden müssen. Sie werden beseitigt, indem die Beziehungen des Menschen zu den Kreaturen sich auf revolutionäre Weise ändern, und diese Veränderung trägt dazu bei, daß andererseits in die Sphäre der Äußerlichkeit, d. h. in Kirche, Obrigkeit und Gesellschaft, die Institutionen vernichtet, die gesetzlichen Regelungen außer Kraft gesetzt und jene Handlungen verhindert werden, die den Menschen in Abhängigkeit halten, ihm seine Freiheit nehmen, ihn schinden und schaben. Hinrichs hat das so beschrieben: „Deshalb muß man die ‚wuchersüchtigen Bösewichter' beseitigen, damit auch das ‚arme

Volk' des ‚Geistes' inne werden kann, indem es ‚seufzen' lernt, d. h. jenseits der äußeren Not, auch die innere Not, die ‚Furcht Gottes', das Erschrockensein des Menschen über sich selber, erfährt. Die Beseitigung des Druckes, der auf den unteren Klassen lastet, ihre Befreiung aus ihrer elenden Lage, ist also für Müntzer nicht Selbstzweck, seine soziale Revolution hat einen über das Materielle hinausreichenden letzten Sinn, ein positives Ziel, das er hier im vierten Abschnitt seiner Predigt mit folgenden Worten bezeichnet: ‚Dann wird der Mensch erst gewahr, daß er Gottes und des heiligen Geistes Wohnung sei in der Länge seiner Tage. Ja, daß er wahrhaftig geschaffen sei allein (aus) der Ursach, daß er Gottes Gezeugnis in seinem Leben erforschen soll.' Der Sinn der Revolution ist, den Menschen seiner wahren Bestimmung zuzuführen. Diese erblickt Müntzer in seiner tiefen Religiosität in einem Leben mit und in Gott. Die Umwälzung der bisherigen politisch-sozialen Verhältnisse soll die Möglichkeit schaffen zur Erlösung der Menschheit vom Bösen. Die äußere Erneuerung der menschlichen Lebensverhältnisse zielt auf die innere. ‚So die Christenheit nit sollt apostolisch werden', fragt Müntzer, ‚warum sollt man dann predigen?'"[73]

So wirkt die „Veränderung der Welt" letztlich darauf hin, den göttlichen Geist in dieser Welt zum Zuge zu bringen, wie umgekehrt der Ursprung der Bewegung, die zur Überwindung der vorhandenen Abhängigkeits- und Unterdrückungsverhältnisse führte, in dem Prozeß zu suchen ist, in dem der Heilige Geist den Menschen in das Werk Gottes hineinzieht. Der innere Heilsvorgang kann mit dem äußeren Gang der Weltveränderung synchronisiert werden, weil die äußeren Institutionen von Müntzer nicht ihrer Substanz nach, sondern von den Relationen her verstanden werden, in denen sie stehen und die sie schaffen. Sie erzeugen Kreaturenfurcht und erhalten sich mit Hilfe dieser Furcht am Leben. Diese Furcht verhindert das Regiment Gottes im Inneren genauso wie im Äußeren. Die Herrschaft Gottes kann sich also in dieser Welt nur durchsetzen, wenn das Herrschaftsinstrument der gottlosen Obrigkeiten, die Kreaturenfurcht, zerbrochen wird. Die Obrigkeiten mußten darin Aufruhr sehen,[74] zumal ihr personalrechtlich konzipierter Herrschaftsverband angegriffen wurde, das Herzstück der Herrschaft; Müntzer hingegen sah darin nur die Wiederherstellung der ursprünglichen Beziehung zwischen Gott und Mensch: „. . ., das volck wirdt frey werden und Got will allayn der herr daruber sein."[75]

Hinrichs sagte: „Die äußere Erneuerung der menschlichen Lebensverhältnisse zielt auf die innere."[76] Das ist richtig, aber nur, wenn auch die innere Erneuerung als Ursache der äußeren gesehen wird. Dominant ist das Werk Gottes im Menschen, das „heuptstu(e)ck der seligkeit".[77] Müntzer hat nicht nur das Heilsgeschehen und das Zeugnis der Heiligen Schrift in den Prozeß der Heilsaneignung hineingezogen, sondern auch die Ankündigung des Weltgerichts und die Veränderung der Herrschaftsverhältnisse in dieser Welt. Ihm ging es um die Veränderung der Verhältnisse – aber nicht in der Alternative: erst müßten die äußeren Verhältnisse geändert werden, damit sich auch der Mensch ändern könne, oder umgekehrt. Vielmehr strebte Müntzer die Veränderung der Verhältnisse in einem ganz präzisen Sinn an: Verändert werden sollte die Art und Weise, wie Menschen sich zueinander ins Verhältnis setzen. Im Geist der Kreaturenfurcht tun sie es anders als im Geist der Gottesfurcht. Nur unter diesem Gesichtspunkt kommt für Müntzer die Wirklichkeit überhaupt in den Blick: Kirche, Obrigkeit, Gesellschaft und Reich Gottes – alles existiert für ihn im Modus der Relation, nicht als äußeres Wesen aus eigenem Recht.

So mußte Müntzers Geisttheologie, die auf eine Veränderung des Gott-Mensch-Verhältnisses zielte, gleichzeitig zu einer Begründung der Revolution werden, der Veränderung der Verhältnisse nämlich, die Menschen untereinander eingehen. Theoretisch war diese Gleichzeitigkeit schon im „Prager Manifest" angelegt, praktisch entfaltete sie sich in einem Prozeß zunehmender Konfrontation mit den geistlichen und weltlichen Autoritäten seiner Tage. Für Müntzer war das ein geistgewirkter Prozeß, in dem die ursprüngliche Schöpfungsordnung wiederhergestellt wurde.

[1] Karl HOLL: Luther und die Schwärmer. In ders.: Gesammelte Aufsätze zur Kirchengeschichte. Bd. 1: Luther. Tübingen 1923, 433.

[2] Ebd 1, 451–454. 462; Annemarie LOHMANN: Zur geistigen Entwicklung Thomas Müntzers. Leipzig 1931, 63.

[3] HLM, 48. 51.

[4] Manfred BENSING: Thomas Müntzer und der Thüringer Aufstand 1525. Berlin 1966, 52.

[5] Thomas NIPPERDEY: Theologie und Revolution bei Thomas Müntzer. ARG 54 (1963), 149 f / DERS.: Reformation, Revolution, Utopie: Studien zum 16. Jahrhundert. Göttingen 1975, 40.

[6] H[ans]-J[ürgen] GOERTZ: Innere und äußere Ordnung in der Theologie Thomas Müntzers. Leiden 1967; DERS.: Der Mystiker mit dem Hammer: die theologische Begründung der Revolution bei Thomas Müntzer. Kerygma und Dogma 20 (1974), 23–53 / TMFG, 403–444.

[7] ETM, 208; vgl. auch die frühere Arbeit: Walter ELLIGER: Thomas Müntzer. Berlin 1960.

[8] ETM, 805.

[9] Reinhard SCHWARZ: Die apokalyptische Theologie Thomas Müntzers und der Taboriten. Tübingen 1977, 10–34.

[10] MSB, 373, 9 f (25).

[11] Michael MÜLLER: Auserwählte und Gottlose in der Theologie Thomas Müntzers. Halle 1972 (MS) – Halle, theol. Diss., 1972.

[12] Schwarz: AaO, 125.

[13] MSB, 23, 14 f.

[14] Manfred BENSING / Winfried TRILLITZSCH: Bernhard Dappens „Articuli . . . contra Lutheranos": zur Auseinandersetzung der Jüterboger Franziskaner mit Thomas Müntzer und Franz Günther 1519. Jahrbuch für Regionalgeschichte 2 (1967), 113–147.

[15] MSB, 357, 15 – 360, 1; 360, 11–16 (13).

[16] MSB, 497, 14–25.

[17] MSB, 498, 11–13; 501, 16 f.

[18] Johann Karl SEIDEMANN: Thomas Müntzer: eine Biographie; nach den im Königlich Sächsischen Hauptstaatsarchiv zu Dresden vorh. Quellen bearb. Dresden 1842, 110.

[19] MSB, 398, 4–7 (46).

[20] MSB, 262, 16–18.

[21] MSB, 395, 9–12 (45).

[22] ETM, 153.

[23] Siegfried BRÄUER: Die zeitgenössischen Dichtungen über Thomas Müntzer und den Thüringer Bauernaufstand: Untersuchungen zum Müntzerbild der Zeitgenossen in Spottgedichten und Liedern, im Dialog und im neulateinischen Epos von 1521 bis 1525. Leipzig 1973, 67–70 (MS) – Leipzig, theol. Diss. 1973; vgl. ETM, 166–180.

[24] Siegfried HOYER: Die Zwickauer Storchianer: Vorläufer der Täufer? Jahrbuch für Regionalgeschichte 13 (1986), 60–78.

[25] MSB, 515, 7 f (These 21).

[26] MSB, 360, 1 (13).

[27] MSB, 494, 11–14.

[28] Der Hinweis auf Joel 3 findet sich erst später (MSB, 501, 17).

[29] MSB, 492, 14 f.

[30] MSB, 492, 15–17.

[31] MSB, 500, 9.

[32] MSB, 495, 12 f.

[33] MSB, 502, 13.

[34] MSB, 491, 7–11.

[35] MSB, 499, 20–22; 503, 3.

[36] MSB, 501, 25–28.

[37] MSB, 502, 11 f.

[38] Heiko A. OBERMAN: Werden und Wertung der Reformation. Tübingen 1977, 238.

[39] MSB, 505, 8–15; 269, 1–3; 294, 3–8.

[40] MSB, 419, 10 f.

[41] „Also mu(o)ß der recht glaub den sig gewinnen, 1. Johannis 5, nachdem er die Welt u(e)berwindet, die im hertzen ist vill tausentfaltiger dann außwendig" (MSB, 302, 31–35); vgl. Goertz: Innere und äußere Ordnung . . ., 142–149.

[42] MSB, 21, 18 – 22, 11.

[43] MSB, 425, 7–13 (61).

[44] MSB, 281, 16–32. Vieles spricht für die Annahme, Müntzer sei in der via antiqua (Realismus) und nicht in der via moderna (Konzeptualismus) erzogen worden und unter anderem auch deshalb mit Luther in einen Konflikt geraten. Müntzer hat die mystische Tradition realistisch beerbt (Helmar JUNGHANS: Ursachen für das Glaubensverständnis Thomas Müntzers 1524. In: Der deutsche Bauernkrieg und Thomas Müntzer/ hrsg. von Max Steinmetz. Leipzig 1976, 143–149).

[45] MSB, 240, 2 f.

[46] Vgl. Gottfried MARON: Thomas Müntzer als Theologe des Gerichts: das „Urteil" – ein Schlüsselbegriff seines Denkens. ZKG 83 (1972), 195–225 / TMFG, 339–382, bes. 225 / 369: „Trotz des reichlich nachweisbaren mystischen Gutes haben wir in Müntzer nicht einen ‚Mystiker', sondern einen Gerichtspropheten vor uns, denn das ‚innere Wort' ist nicht zu stillem Besitz, vielmehr zum Kampf gegen die Gottlosen gegeben." Eine stärkere Beachtung findet die mystische Tradition bei Rolf DISMER: Geschichte, Glaube, Revolution: zur Schriftauslegung Thomas Müntzers. Hamburg 1974, 145 f. 153–155 (MS) – Hamburg, Univ., theol. Diss. 1974. Allerdings weist er mit Entschiedenheit jede Deutung zurück, die in der mystischen Tradition das Aufbauelement der Müntzerischen Theologie sieht.

[47] Kurt RUH: Meister Eckhart: Theologe, Prediger, Mystiker. München 1985, 193.

[48] Vgl. die Bücherliste (MSB, 556–560); Max STEINMETZ: Thomas Müntzer und die Bücher. ZGW 32 (1984), 603–612; DERS.: Bemerkungen zu Thomas Müntzers Büchern in Mühlhausen. In: Archiv und Geschichtsforschung = Kolloquium anläßlich des 25jährigen Berufsjubiläums von Gerhard Günther am 29. Februar 1984/ hrsg. vom Kreisarchiv Mühlhausen. Mühlhausen 1985, 45–51.

[49] MSB, 496, 11; Goertz: Innere und äußere Ordnung . . ., 39–45; ders.: Der Mystiker mit dem Hammer, 36–44 / TMFG, 416–424; Wolfgang ROCHLER: Ordnungsbegriff und Gottesgedanke bei Thomas Müntzer: ein Beitrag zur Frage „Müntzer und die Mystik". ZKG 85 (1974), 369–382; Wolfgang ULLMANN: Ordo rerum: Müntzers Randbemerkungen zu Tertullian als Quelle für das Verständnis seiner Theologie. Theol. Versuche 7 (1976), 125–140; Dismer: AaO, 7–17; Schwarz: AaO, 109–126.

[50] Christoph WINDHORST: Täuferisches Taufverständnis: Balthasar Hubmaiers Lehre zwischen traditioneller und reformatorischer Theologie. Leiden 1976, 195.

[51] Zu Taulers Leidensverständnis vgl. Christine PLEUSER: Die Benennung und der Begriff des Leidens bei J. Tauler. Berlin 1967. Über die Aufnahme der Taulerlektüre bei Müntzer neuerdings Abraham FRIESEN: The intellectual development of Thomas Müntzer. In: Reformation und Revolution/ hrsg. von Franklin Kopitzsch und Rainer Postel. Stuttgart 1988.

[52] MSB, 231, 14 f.

[53] MSB, 251, 16–19.

[54] MSB, 527, 17 f; vgl. Goertz: Innere und äußere Ordnung . . ., 121–132.

[55] MSB, 235, 29 – 236, 2.

[56] Heiko A. OBERMAN: Die Bedeutung der Mystik von Meister Eckhart bis Martin Luther. In: ders.: Die Reformation: von Wittenberg nach Genf. Göttingen 1986, 41.

[57] MSB, 501, 16 f.

[58] MSB, 501, 18–21.

[59] MSB, 495, 4 f.

[60] Schwarz: AaO, 18.

[61] MSB, 504, 14 f.

[62] MSB, 504, 20.

[63] MSB, 504, 29.

[64] MSB, 307, 8 f.

[65] MSB, 504, 34 – 505, 4.

[66] MSB, 246, 9.

[67] MSB, 262, 2–4. Zum Schriftverständnis vgl. Hans-Jürgen GOERTZ: „Lebendiges Wort" und „totes Ding": zum Schriftverständnis Thomas Müntzers im Prager Manifest. ARG 67 (1976), 153–178.

[68] MSB, 255, 18–20.

[69] Schwarz: AaO, 10–34.

[70] MSB, 255, 4 f.

[71] MSB, 302, 17–19; auch 23, 5–7: „Das warhafftige regiment Gottes geht warhafftig mit freuden an, wan die außerwelten erst sehen, was Got in yhn durch sein werck yn erfarunge des geystes erfinden lest."

[72] Wichtig ist in der „Ausgedrückten Entblößung . . ." folgende Stelle: „Die yetzige kirch ist zu(o)mal ein alte profeu(e)se dargegen, welche sol noch mit dem ynbru(e)nstigen eyfer angericht werden, wenn nu das unkraut die wurffschaufel mu(o)ß erdulden. Die zeyt aber der ernden ist alweg da, Mathei am 9. Lieben bru(e)der, das unkraut schreyt yetz an allen orten, die ernde sey noch nit. Ach, der verrheter verrhet sich selber. Die recht yetzige christenheyt wirt den rechten schwanck nach allem ergernus gewinnen, Math. 18, denn die besserung folgt der ergernus nach der erstatung des schadens und der peyn des unglaubens. Das evangelion Math. 8 wirt vil ho(e)her inß wesen kumen denn zu der zeytten der aposteln" (MSB, 310, 28 – 311, 12). Auch hier wird die Endzeitvorstellung mit dem Glaubensweg verbunden und nicht so sehr eine Veränderung als vielmehr eine Steigerung gegenüber der Apostelzeit angenommen.

[73] HLM, 53.

[74] MSB, 335, 23 f.

[75] MSB, 343, 13 f.

[76] HLM, 53.

[77] Dismer: AaO, 159, hat meine Intention mißverstanden. Die Glaubenslehre ist tatsächlich das Kernstück, aber die Revolution wird ganz und gar nicht in den „Anhang" meiner Darstellung verbannt. Sie ist Konsequenz, mithin sichtbarer Ausdruck der „Ankunft des Glaubens" im Menschen. Es ist durchaus auch der Sinn meiner Deutung: „Theologie und Revolution siedeln . . . in derselben Begrifflichkeit" (169).

Thomas Müntzers Kirchenverständnis vor seiner Allstedter Zeit

Von Siegfried Bräuer

In Martin Luthers Augen war Müntzer ein Exempel der Rotten, die sich einbildeten, sie müßten „die Kirchen halten, als were die Kirche auff sie gegründet". Er warf ihm vor, daß er sich dünken lasse, „die Kirche köndte on jn nicht sein, Er müsste sie tragen und regieren".[1] Auch wenn diese Äußerung aus dem Jahre 1539 mehr Müntzers Selbst- als sein Kirchenverständnis charakterisiert, hält sie doch fest, daß seine Absichten auf die Kirche gerichtet waren. Müntzers Schriften und Briefe bestätigen das. Zu diesem Tatbestand steht in Kontrast, daß über Müntzers Kirchenverständnis wenig gearbeitet worden ist. Eine Untersuchung, die sich allein auf seine Ekklesiologie konzentriert, existiert bislang nicht. Seine Äußerungen über die Kirche wurden jedoch selten übergangen, sofern sich die jüngere Forschung überhaupt um Müntzers theologische Gedanken bemühte.

I Zum Stand der Forschung

Karl Holl, mit dem das Bemühen um Müntzers Theologie einsetzte, hat in seinem Wittenberger Vortrag von 1922 über „Luther und die Schwärmer" betont, daß Müntzer über die von Luther gezogene Grenze hinausging und selbst gegenüber Ulrich Zwingli und Johannes Calvin einen eigenen Weg beschritt. Das Kernstück sei „bei ihm wie bei Luther ein neuer Kirchenbegriff" gewesen. Die endzeitliche Absonderung beziehungsweise Sammlung der Auserwählten in einer sichtbaren Kirche bedeute als religiöse unabdingbar zugleich soziale Reform. Müntzer habe somit „einen Plan für die Neugestaltung der ganzen Gesellschaftsordnung entworfen, der mit seinen religiösen Anschauungen in engster Beziehung stand".[2] Annemarie Lohmann, Schülerin von Justus Hashagen, meinte in ihrer genetischen Darstellung von Müntzers geistiger Entwicklung seit dem Sendbrief an die Stolberger einen Ausbau von Müntzers Kirchenbegriff erkennen zu können: „Im Prager Manifest war es die apostolische Kirche der Geisterfüllten, die ihm als fernes Ziel vorschwebte ... In diesem Briefe ist die Idee der zukünftigen Kirche übertragen auf die des Gottesstaates, der in der Welt errichtet werden wird."[3] Im Bemühen, diese Idee zu verwirklichen, habe Müntzer sie „in ihrer Reinheit angetastet" und damit das „Glaubensgefüge in seinem innersten Wesen gespalten und aufgelöst".[4] Fritz Heyers Absicht war es, die Gruppen des Schwärmertums im 16. Jahrhundert dogmengeschichtlich „im Bereich des Kirchenbegriffs auf einen Nenner zu bringen", denn „das innerste Wesen" dieses Schwärmertums liege „im Kirchenbegriff begründet".[5] Müntzers ekklesiologische Aussagen werden von Heyer in einen für alle „Schwärmer" gültigen Einheitsraster eingeordnet und dementsprechend nivelliert.

Mit Carl Hinrichs Monographie von 1952 beginnt ein neuer Abschnitt in der Müntzerforschung, für den Hinrichs schon drei Jahre vorher mit der kritischen Ausgabe der großen Druckschriften Müntzers den Grund gelegt hatte.[6] Seine Untersuchung ist als Kommentar zu diesen Schriften angelegt. Diese Eingrenzung und eine zu starke Orientierung an den politischen Wirkungen Müntzers führten ihn zu dem Ergebnis, Müntzer habe, im Gegensatz zu Luther, einen einheitlichen und einschichtigen Kirchenbegriff vertreten: „,Kirche' ist für ihn der Zusammenschluß der durch die unmittelbare Erfahrung von Gottes Geist und Willen Auserwählten und der dadurch hier auf Erden realisierte, die bisherige Geschichte abschließende vollkommene staats- und eigentumslose Endzustand der Menschheit."[7] Als Repräsentant radikalerer Reformer und ihres „Ringen[s] nach einer Kirche, in der die Gläubigen, auch ohne die Vermittlung des Wortes und der Sakramente, in dynamischer Weise vom Heiligen Geist erfüllt sind", wird Müntzer in der umfangreichen Quellensammlung zum Reich-Gottes-Gedanken von Ernst Staehelin vorgestellt. Die Verbindung von Geist-Kirche mit der Forderung nach revolutionärer Gewalt unterscheide Müntzer allerdings deutlich von anderen Vertretern der Gruppe.[8]

Wichtige Aspekte von Müntzers Kirchenverständnis werden in den Dissertationen von Michael Müller und Rolf Dismer untersucht. Müller ist der Unterscheidung zwischen Auserwählten und Gottlosen bei Müntzer nachgegangen. Er gelangt zu dem Ergebnis, daß beide vorrangig als theologische Kategorien zu verstehen sind. Ziel der Scheidung zwischen Auserwählten und Gottlosen sei die nach dem Vorbild der Urkirche erneuerte Christenheit. Sowenig die Reinigung der Kirche mit dem Endgericht identisch sei, sowenig könne auch die erneuerte Christenheit nach Müntzers Verständnis schon mit dem Reich Gottes identifiziert werden. Sie sei nur „ein notwendiger Schritt zur Vollendung hin".[9] Einige Ergebnisse seiner Dissertation, ergänzt durch einen Vergleich mit Luthers Auffassungen, hat Müller 1979 in Aufsatzform veröffentlicht.[10] Dismer, der Müntzer vor allem als Bibelausleger versteht, bemühte sich um den Nachweis, daß auch Müntzers Geschichtstheologie ihre Wurzeln in der Bibel hat. Aus dieser „vollständige[n] Theorie der Geschichte, aus der sich nahezu alle Motive seines Denkens ableiten" ließen, ergebe sich auch Müntzers Überzeugung von der geschichtlichen Bedingtheit des Verfalls der christlichen Kirche, ja geradezu bruchlos Müntzers revolutionärer Ansatz.[11]

Zentrale Aspekte von Müntzers Ekklesiologie sind zuletzt unter dem Gesichtspunkt der Apokalyptik von Reinhard Schwarz eingehend untersucht worden. Er findet durchgehend starke Ähnlichkeiten zwischen den Anschauungen Müntzers und den chiliastischen Gedanken der Taboriten, z. B. über erwählte Nachkommenschaft, die Erwartung der „neuen Kirche" und die Reinigung der Christenheit. Die Unterschiede seien vor allem durch die Bedeutung des individuellen Heilsprozesses für Müntzer bedingt. Schwarz verwehrt es sich, von der Ähnlichkeit auf eine Abhängigkeit zu schließen. Die universale Reformationserwartung im Spätmittelalter habe aber in Verbindung mit den apokalyptischen biblischen Zeugnissen „einen Horizont" abgegeben, „innerhalb dessen chiliastische, von den Taboriten artikulierte Hoffnungen mehr oder weniger verborgen weitergetragen" und von Müntzer aufgegriffen werden konnten.[12]

Methodisch wichtige Beobachtungen zu Müntzers Kirchenverständnis hat Joachim Rogge in einer Problemskizze benannt. Er weist auf die Schwierigkeiten hin, einen „Mann, der sich ausschließlich in Gelegenheitsschriften und in Briefen ad hoc äußert, auf seinen Kirchenbegriff und auf das Ziel reformatorischer Intentionen zu befragen". Allerdings lasse Müntzer schon früh „vermuten, das Ziel der Wege Gottes mit seiner Menschheit bzw. Christenheit sei die Herrschaft seiner Auserwählten auf Erden". Am Begriffspaar Auserwählte / Gottlose könne man Müntzers ekklesiologische Vorstellungen erläutern. Die ganze Thematik sei in „einer ihm eigenen Komplementarität von Aktivität und Passivität, von drängendem Heraufführen des Reiches Gottes und Erleiden des Glaubens unter dem Widerfahrnis der

Anfechtung und des Unglaubens, von Tun und Erwartung ... gedacht und gelebt" worden.[13]

Der skizzenhafte Überblick hat deutlich gemacht, daß Müntzers Ekklesiologie in der neueren Forschung entweder von übergreifenden Fragestellungen aus (Holl, Lohmann, Heyer) oder unter Beschränkung auf Teilbereiche (Müller, Dismer, Schwarz) untersucht worden ist. Mitunter sind die Quellen vorwiegend additiv, d. h. ohne Berücksichtigung ihrer Entstehungssituation und ihrer spezifischen Absicht, ausgewertet worden (Heyer, Staehelin). Das Bemühen um eine bruchlose Ableitung (Dismer) oder um eine eindeutige Profilbestimmung (Hinrichs) ist unverkennbar. In Arbeiten über Müntzers Zukunftsvorstellungen oder sein revolutionäres Wirken ist dieser Zug oft noch augenfälliger.

Rogges Hinweis ist zutreffend. Es ist damit zu rechnen, daß sich aus Müntzers Schriften und Briefen keine logisch gegliederte oder gar einigermaßen vollständige Ekklesiologie destillieren läßt. Müntzer arbeitet zudem nicht selten ungebrochen mit dem Vokabular der scholastischen Tradition oder verwendet theologische Termini eher assoziativ.[14] Er steht in dieser Hinsicht mit vielen Zeitgenossen in einer Reihe, nicht zuletzt mit Luther selbst. Außerdem konnte er bei seinen Partnern bekannte Vorstellungen voraussetzen und sich mit Andeutungen oder knappen Hinweisen begnügen.[15] Wenn bestimmte Aspekte der Ekklesiologie situationsbedingt immer wieder in den Vordergrund treten, kann nicht ohne weiteres daraus geschlossen werden, daß selten anzutreffende Überlegungen der theologischen Tradition von Müntzer aufgegeben worden wären. Die trinitarischen Koordinaten der altkirchlichen Bekenntnisse beispielsweise behalten für ihn ihre Geltung. Das weisen vor allem seine liturgischen Schriften, insbesondere seine Hymnenübersetzungen, aus.[16]

Angesichts der angedeuteten Schwierigkeiten bietet sich ein genetisches Vorgehen an, um Müntzers ekklesiologischen Gedanken auf die Spur zu kommen. Die Gefahr einer gewissen Breite und Wiederholung muß dabei in Kauf genommen werden, desgleichen der Eindruck des Fragmentarischen. Deutlicher als bisher könnten sich aber auf diese Weise Entwicklungsphasen in den ekklesiologischen Vorstellungen abzeichnen, vor allem für die Zeit vor dem Wirken in Allstedt. Diesen Weg hat für Müntzers Kirchenbegriff allein A. Lohmann eingeschlagen. Ihre Einsichten sind jedoch nur noch begrenzt übernehmbar. Sie wurden zudem durch einen einseitigen geistesgeschichtlichen Forschungsansatz beeinträchtigt. Was die einzelnen Abschnitte im Wirken Müntzers anbelangt, so ist die Zeit vor Allstedt von der bisherigen Forschung am wenigsten intensiv berücksichtigt worden, wofür nicht zuletzt die schwierige Quellenlage verantwortlich zu machen ist. Freilich war es wohl gerade diese Zeit, die für Müntzers theologische Entwicklung besonders bedeutsam wurde. Auf sie wird sich die Darstellung im folgenden beschränken. Zuvor soll aber, gewissermaßen als Querschnitt, ein Überblick über die von Müntzer verwendete ekklesiologische Begrifflichkeit gegeben werden.

II Beobachtungen zum Sprachgebrauch

Die Begrifflichkeit, die Müntzer verwendet, wenn er sich über sein Kirchenverständnis äußert, ist großenteils traditionsbezogen. Bereits im Spätmittelalter hatte sich in den Übersetzungen lateinischer Texte für „ecclesia" im Sinne von „universalis ecclesia" statt „Kirche" der umfassendere Begriff „Christenheit" durchgesetzt. Die Verwendung von „Kirche" blieb weitgehend der Benennung von einzelnen Kirchen oder geographisch eingegrenzten Kirchentümern vorbehalten. Luther differenzierte aus inhaltlichen Gründen bei seiner Bibelübersetzung noch genauer. Die Stellen, an denen in der Vulgata „ecclesia" steht, übersetzte er im Neuen Testament mit „Gemeinde", im Alten Testament mit „Volk" oder „Versammlung".[17]

Auch Müntzer wendet die ekklesiologischen Begriffe in der Regel nicht wahllos an. Er übersetzt „ecclesia Dei" in Apg. 20,28 ebenfalls mit „die gemeine Gottis".[18] In seinem „Deutschen Kirchenamt" gibt er bei Ps. 22,23 „ecclesia" mit „vorsamlung" wieder.[19] Den Gebrauch von „Gemeinde" hat er sich jedoch vorwiegend zur Kennzeichnung der lokalisierbaren, konkreten Gestalt der Kirche vorbehalten. So prangert er in der „Ausgedrückten Entblößung des falschen Glaubens der ungetreuen Welt" an, daß der Greuel „in allen gemeynen u(e)ber die gantze welt also halßstarrig worden ist"[20]. Den Brief an den Werrahaufen vom 7. Mai 1525 unterzeichnet er zusammen „mit der ganzen gemeine Gottes zu Mulhausen und von vielen orthern"[21].

Neben einem ganzen Spektrum von Begriffen, wie Auserwählte, Freunde Gottes, Gottesfürchtige, armer Haufen, Haufen der Laien, Pfarrleute, reiner oder reifer Weizen, Söhne Gottes, kann er als Synonym vor allem für die gottesdienstliche Gemeinde auch „Volk" verwenden. In seiner „Deutsch-evangelischen Messe" ist vorgesehen, daß Ps. 43 als Rüstgebet „mit dem gantzen volck" gesprochen wird.[22] Häufiger wird „Volk" bei Müntzer aber, meist im Sinne von „gläubiges Volk", lokal nicht eingegrenzt gebraucht, besonders wenn vom Volk als dem Gegenüber zu den Geistlichen und Gelehrten, wie im „Prager Manifest", oder zu den Herrschenden, wie in den Briefen an Kurfürst Friedrich vom 4. Oktober 1523 und vom 3. August 1524, die Rede ist.[23] Die Nähe zu „Kirche" ist bei Müntzer durchaus erkennbar, da er auch diesen Begriff nicht für die Institution, für die geographischen Ausformungen oder die lokale Gemeinde reserviert.[24] In der kürzeren deutschen Fassung des „Prager Manifests" bekennt er sich zu seinem Verkündigungsauftrag „vor der gantzen kirchen unde der gantzcen welt"[25]. Unniversal ist auch die Erwartung zu verstehen, „das dye kirche durch das feuer der ergernis eregt werde", sowie Müntzers Wirken für die „allein rechte Kirche Jesu, des Nazareners", die „zukünftige Kirche", die von den Wittenberger Reformatoren völlig verworfen werde.[26] Abgesehen von den Stellen, an denen Müntzer vom Ziel, der erwarteten „neuen Kirche", spricht, nimmt er im Gefälle der bereits erwähnten spätmittelalterlichen Tradition für die „universalis ecclesia" am häufigsten den Begriff der „Christenheit" in Anspruch. Voran steht Müntzers unermüdlicher Hinweis auf den Verfall „der armen ellenden erbarmlichen christenheyt", oft mit der Legitimation für seine Sendung verbunden.[27] Über die Zustandsschilderung führt die liturgische Anrede an den Täufling nach dem Credo im Allstedter Taufgottesdienst hinaus:„Kum zur christenheit, auff das dich Gott finde wie den reynen weytzen."[28]

Ist die von Müntzer im Rahmen seines Kirchenverständnisses in Anspruch genommene Begrifflichkeit auch vorwiegend theologisch akzentuiert, auf einen sakralen Wortschatz beschränkt sich der Allstedter Pfarrer nicht. Er kann ohne weiteres auch vom „armen hauffen" sprechen oder vom „gemeynen manne", dem die biblischen Texte durch den Gottesdienst „gleych so leuftig" sein müßten wie dem Prediger.[29] Vor allem Dritten gegenüber bezeichnet er die bedrängten Glaubensflüchtlinge als „dye armen leuthe" und nicht etwa nur als Auserwählte.[30] „Leute" heißen auch diejenigen, die seine seelsorgerliche Beratung in Glaubensfragen begehren, ja selbst die Gottesdienstteilnehmer, die „mit gewonlichem gesange in eigener sprache geleytet werden" sollen.[31] Können dem Wortschatz, den Müntzer für die ekklesiologische Thematik einsetzt, auch gewisse Trends entnommen werden, so ist im Einzelfall doch stets genauer auf den Kontext, den Adressaten, die Gattung der Quelle und die Absicht des Schreibers zu achten, um den gemeinten Sinn möglichst sachgemäß zu erfassen. Eine eindeutige Entwicklung läßt sich aus der Begrifflichkeit nicht ablesen, allenfalls gewisse Schwerpunktverlagerungen.

III   Spuren eines vorreformatorischen Verständnisses (bis Sommer 1517)

Über Müntzers Kirchenverständnis in seiner vorreformatorischen Zeit wissen wir so gut wie nichts. Primärquellen sind nicht vorhanden. Nur aus seinem Werdegang und einigen nicht sehr tragfähigen Äußerungen von Kontaktpersonen sind Rückschlüsse möglich. Er war nicht der erste Priester in der Stolberger Familie Müntzer; doch in welchem genauen Verwandtschaftsverhältnis der 1484 in Erfurt inskribierte „Paulus Munczer de Stolberg" zu ihm stand, ist unbekannt.[32]

Über die Motive, die Thomas Müntzer bewogen haben, sich vor 1514 zum Priester der Diözese Halberstadt weihen zu lassen, ist nichts überliefert. Die Annahme eines Altarlehens 1514 in Braunschweig geschah nach Ausweis der Präsentationsurkunde ganz im Rahmen der geltenden Bestimmungen.[33] In welchem Ausmaß er die mit dem Lehen verbundenen Pflichten eines Meßpriesters selbst ausgeübt hat, entzieht sich unserer Kenntnis.

Bei der Frage nach der theologischen Prägung in dieser Phase lassen uns die Quellen ebenfalls im Stich. Die Versuche, von den Studienorten her auf Einflüsse zu schließen, haben nur hypothetischen Charakter, da eigene Äußerungen Müntzers hierzu nicht bekannt sind.[34] Vielleicht bietet eine polemische Bemerkung Johann Agricolas aus sehr viel späterer Zeit einen Anhaltspunkt für Müntzers theologische Position während seiner frühen Tätigkeit in Braunschweig. Sie findet sich in einer ungedruckten Himmelfahrtspredigt über Mark. 16,14–20 aus Agricolas Spätzeit und ist im genauen Wortlaut bislang noch nicht veröffentlicht worden. Agricola nimmt in dieser Predigt unter anderem zu Mark. 16,20 (Bekräftigung der Predigt durch nachfolgende Zeichen) Stellung und betont gut lutherisch: „. . . also ist der glaube vnsichtbar gleich wie die kirche, alleine er habe sichtige vnd lebendige zeichen, wie auch die kirche hatt, sichtige Zeichen die Predige des Euangeliumß von Christo vnd denn rechtenn gebrauch der Sacramentt."[35] Normalerweise seien Mirakel, Wunder und Zeichen „ietzt nicht von nötenn, do stunde das wortt des lautern Euangelij Christi vonn seiner gnade". Wem das verborgen sei, den habe „der furst diéser weldt verblendett". Für diese Verblendung bringt Agricola zwei Beispiele. Vor 15 Jahren habe sich in der Mark Brandenburg ein Schwabe unterstanden, den Teufel auszutreiben, sei aber bald selbst vom Teufel besessen gewesen und habe sich, nachdem dies ruchbar wurde, davongetrollt. Danach fährt Agricola ohne Überleitung fort: „In dem habe Ich gesehenn, wie zu Braunschweigk in einem kandellgießergesellen der Sathan Thomas Müntzers sambt seinem wirte vnd bruder Plagete vnd sie schendtlich belog vnd betroch. M. D. XIIII."[36] Es ist nicht abwegig, hinter dem „Sathan Thomas Müntzers" eine Anspielung auf Müntzers späteren Geistglauben und die Sammlung der wahrhaft Frommen zu vermuten.[37]

Agricola hat mit seiner späteren Erinnerung an die gemeinsame Braunschweiger Zeit wahrscheinlich darauf aufmerksam machen wollen, daß Müntzers theologische Auffassungen und seine Frömmigkeitspraxis schon damals nicht den gängigen Vorstellungen und durchschnittlichen Normen entsprach. Diese Annahme wird durch zwei Passagen im ältesten Schriftstück aus Müntzers Briefwechsel gestützt. Claus Winkeler, Handelsbevollmächtigter des Braunschweiger Fernhändlers Hans Pelt, redet den als Propst im Kanonissenstift Frose tätigen Müntzer in seinem Brief vom 25. Juli 1515 mit „Hochgelarde und vorfolger der unrechtverdicheyt" an. In der Schlußformel befiehlt ihn Winkler dem allmächtigen

Gott „in der hitzigen leve der reynicheyt".[38] Eine sichere Deutung dieser über die üblichen Floskeln hinausgehenden Briefwendungen ist nicht möglich. Es scheint sich um eine Anleihe beim Wortschatz der mystischen Frömmigkeit zu handeln. Ob sich dahinter ein von der Devotio moderna geprägter Bibelhumanismus verbirgt, der sich vorwiegend im emporstrebenden und handeltreibenden Mittelbürgertum Braunschweigs etablierte und zu dem Müntzer enge Kontakte hielt, kann nur erwogen werden.[39] Weiterführende Quellen sind bisher nicht bekanntgeworden. Diese Erwägung könnte allerdings Unterstützung finden, wenn man sie zu der konventikelhaften Frömmigkeit in Müntzers Braunschweiger Freundeskreis von 1521 in Beziehung bringt. Biblizistische Christusnachfolge, Berufung auf den Heiligen Geist und Kirchenkritik sind Merkmale der Gruppenvertreter, der Martinianer, wie sie von den Gegnern bezeichnet werden.[40] Wie weit diese Züge in die Zeit vor Luthers Kampf gegen den Ablaß zurückreichen, ist nicht mehr feststellbar.

Um die Mitte des Jahres 1517 galt Müntzer in seinem Umkreis als eine gelehrte Persönlichkeit, die mit den theologischen Problemen, aber auch mit den Bedenken gegenüber den herkömmlichen kirchlichen Praktiken wohlvertraut war. Das belegt das Schreiben, das der Rektor der städtischen Lateinschule zu St. Martin in Braunschweig vermutlich Juni/Juli 1517 an Müntzer richtete, als dieser sich als Gast Hans Pelts erneut in der Stadt aufhielt. Durch Johann Tetzels Auftreten als Ablaßkommissar Kardinal Albrechts war auch in Braunschweig und Umgebung die Ablaßfrage ins Gespräch gekommen. Kritik übten aus Konkurrenzgründen die Hüter der lokalen Ablässe. Eine weiterreichende Problematisierung im Gefälle der humanistischen Quellenkritik scheint in Braunschweig gleichfalls nicht unbekannt geblieben zu sein. Die kirchliche Autorität, einschließlich der des Papstes, in den Fragen der Sündenvergebung war in die Diskussion geraten. Offensichtlich traute der Schulrektor, wohl selbst Magister der Pariser Universität, in der allgemeinen Unsicherheit über so zentrale Fragen der zeitgenössischen Frömmigkeit Müntzer „determinationes clariores" zu.[41] Worauf der Fragende seine Erwartungen an Müntzer gründete, wissen wir nicht. Die erbetene schriftliche Auskunft über die „dubia" ist ebenfalls unbekannt. Vielleicht ist es nur zu einem mündlichen Austausch gekommen, befanden sich doch die beiden Gesprächspartner kaum 100 Meter voneinander entfernt. Allein die Fragerichtung des Rektors läßt keinen Zweifel zu, Müntzer hatte zur überlieferten Theologie und Frömmigkeit längst kein unreflektiertes Verhältnis mehr. Vielleicht enthält seine konfessorische Äußerung im „Prager Manifest" doch einen wahren Kern, wenn er die zum Zeugen aufruft, die ihn von Jugend an gekannt haben. Sie könnten bestätigen, daß er höchsten Fleiß darauf verwandt habe, auf daß er „mo(e)chte eyne ho(e)cher unterricht ghabt adder erlangt haben des heyligen unuberwintlichen christenglaubens".[42] Die Institutionen der römischen Kirche und ihre Träger scheinen Müntzer schon relativ früh nicht unverdächtige Garanten dieses Glaubens gewesen zu sein. Wahrscheinlich war die Überzeugung von der Notwendigkeit eines in der Christusnachfolge eigenständig erworbenen Glaubens auch bereits verbunden mit dem Bestreben, Gleichgesinnte zu sammeln und seelsorgerlich zu leiten. Möglicherweise war dieser Glaube auch auf Formgebung ausgerichtet. Die spätmittelalterliche Frömmigkeit bot hierfür einen großen Spielraum. Sicher war der Priester und Theologe Müntzer 1517, wie viele seiner Zeitgenossen, innerlich längst auf die großen Veränderungen in der Kirche vorbereitet, die Luther mit seiner Ablaßkritik einleitete.

IV Im Fahrwasser der Wittenberger Reformation (bis zum Frühjahr 1521)

Der Zwickauer Pfarrer Nikolaus Hausmann berichtet am 7. September 1521 seinen Landesherren Kurfürst Friedrich und Herzog Johann, als „der edele her doctor Martinus Luther
begundt an tag zu kumen", habe ihn dieses „gerucht und lere . . . gegen Wittenbergk vor vier
jaren gezogen". Dort sei ihm auch Müntzer „erstlich . . . bekant worden"[43]. Diese Nachricht
hat kürzlich ihre Bestätigung erfahren durch den Nachweis, daß Müntzer zu den Hörern der
Hieronymusvorlesung des Humanisten Johannes Rhagius Aesticampianus im Wintersemester 1517/18 in Wittenberg gehört hat.[44] Müntzers theologische Gedanken zu dieser Zeit
kennen wir nicht. Sie werden im wesentlichen den Überzeugungen des reformatorischen
Kreises um Luther entsprochen haben. Es ist gut vorstellbar, daß er ähnlich wie der befreundete Agricola von Luthers damaligem Verständnis der Passion Jesu als einer Anklage und
Anleitung zur Buße beeindruckt war, wie Agricola auch Interesse an einer Theologie der
geistlichen Erfahrung zeigte und die Bedeutung des Heiligen Geistes für den prozeßhaft verstandenen Glauben betonte. Jedenfalls weist die durch Ernst Koch erst vor kurzem aufge-
deckte eigengeprägte Geisttheologie des jungen Agricola eine erstaunliche Nähe zu Müntzers
Glaubensauffassung auf.[45] Wie bei vielen, die zu dieser Zeit von Luthers reformatorischen
Erkenntnissen erfaßt waren, verbinden sich die neuen Einsichten mit dem Willen, dem
wiederentdeckten Evangelium auch anderswo zum Durchbruch zu verhelfen. Der Kampf
gegen die Verteidiger der römischen Kirche gehört dann ebenso zum neuen Sendungsbewußtsein wie die Erfahrung, dem Einfluß und der Macht der bisherigen Autoritäten weichen
zu müssen. Wenn wir dem Jüterboger Franziskaner Bernhard Dappen glauben können, dann
ist Müntzer 1518 noch einmal am Ort seiner vielfältigen Kontakte, im niedersächsischen
Hansequartier, gewesen, aber bald „aus der Stadt Braunschweig vertrieben worden".[46]

Genauer faßbar wird Müntzers Stellung zur römischen Kirche erst durch seine kurze Predigtvertretung für Franz Günther während der Ostertage 1519 in Jüterbog. Nach den Berichten, die Dappen dem Vikar des Brandenburger Bischofs am 4. und 5. Mai 1519 schriftlich
erstattete und die Johann Eck bald darauf in Ingolstadt in Druck gab, ist Müntzer vor allem
am dritten Osterfeiertag (26. April) gegen die römische Kirche von der Kanzel zu Felde
gezogen. Vorrangig hat er ihre Autoritäten, den Papst, die Bischöfe und die offiziellen
Kirchenlehrer, aufs Korn genommen. Der Konzilsgedanke, der im Vorfeld der Leipziger
Disputation besonders im Gespräch war, ist ebenfalls erörtert worden. Im einzelnen soll
Müntzer gesagt haben: Der Papst habe seine Pflicht versäumt, alle fünf Jahre ein Konzil
durchzuführen, das unter Umständen auch gegen den päpstlichen Willen stattzufinden habe.
Die Kanonisierung der Heiligen und Kirchenlehrer sei Sache der Konzilien und nicht des
Papstes, der überhaupt nur solange als Oberhaupt der Kirche Autorität besitze, wie ihn die
anderen Bischöfe duldeten. Die Bischöfe seien gleichfalls pflichtvergessen. Sie hätten die
notwendigen Visitationen unterlassen und regierten wie Tyrannen. Die Auffassungen der
Kirchenlehrer beruhten auf Vernunftgründen, und diese wiederum seien vom Teufel. Das
war im wesentlichen Müntzers Antwort auf die Predigt des Franziskanerguardians „über den
Gehorsam gegenüber der heiligen römischen Kirche und die Schriften der kanonisierten
Kirchenlehrer" vom Vormittag desselben dritten Osterfeiertages.[47] Mit seiner konziliaristischen Argumentation bewegte sich Müntzer durchaus auf der Ebene der Romkritik des
Kreises um Luther. Die Vermutung, daß hinter Müntzers antirömischer Polemik bereits
damals „eine radikale Auffassung der Kirchenreform" stecke, interpretiert die ohnehin nicht
unbedenklichen Quellen in unzulässiger Weise von der späteren Entwicklung her.[48] Die
gleichfalls von Dappen wiedergegebenen kirchenkritischen Äußerungen eines nicht mit

Namen genannten Wittenberger Magisters, den der Prediger Franz Günther zusammen mit dem Wittenberger Augustinerprior zu seiner Verteidigung nach Jüterbog geholt hatte, waren in ihren Intentionen erheblich weitergreifend als Müntzers Predigtpolemik.[49] Luther hat sich in seinem Brief an die Jüterboger Franziskaner vom 15. Mai 1519 genauso vor Franz Günther und den Wittenberger Magister wie vor Müntzer gestellt. Die Beschwerde über Müntzers Angriff auf die Autorität des Thomas von Aquino und des Bonaventura kontert Luther mit der bissigen Bemerkung, ob denn wirklich die Kirche untergehe, wenn die Kirchenväter verworfen würden. Der Vorwurf, Müntzer habe die Päpste und Bischöfe insgesamt „durchgezogen", sei gegenstandslos, denn das gebiete ja die Heilige Schrift, indem Christus sie Diebe, Mörder und Wölfe schelte.[50] Die pauschalisierende Einordnung unter die „Lutheranos", die der Herausgeber der Briefe Dappens vornahm, wird für diese Zeit im ganzen zutreffend gewesen sein. Müntzer war überzeugt, daß die Kirche nicht mehr sachgemäß von der vorfindlichen römischen Amtskirche repräsentiert wird.

Über Müntzers theologische Entwicklung zwischen der kurzen Predigtvertretung in Jüterbog und seiner Anstellung als Prediger in Zwickau fließen die Quellen mehr als spärlich. Nur indirekt erfahren wir, daß er sich als Confessor der Zisterzienserinnen in Beuditz Ende 1519 bis April 1520 mit der ekklesiologischen Problematik durch intensives Studium der Werke des Augustinus und des Hieronymus, der Konzilsakten von Konstanz und Basel sowie der frühchristlichen Chronistik des Eusebios von Kaisareia auseinandergesetzt hat.[51] Die Anregung ging wohl von Luther aus, der sich während der Vorbereitung auf die Leipziger Disputation genötigt sah, sich intensiv mit der Entstehung des Papsttums und der Entwicklung der Kirche nach dem Tod der Apostel zu beschäftigen.[52] Über die ekklesiologischen Einsichten, die Müntzer bei seiner Lektüre in Beuditz gewonnen hat, äußert er sich erst später. Brieflich gibt er dem befreundeten Franz Günther zu erkennen, daß er diese Studien nicht im eigenen Interesse betreibe, sondern „für den Herrn Jesus", von dem er sich aussenden lassen wolle.[53]

Vom Mai 1520 an stellte sich Müntzer einem neuen reformatorischen Sendungsauftrag zur Verfügung. Er übernahm auf Vermittlung Luthers die Predigtvertretung für den Erasmianer Johannes Sylvius Egranus in dem kursächsischen Bildungs- und Handelszentrum Zwickau. Als er in die Stadt kam, war die Auseinandersetzung mit den Mißständen in Lehre und Praxis des städtischen Kirchenwesens längst im Gange. Der gelehrte Pädagoge und spätere Montanwissenschaftler Georg Agricola hatte schon bei den Exequien für Maximilian I. im Februar 1519 lateinische Distichen gegen den Ablaß an die Kirchentüren heften lassen.[54] Vorher war bereits Egranus wegen seiner Predigten gegen die Annenlegende, die Simonie und eine Reihe wissenschaftlich unhaltbarer Lehrtraditionen mit den ortsansässigen Franziskanern sowie den scholastischen Theologen Konrad Wimpina und Hieronymus Dungersheim ins Handgemenge geraten.[55] Müntzer nahm bei seinem Amtsantritt die Kanzelpolemik gegen die Franziskaner sofort wieder auf. Ihrer Sterbeseelsorge unterstellte er Habsucht als Motiv. Den Erwiderungen des Franziskaners Tiburtius von Weißenfels ist zu entnehmen, daß Müntzer darüber hinaus von den „pastoribus et religiosis" den Verzicht auf Reichtum als „exemplum fidei" gefordert hat, damit sie ihre Schafe durch Wort und Vorbild leiteten.[56] Seine Paränese erschöpfte sich jedoch nicht in der üblichen antiklerikalen Polemik. Er brandmarkte zwar Mönche und Priester als Verführer der Kirche, sprach aber die Laien ebenfalls nicht von Schuld frei, weil sie Fürbitte für ihre Seelenhirten versäumt hätten. Als blinden Schafen habe ihnen der Herr zu Recht blinde Hüter (spectatores) gegeben. Nach eigenen Angaben beabsichtigt Müntzer, mit seinen Ermahnungen alle zur Besinnung zu bringen. Da die Franziskaner kirchliche und weltliche Instanzen gegen ihn mobilisierten, erklärte er sich bereit, seine Predigten durch den bischöflichen Statthalter und den Kanzler in Zeitz begutachten zu lassen. Er war willens, die Gelegenheit zu nutzen, um Rechenschaft über seinen Glauben abzulegen. Auf Anregung des Zwickauer Rates bat er Luther um Beratung. Zu seiner Verteidigung boten sich ihm die beiden in der frühen Reformationszeit häufig begangenen Wege an, die öffentliche Disputation und der Appell an ein künftiges Konzil. Wir wissen nicht, wozu ihm Luther riet. Mit Hilfe der Landesherren bzw. ihrer Beauftragten wurde zunächst die Ruhe in der Stadt wiederhergestellt.[57]

Im Sommer 1520 war Müntzer noch bereit, die kirchliche Rechtsordnung zu respektieren; seine Loyalität nahm jedoch zusehends ab. Will man dem gegnerischen Spottgedicht vom Frühjahr 1521 Glauben schenken, dann hat er sogar versucht, das Konkubinat des Pfarrverwesers Wolfgang Löhner priesterlich als Ehe zu legitimieren, zu diesem Zeitpunkt ein singulärer und spektakulärer Vorgang.[58] Eindeutig bezeugt ist, daß sich Müntzer eines vom Zeitzer Offizial verschleppten Eheverfahrens engagiert annahm und gegenüber Bürgermeister und Rat von Neustadt (Orla) für die unbedingte Gültigkeit des ersten Eheversprechens eintrat. Er berief sich hierfür auf sein priesterliches Trostamt, das im „wort Christi, auf welchs dye heylige kyrche gebauet ist", gegründet sei. Einen Seitenhieb gegen die Prälaten, die „nichts dan störmen kunnen und dye armen gewissen beschweren", kann er dabei nicht unterdrücken.[59] Vermutlich schwingt in dieser polemischen Äußerung die jüngste Auseinandersetzung mit der bischöflichen Behörde noch nach. Am 13. Januar 1521 war Müntzer vor das bischöfliche Gericht in Zeitz zitiert worden, weil er für die Tätlichkeiten seiner Predigthörer gegen den Marienthaler Pfarrer Nikolaus Hofer verantwortlich gemacht wurde. Müntzers Weigerung, der Vorladung nachzukommen, und seine Aufforderung in einer Predigt, der Offizial möge statt dessen in Zwickau selbst das Evangelium verkündigen, trugen ihm auch den Tadel der Wittenberger Freunde ein.[60]

Während seines Kampfes gegen die Mißstände in Lehre und Praxis der Papstkirche sah sich Müntzer seit Herbst 1520 – inzwischen Inhaber der Predigerstelle an der Katharinenkirche – zunehmend zur Auseinandersetzung mit dem erasmischen Reformtheologen Egranus herausgefordert. Er interpretierte dessen historisierende ekklesiologische Aussagen, allein die Apostel hätten den Heiligen Geist besessen und die Kirche, die auf diesem Fundament beruhe, benötige nicht ein neues Wirken des Heiligen Geistes, als gefährliche Perversion des gerade wieder zum Leben erweckten Evangeliums.[61] Wahrscheinlich sind des Egranus zugespitzte antispiritualistische Formulierungen auch als Gegenposition zu Müntzers Überzeugung von der Notwendigkeit der persönlichen Geisterfahrung in der Christusnachfolge zu verstehen. Dazu gibt des Egranus brieflicher Vorwurf aus der zweiten Februarhälfte 1521, Müntzer rühme sich des Geistes, den er im Wasser (sc. des Leidens) geschöpft habe, Anlaß.[62] Müntzer wiederum wurde möglicherweise gerade durch die humanistische Reformtheologie des Egranus bestärkt, seine Geisttheologie auszuformen und zu profilieren. Die Gruppe um Egranus verbreitete sogar, er sammle 12 Apostel und 72 Jünger um sich. Der Spottdichter aus Müntzers Umkreis bestritt diese Behauptung.[63] Vermutlich hatten die Gegner mit ihrer Unterstellung den jetzt erstmalig für Müntzer nachweisbaren Titel „Gottesknecht" und die Sammlung derjenigen, die sich dem Geistglauben in der Nachfolge Christi in besonderer Weise öffneten, satirisch aufs Korn genommen.[64] Die zeitgenössische Chronistik weiß Genaueres hierzu zu sagen. Der unbekannte Kompilator der „Historien von Thomas Müntzer" gibt an, Müntzer habe besonders mit den Tuchknappen viele „Conuenticula gehaltten" und aus ihrer Mitte „Nickell Storch . . . für alle Priester erhaben", aufgrund seiner Bibelkenntnis und Geisterfahrung. Storch habe neben Müntzer ebenfalls „Winckell Predigten auffgericht". Daraus sei „entspünnen vnd ein sprichwortt erwachsenn Secta Storchitarum".[65]

So unklar sich die Zwickauer Vorgänge im einzelnen in den Quellen widerspiegeln, daß Müntzer in Zwickau begonnen hat, die ernsthaft Glaubenswilligen, die Auserwählten, um sich zu scharen, ist nicht zu bestreiten. Noch fehlen deutlichere Zeichen, daß Müntzers ekklesiologische Auffassungen inzwischen eine enge Verbindung mit der zeitgenössischen Apokalyptik eingegangen sind. Luther hatte am 22. März 1521 dem als Zwickauer Pfarrer nominierten Nikolaus Hausmann geschrieben, es überkomme ihn ein Grauen angesichts der Kirche und es könne niemand selig werden, der nicht unter Einsatz seines Lebens gegen die Statuten und Gebote des Papstes und der Bischöfe kämpfe, denn die in Matth. 24 angekündigte Zeit sei da.[66] Für Müntzer hatten die Zeichen der Zeit während seines Zwickauer Wirkens ebenfalls zunehmend schärfere apokalyptische Konturen erhalten. Das deutet wohl bereits die Inanspruchnahme des Titels „Gottesknecht" an.[67] Unübersehbar dokumentierte Müntzer die apokalyptische Dimension seines Sendungsverständnisses, als er bei seiner Entlassung in Zwickau am 16. April 1521 seine Unterschrift unter die Gehaltsquittung mit dem Zusatz versah, er kämpfe für die Wahrheit (sc. Gottes) in der Welt.[69] Die Kritik am traditionellen Kirchentum auf lokaler Ebene war nicht mehr vordringlich sein Feld, die Christusnachfolge auf Konventikelbasis gleichfalls nicht. Die paläographische Neubearbeitung des Müntzernachlasses hat u. a. zu dem überraschenden Ergebnis geführt, daß sich Müntzer bereits von Zwickau aus an alle böhmischen Städte gewandt hat oder wenden wollte. Er sah es angesichts der heilsgeschichtlichen Situation offensichtlich als seine Pflicht an, ihnen behilflich zu sein, die Bollwerke der römischen Tyrannei zu zerstören, die dem Geist Gottes widerstreiten. Diese Gedanken hat er in einem erhalten gebliebenen Brieffragment zu Papier gebracht.[69] Auf Böhmen konzentrierte sich dann folgerichtig sein Interesse, als er Zwickau den Rücken kehren mußte.

V Hoffnung auf die Böhmen (zweite Jahreshälfte 1521)

Über Müntzers kurze Böhmenreise von April/Mai 1521 wissen wir nichts Genaueres. In der zweiten Junihälfte begab er sich erneut in das südliche Nachbarland von Kursachsen, um in „der stadt des teurbarn unde heiligen kempers Johanns Hussem, . . ., dye lutbaren unde bewegliche trummeten . . . mit dem newen lobegesange des heiligen geystes" zu erfüllen.[70] Bis zum Winter 1521/22 hoffte er „das Werk der Predigt durch das Wort" beendet zu haben. Das bedeutete, die durch ihn Bekehrten würden dann „den Gekreuzigten durch die Gleichheit ihrer Entsagung erkennen"[71]. Die ekklesiologische Dimension ist mehr zu ahnen, als daß sie offen in Müntzers Briefen vor Antritt der Reise zum Ausdruck kommt. Sie leuchtet auf mit dem Stichwort „electi" im Brief an Nikolaus Hausmann vom 15. Juni 1521; sie klingt aber auch an im Hinweis auf die „modestia spiritus", die allen Menschen offenbar sei und die selbst Elia bei der Hinrichtung der Baalspriester geleitet habe. Der apokalyptische Ton wird dann ebenfalls gegenüber Hausmann ganz unverhohlen mit dem Zitat von Matth. 24,14f und der Exegese: „Jetzt ist die Zeit des Antichrists", zum Klingen gebracht. Papst Julius II. sei nur der Vorbote des Antichrists gewesen, schrieb Müntzer; die Weltherrschaft des vierten und größten Tieres von Dan. 7,23 stünde noch bevor.[72] der Begriff „Kirche" fällt auch in diesem Zusammenhang nicht. Müntzer verschwieg sowohl dem Rivalen Hausmann als auch dem Freund Michael Gansau in Jena, bei dem er seine Briefschaften deponierte, sein Reiseziel und seine ekklesiologischen Absichten. Sogar im Brief an den künftigen Reisegefährten Markus Thomas begnügte er sich mit Andeutungen.[73] Er sah sich in Gottes Auftrag nach Prag gesandt.[74]

Den Inhalt von Müntzers Predigten in Prag, die nach Aussage eines Braunschweiger Juden von zwei gelehrten Böhmen für das Volk ins Tschechische übersetzt wurden, kennen wir nicht.[75] Wir sind für Müntzers Verkündigung auf das in vier Versionen überlieferte „Prager Manifest" angewiesen. Die Unterschiede der Versionen lassen sich am besten durch verschiedene Adressaten erklären. Wahrscheinlich ist die undatierte lateinische Fassung an den Anfang zu setzen. Müntzer wendete sich mit ihr an die geliebten böhmischen Brüder, die sich den Schimpf und Haß der römischen Kirche zugezogen haben. Sie, d. h. wohl in erster Linie die reformwilligen Bildungsbürger im Umkreis der Universität, sollen ihm Raum geben zu predigen und mithelfen, daß ihre Meßpriester geprüft werden.[76] Müntzer macht den „Vornehmsten unter den äußerlichen Christen", den „unheilbringenden Priester(n)", zum Vorwurf, sie seien nur Verwalter des toten, nicht aber des lebendigen, im Leiden erfahrenen und geistgewirkten Wortes; sie hätten nicht – wie für alle Priester notwendig – Offenbarungen. Es gebe „kein Volk in der Welt, das dem Heiligen Geist und dem lebendigen Wort feindlicher gesinnt sei, als die unnützen Priester der Christen"[77]. Die Folge sei, sie unterließen es, die Gottlosen von den Auserwählten zu scheiden. Sie lehrten nicht, wie die Auserwählten leer werden können, um selbst Christus ganz und gar zu hören und zu empfinden. Sie seien aber auch unfähig, den spottenden oder fragenden Juden und Türken vollmächtig Rechenschaft über die Hauptpunkte des christlichen Glaubens zu geben. Diese Priester hätten die „verae ecclesiae dei ruinam" verschuldet, die Müntzer, von tiefstem Mitleid ergriffen, beweine.[78] Durch wiederholte Lektüre der Kirchenväter-Historien, voran der des Eusebios und des Hegesippos, habe er erfahren, daß die reine jungfräuliche Kirche nach dem Tod der Apostelschüler, vor allem durch treulose Priester, zur Hure geworden ist. Das Volk habe die Priesterwahl vernachlässigt, deshalb habe von Anfang an kein Konzil wahre Rechenschaft vom Glauben gegeben, sondern sich mit kindischem Possenspiel, beispielsweise den Zeremonien, beschäftigt. Als vom Himmel gemieteter Schnitter der Ernte Gottes forderte Müntzer die Böhmen auf, zwischen ihm und den römischen Priestern, die aus der heiligen Kirche ein verworrenes Chaos gemacht hätten, zu richten. Gegen Ende verkündete er: „Diese zerbrochene, verlassene und zerstreute Kirche wird der Herr aufrichten, trösten und einen, bis sie den Gott der Götter in Zion sehe in alle Ewigkeit" (Ps. 84,8). „Hier", d. h. in Böhmen, hatte er kurz zuvor bekräftigt, „wird die erneuerte apostolische Kirche ihren Anfang nehmen und in alle Welt ausgehen".[79] Falls sie seine Mahnung nicht beachteten, so kündigte Müntzer an, werde der Herr sie in die Hand derer geben, die ihr Land begehren.

Die auf den 1. November 1521 datierte kurze deutsche Fassung des „Prager Manifests" wirkt wie eine für einen anderen Leserkreis eigengeprägte Kurzfassung der lateinischen Version. Die „vormaledeygthn pfaffen", des „entchrists knechte", werden für den Verlust des lebendigen Wortes verantwortlich gemacht. Der durch Hegesippos und Eusebios überlieferte Abfall von der reinen Jungfrauen- zur Hurenkirche erhält einen neuen Akzent durch die Begründung: „der glerthen halben, dye do ummer wolln oben an sitczen". Gott habe das zugelassen, „auff das aller menschen werck mochten erfor kommen". Gottlob solle es aber nicht geschehen, „das dye pfaffen unde affen solten dye christliche kirche seyn". Das wolle er mit dem Einsatz seines Lebens an den Tag bringen, denn Gott werde „wunderlich dinck tun myt seynen auserweleten sunderlich yn dussem lande. Wan hyr wirdt dye new kirche anghen, dusz folck wirdt eyn spygel der gantczen welt seyn."[80] Der fordernde Ton („ich fordere rechenschafft von euch"), die Präzisierung der Drohung durch den Hinweis auf die mögliche Invasion der Türken 1522 und der nachträglich eingefügte Satz über die Gelehrten sind wohl Anzeichen, daß sich Müntzer nach der ablehnenden Haltung des reformwilligen Bildungsbürgertums anderen Lesergruppen unter den „lyben Bemen" zuwendete.[81]

In der längeren deutschen Fassung des „Prager Manifests", datiert auf den 25. November 1521, hat Müntzer sein Anliegen noch drastischer und volkstümlicher, vor allem aber ausführlicher formuliert als in den vorangegangenen Versionen. Vermutlich richtete er seine Worte, nachdem es zum Konflikt mit der führenden utraquistischen Gruppe gekommen war, nunmehr an die Auserwählten, d. h. an die Hörbereiten des Kirchenvolks in ganzer Breite.[82] Eindringlich und mit seinem Schwur bekräftigte Müntzer die Notwendigkeit, das lebendige Wort persönlich zu erfahren, anderenfalls sei die Bibel nur ein totes Ding.[83] Die mangelnde Absonderung der „gutigen... von dem frischen hauffen, der unbekanth ist", wird kräftiger beklagt und damit auch die Gefahr, „das die kyrche mit vorthumeten menschen vortirbt zcu boden und grunde".[84] Aber Gott werde die Kirche trotz alledem nicht auslöschen, abgesehen von den „lapscheyssern, dye do sie haben gelert Baal anzcubetten"[85]. Die Erkenntnisse aus der Lektüre der frühchristlichen Kirchengeschichtsschreibung (Hegesippos und Eusebios) werden ähnlich wie in der lateinischen Fassung geschildert. Aus der deutschen Kurzfassung ist der Satz vom Bestreben, obenan sitzen zu wollen, aufgenommen worden, diesmal werden aber die Priester anstelle der Gelehrten beschuldigt. Die in den Augen Müntzers lächerlichen Verhandlungsgegenstände der Konzilien werden detaillierter aufgeführt. Eindeutiger wird auch gesagt, daß diese „yrthumer haben geschen musse[n]", bis „zcu unser zceit, in welcher Got wil absundern den weussen von unkrauth". Eindrücklicher als in den anderen Fassungen interpretierte Müntzer die Gegenwart als die von Jesus angekündigte Erntezeit und sich selbst als den von Gott gemieteten Schnitter. Das ekklesiologische Ausmaß seiner Sendung umreißt er folgendermaßen: Er sei in das Land der Böhmen gekommen, um im Geiste des Elia die Pfaffen als Feinde des Glaubens zuschanden zu machen, denn in ihrem Lande werde „dye newe apostolische kirche angehen, darnach uberall". Wer seine Warnung verachte, sei bereits in die Hände der Türken überantwortet. Nach deren Wüten werde „der rechte personliche enthechrist regyren, das rechte kegenteyl Christi, der yhm kortzen... das reich dysser welt... seinen auserwelten in secula seculorum" geben werde.[86]

In allen drei Fassungen des „Prager Manifests" konzentriert sich Müntzer mit seiner ekklesiologischen Verkündigung auf die Erneuerung der apostolischen Kirche, die zunächst in Böhmen beginnen soll. Die weitere Entwicklung deutet er nur ungenau mit formelhaften Wendungen aus der apokalyptischen, teilweise auch der chiliastischen, Überlieferung an. Über die Gestaltung vor Ort äußert er sich gar nicht, wie ihn die konkreten Verhältnisse in Böhmen überhaupt wenig interessiert zu haben scheinen. Er mußte bald feststellen, daß die Böhmen der ihnen von ihm zugedachten Aufgabe nicht gewachsen waren.[87] Gegen Ende des Jahres 1521 verließ er Prag unverrichteterdinge.

VI Auf der Suche nach einem neuen Ansatzpunkt (bis Frühjahr 1523)

Sicher ist es kein Zufall, daß nach der Enttäuschung mit den Böhmen in den folgenden 15 Monaten von einem lokalisierten Beginn der neuen apostolischen Kirche bei Müntzer nicht mehr die Rede ist. Seine Überzeugung, daß er für diese Kirche zu wirken habe und sie von Wittenberg aus nicht mehr im Vollsinne zu erwarten sei, hat er nicht aufgegeben. Franz Günther wußte am 25. Januar 1522, daß sich Müntzer ohne Anstellung in Thüringen aufhielt, und lud ihn nach Lochau ein.[88] Wir kennen aus dieser Zeit nur wenige Aufenthaltsorte mit Sicherheit. Erfurt und Stolberg sind zu erwägen, Nordhausen und Halle dagegen sind eindeutig bezeugt.[89] Auch dort, wo Müntzer zeitweilig Fuß fassen oder unterkommen konnte, sah er sich offensichtlich nicht am Ziel seiner Sendung, erkannte er keinen neuen Ansatzpunkt, um für die neue apostolische Kirche über Predigt und Seelsorge hinausgehend zu wirken. Soweit erkennbar, mußte er sich erneut für mehr als ein Jahr mit der Konventikelebene begnügen.[90]

Eine erste Äußerung auf die vorsichtigen Reformen in Wittenberg und speziell auf Luthers Kritik an der römischen Messe in der Schrift „De abroganda missae" liegt in Müntzers Brief an Melanchthon vom 27. März 1522 vor. Müntzer beurteilt es ausdrücklich als Defizit, daß mit der Beseitigung der römischen Messe nicht zugleich der apostolische Ritus vollständig wiederhergestellt worden sei. So vermißt er in Wittenberg die Prüfung der Gläubigen vor der Ausspendung des Sakraments.[91] Mehr noch, höchst bedenklich findet er, wie Luther die Schwachen schont und damit die anstehende Trennung der wahrhaft Gläubigen von den Verworfenen verhindert, obgleich die „angustia christianorum" von Matth. 24 schon vor der Tür stehe.[92] Er vermißt bei den Wittenbergern überhaupt das Interesse an der Heiligung, vor allem im Blick auf die Priesterehe, ja die Ehe überhaupt. In Anlehnung an traduzianische Vorstellungen in der Anthropologie Platons und bei den vornicäischen Kirchenvätern vertritt Müntzer die Auffassung, die Kirche der Auserwählten könne und müsse durch die Zeugung „auserwählter Nachkommenschaft" (proles electi) gefördert werden. Durch die fehlende Unterscheidung zwischen den Auserwählten und den Verdammten würden die Wittenberger die zukünftige Kirche (futura ecclesia) völlig verwerfen, in der die Erkenntnis des Herrn in Fülle aufgehen werde. Schuld daran sei letztlich ihre Unkenntnis gegenüber der gegenwärtigen Offenbarung Gottes.[93]

Schärfer im Ton äußert er sich am 14. Juli 1522 von Nordhausen aus zu den Vorbehalten gegen ihn in reformatorischen Kreisen. Er widerspricht dem Gerücht, von der Lehre Christi, d. h. der Reformation, abgewichen zu sein. Seinen Kritikern hält er entgegen, er gebe allen gottlosen Betrügern ganz und gar die durch Gottes Vorherbestimmung konstituierte „Jesu Nazareni ecclesiam ... rectissimam" zu erkennen. Es sei die von den Gottlosen, denen er „tempora periculosiora" ankündigt, gereinigte Kirche der Auserwählten, in deren Dienst er sich nach wie vor gestellt sieht. Nicht nur er verkünde „die wunderbaren Geheimnisse des lebendigen Wortes im Gesetz", die ihm durch den Heiligen Geist „untrüglich ins Herz geschrieben sind" (2. Kor. 3,2 f), sondern die Auserwählten insgesamt.[94] Im Gegensatz zu den Schriftgelehrten, Pharisäern und Heuchlern habe der Heilige Geist von ihnen gleichfalls Besitz ergriffen. Den Wittenbergern, auf die er mit den polemischen Kennzeichnungen aus Matth. 23 zielt, hält er das spöttische Geschrei des ganzen Volkes ringsumher entgegen: „Recht so, recht so, haben sie etwa eingesetzt, was sie nicht durchhalten können?" Müntzer kann das Verhalten der Wittenberger nur als gefährliche kreatürliche Unentschlossenheit interpretieren und stellt um so klarer seine Funktion heraus. Indem er auf Hiob 38,13 anspielt, nennt er sich im Zusatz zu seiner Unterschrift „Sohn der Herausschüttelung gegenüber den Gottlosen".[95]

Auch nachdem er Nordhausen, aber ebenso die Übergangsstellung als Kaplan am Kloster Marienkammer in Glaucha bei Halle, verlassen hat, hält Müntzer an der doppelten Funktion seines Wirkens für die allein rechte Kirche fest. Er sieht sich berufen, vorbildhaft für andere in Anfechtung und Leiden „das unuberwintliche gezeugnuß des heyligen geysts zu schepffen". Zugleich hält er sich als der für die große Ernte gemietete Schnitter, in dem „der lebendige Got macht also scharf seyne sensen", bereit, daß er „dar nach dye rothen kornrosen unde blauen blumleyn sneyden muge".[96] Wieder einmal ist er als „eyn williger botenleuffer Gots" unterwegs. Schon nach wenigen Tagen weiß er jedoch, daß nunmehr in Allstedt sein Platz ist. „parochus Alstedtensis" nennt er sich gegenüber Luther und Karlstadt anfangs, im vollen Bewußtsein seiner neuen kirchenrechtlichen Position.[97] Wichtiger ist ihm die damit übertragene Funktion eines „Seelwarters", die er als Auftrag versteht, in der kursächsischen Exklave eine Gemeinde der Auserwählten aufzubauen. Den besonderen ekklesiologisch-apokalyptischen Akzent seiner Sendung rückt er sofort in den Vordergrund, wenn es gilt, seine Berufung zu verteidigen. Dann tritt er gegenüber Graf Ernst von Mansfeld als „eyn verstorer der unglaubigen" auf und gegenüber Kurfürst Friedrich als „eyn knecht Gots".[98] Neben seiner nach außen gerichteten Tätigkeit versäumt Müntzer nicht die eigene theologische Arbeit, um sein Kirchenverständnis und damit auch seine Auftragsüberzeugung zu vertiefen und abzusichern.

VII Blick in die theologische Werkstatt (zweite Hälfte 1521 bis 1523/24)

Ein erhalten gebliebener Band aus Müntzers Bibliothek belegt, daß die ironische Bemerkung des Egranus, Müntzer sei ein Verächter der Wissenschaft und Buchgelehrsamkeit, nicht ernst zu nehmen ist.[99] Frühestens während des Prager Aufenthaltes hat Müntzer einen noch 1521 gebundenen voluminösen Band mit der Baseler Cyprianausgabe des Erasmus aus dem Jahre 1520 und der Baseler Tertullianausgabe des Beatus Rhenanus, deren Vorwort auf den 1. Juli 1521 datiert ist, erworben. Er hat sich offensichtlich über einen längeren Zeitraum intensiv mit den Werken der beiden Kirchenväter beschäftigt. Es finden sich eine Fülle von Benutzerspuren, Unterstreichungen, Verweise, vor allem aber Marginalien, mit spitzer oder breiter Feder, mit schwarzer oder roter Tinte, von seiner Hand.[100]

Von den wenigen Marginalien Müntzers zu Cyprian ist für unseren Zusammenhang nur eine von Belang, die zugleich andeutet, daß sein Interesse an den vornicäischen Kirchenvätern vorrangig in ihrer zeitlichen Nähe zur Kirche der apostolischen Zeit begründet lag. Im Index unterstreicht er den Verweissatz des Herausgebers, in dem es um die Einheit des Bischofs Cyprianus mit den Gemeindepresbytern geht, und notiert am Rande: „Nihil sine consensu populi."[101] Aus einem Prinzip der Kirchenverfassung Karthagos auf der Ebene des Klerus entnimmt Müntzer Impuls und Bestätigung für seinen ekklesiologischen Grundsatz von der notwendigen Übereinstimmung zwischen Klerus und Gemeinde.

In eine ähnliche Richtung weist die Notiz am unteren Rand des Titelblattes der Tertullianausgabe. Müntzer hält als Marginalie fest, daß Tertullian zu der Zeit gelebt habe, als die Priester noch von der Gemeinde gewählt wurden, um die Gefahr des Antichrists abzuwenden und zu verhindern, daß verdammte Menschen über die Kirche herrschen.[102] Diese Äußerung über das ekklesiologische Leitmotiv seiner Tertullianlektüre verstärkt er dadurch, daß er auf dem Titelblatt die Formulierung über Tertullians Lebenszeit nahe den „Apostolorum temporibus" unterstreicht. Gleichfalls unterstrichen ist das Titelstichwort „Synode", durch das sich Müntzer zu der Randbemerkung herausgefordert sieht: „Omnes synodi fere fuerunt Antichristiane." Müntzer hat sein Zutrauen zu den altkirchlichen Bischofssynoden insgesamt verloren. Durch die Kirchenväterlektüre hat er erfahren, wie früh die von ihm als eine Art ekklesiologischer Sündenfall gewertete Unterlassung der Priesterwahl durch die Gemeinde geschehen ist. Da die Synoden und Konzilien daran nichts geändert haben, treffe sie Mitschuld.[103] An der Übereinstimmung mit der Kirche der Apostelzeit liegt ihm aufgrund seiner Geschichtstheologie und seines Offenbarungsverständnisses viel. Hierin unterscheidet er sich grundlegend vom zeitgenössischen humanistischen Interesse an Tertullian.[104]

Von diesem Ansatz aus arbeitet Müntzer die Tertullianschriften einschließlich Herausgeberbeigaben durch. Kritisch merkt er bei der an den Olmützer Bischof Stanislaus Thurzo

(1497–1540) gerichteten Vorrede an, daß weder Tertullian noch Chrysostomos und Gregor der Große Offenbarungen gehabt hätten.[105] Das römische Papsttum hat in seinen Augen überhaupt keine Legitimation.[106]

Die „Vita Q. Septimii Florentis Tertulliani per Beatum Rhenanum" gibt Müntzer Gelegenheit, sich vor allem mit dem Verhältnis der römischen Kirche zur Häresie auseinanderzusetzen. Nach seiner Erkenntnis trägt die römische Kirche, vor allem das Papsttum, die Verantwortung für alle Abspaltungen.[107]

Besonders deutliche Spuren hat seine Lektüre der „Admonitio ad lectorem de quibusdam Tertulliani dogmatis", dem Versuch einer theologiegeschichtlichen Einordnung des Kirchenvaters durch Beatus Rhenanus, hinterlassen. Die nachapostolische Kirche weist in Müntzers Sicht weitgehend die Merkmale des Verfalls auf. Bei der Abendmahlsfrage stehen die scholastischen Theologen in Müntzers Urteil nicht besser da als die Konzilien.[108] Die Darlegungen des Beatus Rhenanus zur Problematik der Sündenvergebung geben dem kritischen Leser Müntzer reichlich Anlaß, seinen Unmut zum Ausdruck zu bringen, beispielsweise wenn Matth. 5,23 f dazu verwendet wird, die notwendige Scheidung zwischen den Verdammten und den Auserwählten leichtfertig zu überspielen.[109] Eine Kirche, die nichts von dieser grundlegenden Scheidung weiß, ist nach seiner Überzeugung gar nicht in der Lage, vollmächtig Sünden zu vergeben. Vielmehr gelte: „Extra veram electorum ecclesiam nullum dimittitur peccatum."[110] Die Verantwortlichen für diesen Zustand der nachapostolischen Kirche dürften nicht entschuldigt werden. Für Müntzer sind sie Verbrecher.[111] Und wenn Beatus Rhenanus seine Darlegungen zu Tertullian mit dem Satz schließt: „Deferendum enim ecclesiae, deferendum sanctorum patrum constitionibus", dann präzisiert Müntzer handschriftlich: „electorum ecclesie multum est deferendum."[112]

Es liegt an der jeweiligen Thematik, wenn aus Müntzers Randbemerkungen zu den Tertullianschriften weniger ekklesiologische Äußerungen zu entnehmen sind. Im Traktat über die Geduld („De patientia") setzt sich Müntzer angesichts der apokalyptischen Situation kritisch mit Tertullians absolutem Verbot der Rache auseinander und bedenkt die Konsequenzen im Blick auf das Offenbarungsverständnis.[113] „De carne Christi" enthält wichtige Äußerungen zu Müntzers Auffassung vom „ordo rerum" und über seine Stellung zur Häresie, aber nichts, was sich direkt auf das Kirchenverständnis bezieht.

Ähnlich verhält es sich mit „De resurrectione mortuorum". Wo Tertullian aber vom Spott der Menge (vulgus) über die Auferstehung spricht, bezieht Müntzer diese Äußerung auf die Gottlosen.[114] Die scholastischen Gelehrten bekommen hier ebenfalls ihr Teil mit ab.[115] Da Tertullian auf die Frage nach der Wiederkunft Christi mit eingeht, nimmt auch Müntzer in seinen Randbemerkungen hierzu Stellung. Zu Tertullians eschatologischer Zeitbestimmung, daß noch niemand bis jetzt den Elia aufgenommen habe, notiert Müntzer: „Helias venturus Antichristus in propria persona."[116] Tertullians Hinweis auf die Apokalypse des Johannes, in der der „ordo temporum" entrollt werde, hält er ebenfalls fest.[117] Er kritisiert, daß die Häretiker aus der Vision von Ezechiel 37 eine Allegorie machen, statt zu begreifen, daß auf Offenbarungen zu achten sei.[118] Die gewichtigste und zugleich für Müntzers Ekklesiologie bedeutsame apokalyptische Marginalie findet sich bei der Reflexion Tertullians zu 2. Kor. 5,2. Tertullian meint, daß sich die Lebenden bei der Wiederkunft Christi den besonderen Gnadenerweis der direkten Verwandlung durch die harten Zeiten des Antichrists verdient hätten. Müntzer stellt zunächst einmal fest, daß Tertullian damit die Ankunft des Antichrists mit dem Tag des Gerichts verbunden habe wie Luther. Mit anderer Tinte setzt er dann seinen Einspruch darunter und begründet ihn am unteren Rand der Seite: „Lange Zeit wird währen das Gericht Christi. Viele Auserwählte werden den gottlosen

Mann [sc. Luther] verdammen."[119] Diese sicher erst 1524 geschriebene Verschärfung wendet sich gegen den Versuch Luthers, der Gegenwart eine direkte chiliastische Bedeutung abzusprechen und damit die Notwendigkeit der Scheidung von Auserwählten und Gottlosen zu verneinen. Die Impulse aus dieser Sicht für die Gemeinde der Auserwählten selbst blitzen in Müntzers Randbemerkungen immer wieder auf. So nimmt er beispielsweise Tertullians Zitat aus Eph. 4,30 zum Anlaß, um zu notieren: „Der Heilige Geist in den Herzen der Auserwählten darf nicht gebunden [?] werden."[120] Ein klares gedankliches Konzept oder gar Handlungsanleitungen lassen sich aus diesen Einzeläußerungen nicht ableiten.

In Tertullians umfangreicher apologetischer Schrift „Adversus Marcionem" hat sich Müntzers Lektüre nur vereinzelt in handschriftlichen Bemerkungen niedergeschlagen. Ekklesiologisch bedeutsam ist, wie er in der Auseinandersetzung mit Markion Tertullians Vorwurf, „sub obtentu mansuetudinis et lenitatis", aufgreift und verallgemeinert: „Alle Häretiker haben die Kirche Gottes unter dem Deckmantel der Sanftheit getäuscht."[121] Zum wiederholten Male dokumentiert er, daß er auf der Seite der Väter der vornicäischen Kirche und damit gegen die Häresie steht, die er durchaus nicht nur in der frühchristlichen Kirche am Werke sieht.[122]

In Müntzers Arbeit mit den Schriften der beiden lateinischen Kirchenväter und den Beigaben der humanistischen Herausgeber spiegelt sich eindrucksvoll seine kirchenkritische Sicht wider, wie sie aus dem Briefwechsel und dem „Prager Manifest" bekannt ist. Punktuell sind auch Züge der herbeigesehnten neuen apostolischen Kirche ablesbar. Die noch nicht umfassend erschlossene Quelle gewährt zudem einen Blick in Müntzers denkerische Werkstatt, indem sie neue Akzentsetzungen, beispielsweise bei der Apokalyptik, aufdeckt, die dann vor allem in den Druckschriften und Briefen der Allstedter Zeit deutlich in den Vordergrund treten.

VIII Ekklesiologische Konturen

Eine ausgeformte Ekklesiologie konnte bei Müntzer bis zum Beginn seiner Tätigkeit in Allstedt nicht nachgewiesen werden. Dem fragmentarischen Quellenmaterial ist eine solche Fragestellung unangemessen. Müntzer war wohl auch nicht an einer Lehre von der Kirche interessiert. Seine Selbstbezeichnungen legen offen, daß er die Prioritäten anders gesetzt sah. Nicht eine Lehre hatte er darzulegen, sondern im Dienste Gottes die Schäden der vorfindlichen Kirche, sowohl der von Rom geleiteten als auch der von Wittenberg neu aufzubauenden, offenzulegen und für „die allein rechte Kirche" der Auserwählten zu wirken.

Bereits als Priester der römischen Kirche scheint Müntzer die Überzeugung vertreten zu haben, daß der kirchlich geordnete Vollzug des Glaubens allein nicht genügt, sondern seine notwendige Ergänzung in der persönlichen Christusnachfolge finden müsse. Die auch sonst, vor allem aus der spätmittelalterlichen Erbauungsliteratur, bekannten Züge einer mystisch-spiritualistischen Konventikelfrömmigkeit waren ihm sicher vertraut. Apokalyptische Gedanken sind ebenfalls nicht auszuschließen, wenn sie in den spärlichen Quellen auch kaum Spuren hinterlassen haben. Wie viele der gelehrten Kleriker war er überdies für die humanistische Kritik an den überkommenen Lehren und Praktiken der römischen Kirche aufgeschlossen. Genaueres läßt sich nicht mehr erheben; vor allem muß die Frage nach dem Verhältnis von persönlicher Prägung oder Anlage und Einflüssen durch Ausbildung, Lektüre und Erfahrung im dunkeln bleiben.

Als reformatorischer Prediger ist Müntzer nur noch bedingt bereit, die zuständigen kirchlichen Autoritäten zu respektieren. Wie bei anderen Predigern der frühen reformatorischen Bewegung spielte die Rücksichtnahme auf das noch ungeklärte Verhältnis des Landesherrn zur römischen Kirche dabei eine nicht unwesentliche Rolle. Verantwortlich sah sich Müntzer jedoch nicht mehr der römischen Kirche in ihrer vorfindlichen Rechtsgestalt, sondern der auf dem Wort Christi gegründeten Kirche.[123] Noch finden wir bei ihm nicht expressis verbis die generelle Verurteilung wie bei Luther, der zu dieser Zeit die gegenwärtige Verwaltung der Kirche durch die geistlichen und weltlichen Autoritäten am angemessensten im Psalm über die Gottlosen (Ps. 10) geschildert sieht.[124] Müntzers Polemik gegen die Mönche und Pfaffen, gegen die Bischöfe und den Papst sowie die Kirchenlehrer verläuft zwar in den Bahnen der zeitgenössischen antiklerikalen Kritik, ihre mehr ins Grundsätzliche zielende Intention ist aber bereits unverkennbar. Die Geistlichkeit insgesamt bezichtigt er der Verführung und des Betrugs. Sie trage die Hauptverantwortung, daß das Evangelium 400 Jahre unter der Bank lag, d. h. verachtet und verborgen war.[125] Wenn Müntzer erwägt, an ein allgemeines Konzil zu appellieren, oder wenn er sich wie in Jüterbog der konziliaristischen Argumentation bedient, dann sind daraus kaum Schlüsse für seine etwaigen alternativen Vorstellungen von der Kirchenverfassung zu ziehen. Wie Luther mißt er der Hoffnung auf ein allgemeines Konzil keine Bedeutung mehr bei, wenn auch seine Begründung eine andere ist. Von der lateinischen Fassung des „Prager Manifests" an hat er diese Auffassung auch öffentlich bekundet.[126]

Angesichts der kritikwürdigen und unbußfertigen römischen Kirche bekannte Luther in seinen „Operationes in psalmos", er sei gleichsam entschlossen, die Hoffnung auf eine umfassende Reformation der (römischen) Kirche aufzugeben.[127] Müntzer wird diese Überzeugung geteilt haben. Anders als bei Luther und wahrscheinlich auch über eigene frühere Ansätze hinausgehend, beginnt sich seine Tätigkeit bereits in Zwickau im Zweischritt zu entfalten. Neben den Kampf gegen die pervertierte Kirche tritt die Sammlung und Zurüstung der Gemeinde der wahrhaft Glaubenswilligen, der Auserwählten. Die Quellen enthalten keine eindeutigen Anhaltspunkte für die Annahme, Müntzer hätte an vorhandene Konventikel anknüpfen können.[128] Wir müssen damit rechnen, daß der Impuls von Müntzer ausgegangen und keinesfalls nur, wie die gegnerische Gruppe um Egranus behauptet, von den Tuchknappen, beziehungsweise von Nikolaus Storch, übernommen worden ist.[129] Von den Überzeugungen der Konventikelmitglieder kennen wir nur die gegnerischen Stichworte: Bibelkenntnis, Geisterfahrung, Leidensbereitschaft, Drang zur missionarischen Verkündigung und wohl auch das Ideal des apostolischen Lebens. Letzteres könnte sich hinter dem Vorwurf, Müntzer habe 12 Jünger und 72 Apostel um sich geschart, verbergen. In diesen Stichworten artikuliert sich nicht nur die Laienfrömmigkeit, auf die auch sonst in der Reformation Wert gelegt wurde. Es ist bezeichnend für Luther, daß er im Zuge seiner Auseinandersetzung mit Eck die Erkenntnis eines Laien zu Matth. 16,13–20 ins Spiel bringt und in Parenthese dazu anmerkt, daß auch in den Laien der Heilige Geist sei.[130] Bei Müntzer wäre eine solche Parenthese schon in der Zwickauer Zeit schwerlich noch denkbar. Die gegnerische Überlieferung, Müntzer habe von der Kanzel verkündet, „die Leyen mussen vnser Prelaten vnd Pfarrer werden vnd Rechenschafft Nehmen des Glaubens", wird im Kern die Überzeugung Müntzers durchaus angemessen wiedergeben.[131] Diese Züge von Müntzers Kirchenverständnis, voran die Forderung nach einer Gemeinde der Auserwählten, sind Ausdruck der besonderen apokalyptischen Zeitbestimmung durch Müntzer. Bei der Auslegung des 10. Psalms in den „Operationes in psalmos" meinte Luther, es nicht wagen zu können, klar zu sagen, die Zeit des Antichrists sei schon gekommen. Er sah sich aber auch nicht in der Lage zu leugnen, daß sich die Vorgänge seiner Zeit ganz und gar auf den Antichrist beziehen.[132] Diese abwägende Unsicherheit Luthers war Müntzer genauso fremd wie dessen Bescheidung, „die Erwählten mit der Schrift gegen Irreführung zu wappnen und Gott um sein Einschreiten anzurufen".[133]

Noch in Zwickau hat Müntzer die Wandlung vom reformatorischen Prediger zum endzeitlichen Propheten durchlaufen. Er selbst hat sich darüber ausgeschwiegen, was mit ihm vor sich gegangen ist. Von einer kontinuierlichen Entwicklung kann keine Rede sein. Es muß in seinem Leben einen Einschnitt, eine Wende gegeben haben. Heinrich Boehmers Erklärung, Müntzers Begegnung mit Storch habe für ihn dieselbe Bedeutung gehabt wie für die Entwicklung anderer Menschen ihre Bekehrung, vereinfacht die Zusammenhänge.[134] Wie bereits angedeutet, ist es sehr fraglich, ob Storch wirklich Müntzer nachhaltig beeindrucken konnte. Aus dem Jahre 1523 liegen jedenfalls distanzierende Äußerungen Müntzers zu diesem ehemaligen Weggefährten vor.[135] Wir wissen nicht, wodurch Müntzers Interesse an der gegenwärtigen Offenbarung Gottes, am lebendigen Wort und dem Wirken des Heiligen Geistes während seiner Zwickauer Zeit entscheidend forciert worden ist. Die spätmittelalterliche Mystik war ihm schon länger vertraut. Sie hat die Wende bei Müntzer schwerlich bewirkt, wenn dieser auch in den folgenden Monaten seine „Kombination von Wortlehre und Heilsprozeß" teilweise in Vorstellungen und im Vokabular „der mystischen Tradition" zum Ausdruck bringt.[136] Die Kritik an der Kirche hat an Schärfe zugenommen. Es ist jedoch fraglich, ob der Antiklerikalismus Müntzers „polemischen und theologischen Aussagen Form" gegeben, „seine Erfahrungen reguliert und seinem Verhalten die Richtung" gewiesen hat und damit „sozusagen der ‚Sitz im Leben' für seine theologische Gedankenbildung" war.[137] Wahrscheinlich wirkte auch das Studium der frühen Kirchenväter auf Müntzer mit ein. Die bleibende Bedeutung der apostolischen Zeit ist ihm dadurch nachhaltig bewußt geworden, ebenso wohl auch die Verpflichtung zur „vita apostolica".[138] Mit Sicherheit hat Müntzer in seiner Zwickauer Zeit wie viele seiner Zeitgenossen eine Zuspitzung in der Auseinandersetzung mit der römischen Kirche wahrgenommen, die in seinen Augen eine apokalyptische Dimension annahm. Auf Luthers gleichzeitige Äußerungen wurde schon hingewiesen. Selbst Eberhard vom Thor, der Statthalter des Naumburger Bischofs, befürchtete im Sommer 1521, die alte Antichristprophezeiung werde jetzt in Erfüllung gehen und „groß widerwertigkeit der geistlichkait und kristlichen kyrchen" widerfahren.[139] Zudem machte Müntzer in Zwickau erstmalig an der Gestalt des Erasmianers Egranus die Erfahrung, zu welchen Konsequenzen eine bloß reformistische, oberflächliche Rezeption des durch Luther wiederentdeckten Evangeliums führen konnte.[140] Die taktischen Beschwichtigungsversuche von Wittenberg aus haben ihn dementsprechend verwirrt, wie er noch 1523 Luther gegenüber bezeugt.[141] Alle diese Komponenten dürften an Müntzers Wendung in Zwickau beteiligt gewesen sein, nicht zuletzt aber auch die Tatsache, daß die Wittenberger reformatorische Bewegung um den Jahreswechsel 1520/21 in ein entscheidendes Stadium trat. Eine Neuorientierung war fällig. Die Koppelung der Verkündigung des Evangeliums mit der Kritik an der römischen Kirche genügte nicht mehr. Der Schritt zur Neuordnung des Kirchenwesens zumindest auf Stadtebene stand an und damit auch ein Eingriff in die kommunalen Verhältnisse. Ansatzweise hat sich im Bereich der reformatorischen Bewegung Luthers im Frühjahr 1521 in Zwickau bereits die Problematik zu Wort gemeldet, die ein knappes Jahr später in den Wittenberger Unruhen wuchtiger und mit mehr Beachtung erneut ans Tor der Reformation klopfte. Mögen auch die genaueren Zusammenhänge und Motive von Müntzers Wandlung im dunkeln bleiben, deutlich ist, daß der Drehpunkt für Müntzers Kirchenverständnis in seiner Zwickauer Zeit liegt.

In Zwickau wurde aus dem reformatorischen Prediger der prophetische Gottesknecht, der

als endzeitlicher Nuntius Christi – so nennt er sich gegenüber Melanchthon selbst – Gottes
Urteile zu überbringen und gegebenenfalls als Schnitter in der Ernte Gottes auch zu vollziehen hat. Ekklesiologisch wirkte sich das veränderte Selbst- bzw. Auftragsverständnis auf
dreierlei Weise aus. Voran steht die verdichtete Erkenntnis vom Verfall der Kirche. Daraus
folgt zweitens als Konsequenz die Reinigung der Kirche. Nebenher geht drittens der Auftrag,
für eine Kirche der Auserwählten zu wirken.

Die Beurteilung der Kirchengeschichte als fortlaufenden Verfall ist im Vorfeld der Reformation besonders durch den Humanismus verbreitet worden. Eng damit verbunden war ein
antiklerikaler Zug.[142] Luther unterschied die Kirche der apostolischen Zeit ebenfalls von der
„ecclesia... post tempora martyrum et doctorum", weil in ihr von da an die gottlosen
Tyrannen beherrschend wurden.[143] In die Geschichte der Verfallsidee ist er dennoch nicht
einzureihen. Seine Sicht war am Schicksal des Wortes Gottes, bezogen auf die theologia
crucis, orientiert.[144] Für Müntzer dagegen ist die Geschichte der Kirche von der dritten
Generation an, d. h. nach dem Tode der Apostelschüler, eine Geschichte des Verfalls. In
allen drei Fassungen des „Prager Manifests" beruft er sich auf die nur durch Eusebios überlieferten Hegesippfragmente mit den Grundtexten der Verfallsidee. Hegesippos berichtet, die
Kirche sei nur bis zum Tode Simeons, des letzten Bischofs der Apostelzeit, eine reine und
unverdorbene Jungfrau geblieben. Danach sei sie durch Häretiker verdorben worden.[145]
Nicht diese Begründung stellt Müntzer heraus, auch nicht die damit verbundene, daß danach
dem Martyrium ausgewichen wurde. Der seit Hieronymus bezeugte Zusammenhang zwischen dem Verfall der Kirche und der Existenz christlicher Kaiser wird von Müntzer gleichfalls nicht aufgegriffen.[146] Er kombiniert die bei Hegesippos / Eusebios überlieferte Verfallsidee mit dem Gedanken von der Vernachlässigung der Priesterwahl durch die Gemeinde,
den er – wie oben bereits dargelegt – offenbar von Cyprian aufgenommen und eigenprofiliert
weiterentwickelt hat. Diesem ekklesiologischen Sündenfall scheint es Müntzer im wesentlichen zuzuschreiben, daß die Konzilien sich in Nebensächlichkeiten verloren und die Verfallsgeschichte nicht abfangen konnten. Er ist wohl auch daran schuld, daß sich Eigennutz und Herrschsucht in der Priesterschaft einnisten konnten. Aus den leidenswilligen
Empfängern von göttlichen Offenbarungen und Verkündigern des lebendigen Wortes wurden
Verwalter des toten Wortes, die auch unfähig waren, den christlichen Glauben vor Juden
und Heiden zu bezeugen. Folgerichtig brachten es mit der Zeit Verführer und Verführte
zustande, daß aus der apostolischen und „allein rechten Kirche des Nazareners Jesu" ein
mixtum compositum aus Auserwählten und Gottlosen wurde.

Die Erfahrung mit der vorfindlichen Kirche, die Erkenntnis der biblischen Botschaft und
das Studium der Kirchenväter haben Müntzer jedoch nicht nur die Augen für die Situation,
den gefährlichen Verfallszustand der Kirche, geöffnet. Von seiner Zwickauer Tätigkeit an
erkennt er auch, daß diese Verfallsgeschichte nicht fortgesetzt werden darf. Müntzer war tief
davon überzeugt, daß Gott zur gegenwärtigen Stunde mehr erwartet als die Verkündigung
des wiederentdeckten Evangeliums, nämlich die Reinigung der Kirche. Da sich Luther und
sein Umkreis dieser drängenden endzeitlichen Aufgabe zu entziehen schienen, weiß er sich
berufen, gewissermaßen als „Emulus Martini apud dominum" in die Bresche zu springen.[147]
Zunächst sieht er es als seine Pflicht an, den „untraglichen unde bo(e)szhafftigen schaden
der christenheit" öffentlich bewußtzumachen.[148] Das bedeutet zuvörderst: Die betrügerischen Machenschaften der Meßpriester und anderen Pfaffen sind zu entlarven. Müntzer
begnügt sich nicht damit, sie mit Worten an den Pranger zu stellen. Vor den Augen der
Prager will er sie „in dem geist Helie zcu schanden mache[n]"[149]. An eine Hinrichtung der
betrügerischen Priester, die das Volk Gottes lehrten, den Baal anzubeten, hat Müntzer nicht

gedacht, auch wenn er auf 1. Kön. 18 anspielt.[150] Ihm schwebt eine Glaubensprüfung für beide Seiten vor, in der die Priester aufgrund ihrer Unkenntnis des lebendigen Wortes und der gegenwärtigen Offenbarungen ihm unterlegen sein werden.

Die Trennung von den unfähigen und unnützen Priestern genügt aber noch nicht. Der Reinigungsprozeß muß die ganze Gemeinde erfassen; die Gottlosen müssen von den Auserwählten geschieden werden. Vom „Prager Manifest" an gehört diese Forderung zu den Konstanten von Müntzers Ekklesiologie. Den „geliebten böhmischen Brüdern" stellt er sich selbst als der für Gottes Ernte gemietete Schnitter vor, der die Gottlosen erkennbar macht und vernichtet.[151] Wiederum scheint er allein an den Beweis des Geistes und der Kraft durch seine Verkündigung und sein Glaubenszeugnis gedacht zu haben. Andere Ernteboten oder Engel, wie er sie später in den kursächsischen Fürsten zu erkennen meint, bringt er noch nicht ins Spiel. Damit unterbleibt auch noch der Schritt zur gewaltsamen Aktion.[152] Die Drohung, wenn die Böhmen nicht auf ihn hörten, werde sie „der Herr in die Hände derer geben", die ihr „Land begehren", wird nicht mit der Ankündigung des göttlichen Gerichts verbunden. Den Türken – in den beiden deutschen Fassungen des „Prager Manifests" werden sie beim Namen genannt – erkennt Müntzer offensichtlich nicht die Funktion der Ernteboten Gottes zu.[153] Müntzer schweigt sich darüber aus, wie er sich die Scheidung der Gottlosen von den Auserwählten konkret vorstellt. In der Phase bis zum Beginn seiner Tätigkeit in Allstedt konzentriert er sich auf die Paränese. Wieder und wieder klagt er die fällige Scheidung und damit auch die Notwendigkeit einer Kirche der Auserwählten ein.

Über die inhaltlichen Vorstellungen zu einer ecclesia pura finden sich bei Müntzer nur ausschnitthafte Andeutungen, meist im Verlauf seiner Polemik gegen die römische Kirche oder seiner Kritik an der Wittenberger Reformation. Voran steht die Überzeugung, daß das lebendige Wort Gottes eine Erfahrung aller wahren Christen ist oder werden muß. Bereits im „Prager Manifest" verkündet Müntzer, die Verheißung von Joel 2,28 (Vulg.) gehe jetzt in Erfüllung: Die Auserwählten sollen „dye lebendigen stimme Gots horen... Das ist, sy sollen alle offenbarunge haben."[154] Hier nennt er auch die notwendige Voraussetzung mit dem Hinweis, das verbum verum könne von keiner Kreatur außer der leidenswilligen gehört werden.[155] Wenn er in diesem Zusammenhang den Böhmen nahelegt, die Auserwählten müßten „leer" werden, dann zeigt er an, daß er eine ganzheitliche Lebensauffassung und Lebensweise meint. Im Brief an Melanchthon nennt er das für Auserwählte bindende Gebot beim Namen, die sanctificatio. Wie er die Heiligung inhaltlich füllte, erfahren wir während dieser Phase nicht im einzelnen. Die Richtung wird mit dem Satz angedeutet: „Wir sind voller Begierden."[156] Da von Wittenberg aus die Frage der Priesterehe als lösungsreif in den Vordergrund tritt, verdeutlicht Müntzer am Problem der Ehe, was er von den Auserwählten beispielsweise erwartet. Die seit der antiken und altkirchlichen Anthropologie bekannte traduzianische Vorstellung von der Beseelung des Menschen verbindet er mit dem ebenfalls überlieferten und in der spätmittelalterlichen Apokalyptik vorfindlichen Gedanken der Zeugung erwählter Nachkommenschaft. Offenbar war Müntzer überzeugt, daß auch biologisch an der Grundlegung einer neuen apostolischen Kirche mitgewirkt werden könne. Wahrscheinlich ist sogar seine eigene Eheschließung im Frühjahr 1523 in diesem Licht zu sehen.

Die entstehende neue apostolische Kirche hat einen Prozeß endzeitlicher Bedrängnisse zu durchlaufen. Das teilt Müntzer bereits den Böhmen in der letzten Fassung seines „Prager Manifests" mit und verwendet dabei chiliastische Formeln: Dem Wüten der Türkeninvasion folgt „der rechte personliche enthechrist"; darauf wird Christus „yhm kortzen... das reich dysser welt geben seinen auserwelten in secula seculorum".[157] Ohne ausdrücklich zu zitieren, knüpft er hier schon an die apokalyptische Verheißung von Dan. 7,27 an, die er dann im Herbst 1523 Kurfürst Friedrich genauer erläutert.[158] Es ist Schwarz zuzustimmen, daß Müntzers Zukunftsankündigung kaum mit den Kategorien eines säkularen Revolutionsverständnisses vollständig erfaßt werden kann.[159] Roland H. Baintons These, Müntzer sei der Stammvater des protestantischen theokratischen Gedankens, von dem eine Linie zu Zwingli und Calvin verlaufe, wird dem Tatbestand ebenfalls nicht gerecht.[160] Sowohl die ausschließlich revolutionäre als auch die theokratische Interpretation eliminieren den universalen apokalyptischen Anteil in Müntzers Zukunftsvorstellung, zu der schließlich auch die Hoffnung auf und das Streben nach der Wiederherstellung der urstandsgemäßen Beziehungen des Menschen zu Gott und zu den Kreaturen gehört. Im „Prager Manifest" klingt diese Hoffnung auf in der formelhaften Wendung von „der ordennünge (in Got vnnd alle creaturn gesatzth)".[161]

Die Hoffnung auf die Böhmen wurde schon nach kurzer Zeit durch die Realitäten gegenstandslos, so daß sich Müntzer auf die Suche nach einem neuen Ansatzpunkt für die zu verkündigende und aufzubauende neue apostolische Kirche begeben mußte. Er hat seine Überzeugung sofort situationsgemäß variiert, in den Grundlinien jedoch in den folgenden knapp anderthalb Jahren kaum verändert. Auch die apokalyptische Dimension seiner Ekklesiologie bleibt in Kraft. Es bedarf einer weiteren genetischen Untersuchung, um aufgrund des viel reicheren Quellenmaterials aufzudecken, ob und in welchen Varianten Müntzer sein Kirchenverständnis von seinem Allstedter Wirken an durchgehalten hat. Es ist damit zu rechnen, daß der Graben zu Luther und den ehemaligen Wittenberger Freunden auch hinsichtlich der ekklesiologischen Vorstellungen breiter und bald auch unüberwindbar wird. Schon für die Zeit bis zum Frühjahr 1523 erweist sich, daß Luthers Prinzip der Unterscheidung (Gesetz und Evangelium, Gottes Regiment zur Rechten und zur Linken, sichtbare und unsichtbare Kirche) für Müntzers ekklesiologische Erkenntnisse unannehmbar geworden ist. Müntzers Denken ist mit ganz anderer Intensität linear, es ist final ausgerichtet und apokalyptisch geprägt. Für die Zeit ab 1523 wäre auch zu beobachten, in welcher Weise sich die sich zuspitzende revolutionäre Situation auf seine Ekklesiologie auswirkt und was aus dem einstigen Gedanken eines geographisch umgrenzten Beginns und dem der anschließenden universalen Expansion der neuen Kirche wird.[162] Zu bedenken wäre ferner das Verhältnis des Bundes in Allstedt und Mühlhausen zu Müntzers Kirchenverständnis.[163] Schließlich wäre zu prüfen, ob sich Anzeichen finden, daß er darangegangen ist, die von ihm propagierte neue apostolische Kirche sichtbar Gestalt werden zu lassen. Von der Reform des Gottesdienstes abgesehen, ist das in Allstedt nicht der Fall gewesen. Das Leben verlief weitgehend in den vertrauten kommunalen und reformatorisch gereinigten kirchlichen Strukturen.[164] Müntzer verstand auch zu dieser Zeit seinen Sendungsauftrag im Dienste der wahren, an der Zeit der Apostel orientierten Kirche vorrangig als homiletische und poimenische Aufgabe.[165]

---

[1] WA 50, 477, 18 f.
[2] Karl Holl: Gesammelte Aufsätze zur Kirchengeschichte. Bd. 1: Luther. 4. und 5. Aufl. Tübingen 1927, 451–454, bes. 451 und 454.

[3] Annemarie LOHMANN: Zur geistigen Entwicklung Thomas Müntzers. Leipzig / Berlin 1931, 39.

[4] Ebd, 68.

[5] Fritz HEYER: Der Kirchenbegriff der Schwärmer. Leipzig 1939, 4 und 3.

[6] MPS. Die Titelformulierung war ein Danaergeschenk an die Müntzerforschung. Sie trug dazu bei, daß für längere Zeit eine intensivere Beschäftigung mit dem Theologen Müntzer unterblieb.

[7] HLM, 46.

[8] Ernst STAEHELIN: Die Verkündigung des Reiches Gottes in der Kirche Jesu Christi: Zeugnisse aus allen Jahrhunderten und allen Konfessionen. Bd. 4, Basel 1957, 321–328, bes. 321. Staehelin druckte fünf Auszüge aus Müntzers Druckschriften und einen Abschnitt aus dem Brief an die Allstedter von Ende April 1525 ab. Zugrunde gelegt wurden die damals verfügbaren Ausgaben, vor allem Otto Hermann BRANDT: Thomas Müntzer: sein Leben und seine Schriften. Jena 1933.

[9] Michael MÜLLER: Auserwählte und Gottlose in der Theologie Thomas Müntzers. Halle 1972, 205 (MS) – Halle, Univ., theol. Diss. 1972.

[10] Michael MÜLLER: Die Gottlosen bei Thomas Müntzer: mit einem Vergleich zu Martin Luther. LuJ 46 (1979), 97–119.

[11] Rolf DISMER: Geschichte, Glaube, Revolution: zur Schriftauslegung Thomas Müntzers. Hamburg 1974, 7 (MS) – Hamburg, Univ., theol. Diss. 1974.

[12] Reinhard SCHWARZ: Die apokalyptische Theologie Thomas Müntzers und der Taboriten. Tübingen 1977, 9.

[13] Joachim ROGGE: Müntzers und Luthers Verständnis von der Reformation der Kirche. In: TMD, 7–19, bes. 13 f.

[14] Schwarz: AaO, 100 f. 122, hat z. B. darauf hingewiesen, daß Müntzers chiliastische Hoffnungen teilweise mit den scholastischen Urstandsvorstellungen korrespondierten.

[15] Z. B. Henoch, Elia und Johannes als Garanten für die chiliastische „Erwartung guter Tage", vgl. MSB, 419, 13–15 (57); Schwarz: AaO, 46–61.

[16] Vgl. Siegfried BRÄUER: Thomas Müntzers Liedschaffen: die theologischen Intentionen der Hymnenübertragungen im Allstedter Gottesdienst von 1523/24 und im Abendmahlslied Müntzers. LuJ 41 (1974), 45–102 / TMFG, 227–295; Martin BRECHT: Thomas Müntzers Christologie, oben Seite 68–75

[17] Vgl. Herbert GRUNDMANN: Übersetzungsprobleme im Spätmittelalter: zu einer alten Verdeutschung des Memoriale Alexanders von Roes. Zeitschrift für deutsche Philologie 70 (1947/48), 113–145, bes. 129–131.

[18] MSB, 244, 8. Es gehört zu den Schwächen der Arbeit von Hans Otto SPILLMANN: Untersuchungen zum Wortschatz in Thomas Müntzers deutschen Schriften. Berlin / New York 1971, daß der Autor die ekklesiologische Begrifflichkeit Müntzers nicht besonders beachtet, sondern nur im Wörterverzeichnis ohne Stellennachweis mit auflistet.

[19] MSB, 74, 38.

[20] MSB, 269, 5–7.

[21] MSB, 461, 25 f (81). Vgl. auch 459, 1 f (79) das Schreiben an Graf Günther von Schwarzburg vom 4. Mai 1524, den „vorsteher christlicher gemeinde im Schwartzburger lande"; auch 467, 12 f (87).

[22] MSB, 165, 15. Beim Gloria patri respondiert gleichfalls „das gemeyn volck" (165, 30), desgleichen bei der Beichte (165, 31).

[23] MSB, 500 f; 396 f (45); 431, 10–32 (64).

[24] MSB, 210, 17: mit dem Credo soll „den groben yrtumen der kirchen begegnet" werden; 229, 26 f: die „Ro(e)mische kirche ... wart uneins mit allen andern kirchen ..."; 447, 17 (70): Müntzers Schreiben vom 22. September 1524 „an die kirche zu Molhausen".

[25] MSB, 491, 1 f. Vgl. die längere deutsche Fassung vom 25. November 1521: „der gantzen kyrchen der ausserwelten, auch der gantzen welt" (495, 6 f); die lateinische Fassung: „coram universa electorum ecclesia et toto mundo" (505, 3 f).

[26] MSB, 436, 3 f (67, an den Allstedter Rat, 15. August 1524); 384, 30 f (35, Schreiben aus Nordhausen vom 14. Juli 1522): „Jesu Nazareni ecclesiam ... rectissimam"; 380, 7 f (31, an Melanchthon, 27. März 1522): „futuram ecclesiam penitus respuitis".

[27] MSB, 395, 17 f (45, an Kurfürst Friedrich, 4. Oktober 1523).

[28] MSB, 214, 28.

[29] MSB, 342, 4 (Hochverursachte Schutzrede und Antwort wider das geistlose, sanftlebende Fleisch zu Wittenberg); 426, 24 f (61, an Georg, 1524).

[30] MSB, 419 f (58, an Hans Zeiß, 22. Juli 1524); 416 f.

[31] MSB, 424, 16–22 (61, an Georg, 1524); 210, 3 f.

[32] ACTEN DER ERFURTER UNIVERSITÄT/ hrsg. von Hermann Weissenborn. Bd. 1. Halle 1881, 404. Paulus Montzer zahlte die volle Immatrikulationsgebühr. Über ihn ist nur noch eine Nachricht in der Stolberger Ratsrechnung von 1495 überliefert (Distributa Gemeyne vßgabe): „Item 20 gr. Paulus montzer von dem pfarrechten uff pergamen zu schriben ipso die" (Staatsarchiv Magdeburg, Außenstelle Wernigerode; Rep. H. Stolberg-Wernigerode, Stolberg–Stolberg F II Nr. 36, 139ʳ). Zur Überlieferung über Müntzers Frühzeit ist eine Untersuchung durch mich in Vorbereitung.

[33] MSB, 553 (6. Mai 1514). Vgl. hierzu Ulrich BUBENHEIMER: Thomas Müntzer in Braunschweig. Teil 1. Braunschweigisches Jahrbuch 65 (1984), 37–78, bes. 48–54. 61–67.

[34] Vgl. hierzu die im Druck befindliche Arbeit von Max Steinmetz über Müntzer vor seiner Allstedter Tätigkeit.

[35] ISLEBIUS: Homiliae deutsch. Bd. 3 (Monotessaron), 88ʳ (Marienbibliothek Halle, Ms 12). Voran geht der Satz: „Ich mus es gleuben, das gott in geheim eine kirche habe, die man nicht siehet, weder in vns selbst, noch in anderem, ßundernn wie die schrifft sagtt: Vita nostra est abscondita cum Christo in Deo" (Kol. 3,3). Zu dem Predigtband vgl. Gustav KAWERAU: Johann Agricola von Eisleben: ein Beitrag zur Reformationsgeschichte. Berlin 1881, 230, und Joachim ROGGE: Johann Agricolas Lutherverständnis: unter besonderer Berücksichtigung des Antinomismus. Berlin 1960, 236 und 301 (ungenau).

[36] Islebius: AaO 3, 88ʳ.

[37] Zum Vorwurf, Müntzers Geisttheologie sei teuflisch inspiriert („So fertt dieser geyst frisch furuber / und wil one mittel ynn den geyst hyneyn") vgl. Johann AGRICOLA: Auslegung des XIX Psalm. In: Die lutherischen Pamphlete gegen Müntzer/ hrsg. von Ludwig Fischer. Tübingen 1976, 43–78, bes. 46, 27 f. Kawerau: AaO, 12, Anm. 2, der die Stelle fälschlich den Osterpredigten zuordnet, nimmt an, hier sei „wohl einfach das sich Verlassen auf Träume und eigne Phanatasien, statt auf Gottes Wort" gemeint.

[38] MSB, 349, 3 f. 17 f (3); Bubenheimer: AaO, 67 f. Über Müntzers theologische Position in Frose existieren keine Quellen. Die Zuweisung der frühen liturgischen Abschriften von Müntzers Hand, des sogenannten „Officium St. Cyriaci", zur Tätigkeit in Frose hat nur hypothetischen Charakter (MSB, 481–490). Zum Inhalt vgl. Karl HONEMEYER: Thomas Müntzer und Martin Luther: ihr Ringen um die Musik des Gottesdienstes; Untersuchungen zum „Deutzsch Kirchenampt" 1523. Berlin 1974, 37–39.

[39] Siegfried BRÄUER: Thomas Müntzers Beziehungen zur Braunschweiger Frühreformation. ThLZ 109 (1984), 636–638, bes. 637 f; Ulrich BUBENHEIMER: Thomas Müntzer und der Anfang der Reformation in Braunschweig. Nederlands archief voor kerkgeschiedenis 65 (1985), 1–30, bes. 22–27.

[40] MSB, 373–375; 377, 18; Bubenheimer: Thomas Müntzer in Braunschweig. Teil 1, 71–76; DERS.: Thomas Müntzer in Braunschweig. Teil 2. Braunschweigisches Jahrbuch 66 (1985), 79–113, bes. 94–98; ders.: Thomas Müntzer und der Anfang . . ., 25–28.

[41] MSB, 347 f (2); Bubenheimer: Thomas Müntzer in Braunschweig. Teil 1, 70 f; ders.: Thomas Müntzer und der Anfang . . ., 9–18.

[42] MSB, 491, 3–7; vgl. auch 505, 6–8; 495, 9–12.

[43] Abdruck des Schreibens bei Paul KIRN: Friedrich der Weise und die Kirche. Leipzig 1926, 183–187, bes. 185.

[44] Ulrich BUBENHEIMER: Luther – Karlstadt – Müntzer: soziale Herkunft und humanistische Bildung; ausgewählte Aspekte vergleichender Biographie. Amtsblatt der Evang.-Luth. Kirche in Thüringen 40 (1987), 60–68, bes. 66; DERS: Thomas Müntzer und der Humanismus, unten Seite 309.

[45] Ernst KOCH: Johann Agricola neben Luther: Schülerschaft und theologische Eigenart. In: Lutheriana: zum 500. Geburtstag Martin Luthers von den Mitarbeitern der Weimarer Ausgabe/ hrsg. von Gerhard Hammer und Karl-Heinz zur Mühlen = AWA 5. Köln / Wien 1984, 131–150, bes. 134 und 145 f.

[46] Manfred BENSING / Winfried TRILLITZSCH: Bernhard Dappens „Articuli . . . contra Lutheranos": zur Auseinandersetzung der Jüterboger Franziskaner mit Thomas Müntzer und Franz Günther 1519. Jahrbuch für Regionalgeschichte 2 (1967), 113–147, bes. 137. Ausweisungen von „Martinianern" aus Braunschweig sind in den Quellen sonst erst 1522 bezeugt; vgl. Bubenheimer: Thomas Müntzer in Braunschweig. Teil 1, 60 f.

[47] Ebd, 138–141.

[48] So z. B. Shinzo TANAKA: Eine Seite der geistigen Entwicklung Thomas Müntzers in seiner „lutherischen" Zeit. LuJ 40 (1973), 76–88, bes. 81. Zur Position Luthers vgl. Robert STUPPERICH: Die Refor-

mation und das Tridentinum. ARG 47 (1956), 20–63; Peter Meinhold: Das Konzil im Jahrhundert der Reformation. In: Die ökumenischen Konzile der Christenheit/ hrsg. von Hans Jochen Margull. Stuttgart 1961, 201–233.

[49] Bensing / Trillitzsch: AaO, 132–134. Diese antirömische Kritik wurde allerdings in nichtöffentlicher Verhandlung vorgebracht.

[50] WA Br 1, 390, 32–35; 392, 107–111 (174); vgl. zusammenfassend WA 59, 628–632.

[51] Vgl. Müntzers Briefwechsel mit dem Leipziger Buchführer Achatius Glov (wie schon MBW richtig liest: die falsche Lesung „Glor" stammt von Müntzer selbst): MSB, 353–355 (8 f).

[52] Niederschlag fanden diese kirchengeschichtlichen Recherchen vor allem in der „Resolutio Lutheriana super propositione sua decima tertia de potestate papae" (WA 2, [180] 183–240). Vgl. hierzu Hans Preuss: Die Vorstellungen vom Antichrist im späten Mittelalter, bei Luther und in der konfessionellen Polemik. Leipzig 1906, 104–107.

[53] MSB, 353, 9 (7): „Mihi non scrutor, sed domino Jesu" (1. Januar 1520).

[54] Karl Steinmüller: Agricola in Zwickau. In: Agricola-Studien. Freiberger Forschungshefte D 18 (1957), 20–44, bes. 37.

[55] Otto Clemen: Johannes Sylvius Egranus (1899). In: ders.: Kleine Schriften zur Reformationsgeschichte: (1897–1944) Bd. 1. Leipzig 1982, 125–196, bes. 4–13.

[56] MSB, 359, 18–21 (13). ·Tiburtius hat das ekklesiologische bzw. pastoraltheologische Argument Müntzers sofort mit dem Hinweis auf die denkbare Ausweitung auf den politischen Bereich abzuwehren versucht.

[57] MSB, 357–359 (13, an Luther, 23. Juli 1520). Zur Polemik gegen die Franziskaner vgl. Clemen: AaO, 18, Anm. 45. Zur Verhandlung der kurfürstlichen Kommissare vgl. ebd, 25; Ferdinand Doelle: Reformationsgeschichtliches aus Kursachsen: Vertreibung der Franziskaner aus Altenburg und Zwickau. Münster i. W. 1933, 222 f.

[58] MBF, Tafel 73: Historien von Thomas Müntzer, 3[r]:
„Ein ehe hastu gestifftet, ist es als man klagtt
   Mitt Magister Loner vnd dem Pfaffen sack."
Zu Löhner, der im Januar 1521 nach sechswöchiger Tätigkeit zugunsten der Pfarrstellenneubesetzung mit Nikolaus Hausmann weichen mußte, vgl. Siegfried Bräuer: Die zeitgenössischen Dichtungen über Thomas Müntzer und den Thüringer Bauernaufstand. Leipzig 1973, 26 f. 60 f. 401 f. 419 (MS) – Leipzig, Univ., theol. Diss. 1973.

[59] MSB, 366, 3–5. 13 f (19, 17. Januar 1521).

[60] MSB, 369, 5–12 (21, Ende Januar/Anfang Februar 1521); Clemen: AaO, 23 f; Paul Wappler: Thomas Müntzer in Zwickau und die „Zwickauer Propheten". Nachdruck der Ausgabe Zwickau 1908. Gütersloh 1966, 32–34.

[61] Vgl. Müntzers Aufzeichnungen von Egranusäußerungen, die sogenannten „Propositionen des Egranus", Nr. 21 f (MSB, 515, 7–10). Zur Ekklesiologie des Egranus vgl. Hubert Kirchner: Johannes Sylvius Egranus: ein Beitrag zum Verhältnis von Reformation und Humanismus. Berlin 1961, 21–28. 59 f; auch ETM, 163–165.

[62] MSB, 367, 10 f (20). Das Spottgedicht aus der Anhängerschaft des Egranus (MBF, Tafel 73, 2[v]) beginnt:
„O Thoma Müntzer, du heylier Man
   Wen dich der Schwirmig geyst komtt an
   So predigst das Creutz mitt grosem vleys . . ."

[63] MBF, Tafel 73, 8[v]:
„Du hast auß eygnem Kopff erdacht
   Vnd hast im 12 boten vnd 72 Junger gemacht."
Der Spottdichter bezeichnet sich selbst ironisch als den „Wenigsten auß den 72 Jüngern" (MBF, Tafel 73, 10[r]). Die Überschrift stammt vom Kompilator der „Historien": „Diss ist der brieff der 12 Aposteln vnd 72 Junger, ires Meysters aus dem Schwirmigen geist eingegeben" (MBF, Tafel 73, 8[r]). Zur Entstehung und Überlieferung vgl. Bräuer: Die zeitgenössischen Dichtungen . . ., 34–55.

[64] Bei Müntzer selbst ist „servus electorum" zuerst im Brief an Hausmann zu belegen (MSB, 371, 14 [25]). Der Spottdichter, der Müntzer verteidigt, bezeugt jedoch, daß der „Titel" bereits in Zwickau in Gebrauch war:
„Der [sc. Egranus] verfolgtt den Gottes Knecht,
   Der da predigtt woll vnd Rechtt"
(MBF, Tafel 73, 8[r]; vgl. 8[v] und 9[v]).

[65] MFB, Tafel 73, 6^v–7^r. Die Kennzeichnung der vermutlich zunächst von Müntzer organisierten Konventikel als „Secta Storchitarum" dürfte erst aus der Zeit stammen, als Müntzer Zwickau verlassen hatte. Zu der Gruppierung vgl. Siegfried HOYER: Die Zwickauer Storchianer: Vorläufer der Täufer? Jahrbuch für Regionalgeschichte 13 (1986), 60–78 (im einzelnen korrekturbedürftig).

[66] WA Br 2, 290, 8 – 291, 16 (390).

[67] Bei Müntzer hat der Titel endzeitlich-prophetische Qualität. Luther verwendet „servus dei" oder „servus christi" von 1516 an vor allem als briefliche Anrede an Georg Spalatin im Sinne von „minister dei" (vgl. WA Br 1, 44, 1 [16]; 50, 1 [19]; 70, 1 [27]; 77, 1 [30] u. ö.); als Selbstbezeichnung treten die Begriffe erst ab Ende 1524 deutlicher in den Vordergrund (vgl. Gerhard EBELING: Lutherstudien. Bd. 3. Tübingen 1985, 10 f).

[68] MSB, 564, 6: „qui veritate militat in mundo".

[69] MSB, 537 (g). Manfred Kobuch konnte kürzlich am Original die durch Tektur getilgten Worte entziffern: „Bohemie cuiusmodique civitatis".

[70] MSB, 495, 2–5 („Prager Manifest", längere deutsche Fassung).

[71] MSB, 371, 7–9 (24, an den Jenaer Ratsherrn Michael Gansau, 15. Juni 1521).

[72] MSB, 373, 4–10 (25).

[73] MSB, 369 f (22), bes. 370, 1 f. 7–10.

[74] Der Zwickauer Bürger Hans Sommerschuh war ebenfalls überzeugt, daß Gott Müntzer „iczundt gen Prag also vorsehen hat"(MSB, 376, 11 f [27, 31. Juli 1521]).

[75] MSB, 377, 3–5 (28, Hans Pelt an Müntzer, 6. September 1521). Für die tschechischen Chronikaussagen zu Müntzers Pragaufenthalt vgl. Václav HUSA: Tomaš Müntzer a Čechy. Praha 1957, 117 f; ebenso Siegfried HOYER: Thomas Müntzer und Böhmen, unten Seite 359–370.

[76] MSB, 510, 22. 29 f. Zur zeitlichen Abfolge der Versionen vgl. Friedrich de BOOR: Zur Textgeschichte des Prager Manifests. In: Thomas Müntzer: Prager Manifest/ Einführung von Max Steinmetz. Mit einem Beitrag zur Textgeschichte von Friedrich de Boor. Textneufassung und Übersetzung von Winfried Trillitzsch. Faksimiledruck der lateinischen Originalhandschrift aus der Forschungsbibliothek Gotha und deren Herkunftsgeschichte von Hans-Joachim Rockar. Leipzig 1975, 7–15. Die Überlieferung der längeren deutschen Fassung ist ungeklärt, der Abschreiber noch nicht identifiziert.

[77] MSB, 506, 1 – 507, 17.

[78] MSB, 508, 22 – 509, 27.

[79] MSB, 509, 31 – 511, 2; bes. 510, 33 – 511, 2; 510, 19 f. Auch Luther registrierte bei den Böhmen eine große Aufgeschlossenheit gegenüber der Reformation. Sein theologisches Urteil fiel in der Schrift „An den christlichen Adel deutscher Nation von des christlichen Standes Besserung" vom Sommer 1520 jedoch nüchterner aus. Von den Böhmen heißt es: „. . . das volck / ist mehr dan zuuil vngeleret / in Christlichen sachen / vnd suchen auch nit der seelen heyl / szondern wie des Bapsts heuchler alle thun / yhr eygen gewalt / nutz vnnd ehre" (StA 2, 151, 34–41 / WA 6, 455, 28–30). Er forderte Kaiser und Fürsten auf, „etlich frum vorstendig Bischoff vnd gelereten" nach Böhmen zu schicken, um zu erkunden, „wie es vmb yhren glauben stund / ob es muglich were / alle yhr secten / in eine zubringen". Die apokalyptisch-ekklesiologische Sicht fehlt.

[80] MSB, 491, 15; 493, 18; 494, 10–13. 16–18. Die apokalyptischen Töne sind in dieser Fassung stark zurückgenommen.

[81] Vgl. MSB, 508, 28 f: „O vae, vae et in aeternum vae instar Balaam praedicantibus!"; 503, 5 f: „Ach ceter, ceter, we, we, we uber dye helfeurisschen und Asmadeisschen pfaffen"; 501, 28–30: „Aber Gots wort, . . ., dorff woll anders herdraben dan unser nerrisschen, hodenseckysschen doctores tallen." Nur in der längeren deutschen Fassung ist von den „judisschen, ketzerisschen pfaffen" die Rede, und nur hier persifliert Müntzer die Berufung der Priester auf den Papst: „. . . diß und das hat der neronischer, heiliger allerhultzeister bapst und pruntztopf zcu Rome in der kolbarm gebotten" (502, 10. 29–31).

[82] Nur in dieser Fassung findet sich die Formulierung: „Aber am volk zcweiffel ich nicht" (MSB, 500, 3); vgl. hierzu de Boor: AaO, 9 f.

[83] MSB, 501, 26–28: „wer do nicht horeth auß dem mu(o)nde Gots das rechte lebendige worth Gots, was bibel und Babe[l], ist nicht anders denn ein todt ding."

[84] MSB, 501, 12–15; vgl. 508, 22 f.

[85] MSB, 503, 30.

[86] MSB, 503, 32 – 505, 4; bes. 504, 12–15. 30 f; 505, 1–4.

[87] Schonend umschreibt den Sachstand der befreundete Franz Günther: „Dicunt Boemos non pergere, sed stare in aliquibus evangelicis" (MSB, 379, 2 f [30]).

[88] MSB, 379, 4 f (30).

[89] Zu Erfurt vgl. den Brief der Mönche vom Benediktinerstift auf dem Petersberg (MSB, 378 [29]); zu Nordhausen vgl. ETM, 219; MSB, 384–386 (35 f); zu Halle vgl. Manfred BENSING: Thomas Müntzers Aufenthalt in Nordhausen 1522: Zwischenstation oder Zeit der Entscheidung. Harz-Zeitschrift 19/20 (1967/68), 35–62, bes. 54 f.

[90] Am deutlichsten sind Spuren von Müntzers Einfluß in Halle nachweisbar (vgl. MSB, 388 f [39, Engelhard Mohr, der wohl mit dem Siegel „Hans Hujufß" siegelte, vgl. die im Druck befindliche Neubearbeitung von Müntzers Briefwechsel durch Siegfried Bräuer und Manfred Kobuch]).

[91] MSB, 381, 14–19 (31). Ob Müntzer hier tatsächlich auf den frühchristlichen Brauch, die Katechumenen beim Sakramentsempfang von den „Gläubigen" zu trennen, anspielt (so z. B. ETM, 225), ist fraglich. Er könnte auch 1. Kor. 11,28 im Blick haben.

[92] MSB, 381, 22 (31). Zur anderen zeitkritischen Verwendung von Matth. 24 in Luthers „De abroganda missae" vgl. WA 8, 415, 1–13; 418, 27–30 u. ö.

[93] MSB, 380, 6–8 (31). Zur chiliastischen Dimension der proles electa vgl. Schwarz: AaO, 35–45. Zur anthropologischen Tradition bei Platon und den Kirchenvätern vgl. Dieter FAUTH: Das Menschenbild bei Thomas Müntzer, oben Seite 39–61.

[94] MSB, 384 f (35). Der nur in Abschrift von der Hand des Famulus Ambrosius Emmen erhaltene Brief weist auch sonst singuläre Züge auf, z. B. in der Anrede („Filii virginis salutem") und im Zusatz zur Unterschrift.

[95] MSB, 385, 21 (35): „filius excussionis coram impiis".

[96] MSB, 387 f; bes. 387, 22 f; 388, 4–6 (38, 19. März 1523).

[97] MSB, 388, 15 (38); 392, 8 (40, an Luther, 9. Juli 1523); 393, 16 (43, an Karlstadt, 29. Juli 1523). Die Verletzung des kurfürstlichen Patronatsrechts bei der Anstellung Müntzers nahmen weder Müntzer noch der Allstedter Rat sehr ernst. Auch dem Kurfürsten diente sie mehr als taktisches Argument; vgl. NEUES URKUNDENBUCH ZUR GESCHICHTE DER EVANGELISCHEN KIRCHEN-REFORMATION/ hrsg. von Carl Eduard Förstemann. Bd. 1. Nachdruck der Ausgabe Hamburg 1842. Hildesheim 1976, 231 f (6 f). Zum Begriff „seelwarter" vgl. MSB, 207; 217; 225.

[98] MSB, 394, 36 (44, 22. September 1523); 397, 19 (45, 4. Oktober 1523).

[99] MSB, 368, 2 f (20): „. . . ich spuer, daß dein geist ein vorachter ist der kunst und aller schrift."

[100] Dresden, Landesbibliothek: Mscr. Dresd. App. 747. Zur Beschreibung des Bandes und zur Datierung vgl. Wolfgang ULLMANN: Ordo rerum: Müntzers Randbemerkungen zu Tertullian als Quelle für das Verständnis seiner Theologie. Theol. Versuche 7 (1976), 125–140, bes. 127 f. Für die Datierung wurde bisher eine Randbemerkung Müntzers zur „Admonitio lectorem quibusdam Tertulliani dogmata" von Beatus Rhenanus nicht berücksichtigt, die eindeutig nach Ostern 1523 entstanden ist: „habui coniugem sacerdos" (TOp.M, b 8^r).

[101] COp, Vorrede, Löwen, 31. Juli 1519, Z 4^v, zur Indexangabe: „Cyprianus nihil sine compresbyterorum plebis consilio genere uoluit."

[102] TOp.M, Titelbl.: „Tertulianus vixit, quando ahuc eligebantur sacerdotes contra periculum Antichristi, ne homines damnati dominarentur super christianos."

[103] TOp.M, a 3^v: „Auctoritas synodorum prorsus nulla". Zu einer Äußerung des Beatus Rhenanus über die vier apostolischen Synoden notiert Müntzer am Rande (TOp.M, a 4^v): „Quatuor fuerunt concilia sana apostolorum." Vgl. auch TOp.M, a 3^r: „Concilia Sathanica fere omnia." Müntzer unterscheidet für die frühe Zeit nicht immer klar die Synoden von den Konzilien.

[104] Beatus Rhenanus weist auf die zeitliche Nähe Tertullians zu den Aposteln hin und leitet davon ab (TOp.R, Titelbl.): „Quare boni consulenda sunt, huius scripta, si alicubi uarient a receptis horum temporum dogmatis." Zum wachsenden Interesse für Tertullian im 15. Jahrhundert vgl. Paul LEHMANN: Tertullian im Mittelalter. In: ders.: Erforschung des Mittelalters: ausgewählte Abhandlungen und Aufsätze. Bd. 5. Stuttgart 1962, 184–199, bes. 198 f.

[105] TOp.M, a 3^v: „nullus eorum habuit reuelationes." Die an Stanislaus Thurzo gerichtete Dedikationsepistel ist enthalten in BEATUS RHENANUS: Briefwechsel des Beatus Rhenanus/ hrsg. von Adalbert Horawitz und Karl Hartfelder. Neudruck der Ausgabe Leipzig 1886. Hildesheim 1966, 282–288 (207).

[106] TOp.M, a 3^r: „Nihil potest statuere Romanus pontifex."

[107] TOp.M, a 5^v: „Romana ecclesia omnia bona scismata fecit." TOp.M, a 5^v, auf dem unteren Rand: „vides apertissime Romanum pontificem fuisse causam omnis erroris heresis superflitionis praeuersitatis invidie et paladem inseruorum."

[108] Zur Auffassung der Pariser Theologen kann Müntzer sich die Bemerkung nicht versagen (TOp.M, b

2[v]): „Theologi laruati pessimi pessimi". Am Wormser Konzil kritisiert er (TOp.M, b 3[r]): „Prohibuerunt visiones in vormatiense concilio", und verallgemeinert: „vide stultitiam conciliorum de vivo verbo nihil loquuti sunt". Die Dedikationsepistel des Beatus Rhenanus ist enthalten in Beatus Rhenanus: AaO, 289–291 (209).

[109] TOp.M, b 3[v](auf dem oberen Rand): „voluerunt charitatem esse indifferentem tam ad damnatum quam ad proximum."

[110] TOp.M, b 4[r] (auf dem unteren Rand). Vorher hatte er die Druckmarginalie „Vt satisfiat ecclesia" mit der Bemerkung bedacht: „Ecclesie phantastice debet satisfieri."

[111] TOp.M, b 4[v]: „prepositi facinorum sunt." Vgl. TOp.M, b 5[r]: „defendit pessimos sacerdotes"; ebenso die bissige Bemerkung auf dem unteren Rand TOp.M, b 4[v]: „Peccatum sacrificulorum semper fuit obnoxium laycis."

[112] TOp.M, b 8[v].

[113] Er unterstreicht, daß Gott erlittenes Unrecht rächt, und schreibt verstärkend an den Rand (TOp.M, 11): „deus est vltor." Gegen die Übersteigerung von Röm. 12,17 (CChr.Sl 1, 310, 13 f: „Absolute itaque praecipitur malum malo non rependendum") protestiert er (TOp.M, 8): „Non est verum." Vgl. TOp.M, 10 (auf dem unteren Rand zu CChr.SL 1, 310 f): „de patientia sanctorum sine predestinatione adversariorum dixit, qui deo sunt vasa ire quare etiam non hominibus: per reuelationem certificatis."

[114] TOp.M, 35: „contradictio impiorum in omnibus inuenitur."

[115] TOp.M, 37: „Nihil nisi contentiones sunt in doctoribus."

[116] TOp.M, 50 zu CChr.SL 2, 949, 51 f / CSEL 47, 56, 15 f (auf dem unteren Rand). Vgl. Mal. 3,23; 4,5; Offb. 12,6.

[117] TOp.M, 52 (zu CChr.SL 2, 953, 1 f / CSEL 47, 61, 4 f): „Apokalipsim allegat." Vgl. TOp.M, 62: „Apocalipsim crebro allegat."

[118] TOp.M, 55: „Allegoriam faciunt Heretici ex Ezechiele." Zu Beginn der Schilderung der Ezechielvision hatte Müntzer in Majuskeln „EZECHIEL" groß an den Rand geschrieben. TOp.M, 56 (zu Tertullians Anspielung auf Offb. 6,9, CChr.SL 2, 971, 13–15 / CSEL 47, 80, 28 – 81, 1): „Revelationis intentio habenda est."

[119] TOp.M, 64 (zu CChr.SL 2, 975, 19 – 976, 27 / CSEL 47, 85, 21 – 86, 3) mit roter Tinte: „Adiungit aduentum Antichristi cum die iuditii Sicut Monachus Martinus Luther." Mit schwarzer Tinte und kleiner darunter: „ego aut contrarior." Ebenfalls mit schwarzer Tinte auf dem unteren Rand, aber durch einen Strich mit dem Einspruch verbunden: „Ad longium tempus durabit iudicium Christi. Multi electi damnabunt impium virum." Vgl. dazu Wolfgang ULLMANN: Das Geschichtsverständnis Thomas Müntzers. In: TMD, 45–63, bes. 48 f. Müntzer übersetzt durchweg „impius" mit „gottlos".

[120] Tertullian zitiert Eph. 4,30 wörtlich (TOp, 67 / CChr.SL 2, 982, 36 f / CSEL 47, 92, 23 f): „Et nolite contristare Spiritum sanctum Dei." Müntzer ändert in seiner Randbemerkung in Form eines Wortspiels: „Non est constristandus [sic!] Spiritus Sanctus in electorum cordibus."

[121] TOp.M, 230 (zu CChr.SL 1, 561, 1 f) mit roter Tinte: „Omnes heretici obtentu lenitatis deceperunt ecclesiam dei."

[122] Zum Verhältnis von „bonitas" und „lex" notiert er am Rande (TOp.M, 230): „Contra Egranum". Bei der apologetischen Schrift „Adversus Hermogenem" hat es Müntzer das Dictum Tertullians über die Philosophen als Patriarchen der Häretiker, das Beatus Rhenanus in seinem Vorwort anführt, so angetan, daß er es unterstreicht und am Rande plakativ wiederholt (TOp.M, 337): „sunt patriarche hereticorum."

[123] Vgl. oben Anm. 59.

[124] AWA 2, 588, 8–10: „Nam si mihi ecclesiasticorum et dominantium in ecclesia administratio hodierna esset oratione propria, apta, commoda, plena perfectaque disserenda, hunc psalmum recitarem."

[125] Bensing / Trillitzsch: AaO, 140. Luther hatte in seinen 13 Thesen gegen Eck im Mai 1519 die Bibel und die Konzilien gegen die Behauptung der päpstlichen Dekretalien der letzten 400 Jahre, der römischen Kirche komme die Priorität zu, ins Spiel gebracht (WA 2, 161, 35–38). Nach Ecks Einwand unter Hinweis auf Bernhard von Clairvaux differenzierte Luther in seinen Erläuterungen zur 13. These (WA 2, 185, 2 – 186, 3) und in seinen Erläuterungen zu allen in Leipzig disputierten Thesen (WA 2, 433, 3 – 435, 9). In den „Operationes in psalmos" verzichtete er auf eine Zeitangabe: „Christi euangelio subter scamnum (ut vocant) posito" (AWA 2, 588, 7f). Vgl. John M. HEADLY: Luther's view of church history. New Haven / London 1963, 189–192.

[126] MSB, 510, 1–4; 494, 6–8; 504, 4–12: Weil das Volk die Priesterwahl vernachlässigte, konnte kein

nachapostolisches Konzil eine wahre Rechenschaft des Glaubens geben und ließ Gott zu, daß man sich mit kindlichem Possenspiel, d. h. phantastischen Zeremonien, beschäftigte. Luther erkannte in den „Operationes in psalmos" nur die Konzilien der Märtyrerzeit an, weil diese auf eine Reformation der Kirche aus waren; die sogenannten Reformkonzilien hätten das versäumt oder gar – so das Laterankonzil von 1512 – nur Spielerei mit den Zeremonien zustande gebracht (AWA 2, 605, 15–19; vgl. WA 6, 258, 14–24 / StA 2, 70, 30 – 71, 12).

[127] AWA 2, 605, 14: „Proinde ego velut certus desperavi reformationem generalem ecclesiae."

[128] Walter Elliger (ETM, 103) folgt mit seiner Behauptung, Müntzer sei mit seinem Wechsel an die Katharinenkirche in eine andere soziale Umgebung gekommen und „auf eine andere religiöse Mentalität ... in privaten Zirkeln" gestoßen, der legendären lokalen Überlieferung, ohne einen Quellennachweis beizubringen. Selbst in der vorsichtiger argumentierenden Arbeit von Siegfried Hoyer ist zustimmend von „einer gesicherten Quellenüberlieferung" ohne Nachweis für die Zeit von Müntzers Aufenthalt die Rede (Hoyer: Die Zwickauer Storchianer, 65). Dagegen hat Helmut Bräuer in seinem Vortrag „Sozialstrukturelle Probleme der Zwickauer Kirchspiele / 1. Hälfte 16. Jh." am 14. Oktober 1987 auf der wissenschaftlichen Konferenz „Aus der Werkstatt einer Müntzerbiografie" in Leipzig aus Zwickauer Akten nachgewiesen, daß es kein soziales Gefälle von der Gemeinde der Marienkirche zu der der Katharinenkirche gab.

[129] Die „Historien von Thomas Müntzer" gibt an, Müntzer habe die Knappschaft „im [sc. sich] anhengig gemacht" (MBF, Tafel 73, 6^v). Der Altbürgermeister Erasmus Stella hat bis zu seinem Tod, 14 Tage vor der Entlassung Müntzers, genauso zur Gruppe um Müntzer gehört wie Hans Sommerschuh d. J., ebenfalls ein Vertreter der Oberschicht (vgl. MSB, 375 f [27]).

[130] WA 2, 189, 27 f: „(est etiam in laicis spiritus Christi)".

[131] MBF, Tafel 73, 7^r.

[132] AWA 2, 588, 19 f: „Ita fit, ut ego quidem Antichristum venisse non ausim dicere, negare tamen non possim ea, quae geruntur, omnia referre plenissime Antichristum; ..." Zu Luthers Apokalyptik in dieser Zeit vgl. Heiko A. Oberman: Martin Luther: Vorläufer der Reformation. In: Verifikationen = Festschrift für Gerhard Ebeling zum 70. Geburtstag/ hrsg. von Eberhard Jüngel, Johannes Wallmann und Wilfried Werbeck. Tübingen 1982, 98–102 / ders.: Die Reformation: von Wittenberg nach Genf. Göttingen 1986, 167–171.

[133] Oberman: AaO, 102 / 170.

[134] Heinrich Boehmer: Gesammelte Aufsätze/ mit einem Geleitwort von Rudolf Boehmer. Gotha 1927, 203.

[135] MSB, 391, 21 f (40). Vgl. dazu Hoyer: Die Zwickauer Storchianer, 74.

[136] So Hans-Jürgen Goertz, der der Mystik für Müntzers Theologie jedoch weitergehend eine begründende Funktion zuweisen möchte. Vgl. Hans-Jürgen Goertz: „Lebendiges Wort" und „totes Ding": zum Schriftverständnis Thomas Müntzers im Prager Manifest. ARG 67 (1976), 153–178, bes. 161; vgl. auch 176 f.

[137] Hans-Jürgen Goertz: Aufstand gegen die Priester: Antiklerikalismus und reformatorische Bestrebungen. In: Bauer, Reich und Reformation = Festschrift für Günther Franz zum 80. Geburtstag am 23. Mai 1982/ hrsg. von Peter Blickle. Stuttgart 1982, 182–209, bes. 191. Goertz bezieht sich auf das „Prager Manifest" und die Quellen der folgenden Zeit.

[138] Wann Müntzer Origenes, den er 1523 zitiert (MSB, 392, 4 f [40]), kennengelernt hat, ist unbekannt. Origenes sah in der Gemeinschaft der Pneumatiker allein die wahre, d. h. apostolische Kirche. Vgl. Karl Suso Frank: Vita apostolica: Aufsätze zur apostolischen Lebensform in der alten Kirche. ZKG 82 (1971), 145–166, bes. 159–164.

[139] Karl Schottenloher: Erfurter und Wittenberger Beichte aus den Frühjahren der Reformation nach Tegernseer Überlieferungen. In: Festschrift für Hans von Schubert zum 70. Geburtstag. Leipzig 1929, 71–91, bes. 81.

[140] Goertz hat schon früh darauf hingewiesen, daß Müntzer wohl „im Streit gegen den Erasmianer allmählich zu einer eigenen antierasmianischen wie antilutherischen Position hindurchgefunden hat" (H[ans]-J[ürgen] Goertz: Innere und äußere Ordnung in der Theologie Thomas Müntzers. Leiden 1967, 28, Anm. 1).

[141] MSB, 389, 19 – 390, 2 (40).

[142] Erich Seeberg: Gottfried Arnold, die Wissenschaft und die Mystik seiner Zeit. Studien zur Historiographie und Mystik. Meerane 1923, 285.

[143] AWA 2, 605, 8 f.

[144] Heinz Zahrnt: Luther deutet Geschichte: Erfolg und Mißerfolg im Licht des Evangeliums. München

1952, 51–58; Wolfgang Höhne: Luthers Anschauungen über die Kontinuität der Kirche. Hamburg 1963, 75–80. Zur Verfalls- bzw. Traditionsidee vgl. Walter Nigg: Die Kirchengeschichtsschreibung: Grundzüge ihrer historischen Entwicklung. München 1934, 12. 89 f; Seeberg: AaO, 259–262.

[145] Die Fragmente des Hegesippos siehe Eusebius: Kirchengeschichte 4, 22, 4 f; 3, 32, 1 f (hrsg. von Eduard Schwarz. 5. Aufl. Berlin / Leipzig 1952, 156, 9 – 157, 17; 111, 21–25). Zu Hegesippos vgl. Thomas Halton: Hegesipp. TRE 14 (1985), 560–562. Müntzer gibt nur die Stelle 4, 22 an, kennt aber beide Stellen, vgl. MSB, 161, 21–26 (Vorrede zum „Deutschen Kirchenampt") und 243, 22 – 244, 3 („Fürstenpredigt").

[146] PL 23, 53 (Vorrede zur „Vita Malchi"); vgl. Seeberg: AaO, 275 f.

[147] Eigenhändige Notiz mit dem Zusatz „distat duo semimiliaria a Praga" unter Müntzers Abschrift von Melanchthons Bakkalaureus-Thesen vom 9. September 1519, vgl. MBW, 139 (Anhang 5); Philipp Melanchthon: Melanchthons Werke in Auswahl/ hrsg. von Robert Stupperich, Bd. 1: Reformatorische Schriften. Gütersloh 1951, (23) 24 f (3).

[148] MSB, 493, 31.

[149] MSB, 504, 29 („Prager Manifest", längere deutsche Fassung); 510, 15 f. Zur „Reinigung der Christenheit" bei Müntzer, vor allem aufgrund der Quellen ab 1523, vgl. Schwarz: AaO, 62–86.

[150] MSB, 509, 27–29. Diesen „impiis impostoribus" wird das menschliche und göttliche Gericht („mittendurchsägen") angekündigt. Vgl. auch 372, 4–10 (25).

[151] MSB, 510, 9–15: Matth. 20,2 kombiniert mit 13,20. Vgl. 504, 21 f: „meine lippen, haut, händt, haer, seele, leip, leben vormalediegen dye ungleuben".

[152] Schwarz: AaO, 70–72.

[153] MSB, 510, 23 f; 494, 21–23; 504, 34 – 505, 1. Es ist fraglich, ob Müntzer die Türken hier „als Vollstrecker eines apokalyptischen Urteils" versteht, wie Irmscher meint; vgl. Johannes Irmscher: Das Türkenbild Thomas Müntzers. In: Der deutsche Bauernkrieg und Thomas Müntzer/ hrsg. von Max Steinmetz. Leipzig 1975, 137–142, bes. 140. Luther brachte damals die Türken noch mit dem Antichrist in Verbindung (AWA 2, 593, 9 f; 602, 12).

[154] MSB, 501, 16–18. Zur unmittelbaren Geistbelehrung bei Müntzer vgl. Schwarz: AaO, 10–34.

[155] MSB, 507, 21 f: „(quod a nulla potest audiri creatura nisi passibili)"; vgl. 508, 24: Notwendigkeit „leer" zu werden.

[156] MSB, 380, 18 f (31): „Sumus pleni desideriis." Zum Folgenden vgl. Schwarz: AaO, 35–45.

[157] MSB, 505, 1–4: Die liturgische Schlußformel ist nur als Vorbehalt gegen eine geschichtliche Chronologie zu verstehen, nicht als Hinweis auf den „Anbruch der absoluten, himmlischen Ewigkeit" (Schwarz: AaO, 89). „yhm kortzen" ist ebenfalls als apokalyptischer Terminus zu deuten (vgl. Offb. 1,1 u. ö.: „cito").

[158] MSB, 396, 27 – 397, 2 (45, 4. Oktober 1523); zum Problemkreis insgesamt vgl. Schwarz: AaO, 87–108.

[159] Schwarz: AaO, 89 f.

[160] Eric W. Gritsch: Reformer without a church: the life and thought of Thomas Muentzer 1488(?)–1525. Philadelphia 1967, VIII (Preface).

[161] MSB, 496, 11. Vgl. Schwarz: AaO, 109–126. Bubenheimers wichtiger Hinweis auf die hermeneutische Bedeutung des ordo-Verständnisses bei Müntzer wird dem inhaltlichen Gewicht dieses Begriffs zuwenig gerecht (Bubenheimer: Luther – Karlstadt – Müntzer, 67).

[162] Wenn Müntzer den Brief an den Werrahaufen vom 7. Mai 1525 mit dem Zusatz „mit der ganzen gemeine Gottes zu Mulhausen und von vielen orthern" unterschreibt, dann greift eine kongregationalistische Interpretation der Formel zu kurz; vgl. MSB, 461, 25 f (81).

[163] Zum Allstedter Bund vgl. Siegfried Bräuer: Thomas Müntzer und der Allstedter Bund. In: Täufertum und radikale Reformation im 16. Jahrhundert = Akten des internationalen Kolloquiums für Täufergeschichte des 16. Jahrhunderts, gehalten in Verbindung mit dem XI. Mennonitischen Weltkongreß in Straßburg, Juli 1984/ hrsg. von Jean-Georges Rott und Simon L. Verheus. Baden-Baden / Bouxwiller 1987, 85–101.

[164] Vgl. ebd, 93.

[165] Der von Bensing behauptete Verzicht auf jegliche Institution bei Müntzer im Gefolge des Geistglaubens ist weder für die Allstedter Zeit noch für das Wirken in Mühlhausen belegbar; vgl. Manfred Bensing: Thomas Müntzer und die Reformationsbewegung in Nordhausen 1522 bis 1525. Beiträge zur Heimatkunde aus Stadt und Kreis Nordhausen. Meyenburg-Museum Nordhausen 8 (1983), 4–18, bes. 10.

Das Sakramentsverständnis Thomas Müntzers

Von Ernst Koch

I Zum Stand der Forschung

Müntzers Sakramentstheologie ist ein wichtiger Bestandteil des Bildes von seinem Leben und Wirken, das die Epoche unmittelbar nach seinem Tode entworfen hat. Bereits der ihm unterstellte „Widerruf" vom 17. Mai 1525 vermittelt den Eindruck, Müntzer sei ein Ketzer gewesen, dem Verfehlungen gegen die überkommene Eucharistietheologie nachgewiesen worden seien.[1] Was die Tauftheologie betrifft, stellte Heinrich Bullingers Verknüpfung des Ursprungs des Täufertums mit Müntzers Biographie einen geschickten Versuch dar, von sich selber die Verdächtigung durch die Jenenser Theologen abzulenken, er gehöre auf die Seite der Täufer.[2] Damit war bereits zu sehr früher Zeit der Grund für die Anschauung gelegt, Müntzer gehöre sowohl aufgrund seiner Abendmahlstheologie als auch aufgrund seiner Tauftheologie auf die Seite der „Schwärmer".

Karl Holl nahm in seinem Neuansatz der Sichtung des später so genannten „linken Flügels der Reformation" diese Anschauung wieder auf[3] und bestimmte geraume Zeit hindurch die Diskussion über den eigentlichen Ursprung des Täufertums bei Müntzer.[4] Erst Annemarie Lohmann versuchte, Müntzers Sakramentstheologie im Gesamtrahmen seines theologischen Denkens zu verstehen, und behauptete, Müntzer habe „allmählich das Sakrament seines sakralen Charakters entleert und es zum bloßen Symbol des Geistempfangs" erhoben.[5] Ähnlich deutete Lohmann Müntzers liturgische Reformen.[6] Damit aber gehörte Müntzer für Lohmann nicht auf die Seite des Täufertums.[7]

Die einzige bisher vorliegende thematische Untersuchung des Sakramentsverständnisses Müntzers stammt von Erwin Iserloh.[8] Iserloh fragt, ob man Müntzer den Realisten Luther dem Nominalisten gegenüberstellen könne,[9] und sieht den Kern von Müntzers Sakramentsanschauung darin, daß für ihn das Sakrament öffentliche Bekundung des Geistempfangs sei.[10] Die Taufe habe im Heilsprozeß, wie Müntzer ihn verstehe, „keinen näher zu bestimmenden Platz".[11]

In deutlicher Spannung zu Iserloh formuliert Max Steinmetz 1975: „Müntzers Sakramentslehre ist weithin lutherisch ... – aber alle Sakramente werden zurückgedrängt, in ihrer Bedeutung abgeschwächt."[12]

Bereits 1967 war von Hans-Jürgen Goertz Müntzers Tauflehre in Zusammenhang mit seiner Lehre vom Seelengrund gebracht worden.[13] Goertz spricht von einer „Verschränkung von Geist- und Tauflehre" bei Müntzer,[14] weist aber auch auf die Inkonsequenz im Verhältnis von Theologie und Praxis bei Müntzer hin.[15] Darüber hinaus bemühte er sich um eine differenzierte Interpretation des Briefes des Zürcher Täuferkreises an Müntzer.[16] Indem Goertz jedoch seine Untersuchung im Rahmen einer Arbeit über das Problem von innerer und äußerer Ordnung bei Müntzer vornimmt, ist seine Fragestellung hinsichtlich der Sakramentstheologie Müntzers auch durch diese Vorgabe begrenzt.

Gottfried Seebaß brachte im Rahmen einer Untersuchung des Taufverständnisses von Hans Hut[17] wichtige Einzelaspekte von Müntzers Tauftheologie zur Sprache: die Verwendung einzelner Symbole der Taufliturgie für die Beschreibung des Beginns des Heilsprozesses[18] – ein erster Hinweis darauf bereits 1967 bei Goertz[19] – und die Entschlüsselung der von Müntzer herangezogenen Bibelstellen zur Wassersymbolik.[20] Die Hinweise von Seebaß ermöglichen eine differenziertere Durchdringung von Müntzers Tauftheologie.

Allein schon diese unterschiedlichen Positionen der Forschung fordern zu einer neuen Untersuchung von Müntzers Sakramentstheologie heraus.

II Das Abendmahl

1 Voraussetzungen und Kontext von Müntzers Sakramentstheologie

Zu den biographischen Voraussetzungen für die Sakramentstheologie Müntzers gehört die Tatsache, daß er Priester gewesen ist.[21] Vorbedingung für die Priesterweihe war u. a. ein Examen, das am Bischofssitz abzulegen war und in der Regel von einem Beauftragten des Bischofs abgenommen wurde, der zum Domkapitel gehörte.[22] Obwohl für Halberstadt, wo Müntzer zum Priester geweiht wurde, die entsprechenden Unterlagen fehlen, lassen sich doch inhaltliche Schwerpunkte des Priesterweiheexamens durch einen Vergleich mit zeitgenössischem Material erschließen; denn es besteht auch bei Berücksichtigung möglicher Unsicherheiten wegen des Wechsels im Halberstädter Bischofsamt gerade in der für Müntzers Priesterweihe am ehesten in Frage kommenden Zeit (31. 3. 1513: Wahl Albrechts von Brandenburg als Nachfolger Ernsts von Sachsen) vorerst kein Grund, mit tiefgreifenden Unregelmäßigkeiten beim Vollzug von Priesterweihen für das Bistum Halberstadt zu rechnen.[23] Zum Examen in Vorbereitung der Priesterweihe gehörten in der Regel vier Komplexe: die Überprüfung technischer Fähigkeiten (Singen, Lesen), die Prüfung grammatischer Fertigkeiten in der lateinischen Sprache, die Prüfung theologischen Grundwissens und die Prüfung seelsorgerlicher Kenntnisse.[24] Bei der Nachfrage nach dem theologischen Grundwissen war die Theologie der Sakramente, und hierbei wiederum die Eucharistietheologie[25], Ausgangspunkt und Schwerpunkt – angesichts des theologischen Verständnisses des Priesters zu Beginn des 16. Jahrhunderts nicht verwunderlich.[26] Als Kern der Eucharistietheologie angesichts des Priesterberufs erscheint das Problem der Verwandlung von Brot und Wein in Leib und Blut Christi gemäß der hoch- und spätmittelalterlichen Meßopfertheologie.[27] Müntzer hatte sich also in Vorbereitung auf seine Priesterweihe mit der Theologie der Sakramente gründlich zu befassen. Im übrigen lernte ein Priester die Handgriffe und Bewegungen, die zur Feier der Messe gehörten, wohl erst allmählich durch den immer wiederholten Vollzug des Ritus so, daß er sie sicher beherrschte. Das Missale schrieb sie ihm in den Rubriken vor.

Über Müntzers Tätigkeit als Priester in Braunschweig fehlen sichere Nachrichten.[28] Er wird jedenfalls mit der Feier der Messe in den Zeiten zu tun gehabt haben, in denen er als Seelsorger beschäftigt war, also 1515/16 in Frose, 1519/20 in Beuditz und mit Sicherheit 1522/23 in Glaucha bei Halle. Feierte er die Messe nach dem Halberstädter Ritus, so begegneten ihm am Anfang des Missale genaue Vorschriften über die innere und äußere Haltung, die der Priester bei der Feier der Messe einzunehmen und auf welche Weise er die Elemente Brot und Wein sowie den Kelch auf ihre Brauchbarkeit hin zu überprüfen habe. Oberster Grundsatz war: „. . . in h(oc) sacrame(n)to nihil sub dubio est agendu(m), vbi certissime e(st) dicendu(m). Hoc est e(ni)m corp(us) meu(m). Et hic est eni(m) calix sagu(in)is (!) mei."[29] Der Kanon war langsamer zu lesen als die übrigen Stücke, die Worte Christi über Brot und Wein besonders konzentriert und aufmerksam. Es erschien ratsam, den Kanon auswendig zu beherrschen. Jede Messe sei so zu feiern, als sei sie die erste und letzte, die der Priester feiere. „. . . ta(m) magnu(m) eni(m) donu(m) semp(er) debet esse nouu(m)."[30] Genaue Anweisungen regelten, was zu geschehen habe, wenn der Priester vor Beginn des Kanons, während des Kanons oder mitten im Vollzug der Transsubstantiation stürbe oder wenn die Wandlung von Brot und Wein aus anderen Gründen unterbrochen werden müßte (z. B. wenn der Priester in Zweifel geriete, ob er etwas für das Zustandekommen der Transsubstantiation Unentbehrliches weggelassen habe, oder wenn er mit gewandelten Elementen nicht sorgsam umgegangen sei).[31] Der Umgang mit den Abendmahlselementen war durch einen stark sensualistischen Zug gekennzeichnet.[32]

Neben einer Abendmahlstheologie, die in ihrem Kern Konsekrationstheologie war, hatte sich schon seit Jahrhunderten eine Abendmahlsfrömmigkeit entwickelt, die die Eucharistie als Gegenstand der Andacht, nicht als Mahl verstand.[33] Das bedeutete, daß die jährlich ein- bis dreimalige Kommunion längst zur Selbstverständlichkeit geworden war.[34] Die Frömmigkeit, die die Eucharistie zum Andachtsmittel machte, entwickelte mehr und mehr Formen und Inhalte, die stark spiritualistisch geprägt waren. Sie wirkten in der Frühzeit der Reformation stark nach.[35]

Offenbar haben die als häretisch verfolgten Abweichungen von der spätmittelalterlichen Eucharistietheologie auch auf dem Boden dieser spiritualistischen Frömmigkeit Nahrung gefunden. Es fällt auf, daß sich z. B. in den Niederlanden zwischen 1517 und 1519 die Inquisitionsprozesse wegen Sakramentslästerung häuften.[36]

Müntzer hat sich zu einem Zeitpunkt, den wir bisher nicht kennen, sowohl von der überlieferten Systematik der Lehre von den sieben Sakramenten wie auch von der speziellen, mit der Meßopferlehre verzahnten Eucharistietheologie gelöst, über die er als Priesterweiheanwärter Rechenschaft abzulegen hatte. Freilich wissen wir nicht, wie weit er sie persönlich vertreten konnte und vertreten hat. Zu dem Zeitpunkt, von dem an eigene Äußerungen Müntzers zur Sakramentsthematik greifbar werden, finden sich keine Spuren einer solchen Sakramentstheologie mehr, zumal nun auch sein eigenes Verständnis des Priesteramts andere Inhalte aufweist.[37] Es ist sicherlich kein Zufall, daß kurze Zeit nach dem ersten greifbaren Zeugnis für eine inhaltlich andere Orientierung des Selbstverständnisses Müntzers als Priester seine Bemühungen beginnen, auf seine Pfründe an St. Michael in Braunschweig zu verzichten. Das ist aus dem Brief von Hans Pelt an Müntzer vom 25. Juni 1521 zu erfahren.[38] Das „Prager Manifest" aus dem Spätherbst 1521 enthält dann auch Müntzers spottenden Zorn über die Priester, da sie trotz ihrer Weihe bei ihrer eigentlichen Aufgabe gänzlich versagt hätten.[39]

Zeugnisse über Müntzers Auseinandersetzung mit der überkommenen Bußtheologie und Beichtpraxis enthalten die Tertullianmarginalien. Der von Beatus Rhenanus referierte Bericht über einen symbolischen Ritus, bei dem jährlich zu Beginn der Fastenzeit in Halberstadt ein Bewohner der Stadt stellvertretend für die Sünder aus der Kirche vertrieben wird und bis zu seiner Wiederaufnahme in die kirchliche Gemeinschaft am Gründonnerstag barfuß durch die Stadt laufen muß,[40] ruft Müntzers Verwunderung angesichts so kindischer Einrichtungen hervor.[41] Zu der Aussage, das Absolutionswort des Priesters komme aus dem Munde Gottes selbst, schreibt Müntzer spottend an den Rand: „O ho ho".[42] Denn der Satz, daß es außerhalb der Kirche keine Vergebung der Sünden geben solle, lautet für Müntzers Verständnis sachgemäß: Extra vera(m) electoru(m) ecclesiam nullu(m) dimittitur peccatum.[43] Im übrigen beweise auch die Geschichte der Bußdisziplin: secreta co(n)fessio non durauit ad multa (?) tempora.[44] Und so wird von Müntzer spätestens in der Allstedter Zeit „die beptische heuchlische beicht" abgelehnt.[45] An ihre Stelle tritt die ständige Buße der unverfälscht Glaubenden.[46]

2 Müntzers Abendmahlsverständnis von 1520 bis 1522

Die erste greifbare Äußerung Müntzers zur Abendmahlstheologie findet sich in dem Brief, den er auf Anraten des Rates der Stadt Zwickau am 13. Juli 1520 an Luther schrieb, nachdem er bald nach Beginn seiner Zwickauer Tätigkeit mit den dortigen Franziskanern in Streit geraten war.[47] Müntzer zitiert in diesem Brief Äußerungen, die der Franziskaner Tiburtius in Predigten getan hatte. Aus diesen Zitaten läßt sich indirekt entnehmen, woran Müntzer Anstoß nahm: an der Trennung zwischen Christi einmaligem Tod und seinem Sterben in uns, an der Bestreitung des Trostcharakters „seines Sakraments" (d. h. des Herrenmahls), an der Ablehnung des Vorbildcharakters des Sterbens Christi, das nach Müntzer den Kommunikanten zur Nachahmung reizen soll, und an der Beschreibung der Frucht der Meßfeier als Bewahrung vor Leiden in dieser Welt.[48] Müntzers Anstöße haben einen gemeinsamen Nenner, aus dem sich erschließen läßt, woran ihm für seine eigene Abendmahlstheologie lag, in der er sich offenbar mit Luther einig fühlte: Der Sinn des Sakraments ist nicht, daß es den Feiernden bzw. den Empfänger aus Schwierigkeiten und Leid herausnimmt. Vielmehr sind Teilnahme am Abendmahl und Leiden im Nachvollzug des Leidens und des Todes Christi offenbar untrennbar miteinander verbunden bzw. aufeinander hin angelegt. Offen bleibt dabei, was es mit dem von Müntzer bei Tiburtius vermißten und von ihm eingeklagten Trostcharakter des Sakraments auf sich hat.

Möglicherweise läßt sich diese Lücke schließen. Wenn es zutrifft, daß Müntzer sich in seinem Anstoß an den Äußerungen des Zwickauer Franziskanerpredigers mit dem Briefempfänger Luther einig weiß, entsteht die Schwierigkeit, daß sich eine solche Übereinstimmung mit der gleichzeitigen Abendmahlstheologie Luthers nicht nachweisen läßt. Für einen solchen Nachweis muß man einige Jahre zurückgreifen. Anfang 1518 erschien die Vaterunserauslegung Luthers vom Frühjahr 1517 in der Bearbeitung durch Johann Agricola. Obwohl sie später (1519) Luthers Unzufriedenheit auslöste, die ihn bewog, eine eigene Bearbeitung zu veröffentlichen,[49] dürfte sie Luthers Position von 1517 zumindest in wichtigen Teilen adäquat wiedergeben.[50] Für unseren Zusammenhang wichtig ist, daß Müntzers Position mit der in Agricolas Bearbeitung enthaltenen Abendmahlstheologie übereinzustimmen scheint. Die Auslegung der 4. Vaterunserbitte enthält einen Abschnitt über „Form und weyse, wye dye speysung und settigung der sele gescheen magk", in dem Agricola ausführt, daß das Anhören des Wortes Gottes die Seele dazu anreize, Christus durch Buße gleichförmig zu werden. „Darumb sehe wir, das lieb, gerechtikeit, buessz und ander tugent fliessen aus den wunden Christi, ... Also mussze wir aus den wunden Christi das unser saugen, dye bussz sunderlich: ‚Ey hat mich got also geliebet, und ich hab also sein vorgessen und wydder yn gesundiget. Ach warumb hab ichs gethan?' dan so mus das bluth Christi in dir wircken und dich erwermen, so wirstu kommen tzu rechter rew des hertzen, wan du dye speyse hast. Das hertz tzufleust als baldt und sagt ‚Ey ich dregksagk, was habe ich gethan?' und hebt an sich zu hassen und got tzu lieben."[51] Dieser Bußübung dient auch das Gedächtnis Christi im Abendmahl.[52] Sie führt dann aber auch zum Trost, der darin besteht, daß Christus, der Arzt, sich unser annimmt und uns vor Verzweiflung bewahrt.[53]

Die von Müntzer gemeinte Übereinstimmung mit dem Luther von 1518 vorausgesetzt, heißt das, daß der Trost des Sakraments darin besteht, daß der am Sakrament Teilnehmende gewiß sein kann, daß Christi Reichtum die Armut des Menschen überbietet. Darüber hinaus läßt die Parallelität zu Luthers Gedanken vermuten, daß Müntzer sich 1520 wohl auf die Gestalt von Luthers Abendmahlslehre berief, die er von 1518 her kannte. Auch für Luther war 1517/18 die persönliche Beziehung zu Christus im Abendmahl eine Beziehung, die sich in der Anteilhabe an seinem Leiden vollzog.[54]

Es sollte lange Zeit vergehen, bis Müntzer sich wieder zu einer Frage der Eucharistietheologie und -gestaltung äußerte. Anlaß bot ihm ein Schreiben an Melanchthon vom 27. März 1522, in dem er diesem seine Besorgnis über die Art und Weise der Begründung der Priesterehe durch die Wittenberger, speziell durch Luther in den Invokavitpredigten, mitteilte.[55] Müntzers Besorgnis erstreckte sich auch auf die Folgerungen, die man in Wittenberg aus den gottesdienstlichen Veränderungen der zurückliegenden Monate zog. Er billigte völlig die Abschaffung der „papistischen Opferfeier", hatte aber auch von Auseinandersetzungen zwischen den Wittenbergern erfahren. Immerhin hatten seiner Meinung nach die, durch die die Abschaffung der päpstlichen Messe durchgesetzt worden war, ex spiritu sancto gehandelt.[56] Aber ein wichtiger Teil des „apostolischen Ritus" war unterblieben: das Glaubensverhör der Kommunikanten vor der Kommunion.[57] Müntzer wollte diese Prüfung so angelegt wissen, daß durch sie geklärt und öffentlich bekanntgegeben werden könne, wer zu seinem „wahren Eigentümer" gekommen sei[58] und Einsicht nicht in die toten Verheißungen aus Büchern, sondern in die lebendigen Verheißungen bekommen habe; erst dann sei solchen Leuten die Kommunion (unter beiderlei Gestalt) zu reichen.[59] Dieser Passus spiegelt Müntzers selbstverständliche Zustimmung zur Einführung des Laienkelchs in Wittenberg wider – in seiner Zwickauer Zeit war daran noch nicht zu denken gewesen, sollte doch in Zwickau diese durchgreifende und signifikante Änderung im Gottesdienst erst 1524 erfolgen.[60] Müntzers knappe Andeutungen im Brief an Melanchthon zeigen aber auch, daß er die Frage nach dem Abendmahl und seiner Gestaltung bereits in ein umfassendes Konzept geistlicher Erneuerung eingeordnet hatte, das auf die Verwandlung des Glaubenden von innen her und auf die Gestaltung einer Kirche aus war, in der die Sakramente ebensowenig wie das Bibelwort überflüssig, dafür aber Mittel zur innerlich-geistlichen Umwandlung werden sollten. Daß Luther in Wittenberg ein Jahr später daranging, den Zugang zum Abendmahl neu zu ordnen und ihn von einer Befragung der Kommunikanten abhängig zu machen,[61] zeigt, daß auch ihm das Problem bewußt war, er aber offenbar noch Zeit zu seiner Inangriffnahme brauchte.

Es verdient erwähnt zu werden, daß sich bei Müntzer 1522 keinerlei Anzeichen eines Dissens zu den Wittenbergern in den Fragen der Gegenwart Christi in den Abendmahlselementen feststellen lassen und daß die im Brief an Melanchthon vorgetragene Kritik auch Andreas Bodenstein aus Karlstadt zu treffen imstande war. Spannungen zwischen Karlstadt und Müntzer waren ohnehin bald zu bemerken.[62]

In eine schwierigere Lage brachte Müntzer ein Aufenthalt in Glaucha bei Halle, wo er für einige Monate im Winter 1522/23 im Zisterzienserinnenkloster Marienkammer einen geistlichen Dienst versah.[63] Daß er zu diesem Zeitpunkt seiner theologisch-geistlichen Entwicklung überhaupt noch ein solches Amt übernahm, ist wohl am ehesten aus der finanziellen Notlage zu erklären, in die er dadurch geraten war, daß sich andere Pläne für die Übernahme eines besoldeten kirchlichen Dienstes, der ihm eher entsprochen hätte, zerschlagen hatten;[64] und auch in Glaucha war seine finanzielle Lage schwierig genug, zumal er noch einen Famulus bei sich hatte.[65] Im Grunde genommen ließ sein Amtsethos einen Dienst als bezahlter Priester einer von ihm längst zutiefst abgelehnten Kirche zu dieser Zeit nicht mehr zu.[66] Wie er diesen Konflikt bezüglich der Meßfeier bei den Zisterzienserinnen gelöst hat, davon läßt ein Bericht Luthers von 1533 etwas erahnen: Luther berichtet als Beleg dafür, daß der Zelebration von Stillmessen nicht zu trauen sei, daß auch Müntzer erzählt hätte, er habe während seiner Dienstzeit im Glauchaer Kloster oft „die wort der wandlung aussen gelassen und eitel brod und wein behalten", weil er „offt unwillig gewest" sei.[67] Auch wenn dieser Bericht nicht in allen Einzelheiten glaubwürdig ist,[68] läßt er doch den Konflikt erkennen, in den Müntzer zwangsläufig geraten mußte.[69]

Unbekannt ist, ob in die Zeit seines Dienstes bei den Zisterzienserinnen auch ein Kommunionstermin für die Nonnen gefallen ist.[70] In diesem Falle hätte sich ein zweites Konfliktfeld für Müntzer ergeben, nämlich die Frage einer Austeilung des Sakraments unter beiderlei Gestalt oder – wie von der römischen Kirche gerade in den Jahren nach 1520 erneut nachdrücklich gefordert – unter einerlei Gestalt. Es ist mehr als fraglich, ob Müntzer in einem solchen Konflikt hätte nachgeben können. Dagegen spricht die Überlieferung, daß Felicitas von Selmenitz, die zum Zisterzienserinnenkloster Glaucha in enger Beziehung stand, zusammen mit ihrem Sohn in der Weihnachtsnacht 1522 erstmalig das Abendmahl unter beiderlei Gestalt heimlich von Müntzer empfing.[71] Vergegenwärtigt man sich daneben seine Rolle als Priester der Zisterzienserinnen, so läßt sich erahnen, in welche Spannungen er im Winter 1522/23 geraten sein muß.[72] Zu den Klosterinsassen gehörten im übrigen auch zwei Schwestern des aus Müntzers Freundeskreis bekannten Goldschmieds Hans Hujuff.[73]

Oder lassen sich die über Müntzers Glauchaer Zeit spärlich überlieferten Einzelnachrichten noch anders deuten? Stand Müntzers Tätigkeit bei den Zisterzienserinnen möglicherweise unter der Hoffnung und Erwartung, in Glaucha erstmals verwirklichen zu können, was bisher anderswo nicht gelungen war: der Aufbau einer Kirche von Glaubenden, die ihren „wahren Besitzer" kennen? Felicitas von Selmenitz und ihr Sohn hätten dann zu den ersten Gliedern dieser Kirche gehört, weil sie verstanden hatten, was anderen noch nicht zugänglich geworden war. Diese Fragen müssen vorerst offenbleiben.

3 Der abendmahlstheologische Gehalt der Allstedter Reformen

Der Beginn der Allstedter Wirksamkeit brachte für Müntzers Abendmahlstheologie eine neue Qualität. Erstmalig wurde es möglich, daß er das, was er spätestens seit dem „Prager Manifest" erkannt und gewollt hatte, in die Praxis umsetzen konnte. Neu war auch, daß er jetzt an die Öffentlichkeit trat. Nach seiner eigenen Erkenntnis war es nun unausweichlich geworden, „das man offliche handele dye biblisse warheit vor aller welt, Matth. 10, dem kleynen und dem grossen darvon protestir, actorum 26, nicht anderst dan Christum den gekreuzygten vorzuhalten der welt, 1. Cho. 1, darvon zu singen und zu predigen unvorstollen und unvordrislich".[74] Eine Konsequenz daraus war die Einrichtung des durchweg deutschsprachigen Gottesdienstes in Allstedt ab Ostern 1523, also unmittelbar nach der Ankunft Müntzers an seinem neuen Wirkungsort. Müntzer ist nicht hinreichend verstanden, wenn man als sein Motiv für diesen angesichts mittelalterlicher Tradition revolutionären Schritt pädagogische Erwägungen, z. B. die bloße Verständlichkeit der Texte, ansieht. Vielmehr versteht er selbst diesen Schritt als die unmittelbare Umsetzung theologischer Zentralmotive: Er möchte als Christus gehorsamer Priester „das testament Christi offenbar handeln und deutsch singen und erkleren, uff das die menschen mu(e)gen christfo(e)rmig werden".[75] An der Verdeutschung der Texte liegt viel, wenn die Menschen „zur ankunfft des rechten christen glaubens kummen" sollen,[76] „dann man die arme, grobe christenheyt nicht so bald auffrichten kan, wo man nicht das grobe, unvorstendige volck seiner heuchley mit deutschen lobsengen entgro(e)bet".[77] Der mystisch verstandene Bußprozeß, wie Müntzer ihn einprägsam in der Schrift „Von dem gedichteten Glauben" beschrieben hat und der seiner Meinung nach der Anfang des wahren Glaubens ist und durch Anfechtung und Bedrängnis in Gang gehalten wird, kann nicht beginnen, ohne daß die biblischen Texte und gottesdienstlichen Vollzüge verständlich werden. Verständlichkeit steht bei Müntzers Gottesdienstreform also im Dienste des Glaubensprozesses. So ist auch sein Drängen zu verstehen, „das deutz ampt" so bald wie möglich auch anderwärts Fuß fassen zu lassen,[78] und bald nach seinem Weggang aus Allstedt fordert er die gottesdienstlichen Bücher für Mühlhausen an.[79]

Mit der sprachlichen Umgestaltung der Gottesdienste war für Müntzer noch nicht alles Notwendige getan. Angesichts des theologischen Weges, der hinter ihm lag, war das auch nicht verwunderlich. Was den Meßgottesdienst anging, hatte er längst erkannt, daß Christus „so jemmerlich vorspottet wirt mit dem teuffelischen meßhalten"[80]. So war eine inhaltliche Umgestaltung der Messe zwangsläufig. An ihr läßt sich, wenn man den Kommentar mit heranzieht, den Müntzer in der „Ordnung und Berechnung des Deutschen Amtes zu Allstedt" gegeben hat, Müntzers Abendmahlstheologie in der Allstedter Zeit ablesen.[81]

Es ist immer wieder aufgefallen, wie konservativ Müntzer bei der Reform der Messe vorgegangen ist.[82] Sein Konservativismus zeigt sich nicht nur in der Beibehaltung des Offertoriums,[83] sondern auch darin, daß er ein mit dem Wegfall eines großen Teils des Kanons sinnlos gewordenes Stück der Meßliturgie beibehielt, das zweimalige „Per omnia saecula saeculorum" nach dem Offertorium und vor dem Friedensgruß nach dem Vaterunser.[84] Müntzer hat das zweite Vorkommen dieses Stückes im Verlauf seiner Meßordnung folgendermaßen erklärt: „Darnach wirt es stille, ein wenig athem zu holen, unter wilcher zeyt der priester der communicanten halben das sacrament teylet und singet: ‚Durch alle ewigkeit der ewigkeit.' So antwort das gemein volck: ‚Amen'."[85] Mit dieser Erläuterung wird ein wichtiger Aspekt von Müntzers Meßreform verdeutlicht: Er wollte offenbar Abläufe beibehalten, die für die Mitfeier der Messe durch die Gemeinde schon bisher wichtig und religiös hoch besetzt waren,[86] sofern sie nicht seinem theologischen Ziel widersprachen. So lassen sich am ehesten noch drei weitere auffallende Tatbestände erklären: die Beibehaltung des Kreuzzeichens über den Abendmahlselementen an den Stellen, an denen es im Zusammenhang der Rezitation des Abendmahlsberichts schon bisher üblich war, nämlich bei dem Wort „gesegnete"[87] (benedixit); die wörtliche Übersetzung des Wortlauts der Abendmahlsworte nach den in Geltung befindlichen Missalia[88] und die Beibehaltung der Elevation,[89] die den Einspruch Karlstadts erregte.[90] Offenbar sah Müntzer sich auf diesem Wege am ehesten dem Ziel näherkommen, daß „die affterglewbischen cerimonien oder geberde im selbigen [im Volk] hinfellig werden durch stetlichs anho(e)ren der go(e)tlichen wort, und dis alles doch mit sennftem und gelindem abbrechen bemelter cerimonien, . . ."[91]. Es verdient Beachtung, daß er mit der Vorsicht im Umgang mit liturgischen Änderungen eine ähnliche Stellung einnahm wie Luther.[92]

Die Stiftung des Abendmahls durch Jesus ist für Müntzer unmittelbar mit dem Willen Jesu verbunden, die „hoche, mechtige anfechtung", die in der Verunehrung der Christen durch ihre Gegner besteht, tragbar zu machen. So lautet – u. a. unter Berufung auf Joh. 16 – die Begründung für den Gebrauch des Abendmahlsberichts in der Messe;[93] so deutete Müntzer auch die Worte Jesu Joh. 16, „in der heyligen malzeyt seynes abentessens", in seinem Brief an seine verfolgten Anhänger in Sangerhausen vom Sommer 1524.[94] Damit ordnete er Stiftung und Feier des Abendmahls unmittelbar in seine Sicht des Glaubensprozesses ein, in dem die Anfechtung als Weg zur Reinigung von der Lust eine so große Rolle spielte.

Auf dem Hintergrund spätmittelalterlicher Eucharistietheologie bedurfte der Sachverhalt der Konsekration einer speziellen Deutung durch Müntzer. Es war ihm wichtig, die überlieferten Abendmahlsworte im Gottesdienst laut – „im tone der prefation"[95] – singen zu lassen, um „affterglawben zu vormeyden".[96] Die Begründung der unhörbaren bzw. kaum hörbaren Rezitation der Einsetzungsworte mit der Geschichte vom Mißbrauch der Wandlungsworte durch die Hirtenjungen und deren Bestrafung, die seit dem 10. Jahrhundert im Abendland überliefert worden war,[97] genügte ihm nicht mehr.

Ohne Parallele in der reformatorischen Theologie dürfte die Begründung der für die ganze Gemeinde vernehmbaren Verwendung des Einsetzungsberichts sein, die Konsekration geschehe „nicht allein von einem, sonder durch die gantze vorsamlete gemein".[98] Allerdings ist es nicht geraten, aus dieser Äußerung Folgerungen für Müntzers Amtsverständnis abzuleiten. Die Spitze der Aussage Müntzers liegt darin, daß er den Sinn der Konsekration (der „Termung", wie er sie nennt[99]) nicht in der Substanzverwandlung sieht, sondern in der Erwartung, daß Christus sich zu den „hungerigen im geist" (nach Luk. 1,53) begeben will. „Nu hat ye die gantze samlung on zweyfel viel frommer menschen, und von wegen des glaubens solcher menschen kompt er warhafftig dohin, sie zu setigen yre seelen etc."[100] Damit aber hat die Konsekration ihren Sinn erreicht. Sie geschieht nicht unabhängig von Brot und Wein, aber sie ist auch nicht unabhängig von denen zu begreifen, die sie vollziehen.

Aber Müntzer hatte noch weitere Einwände gegen den überlieferten Ritus der Konsekration. Dieser Ritus hatte ihm zuviel Ähnlichkeit mit einem nur halb ernst gemeinten Zauberkunststück, bei dem Christus zum Objekt von Menschen werde.[101] Dabei sei doch schon in 4. Mose 23,23 das Nötige darüber gesagt, wie es im Volke Gottes mit der Zauberei gehalten werden sollte.[102]

In diesem Gesamtverständnis von Konsekration wurzeln wohl einige einschneidende rituelle Änderungen, die Müntzer nun doch gegenüber dem überlieferten Ritus anbringt. Zunächst wird der Einsetzungsbericht im Wortlaut der überlieferten römischen Messe – freilich in deutscher Sprache – einschließlich der begleitenden Gesten des Priesters[103] beibehalten. Müntzer scheut sich auch nicht, vom Handeln des Priesters zu sagen: „parat sacrificium".[104] Allerdings – und das ist eine auffallende Änderung, die der ganzen Gemeinde bemerkbar werden mußte – wendet sich der Priester jeweils zu Beginn des Brot- und des Kelchwortes mit der Patene bzw. dem Kelch in der Hand der Gemeinde zu,[105] hat also den Altar im Rücken. Vor dem Wiederholungsbefehl kehrt er sich wieder dem Altar zu,[106] offenbar um nun die Elevation (des Kelches[107]) zu vollziehen.[108]

Der Konsekrationsritus in dieser Form ist offenbar in Allstedt noch nicht das letzte Ziel der Vorstellungen Müntzers gewesen. Als im März 1533 die Visitatoren, unter ihnen auch Johannes Bugenhagen und Justus Jonas, nach Allstedt kamen, fanden sie den Brauch vor, daß der Pfarrer, der „balde nach Thomas Müntzer zu dem pfarampt kommen" war, den Gottesdienst so feierte, daß er östlich des Altars mit dem Gesicht zur Gemeinde stand.[109] Diese Änderung, die möglicherweise auch innenarchitektonische Eingriffe erfordert hatte,[110] scheint also in der letzten Phase des Aufenthalts Müntzers in Allstedt durchgeführt worden zu sein. In der celebratio versus populum wird ausgedrückt, daß die Anteilnahme an der Konsekration „durch die gantze vorsamlete gemein" auch den aktiven Mitvollzug und damit die Einsicht in das Wesen des Vorgangs erfordert. Was für die Kommunion unter beiderlei Gestalt gilt, die Müntzer gegen „alles geplauder der grempeler[111] auff disem oder yhenem margkt, auff disem oder yhenem teyl"[112] verteidigt, gilt auch für die Konsekration: „. . . so wir das Sacrament, das heilige zeichen, nit vornemen, wie wo(e)llen wir dann das wesen vorstehn, wilchs das zeichen bedeutet?"[113]

Müntzer hat – im Unterschied zu anderen[114] – die Krankenkommunion in Allstedt ausdrücklich beibehalten. Das weist auch das Verhörsprotokoll nach seiner Gefangennahme aus.[115] Seine Anweisung entspricht in ihren Einzelheiten den Grundsätzen für die gemeindliche Feier des Abendmahls[116]: Dem Sündenbekenntnis folgte eine biblische Lesung,[117] das „Apostolische Glaubensbekenntnis",[118] das Vaterunser, die Kommunion, das Agnus Dei und die Danksagung. Die abschließende Ermahnung an den Kranken, „sich zum creutz zu rusten", hat für Müntzer wohl mehr als situationsbezogene Bedeutung. Sie folgt aus der Abendmahlsfeier als nachvollziehende Gleichgestaltung der Gläubigen mit dem leidenden Christus.

4 Ein abendmahlstheologischer Entwurf von 1524

Vermutlich noch aus der Allstedter Zeit stammt ein Abendmahlslied, das Müntzer ohne mittelalterliche Vorlage frei gedichtet hat.[119] Es ist in seiner theologischen Tendenz eng zusammenzusehen mit einer Niederschrift Müntzers, die wohl aus dem Spätherbst 1524 stammt und möglicherweise einen Predigtentwurf darstellt.[120] Bemerkenswert ist die Existenz einer freien Abendmahlsdichtung Müntzers deshalb, weil seine übrige Lieddichtung sich aus der Übersetzung mittelalterlicher Vorlagen zusammensetzt. Darin könnte sich eine theologisch zentrale Wertung des Abendmahls im Blick auf die Verwirklichung von Müntzers soteriologischem Programm äußern.

Dafür spricht jedenfalls der Beginn des vermutlichen Predigtentwurfs von 1524, in dem es um die Ausrottung der „vichischen, fleyschlichen luste", den Hunger nach der Erfüllung göttlichen Willens und die Demütigung von Verstand und Vernunft des Menschen als Ziel der Menschwerdung Christi geht.[121] Die Einsetzung des Abendmahls durch Jesus in der Nacht vor seiner Auslieferung an seine Gegner ist für Müntzer die konkrete Anwendung des Weges zum Heil, der mit der „betrubnuß"[122] beginnt, in der sich wiederholt, was Christus selbst in Gethsemane erlebt hat.[123] Christus ist das Urbild, dem es gleich zu werden gilt; und da der eigentliche (und für Müntzer so gut wie ausschließliche) Bereich der Angleichung des Glaubenden an Christus das Leiden, das Kreuz und der Tod sind,[124] ist das, was Christus den Jüngern im Abendmahl in der Nacht vor seinem Tode vorsetzt, eine „grausamme, bittere speyse".[125] Die Angleichung des Glaubenden an den leidenden Christus ist nicht nur der Sinn der Menschwerdung Christi, sondern auch die Voraussetzung für den fruchtbaren Empfang des Abendmahls. „Wer mit dem osterlam nit worden ist eyn schaff des todes, Ro. 8,[126] Ps. 43, der kan nicht vornemen dye geheymnis seynes todes ym sacrament."[127]

Zur Demütigung der Vernunft des „unvorsuchten, unerfarnen menschen"[128] und zum fruchtbaren Empfang des Sakraments gehört auch, daß der fleischlich-leibliche Christus den Augen der Menschen entzogen wird. Müntzer bezieht damit die Zusammenhänge der Abschiedsreden Jesu in Joh. 14–16[129] und die paulinischen Aussagen von 2. Kor. 5,16 auf die Abendmahlstheologie.[130] Christus mußte die Jünger „uber dye masse traurig machen; anderst hette ehr yhn den heyligen geyst nit kunnen vorleyen".[131] Außerdem verhindert die räumlich gefaßte Beschreibung der Gegenwart des Leibes Christi durch „die unerfarnen mensche"[132] die Erfassung des eigentlichen Sinns der Deuteworte des Abendmahlsberichts. „Das Christus saget: ‚Das ist meyn leychnam, der vor euch dargegeben wyrt', das muß gar eben vorstanden werden, der leyb Christi wart dargegeben, offs creutze geopffert, wye wyr sollen Got geopffert werden. Ro. 6."[133] Der Urbildcharakter des Leidens Christi, das vom Glaubenden nachzuvollziehen ist, ist so umfassend, daß das „für euch" der Deuteworte nicht als Ausdruck und Bezeichnung eines Geschenks verstanden werden kann, sondern als Beschreibung eines vorbildhaften Vorgangs begriffen werden muß.[134]

Müntzer weiß diesen Vorgang, auf den ihm alles ankommt, noch näher zu erläutern. Es gehört für ihn zum Wesen des Sakraments – nicht nur zu seiner Wirkung –, daß von ihm „der geyst Christi . . . abgeht in die hertzen der außerwelten";[135] ja, diese „abgehende crafft" macht das Sakrament erst zum Sakrament. Das Abendmahl trägt sein Wesen nicht einfach dadurch in sich, daß es Fleisch und Blut Christi als bloßes Fleisch und Blut darbietet, sondern Fleisch und Blut als Vermittler des Geistes Christi, der „die vorczagten hertzen" an das Leiden erinnert, das Christus gelitten hat und das es nachzuleiden gilt.[136] „Wehr das sacrament nit also nutzt, der kan nit selig werden, . . ."[137] Das beweise die Brotrede in Joh. 6.[138]

Müntzer erkennt sich selbst in dem von Judas und den Gottlosen verfolgten Christus wieder, sofern er mit dieser Deutung des Abendmahls den „unvorstandigen" das Sakrament entzieht – „dan sye wollen der crafft Christi nit gewertig"[139] – und sich damit ihre Feindschaft einhandelt.[140] Noch nach dem Verhörsprotokoll vom 16. Mai 1525 bestreitet er die Verbindlichkeit der Anbetung der Abendmahlselemente bzw. des im Sakrament gegenwärtigen Christus; freilich möchte er sie auch nicht verbieten.[141]

Auf dem Hintergrund des Textes von 1524 wird noch einmal zusätzlich die theologische Bedeutung der Änderung des Konsekrationsritus in der Allstedter Gottesdienstordnung klar, ja noch mehr, sie erfährt eine Vertiefung und Verdeutlichung. Daß die Konsekration eine „termung" ist, „wilche nicht allein von einem, sonder durch die gantze vorsamlete gemein geschicht",[142] hat seinen Grund darin, daß der eigentliche Adressat des Einsetzungsberichts „dye vorczagten hertzen" und die „hungerigen im geist" sind.[143] Es besagt viel, daß Müntzer in der „Ordnung und Berechnung . . ." an der betreffenden Stelle am Rande notiert: „In prima ecclesia expellebantur propterea catecumini."[144]

5 Die Frage nach dem Abendmahl in Müntzers Verhör

Die Abendmahlsfrage hat bei Müntzers Verhör am 16. Mai 1525 in Heldrungen noch einmal eine Rolle gespielt. Bereits am Tage zuvor hatten die Fürsten, die das Heer der Aufständischen bei Frankenhausen belagerten, zu verstehen gegeben, daß für sie eine der schwerwiegendsten Anklagen gegen Müntzer die Mißachtung des „heiligen hochwürdigen Sakraments" sei, so daß Anklage wegen Gotteslästerung erhoben werden müsse.[145] Und so waren offenbar die ersten Fragen bei Müntzers Verhör Fragen nach seiner Abendmahlslehre.[146]

Man wird diesen Tatbestand nicht isoliert bewerten dürfen. Müntzer war Priester und damit in erster Linie an dieser empfindlichsten Stelle seines Berufs angreifbar. Außerdem fiel Lästerung des Sakraments unter das Reichsrecht, so daß sich von daher am sichersten ein Grund fand, gegen Müntzer das Todesurteil zu sprechen.

Um so erstaunlicher wirken die im Verhörsprotokoll aufgezeichneten Aussagen Müntzers ihrer Position nach. Wohl geben sie genügend Anlaß, gegen Müntzer strafrechtlich vorzugehen[147] – er bestreitet die Verbindlichkeit der äußeren Anbetung des Sakraments,[148] er hat das vorgeschriebene Fasten vor der Meßfeier bzw. vor der Kommunion offenbar bewußt gebrochen[149] und dann das Abendmahl unter beiderlei Gestalt konsekriert und in der Selbstkommunion empfangen.[150] Andererseits sind die Aussagen Müntzers vorsichtig formuliert. Es spricht vieles dafür, daß sie Müntzers Äußerungen beim Verhör nahekommen. Sie geben jedenfalls keinen Anlaß, in Müntzer einen radikalen „Sakramentsverächter" zu sehen. Fragen nach der Sakramentslehre tauchen dann im Verhör während der Folter auch nicht mehr auf.

Mißtrauisch macht darum die Passage im „Widerruf" vom 17. Mai 1525, die auf die Sakramentslehre bezogen ist.[151] Hier ist es nicht so sehr der Sprachgebrauch, der auffällt, wenn vom „hochwiridigen sacrament des heyligen fronleychnams Christi" gesprochen wird,[152] als vielmehr die Aussage, daß er, Müntzer, „manicherley opinion, wane und irsal" vom Abendmahl gepredigt haben will.[153] Auch Luthers diesbezügliche Anschuldigungen gegen Müntzer vom Juli 1524 treffen diesen jedenfalls nicht in der Form, wie Luther sie geäußert hatte;[154] und Luther tat sicher gut daran, den „Widerruf" nicht gegen Müntzer zu verwenden, weil sein Inhalt teilweise auch ihn selbst getroffen hätte. Die Passage des „Widerrufs", die auf die Sakramentslehre Bezug nimmt, ist, wenn sie als Selbstzeugnis Müntzers verstanden werden soll, in jedem Falle auszuklammern.[155]

III Die Taufe

1 Der Rahmen von Müntzers Kritik an Taufe und Tauftheologie

Bereits die erste greifbare Äußerung Müntzers zum Thema Taufe und Tauftheologie findet sich in polemischem Zusammenhang. Das „Prager Manifest" nimmt zur Frage der Verifizierung des Glaubens Stellung und polemisiert gegen die herkömmliche Methode, sich dafür auf fremde Autoritäten zu berufen, anstatt die eigene Erfahrung heranzuziehen, die an der Bibel bewährt worden ist.[156] Den Gebrauch eines Arguments wirft Müntzer „des teuffels pfaffen" besonders vor: „Sie sprechen mit bloßen worthen: ‚Wer do gleubet und ist getaufft, der wirdt selig'."[157] Eine solche Benutzung von Mark. 16,16 ist in Müntzers Sinne deshalb so verderblich, weil sie dazu verführt, auf die Autorität dessen zu bauen, was andere Leute als Glaube definieren, und sich auf den bloßen Vollzug eines Ritus zu verlassen. Diese knappe Passage enthält im Kern bereits die Grundkritik Müntzers an einer bestimmten Tauftheologie bzw. ihrer popularisierten und pragmatisierenden Verwendung, ohne daß zu diesem Zeitpunkt bereits eine Position Müntzers zu erkennen wäre.

Es ist wichtig daran zu erinnern, daß Müntzer mit seiner theologischen Kritik an Tauftheologie und Taufpraxis nicht allein steht. Die Unzufriedenheit mit dem, was man in der spätmittelalterlichen Praxis und ihrer theologischen Begründung unter Taufe verstand, war relativ weit verbreitet. Sie äußerte sich in unterschiedlicher Gestalt und an unterschiedlichen Stellen. Ging es Erasmus von Rotterdam in einem Vorschlag im Anhang zu seiner Matthäusparaphrase von 1522 darum, die bereits Getauften in einer späteren Altersstufe zu einem vertieften Verständnis und zur Ernstnahme ihrer eigenen Taufe zu führen,[158] so setzte Eberhard Weidensee 1524 bei der Differenz von äußerer und innerer Taufe an und verwies auf die Heilswirksamkeit allein der inneren Taufe.[159] Luthers eigene Kritik im Nachwort zum Taufbüchlein von 1523 stützte sich auf die Einschärfung der geistlichen Bedeutung des Taufvollzugs, aus der er die Notwendigkeit ableitete, die Paten erneut an die Ernstnahme ihrer Rolle bei der Taufe und an die Fürsorge für den Glauben des Täuflings zu erinnern.[160]

Im übrigen enthielt bereits die traditionelle Tauftheologie mit ihrer Unterscheidung einer dreifachen Taufe – baptismus fluminis, baptismus flaminis, baptismus sanguinis – ein Potential zur Kritik an einer Verflachung und Instrumentalisierung des Taufverständnisses, das beispielsweise auch in der täuferischen Theologie genutzt worden ist.[161]

Müntzers Taufkritik ist also in diesen breiteren Rahmen einzuordnen und in ihrer Bedeutung zu würdigen, ohne ihn vorschnell einseitig in Richtung auf täuferisches Taufverständnis zu interpretieren.[162]

2 Die Kritik an der Taufe und die Entwicklung einer Tauftheologie während der Allstedter Zeit

Müntzers Schrift „Protestation oder Erbietung" (Jahreswende 1523/24) gibt sich bereits in ihrem Titel als Stellungnahme „tzum anfang von dem rechten Christen glawben vnnd der tawffe" zu erkennen. [163] Daß ihn in dieser Zeit, vermutlich veranlaßt durch die notwendigerweise intensivierte pastorale Tätigkeit in Allstedt, aber auch durch den sich zuspitzenden Konflikt mit den Wittenberger Theologen, das Thema der eigentlichen Grundlagen und des Vollzugs wahren christlichen Glaubens besonders beschäftigt hat, zeigen neben dem Briefwechsel der Allstedter Zeit[164] auch die sonstigen Veröffentlichungen dieses Lebensabschnitts, besonders die Schrift „Von dem gedichteten Glauben".

Für Müntzer stellen sich sowohl der Nachdruck, den die Wittenberger Theologen auf den Glauben, wie sie ihn verstehen, legen, als auch die sich in scheinbar gläubigem Vertrauen auf Gott zeigende Lebenspraxis seiner Gegner als Flucht vor der Leidens- und Kreuzeserfahrung dar.[165] Darum erinnert er an die Praxis der Alten Kirche, speziell der Apostelzeit, in der nach seiner Meinung allein Erwachsene in den Katechumenat aufgenommen worden seien, um sie zu taufen. Darin drückte sich nach Müntzer nicht lediglich praktisches Erfordernis aus, sondern die Vorsicht, die keinen Menschen vorschnell mit den Konsequenzen christlichen Glaubens konfrontieren wollte.[166] Diese Vorsicht vermied außerdem den „affterglawb . . ., der sich auf die heilgen zeichen mehr dann auffs ynnerliche wesen vorlest".[167]

Zunächst etwas verwunderlich erscheint, daß Müntzer der theologischen Tradition vorwirft, sie habe sich „nye kein mal mit einem einigen gedancken" darüber geäußert, was die rechte Taufe sei.[168] Es ist unwahrscheinlich, daß Müntzer z. B. die Unterscheidung der dreifachen Taufe nicht gekannt hat, da sie in gängigen Handbüchern für den Priester enthalten war.[169] Aber eben diese Unterscheidung stellte die Wassertaufe als für den Normalfall genügend hin,[170] und möglicherweise ging für Müntzers Taufverständnis bereits diese „Genügsamkeit" zu weit.

Hinzu kommt, daß es für Müntzer keinen Beweis aus dem Neuen Testament gibt, daß Christus und die Apostel ein unmündiges Kind getauft oder die Taufe von Kindern angeordnet hätten.[171] Nicht einmal Maria, die für Müntzer (wie er an anderer Stelle darlegt[172]) Urbild des Weges zum rechten Christenglauben ist, sei mit Wasser getauft worden.[173] Das heißt: Die Rettung des Menschen hängt nicht daran, daß er mit Wasser oder einem anderen Element getauft wird.[174]

Dennoch ist für Müntzer die biblische Begründung für eine Tauftheologie möglich. Sie muß allerdings anders ansetzen als nur mit der Berufung auf einen Satz wie Joh. 3,5 und besteht „in einer starcken vorgleichung aller wort, die in beyden testamenten clerlich beschriben stehn".[175] Auf Joh. 3,5 angewendet, bedeutet das, daß zu dieser Stelle auf jeden Fall Joh. 7,37 f hinzuzuziehen ist.[176]

Damit ist Müntzer zu dem seine gesamte Theologie prägenden Wassersymbol gelangt, das für ihn in vielfältigen und vielgestaltigen biblisch-hermeneutischen Beziehungen steht.[177] Ps. 93,3 f und Ps. 69,2 f werden von ihm auf die die Seele bestürmenden und in Todesgefahr bringenden Fluten der Anfechtung gedeutet, ohne die der Mensch aber auch nicht zum wahren Glauben durchstoßen kann.[178] Zur Deutung von Joh. 3,5 zieht er nun nicht nur Joh. 7,37 f heran, sondern die Kapitel 1 bis 7 des Johannesevangeliums, indem er die ihm in diesen Kapiteln erkennbaren Erwähnungen des Wassermotivs auf die „bewegung unsers in Gotis geist" bezieht.[179] Schließlich verbindet er Joh. 3,5 mit Luk. 11,29 bzw. Matth. 12,39[180] und hat damit erreicht, daß die Taufe Verweis- bzw. Zeichencharakter bekommt.[181]

Wenn das der genuine Sinn der Taufe ist, daß sie auf die heilsame Bedrängnis der Seele durch das Wasser des Leidens und des Kreuzes verweist, dann ist die der Apostelzeit folgende Entwicklung in der Tauflehre aufs höchste zu bedauern: die Trennung von Taufe und Katechumenat, die Einführung des Patenamts, die rituelle Überwucherung des Taufvollzugs und die Verlagerung des Gewichts auf den zeremonialen Bereich der Taufe.[182] Eine besonders unrühmliche Rolle hätten dabei die römische Kirche und der Papst gespielt, indem sie aus Gründen der Vereinheitlichung der Zeremonien die Einheit der Kirche aufs Spiel setzten.[183] Müntzer sieht die letzte Ursache dafür darin, daß nicht verstanden worden sei, was die Taufe ist,[184] und so bedürfe auch eine Berufung auf die Taufe als Bundesschluß, sofern diese Berufung die Konstituierung eines Bundes der Auserwählten unterlaufen will, der Hinterfragung und Vertiefung.[185]

Die „Protestation oder Erbietung" mündet in eine mit der Kritik an der Tauflehre unmittelbar zusammenhängende Grundsatzkritik an der Wittenberger Rechtfertigungstheologie. Müntzer hat offenbar verstanden, wie eng diese beiden Bereiche christlichen Glaubens und christlicher Lehre voneinander abhängig sind. Wie aber ist seine Kritik an der überlieferten und von der Wittenberger Theologie vertieften Tauflehre zu werten?

Zunächst mutet diese Kritik sehr radikal an, und es liegt nahe, in ihr, wenn nicht eine Verwerfung der Taufe als äußerer Taufe, so doch eine Verwerfung der Taufe von Unmündigen zu sehen. Daß das nicht der Fall ist, wird die Untersuchung der Allstedter Praxis noch zeigen. Darüber hinaus liegt eine unmittelbare Reaktion auf die in der „Protestation oder Erbietung" vertretene Taufkritik vor, die Wichtiges über die Relationen verrät, in denen Müntzers Kritik steht. Konrad Grebel und seine Freunde in Zürich schrieben am 5. September 1524 an Müntzer und nahmen zu seinen Ausführungen Stellung.[186] Zwar ist nicht sicher, ob Müntzer diesen Brief erhalten hat[187] – er war nach Allstedt adressiert, das Müntzer bereits verlassen hatte. Aber die Ausführungen Grebels und seiner Freunde lassen erkennen, wie sie, die zur Gruppe der Begründer des schweizerischen Täufertums gehörten,[188] Müntzers Taufkritik verstanden. Der Brief enthält neben grundsätzlicher Freude über die Entdeckung, daß es neben seinen Verfassern weitere erklärte Gegner der überlieferten Kirchlichkeit gebe,[189] u. a. leise, aber deutliche Kritik daran, daß Müntzer und Karlstadt weiterhin an der Taufe von Kindern festhielten.[190] Interessant ist, daß sich der kirchengeschichtliche Aspekt der Taufkritik bei Müntzer und Grebel trifft,[191] ohne daß daraus die gleichen Folgerungen gezogen werden. Gerade die Ungleichheit der Folgerungen aber ist es, die Grebels Kritik an Müntzer hervorruft.[192]

Daß diese Kritik nach Grebels Meinung überhaupt nötig wurde, liegt wohl an einer auf beiden Seiten unterschiedlich motivierten Tauftheologie. Dem biblizistisch motivierten Taufverständnis der Zürcher Täufer, das außerdem noch kräftig wirksame Bestandteile eines spiritualistischen Bibelverständnisses in sich aufgenommen hatte,[193] steht das aus einem mystisch-prozessualen Heilsverständnis entwickelte Taufverständnis Müntzers gegenüber, verbunden mit einem für die Zürcher Täufer offenbar schwierig zu begreifenden, assoziativ arbeitenden symbolischen Schriftverständnis.[194] Manches spricht dafür, daß Müntzers Tauftheologie, verglichen mit dem Taufverständnis Grebels und seiner Freunde, in stärkerem Maße eine Funktion der Heilslehre ist, als das bei den Zürcher Täufern der Fall ist, die mehr biblizistisch argumentierten. Dafür spricht auch der theologische Kontext der Allstedter Taufliturgie.

3 Der theologische Gehalt der liturgischen Gestaltung der Taufe in der Allstedter Gottesdienstreform

„Wann bey uns ein kindt getaufft wirt, . . .“[195] Dieser Beginn des Abschnitts über die Taufe in „Ordnung und Berechnung . . .“ läßt keinen Zweifel daran, daß von Müntzer als Normalfall des Taufvollzugs in Allstedt die Kindertaufe angesehen wird. Die Ausführungen dieses Abschnitts geben an keiner Stelle Anlaß zu der Annahme, daß Müntzer mit dem Gedanken gespielt haben könnte, die Kindertaufe durch die Mündigen- oder Erwachsenentaufe zu ersetzen.[196] Die Spannung, die sich daraus zu der Aussage in „Protestation oder Erbietung“[197] ergibt, löst sich am ehesten, wenn man den dortigen Konflikt beachtet: Es geht Müntzer um ein wirkliches Verstehen der Taufe jenseits der bloßen gedankenlosen Rechtfertigung der Tradition.[198]

Einer ähnlichen Tendenz folgen auch Müntzers Anweisungen über die Rolle der Paten bei der Taufe: „. . . sie sollen drauff achtung haben, was man bey der tauffe handelt, auff das sie es hernach dem kinde, so es erwechset, mugen vorhalten, und das die tauff mit der zeyt muge vorstanden werden.“[199] Was das Verstehen des Taufvorgangs betrifft, klagt Müntzer darüber, daß lange Zeit hindurch aus der Taufe „ein lauter fantasey und wasserbegissen“ gemacht worden sei.[200] Das ist offenbar der Grund dafür, daß er die Allstedter Taufliturgie neu gestaltet hat.[201] Am Anfang der Taufliturgie steht nach jener bereits im Mittelalter bezeugten Ermahnung an die Paten[202] die Verlesung des 69. Psalms in deutscher Sprache,[203] wobei Müntzer speziell an die Bedeutung von Ps. 69,2 f denkt.[204] Die Verlesung von Ps. 69 an dieser Stelle sowie die nachfolgende Lesung Matth. 3,13–17 sind gegenüber den überlieferten Taufritualien absolute Neuerungen[205] – ein Zeichen dafür, wieviel Müntzer an einer Neubestimmung des Inhalts der Taufe gelegen war und wie er sich diese Neubestimmung vorgestellt hat. Auch die Deutung von Matth. 3,13–17 durch Müntzer ist durch das Wassermotiv bestimmt, und zwar so stark, daß die vom Matthäustext nahegelegte Deutung der Perikope auf die Gleichstellung Christi mit den Sündern von Müntzer in dem Sinne durchbrochen wird, daß Christus als Sieger über die „wutenden bulgen“ (von Ps. 69,2 f) erscheint.[206]

Im Blick auf die die überlieferten und von Müntzer aufgenommenen Zeremonien als Deuteworte begleitenden Texte ist zu beachten, daß die Überlieferung für sie eine Fülle von unterschiedlichen Formulierungen kannte.[207] Aber gerade dieser Tatbestand gestattet es, Müntzers eigenen Anteil an den Formulierungen und ihre theologische Bedeutung herauszuarbeiten.

Ohne Parallele in der Tradition der Ritualien ist die Erweiterung des Deutewortes („Salz der Weisheit“[208]) bei der Überreichung des Salzes.[209] Das Salz der Weisheit ist für Müntzer Symbol des unvermeidbaren Leidens des Glaubenden, das ihn aber gerade zum Heil führt.[210] Dieses Leiden sei es, das dem Menschen ermögliche, Gutes und Böses, die Stimme Gottes und die Stimme des Teufels[211] unterscheiden zu können.[212] Sonst bestehe die Gefahr, daß sich das Wort Christi Matth. 5,13 erfüllt: Das Salz wird zertreten werden, weil es kraftlos geworden ist.[213]

Mit dem Sprechen des „Apostolischen Glaubensbekenntnisses“ wird nach Müntzer ausgedrückt, daß der Täufling „zur christenheit“ kommt, und zwar zu der von den Gottlosen und Heuchlern gereinigten Christenheit, wie die Anspielung auf einen weiteren Schlüsseltext in Müntzers Theologie, Matth. 13,24–30, zeigt.[214] Es ist bezeichnend, daß der einzige eindeutig ekklesiologische Bezug der Allstedter Taufordnung gerade diese Präzision erfährt. Dieser Text ist auch die Anschlußstelle für Müntzers Plan, daß der mit seinen Anhängern zu schließende Bund ein Bund derer sein sollte, die zum rechten Verständnis der Taufe durchgestoßen sind.[215]

Erst nach dem Credo erfolgt – entgegen der Tradition[216] – die abrenuntiatio diaboli.[217] Beibehalten ist die Ölsalbung. Ihre Deutung weist gegenüber der Tradition eine leichte Veränderung auf: Sie soll nach Müntzer den Täufling daran erinnern, daß er „yn der ewigen barmhertzigkeit Gottis" sei,[218] während die liturgische Tradition als Ziel der Salbung angibt: ut habeas vitam aeternam.[219]

Aus dem Wortlaut der „Ordnung und Berechnung..." geht nicht hervor, ob er den Vollzug der postbaptismalen Chrisamsalbung[220] voraussetzt[221] oder an dieser Stelle nur das zugehörige Votum beläßt: Dem Täufling wird gesagt: „Got, der dich mit seiner ewigen liebe zeucht,[222] der geb dir, zu vormeyden das o(e)el des sunders."[223]

Beibehalten ist in der Allstedter Ordnung auch die Bekleidung des Täuflings mit der cappa.[224] Das zugehörige Deutewort[225] nimmt ältere Tradition auf,[226] reichert sie aber mit für Müntzer spezifischen Inhalten an: Die Bekleidung mit dem neuen Gewand setzt das Ausziehen des alten voraus;[227] Matth. 9,16 bzw. die Parallele Luk. 5,36 warnen davor, dies zu übersehen und damit Schaden anzurichten.[228] Taufe sei auf nicht weniger aus als auf das Sterben des selbstsicheren und mit sich zufriedenen Menschen im Nachvollzug des Sterbens Christi.[229]

Das Deutewort zur Überreichung der Taufkerze setzt sich kaleidoskopartig aus unterschiedlichen biblischen Texten zusammen, die untereinander durch das Lichtmotiv verbunden sind.[230] Die biblischen Texte gruppieren sich um Luk. 11,35: „... sich zu, das dein liecht nicht finsterniß sey."[231] Müntzer zieht zur Deutung dieses Textes jedoch nicht den unmittelbaren Kontext heran, sondern fügt ihm im einzelnen nicht eindeutig zu identifizierende weitere neutestamentliche Texte hinzu.[232] Der Sinn des Deutewortes ist wiederum eine den Täufling warnende Ermahnung, die auf den Weg Christi als Muster für den Nachvollzug hinweist, wobei als Ziel in einer bei Müntzer sehr selten anzutreffenden Aussage das ewige Leben erscheint.[233]

Überblickt man die Neugestaltung der Taufliturgie für Allstedt insgesamt, so springt die Konzentration auf die Deutung der Taufe als Beginn des Nachvollzugs des der Verfolgung, dem Leiden und dem Kreuz ausgesetzten Weges Christi bzw. als ständige Erinnerung an diesen Nachvollzug ins Auge.[234] Es ist für Müntzer möglich, das überlieferte, an begleitenden Symbolhandlungen reiche Taufritual mit wenigen Ausnahmen beizubehalten, obwohl dieser konservative Umgang mit der Überlieferung in Spannung zu seiner Kritik in „Protestation oder Erbietung"[235] zu stehen scheint. Möglicherweise macht sich in dieser Vorsicht die Erwägung über die Schonung der Schwachen in Gestalt des armen, gemeinen Mannes bemerkbar.[236]

Allerdings ist der konservative Umgang mit der überlieferten Taufordnung dann doch an mehreren Stellen durchbrochen: Müntzer hat die exsufflatio, die Anhauchung des Täuflings, den Exorzismus, die verschiedenen Anwendungen der signatio crucis, die apertio aurium und das Vaterunser nicht mit in die Allstedter Taufliturgie übernommen.[237] Mag die Begründung dafür auch teilweise in der zeitgenössischen liturgischen Situation zu suchen sein,[238] so liegt doch der eigentliche Grund für den Wegfall gerade dieser Bestandteile im dunkeln. Auch wenn es unmöglich sein sollte, „aus dem Nichtgenanntsein von Riten" „sicher auf ihren Fortfall" schließen zu können,[239] so bleibt doch die Tatsache bestehen, daß die im einzelnen von Müntzer durchgearbeitete Allstedter Taufliturgie, wenn man sie als authentisch-autoritative Maßgabe verstehen darf, den Wegfall der genannten Stücke vorsieht. Müntzer mußte – gerade im Blick auf Exorzismus und signatio crucis – auch damit rechnen, daß dieser Wegfall von den bei einer Taufe Anwesenden bemerkt wurde. Um so unklarer bleiben vorerst seine Gründe für diese Maßnahme, zumal es von seinem Schriftverständnis her nicht schwer gewesen sein dürfte, für die weggefallenen Symbolhandlungen Deuteworte zu finden, die dem Rahmen seiner Heilslehre entsprachen, wie auch Äußerungen außerhalb der Taufliturgie zeigen.[240] Möglicherweise aber stellte die Allstedter Taufordnung auch nur eine Durchgangsstation seines theologischen Nachdenkens dar. Eine solche Erwägung könnte sich von einem Text her nahelegen, der vermutlich aus Müntzers Mühlhäuser Zeit stammt.

4 Späte Erwägungen zur Änderung der Taufpraxis

Mit der Durchführung der Taufe von Kindern zu einer beliebigen Zeit während der Woche lediglich in Gegenwart der Paten (und des Kindesvaters) scheint Müntzer von der Sache her auf Dauer nicht zufrieden gewesen zu sein. Jedenfalls ergab sich diesbezüglich ein Konflikt, dessen Anlaß und dessen genaue Konstellation nicht rekonstruierbar sind.[241] Manches spricht dafür, seinen Ort in Mühlhausen zu suchen.[242] Müntzer hatte wohl vor, seine Stellungnahme zu diesem Konflikt in Druck zu geben.[243] Aus dem erhalten gebliebenen Fragment[244] ergibt sich, daß es Müntzer in unmittelbarer Fortsetzung früherer theologischer Ansätze um den „rechten vorstandt der cristlichen tauf"[245] ging. Dazu nahm er bereits vorliegende Motive auf, so die Berufung auf Ps. 69, diesmal allerdings auf Ps. 69,10.[246] Nun aber ergaben sich für ihn im Blick auf seine Absicht neue Konsequenzen. Er hält es für notwendig, daß die Erklärung des Wesens der Taufe „yn gegewertigen alles volks" erfolgt.[247] Wie auch in anderen Bereichen seiner Liturgiereform greift er dafür auf die altkirchliche Praxis zurück,[248] gehe es doch bei der Taufe für alle Christen um „yres glaubens ankunft[t]".[249] Müntzer denkt also an eine zeitliche Konzentration, damit aber auch an eine zeitliche Ausdehnung der Hinführung der Gemeinde zum rechten Verständnis der Taufe.

Es ist zu vermuten, daß der zweite Vorschlag, den Müntzer seinen Gesprächspartnern macht, in unmittelbarem Zusammenhang mit dem ersten steht: Er denkt an einen lediglich zweimaligen Tauftermin im Verlauf des Jahres, zu dem dann offenbar alle zur Taufe anstehenden Kinder zusammengeführt werden sollen.[250] Die zusätzliche Begründung für diesen Vorschlag enthält dann allerdings neue Probleme: Wenn diese konzentrierten und intensivierten Tauffeiern den Kindern eintragen soll, „das sie ein frisch gedechtnuß alle yr lebenlanck dran hetten, wie sy sie entpfangen hatten", da sie diese Erinnerung „von sunden abschrecken" würde,[251] bedeutet das, daß Müntzer an die Taufe erinnerungsfähiger Kinder denkt. Heißt das, daß damit das sogenannte Unterscheidungsalter, d. h. das 6./7. Lebensjahr,[252] das Müntzer auch als das Alter der beginnenden „verwunderung" und Erkenntnis des Wortes als Gottes Wort bezeichnet,[253] zum normalen Taufalter werden soll? Der Bericht Johannes Oekolampads über sein Gespräch mit Müntzer im Spätherbst 1524 (?) läßt erkennen, daß Müntzer nach wie vor alle ein bis zwei Monate einen Tauftermin anbot, d. h. doch wohl, daß er nach wie vor Säuglinge bzw. Kleinstkinder taufte.[254]

In jedem Falle möchte Müntzer auf diesem Wege das ihn schon lange beschäftigende Problem des Verfalls des Patenamtes lösen.[255] Es wird unnötig, wenn ein Täufling im erinnerungsfähigen Alter getauft wird, zumal da es aus der Bibel nicht begründbar ist.[256] Auch die typologische Argumentation des Petrus Lombardus[257] oder die Anschauung vom stellvertretenden Glauben der Paten, mit der auch Luther gearbeitet hatte,[258] hilft hier für Müntzer nicht weiter. Wenn das Patenamt unnötig geworden und dem mit der Taufe verbundenen beginnenden Heilsprozeß hinderlich ist, muß es wegfallen.

Es scheint keine Spur dafür zu geben, daß die in dem Fragment von Müntzers Stellungnahme vorgeschlagene Änderung der Taufpraxis in die Tat umgesetzt worden ist.[259] Wäre es dazu gekommen, hätte sich für Müntzer unweigerlich eine weitere Front gegen die Wittenberger Theologie eröffnet; und auch Konflikte mit der überlieferten Tauffrömmigkeit wären unvermeidbar geworden.

III Zusammenfassendes zu Müntzers Sakramentstheologie

Die Beurteilung von Müntzers Sakramentstheologie hat bereits frühzeitig unter einer Reihe von Vorurteilen gestanden. Seltsamerweise hat seine Lehre von Taufe und Abendmahl bisher – von einer Ausnahme abgesehen[260] – keine gesonderte Darstellung gefunden. Eine solche Darstellung ist von Schwierigkeiten begleitet, die freilich nicht allein für Müntzers Sakramentsanschauung spezifisch sind, sondern für Müntzers Theologie insgesamt bemerkbar sind. Sie liegen in der Eigenart biblischer Begründung von theologisch-geistlichen Sachverhalten mittels einer sich schwer erschließenden Hermeneutik, die assoziativ arbeitet und ihren Kern in der heilschaffenden Bedrohung des Menschen durch das göttliche Wort zu haben scheint. Wie Müntzers Hermeneutik eine Funktion seiner Heilslehre ist,[261] so bildet diese Heilslehre auch bereits den Kontext seiner ersten Äußerung zur Sakramentstheologie in Zwickau im Jahre 1520. Offen ist, ob diese Heilslehre Zusammenhänge mit Müntzers Frühzeit aufweist oder ob die Zwickauer Auseinandersetzungen ihr ein erstmaliges oder auch neues Profil gegeben haben.

Es ist angebracht, hinsichtlich der konkreten Ausprägung von Müntzers Sakramentstheologie einige Besonderheiten im Verhältnis zu verwandten Ausprägungen der Sakramentslehre zu markieren. So kann seine Abendmahlstheologie nicht einfach mit der Abendmahlstheologie Karlstadts, der Oberdeutschen oder Kaspar von Schwenckfelds identifiziert werden, die Unterschiede lassen sich bespielsweise in der Verwendung und Auslegung gleicher biblischer Texte aufzeigen. Haben für die Oberdeutschen und von Schwenckfeld die johanneischen Abschiedsreden (Joh. 14–16) und 2. Kor. 5,15 f die Funktion nachzuweisen, daß die Lehre von der leiblichen Gegenwart Christi in den Abendmahlselementen glaubenswidrig sei, weil sie die alleinige Heilsqualität der geistlichen Gegenwart Christi leugne,[262] so ist für Müntzer der leibliche Selbstentzug Christi geistlich notwendig, um die Trauer und Angst zu erzeugen, über die allein der Weg zum Heil führt.[263] Dieser Selbstentzug Christi aber hat für Müntzer keine Beweisfunktion für die Abwesenheit Christi in den Abendmahlselementen.

Was das Verhältnis der Abendmahlslehre Müntzers zu der Karlstadts betrifft, so springen vor allem die Unterschiede der liturgischen Abläufe und ihres Sinnes ins Auge. Müntzer kann große Teile der überlieferten Liturgie beibehalten, weil er sie für ausdeutungsfähig im Sinne der „ankunfft des glaubens" hält, während bei Karlstadt die neuplatonische Grundschicht seines theologischen Denkens es nicht zuläßt, mehr als nur so viele Äußerlichkeiten beizubehalten, wie für die Sakramentsfeier nach dem Befehl Christi unbedingt notwendig sind.[264]

Müntzers späte Äußerungen zur Frage eines möglichen Taufaufschubs bis in das 6./7. Lebensjahr dürfen, falls sie überhaupt diese Konsequenz einschließen, nicht dazu verführen, ihn auf die Seite der Vertreter einer Entscheidungstaufe oder einer Lehre zu stellen, die in der Taufe lediglich das Zeichen für eine im Menschen bereits vollzogene Änderung sehen kann. So gewiß Müntzer die Taufe nicht als von Gott allein bewirkte Einbeziehung des Menschen in das Heil verstehen kann, so gewiß findet er in ihr ein wichtiges Mittel für die Initiierung des Prozesses, der den Menschen durch Leiden und Angst zum Heil treibt. Auch wenn der Anteil von göttlichem Tun im Verhältnis zu menschlicher Aktivität in diesem Prozeß bei Müntzer schwer auszumachen ist, gibt es doch bei ihm keinen Hinweis darauf, daß dieser Prozeß abseits von der „verstandenen Taufe" beginnen kann. Wo es in Müntzers Umgebung zur Wiedertaufe gekommen ist,[265] dürfte sie mit seiner Theologie unmittelbar nichts zu tun bzw. auf einem Mißverständnis seines spezifischen Ansatzes beruht haben.

Einen weithin noch zu erforschenden Bereich stellen die liturgischen Traditionen dar, die Müntzer vor sich gehabt und mit denen er sich auseinandergesetzt hat. Das gilt für die Meßliturgie ebenso wie für das Taufritual.

Genauer zu erforschen bleiben ferner einige Bereiche der Wirkung Müntzers und seiner Sakramentslehre auf seine Zeitgenossen. Hier ist es speziell die Frage, wie Müntzer von seinen Hörern und Lesern verstanden worden ist. Berichte über Müntzers Predigt und Wirksamkeit aus seinem unmittelbaren Wirkungsbereich[266] sind hier ebenso einzubeziehen wie die Rezeption seiner Schriften.

---

[1] Vgl. MSB, 550, 19–27.

[2] Vgl. Ernst KOCH: Bullinger und die Thüringer. In: Heinrich Bullinger 1504–1575: gesammelte Aufsätze zum 400. Todestag/ hrsg. von Ulrich Gäbler und Erland Herkenrath. Bd. 2. Zürich 1975, 315–318.

[3] Karl HOLL: Luther und die Schwärmer (1922). In: ders.: Gesammelte Aufsätze zur Kirchengeschichte. Bd. 1: Luther. 7. Aufl. Tübingen 1948, 420–467.

[4] Zum Gang der Diskussion vgl. John S. OYER: The influence of Jacob Strauss on the Anabaptists: a problem in historical methodology. In: The origins and characteristics of Anabaptism/ hrsg. von Marc Lienhard. The Hague 1977, 63–65, und Hans-Jürgen GOERTZ: Schwerpunkte der neueren Müntzerforschung. In: TMFG, 485. 500–502. 511–513.

[5] Annemarie LOHMANN: Zur geistigen Entwicklung Thomas Müntzers. Nachdruck der Ausgabe Leipzig 1931. Hildesheim 1972, 15.

[6] Ebd, 41 f.

[7] Ebd, 48.

[8] Erwin ISERLOH: Sakraments- und Taufverständnis bei Thomas Müntzer. In: Zeichen des Glaubens: Studien zu Taufe und Firmung, Balthasar Fischer zum 60. Geburtstag/ hrsg. von Hansjörg Auf der Maur und Bruno Kleinheyer. Zürich 1972, 105–122.

[9] Ebd, 113.

[10] Ebd, 115.

[11] Ebd, 122.

[12] Max STEINMETZ: Thomas Müntzer in der Forschung der Gegenwart. ZGW 23 (1975), 678.

[13] H[ans]-J[ürgen] GOERTZ: Innere und äußere Ordnung in der Theologie Thomas Müntzers. Leiden 1967, 109–114.

[14] Vgl. ebd, 112.

[15] Ebd, 113.

[16] Ebd, 79–84.

[17] Gottfried SEEBASS: Das Zeichen der Erwählten: zum Verständnis der Taufe bei Hans Hut. In: Umstrittenes Täufertum 1525–1975: neue Forschungen/ hrsg. von Hans-Jürgen Goertz. Göttingen 1975, 138–164.

[18] Ebd, 149–152.

[19] Goertz: Innere und Äußere Ordnung . . ., 114 f.

[20] Seebaß: AaO, 148 f.

[21] Wichtigste Quelle ist die Präsentationsurkunde des Rates der Altstadt Braunschweig für eine Altarpfründe an St. Michael in Braunschweig vom 6. Mai 1514 (MSB, 553, bes. Zeile 8 f).

[22] Vgl. Friedrich Wilhelm Oediger: Über die Bildung der Geistlichen im späten Mittelalter. Leiden / Köln 1953, 80–97.

[23] Zu den kirchenrechtlichen Vorschriften für die Priesterweihe im hohen und späten Mittelalter vgl. Willibald M. Ploechl: Geschichte des Kirchenrechts. Bd. 2. 2. Aufl. Wien / München 1962, 288–305.

[24] Vgl. Oediger: AaO, 86–91, und Maximilian Liebmann: Urbanus Rhegius und die Anfänge der Reformation. Münster 1980, 120–123.

[25] Ebd, 124 f.

[26] Vgl. den eindrücklichen Text aus der Feder des Urbanus Rhegius (ebd, 118 f).

[27] Vgl. das Handbuch für Priester des Johannes de Burgos: Pupilla oculi. Straßburg 1514, xv^r: „hoc sacramentu(m) perficit(ur) in co(n)secratione materie: sed no(n) in vsu." Dies wird als ausdrücklicher Unterschied etwa zu Taufe, Firmung und Krankensalbung festgestellt.

[28] Über Müntzers Beziehungen zu Braunschweig vgl. Siegfried Bräuer: Thomas Müntzers Beziehungen zur Braunschweiger Frühreformation. ThLZ 109 (1984), 636–638; Ulrich Bubenheimer: Thomas Müntzer in Braunschweig. Teil 1. Braunschweigisches Jahrbuch 65 (1984), 37–78; Teil 2 Braunschweigisches Jahrbuch 66 (1985), 79–114; ders.: Thomas Müntzer und der Anfang der Reformation in Braunschweig. Nederlands archief voor kerkgeschiedenis 65 (1985), 1–30.

[29] Missale celeberrimi Halberstattensis episcopatus. Speyer 1511, A 1^r.

[30] Ebd, A 2^r.

[31] Ebd, A 1^r–4^r.

[32] „Quia h(oc) sacrame(n)tu(m) deb(et) sensib(us) deseruire ad videndu(m) ta(n)gend(um) (et) gustandu(m): vt sensus reficiat(ur) ex specie. et i(n)tellect(us) ex re co(n)tenta foueat(ur)" (ebd, A 1^r).

[33] Vgl. Peter Browe: Die Kommunionandacht im Altertum und Mittelalter. ALW 13 (1933), 45–64, bes. 51–64.

[34] Vgl. Peter Browe: Die tägliche Kommunion im Mittelalter. Münster 1938, 25–43; Hans Bernhard Meyer: Luther und die Messe: eine liturgiewissenschaftliche Untersuchung über das Verhältnis Luthers zum Meßwesen des späten Mittelalters. Paderborn 1965, 317–319.

[35] Vgl. z. B. Eitelhans Langenmantel: Der Eyferer. [Augsburg] 1526, C 1^v; Michael Keller: Ettlich Sermones von dem Nachtmal Christi. [Augsburg] 1526, B 4^{r-v}.

[36] Corpus documentorum inquisitionis haereticae pravitatis Neerlandicae/ hrsg. von Paul Fredericq. Bd. 4. Gent 1900, 6. 9. 11 (hier eine Hausfrau in Antwerpen 1519 betreffend).

[37] Vgl. Müntzers Brief an Bürgermeister und Rat von Neustadt (Orla) vom 17. Januar 1521 (MSB, 366, 3–12 [19]). Diese Beschreibung des priesterlichen Auftrags erinnert an Luthers frühe Beschreibung des Priesterdienstes in der Vorlesung über den Hebräerbrief 1517/18 (WA 57 III, 166, 26 – 167, 16). Zum Ganzen vgl. auch Bubenheimer: Thomas Müntzer in Braunschweig, 56 f. Was sich aus der Anrede Müntzers durch Claus Winkeler als „vorfolger der unrechtverdicheyt" (MSB, 349, 4 [3]) für Müntzers Selbstverständnis als Priester schließen läßt, muß vorerst offenbleiben.

[38] MSB, 373, 19 – 374, 5 (26); zu diesem Brief vgl. Bubenheimer: Thomas Müntzer und der Anfang . . ., 7 f. 26.

[39] MSB, 495, 12 f; 497, 17 f. 23 f; 500, 21–23; vgl. 505, 8; 506, 2. 21–23.

[40] TOp. R, b 2^r–3^r.

[41] TOp. M, b 2^r.

[42] TOp. M, b 3^v.

[43] TOp. M, b 4^r.

[44] TOp. M, b 7^r.

[45] MSB, 212, 38.

[46] MSB, 212, 36 – 213, 6.

[47] Vgl. Paul Wappler: Thomas Müntzer in Zwickau und die „Zwickauer Propheten". Nachdruck der Ausgabe Zwickau 1908. Gütersloh 1966, 21–26.

[48] MSB, 359, 9–11 (13). Zur Lehre von den Meßfrüchten in der spätmittelalterlichen Predigt vgl. Willi Massa: Die Eucharistiepredigt am Vorabend der Reformation: eine material-kerygmatische Untersuchung zum Glaubensverständnis von Altarsakrament und Messe am Beginn des 16. Jahrhunderts als Beitrag zur Geschichte der Predigt. Siegburg 1966, 118–134; zur Lehre von den Meßfrüchten im allgemeinen: Adolph Franz: Die Messe im deutschen Mittelalter: Beiträge zur Geschichte der Liturgie und des religiösen Volkslebens. Nachdruck der Ausgabe Freiburg (Brsg.) 1902. Darmstadt 1963, 36–72.

[49] WA 2, 74.

[50] Vgl. Oswald BAYER: Promissio: Geschichte der reformatorischen Wende in Luthers Theologie. Göttingen 1971, 95–114; Wolfgang SCHWAB: Entwicklung und Gestalt der Sakramententheologie bei Martin Luther. Frankfurt a. Main / Bern 1977, 70, Anm. 49.

[51] WA 9, 145, 26–37.

[52] WA 9, 146, 11–30.

[53] WA 9, 148, 31 – 149, 29. Übrigens weist auch Müntzers Beschäftigung mit dem Fegefeuerproblem im Brief an Melanchthon vom 27. März 1522 (MSB, 381, 27 – 382, 1 [31]) und im Brief an Christoph Meinhard vom 11. Dezember 1523 (MSB, 399, 28 – 400, 3 [47]) darauf hin, daß er sich offenbar mit Luthers Position von 1518 identifiziert (vgl. WA 1, 556, 5–18).

[54] Für eine Bezugnahme Müntzers auf die Vaterunserauslegung Luthers in der 1518 veröffentlichten Fassung – also nicht, wie ETM, 82–85, voraussetzt, auf den „Sermon von der Betrachtung des heiligen Leidens Christi" von 1519 – spricht, daß der Text von 1518 ausdrücklich von eucharistischen Zusammenhängen handelt. Möglicherweise zielt auch die zehnte der von Müntzer notierten Thesen des Egranus (MSB, 514, 11–13) polemisch auf diese Zusammenhänge, wenn sie überhaupt bestreitet, daß die vierte Vaterunserbitte von Christus als dem lebendigen Brot spricht (vgl. dazu WA 9, 143, 9–32). In diesem Falle hätte die These einen spezifischeren Sinn, als Elliger (ETM, 152) annimmt. Nach Müntzers Verständnis wollte Egranus einen soteriologischen Sinn des Abendmahls überhaupt bestreiten, wie es These 4 erkennen läßt (MSB, 513, 12–15). Zur Position des Egranus an diesem Punkt vgl. ETM, 138–141.

[55] MSB, 379–382 (31); zur Interpretation vgl. ETM, 221–229.

[56] MSB, 381, 8–12 (31).

[57] MSB, 381, 12–16 (31). Ich deute diesen Text anders als ETM, 225.

[58] Zur Vorstellung des „verus possessor" bei Müntzer vgl. MSB, 499, 23 („Prager Manifest", 1521, deutsche Langfassung); 528, 14–17 (undatierte Aufzeichnung); 385, 12 (35, Brief aus Nordhausen vom 14. Juli 1522).

[59] MSB, 381, 16–19 (31).

[60] Vgl. Helmut BRÄUER: Zwickau zur Zeit Thomas Müntzers und des Bauernkriegs. Zwickau 1975, 45.

[61] WA 12, 477, 13 – 478, 7 (Ein Sermon am Gründonnerstag, 1523); 215, 18 – 216, 19 / StA 1, 380, 24 – 381, 3 (Formula Missae et communionis pro ecclesia, 1523).

[62] Vgl. MSB, 386, 16–23 (37); 565, 18.

[63] Vgl. dazu ETM, 242–247. Nach einer Äußerung Luthers von 1533 (WA 38, 213, 12 f) hatte er im Kloster jeweils die Frühmesse zu halten.

[64] Vgl. den Brief von Johann Buschmann an Müntzer vom 30. September 1522 (MSB, 385 f [63]).

[65] Vgl. MSB, 388, 10–12 (38), und die Schuldeneintreibung durch den Buchführer Wolfgang Juche in Halle im Juli 1524 (MSB, 423 f [60]).

[66] Vgl. MSB, 388, 9 f (38): „Es wehr besser sterben, dan dye ehr Gots myt ergernus zu tatelen in der narung."

[67] WA 38, 213, 11–15 (Von der Winkelmesse und Pfaffenweihe, 1533); vgl. WA TR 4, 703, 20 – 704, 5 (5185).

[68] Auch ETM, 245, Anm. 132, hat an dieser Stelle Zweifel. Luthers Bericht ist auch so deutbar, daß Müntzer zu dieser Zeit nicht mehr bereit war, den Ritus der Messe nach den geltenden Vorschriften zu vollziehen. Damit wäre der Vorgang, den Luther berichtet, auch anders gedeutet, als Meyer: AaO, 236, Anm. 71., es getan hat.

[69] Ob Müntzers Aufenthalt in Glaucha mit der „religiösen Gärung im Erzstift Magdeburg" im Winter 1522/23 in Verbindung zu bringen ist, wie Otto SCHIFF: Thomas Müntzer als Prediger in Halle. ARG 23 (1926), 291, meint, ist nicht gewiß.

[70] Für die Zisterzienserinnenklöster war seit 1260 eine jährlich siebenmalige Pflichtkommunion vorgeschrieben (vgl. Browe: Die häufige Kommunion . . ., 91 f).

[71] Vgl. ETM, 242.

[72] Daß diese Spannungen in Glaucha nicht unbedingt an die Öffentlichkeit dringen mußten, wurde möglicherweise dadurch begünstigt, daß die Kommunionsausteilung an die Nonnen im Anschluß an die Messe auf dem Nonnenchor stattgefunden haben könnte.

[73] Vgl. Bubenheimer: Thomas Müntzer in Braunschweig, 109.

[74] MSB, 395, 27–31 (45, Müntzer an Friedrich den Weisen am 4. Oktober 1523).

[75] MSB, 165, 6 f.

[76] MSB, 164, 24.

[77] MSB, 164, 33–36.

[78] MSB, 426, 15–25 (61, Müntzer an einen ungenannten Anhänger, undatiert).

[79] MSB, 435, 37 – 436, 2 (67).

[80] MSB, 245, 16 f; vgl. 163, 27 – 164, 7.

[81] Müntzers eigene Bezeichnung für den Gottesdienst lautet „geheim Gottes" (MSB, 210, 8. 27; 212, 17. 29). Freilich sind „Gottesdienst" und „geheim Gottes" nicht einfach identisch. Vgl. zu einem anderen Sprachgebrauch von „geheim" bei Müntzer MSB, 166, 8; 231, 11. Die Erläuterung von Hansjosef GOERTZ: Deutsche Begriffe der Liturgie im Zeitalter der Reformation: Untersuchungen zum religiösen Sprach-Wortschatz zwischen 1450 und 1550. Berlin 1977, 311 (mit Anm. 2) und 318, der „geheim" als Äquivalent zu „Sakrament" faßt, ist also nicht ganz exakt. Daß Müntzer seine Bezeichnung aus der Beschäftigung mit den Mystikern gewonnen habe (so Karl SCHULZ: Thomas Müntzers liturgische Bestrebungen. ZKG 47 [1928], 401), ist höchst unwahrscheinlich. Eher liegt eine Übersetzung von „sacramentum" im patristisch-mittelalterlichen Sprachgebrauch vor, dessen Sinn umfassender ist als der spätere Terminus „Sakrament".

[82] Schulz: AaO, 400; E[wald] JAMMERS: Thomas Müntzers deutsche evangelische Messen. ARG 31 (1934), 121.

[83] MSB, 173, 5–9. In der „Ordnung und Berechnung . . ." freilich erklärte er: „Wir halten kein opffer in der geheim Gotis" (MSB, 210, 26 f).

[84] MSB, 173, 10; 179, 4; 190, 16. Der Druck in MSB läßt nicht deutlich werden, daß es sich dabei um selbständige Stücke handelt.

[85] MSB, 212, 24–27.

[86] Meyer: AaO, 214–237.

[87] MSB, 212, 10. 15 (dort nicht im Text!). Daß dieser Tatbestand lediglich in der „Ordnung und Berechnung . . ." vermerkt ist, erklärt sich am ehesten daraus, daß diese Schrift ihrer Gattung nach so etwas wie ein erstes deutschsprachiges Rituale (Agenda) ist, das für die Hand des Pfarrers bestimmt ist (vgl. B[runo] LÖWENBERG: Rituale. Lexikon für Theologie und Kirche. 2., völlig neu bearb. Aufl. Bd. 8. Freiburg 1963, 1327–1329). So „rätselhaft", wie Schulz: AaO, 376, Anm. 5, es sieht, ist also die Verwendung des Kreuzeszeichens durch Müntzer an dieser Stelle nicht.

[88] MSB, 176, Anm. 31; 212, Anm. 57, sind entsprechend zu korrigieren. Offenbar richtete sich gegen die Übernahme des Wortlauts des Einsetzungsberichts aus dem Missale der Einspruch Konrad Grebels und seiner Freunde, MSB, 439, 38 – 440, 3. 21 f (69). Sie lehnten im übrigen auch den Begriff und die Sache der Konsekration und des Sakraments ab.

[89] MSB, 212, 21.

[90] MSB, 415, 15 f.

[91] MSB, 209, 29 – 210, 3.

[92] Vgl. Helmar JUNGHANS: Freiheit und Ordnung bei Luther während der Wittenberger Bewegung und der Visitationen. ThLZ 97 (1972), 95–104, bes. 98 f.

[93] MSB, 211, 8–12.

[94] MSB, 411, 3–12 (55).

[95] MSB, 212, 7.

[96] MSB, 211, 20–26.

[97] Vgl. Meyer: AaO, 217.

[98] MSB, 211, 26–28.

[99] Zum Sinn des Wortes vgl. Matthias LEXER: Mittelhochdeutsches Taschenwörterbuch. 36. Aufl. Leipzig 1980, 225 f.

[100] MSB, 212, 3–5.

[101] MSB, 211, 30–35. Über die Berechtigung eines solchen Eindrucks aus der Beobachtung der zeitgenössischen Praxis vgl. Meyer: AaO, 223–237, mit den zugehörigen Belegen.

[102] So ist wohl das Marginale „Nume 23" aufzulösen. Bei „Esaie 40" dachte Müntzer wahrscheinlich an Jes. 40,18 f (nicht 26 ff, wie MSB will).

[103] Das Marginale: „elevat minister oculos" (MSB, 212) bezieht sich auf den Passus im Text des Einsetzungsberichts: „und hub auff seine Augen in Himmel zu dir, Gott, seinem almechtigen vater" (MSB, 212, 9 f; vgl. 176, 10 – 177, 1). Müntzer behält also auch die Idee bei, daß der Priester („minister", MSB, 212, 13) bei der Mahlfeier Christus nachahmt.

[104] MSB, 212, 12, Marginale.

[105] So ist die Anweisung MSB, 212, 13, zu verstehen, die vor dem Brotwort MSB, 212, 7, fehlt, aber nach MSB, 213, 28 f, vorausgesetzt wird.

[106] MSB, 212, 18 f.

[107] Vgl. Meyer: AaO, 262.

[108] MSB, 212, 21.

[109] DIE EVANGELISCHEN KIRCHENORDNUNGEN DES XVI. JAHRHUNDERTS/ hrsg. von Emil Sehling. 1 I. Leipzig 1902, 508. In Allstedt war übrigens auch das zum Gottesdienst rufende Glockengeläut abgeschafft worden (ebd, 511).

[110] In einigen Nachbarorten von Allstedt – Einzigen, Wolferstedt und Heygendorf – fand man 1525 in ihrer Ausstattung stark veränderte Kirchen vor, „kein Crucifix oder nichts in ihren Kirchen, allein ein Altar mitten in der Kirche, wie in einer Synagoge" (Friedrich SCHMIDT: Die Einführung der Reformation in Sangerhausen 1539. Zeitschrift des Vereins für Kirchengeschichte der Provinz Sachsen 14 [1917], 119). Konrad Grebel und seine Freunde hatten noch im Herbst 1524 die Beibehaltung der Bilder durch Müntzer kritisiert (MSB, 441, 29 – 442, 14; 445, 27 – 446, 2 [69]).

[111] Krämer. Müntzer hat mit diesem Ausdruck wohl den Brauch der spätmittelalterlichen Kirche im Sinn, mit der der Kommunion vorausgehenden Beichte eine Geldabgabe zu verbinden (Meyer: AaO, 306 f) bzw. Messen gegen Geld zu bestellen und lesen zu lassen.

[112] MSB, 213, 11 f. Meint Müntzer an dieser Stelle die Wittenberger, so denkt er wohl an Luthers und Bugenhagens Vorsicht gegenüber der Nötigung zur Kommunion unter beiderlei Gestalt.

[113] MSB, 213, 12–14.

[114] Vgl. die Kritik Konrad Grebels und seiner Freunde an Müntzer (MSB, 440, 22 f [69]).

[115] MSB, 544, 7 f.

[116] MSB, 215, 11–18.

[117] Es handelt sich bei ihr um Luk.10,5 ff (nicht um Luk. 12, wie Müntzer fälschlich notiert), ohne daß klar wird, wie weit der von Müntzer vorgesehene Text reicht.

[118] Also nicht das „Symbolum Nicaenum" wie im Gemeindegottesdienst (vgl. MSB, 170, 15 – 173, 4; in MSB, 210, Anm. 38, entgegen 170, Anm. 38, fälschlich als „Symbolum Apostolicum" identifiziert), was aus dem Initium hervorgeht (215, 14).

[119] MSB, 529, 1 – 530, 19.

[120] MSB, 520, 1 unten – 522, 35. Der innere Zusammenhang beider Texte wird auch von Siegfried BRÄUER: Thomas Müntzers Liedschaffen: die theologischen Intentionen der Hymnenübertragungen im Allstedter Gottesdienst von 1523/24 und im Abendmahlslied Müntzers. LuJ 41 (1974), 91 / TMFG, 269, bemerkt.

[121] MSB, 520, 1 unten – 520, 12; zur Sache vgl. auch 318, 26–34.

[122] Vgl. MSB, 521, 11 mit 521, 12–14.

[123] Vgl. MSB, 521, 20–24. Allerdings ist in MSB der Text Müntzers ungenau wiedergegeben. Nach dem handschriftlichen Befund (MBF, 60) ist es möglich, den Text MSB, 521, 22: „do ehr sagete (!)" als Anfang eines temporalen Nebensatzes zu verstehen, dessen Hauptsatz 521, 23 fortgesetzt wird: „do (!) wart er am aller hochsten (!) gebrochen (!)". Zur Sache vgl. die zweite Strophe von Müntzers Abendmahlslied (MSB, 529, 8–14).

[124] MSB, 521, 26–29: „drumb alles, das von Gotte in warer billikeit gehandelt wyrt, mag alleyne vornommen werden durch dye rechten fruchtbaren vorkundigung des todes seynes lyben sones" (Textänderungen nach dem handschriftlichen Befund MBF, 60).

[125] MSB, 521, 17.

[126] MSB, 521, Anm. 9: Druckfehler zu ändern in „Röm. 8,36".

[127] MSB, 521, 19–31.

[128] MSB, 521, 31.

[129] Über MSB, 521, Anm. 12, hinaus ist wohl auch an Joh. 16,19 f zu denken.

[130] MSB, 521, 33 – 522, 2.

[131] MSB, 521, 35 f.

[132] MSB, 522, 3. Müntzer meint hier offensichtlich die spätscholastisch-nominalistischen akademischen Diskussionen über die Lokalität und Räumlichkeit der Gegenwart des Leibes Christi im Abendmahl, wie sie bei Wilhelm von Ockham vorliegen und bei Pierre d'Ailly und Gabriel Biel eine gewisse Verselbständigung und Abstrahierung erfahren haben (vgl. Hartmut HILGENFELD: Mittelalterlich-traditionelle Elemente in Luthers Abendmahlschriften. Zürich 1971, 186–197).

[133] MSB, 522, 7–10 (Textänderung nach dem handschriftlichen Befund MBF, 60). Als Auflösung des Schriftbelegs „Ro. 6" möchte ich entgegen MSB, 522, Anm. 16, eher Röm. 6,13 annehmen.

[134] Vgl. MSB, 522, 14–17.

[135] MSB, 522, 23; vgl. 522, 18–20. 28 f.

[136] Vgl. MSB, 522, 11–14. Schon von daher ist höchst unwahrscheinlich, daß Müntzer der Autor der Auslegung von Luk. 22,20 ist, die Luther 1528 zitiert (WA 26, 470, 8–17 / StA 4, 212, 4–17) und die nach Kaspar von Schwenckfeld möglicherweise auf Müntzer zurückgeht (StA 4, 212, Anm. 2813).

[137] MSB, 522, 24; zur Sache vgl. die Schlußstrophe des Abendmahlsliedes (MSB, 530, 13–19).

[138] MSB, 522, 30 f, zitiert Müntzer Joh. 6,63. TOp. M, 61 hatte Müntzer zu TRM 37 (CChr. SL 2, 969, 1–970, 24 / CSEL 47, 79, 1–23), wo Joh. 6,63 als nicht vom Abendmahl sprechend gedeutet wird, am Rande notiert: „Exponit caro no(n) prodest quicq(uam)". Diese Notiz gibt nicht zu erkennen, ob er selbst Joh. 6 als auf das Abendmahl bezogen verstehen wollte. Dem vorliegenden Textzusammenhang nach dürfte diese Frage eher zu bejahen sein. Vgl. auch die zweite Strophe des Abendmahlsliedes (MSB, 529, 10–14).

[139] MSB, 522, 34.

[140] Unklar ist, was es bedeutet, daß Müntzer behauptet, er nehme seinen Gegnern das Sakrament „mit der buchse" (MSB, 522, 33).

[141] MSB, 544, 4–6.

[142] MSB, 211, 26–28.

[143] Vgl. MSB, 522, 13 f und 211, 36 mit 212, 3–5.

[144] MSB, 212, 3–5, Marginale.

[145] MSB, 472, 15–18.

[146] Vgl. MSB, 544, 4–10.

[147] Das, nicht die Wirkung auf das „fromme Empfinden der Christenheit" (ETM, 791), dürfte das primäre Ziel der Protokollierung von Müntzers Aussage gewesen sein.

[148] MSB, 544, 4–6.

[149] MSB, 544, 7–9.

[150] MSB, 544, 9 f.

[151] MSB, 550, 19–27.

[152] MSB, 550, 19 f.

[153] MSB, 550, 19.

[154] Vgl. Martin Luther: Ein Brief an die Fürsten zu Sachsen von dem aufrührerischen Geist (WA 15, 216, 29–31 / StA 3, 99, 4 f, mit Anm. 120).

[155] Zur Wertung des „Widerrufs" insgesamt vgl. ETM, 808, mit Anm. 76.

[156] Vgl. MSB, 502, 21 – 503, 4; 509, 7–19.

[157] MSB, 503, 15 f; vgl. 509, 19 f.

[158] Desiderius Erasmus von Rotterdam: Opera omnia/ hrsg. von Joannes Clericus [Jean Leclerc]. Bd. 7. Nachdruck der Ausgabe Leiden 1703. Hildesheim 1961, 3ᵛ; vgl. dazu Linus Hofmann: Ratifizierung der Taufe?: zu einer pastoralen Anregung des Erasmus von Rotterdam. In: Zeichen des Glaubens: Studien zu Taufe und Firmung, Balthasar Fischer zum 60. Geburtstag/ hrsg. von Hansjörg Auf der Maur und Bruno Kleinheyer. Zürich 1979, 95–107.

[159] Eberhard Weidensee: Eynn tractetleyn von dem glawben / stand vnd wesen der vnmundigen kindeleyn / ob sye auch alle selig werden. Magdeburg 1524, B 1ʳ: „Fragstu nu(e) was hilfft den dem kynd das es getaufft wirt? Antwort / nichts / ßo yhm Gott den glaube(n) nicht gybt / den die tauff ist nur eyn eusserlich tzeychen des Christendumß / vnd der ynnerlichen rechtfertigung durch den glauben / darumb ßo das ynnerlich ding nicht da ist / hilfft das tzeychen nichts . . ." Darum sei es nicht nötig, daß die Frauen es mit der Taufe ihrer Kinder so eilig haben, „den Gotte synd seyne hende nicht an die tauff gepunden / das ehr sust nicht kunde dye kynder ßelig machen". Das wichtigste sei Gottes Vorherbestimmung. So darf wohl die Taufe nicht verachtet werden. Aber der Unterschied von äußerer und innerer Taufe sei doch festzuhalten.

[160] BSLK, 535, 7 – 538, 3.

[161] Vgl. dazu Christoph Windhorst: Täuferisches Taufverständnis: Balthasar Hubmaiers Lehre zwischen traditioneller und reformatorischer Theologie. Leiden 1976, 162–166.

[162] Möglicherweise gibt es bei Müntzer und Weidensee bisher unerkannte gemeinsame Wurzeln für ihre Antworten auf tauftheologische Fragen. Weidensee war bis 1523 am Augustinerchorherrenstift St. Johannes vor den Toren Halberstadts. Dieses Stift war ein frühes Zentrum der reformatorischen Bewegung in Halberstadt und ein Sammelort für Flüchtlinge u. a. auch aus dem Freundeskreis Müntzers in Braunschweig (vgl. Bubenheimer: Thomas Müntzer in Braunschweig 1, 60, Anm. 157).

[163] MSB, 225.

[164] Vgl. besonders MSB, 390, 7 – 391, 7 (40, Müntzer an Luther am 9. Juli 1523), und die Briefe an Christoph Meinhard (397–400. 402–404 [46 f. 49]) und Hans Zeiß (421–423 [59]).

[165] Vgl. MSB, 226, 23–29; 227, 10–23.

[166] Vgl. MSB, 227, 25–30.

[167] MSB, 227, 31 f.

[168] MSB, 227, 32 – 228, 3.

[169] Vgl. z. B. Manuale curatorum. Köln 1498, 2ᵛ–3ʳ; Pupilla oculi, iiiᵛ; für Müntzer vgl. auch MSB, 403, 8–11 (49).

[170] So Pupilla oculi, iiiiʳ.

[171] MSB, 228, 3–6.

[172] Vgl. MSB, 271, 33 – 272, 17; 285, 32–37; 317, 27 – 318, 21.

[173] MSB, 228, 6–8.

[174] MSB, 228, 8–11.

[175] MSB, 228, 21–23. Die Marginalien sind wohl aufzulösen: Matth. 5,17; Luk. 2,19.

[176] MSB, 228, 23–29. Das Zitat reicht – gegen MSB, 228, 28 – bis „entpfangen".

[177] Zu MSB, 228, 27–31, sind die Marginalien wie folgt aufzulösen: Jes. 55,1; Jos. 7,5; Num. 19,7–12.17–21; Ps. 69,2 f; 18,5.16 f; 23,2; 29,3; 80,12; Hohesl. 4,15; Sir. 39,17 (ich löse dieses Marginale anders auf als MSB, 228, Anm. 35); Ps. 93,3 f (Seebaß: AaO, 148 f, löst die Bibelstellen teilweise etwas anders auf). In dieser Belegreihe tauchen Schlüsseltexte auf, die von Müntzer immer wieder herangezogen werden: Zu Ps. 93 vgl. MSB, 21–24, bes. 21, 18 – 22, 11 und 24, 4–16; zu Ps. 69 vgl. MSB, 214, 16–18; 245, 5–7; 395, 17–19 (45); 400, 6–8 (47). Zu MSB, 424, 30 und 425, 1 (61), tauchen beide Texte gemeinsam als Marginalien auf; vgl. MSB, 269, 8–19. Zum Wassersymbol vgl. u. a. MSB, 418, 27–30; 425, 6–19; Rolf Dismer: Geschichte, Glaube, Reformation: zur Schriftauslegung Thomas Müntzers. Hamburg 1974, 213–218 (MS) – Hamburg, Univ., theol. Diss. 1974.

[178] Vgl. MSB, 21, 18–22, 11; 424, 29 – 425, 3 (61); 390, 17–23 (40); 269, 8–19.

[179] MSB, 228, 31; zum Ganzen vgl. den Text bis 229, 12. Angespielt wird im einzelnen auf Joh. 1,26–34; 3,23–29; 4,13 f; 5,4; 6,16–21; 7,37–39.

[180] MSB, 229, 12 f. Der Text ist wohl sinngemäß zu ergänzen: „Auffs zeychen Jone [weisen] ist auch kein ander [Zeichen], . . ."

[181] Vgl. Iserloh: AaO, 122: „Die Taufe bedeutet, d. h. weist nur hin auf diesen von ihr aber in keiner Weise bewirkten Heilsprozeß dank der Bewegung des Geistes im Menschen."

[182] MSB, 229, 15–30.

[183] MSB, 229, 25 – 230, 8. In TOp. R, 3ʳ, hatte Müntzer, bezogen auf die Beicht- und Bußfrage, kommentierend am Rand bemerkt: „Cerimoniis omnia equare voluerunt."

[184] MSB, 230, 8–10; vgl. 239, 27–29; 526, 11; 228, 13 f: „Die rechte tauffe ist nicht verstanden, darumb ist der eingang zur christenheit zum vihischen affenspiel worden."

[185] Vgl. MSB, 423, 8–13 (59).

[186] MSB, 437–447 (69).

[187] Vgl. MSB, 437, Anm. 2 (69).

[188] Vgl. Fritz Blanke: Brüder in Christo: die Geschichte der ältesten Täufergemeinde, Zollikon 1525. Zürich 1955.

[189] MSB, 438, 36 – 444, 6 (69).

[190] MSB, 443, 1 – 444, 12 (69).

[191] Vgl. MSB, 228, 2–6 mit 442, 27–34 (69).

[192] MSB, 443, 34–38 (69).

[193] Vgl. dazu Hans-Jürgen Goertz: Die Täufer: Geschichte und Deutung. München 1980, 54–59. 79–84 / Berlin 1987, 55–60. 78–83.

[194] Vgl. die Bemerkung Grebels und seiner Freunde MSB, 445, 25 f (60), die doch wohl zu erkennen gibt, daß sie Müntzers Aussage nicht verstanden hatten.

[195] MSB, 214, 12.

[196] Zwar trifft zu, was Iserloh bemerkt: „Mit der Lesung von der Taufe Christi ist die Einengung des Ritus auf die Kindertaufe aufgehoben" (aaO, 120). Aber die Auswahl von Matth. 3,13–17 als Taufevangelium durch Müntzer ist wohl nicht von der Absicht bestimmt gewesen, die Taufliturgie auf die Taufe von Erwachsenen hin zu öffnen. Vgl. dazu im folgenden.

[197] MSB, 228, 3–6.

[198] Vgl. dazu auch Seebaß: AaO, 150.

[199] MSB, 214, 13–15. Müntzer rechnet also nach wie vor – trotz MSB, 229, 22–24 – mit der unersetzbar wichtigen Rolle der Paten bei der Taufhandlung. Daraus ist zu erschließen, daß er in der Allstedter Ordnung einen relativ frühen Tauftermin für die Neugeborenen annimmt, so daß zumindest die

Mütter bei der Taufe nicht anwesend sind. Zur unersetzbaren Rolle der Paten vgl. auch MSB, 214, 32–34.

[200] MSB, 214, 23 f.

[201] Daß es sich wirklich um eine Neugestaltung handelt, zeigt ein Vergleich mit überlieferten spätmittelalterlichen Taufritualien. Im einzelnen vgl. das Folgende.

[202] Vgl. Bruno JORDAHN: Der Taufgottesdienst im Mittelalter bis zur Gegenwart. In: Leiturgia: Handbuch des evangelischen Gottesdienstes/ hrsg. von Karl Ferdinand Müller und Walter Blankenburg. Bd. 5. Kassel 1970, 413 f.

[203] MSB, 214, 16–18. Alois STENZEL: Die Taufe: eine genetische Erklärung der Taufliturgie. Innsbruck 1958, 275, Anm. 26, bemerkt: „Die Landessprache bei Absage und Glaubensbekenntnis und bei Formeln pastoraler Art ist eine alte Errungenschaft" und verweist auf die „Statuta Bonifatii" aus dem 8. Jahrhundert. Die Erzdiözese Mainz kennt seit der ersten Druckausgabe ihres Diözesanrituals von 1480 die deutsche Sprache bei der Namenserfragung für den Täufling, beim Absageskrutinium, bei der Glaubensfrage, der Frage nach dem Taufwillen und der Ermahnung an die Paten, dem Kinde das Vaterunser, das Ave Maria und das Credo einzuprägen (Hermann REIFFENBERG: Volkssprachliche Verkündigung bei der Taufe in den gedruckten Mainzer Diözesanritualien. Liturgisches Jahrbuch 12 [1962], 224 f).

[204] Vgl. oben Anm. 177.

[205] Als Evangelientexte kannte die Überlieferung lediglich entweder Matth. 19,13–15 (bzw. Mark. 10,13–16) oder Matth. 11,25–30; vgl. Hermann Josef SPITAL: Der Taufritus in den deutschen Ritualien von den ersten Drucken bis zur Einführung des Rituale Romanum. Münster 1968, 90 f; Stenzel: AaO, 276.

[206] MSB, 214, 19–23. Unklar bleibt, wie Müntzer Matth. 3,15 deuten möchte; er zitiert nur diesen Teil des Textes, teilweise als Ansatz für seinen Kommentar. TOp, 437 hat Müntzer (?) das zur Gottesstimme in Matth. 3,17 parallele Zitat Matth. 17,5 unterstrichen. Ob das Marginale TOp, 437: „Vox Dei patris de coelo sonans in Baptismo sui filij Vnigeniti", von Müntzers Hand stammt, ist mir zweifelhaft. Zur Deutung von Matth. 3,13–17 in Luthers früher Tauftheologie vgl. Werner JETTER: Die Taufe beim jungen Luther. Tübingen 1954, 218–220.

[207] Stenzel: AaO, 275. Übrigens zeigt sich Müntzer auch bei der Übernahme der Zeremonien selbst als ziemlich konservativ.

[208] „. . . , zu unterscheiden im geist der weyßheit das gute und bo(e)ße, auff das du durch den teuffel nit zurtretten wirst" (MSB, 214, 26 f).

[209] MSB, 214, 25 f.

[210] Vgl. MSB, 222, 4. Jes. 5,20 ist dafür und für das Folgende (MSB, 222, 7–10) Beleg. Das Marginale „Matthei 20" zu dieser Stelle dürfte Matth. 20,17–23 meinen.

[211] MSB, 235, 19 f und 251, 12 f dürfen wohl zur Interpretation der vorliegenden Stelle herangezogen werden.

[212] MSB, 214, 26.

[213] MSB, 214, 26 f. Die Anspielung auf Matth. 5,13 ist durch das Salzmotiv vermittelt.

[214] MSB, 214, 27 f. Dieses Votum ist wohl als Einleitung zum Credo zu verstehen. Zur Rolle von Matth. 13,24–30 in Müntzers Denken vgl. Dismer: AaO, 93–100.

[215] Vgl. MSB, 423, 5–13 (60).

[216] Vgl. Spital: AaO, 108 f.

[217] MSB, 214, 29 f.

[218] MSB, 214, 31 f.

[219] Spital: AaO, 109.

[220] Vgl. Spital: AaO, 117 f.

[221] So nimmt es Seebaß: AaO, 151, an.

[222] Anspielung auf Joh. 6,44?

[223] MSB, 214, 35 – 215, 1. Der Text nimmt Bezug auf Ps. 141,5; vgl. MSB, 497, 16–20.

[224] MSB, 215, 1–3. Das Deutewort setzt eigentlich den Gebrauch des Westerhemdes, nicht der cappa voraus.

[225] Die lateinische Rubrik MSB, 215, 1, mutet an wie die Erinnerung Müntzers an die Benutzung eines lateinischen Rituale.

[226] In der spätmittelalterlichen Mainzer Tauford nung wird von der cappa gesprochen, „quam perferas ante tribunal sanctae Trinitatis" (Hermann REIFFENBERG: Sakramente, Sakramentalien und Ritualien im Bistum Mainz seit dem Spätmittelalter. Bd. 1. Münster 1971, 207, Anm. 1110; vgl. Spital: AaO,

121). Das Speyerer Rituale spricht an dieser Stelle vom „tribunal Christi" (Alois LAMOTT: Das Speyerer Diözesanrituale von 1512 bis 1932. Speyer 1961, 139).

[227] Vgl. MSB, 223. 1 f. Das Marginale zu dieser Stelle scheint auf Luk. 6,29 zu verweisen, wenn nicht doch Luk. 5,36 gemeint ist.

[228] MSB, 215, 2.

[229] Vgl. MSB, 222, 21 – 223, 2.

[230] MSB, 215, 3–6. In einzelnen Diözesen, wie z. B. Mainz, ist die Überreichung der Taufkerze erst im 19. Jahrhundert üblich geworden (vgl. Reiffenberg: Sakramente . . ., 207), in anderen war sie bereits zu Beginn des 16. Jahrhunderts üblich (so in der Magdeburger Agende [1497], in der Meißener Agende [1512] und in der „Agenda communis" [1512]; vgl. Spital: AaO, 124). Möglicherweise steht Müntzers Allstedter Ordnung in der Tradition einer dieser Agenden.

[231] MSB, 215, 4 f.

[232] Zu MSB, 215, 4 vgl. Joh. 8,12 oder Eph. 5,14; zu 215, 5 („laß das Leben Christi deinen Spiegel sein") wäre als Hintergrund 1. Kor. 13,12 im Sinne von Müntzers Hermeneutik zumindest denkbar.

[233] MSB, 215, 5 f. Iserloh: AaO, 121, bemerkt: „Mit dem letzten [Deutewort] bekommt die Taufe ein Gewicht, das sie sonst bei Müntzer nicht hat."

[234] Iserlohs Bemerkung (aaO, 122), nach Müntzer habe die Taufe im Heilsprozeß „keinen näher zu bestimmenden Platz", trifft also nicht ganz zu. Seebaß: AaO, 149 f, hat darauf hingewiesen, daß Müntzer den Beginn des Heilsprozesses im Menschen mit Termini der Taufliturgie beschrieben hat, und auf MSB, 492, 10–12; 218, 7 f; 222, 3–10, verwiesen. Zu Luthers früher Tauftheologie, die vom Bußprozeß her entworfen ist, vgl. Jetter: AaO, 214 f, und Schwab: AaO, 56–60.

[235] MSB, 229, 13–15.

[236] Vgl. MSB, 163, 27–31.

[237] Iserloh: AaO, 121, zählt unter die bei Müntzer fehlenden Bestandteile auch die abrenuntiatio diaboli. Das widerspricht jedoch dem Befund in MSB, 214, 29 f. Zu den Einzelbestandteilen der Taufliturgie insgesamt vgl. Georg KRETSCHMAR: Die Geschichte des Taufgottesdienstes in der alten Kirche. In: Leiturgia: Handbuch des evangelischen Gottesdienstes/ hrsg. von Ferdinand Müller und Walter Blankenburg. Bd. 5. Kassel 1970, 1–348 (passim).

[238] Manfred PROBST: Die westlichen Riten der Kindertaufe im Zeitalter der Reformation. Liturgisches Jahrbuch 35 (1985), 89, stellt fest, daß bezüglich der signatio crucis die deutschsprachigen Taufritualien vor der Angleichung an das „Rituale Romanum" (1614) „ein verwirrendes Bild" bieten.

[239] So Iserloh: AaO, 121. Ihm stimmt Seebaß: AaO, 151, Anm. 69, zu.

[240] Vgl. MSB, 492, 10–12; 218, 7 f; 222, 3–10; dazu vgl. Seebaß: AaO, 149 f.

[241] Bezüglich des Konflikts vgl. MSB, 526, 6. 28 – 527, 1.

[242] Außer der Überlieferung des Textes (vgl. MSB, 526, Vorbemerkung mit dem Datum von MSB, 450 f) vgl. 526, 29 f mit 447, 27 – 448, 6; 462, 2 f und 473, 9 f. 20 f.

[243] Vgl. MSB, 527, 2: „Ende disses buchleins".

[244] MSB, 526 f.

[245] MSB, 526, 11. Textänderungen gegenüber MSB sind im folgenden stillschweigend nach dem handschriftlichen Befund (MBF, 60) vorgenommen.

[246] MSB, 526, 1 f. Vgl. zu diesem Akzent der Berufung auf Ps. 69,10 MSB, 395, 17–19; Marginale zu 221, 3 (Druckfehler für „Psal. 69"?); 400, 7 f.

[247] MSB, 526, 2–4.

[248] MSB, 526, 4 f.

[249] MSB, 526, 8.

[250] MSB, 526, 13 f. Auch eine Hildesheimer Taufagende aus der ersten Hälfte des 13. Jahrhunderts rechnet noch mit nur einem Tauftermin im Jahr in der Osternacht (vgl. Andreas HEINZ: Eine Hildesheimer Missalehandschrift in Trier als Zeuge hochmittelalterlicher Taufpraxis: BATr Abt. 95, Nr. 404. Die Diözese Hildesheim in Vergangenheit und Gegenwart: Jahrbuch des Vereins für Heimatkunde im Bistum Hildesheim 52 [1984], 45 f). Ob danach freilich im Hochmittelalter noch verfahren worden ist, erscheint zweifelhaft.

[251] MSB, 526, 14–16.

[252] Vgl. dazu StA 4, 113, Anm. 1341.

[253] Vgl. MSB, 251, 12 f mit 214, 25–27 und 235, 19 f.

[254] Johannes OEKOLAMPAD: Briefe und Akten zum Lebenswerk Oekolampads/ bearb. von Ernst Staehelin. Bd. 2: 1527–1593. Leipzig 1934, 21 (465).

[255] Vgl. MSB, 526, 18–21 und oben Seite 141.

[256] MSB, 526, 22–27.

[257] Über Petrus Lombardus als „magister aus der dornhecken" vgl. MSB, 404, 13 (mit Verweis auf Spr. 26,9) und 237, 1 (mit Verweis auf Ps. 58,10), wo auch die Deutung dieses Namens gegeben wird. Möglicherweise spielt für Müntzer auch die Erinnerung an Matth. 13,22 eine Rolle. Zur Lehre vom fremden Glauben, in dem die Kinder getauft werden, vgl. Petrus LOMBARDUS: Sententiae in IV libris distinctae lib. 4, dist. 4, cap. 2 (Bd. 2. Grottaferrata Romae [1981], 253, 5–8 / PL 192 [1880], 846).

[258] Vgl. WA 1, 333, 26 (Sermo de digna praeparatione cordis pro suscipiendo sacramento eucharistiae, 1518), und 6, 538, 6–8 / StA 2, 221, 11 f (De captivitate Babylonica ecclesiae praeludium, 1520).

[259] Eigentlich liegt lediglich in diesem Punkte bzw. in der zeitlichen Verschiebung von Erkenntnis und angestrebter Praxis die von Goertz: Innere und äußere Ordnung . . ., 113, bemerkte „Inkonsequenz" in Müntzers Denken. Vgl. auch Seebaß: AaO, 152, Anm. 75. Auch für Seebaß (ebd, 152) ist es „nicht ganz klar", ob Müntzer seine Grundsätze in Allstedt durchsetzen konnte oder nicht. Damit jedoch ist noch nicht die Frage beantwortet, ob es in Mühlhausen Ansätze zu einer neuen Taufpraxis gegeben hat.

[260] Vgl. oben Anm. 8.

[261] Vgl. Rudolf MAU: Müntzers Verständnis von der Bibel. In: TMD, 33 f.

[262] Belege dafür siehe StA 4, 66, Anm. 620; 76, Anm. 772; 71 f, Anm. 703.

[263] Siehe oben Seite 137.

[264] Vgl. Ronald J. SIDER: Andreas Bodenstein von Karlstadt: the development of his thought 1517–1525. Leiden 1974, 140–144. 291–299.

[265] Vgl. Gerhard GÜNTHER: Johann Rothemelers Sendbrief an die Mühlhäuser vom Jahre 1525. In: Reform, Reformation, Revolution/ hrsg. von Siegfried Hoyer. Leipzig 1980, 241.

[266] Vgl. etwa das Referat über eine von Kerstan vom Hayn gehörte Predigt Müntzers durch Sittich von Berlepsch am 17. April 1525 (ABKG 2, 109, 13–19 [855]).

Thomas Müntzers Glaubensverständnis

Von Eric W. Gritsch

I Forschungsstand und Standpunkte

In der beinahe unübersehbaren Müntzerliteratur gibt es nur zwei Abhandlungen zu unserem Thema, und zwar mit Blick auf bestimmte Einzelfragen: Hayo Gerdes hat 1955 versucht, den Weg des Glaubens bei Müntzer und Luther zu beschreiben;[1] und Helmar Junghans hat 1976 nach den Ursachen für das Glaubensverständnis Müntzers gefragt.[2] Darüber hinaus ist man auf Gesamtdarstellungen Müntzers angewiesen, die je nach Umfang und Blickrichtung manchmal unser Thema erörtern. Eine chronologische Skizze der bisherigen Behandlung unseres Themas dient als Einstieg, die die einschlägige Literatur kritisch verwertet.

Karl Holl hat bereits 1922 auf das „Eigenartige"[3] in Müntzers Denken hingewiesen, das auch seinen Glaubensbegriff betrifft. Gegenüber Luthers „gedichtetem" Schriftglauben betone Müntzer den „echten" Geistglauben, den er in Anlehnung an Mark. 9,23 und Matth. 17,20 als „Mut und Kraft zum Unmöglichen" charakterisiere. Dieser Glaube „muß ein selbstgewonnener sein; richtiger gesagt, er kann nur durch Gott selbst unmittelbar in dem Menschen geschaffen werden".[4] Das Eigenartige in Müntzers Glaubensbegriff sei „die strenge Forderung der vollkommenen Selbständigkeit des religiösen Erlebnisses", das im „schöpferischen Geistbesitz" wurzele. Holl meint, daß Müntzer den Mut, „es auf sich selbst zu wagen", Luther verdanke, aber über Luther hinausgehe, wenn er nicht nur die Tradition und Autorität der Kirche, sondern auch die Schrift „zurückschiebt".[5]

Im Gegensatz zu Holl hat der sowjetische Historiker Moisej Mendelewič Smirin 1947 Müntzers Glaubensverständnis, wie auch seine Theologie, mit dem „mittelalterlichen Sektenwesen" verglichen, besonders mit der deutschen Mystik Johannes Taulers und dem geschichtstheologischen Schema des Joachim von Fiore. Smirin versucht zu zeigen – vor allem in seiner These, „daß das Verhältnis der menschlichen Welt zu Gott ein Verhältnis von Teilen zum Ganzen, vom Einzelnen zum Allgemeinen" sei –,[6] wie Müntzer besonders die mystische Gedankenwelt Taulers für seine eigenen Zwecke benutzt hat.

Gleichzeitig betont aber Smirin, daß Müntzer zwar den Glauben als „höhere Vernunft" bezeichnen kann, jedoch seien beide Begriffe „sozial-ethischer Natur" und hätten „ihren Ursprung nicht im Transzendenten".[7] Daher unterscheide sich Müntzer von der Deutschen Mystik wie auch von Luther. „Unter Glauben verstand Müntzer nicht die passive Erwartung der Gnadenwirkung bei Unterordnung unter die bestehenden politischen Einrichtungen und die Ständeordnung, sondern das Wirken einer sozialen Ordnung, die aus dem Bewußtsein entstand, daß die allumfassende, in der menschlichen Seele erscheinende Gottheit alle privaten Bestrebungen des Menschen der Idee des Allgemeinen unterordnet und alle privaten Bestrebungen, die dem Allgemeinen widersprechen, unterdrückt."[8]

Nach Smirin verstand Müntzer den Glauben als eine Tätigkeit des Menschen, mit der er sich aktiv am Heilsgeschehen beteilige. Daher unterscheide sich Müntzer auch von Joachim von Fiore, der die Öffnung des menschlichen Verstandes für die göttliche Offenbarung nur als das Ergebnis eines göttlichen Aktes sieht.[9] Müntzers Verständnis des Glaubens als eines „aktive(n) Handeln(s) in irdischen Angelegenheiten", im Gegensatz zu Luthers Sicht des Glaubens als eines „passiven inneren Zustand(s) (ein Gnadengeschenk)", war die „theologische Hülle", in der die Vorstellungen des Volkes vom Ideal der Gleichheit ihren Ausdruck fanden.[10]

Hayo Gerdes hat 1955 die These vertreten, daß „der Weg des Glaubens bei Müntzer und Luther" bis zu Müntzers Brief an Melanchthon vom 27. März 1522 sehr ähnlich gewesen sei, da beide Anfechtung und Leiden betonen.[11] Gerdes versucht, anhand eines Vergleichs von Müntzers Leidenstheologie und Luthers Lehre vom Fegefeuer in den „Resolutiones disputationum de indulgentiarum virtute" (1518)[12] zu zeigen, daß für Müntzer, im Gegensatz zu Luther, „das Vermögen, Rechenschaft abzulegen von der ‚Ankunft des Glaubens', immer mehr zum Kennzeichen [wird], mit dessen Hilfe er die Auserwählten von den Gottlosen sondern will".[13] Daher sei Müntzer da stehengeblieben, wo Luther sich zur Zeit der Römerbrief- und Psalmenvorlesung befand.[14] Während dann bei Luther der Glaube als „das vom Gesetz frei gewordene Trauen auf Gottes Huld" verstanden wird, werde der Gläubige in Müntzers Verständnis der Träger des Geistes „als eine(r) fremde(n) Gewalt, die ihn ganz unabhängig von seiner Subjektivität zum Instrument einer göttlichen Ordnung auf Erden macht".[15] Gerdes bezieht in seine Überlegungen die Funktion des Gewissens mit ein, das „nicht restlos in die Anfechtung hineingerissen wird, sondern immer auch beurteilend danebensteht". So wird die prophetische Erfahrung „gleichsam zu einer seelischen Klaviatur jenseits des Gewissens".[16] In diesem Sinne mache Müntzer radikalen Ernst mit der dialektischen Rechtfertigungslehre Luthers, indem er in der Anfechtung die göttliche Beglaubigung sieht, die ihn dann zum prophetischen Handeln ermächtigt.[17] Gerade diese Sicht des Prophetischen ist es, die, wie Gerdes meint, Müntzer von Luther radikal unterscheidet: Müntzer versteht den Geist der alttestamentlichen Propheten als „die fremde Gewalt, die sie unkontrollierbar ergreift und sie über ihre Subjektivität hinweg zu unkontrollierbaren Dingen treibt". Luther dagegen interpretiert die Propheten neutestamentlich, indem er in ihre Worte mit gläubiger Unbekümmertheit das Evangelium hineinlegt.[18] So mache Luther gerade darin gegen Müntzer und seine prophetische Geisttheologie den Geist Christi geltend, „der ein Geist freien Kindschaftsgehorsams ist" und der „der Freiheit des Evangeliums aufs neue Bahn gebrochen hat".[19]

Ähnlich wie Holl hat auch Carl Hinrichs 1962 Müntzers Glaubensbegriff skizziert: „Der wahre Glaube hat für den natürlichen Menschen den Charakter des Unmöglichen", d. h., erst im Leiden des kreatürlichen Menschen durch die Umschattung des Geistes wird der Glaube die Kraft, die die Welt verändert.[20] Es ist ein Beweis des wahren Glaubens, daß er „aufgehen will, wenn der Glaube in stärkster Spannung zu der herrschenden Gesellschafts- und Staatsordnung steht".[21] Besonders Armut und Reichtum seien es, die die Ankunft des wahren Glaubens hindern. Die Reichen und Mächtigen, unterstützt von den Schriftgelehrten, sind zu verstockt, um selig werden zu können, während die Armen noch eine Gelegenheit zur Seligkeit haben, vorausgesetzt, daß sie sich, am besten durch Notwehr,[22] von den Reichen trennen. Hinrichs sieht Müntzer als Rivalen Luthers,[23] ohne jedoch, wie Gerdes, für eine Abhängigkeit von Luther zu plädieren.

Das hat Thomas Nipperdey 1963 versucht, indem er die These aufstellte, daß Müntzers „theologisches Grundproblem" sein Verhältnis zu Luther sei.[24] Ausgehend von der Müntzerischen Antithese von Geist und Schrift, von innerem und äußerem Wort, beschreibt Nipperdey den Glauben als das von Gott in das Herz geschriebene Wort, erfahren im Erleiden des Kreatürlichen. Modern ausgedrückt: „Der Glaube entfaltet sich in Erfahrung, Aneignung (Zueigenwerden) und Verwandlung, das macht die personale Struktur des Glaubens aus."[25] Glaube als Geistesgabe ist vollkommen „subjektiv", d. h., „daß Gottes Handeln dem Menschen als existentiale Wirklichkeit verstehbar und erfaßbar ist, ..., daß aller Ton auf die Zeitkategorie der Subjektivität, auf die Gegenwart gelegt wird".[26] Müntzer habe „die dialektisch-personale Struktur von Luthers Wort- und Glaubensbegriff" nicht erfaßt, er sehe nur „die antisubjektiven Momente", d. h. eine „Wortorthodoxie, die die Einheit von Wort und Geist zugunsten der Prävalenz des Wortes preisgibt".[27] So werde in Müntzers Glaubensverständnis das Gewissen, nicht die Heilige Schrift, das zentrale hermeneutische Prinzip.[28] Die Polemik gegen Luthers angebliche Objektivierung des Wortes sowie die damit verbundene totale Subjektivierung des Geistes im Glaubensbegriff seien Müntzers großes Mißverständnis als Schüler Luthers gewesen. „Müntzer widerspricht Luthers Rechtfertigungstheorie, weil die imputatio die iustificatio von der vivificatio, der sanctificatio zu lösen schien und darum unaufhebbar objektiv blieb ... Indem Müntzer aber die vivificatio, die sanctificatio in die iustificatio hineinnimmt und sie greifbar an die iustificatio anschließt, verfällt er in eine neue und viel massivere Objektivität, ..."[29] So werde der Glaube als Leben des bereits gerecht gemachten Menschen die revolutionäre Kraft, die die Welt verändert. „Wo der Glaube sich nicht neben der Welt einrichtet [wie in der Zweiregimentenlehre Luthers], sondern nach seinem Maße sie umgestaltet und wo er grundsätzlich als vollendet gedacht wird, da muß die Gleichheit vor Gott auch politisch in der Gleichheit der Rechte wirklich werden, ..."[30] Diese Gleichheit erstrebe Müntzer durch Gewalt – eine „taboritische" Antwort auf die Frage nach der Methode der Umgestaltung der Welt.[31] Der eschatologische Charakter dieses Glaubensbegriffs hätte Müntzers ursprüngliche Idee der Restitution der Urkirche in eine Geschichtstheologie verwandelt, die im Bauernkrieg das eschatologische Zeichen einer neuen himmlischen Welt erblickte.[32] Wie Holl sieht auch Nipperdey in einem solchen Glaubensverständnis „neuzeitliche Elemente", die in der Aufklärung und in der modernen säkularisierten Welt ihren Niederschlag gefunden haben.[33]

Im Gegensatz zu Nipperdey hat Hans-Jürgen Goertz 1967 die These verteidigt, daß Müntzer „der Verwalter einer alten, nicht Vorbote einer neuen Zeit" sei.[34] Müntzers Beschreibung der Erfahrung des Glaubens im Zusammenhang mit seinem Sendungsbewußtsein sei in einem von der dominikanischen Mystik ererbten Spiritualismus eingebettet, den Müntzer „so entfaltet, daß es ihm fortan gelingt, die lutherischen Theologumena, die er zur antikatholischen Polemik aufgegriffen haben wird, abzustoßen".[35] Dabei gehe es Müntzer „um den Wirklichkeitserweis des zu Glaubenden", modern gesprochen, um „eine erfahrbare direkte Selbsterschließung Gottes im Menschen".[36] Goertz versucht zu zeigen, wie Müntzers „Kreuzesmystik" das Bindeglied darstelle zwischen „innerer" und „äußerer" Ordnung, zwischen der durch Anfechtung gereinigten Seele und der durch die Sünde verdorbenen Welt. „Der Glaube wird unter den Schmerzen des Gotterleidens und Leidens im Herzen des Auserwählten geboren, und das heißt gleichzeitig, die ‚Welt' innen und außen wird unter den Schmerzen des zum Glauben findenden Menschen überwunden."[37] Müntzers Heilslehre und ihre revolutionäre Anwendung im Bauernkrieg sei vollkommen in der mittelalterlichen Mystik und nicht in der taboritisch-chiliastischen Tradition verwurzelt, weil Müntzer nicht, wie Joachim von Fiore, einen prozeßhaften Ablauf der Geschichte ohne Zutun des Menschen annimmt, sondern aufgrund des danielischen Geschichtsschemas eine Überwindung des „welthaften" Zeitalters durch die mystische Glaubenserfahrung lehrt.[38] Wenn er dabei von Anfechtung und subjektivem Glauben spreche, tue er dies als Mystiker und nicht als Schüler Luthers, wie Gerdes und Nipperdey behaupten.[39]

Der englische Kirchenhistoriker Gordon Rupp hat in seiner Müntzerbiographie von 1969 Müntzers Glaubensverständnis mit dem Lutherischen verglichen, mit der Schlußfolgerung (in Übereinstimmung mit Martin Schmidt)[40], daß Müntzer Luthers „Theologie des Wortes" übernahm, innerhalb deren sein eigenes Muster der Erlösung eingebettet sei.[41] Obwohl Rupp die Goertzsche These, daß Müntzer entscheidend von der Mystik geprägt sei, nicht ablehnt, findet er die Argumentation von Goertz zu steif und zu sehr auf Meister Eckhart zugespitzt.[42] Müntzers Glaubensbegriff sei mit einem Wortbegriff verbunden, der an den „ungeschaffenen Logos des Apologeten Justinos und an das innere lebendige Wort" der mystischen Tradition erinnert.[43]

Walter Elligers umfangreiche Müntzerbiographie von 1975 erarbeitet Müntzers Glaubensverständnis im Zusammenhang mit Müntzers theologischem Selbstverständnis, verbunden mit der These, daß Müntzer eher ein „Schüler" Luthers war, wenngleich mit eigenen persönlichen Fragestellungen, als ein „Adept" der Mystik.[44] Dabei gehe es um Müntzers Grundanliegen, „wie man denn im Glauben unmittelbar des Wortes Gottes inne werden, wie die untrügliche Weisheit gewinnen könne, es wirklich mit Gott als einem Gegenüber zu tun zu haben"[45]. Elliger beschreibt die Entwicklungsphasen der Antwort Müntzers. Es sei der Weg der *„experientia fidei*, der inneren Glaubenserfahrung", dargestellt „in den Denkformen der deutschen Mystik",[46] jedoch in Müntzers eigener Reflexion unter dem Einfluß Storchs.[47] So formte sich das Kernstück seiner eigenen Gedankenwelt: „die entscheidende Funktion des göttlichen Geistes im Glaubensprozeß auf der Basis des ordo deo et creaturis congenitus".[48] Das Wasser der Taufe symbolisiere die Bewegung des Geistes, die vom Leiden zum Glauben führt.[49] Müntzer fasse seinen Glaubensbegriff in der Antwort auf Georg Spalatins elf Fragen über den Glauben[50] in der Schrift „Von dem gedichteten Glauben" 1524 zusammen, in der er den christförmigen Glauben der „kreatürlichen Ichhaftigkeit" gegenüberstellt.[51] Dieser Glaube berufe sich nicht mehr wie der Glaube Luthers „auf die historische Kenntnis irgendwelcher religiösen Tradition", sondern sei „unabhängig und frei von jeder Lehre einer positiven Religion" und erwachse „allein aus der ‚Bewegung des heiligen Geistes'".[52] Dieser Glaubensbegriff sei sehr instruktiv in Müntzers Brief an einen gewissen Georg zusammengefaßt[53] und werde dann in der „Ausgedrückten Entblößung des falschen Glaubens der ungetreuen Welt" zum kritischen Instrument gegen den „gedichteten Glauben" der Christenheit,[54] dessen Kernstück Luthers Rechtfertigungslehre, besonders das sola fide, sei. „Ihm liegt alles daran, die bleibende Geltung der göttlichen Forderung der Gesetzeserfüllung im Prozeß der Geburt wie der beständigen Bewährung des Glaubens herauszustellen und gerade im Ernst des Bemühens, Gottes Willen im konkreten Handeln zu entsprechen, das entscheidende Kriterium vorhandenen echten Glaubens zu erweisen."[55]

Im Gegensatz zu Elliger hat Max Steinmetz 1975 die These der marxistischen Müntzerforschung verteidigt, daß die „Klassenkämpfe" von 1521 bis 1525 die Entwicklung der Lehre Müntzers entscheidend beeinflußten.[56] Doch sieht auch die marxistische Müntzerforschung Müntzers Glaubensbegriff in seiner Geisteslehre eingebettet. Der dem gemeinen Volk durch Müntzer angebotene Glaube als Resultat der göttlichen Geisteswirkung sei, im Gegensatz zu Luthers „falscher Glaubensgewißheit", der „bewährte Glaube", der den Gegensatz zwischen Armut und Reichtum überwinde. So werde der Glaube „zum umgestaltenden, revolutionären Prinzip"[57]. Dieser Glaube hätte jedoch die Menschen des 16. Jahrhunderts überfordert, da sie noch nicht reif genug für eine Volksreformation waren. Müntzers überspanntes Sendungsbewußtsein führte schließlich zur Tragik seines Lebens.[58] Sein Glaube scheiterte an der Tatsache, „daß noch keine für die konsequente Führung des Kampfes geeignete Kraft vorhanden war"[59].

In seinem Aufsatz über die „Ursachen für das Glaubensverständnis Thomas Müntzers 1524" hat Helmar Junghans 1976 drei der fünf Hauptschriften Müntzers durchgearbeitet. Ausgehend von der These, daß Müntzer selbst im Glaubensverständnis „einen Hauptpunkt seiner Theologie" sah, kommt Junghans zu der Schlußfolgerung, daß Luther und Müntzer zwar vieles gemeinsam hätten – z. B. den Glauben an die Zusage Christi –, jedoch die „Beschaffenheit des Glaubens" verschieden beurteilten. „Während es Luther zuerst um die unverdiente Aufnahme in die Gottesgemeinschaft ging, lag Müntzer mehr an Hilfen zum christlichen Lebensvollzug."[60] Die Wurzeln des Gegensatzes zwischen Müntzer und Luther seien in Müntzers Gedanken der fides infusa zu suchen, d. h. im Neuplatonismus und in der dominikanischen Mystik, die den scholastischen Realismus bevorzugte und vom „Glaubensstoff" sprach, der zwar im Herzen, aber nicht in der Heiligen Schrift zu finden wäre.[61] Junghans kommt zu dem Ergebnis, daß der theologische Streit zwischen Müntzer und Luther an den mittelalterlichen Streit zwischen Realisten und Konzeptualisten erinnere. „Dieser theologische Streit kann daher zu den zahlreichen gezählt werden, in die der Gegensatz von Platon und Aristoteles hineinwirkte", obgleich es keine leichte Aufgabe sei, „den sachlichen Unterschied zwischen den einzelnen Aussagen von Müntzer und Luther zu erheben"[62].

Die jüngsten Müntzerdarstellungen von Siegfried Bräuer, Hans-Jürgen Goertz, Manfred Bensing und Ulrich Bubenheimer stimmen darin überein, daß Müntzer im Gegensatz zum „falschen" den „erlebten" Glauben als Resultat der unmittelbaren Begegnung mit Gott in der Seele verstand.[63] Dabei wird besonders auf die Verbindung zwischen „Glauben" und „Ordnung" oder „Einheit" hingewiesen, während Bubenheimer darüber hinausgehend Müntzers Glaubensverständnis eine tiefenpsychologische Bedeutung zuschreibt, deren „neuzeitlich anmutende Weise" in Müntzers Traumdeutung hervortrete.[64]

II Müntzers Aussagen über den Glauben vor 1524

Müntzers Hauptanliegen war „von jugent auf" zu erfahren „wie der heilige, unüberwintliche christenglaube gegrundet" wäre.[65] Sehr früh kam er zur Einsicht, daß der rechte Glaube nichts mit dem Glauben der Papstkirche zu tun habe, ein Glaube, der im Ablaßwesen und in Werkgerechtigkeit verankert sei. Schon 1515 war Müntzer als „verfolger der unrechtverdicheyt" bekannt, ein Titel, der auf sein Wirken gegen den Ablaßhandel in Braunschweig hinweist.[66] 1519 kämpfte er in Jüterbog als Mitläufer Luthers gegen den falschen römischen Glauben (Ohrenbeichte, Fastengebot und Heiligenkult).[67] Gleichzeitig rang Müntzer um seine eigene persönliche Glaubenserfahrung: Er betet in der Klosterstille von Frose um Glaubensstärke und schreibt an Franz Günther, daß Gottes Urteil ihm sein Leben verleide.[68]

In seinem Bericht über seine Zwickauer Auseinandersetzungen mit seinen Gegnern schreibt Müntzer am 13. Juli 1520 an Luther, daß „die falschen Unsinnigkeiten" der Widersacher ihm zur „lieblichsten Übung des Glaubens" werden, denn er tue das Werk des Herrn, nicht sein eigenes.[69] Gegenüber dem Erasmianer Johannes Sylvius Egranus, der den Glauben an die Heilige Schrift als Buch und an die gelehrte Tradition der Kirche gebunden sieht, betont Müntzer seine existentielle Aneignung des Glaubens durch das Nacherleben des Leidens Christi, das auch für laici und indocti gedacht ist; sie sollten sich nicht mit einer unreflektierten Aufnahme der Bibel begnügen.[70] Rechtes Schriftverständnis sei in einem persönlichen Glauben verankert, der durch den von den Aposteln verkündigten und auch in nachapostolischer Zeit geschenkten Geist bewirkt wird.[71]

Müntzer hat die enge Verbindung von Glaubenserfahrung und Geistbesitz im „Prager Manifest" 1521 mit prophetischem Selbstbewußtsein vorgetragen. Weder Mönche noch Priester, die immer wieder auf eine an die Vernunft gebundene Heilige Schrift hinweisen, hätten ihm „dye rechte ubungk des glaubens" und die „nutzbarliche anfechtungk" gelehrt, die ein Auserwählter haben muß. Die rechte Übung bestehe im unüberwindlichen Zeugnis des durch den Finger Gottes ins Herz geschriebenen Heiligen Geistes, wie die Propheten und Apostel berichten.[72] Dabei gehe es um ein Leermachen des Gemütes durch den Geist der Furcht Gottes, der die ursprüngliche Ordnung zwischen Gott und seinen Kreaturen wiederherstellt.[73] Die Ungläubigen dagegen meiden die seelische Anfechtung, den Weg zur Gleichförmigkeit mit Christus. „Sie sein wie der storch, der do in den wiesen und sümpen die frossche auffleseth" und sie unverdaut zu seinen Jungen ins Nest speit.[74] So käme es, daß niemand, besonders nicht die nachapostolische Kirche und ihre Pfaffen, die guten von den bösen Schafen trenne, was der Hauptgrund sei, warum die Kirche mit verdammten Menschen verdorben sei.[75] Er, Müntzer, wüßte, wovon er rede, und sei bereit, wie Jeremia die Erneuerung der Christenheit mit seinem gottgewollten Leiden zu verbinden.[76]

Der Prager Aufenthalt festigte Müntzers Geistglauben. Sein Brief an Melanchthon vom 27. März 1522 versucht, die Wittenberger von ihrem Buchstabenglauben abzubringen und ihre reformatorischen Erkenntnisse auf das „lebendige Wort" zu gründen, „das aus dem Munde Gottes hervorgeht".[77] Obwohl er mit Luther den Zölibat, das Meßopfer und die papistische Lehre vom Fegefeuer verwerfe, irre Luther, wenn er seine Auffassung von der Priesterehe, dem Sakramentsempfang und dem purgatorium nur auf den Glauben an die Heilige Schrift gründe. „Kein Gebot (wenn ich so sagen soll) bindet den Christen enger als unsere Heiligung."[78] Sie sei der Läuterungsprozeß, das purgatorium, das jeder Gläubige erfahren muß, um Rechenschaft von der Ankunft des Glaubens im Herzen abzulegen.[79] Es geht Müntzer nicht nur um eine Reformation der mittelalterlichen Kirche, sondern um die Erneuerung der biblischen Prophetie durch den im Glauben bezeugten Geistbesitz. Ohne solche Prophetie sei die Wittenberger Theologie keinen Pfennig wert. „Glaubt mir, Gott ist williger zu reden, als ihr bereit seid, zu hören."[80]

Die Ablehnung seiner Verkündigung in Prag und Wittenberg schien Müntzer davon überzeugt zu haben, daß er erwählt sei, die Welt zu überwinden, allerdings nicht ohne Opfer und Leiden. „Wer glaubt, daß er vor der Gründung der Welt erwählt sei, . . ., kann nicht von der Welt sein", schrieb er an einen Unbekannten, „aber die Welt hält ihn mit arglistigem Haß für mondsüchtig."[81] Aber gerade diese Situation sei die vorherbestimmte, die den homo spiritus von den impii unterscheide.[82] Dieses Glaubensverständnis war auch der Gegenstand eines 1522 in Weimar stattgefundenen Gesprächs mit dem Hofprediger Wolfgang Stein. Der Inhalt des Gesprächs wurde fragmentarisch von Spalatin aufgezeichnet und zeigt Müntzers Bestehen auf der experientia fidei ex scientia Dei.[83] In einem Predigtentwurf vom 15. Juni 1523 hat Müntzer im Blick auf Abraham die Verbindung von experientia fidei und scientia Dei in kurzen Thesen angedeutet:

„4. Wer den glauben wil, der muß das werck Gots leiden und nicht mit den creatur vorwickelt, wie Abraham nicht vorwickelt was.

5. Das werck Gots ist so bitter wie der abgrundt der hellen.

6. Der unglaube sal erstlich den getichten glauben uberwinden, und man mu(o)ß gleich hulffloß vor Got stehen.

7. Werckunge Gots ist, das er den menschen trostlos mache."[84]

In seinem ausführlichen Brief an Luther vom 9. Juli 1523 bemühte sich Müntzer um eine allgemeine Beschreibung der Glaubensgewißheit: sie bestehe im „Wissen um Gott" (scientia

Dei) und der „Erkenntnis seines Willens" (agnitio Divinae voluntatis), im ganz bestimmten Wissen, daß die Lehre Christi nicht menschliche Dichtung, sondern untrügliches Geschenk Gottes ist. Man erhalte dieses Geschenk, nachdem der menschliche Wille die bittere Gottverlassenheit erfahren hat (conformis crucifixo).[85] Doch sei es auch möglich, durch „Träume und Gesichte" (extases vel visiones) zur Glaubensgewißheit zu kommen, da solche Erfahrungen biblisch bezeugt seien.[86]

Kurz danach, am 18. Juli 1523, warnte Müntzer „die Brüder zu Stolberg", nicht der allgemeinen Meinung zu folgen, daß Gott den Glauben ohne Leiden schenke. Nach dem Zeugnis des 93. Psalmes (Vers 3f) müsse der Mensch die grausamen Wasserströme erleiden und lernen, nach dem Muster erfahrener Seeleute, die hohen Wellen zu meistern. Das sei der „vorsmack des ewygen lebens"[87]

III Die Schriften von 1524

Müntzer hat 1524 in drei Schriften die Grundrisse eines theologisch-systematischen Glaubensverständnisses entworfen: „Protestation oder Erbietung", „Von dem gedichteten Glauben" und „Ausgedrückte Entblößung des falschen Glaubens der ungetreuen Welt".[88] Er war darauf bedacht, seine Glaubenserfahrung als die rechte, in der frühchristlichen Zeit bezeugte Erfahrung herauszustellen und sich damit von Wittenberg wie auch von Rom zu distanzieren.

1. In der *„Protestation oder Erbietung"* polemisierte Müntzer gegen den „gedichteten Glauben" der Christenheit, sei es der römischen Kirche oder des Kreises um Luther, im Namen einer neuen, in Mal. 3 (und 4) bezeugten Eliamission, durch welche die wahren Gläubigen von den falschen abgesondert werden sollen. „. . . alle hinterlistige tuck aller honigsusen bu(e)berey" müßte den Auserwählten und Christförmigen Raum geben.[89] Echter Glaube sei vom Heiligen Geist gezeugt und würde wie Wasserströme in die Welt fließen.[90] Im Vergleich zu dieser, von Propheten geweissagten Geistestaufe sei die Kindertaufe das schwache Werk des gedichteten Glaubens, mit dem die nachapostolische Kirche die rechte Taufe verdecke.[91] Nur das Wasser des Heiligen Geistes bringe den echten Glauben, und zwar durch inneres Leiden, um die Seele für die Ankunft des Glaubens vorzubereiten. „Kurtzumb es muß sein der enge weg, yn welchem alle urteil nicht nach der larven, sondern nach dem allerliebsten willen Gottes in seinem lebendigen wort studirth und erfaren werden in allerley anfechtung des glaubens, . . ."[92] Ohne Luther mit Namen zu nennen, bezeichnet Müntzer die Rede von der Rechtfertigung allein aus dem Glauben ohne Berücksichtigung des Gesetzes als „unbescheiden [unsachgemäß]"[93]. Der Vorgang der Rechtfertigung aus dem Glauben beginne mit einem inneren Leidensprozeß „durch Gottes Werk", der den Menschen an den Rand der Verzweiflung und des Todes bringt. „Do peiniget mich Got mit meinem gewissen, mit unglawben, vertzweyflung und mit seiner lesterung."[94] Aber dieser Zustand der äußersten inneren Anfechtung, oft gepaart mit Krankheit und anderen sichtbaren Leiden, sei gottgewollt. Denn gerade so quelle der echte Glaube aus dem Herzen als die Kraft des lebendigen Gottes.[95]

Müntzer warnt seine Leser vor den „frommen Schriftgelehrten", die verzweifelte Gewissen mit leeren Worten trösten: „Ja, lieber geselle, du must dich mit solchen hochen dingen nicht bekommern. Glaube du nur einfeltig und schlag die gedancken von dir . . . Gehe zu den leuthen und sey frolich, so vergistu der sorge." Solcher Trost, meint Müntzer, „hat allen christlichen ernst zum grewel gemacht"[96]. Er, Müntzer, sei gewiß, daß seine Erfahrung und Beschreibung der Ankunft des Glaubens viel mehr Anklang bei den Leuten hätte, die die rechte Beziehung mit Gott suchen, als die Lehre der Wittenberger und der römischen Kirche.[97]

2. In der Schrift *„Von dem gedichteten Glauben"* definiert Müntzer den Glauben als „ein sicherung, auffs wort und zusage Christi sich zu verlassen".[98] Man könnte meinen, daß diese Definition von Luther herkommen könnte. Müntzer hat jedoch einen ganz anderen Wortbegriff als Luther. Er besteht auf der Autorität des „inneren Wortes", d. h. auf ein inneres Empfangen des Geistes ohne äußerliches Hören.[99] Nur ein Herz, das gereinigt werde „vom getho(e)n der sorgen und luste", könne das Wort empfangen. Diese Reinigung sei das Leiden, das Kreuz, das wie eine Pflugschar den Menschen auf „Gottis wergk und wort" vorbereitet. So werde dann der Gläubige „der ausserwelte freundt Gottis" und sei kein „getichter zuho(e)rer" mehr, sondern ein Schüler Christi, ihm vollkommen gleich.[100] Es geht Müntzer darum, daß der so empfangene Glaube existentiell bezeugt wird; daß wahre Christen „yrs glaubens ankunfft und rechenschafft geben, wie von allen, die in der bibeln stehn, gescheen ist".[101] Abraham sei ein Beispiel, wie man zuerst mit der Zusage Gottes gepeinigt wird und dann, nachdem das Natürliche, das „liecht der natur" vertilgt ist, zum echten Glauben komme.[102] Oder es ergehe einem wie Mose, der „der creatur hinderlist und Gotis einfeltigkayt" erkennen mußte, „nach der ordenung, die in Got und creaturn gesatzt ist".[103] Die ganze Bibel bezeuge, wie schwer es sei, zum echten Glauben zu kommen, da Menschen sich eher auf etwas „Gedichtetes" verlassen als auf das Wahre. Sie wollen „unversucht" bleiben.[104] Echter Glaube jedoch mache die Menschen einig mit Gott, „gotformig" und „christformig".[105]

Müntzer versuchte in dieser Schrift die Fragen zu beantworten, die Spalatin wahrscheinlich auf seiner Durchreise durch Allstedt im November 1523 schriftlich gestellt hatte: wie Müntzer den Glauben definiere, wie man dazu käme, wie man Gewißheit erlange, wie man den Glauben bewähre, lehre, ihn in Anfechtungen bewahre und durch ihn das Heil erlange.[106] In seiner Antwort ging es Müntzer darum, sein Glaubensverständnis auch biblisch zu begründen, damit die „fleischlichen Schriftgelehrten" in Wittenberg durch seine geistgewirkte Schriftinterpretation zerstört werden.[107]

3. In der *„Ausgedrückten Entblößung..."*, die eine Auslegung von Luk. 1 sein will, verteidigt Müntzer die These, daß der Verfall der Kirche und der Welt nur durch die Wiederherstellung des heiligen Christenglaubens überwunden werden könne. Mit leidenschaftlichen Worten versucht Müntzer seinen Lesern klarzumachen, daß es beim Glauben immer um zwei Dinge geht: um die Erfahrung der Furcht Gottes im Abgrund der Seele, wodurch man geradezu in einen Nihilismus verfalle; und um die Umschattung des Heiligen Geistes, wodurch man, wie Maria, aus dem Nichts heraus in die Kraft Gottes hineingestellt werde. Die gesamte Heilige Schrift bezeuge den Widerstreit zwischen Unglauben und Glauben. Zacharias, Maria, Mose und viele andere Gestalten der Bibel „haben sich in der forcht Gottes entsetzt, biß das der glaub des senffkorns den unglauben u(e)berwunden hat, welches denn mit grossem zittern und beku(e)mernuß erfunden wirt".[108] Diese geistliche reductio ad nihilum führte zum Glauben, wodurch Gott unmittelbar, direkt im Innern, erfahren wird. „Die forcht Gotes aber gibt dem heyligen geyst stadt, auff das der außerwelt mo(e)ge umbschetigt [beschützt] werden von dem, do sich die wellt mit grosser torheyt vor fo(e)rchtet, zum unerstatlichen [nicht wieder gutzumachenden] schaden irer weyßheyt."[109]

Nach Müntzer kommt man nicht zum Glauben durch das äußerliche Wort, sei es die Predigt oder die Heilige Schrift. Echter Glaube entstehe ohne Bücher und ohne Schriftgelehrte. Daß der Glaube nur durch das Hören komme (Röm. 10,17), sei schädliches Pfaffengeschwätz. „Wenn eyner nu seyn leben lang die biblien wider geho(e)ret noch gesehen hat, ku(e)ndt er wol fu(e)r sich durch die gerechten [richtige] lere des geystes eynen unbetrieglichen christenglauben haben, wie alle die gehabt, die one alle bu(e)cher die heylige schrifft beschriben [geschrieben] haben."[110] Kurzum: Die Heilige Schrift bezeugt den rechten Glauben, aber sie erzeugt ihn nicht. Das ist Müntzers „Nein" zu Luthers Theologie des Wortes, zum sola scriptura und zum sola fide, soweit es mit Luther als Glaube an das äußerliche Wort verstanden wird. Die Ankunft des Glaubens im Abgrund der Seele ist der Beginn einer Wandlung des Menschen in ein vergottetes Wesen. Müntzers Sprache erinnert an die Gedankengänge eines Eirenaios und der griechischen Kirchenväter, mit der Betonung der mystischen recapitulatio, der Rückkehr zur ursprünglichen Ordnung Gottes vor dem Fall Adams. Die „ankunfft des glaubens" ermöglicht, „das wir fleyschlichen, yrdischen menschen sollen go(e)tter werden durch die menschwerdung Christi und also mit im Gotes schu(o)ler seyn, von im selber gelert werden und vergottet seyn, ja wol vil mher, in in gantz und gar verwandelt, auff das sich das yrdische leben schwencke [bewege] in den hymel, Philip. 3 [,20f]"[111]. Gerade diese Vergottung des Gläubigen ist es, die die Kirche für unmöglich hält, meint Müntzer. Doch sei gerade der Lobgesang der Maria das Beispiel, wie Unmögliches möglich werde, „das die nydrigen sollen erhaben und abgesundert von den bo(e)sen werden".[112] Echter Glaube soll bekennen, „wie das hertz der außerwelten wirt stets zu(o) seynem ursprung bewegt durch die krafft des allerho(e)chsten"[113].

Müntzer ist überzeugt, daß Wittenberg und Rom die Ankunft des wahren Glaubens in der Christenheit, besonders unter dem armen, gemeinen Volk, mit politischer Gewalt verhindern wollen. Er, Müntzer, müsse sich daher von der etablierten Christenheit absondern, um das Vertrauen der Christen zu gewinnen, denen die Kirche die Steine eines gedichteten Glaubens anstatt das Brot des wahren Geistglaubens gegeben habe[114]. Das sei seine Eliamission.[115] Sie sei in der Gewißheit des wahren Glaubens begründet, „wie die gehabt, die die schrifft beschriben [geschrieben] haben, sunst ists ein diebßgeschwetz und ein wortkrieg"[116]. Diese im Leiden der innerlichen Läuterung und im Geistbesitz verankerte Glaubensgewißheit könne nicht mehr das „verteufeln ... durch die wu(o)chersu(e)chtigen evangelisten" dulden, die mit ihrem Buchstabenglauben das gemeine Volk verblenden. Die Zeit der Ernte sei gekommen, wenn die wahren von den falschen Gläubigen geschieden werden müssen.[117] Die Auserwählten würden den heiligen Bund bilden, den Gott Abraham versprach.[118] Müntzer beendet seine Ausführungen mit einer summa seiner Exegese von Luk. 1: „. . . das der allerho(e)chste Gott, unser lieber Herr, wil uns den allerho(e)chsten christenglauben durch das mittel der menschwerdung Christi geben, so wir im gleychfo(e)rmig in seynem leyden und leben werden durch umbschetigung [Umschattung] des heyligen geysts, auff welchen also biterlich fleyschentz [sich sehr fleischlich aufführt] die welt und verspottet in auffs gro(e)bste. Drumb wirt er allein den armgeystigen (die iren unglauben erkennen) gegeben."[119]

Müntzer wiederholt immer wieder seine Erfahrung vom Weg zum Glauben: die Ankunft des Glaubens durch das innere Leiden, das den Menschen für den Glauben aufnahmefähig macht, und das Einwohnen des Heiligen Geistes in Herz und Seele, wodurch der Mensch erwählt wird, in der Welt ein Zeuge für die Verwandlung der Welt zu sein, eine Verwandlung, die wiederherstellt, was durch den Sündenfall verdorben wurde.[120] Müntzer hat dieses Glaubensverständnis in seiner „Auslegung des anderen Unterschieds Danielis", der sogenannten Fürstenpredigt, mit einer Geschichtstheologie verbunden, die eine letzte „treffliche, unüberwintliche, zuku(e)nfftige reformation" proklamiert aufgrund von Gesichten eines neuen Daniel, Müntzer selbst.[121] Diese Reformation würde denen, die sich weigern, durch inneres Leiden für den Glauben aufnahmefähig zu werden, das Lebensrecht verweigern. Damit mündet Müntzers Glaubensverständnis in seinen radikalen Reformationsbegriff ein.[122]

In der „Hochverursachten Schutzrede und Antwort wider das geistlose, sanftlebende Fleisch zu Wittenberg" beschreibt Müntzer den Weg zum Glauben als die Erfüllung des göttlichen Gesetzes. Nicht nur Christus, sondern alle Menschen müßten die Strafe des Gesetzes erleiden, um so zum Glauben zu kommen, d. h., von Gott angenommen zu werden. Daher gehe es in der wahren Reformation nicht um eine Rechtfertigung aus Glauben an das Wort über die einmalige Gesetzeserfüllung durch Christus, wie Luther lehrt, sondern um eine Rechtfertigung durch das Gesetz, das jeden Sünder innerlich bestraft und damit glaubensfähig macht. Christus hat „das gesetz nit auffgehaben".[123]

Die Frage der Beziehung zwischen Glaube und Gesetz hat Müntzer unpolemisch und seelsorgerlich in einem Brief an Christoph Meinhard vom 30. Mai 1524 behandelt, und zwar als eine Exegese des 18. Psalms, der von Anfechtung und Erlösung spricht. Müntzer beschreibt den Weg zum Glauben in bildhafter Lebendigkeit. Gottes Verhältnis zum Menschen sei wie das Verhältnis eines treuen Bräutigams zur untreuen Braut. Gleichgültig, wie tief sie sinke in ihrer Sünde, er läßt sie nicht fahren. Wie die Braut nie vergißt, wer ihr wahrer Bräutigam ist, so wüßte auch jeder Mensch um seinen göttlichen Ursprung. Aber als Sünder könne er selber nicht zum Ursprung zurückkehren, sondern schwimme wie ein Fisch im Wasser auf und ab, ohne jedoch gesundes Wasser zu erreichen. Daher sende Gott sein Feuer, das Gesetz, in die Herzen der Menschen, die dann in ihrer Gewissensangst nach Rettung begehren. Schließlich gebe Gott den Glauben durch seinen Geist. „So hoch als Paulus auf den glauben treybt ane vordinst der werk", schreibt Müntzer, „also hoch treyb ich aufs werk Gottes zu leyden."[124] Seine Gegner machten Christus zum Erfüller des Gesetzes, damit sie nicht den Leidensweg zum Glauben gehen müßten.[125]

IV Entstehungsgeschichtliche Fragen

Auf der Suche nach den Quellen des Müntzerischen Gedankenguts und nach einer Antwort auf die Frage nach dem theologischen Ansatz ist die Müntzerforschung zu verschiedenen, oft widersprüchlichen Ergebnissen gekommen.[126] Dafür gibt es gute Gründe. Müntzers literarisches Schaffen ist schwer zu erfassen. Seine Sprache und Gedanken wie auch die Motive seines Handelns sind oft unklar. Daher ist es schwierig, entstehungs- und theologiegeschichtliche Fragen mit Sicherheit zu beantworten, sei es der Einfluß des jungen Luther, der spätmittelalterlichen Mystik, der apokalyptischen Tradition, der Scholastik, des Humanismus, der vornicäischen Kirchenväter, der exegetischen Tradition oder der „Zwickauer Propheten", um einige Bereiche zu nennen, die in das Blickfeld der jüngsten Forschung geraten sind.[127]

So steht die Müntzerforschung heute vor einer „höchst unausgeglichenen Deutungsgeschichte", die manchmal, „wenn formale Denkstrukturen den Ausgangspunkt der Analyse ausmachen, ... zwangsläufig eine historische Person in einen von einer bestimmten Denkstruktur geprägten Typ verwandelt"[128].

Müntzers Aussagen über den Glauben liefern keinen klaren Beweis, daß er ein Schüler Luthers war. Man kann zwar auf parallele Aussagen über Anfechtungen und Leiden hinweisen. Doch ist es sehr fraglich, ob der Keim der für Müntzer charakteristischen Glaubens- und Heilslehre bei Luther liegt.[129] Beide stimmen darin überein, daß Gott der Urheber des Glaubens ist und daß die Ankunft des Glaubens in der geistlichen Anfechtung beginnt.[130] Es ist zwar möglich, daß Müntzer durch Luthers positive Einschätzung der „Theologia Deutsch" zum Studium von Taulers Glaubens- und Heilslehre gebracht wurde. Doch selbst wenn man bedenkt, daß der junge Luther Wesentliches der Deutschen Mystik verdankt, ist für ihn doch schon in seiner Frühzeit das Wirken des Geistes an das äußere Wort gebunden.[131] Daß Müntzer Luther als geistlichen Vater respektiert und sich in Prag als „Nacheiferer" (emulus) Luthers vorgestellt hat,[132] zeigt, daß Luther ihn zum Durchdenken der seit seiner Jugendzeit sich aufdrängenden Frage nach dem rechten Glauben getrieben haben könnte. In diesem Sinne hätte Müntzers Verhältnis zu Luther ein theologisches Grundproblem werden können.[133]

Andererseits ist zu bedenken, daß Müntzer schon in seiner Frühzeit, bevor er Luther kannte, als ein „Verfolger der Ungerechtigkeit" bekannt war, vielleicht auch aufgrund eines Glaubensverständnisses, das bereits zwischen einem „gedichteten" und einem „ungedichteten" Glauben unterschied.[134]

Müntzers Unterscheidung zwischen einem wahren, inneren Glauben, der im Geistempfang wurzelt, und einem falschen, äußeren Glauben, der sich nur an die Bibel, an geschichtliche Tradition und Kirchentum hält, hat vieles mit der spätmittelalterlichen Deutschen Mystik gemeinsam. Besonders die Verbindung zwischen Glauben und Nachfolge Christi im Leiden, die „Christförmigkeit", deutet auf die Heilslehre eines Taulers, Meister Eckharts und auf die dominikanische Mystik im allgemeinen. Argumentiert man aber für eine totale Abhängigkeit des Müntzerischen Glaubensverständnisses von mystischen Denkformen, dann ist dabei zu beachten, daß Müntzer, z. B. im Gegensatz zu Tauler, die Kraft des wahren Glaubens nicht in einer asketischen Erhebung über die Welt, sondern in einer Umwandlung der Welt in die rechte Ordnung mit Gott versteht.[135] Goertz hat zu zeigen versucht, wie Müntzer gerade die im Geistglauben verankerte Kreuzesmystik als Bindeglied zwischen einer „inneren" und einer „äußeren" Ordnung versteht und sie so zum Modell für die Vision einer theokratischen Zukunft wird.[136] Ob jedoch Müntzers Glaubensverständnis das Produkt spätmittelalterlicher mystischer Denkformen ist, läßt sich nur erweisen, wenn man die Glaubensaussagen Müntzers nicht als Ergebnisse eines systematisch-theologischen Kopfes betrachtet. Das ist aber im Falle Müntzers zweifelhaft.[137] Er hat in seiner Suche nach dem rechten Glaubensverständnis viel von der Mystik gelernt, hat aber auch eigenständige, von ihm selbst erdachte Ideen in seine mystische Glaubenssprache eingearbeitet. Daher ist es schwierig, ihn als Mystiker gegen Luther, oder umgekehrt, als Lutherschüler gegen die Mystik, auszuspielen.[138]

Müntzers Glaubensverständnis weckt auch Erinnerungen an die chiliastische Tradition des Joachim von Fiore und der Taboriten. Seine Aussagen über den Glauben als Grundpfeiler einer neuen, apostolischen Kirche der Endzeit könnten ein Bindeglied zur Joachimitischen Lehre der drei Reiche darstellen.[139] Doch hat Müntzer selbst bezeugt, daß seine eigene Lehre besser sei („hoch droben") als das Zeugnis Joachims, weil er, Müntzer, direkte Offenbarungen empfange („vom ausreden Gotis"), die im Einklang mit dem Zeugnis der Heiligen Schrift stünden.[140] Auch die Verbindung des Müntzerischen Glaubensverständnisses mit einer „Eliamission" unter dem Einfluß taboritischer Chiliasten ist nicht klar zu erkennen, obwohl manche Aussagen Müntzers, auch über den Glauben, apokalyptisch klingen.[141]

Müntzers Aussagen über den Glauben werfen eine Reihe von entstehungs- und theologiegeschichtlichen Fragen auf, deren Beantwortung nur im Zusammenhang einer Gesamtdarstellung seines Lebens und Werkes möglich sein wird, und auch dann vielleicht nur zum Teil. „Alles Wissen über die auf Müntzer geübten Einflüsse sollte man mit Dankbarkeit aufnehmen, ohne deshalb die eigentliche Aufgabe, ihn in seiner Eigenart zu verstehen, außer acht zu lassen."[142]

V Schlußfolgerungen

1. Müntzers Glaubensverständnis ist vom leidenschaftlichen Ringen um Klarheit über den Ursprung und das Wesen der menschlichen Beziehung zu Gott geprägt. Es ist ein Ringen, das schon in Müntzers Jugend begann und ihn wahrscheinlich zum Studium und in den Priesterstand trieb. Der etwa 30jährige bezeugt, daß er alles unternommen hätte, einen „ho(e)cher unterricht" über den „heyligen, unuberwintlichen christenglauben" zu erlangen, besonders über die Frage nach dem Grund dieses Glaubens.[143] Seine kirchliche Erziehung, einschließlich der Vorbereitung auf die Priesterweihe, scheint Müntzer in Glaubensnot gebracht zu haben. Kein Priester oder Mönch sei fähig gewesen, ihm auch nur ein Tüpfelchen über den Grund des Glaubens mitzuteilen.[144] So wurde auch Müntzer, wie Luther, die spätmittelalterliche Kirche zur Anfechtung, mit ihrer Glaubenslehre, deren Kernstück eine an die Autorität des magisteriums gebundene Vertrauensseligkeit war. Während aber Luther um einen gnädigen, nicht auf verdienstliche Werke bestehenden Gott rang, fragte Müntzer nach dem anthropologischen Ort des Glaubens.

2. Im Drängen auf eine bessere Unterrichtung über den Grund des Glaubens fand Müntzer in der Terminologie und im Gedankengang der Deutschen Mystik eine stetig zunehmende Befriedigung seines leidenschaftlichen Verlangens, den wahren Ursprung des Glaubens im Menschen zu erfahren. Er lernte von der Mystik, besonders von Tauler, daß wahrer Glaube durch innere Leiden entstehe und nicht durch das äußere Wort der Heiligen Schrift oder durch die Kenntnis der geschichtlichen kirchlichen Tradition.[145] Möglicherweise hat Müntzer schon in der Frühzeit seiner priesterlichen Tätigkeit den Unterschied zwischen dem in mystischer Anfechtung erfahrenen „ungedichteten" und dem „gedichteten" Kirchen- und Buchstabenglauben öffentlich bezeugt und wurde in diesem Sinn als „Verfolger der Ungerechtigkeit", d. h. als Gegner des Ablaßhandels, in Braunschweig bekannt. Die intensive Beschäftigung mit Tauler in Frose und mit der frühkirchlichen, vornicäischen Tradition brachte Müntzer die befreiende Erleuchtung, daß der Grund des wahren Glaubens in der durch die Gewissensangst bezeugten Läuterung der Seele durch das göttliche Gesetz, den „bitteren Christus", zu finden sei und daß diese Läuterung den Menschen auf den Geistempfang vorbereite, wodurch er dann verwandelt, „christ- und gottförmig" würde.

3. Müntzer hat sein neu gewonnenes Glaubensverständnis gegen die „gedichtete" kirchliche Glaubenslehre in Jüterbog und Zwickau ausgespielt. In dieser Zeit (von 1519 bis 1521) distanzierte er sich bewußt vom Glaubensverständnis der Wittenberger und besonders vom humanistischen „Buchstabenglauben" des Egranus. Es ist möglich, daß Müntzer in Zwickau begann, sein Glaubensverständnis mit einem radikalen Reformationsprogramm zu verbinden, so daß nun die innere Verwandlung des Menschen zur Grundlage für die Verwandlung der äußeren Welt wurde. Ob dabei Nikolaus Storch und seine Anhänger eine entscheidende Rolle spielten, läßt sich nicht klar erweisen. Doch kommt die Verbindung des Glaubensverständnisses mit revolutionären Ideen im „Prager Manifest" von 1521 deutlich zum Vorschein, zusammen mit einem Sendungs- und Endzeitbewußtsein.[146]

4. Müntzers Aussagen über den Glauben in den Schriften von 1524 bilden die Grundlage für ein systematisch-theologisches Glaubensverständnis, dessen entstehungs- und theologiegeschichtliche Quellen allerdings heterogen und schwer zu erfassen sind. Die gleichsam elliptischen Brennpunkte dieses Glaubensverständnisses sind die Gewissensangst, bewirkt durch die läuternde Rechtfertigung des Gesetzes, und der Geistempfang, der den Menschen auf den Weg zum Urstand mit Gott weist, letztlich zur Vergottung. Müntzer beschreibt diese beiden Brennpunkte mit dem Sprachgefühl eines leidenschaftlichen Predigers, der in der

Deutschen Mystik den ergiebigsten Anknüpfungspunkt zwischen ihm und seinen Hörern erblickt. Die Gewissensangst wird als „Entgröbung" vom Kreatürlichen dargestellt, während der Geistempfang in der „Umschattung" des Menschen besteht, der wie Maria aus dem weltlichen Nichts herausgehoben und wie Christus mit Gott, seinem Ursprung, wiedervereinigt wird. Müntzer bezeichnet diejenigen, die diese innere Umwandlung erfahren haben, als „Auserwählte", als Repräsentanten der erneuerten apostolischen Kirche. Sie sollen als Mitglieder des „Bundes der Auserwählten" anderen dazu verhelfen, die Wandlung vom „gedichteten" Glauben zum „ungedichteten" Glauben der in der alttestamentlichen Prophetie geweissagten endzeitlichen Gemeinde erleben. Sollten Müntzer und seine Botschaft nicht angenommen werden, dann müßte das Schwert der weltlichen Obrigkeit den geisterfüllten laici und indocti gegeben werden, um die verwirkte innere Läuterung durch eine äußere Reinigung der Kreaturen Gottes zu ersetzen. So verbindet sich Müntzers Glaubensverständnis mit seinem Sendungsbewußtsein als der neue Elia, der die göttliche Mission der Rettung der Welt in Gang setzt.

5. Müntzer bezeugt, daß er die bessere Unterrichtung über den Glauben durch das Nacherleben der biblischen Offenbarung, durch Träume und Gesichte sowie durch asketische Selbstprüfung erfahren habe. Die Gewißheit des Geistempfanges als Grund des Glaubens machte ihn zum Charismatiker; und die charismatische Gewißheit einer recapitulatio der gefallenen Schöpfung Gottes machte ihn zum Theokraten, der mit dem Schwerte Gideons das Ende der Welt einleitet. „Drumb ist der glaub also seltzam [so selten], welchen Gott in der anfechtung geben und vermeren wil. Das helff euch der geyst Christi, ein spotvogel der gotlosen."[147]

[1] Hayo GERDES: Der Weg des Glaubens bei Müntzer und Luther. Lu 26 (1955), 152–165 / TMFG, 16–30.

[2] Helmar JUNGHANS: Ursachen des Glaubensverständnisses Thomas Müntzers 1524. In: Der deutsche Bauernkrieg und Thomas Müntzer/ hrsg. von Max Steinmetz. Leipzig 1976, 143–149.

[3] Karl HOLL: Luther und die Schwärmer (1922). In: ders.: Gesammelte Aufsätze zur Kirchengeschichte. Bd. 1: Luther. 7., unv. Aufl. Tübingen 1948, 425.

[4] Ebd, 429.

[5] Ebd, 434; zur Kritik Holls vgl. Eric W. GRITSCH: Luther und die Schwärmer: verworfene Anfechtung? Zum 50. Todesjahr Karl Holls. Lu 47 (1976), 105–121.

[6] M[oisej] M[endelewič] SMIRIN: Die Volksreformation des Thomas Müntzer und der große Bauernkrieg (Narodnaja reformacija Tomasa Mjuncera i velikaja krest'janskaja vojna, dt.) / übers. von Hans Nichtweiß. 2., verb. und erg. Aufl. Berlin 1956, 104.

[7] Ebd, 117.

[8] Ebd, 118.

[9] Ebd, 181–182.

[10] Ebd, 641.

[11] Vgl. Gerdes: AaO, 152–154 / TMFG 16–18; vgl. MSB, 380–382 (31).

[12] WA 1, 555, 36 – 565, 26

[13] Vgl. Gerdes: AaO, 157 / TMFG, 21.

[14] Ebd, 158 / TMFG, 22.

[15] Ebd, 160 f / TMFG, 24 f.

[16] Ebd, 161 / TMFG, 25.

[17] Ebd, 162 / TMFG, 26.

[18] Ebd, 163 / TMFG, 27.

[19] Ebd, 165 / TMFG, 29.

[20] Vgl. Carl Hinrichs: Luther und Müntzer: ihre Auseinandersetzung über Obrigkeit und Widerstands-recht. Nachdruck der 2., unv. Aufl. Berlin 1971, 103.

[21] Ebd, 110.

[22] Ebd, 120 f.

[23] Ebd, 1.

[24] Thomas Nipperdey: Theologie und Revolution bei Thomas Müntzer. ARG 54 (1963), 148 / ders.: Reformation, Revolution, Utopie: Studien zum 16. Jahrhundert. Göttingen 1975, 40.

[25] Ebd, 154 / 43.

[26] Ebd, 154 / 43 f.

[27] Ebd, 156 / 45.

[28] Ebd, 157 / 46.

[29] Ebd, 170 / 56.

[30] Ebd, 176 / 61.

[31] Ebd, 176 / 61.

[32] Ebd, 178 f / 63 f.

[33] Ebd, 179 / 64. 84.

[34] H[ans]-J[ürgen] Goertz: Innere und äußere Ordnung in der Theologie Thomas Müntzers. Leiden 1967, 149.

[35] Ebd, 26 f.

[36] Ebd, 32.

[37] Ebd, 144 f.

[38] Ebd, 148.

[39] Ebd, 63, Anm. 2; 67, Anm. 1.

[40] Vgl. Martin Schmidt: Das Selbstbewußtsein Thomas Müntzers und sein Verhältnis zu Luther: ein Beitrag zu der Frage: War Müntzer Mystiker? Theologia viatorum 6 (1954/55), 25–41 / TMFG, 31–43. 45–53.

[41] Vgl. Gordon Rupp: Patterns of Reformation. London / Philadelphia 1969, 191: „. . . his Lutheran inheritance is a ‚Word of God‘ theology within which his own pattern of salvation is embedded."

[42] Ebd, 277, Anm. 2.

[43] Ebd, 266.

[44] Vgl. ETM, 7.

[45] ETM, 35.

[46] ETM, 196 f.

[47] ETM, 198.

[48] ETM, 208.

[49] ETM, 397.

[50] MSB, 569, 1–12.

[51] Vgl. ETM, 408.

[52] ETM, 414 f; Zitat, 504.

[53] MSB, 424–427 (61).

[54] Vgl. ETM, 539 f.

[55] ETM, 601.

[56] Vgl. Max Steinmetz: Thomas Müntzer in der Forschung der Gegenwart. ZGW 23 (1975), 675 f.

[57] Ebd, 679; vgl. auch Manfred Bensing: Thomas Müntzer. 3., neubearb. Aufl. Leipzig 1983, 54 f.

[58] Vgl. Steinmetz: AaO, 681.

[59] Ebd, 684.

[60] Vgl. Junghans: AaO, 143. 146.

[61] Ebd, 148.

[62] Ebd, 149.

[63] Vgl. Siegfried Bräuer / Hans-Jürgen Goertz: Thomas Müntzer. In: Gestalten der Kirchen-geschichte/ hrsg. von Martin Greschat. Bd. 5: Die Reformationszeit. Stuttgart 1981, 335–352, bes. 337; Bensing: AaO, 54; Ulrich Bubenheimer: Thomas Müntzer. In: Protestantische Profile/ hrsg. von Klaus Scholder und Dieter Kleinmann. Königstein (Ts.) 1983, 32–46, bes. 37 f.

[64] Ebd, 38 f.

[65] Vgl. MSB, 495, 8. 11 f.

[66] MSB, 349, 4 (3): Claus, Diener Hans Pelts, an Müntzer vom 25. Juli 1517. Daß Müntzer einem „frühreformatorischen Kreis" in Braunschweig angehörte, läßt sich mit ziemlicher Sicherheit nachweisen (vgl. Ulrich Bubenheimer: Thomas Müntzer und der Anfang der Reformation in Braunschweig. Nederlands archief voor kerkgeschiedenis 65 [1985], 1–30, bes. 18. 22–29; Siegfried Bräuer: Thomas Müntzers Beziehungen zur Braunschweiger Frühreformation. ThLZ 109 [1984], 636–638).

[67] Vgl. Manfred Bensing / Winfried Trillitzsch: Bernhard Dappens „Articuli ... contra Lutheranos": zur Auseinandersetzung der Jüterboger Franziskaner mit Thomas Müntzer und Franz Günther 1519. Jahrbuch für Regionalgeschichte 2 (1967), 113–147, bes. 133.

[68] MSB, 485, 1: „Ne errore decipia" kann als Stoßseufzer verstanden werden (zur Interpretation vgl. ETM, 42 f); 353, 11 (7), Müntzer an Franz Günther vom 1. Januar 1520: „Omnia deus in vero iudicio mihi misello fecit, ..."

[69] MSB, 358, 13 f; 360, 11 (13).

[70] Vgl. MSB, 514, 3–5 (These 7 als Auslegung der Thesen 1 und 2 der angeblichen Propositionen des Egranus, 1521). Elliger spricht ganz richtig von einer christozentrischen Nachfolgetheologie Müntzers (vgl. ETM, 137 f).

[71] Vgl. MSB, 515, 7–10 (Thesen 21 f).

[72] MSB, 491, 8 f; 492, 5–15.

[73] Vgl. MSB, 496, 3–12.

[74] MSB, 499, 25; 500, 28 – 501, 1.

[75] MSB, 501, 12–15.

[76] MSB, 494, 23 f.

[77] MSB, 380, 9–12 (31).

[78] MSB, 380, 25 f (31).

[79] MSB, 381, 29 – 382, 1; vgl. auch Gerdes: AaO, 154–158.

[80] MSB, 380, 16–18 (31).

[81] MSB, 382, 16–19 (32). Inhaltlich hat dieses Brieffragment etliches gemeinsam mit dem Brief vom 14. Juli 1522 aus Nordhausen; vgl. 382, Anm. 1, und Manfred Bensing: Thomas Müntzer und Nordhausen (Harz) 1522: eine Studie über Müntzers Leben und Wirken zwischen Prag und Allstedt, ZGW 10 (1962), 1095–1123, bes. 1120–1123.

[82] MSB, 385, 1–6 (35).

[83] MSB, 565, 5–8.

[84] MSB, 519, 8–13.

[85] MSB, 390, 8–12. 18 (40).

[86] MSB, 391, 8–12 (40).

[87] MSB, 21, 1 – 22, 13; Zitat: 22, 9.

[88] MSB, 218–224. 225–240. 267–319.

[89] MSB, 226, 26; 227, 1–8.

[90] MSB, 228, 26–28.

[91] MSB, 229, 19–24.

[92] MSB, 235, 1–5.

[93] MSB, 235, 30.

[94] MSB, 237, 31–33.

[95] MSB, 237, 15–18; 237, 34 – 238, 3.

[96] MSB, 238, 15–20.

[97] MSB, 240, 2–4.

[98] MSB, 218, 5 f.

[99] Vgl. MSB, 237, 12 f; vgl. auch die scharfsinnige Analyse von Joachim Rogge: Wort und Geist bei Thomas Müntzer. ZdZ 29 (1975), 129–138, bes. 137 f.

[100] MSB, 218, 6–15.

[101] Ebd, 218, 30 f.

[102] MSB, 219, 4–10.

[103] Ebd, 219, 19–26.

[104] Vgl. MSB, 223, 29 f.

[105] MSB, 222, 10 f; 223, 13; 224, 2 f.

[106] Vgl. die elf Fragen Spalatins MSB, 569, 2–12; ETM, 403–406; Rupp: AaO, 190 f.

[107] Vgl. MSB, 398, 9–12 (46), Müntzer an Hans Zeiß am 2. Dezember 1523.

[108] MSB, 272, 11–17; 273, 9–12.

[109] MSB, 273, 32–38.

[110] MSB, 275, 26 – 276, 6; Zitat: 277, 25–33.

[111] MSB, 281, 20–31.

[112] MSB, 289, 13–24; Zitat; 22–24.

[113] MSB, 291, 29–32.

[114] MSB, 297, 8 – 299, 16.

[115] MSB, 300, 14–18.

[116] MSB, 307, 20–27.

[117] MSB, 310, 33 – 311, 27.

[118] MSB, 319, 8–14.

[119] MSB, 318, 24–37.

[120] Vgl. auch die Ausführungen über den Weg zum Glauben bei Junghans: AaO, 145 f.

[121] MSB, 255, 24–26; 257, 19 f.

[122] MSB, 262, 32 – 263, 4.

[123] MSB, 331, 18; vgl. auch 324, 12–15; 330, 14 f; 335, 21–24.

[124] MSB, 404, 5 f; vgl. den Gedankengang 402, 28 f; 403, 13–32 (49).

[125] MSB, 404, 10–16 (49); ähnliche Ausführungen auch in dem Brief an Georg MSB, 424–426 (61); vgl. auch ETM, 525–527.

[126] Vgl. Siegfried Bräuer: Müntzerforschung von 1965 bis 1975. LuJ 44 (1977), 127–141; 45 (1978), 102–139; zur Frage nach dem theologischen Ansatz ebd (1978), 102–139. Die zwei jüngsten biographischen Skizzen (vgl. oben Anm. 63) illustrieren einerseits die Unsicherheit über die Entstehungsgeschichte der Ideen Müntzers und andererseits den Hang, die Unsicherheit durch interessante Hypothesen zu überwinden.

Bräuer und Goertz sprechen von einem theologischen Ansatz, der in der Mystik „aufgespürt", in einem apokalyptischen Milieu „erzeugt", aus Luther „erhoben", aus einem deuteronomistischen Geschichtsverständnis „erstellt" oder aus dem Konzept der frühbürgerlichen Revolution „abgeleitet" sein könnte. Doch seien die Gedanken Müntzers „oft sprunghaft und assoziativ"; die Quellen seien „heterogen und selten genau zu bestimmen" (aaO, 347).

Bubenheimer versucht, das entstehungsgeschichtliche Problem mit einer psycho-historischen Hypothese zu lösen. Ausgehend vom Bild des Wassers, beschreibt er die Theologie Müntzers als eine Gedankenwelt, die durch das Interesse an Traum und Traumdeutung geprägt sei. Er spricht zwar von einer für Müntzer und Luther gemeinsamen „Herz-Jesu-Mystik" (aaO, 37), doch werde Müntzers jugendliches Verlangen nach einer Unterweisung über den wahren Glauben durch Träume gestillt, die ihm den Zugang zum „Bilderreich der Seele" und zur Bibel verschaffen, und zwar mittels der Methode der freien Assoziation. „Viele Passagen Müntzers gewinnen auf diese Weise Tagtraum-charakter" (aaO, 38 f). So komme Müntzer zum Streben nach der Ganzheit des Menschen und der Welt als „kosmische(r), leibseelische(r) und seelisch-gesellschaftliche(r) Einheit" (aaO, 40).

[127] Vgl. Bräuer: Müntzerforschung . . ., 137 f.

[128] Bräuer / Goertz: AaO, 335; Leif Grane: Thomas Müntzer und Martin Luther. In: Bauernkriegs-Studien/ hrsg. von Bernd Moeller. Gütersloh 1975, 71.

[129] So bei Gerdes: AaO, 152 f / TMFG, 16 f. Die aufgezeigten „vielen Parallelen" in Aussagen über Leiden und Anfechtung sowie die von Müntzer bekannte Abhängigkeit von Luther beweisen nur, daß Müntzer von Luther Anstöße erhielt, die aber Müntzer zum Anstoß wurden. Dies führt jedoch nicht zum Schluß, daß Müntzer „da stehengeblieben ist, wo Luther sich zur Zeit der Römerbrief- und Psalmenvorlesung befand" (ebd, 158 / TMFG, 22).

[130] Vgl. auch Junghans: AaO, 145 f. Junghans hat zweifelsohne recht, wenn er den theologischen Gegensatz zwischen Luther und Müntzer auf die Weise, wie sie beide die „Zusage Christi" verstehen, zugespitzt sieht. Das Leiden bewirke bei Müntzer nicht nur die Empfangsbereitschaft für den Glauben, sondern auch die Entleerung von allem Kreatürlichen; und damit gehe Müntzer mit seiner mystischen, an die Eckhartsche via purgativa erinnernden Glaubenslehre weiter als der von der Mystik beeindruckte junge Luther, nämlich zum Begriff der fides infusa, der in den realistischen Vorstellungen der aristotelischen Scholastik verankert sei. Das sei Müntzers „Ausgangspunkt", und er sei daher kein abgefallener Schüler Luthers, sondern ein mittelalterlicher Realist, der gegen die Wittenberger Konzeptionalisten kämpfte (aaO, 146. 148 f). Es gibt jedoch in Müntzers Aussagen über den Glauben nicht genügende Anhaltspunkte dafür, daß er sich bewußt als scholastischer Realist mit Luther auseinandersetzte. Daß der Streit zwischen ihm und Luther an den alten Streit zwischen Realisten und

Konzeptualisten erinnere, wie Junghans meint, ist eine beachtenswerte Hypothese, die der Müntzer-forschung weiterhelfen kann.

[131]   Vgl. Bernhard LOHSE: Luther und Müntzer. Lu 45 (1974), 17.

[132]   In seinem Brief vom 13. Juli 1520 spricht Müntzer Luther als „suavissime pater" an und unterzeich-net als „Thomas Müntzer, den Du durch das Evangelium gezeugt hast", „Tomas Munczer qu(em) g(en)u(isti) p(er) evangelium" (vgl. MSB, 357, 12; 361, 10 [13]). Die Notiz „emulus Martini apud dominum" findet sich MBF, 51; vgl. ETM, 184.

[133]   So Nipperdey: AaO, 148, 40. Doch ist es sehr fraglich, ob Müntzer Luthers reformatorischen Ansatz aufnimmt (ebd). Abgesehen davon, wie man den reformatorischen Ansatz bei Luther definiert, geht es doch Müntzer um die Frage, „wie der heilige unüberwindliche Christenglaube gegründet sei". Müntzers Antwort, daß dieser Glaube durch mystische Anfechtung und Geistempfang ohne das äußere Wort „gegründet" werde, hat sehr wenig mit Luthers unbeugsamem Wortglauben zu tun.

[134]   Der Titel „verfolger der unrechtverdicheyt" (MSB, 349, 4 [3]) könnte auf die „Ungerechtigkeit" der durch einen „gedichteten" Glauben Ungerechtfertigten bezogen werden, eine Beziehung, die nicht unwahrscheinlicher ist als manche anderen Hypothesen in der Müntzerforschung!

[135]   Diesen Unterschied hat bereits Smirin (aaO, 211–266, bes. 266) aufgedeckt. Elliger meint (aaO, 198), daß Müntzer durch die Begegnung mit Storch in Zwickau veranlaßt worden sei, „den bei der Lektüre der deutschen Mystiker, zumal wohl Taulers, empfangenen Anregungen in eigener Reflexion nachzu-gehen", ohne sich jedoch vom Einfluß Luthers loszusagen. Jedoch ist der Storchsche Einfluß auf Müntzers Glaubensverständnis schwer zu erfassen (vgl. unten Anm. 146).

[136]   Vgl. Goertz: Innere und äußere Ordnung..., 144 f: „Der Glaube wird unter den Schmerzen des Gotterleidens und Leidens im Herzen des Auserwählten geboren, und das heißt gleichzeitig, die ‚Welt' innen und außen wird unter den Schmerzen des zum Glauben findenden Menschen über-wunden."

[137]   Das heißt aber nicht, daß die Goertzsche These vom mystischen Theologen Müntzer nicht stich-haltig sei, besonders da Goertz seine ursprünglich etwas engstirnige Argumentation im kritischen Rückblick ziemlich gelockert hat (vgl. Hans-Jürgen GOERTZ: Der Mystiker mit dem Hammer: die theologische Begründung der Revolution bei Thomas Müntzer. Kerygma und Dogma 20 [1947], 23–53 / TMFG, 403–444). Müntzer habe die mystische Tradition „nicht einfach kopiert und unzeit-gemäß aufgenommen", sondern sie „in die Gedankenwelt und das lautstarke Gespräch der Reforma-toren eingearbeitet". Doch stamme „das Aufbauelement seiner Theologie" aus der „praktischen", nicht „spekulativen" Mystik, wobei auch andere Einflüsse, „hussitisch-taboritische und eschatolo-gisch-apokalyptische Gedankensplitter", eine Rolle in Müntzers theologischer Entwicklung gespielt hätten (aaO, 31 / TMFG, 411 f).

[138]   Das hat Elliger versucht, indem er Müntzer „weniger als einen Adepten der Mystik als einen ‚Schü-ler' Luthers" darstellen wollte (ETM, 7). Angesichts der schwierigen Lektüre dieses umfangreichen Werkes, das auch kein klares Bild des Müntzerischen Glaubensverständnisses bietet, ist es zweifel-haft, ob der Versuch gelungen ist. In der Kurzfassung der Biographie vermeidet Elliger ein Urteil über den Einfluß der Mystik, der angesichts Müntzers Schweigsamkeit bezüglich einer Lektüre des mystischen Schrifttums „schwer auszumachen" sei (Walter ELLIGER: Außenseiter der Reformation: Thomas Müntzer. Göttingen 1975, 7).

[139]   Vgl. den Versuch des Beweises von Abraham FRIESEN: Thomas Müntzer and the Old Testament. The Mennonite quarterly review 47 (1973), 5–19, bes. 17 f.

[140]   MSB, 398, 15–18 (46).

[141]   Vgl. Reinhard SCHWARZ: Die apokalyptische Theologie Thomas Müntzers und der Taboriten. Tübin-gen 1977, 1. Das Resultat der Untersuchung zeigt, wie individualistisch Müntzers eschatologische Aussagen waren, im Gegensatz zum Chiliasmus der Taboriten (aaO, 126). Der Grund dafür könnte eine enge Verbindung zwischen Glaubensverständnis und Selbstbewußtsein sein.

[142]   Grane: AaO, 71.

[143]   MSB, 491, 3–7; 495, 8–12; 505, 5–8 („Prager Manifest", 1521). Das ungefähre Alter Müntzers in Prag kann in Anbetracht des unbekannten Geburtsjahres nur geschätzt werden. Die jüngsten For-schungsurteile deuten für letzteres auf den Zeitabschnitt kurz vor 1470 bis kurz vor 1493 (vgl. Bubenheimer: Thomas Müntzer und der Anfang..., 19 f).

[144]   Vgl. MSB, 495, 12–14.

[145]   Das hat Goertz: Innere und äußere Ordnung..., 64–68, gut herausgearbeitet.

[146]   Vgl. Siegfried BRÄUER: Thomas Müntzers Weg in den Bauernkrieg. In: TMD, 69. Bräuer weist mit Recht darauf hin, daß die Zwickauer Periode neu erforscht werden muß, weil die Arbeit von Paul

Wappler den heutigen Ansprüchen nicht mehr genügt (aaO, 81, Anm. 6). Es ist aber damit zu rechnen, daß die charismatischen Anschauungen Storchs und die sozialen Verhältnisse in Zwickau einen Einfluß auf Müntzers Glaubensverständnis hatten, wenn auch nicht einen so großen, wie ich 1967 annahm (vgl. Eric W. Gritsch: Reformer without a church: the life and thought of Thomas Müntzer, 1488?–1525. Philadelphia 1967, 27–38).

[147] MSB, 319, 21–26.

Gemeinnutz und Eigennutz bei Thomas Müntzer

Von Günter Vogler

Eine Durchsicht von Thomas Müntzers Schriften, Briefen und nachgelassenen Fragmenten verweist nur auf wenige Belege für den Gebrauch der Termini „Gemeinnutz" und „Eigennutz". Offensichtlich benötigte er diese Terminologie nicht, um seinen theologischen Standpunkt zu entfalten und sein seelsorgerliches Anliegen zu artikulieren. Verfolgt man indes, in welchen Zusammenhängen die Begrifflichkeit dennoch gelegentlich in seinem Werk auftaucht, dann gewinnt man den Eindruck, daß ihr größeres Gewicht zufällt, als auf den ersten Blick zu erkennen ist. Immerhin werden wir auf gewichtige Sachverhalte verwiesen, die Müntzer Anlaß waren, mit den Termini „Gemeinnutz" oder „Eigennutz" zu argumentieren und damit eine Begrifflichkeit aufzunehmen, die seinen Zeitgenossen vertraut war und mit der er sich ihnen verständlich machen konnte. Ihre Entschlüsselung kann helfen, sein Wollen zu erkennen, jedenfalls in einem bestimmten Bereich.

Für den Gebrauch des Begriffs „Gemeinnutz" finden sich in Müntzers Briefen drei Belege: im wohl von Müntzer konzipierten Brief von Rat und Gemeinde zu Allstedt an Herzog Johann von Sachsen vom 14. Juni 1524,[1] im Brief Müntzers an die Kirche zu Mühlhausen vom 22. September 1524[2] und im Brief Müntzers an den Rat zu Mühlhausen vom 8. Mai 1525[3]. Für Eigennutz finden sich zwei Belege: in der Schrift „Ausgedrückte Entblößung des falschen Glaubens der ungetreuen Welt", verfaßt nach dem Verlassen Allstedts und gedruckt in Nürnberg im Oktober 1524,[4] und – mehrmals – in dem während der Gefangenschaft im Schloß Heldrungen Christoph Weißenfels in die Feder diktierten Abschiedsbrief an die Mühlhäuser vom 17. Mai 1525[5].

Trotz der schmalen Quellenbasis wollen wir der Frage nachgehen, welche Intentionen sich mit der Terminologie verknüpften und welchen Platz sie in Müntzers Denken einnahm. Das Thema hat in der Müntzerforschung bisher keine Rolle gespielt. Das ist verständlich, weil Kategorien in unser Blickfeld rücken, die für die Entfaltung von Müntzers Lehre keine zentrale Bedeutung gewannen. Zwar werden alle genannten Zeugnisse in der Literatur immer wieder zitiert, vor allem der Brief an die Kirche zu Mühlhausen vom 22. September 1524 und die Briefe vom 8. Mai und 17. Mai 1525 an den Rat bzw. die Gemeinde zu Mühlhausen,[6] aber eine eingehende Interpretation im Kontext mit den Ereignissen, die Müntzer zu diesen Aussagen veranlaßten, und eine zusammenhängende Betrachtung haben sie nicht erfahren.

Um den Inhalt der Terminologie zu entschlüsseln und ihre Funktion bei Müntzer zu ergründen, bietet sich methodisch der folgende Weg an: *Erstens* soll gefragt werden, in welchem Zusammenhang Müntzer sich der Kategorien „Gemeinnutz" und „Eigennutz" bediente. *Zweitens* werden der Ursprung dieser Terminologie und ihre Funktion im gesellschaftlichen Denken kurz skizziert. *Drittens* ist zu prüfen, welche Beziehungen sich zur theologischen Konzeption Müntzers ergeben. *Viertens* wird zu fragen sein, inwieweit damit Auskünfte über Müntzers sozialethische Position vermittelt werden bzw. inwieweit diese in den Kategorien „Gemeinnutz" und „Eigennutz" reflektiert wird.

I Das Vorkommen der Terminologie bei Müntzer

Um den sachlichen Inhalt entschlüsseln zu können, was „Gemeinnutz" und „Eigennutz" im Sprachgebrauch Müntzers meinen, wollen wir zuerst die Belege in der chronologischen Folge ihres Entstehens vorführen, um sie in dem Kontext kennenzulernen, durch den sie veranlaßt wurden.

1. Der Brief von Rat und Gemeinde zu Allstedt an Herzog Johann von Sachsen vom 14. Juni 1524 betrifft die Auseinandersetzungen mit den Zisterzienserinnen des Klosters Naundorf bei Allstedt und die Aktion gegen die Mallerbacher Wallfahrtskapelle.[7] Das Kloster hatte als Grundherr Ansprüche auf Leistungen von Allstedter Bürgern. Im Sommer 1523 waren diese Abgaben verweigert worden, um sie für die Armenversorgung in der Stadt zu verwenden. In der Mallerbacher Kapelle befand sich ein Marienbild, dem Wunderwirkung zugesprochen wurde. Die Nonnen und die Kapelle gereichten den Allstedtern zum Ärgernis und waren Zielscheibe ihrer Attacken. Nachdem die Kapelle schon ausgeplündert worden war, wurde sie am 24. März 1524 in Brand gesteckt. Die Äbtissin des Klosters verklagte die bislang unbekannten Täter beim Kurfürsten, und dieser verlangte eine Untersuchung. Schösser, Schultheiß und Rat von Allstedt beteuerten in ihrem Schreiben vom 11. April ihre Unschuld und kehrten den Spieß um, indem sie sich beklagten, sie seien von den Nonnen täglich geschmäht und Ketzer geheißen worden. Sie teilten auch mit, der Schösser habe an die Äbtissin geschrieben „umb einigkeit und frieds willen".[8] Die Allstedter Obrigkeit suchte die Angelegenheit zu verzögern, während die kurfürstlichen Behörden die Festnahme der Schuldigen verlangten. Die Bevölkerung Allstedts war beunruhigt, zumal am 11. Juni auf Veranlassung des Schössers ein Ratsmitglied auf dem Schloß in den Stock gelegt wurde. Da weitere Verhaftungen drohten, trat am 13. Juni die Gemeinde bewaffnet zusammen, eine Aktion, hinter der Müntzers Allstedter Bund gestanden haben dürfte. In dieser Situation konzipierte Müntzer den Brief, der im Namen von Rat und Gemeinde dem Herzog übermittelt wurde.[9]

Müntzer teilt zunächst mit, die Allstedter hätten sich dem Befehl gefügt, den Naundorfer Nonnen Zins und Zehnt zu leisten, diese aber hätten ihr gottloses, unchristliches Wesen weitergetrieben, was sie vor Gott nicht verantworten könnten. Rat und Gemeinde rechtfertigen die Zerstörung der Kapelle, und sie zeigen sich verwundert, daß sie die Täter („gutherzige frume leute") festnehmen sollen, wo diese doch gegen ein teuflisches Werk handelten. „Wissen wir doch durch das gezeugnis des heiligen aposteln Pauli, das Euern Gnaden das schwert zur rache der ubeleter und gotlosen gegeben ist und zur ehre und schutz der frumen. Weil aber durch die unsern nit sonderlicher schade, der dem *gemeynen nutz* vorhinderlich, gescheen ist, auch dem loblichen churfursten sein pflicht und gehorsam gehalten wirt – sein gnad wolte dan meher den menschen dan got achten, das wir uns keynerley weise zu seiner und Euern Gnaden vormuthen; begern wir armen leute doch nit schutz oder grosse vortedigung vor unsern feinden –, so wollen wir armen leute auch Euer Gnaden noch des loblichen churfursten in keynen teyl beschweren; mussen wir doch alle augenblick in fahr des todes gewertig sein unser feynde zukunft, welche uns dan mechtig umb des evangelion willen mit hessigem grymm vorfolgen."[10] Mönche und Nonnen seien abgöttische Menschen, die von keinem christlichen Fürsten mit Billigkeit verteidigt werden könnten. Wenn es sich aber um abgöttische Menschen handele, warum sollten sie dann von christlichen Fürsten verteidigt werden? Rat und Gemeinde seien bereit, alles zu tun, was ihnen der Herzog und der Kurfürst auftrügen; aber sie könnten weder den Teufel zu Mallerbach länger anbeten noch ihre Brüder ausliefern, sowenig wie sie den Türken untertänig sein wollten.

Halten wir zunächst nur fest, daß Müntzer argumentierte, durch das Handeln der Allstedter gegen die Mallerbacher Kapelle habe der Gemeine Nutzen keinen Schaden erlitten,
dem Kurfürsten wolle man Gehorsam leisten, doch sie würden um des Evangeliums willen
verfolgt.

2. Die „Ausgedrückte Entblößung..." wurde zwar erst im Oktober 1524 in Nürnberg
gedruckt,[11] aber der Anlaß zur Niederschrift geht auf Ereignisse zurück, die noch in die Allstedter Zeit fallen.[12] In der Situation verstärkter Verfolgung von Anhängern Müntzers in der
Umgebung Allstedts gewann dieser den Eindruck, der Schösser Hans Zeiß billige die Absicht
des Sangerhäuser Amtmanns, die von dort nach Allstedt geflüchteten Untertanen gewaltsam
zurückzuholen. Am 22. Juli mahnte Müntzer, die Folgen zu bedenken: Die Regenten handelten mit solchen Schritten nicht nur gegen den christlichen Glauben, sondern auch gegen
die natürlichen Rechte. Deshalb müsse man sie erwürgen wie die Hunde. „Dan es ist clerlich
am tage, das sye vom christenglauben ganz und gar nichts halten. Do hat yhr gewalt auch
eyn ende, sye wyrt in kurzer zeyt dem gemeinen volk gegeben werden."[13] Luther, der bisher
noch geschwiegen hatte, scheint seine Zurückhaltung abgelegt zu haben, als aufgrund von
Informationen sich sein Eindruck verstärkte, Müntzer wolle seine Sache mit Gewalt ver-
fechten. Derartige Berichte können den letzten Anstoß gegeben haben, um seinen „Brief an
die Fürsten zu Sachsen" niederzuschreiben.[14] Luther beschuldigte Müntzer unter anderem,
er habe sich im Winkel verkrochen und es abgelehnt, seine Lehre prüfen zu lassen. Der
Schösser Zeiß hatte indes am 28. Juli Herzog Johann informiert, Müntzer habe sich erboten,
daß er „vor eyner gemeynen versamblung furbescheiden vnd verhort mocht werden", aber
das sei bisher nicht geschehen.[15] Vielleicht hat Müntzer sich auf diese öffentliche Rechenschaftslegung durch die spätestens Ende Juli erfolgte Niederschrift des Manuskripts vorbereitet, das den Titel „Gezeugnus des ersten capitels des evangelions Luce, durch Thomam
Munczer der ganczen cristenheit furgetragen zu richten" trägt.[16] Doch die weiteren Ereignisse – in der Nacht vom 7. zum 8. August verließ Müntzer Allstedt – verhinderten zunächst
einen Druck, und die zwischenzeitlich gesammelten Erfahrungen veranlaßten ihn zudem,
das Manuskript zu überarbeiten, wobei er den Ton und auch manche Aussage verschärfte.

Im „Gezeugnus..." richtete sich Müntzers Polemik vor allem gegen die Art, wie die
„Schriftgelehrten" den Glauben verkündeten; und er wurde nicht müde, diesen als falschen
Glauben zu enthüllen. Eine Änderung erfordere einen rechten Prediger, um das verführte
Volk auf den rechten Weg zu leiten, und die Zerstörung des Regiments der Gottlosen. Das
sind auch zentrale Aussagen der „Ausgedrückten Entblößung...". In deren 5. Kapitel
erklärte Müntzer, wenn die heilige Kirche durch die bittere Wahrheit erneuert werden solle,
müsse ein gnadenreicher Knecht Gottes hervortreten und alle Dinge in den rechten Schwung
bringen. Viele müßten erweckt werden, um die Christenheit von den gottlosen Regenten zu
reinigen. Auch müsse zuvor das Volk „hart gestrafft werden umb der uno(e)rdentlichen
lu(e)st wegen, die also u(e)ppig die zeyt verkurtzweylen, on alle eynbleybenden mu(o)th zur
ernsten betrachtung des glaubens".[17] Der Mensch müsse sich Gott zuwenden und von allen
kreatürlichen Lüsten abkehren, um seinen Unglauben zu erkennen. „Da ist der ursprung
alles gu(o)ten, das recht reych der hymel; da wirt der mensch den su(e)nden feynd und der
gerechtigkeyt geneygt auff das allerhertzlichst, da wirt er erst seyner seligkeit versichert und
vernimpt clerlich, das in Got durch seyne unwandelbare lieb zum gu(o)ten vom bo(e)sen
getriben hat, ..."[18] Geschehe nicht in kurzer Zeit Besserung, „haben wir auch die natu(e)r-
lichen vernunfft verloren, von unsers *eigennutzs* wegen, den wir doch alle auff fleischliche
lu(e)st wenden, psal. 31, Esaie 1".[19] Ausgangspunkt für die Erkenntnis des Unglaubens und
für den Weg zum rechten Glauben ist für Müntzer die Abwendung von allem Kreatürlichen,

das sich in den „fleischlichen Lüsten" manifestiert. Dieses Kreatürliche wird mit dem Eigennutz gleichgesetzt, so daß ein Zusammenhang zu den Hindernissen hergestellt ist, die den Weg zum rechten Glauben versperren.

3. Müntzers Brief an die Kirche zu Mühlhausen vom 22. September 1524 nennt die Gründe nicht, die seine Abfassung veranlaßten. Sie sind jedoch aus den Ereignissen dieser Tage zu erschließen.[20] Müntzer war seit Mitte August 1524 in der Reichsstadt Mühlhausen und fand in Heinrich Pfeiffer einen Mitstreiter, um das in Allstedt abgebrochene Werk hier wieder aufzunehmen. Als Luther vom Aufenthalt Müntzers in Mühlhausen erfuhr, intervenierte er mit „Ein Sendbrief an die ehrsamen und weisen Herren Bürgermeister, Rat und ganze Gemeinde der Stadt Mühlhausen",[21] hat aber den Rat nicht sonderlich beeindrucken bzw. diesen sofort zum Vorgehen gegen Müntzer veranlassen können. Am 19. September spitzte sich die Situation in der Stadt zu, als der amtierende Bürgermeister Sebastian Rodemann den Kirchner und Schreiber des Reichsschultheißen in das Gefängnis im Rathaus bringen ließ und nicht in eines der Stadttore, wie es der Rezeß vom Juli 1523 in solchem Fall erfordert hätte. Angesichts dieser Verletzung des Rezesses befreiten die Achtmänner den Kirchner aus seiner Haft und verlangten von Rodemann, sich am nächsten Tag vor dem Rat zu verantworten. Doch Rodemann und Johann Wettich – der zweite Bürgermeister – flohen aus der Stadt mitsamt Siegel, Torschlüssel und Stadtfahne. In dieser Situation wurden, offensichtlich unter Mitwirkung Müntzers und Pfeiffers, elf Artikel formuliert, die weit über die Belange hinausgriffen, die 14 Monate zuvor im Rezeß ihren Niederschlag gefunden hatten. Der erste Artikel verlangte die Einsetzung eines neuen Rates, damit „nach gotlicher Forcht gehandelt, das nicht mochte der alte Haß cleben bleiben und der Muttwille sich nicht weiter erstregke".[22] Als in den Stadtvierteln und Zünften diese Artikel beraten wurden, scheinen sie Zustimmung wie Widerspruch gleichermaßen herausgefordert zu haben. Müntzer befürchtete in dieser Situation wohl, es könne dem Eigennutz Vorschub geleistet werden. So richtete er am 22. September einen Brief an die Kirche, das heißt an die christliche Gemeinde zu Mühlhausen – also an eine breite Öffentlichkeit –, um für die Einsetzung eines neuen Rates zu werben und auf Gefahren aufmerksam zu machen, die dem Gemeinwesen sonst drohten.[23]

In dem Brief erbietet sich Müntzer zu Rat und Dienst, weil er sehe, „das ir von der menschlichen furcht wegen nichts beschlissen kunt".[24] Er verweist auf Vergehen der Mühlhäuser Obrigkeit und ermahnt die Gemeinde, die Absetzung des Rates hinzunehmen, um künftig Übel zu verhüten. Wenn die Obrigkeit aber mit hoffärtigem Gemüt eigensüchtig handle, „iren vormeynten fromen und ere *gemeynem nutz* wollen vorsetzen und euch nicht reumen und dem wort und euer rechtfertigunge stadt geben, so wolt ir aus der pflicht gotliches wortes alle die mißhandelung, gebrechen, scheden und alle ire bosheit lassen in den druck gehn und clagen der ganzen welt ober solche widderspenstige kopfe und vorlegen und vorwerfen in ubel widder sey, domit ir sey uberweyßen kundet. An zwiffel, do werdet ir hundert gebrechen euer uberkeyt vorhalten und entdegken, do man euch in den geringsten meytheln nicht thadeln wert adder lestern. Dan irer boßheit seyt ir aufs allerhochst gewahr worden, darum das sey das wort Gottes ketzerey schelten und gedenken, das nicht anzunemen und die diener des wortes aufs crutz opfern."[25] Durch das Handeln des Rates also sieht Müntzer den Gemeinen Nutzen in der Stadt behindert, und er fordert dazu auf, die Ratsherren vor der ganzen Welt bloßzustellen.

4. Als Müntzer am 8. Mai 1525 an den Rat von Mühlhausen schrieb, hatte sich die Situation grundlegend verändert. Auch Teile Thüringens waren inzwischen vom Bauernkrieg erfaßt worden, und Müntzer war jetzt mit den Vorbereitungen befaßt, um mit einem Teil des

Mühlhäuser Aufgebots zu den Aufständischen im Lager zu Frankenhausen zu ziehen und so die von dort erbetene Hilfe zu leisten.[26] In Thüringen hatte die bäuerliche Aufstandsbewegung ihren Ausgangspunkt in der Nähe von Vacha im oberen Werratal in der zweiten Aprilhälfte. Auch im Gebiet von Mühlhausen bildete sich ein Bauernhaufen, der umliegende Klöster und Adelssitze einnahm. Als der sich rasch vergrößernde Haufen am 29. April auf dem Weg ins Eichsfeld war, erreichten ihn Hilfeersuchen von Nordhausen und von Frankenhausen. Auf letzteres antwortete Müntzer am 29. April von Görmar aus, der ganze Haufen werde kommen. Doch Müntzer vermochte sich offenbar nicht durchzusetzen, denn der Haufen zog zwar am 1. Mai in Richtung Nordhausen und Frankenhausen, schlug aber nach einigem Zögern auf erneutes Bitten der Eichsfelder den Weg zu ihnen ein. Dieses Unternehmen war am 5. Mai beendet, so daß Müntzer am 6. Mai nach Mühlhausen zurückgekehrt sein dürfte.

Inzwischen wurde die Lage in Frankenhausen bedrohlich, da vor allem Herzog Georg von Sachsen Truppen warb, aber auch Philipp von Hessen heranzog, um die Bewegung niederzuschlagen. Die Zeit drängte, und Müntzer war offenbar bemüht, den Mühlhäuser Haufen nunmehr nach Frankenhausen zu dirigieren. Aber dieser löste sich nach dem Eichsfeldzug auf, und nur ein kleiner Teil nahm direkt den Weg nach Frankenhausen. Der von Müntzer beabsichtigte Zug, mit dem er sein Versprechen einlösen wollte, verzögerte sich, ohne daß die Gründe klar zu erkennen sind. Rückschlüsse ermöglicht ein Brief Müntzers an die vor Eisenach lagernden Werrabauern vom 7. Mai. Auch ihnen sagte er Hilfe zu, sie müßten sich aber noch eine kurze Zeit gedulden, da auch die Grafen Ernst von Hohnstein und Günther von Schwarzburg Unterstützung begehrten. Bei dieser Gelegenheit verwies Müntzer darauf, welche Schwierigkeiten das Aufgebot bereitete: „Wir wollen mit allem, das wir vermogen, euch zu hulfe kommen. alleine das ir eine kurze zeyt gedult traget mit unsern bruedern, dye zu mustern wir uber die massen zu schaffen haben, dann es viel ein grober volk ist, wann eyn yeder außtrachten kann. Ir aber seyt in vielen sachen euers beswerens innen worden, unsern aber vermogen wir nit mit allem gemuet dasselbig zu erkennen geben, alleyn wie sie Gott mit gewalt treybt, mussen wir mit yhnen handeln."[27] Müntzer scheint deshalb mit dem Mühlhäuser Rat in Verhandlungen gestanden zu haben. Mit dem Brief vom 8. Mai warnt er diesen vor den Machenschaften des Satans, ohne jedoch einen Namen zu nennen. Offensichtlich zielte die Ermahnung auf diejenigen, die sich einem Zug nach Frankenhausen widersetzten und Müntzer bei seinen Vorbereitungen behinderten.

Müntzer schrieb in Hinsicht auf die Situation in Mühlhausen: „Der sathan hat uber dye masse vil zuthun; ehr wolte gerne den *gemeynen nutz* vorhyndern und thut das durch sein eygnen gefheß, und es wehr sere von nothen, das solche aufrurysche leuthe erst ym heutigen cirkell vorgenommen und hoch bedrawet, das sye euch raths herrn und gemeiner stad schaden nicht vorwyrken. Wu sye aber das nit werden lassen, das sye vom haufen ordenlich gestrafft sollen werden."[28] Müntzer ersucht darum, die Sache noch vor seinem Auszug mit der ganzen Gemeinde zu beraten. Es liegt auf der Hand, daß Müntzer hier den Gemeinen Nutzen mit dem Interesse der Stadt gleichsetzt und den Rat auffordert, Schaden von der Stadt abzuwehren, die Strafgewalt aber nicht dem Rat anheimstellt, sondern eine Entscheidung im Ring des Haufens („cirkell") verlangt.

5. Der letzte Brief Müntzers, diktiert in Gefangenschaft im Schloß Heldrungen am 17. Mai 1525, zieht Bilanz angesichts der Niederlage von Frankenhausen und des erwarteten Todes. Am 10. oder 11. Mai hatte Müntzer mit einer Schar von etwa 300 Mann Mühlhausen verlassen und war ins Lager von Frankenhausen gezogen. Als die Truppen der verbündeten Fürsten am 15. Mai die auf dem Hausberg errichtete Wagenburg überfielen, gelang es

Müntzer, sich in die Mauern der nahen Stadt zu flüchten. Doch dort wurde er entdeckt und Graf Ernst von Mansfeld – seinem ärgsten Widersacher – als „Beutepfennig" übergeben. Der ließ ihn in das Wasserschloß Heldrungen bringen, wo er verhört wurde, zuletzt unter Anwendung der Folter. Der Brief an die Mühlhäuser vom 17. Mai artikuliert gewissermaßen das Vermächtnis Müntzers.[29] Er ist das letzte Zeugnis, das Auskunft über seine Gedanken gibt, ehe er am 27. Mai im Feldlager der siegreichen Fürsten vor den Toren Mühlhausens hingerichtet wurde.

In diesem Brief bekundete Müntzer, er werde hinscheiden, weil es Gott wohlgefalle, „in warhaftiger erkenthnis gottlichs namens und erstattung etzlicher mißbreuch vom volk angenomen, mich nicht recht vorstanden, alleyne angesehen *eygen nutz*, der zum undergang gottlicher warheyt gelanget, bin ichs auch herzlich zufriden, das es Got also vorfuget hatt, mit allen seynen volzogen werken, . . .“[30] Im Rückblick auf die Niederlage von Frankenhausen ermahnt er die Mühlhäuser, sich vor einer solchen Schlappe zu hüten, „denn solichs ist ane zweyfel entsprossen, das eyn yder seyn *eygen nutz* mehr gesucht dan dye rechtfertigung der christenheyt“.[31] Er habe sie oftmals gewarnt, die Strafe Gottes könne nicht vermieden werden, es sei denn, man erkenne den Schaden. „Dorumb haltet euch freundlich mit eynem yderman und erbittert dye oberkeyt nit mehr, wye vhil durch *eygen nutz* gethan haben.“[32] Für Müntzer steht der Eigennutz im Gegensatz zur göttlichen Wahrheit, und er sieht in der Tatsache, daß sich das Volk nicht vom Eigennutz zu lösen vermochte, die Ursache für die Niederlage.

Drei Beobachtungen seien zunächst kurz festgehalten. In zeitlicher Hinsicht fallen alle fünf Zeugnisse in das letzte Jahr von Müntzers Wirken, in die Zeit also, da er in die Auseinandersetzung mit den Obrigkeiten verstrickt wurde. In diesen Konfliktsituationen sah er sich zur öffentlichen Stellungnahme herausgefordert. Jetzt war aber sein Tun auch nicht mehr allein auf die Vorbereitung der Gläubigen auf die als notwendig erkannte Veränderung der Welt gerichtet, sondern er betrieb diese Veränderung aktiv. In Hinsicht auf die Adressaten zeigt sich folglich, daß in allen fünf Fällen aus gegebenem Anlaß die Öffentlichkeit angesprochen wird – die Landesherrschaft in Gestalt des sächsischen Herzogs Johann, die städtische Gesellschaft in Gestalt von Rat und Gemeinde von Mühlhausen und mit der „Ausgedrückten Entblößung . . .“ ein Lesepublikum im weitesten Sinne (wenngleich Müntzers Absicht durch das Eingreifen des Nürnberger Rats nur begrenzt zu realisieren war). In Hinsicht auf die Anlässe bleibt zu konstatieren, daß schwerwiegende Konflikte und Konfrontationen Müntzer zur Feder greifen ließen und ihn zur Artikulierung seines Standpunktes trieben, um diesen öffentlich bekanntzumachen und Änderungen zu bewirken. Wenn er in diesem Zusammenhang auf die Terminologie „Gemeinnutz" und „Eigennutz" zurückgriff, dann gebrauchte er eine diesen Adressaten vertraute Begrifflichkeit. Ehe wir die hier kurz skizzierten Beobachtungen weiter entfalten, erweist es sich als notwendig, die Funktion der Gemein- und Eigennutz-Terminologie im gesellschaftlichen Denken der damaligen Zeit kennenzulernen.

II Die Funktion der Terminologie im gesellschaftlichen Denken

Die Begrifflichkeit von Gemeinnutz und Eigennutz war den Zeitgenossen Müntzers bestens vertraut. Wie Gemeinnutz als gesellschaftliche Norm in den ersten Jahrzehnten des 16. Jahrhunderts inhaltlich entschlüsselt wurde, zeigt anschaulich der Marburger Professor des Zivilrechts Johannes Ferrarius 1533 in seiner Schrift „Von dem Gemeinen nutze / in massen sich ein ieder / er sey Regent / ader unterdan / darin schicken sal / den eygen nutz hindan setzen / und der Gemeyn wolfart suchen". Im 5. Kapitel ist zu lesen: „Das wir nu wissen mogen was der gemeyn nutz sey / vnd also vnserm furhaben desto baß nachdencken / nach dem niemant gruntlich von etwas reden kan / er wisse dann zuuor / was es sey / ist zu wissen / das Respublica / ader gemein nutz nit anders ist / dan ein gemein gutte ordenung einer statt / oder einer andern commun / darinn allein gesucht wurd / das einer neben dem andern bleiben kunde / vnd sich desto statlicher mit vffrichtigem vnuerweißlichem wandel im friden erhalten. Vnd wurd darumb der gemein nutz genant / das inn dem fall keiner auff sein eigen sache allein sehen sall / sonder denen also fursehen / das sein nachpaur dadurch gefurdert werde. Drumb hab ichs auch ein burgerliche geselschafft gnant."[33]

Wenn Ferrarius im Anschluß auf Platon, Cicero und andere antike Autoren verweist, dann werden wir zu den historischen Wurzeln der Terminologie hingeführt, denn diese liegen in der Antike.[34] Für Platon war die Norm sittlich-sozialen Verhaltens die in einem vollkommenen Staat verwirklichte Gerechtigkeit. Indem jeder Stand seinen Beitrag zum Wohl des Ganzen leiste, diene er der Gemeinschaft und erfülle so zugleich seinen individuellen Lebenszweck. Aristoteles nahm den Begriff der communis utilitas in seine „Politik" auf, und die Stoiker lehrten, es sei die Pflicht eines jeden, der Gesellschaft zu dienen. In der römischen Staatsauffassung wurde diese Anschauung übernommen. Seneca forderte dazu auf, der Mensch als zum Gemeinwohl geschaffenes Wesen solle sich stets für dieses einsetzen.

Bald fand das Gemeinwohldenken Eingang in die christliche Lehre. Wirkungsvoll hat Thomas von Aquino das Prinzip des Gemeinen Nutzens vertreten.[35] Ohne das Wohl des Ganzen könne es kein privates Wohl geben. Das Gemeinwohl (bonum commune) sei deshalb der Endzweck gemeinschaftlichen Lebens. Für den Staat sei es oberstes Postulat politischen Handelns, um der Schöpfung Gottes zu entsprechen. Teil und Ganzes werden unauflöslich einander zugeordnet, so daß Gottes Ordnung und Weltordnung miteinander harmonieren. In Gestalt des Thomismus ist das bonum commune für die mittelalterlich-feudale Sozialethik bestimmend geworden. Fra Remigio de Girolami, ein Schüler von Thomas, summierte die Lehre um 1300 in seinem „Tractatus de bono communi", womit der Begriff erstmals in den Titel einer Schrift gelangte.

Im kirchlichen Leben wie in der Gesellschaft generell galt, der Gemeine Nutzen müsse Vorrang vor den individuellen Interessen haben. Gemeinnutz und Eigennutz wurden als Gegensatzpaar verstanden,[36] mit dem die positiven und negativen Vorstellungen vom Verhältnis zur Gesellschaft auf den Nenner gebracht wurden. Die Wahrung des Gemeinen Nutzens galt als Zweck des Staates schlechthin.[37] Den Obrigkeiten oblag die Interpretation, was Gemeiner Nutzen sei, aber sie waren zugleich zu seiner Respektierung verpflichtet.[38] Ausgangspunkt dieses Denkens war eine Gesellschaft, in der Ungleichheit herrschte, in der Klassen und Stände unterschiedliche Interessen verfolgten. Diese Situation wurde als Folge des Sündenfalls gesehen und als unabänderlich hingenommen.[39] Das Prinzip des Gemeinen Nutzens diente folglich dem Zweck, die Klassen- und Standesunterschiede zu harmonisieren und einerseits die Funktion des Staates, andererseits die Pflichten der Untertanen zu artikulieren.

So ist es ganz natürlich, wenn die Terminologie, die in unterschiedlicher Verkopplung auftritt, auf Kaiser und König bzw. Fürsten, auf Reichstage und Landstände, aber auch auf Dorf- und Stadtgemeinden, Zünfte und Einungen bezogen oder von diesen benutzt wurde.[40] Dem Gemeinen Nutzen verpflichtete sich der Rheinische Bund von 1254 („ad honorem dei et sancte matris ecclesie necnon sacri imperii, ... et ad communem utilitatem equaliter divitibus et pauperibus ordinavimus")[41] ebenso wie die schwäbischen Reichsstädte in ihrem

Bundesbrief von 1377 („daz alle lut gebunden sint gemainen nutze und fride ze furdrent und den schaden dez gemainen gutz ze wendent").[42] Im oberrheinischen Landfrieden Karls IV. und Wenzels von 1378 heißt es, er sei aufgerichtet worden „umbe gemeinen nutz und notdurft des landes und aller lute, die darinne wandeln, wonende oder seßhafte sind",[43] und König Sigismund erklärte 1411 nach seiner Wahl gegenüber dem Erzbischof von Trier, er habe sie angenommen „durch gemeins und nit umb unsers selbis nuczes willen".[44] Es ist folgerichtig, wenn auch bei den Bemühungen um eine Reichsreform mit dem Argument des Gemeinen Nutzens operiert wurde.[45]

Im späteren Mittelalter war das Prinzip des Gemeinen Nutzens insbesondere in den Reichsstädten die entscheidende Norm, um die städtische Politik zu motivieren und zu legitimieren.[46] Die Feststellung kann generalisiert werden: „Es war der Rat, der definiert, was im Interesse des gemeinen Nutzens sei."[47] Bezweckt wurde, die Einheit der Stadt, deren inneren und äußeren Frieden zu wahren oder ihn wiederherzustellen, wenn er gestört wurde. Mit diesem Inhalt konnte die Terminologie im Zuge der Konsolidierung der Fürstenstaaten auch auf deren Bedürfnisse zugeschnitten werden.[48] Der für „gute Polizei" plädierende frühneuzeitliche Staat stand insofern in der Tradition des vom Gemeinwohl motivierten gesellschaftlichen Denkens.

Der Gemeine Nutzen erweist sich als der „zentrale programmatische Begriff des spätmittelalterlichen und frühneuzeitlichen Staatsdenkens", der politisches Handeln begründete und als Inhalt „guter Politik" schlechthin verstanden wurde.[49] „Gewissermaßen spiegelbildlich zu dieser Wertschätzung des gemeinen Nutzens finden wir die Verdammung eigennützigen Verhaltens ... Der Eigennutz ist in der ständischen Gesellschaft der verbreitetste Negativbegriff sozialen Verhaltens",[50] bis dieser dann eine Umwertung erfuhr, wie es zum Beispiel Leonhard Fronsbergers Schrift „Von dem Lob des Eigennutzen" von 1564 ausdrückt.[51] Doch damit greifen wir über den hier interessierenden Zeitraum schon hinaus.

Als „dehnbare Begriffe, die eine mannigfache Auffüllung zulassen",[52] waren Termini wie „das gemeine Beste", „Gemeinwohl" oder „Gemeinnutz" zwar überwiegend im obrigkeitlichen Sprachgebrauch konkretisiert worden, aber ihre Ambivalenz ermöglichte es auch, die systemstabilisierende Interpretation durch eine revolutionär verstandene Auslegung zu ersetzen. „Je mehr ein Herrscher nun von der Norm des Gemeinwohls abweicht, wird sein Regiment ungerecht; Tyrann ist der, der das Gemeinwohl in seinen eigenen Vorteil verkehrt."[53] Wurde Herrschenden nachgewiesen, daß sie den Gemeinen Nutzen verletzten, mußte ihm gegebenenfalls gegen deren Intentionen Geltung verschafft werden.

Ein Exempel solchen Verständnisses bietet die Reformschrift des „Oberrheinischen Revolutionärs". Das erste Kapitel trägt die Überschrift: „Zu er vnd lob gott, dem allmechtigen, will ich erzellen etlich alten geschrift dem gemeinen nutz zu gutt, wie man liepllich die stummen, ruffenden sund, so vns fur gott verclagen sind, sol abstellen."[54] Der Autor erinnert an den Reichstag zu Freiburg im Breisgau von 1498, wo beraten worden sei, was dazu nützen könne, der Christenheit aus der Not zu helfen sowie den Gemeinen Nutzen nach altem Herkommen zu handhaben, um Frieden in allen Landen zu sichern, das Recht zu wahren, das Reich zu stärken und das Erdreich friedlich zu bebauen.[55] Der Autor erwartete von allen Ständen die Respektierung des Gemeinen Nutzens. Die größte Tat eines Kaisers sei es, „wan er den gemein nutz verwart vnd witwen vnd weissen schirmet vnd die kilchen by ieren alten herkumen handthabet".[56] Im 69. Kapitel beteuert der Autor zwar, er habe dieses Büchlein niemand zu Leid, Haß oder Strafe geschrieben, „sunder allein dem cristenglouben zugut, dem gemein nutz zu einem vffendheit vnd beger",[57] doch das 70. Kapitel beginnt er mit dem Satz: „Ich sich nun leyder grosse vntrw in der welt. Yederman sucht sin [eigen] nutz

mer dan den gemein nutz. Yeder tracht, wie man den anderen betriegen well."[58] Die Schlußfolgerung lautet im 89. Kapitel: „Es wer woll, das man macht ein reformation vnd strofft des
vnrecht vnd fieng an den mechtigen an. So geb vns gott victori."[59]

Die Respektierung des Gemeinen Nutzens reflektiert das Verlangen nach einer Ordnung
des Friedens und der Gerechtigkeit, aber den Alltag prägten die Verhältnisse von Herrschaft
und Ausbeutung. Der Gemeine Nutzen dokumentierte insofern in der klassen- und standes-
mäßig differenzierten Gesellschaft mehr einen ideellen Anspruch als die gesellschaftliche
Realität. Dem Gebot von oben, den Gemeinen Nutzen zu wahren, stand folglich das Verlangen von unten gegenüber, ihm auch im Interesse des „gemeinen Mannes" Rechnung zu
tragen. Das unterstreichen die Klassenkampfe der Zeit, insbesondere Reformation und
Bauernkrieg.[60]

In der deutschen frühbürgerlichen Revolution war ein übliches Argument zur Motivierung
zahlreicher, ganz unterschiedlicher Forderungen der Verweis auf den Gemeinen Nutzen.[61]
Wie das Prinzip im Zeichen der Reformation verstanden wurde, dokumentiert eindrucksvoll
die Flugschrift „An die Versammlung gemeiner Bauernschaft". Im 7. Kapitel, das der Autor
unter die Überschrift „Ob ayn gemayn ir oberkayt möge entsetzen oder nit" stellt, argumentiert er am Ende: „. . . und ob sy ymmer und ewig vil sagen von zwayen gebotten, nemlich
divina, betreffent der seel hayl, zum andern politica, die den gemaynen nutz betreffent. Ach
Got dyse gebot mögent sich nit von ainander schaiden, dann die politica gebotte siend auch
divina, die den gemaynen nutz trewlich fürdern, ist nichts anders dann die brüderliche liebe
trewlich zu erhalten, daz der seligkayt höchste verdienung ayne ist etc."[62]

Die Reformschrift „Deutscher Nation Notdurft" von 1523, die an die Vorstellungen von
einer Reichsreform anknüpft, diese aber prononciert im Interesse des „gemeinen Mannes"
artikuliert, operiert fast durchgehend mit dem Gemeinen Nutzen. Die erste Erklärung des
zweiten Artikels verlangt ausdrücklich „daz ein römischer keyser oder künig mit sampt
allenn fürsten des reichs, ein yeder besonder und samenlich sollen fürnemen und helffen, betrachten den gemeinen nutz in allen stenden zu fürdern[63]." Die vierte Erklärung des dritten
Artikels fordert auf, keinen Handwerker oder Arbeiter zu betrügen oder zu übervorteilen:
„Wann der gemein nutz alle reich erhoben hat und eigner nutz alle comunen zerrissen, des
wir exempel haben an Troya, in Asia gelegen, an Hierusalem in Suria, Rom in Italia, Mentz,
Regenspurg und Erdfurdt in Teütschland gelegen, sich hütten ire negsten nachbaurn, wann
den eigen nutz will dyser zeyt alle welt für weyßheyt achten unnd des gemein nutz ist gantz
vergessen, doch kan er nit verdruckt werden, er muß wider erston."[64]

Das Leitmotiv des Gemeinen Nutzens fand in diesem Fall auf dem Weg der Reflexion
über die Reichsreform Eingang in die frühbürgerliche Revolution, in anderen Fällen geschah
das durch Integration in die Belange der reformatorischen Bewegung, wie Martin Butzers
Schrift „Daß sich selbst niemand, sondern anderen leben soll" von 1523 oder Wolfgang
Capitos „Entschuldigung" an den Bischof von Straßburg von 1524 anzeigen.[65] Eine prononciert soziale Auslegung präsentiert Hans Sachs in einer Reihe von Dichtungen, besonders in
seinem Dialog über den Geiz von 1524, in dem er vor allem den Eigennutz anprangert.[66]

Wenn in Hinsicht auf die Quellen des frühen 16. Jahrhunderts betont worden ist, „daß in
den Korrespondenzen, Beschwerden und Forderungskatalogen der einfachen Leute der Gemeinnutz einen ungemein hohen Stellenwert einnimmt",[67] so gilt das vornehmlich für den
deutschen Bauernkrieg. Das Argument des Gemeinen Nutzens findet sich im bäuerlichen
und städtischen Bereich,[68] offensichtlich aber am häufigsten dort, wo Reichsreformvorstel-
lungen von der Aufstandsbewegung aufgenommen wurden, wie in Friedrich Weigandts Entwurf eines Schreibens an Adel und Reichsstädte vom Mai 1525[69] und in dem auf der Flug-

schrift „Deutscher Nation Notdurft" basierenden Reichsreformationsentwurf, wonach eine „Ordnung oder Reformation zu Nutz und Fromen aller Christenbrudere" erfolgen sollte.[70]

In anderen grundsätzlichen Dokumenten finden sich verwandte Argumentationen, so zum Beispiel im Artikelbrief der Schwarzwälder Bauern: Es sei das Ziel der „Christlichen Vereinigung", mit der Hilfe Gottes sich zu befreien, und dies möglichst ohne Gewalt, „welches dann nit wol sein mag on brüderliche Ermanung und Verainigung in allen gepürlichen Sachen, den gemainen christlichen Nutz betreffende, in disen biligenden Artikeln begriffen".[71] Diejenigen, denen dieser Artikelbrief übergeben wurde, werden deshalb aufgefordert, sich in die christliche Bruderschaft zu begeben, damit gemeiner christlicher Nutzen und brüderliche Liebe wieder aufgerichtet würden. Die Flugschrift „An die Versammlung gemeiner Bauernschaft" rechnet es zu den Aufgaben eines „christlichen Amtmanns", er sei Fürst, Papst oder Kaiser, den Gemeinen Nutzen und brüderliche Einigkeit zu erhalten.[72]

Michael Gaismairs Entwurf für eine Tiroler Landesordnung vom Frühjahr 1526 fordert dazu auf, der Obrigkeit gehorsam zu sein „und in allen Sachen nit aignen Nuz, sonder zum ersten die Eer Gottes und darnach den gemainen Nuz zue suechen" sowie alle gottlosen Menschen auszurotten, die das Wort Gottes verfolgen, den armen gemeinen Mann beschweren und den Gemeinen Nutzen verhindern.[73] Auch in der anonymen Flugschrift „Von der neuen Wandlung eines christlichen Lebens" von 1527 sind „Ehre Gottes" und „Gemeiner Nutzen" zusammengedacht und prägen leitmotivisch die ganze Schrift.[74]

Der Gemeine Nutzen kann insofern während des Bauernkrieges als Chiffre für die Forderung nach wirtschaftlicher Entlastung des „gemeinen Mannes" verstanden werden,[75] und dieses Prinzip gewann eine allgemeine, reformatorisch geprägte Dimension durch die Verknüpfung mit der Ehre Gottes und der brüderlichen Liebe. Mit ihm erfuhren während der deutschen frühbürgerlichen Revolution Anliegen der revolutionären Bewegung eine Begründung.

Diese Übersicht erlaubt zwei Schlußfolgerungen: Erstens war die Terminologie von Gemeinnutz und Eigennutz der Zeit Müntzers geläufig. Ihre inhaltliche Auffüllung zielte sowohl auf die Funktion der Obrigkeiten als auch auf die Pflichten der Untertanen. Im Alltag wurden die Menschen mit ihr jederzeit konfrontiert. Insofern können wir voraussetzen, daß auch Müntzer mit dieser Begrifflichkeit vertraut war und mit ihr konfrontiert wurde. Zweitens ermöglichte die ihr innewohnende Ambivalenz eine differente Interpretation, und dies auch im Sinne der Motivierung antiobrigkeitlichen Handelns. Insofern mußte Müntzer dieser Terminologie nicht unbedingt ablehnend gegenüberstehen, wenn er sich an einer Interpretation orientierte, die revolutionäres Handeln ermöglichte.

III Beziehungen zur theologischen Konzeption Müntzers

Überschaut man den Terminologiegebrauch bei Müntzer, so scheint er sich zunächst am tradierten, obrigkeitliche Aufgaben ins Zentrum rückenden Inhalt des Gemeinen Nutzens orientiert zu haben. So kann das Schreiben an Herzog Johann verstanden werden, in dem der Mallerbacher Kapellenbrand mit dem Argument verteidigt wurde, dem Gemeinen Nutzen sei dadurch kein Schaden erwachsen, was in diesem Zusammenhang nur auf das kursächsische Territorium bezogen werden kann. Gestützt wird diese Feststellung durch die Aussage des Briefes, Rat und Gemeinde wüßten durch das Zeugnis des Apostels Paulus – das heißt Römer 13 –, daß dem Fürsten das Schwert zum Schutz der Frommen und zur Vernichtung der Gottlosen gegeben sei, und sie beteuern gegenüber dem Landesherrn, sich gehorsam zu erweisen und ihren Pflichten zu fügen. Im Konflikt mit Graf Ernst von Mansfeld hatte Müntzer am 22. September 1523 – auch hier mit Verweis auf Römer 13 – es als Schlüssel der Kunst Gottes bezeichnet, die Menschen so zu regieren, daß sie lernen, allein Gott zu fürchten, der Graf aber wolle mehr als Gott gefürchtet sein.[76] Die Konsequenzen zeigte Müntzer im Brief an Kurfürst Friedrich den Weisen vom 4. Oktober 1523 auf, wo er – ohne den Mansfelder beim Namen zu nennen – erklärte: „Die fursten seyn den frummen nicht erschrecklich. Und wen sich das wirt vorwenden, so wirt das swert yhn genommen werden und wirt dem ynbrunstigen volke gegeben werden zum untergange der gotlosen, Danielis 7, . . .“[77]

Die im Brief fixierte Stellungnahme zu den Mallerbacher Ereignissen zieht allerdings solche Schlüsse nicht in Erwägung. Dafür könnte einerseits ausschlaggebend gewesen sein, daß Müntzer hier einem Auftrag von Rat und Gemeinde Allstedts nachkam, deren Argumentation als städtischer Obrigkeit und Bürgergemeinde folgte und deshalb den Gemeinen Nutzen ins Spiel brachte. Andererseits waren die Allstedter in der Situation, sich verteidigen zu müssen, war doch die Festnahme der Täter verlangt worden, aber bisher nicht erfolgt. Insofern konnten sie sich bei ihrer Rechtfertigung zweckmäßigerweise des Arguments bedienen, der Gemeine Nutzen habe durch die Zerstörung der Kapelle keinen Schaden erlitten. Immerhin klingt an, die Landesherrschaft werde mit ihrer Stellungnahme zugunsten der Nonnen von Naundorf ihrem Auftrag nicht gerecht, da abgöttische Menschen – das sind hier Mönche und Nonnen – von einem christlichen Fürsten mit Billigkeit nicht verteidigt werden könnten.

In der Reichsstadt Mühlhausen wird Müntzer auf jeden Fall mit dem Gemeinen Nutzen als Norm städtischer Politik konfrontiert worden sein. Der im Ergebnis innerstädtischer Konflikte im Juli 1523 zustande gekommene Rezeß zum Beispiel argumentierte mit der Kategorie, so wenn Rückstände von Schoß, Zins und aus anderen Pflichten (Art. 1), alle Zinse von wüsten Kirchen (Art. 33) und alle Stadtgräben (Art. 35) zum Gemeinen Nutzen verwandt werden sollten.[78] Genereller sagte der Art. 7, daß alle der Stadt verliehenen kaiserlichen und königlichen Freiheiten „gemeiner Stadt zu Nuz in orre Freiheit zu bleiben gehandhabt werden sollen“.[79] Zum Schluß hieß es dann, wenn man etwas finde, „daß gemeiner Stad und gemeiner Nuz zu Erren gedigen [gedeihen] und erwaxen mochte, das auf[zu]richten, was aber unerlich und schedlich, das abzutun“.[80]

In den Auseinandersetzungen, mit denen Müntzer im September 1524 in Mühlhausen konfrontiert wurde, spielte dieser Rezeß eine Rolle. Auch die elf Artikel verweisen auf den Gemeinen Nutzen. Der Art. 7 sagte, das Stadtsiegel solle „zu Gots Ehr und der Stadt Nutz“ gebraucht werden. Der Art. 8 verlangte, wenn sich die Ratsherren nicht nach dem Gemeinen Nutzen richteten, „wollen wir ihre Bosheit aufs Papir samlen, was si vor Tugke vor 20 Jarn her dem gemeinen Nutz entkegen gehandelt und die Stadt mit Falschheit betrogen, in den Trugk lassen gehen, das man sehe, was sie vor Leute wehrn, Ursach, das ein iderman sehe und hore, wie si mit uns gehandelt.“ Der Art. 9 forderte ebenso grundsätzlich: „Wo ditz alles nicht noch Gots Worte geordent worde, wollen wir Vorgenanten mit inen keine Bewilligung haben, Ursach, auf das Gotes Gerechtigkeit und Billigkeit vorgehe und alle falsche Gewalt und Eigennutz dahinten bleibe, wollen wir nicht bewilligen widder mit Reten ader mit Achtmann, widder mit Handwerk ader Gemein, es sei denn, das si einen bessern Nutz vorsetzen und Gots Gerechtigkeit und Warheit gleichformiger sei dann unser. 1 Thessa. 5: Alles bewert, was das Beste ist, haltet.“[81]

Die Verfasserschaft dieser elf Artikel ist ungeklärt, es wird aber angenommen, sie seien von Müntzer und Pfeiffer ausgearbeitet worden. Für das Mitwirken Müntzers spricht die den einzelnen Artikeln beigefügte Beweisführung mit biblischen Belegen. Auch zeigt der Art. 8

eine enge Berührung mit der Drohung Müntzers in seinem Brief an die Mühlhäuser Kirche, die christliche Gemeinde werde die Gebrechen und die Bosheit der Ratsherren durch den Druck bekanntmachen. Wenn aber Müntzers Mitautorschaft gegeben ist, dann wären die elf Artikel ein weiteres Dokument, das die Verwendung der Termini „Gemeinnutz" und „Eigennutz" durch Müntzer belegt.

Mit dem Brief vom 22. September 1524 verfolgte Müntzer angesichts der Diskussionen um die elf Artikel in den Stadtvierteln und Zünften die Absicht, den alten Rat mit seinen Machenschaften anzuprangern und der Stadtgemeinde die Überzeugung zu vermitteln, daß das städtische Regiment im Sinne der elf Artikel verändert werden müsse. Müntzers Argumentation war politisch insofern, als er auf Gebrechen der Obrigkeit verwies und diese schalt, eigensüchtig und von hoffärtigem Gemüt zu sein. Doch schwerer wog für ihn wohl, daß sie Gottes Wort verachtete: „Dan irer boßheit seyt ir aufs allerhochst gewahr worden, darum das sey das wort Gottes ketzerey schelten und gedenken, das nicht anzunemen und die diener des wortes aufs crutz opfern." Und er schließt mit der Ermahnung: „Sehet zu, das ir den rat der weysheit gotliches wortes nicht voracht, Proverbi. 1."[82] Die Respektierung des Evangeliums ist für Müntzer die Grundlage allen Tuns, auch des Regierens, und so schließt sich der Kreis hin zu dem Gedanken, der am Anfang seines Briefes steht, sie könnten sich nicht entscheiden, weil sie noch in der menschlichen Furcht befangen seien.

Mit dem Vorwurf, der Menschenfurcht verfallen zu sein, stoßen wir auf ein Thema, das Müntzer wiederholt ansprach. In der „Ausgedrückten Entblößung..." hatte er den Eigennutz mit den „fleischlichen Lüsten" in Zusammenhang gebracht. Der Mensch müsse sich von allem Kreatürlichen abkehren, um seinen Unglauben zu erkennen. Müntzer sah seine seelsorgerliche Aufgabe darin, die Menschen vom „gedichteten Glauben" abzubringen und ihnen den Weg zum rechten Glauben zu weisen.[83]

Schon ein flüchtiger Blick in Müntzers Schriften zeigt, daß sie alle dem Thema des Glaubens verpflichtet sind. Das wahrhaftige Regiment Gottes, so lesen wir im „Sendbrief an die Brüder zu Stolberg", nähme mit Freuden seinen Anfang, wenn die Auserwählten erst sähen, was Gott ihnen durch sein Werk „yn erfarunge des geystes erfinden lest". Das wüßten aber die Menschen nicht, die „das bitter widerspyl des glaubens nicht vorsucht haben". Deshalb gebreche es „der gantzen werlt am heuptstu(e)ck der seligkeit, welches ist der glaube, das wir nicht uns sovil guts zu Gott vorsehen, das er unser schulmeister sein will. Mat. 23, Jacobi 3".[84] Die Schrift „Von dem gedichteten Glauben" leitete Müntzer mit der Feststellung ein: „Der cristen glaub ist ein sicherung, auffs wort und zusage Christi sich zu verlassen. Sol nuhe ymand ditz wort fassen mit rechtschaffnem, ungetichten hertzen, so muß sein ore zu ho(e)ren gefegt sein vom getho(e)n der sorgen und luste."[85]

Der Glaube als Hauptstück der Seligkeit – damit thematisiert Müntzer sein Anliegen, dem er sein ganzes Tun widmet, wie seine weiteren Schriften und Korrespondenzen ausweisen. Diesen Glauben vermittelt nicht die Schrift, sondern er muß im Herzen erfahren werden. Das setzt voraus, sich den Anfechtungen auszusetzen. Der Mensch muß ganz verlassen sein, dann erst wird er die Gewißheit des Heils erlangen. Das Kreuz, das Leiden sind dafür notwendig, der Mensch muß sie tragen, wenn er nicht dem „erdichteten Glauben" verfallen will. Es ist dies der „enge Weg", von dem Müntzer wiederholt spricht.[86]

Wenn Müntzer die Voraussetzung für den Glaubensempfang mit dem Bild beschrieb, die Ohren sollten gereinigt sein „vom getho(e)n der sorgen und luste", und wenn er betonte, der Weg zum Himmel sei eng „und das man mit keiner fleischlichen frewde denselbigen mugen treffen",[87] so lenkt er den Blick auf den Zusammenhang zwischen der Öffnung der Herzen für das Wort Gottes und der Lösung aller Bindungen an das kreatürliche Leben. Die „Sorgen" und die „Lüste" betreffen zwar dieselbe Sache, weisen aber auf zwei verschiedene Ebenen hin: Das eine beschreibt Müntzer als „beku(e)mernuß der narung", wodurch die armen Leute abgehalten werden, sich dem Evangelium zuzuwenden,[88] das andere als Hingabe an die Genüsse des Lebens, worin sich die Verfallenheit an das Kreatürliche dokumentiere. Wer sich aber durch den „gedichteten Glauben" und die äußerlichen Werke hindurchfresse, werde vernehmen, „das man muß nüchtern sein, allen lüsten urlaub geben und auff solch wort und zusage Gottis mit der hochsten arbeyt wartten".[89] Wir können auch sagen: Das Hindernis des Glaubens ist der Eigennutz.

Fragt man, wodurch diese Situation verursacht wurde, so findet Müntzer die Begründung in Geschichte und Gegenwart: Sie ergab sich aus der Abkehr der Menschen vom Schöpfer, aus dem Verfall der Kirche und der Verführung der Gläubigen. In einem Predigtentwurf, der mit dem 15. Juni 1523 datiert ist, also in die Allstedter Zeit fällt, schrieb Müntzer nieder: „Wer den glauben wil, der muß das werck Gots leiden und nicht mit den creatur vorwickelt, wie Abraham nicht vorwickelt was."[90] Im weiteren folgen Stichworte, mit denen die Ordnung Gottes charakterisiert wird, und das Fragment endet mit der Feststellung, durch den Sündenfall Adams sei die Ordnung verkehrt worden, indem dieser sich „mit den creaturn vorwickelt" habe.[91] Den Gehorsam gegenüber Gott wiederherzustellen, empfand Müntzer als schweres Werk, ging es doch um die Überwindung eines Zustands, der seit Jahrhunderten eingewurzelt war und sich im Verfall der Kirche niederschlug. Müntzer stützte seinen Standpunkt mit dem bei Hegesippos und Eusebios von Kaisareia genannten Motiv der „zerfallenen Christenheit".[92] In der Fürstenpredigt führte er aus: „Also, sag ich, ist die angefangen Kirche baufellig worden an allen orthen biß auf die zeyt der zurtrenten welt, Luce 21 und hie Danielis 2, Esdre 4."[93] Im weiteren Text spricht Müntzer davon, der Schaden der Christenheit sei so groß geworden, „das yhn noch zur zeit kein zunge mag außreden".[94]

Müntzers Schlußfolgerung lautete, „eine treffliche, unuberwintliche zuku(e)nfftige reformation" sei hoch vonnöten.[95] Am 22. Juli 1524 schrieb er an den Schösser Zeiß, die Veränderung der Welt stehe jetzt vor der Tür.[96] Die Wiederherstellung der Ordnung Gottes sollte auf dem Wege einer Reformation im Geiste Müntzers geschehen. Aber der Schaden mußte zuerst erkannt werden, ehe er behoben werden konnte.

Müntzer kritisierte deshalb heftig, die Christenheit „klebet also hart an den creaturn".[97] Die Menschenfurcht abzulegen hieß, „Got allein uber alle creaturen in hymmel und auf erden furchten"[98] und nicht länger den falschen Propheten zu folgen. Dazu zählten die Pfaffen, denen Müntzer ihren Geiz, ihren Wucher und ihre hinterlistigen Tücken vorwarf,[99] weil sie allein um ihres Bauches willen predigten.[100] In der „Ausgedrückten Entblößung . . ." kritisierte er, sie hätten „ir leben zubracht mit thierischem fressen und sauffen, von jugent auff zum allerzartlichsten erzogen, haben ir lebenlang keynen bo(e)sen tag gehabt, wo(e)llen und gedencken noch keynen anzu(o)nemen, umb der warheyt willen, eynen heller an iren zynsen nachzu(o)lassen, und wo(e)llen richter und beschirmer des glaubens seyn"[101]. Dieses Verfallensein an das Kreatürliche bezog Müntzer aber nicht nur auf die Geistlichen, sondern auf alle, die „alleine umb ere und der zeitlichen gutter willen" streiten, die Satzungen „alleine von gelts oder ehren wegen halten".[102] Und im Anschluß an Matth. 6,24, wo es heißt, man könne nicht Gott und dem Reichtum dienen, setzt Müntzer fort: „Wer dieselbigen ehr und gu(e)tter zum besitzer nimpt, der mu(o)ß zu(o)letzt ewig von Gott leer gelassen werden, wie am 5. psalm Got sagt."[103]

Ist alles das den „kreatürlichen Lüsten" zuzuordnen, Ausdruck des Eigennutzes, so umfaßt die Kehrseite die „Sorgen" derer, die sich mühen müssen, ihre Nahrung zu gewinnen, und deshalb davon abgehalten werden, die Ankunft des rechten Glaubens zu erfahren. An

die verfolgten Christen in Sangerhausen schrieb Müntzer, man sehe jetzt, wie sich die Menschen vor Herren und Fürsten fürchten, „das sie mussen umb der schendlichen narung willen und umbs bauchs willen Gotts worts und seynen heyligen nahmen aufs hochste vorleugk-
nen, ja das sye auch der heylige Paulus zun Philippern thier des bauchs nennet und spricht,
das der bauch yr Got sey. O sehet zu, allerliebesten bruder, das yr nicht auch aus dem selbigen haufen seyt ader werdet."[104] In der „Ausgedrückten Entblößung . . ." hat Müntzer solchen Zustand vehement angeprangert: „Mit allen worten und wercken machen sie es ya also,
das der arm man nicht lesen lerne vorm beku(e)rnuß der narung, und sie predigen unverschempt, der arm man soll sich von den tyrannen lassen schinden und schaben. Wenn wil er
denn lernen, die schrifft lesen?"[105] Der Unglaube könne von ihnen nicht erkannt werden
„vorm geschefft der narung".[106] So beklagt denn Müntzer immer wieder das Schinden und
Schaben, das Stocken und Blocken,[107] und er fragt: „Wie ist es umer mehr muglich, das der
gemeine mann solte bey solchen sorgen der zeitlichen guether halben das reine wort Gottes
mit gutem herzen mugen empfangen?"[108]

In der „Hochverursachten Schutzrede und Antwort wider das geistlose, sanftlebende
Fleisch zu Wittenberg" moniert Müntzer, es sei der allergrößte Greuel auf Erden, daß
niemand sich der Not der Bedürftigen annehmen wolle, sondern die Großen handelten nach
ihrem Belieben, und er klagt die Herren und Fürsten an, von ihnen rühre der Ursprung aller
Dieberei her, indem sie alle Kreaturen zu ihrem Eigentum genommen haben. Dadurch
werde der arme Mann ihnen zum Feind. „Dye ursach des auffru(o)rß wo(e)llen sye nit weg-
thu(o)n, wie kann es die lenge gu(o)t werden? So ich das sage, mu(o)ß ich auffru(e)risch sein,
wol hyn."[109]

In der „Ausgedrückten Entblößung . . ." hatte Müntzer vom Eigennutz geschrieben, „den
wir doch alle auff fleischliche lu(e)ste wenden". Alles, was Müntzer in Schriften und Briefen
als Kennzeichen des Kreatürlichen vorführt, ordnet sich letztlich dem Eigennutz zu. Damit
gewinnt aber diese Kategorie einen exponierten Stellenwert in seinem Denken, wenngleich er
sie verbal nur sparsam verwendet. Wenn der Abfall zu den Kreaturen, das eigennützige
Verhalten ein Hindernis für die Gewinnung des rechten Glaubens war, dann wird eine
Brücke zwischen seelsorgerlichem Anliegen und sozialen Voraussetzungen geschlagen: Das
theologische Konzept verlangte nach entsprechenden, erst noch zu schaffenden sozialen
Bedingungen.

In der Fürstenpredigt hatte Müntzer die Auffassung kritisch zitiert, die Fürsten hätten
keine andere Aufgabe, als die bürgerliche Einigkeit zu erhalten, und dagegen auf Matth.
10,34 verwiesen: „‚Ich bin nicht kummen, frid zu senden, sonder das schwert.' Was soll man
aber mit demselbigen machen? Nichts anders, dann die bo(e)sen, die das evangelion vor-
hindern, weckthun und absundern, wolt yr anders nicht teuffel, sonder diener Gottis sein,
wie euch Paulus nennet zcun Ro(e)mern am 13."[110] So scheint Müntzer auch die Situation
gesehen zu haben, als er seinen Brief an den Mühlhäuser Rat vom 8. Mai 1525 schrieb.

Die Bösen wegtun, die das Evangelium verhindern: Wer war aber der Satan, der in Mühlhausen den Gemeinen Nutzen verhindern wollte? Es ist vermutet worden, es müsse sich um
Heinrich Pfeiffer handeln,[111] auch auf den städtischen Syndikus Johann von Othera wurde
verwiesen.[112] Der Text legt aber auch nahe, es könne sich um mehrere Personen handeln,
denn Müntzer erklärt, es sei nötig, „das solche aufrurysche leuthe erst ym heutigen cirkell
vorgenommen und hoch bedrawet, das sye euch raths herrn und gemeiner stad schaden nicht
vorwyrken".[113] Zu denken ist an diejenigen, die Müntzer bei der Vorbereitung des Zuges
nach Frankenhausen Schwierigkeiten bereiteten – und das könnten Ratsmitglieder sein.
Müntzer sieht ihr Tun gegen den Gemeinen Nutzen gerichtet, aber er verlangt nicht eine Be-

strafung durch den Rat, was naheliegen würde, wenn der Stadt aus ihren Handlungen Schaden erwüchse, sondern sie sollen vom Haufen der Aufständischen gestraft werden. Dieser also soll durch sein Urteil dem Gemeinen Nutzen Rechnung tragen. Müntzer ersucht den Rat, noch vor dem Auszug solle mit der ganzen Gemeinde darüber ernstlich geredet werden.[114]

Im Verhör nach seiner Gefangennahme hat Müntzer ausgesagt, der Mühlhäuser Rat habe in das Verbündnis nicht einwilligen wollen, aber dem „gemeinen Mann" den Beitritt freigestellt.[115] Obwohl der Rat die Aufständischen unterstützte, hielt er sich dem Müntzerischen Verbündnis fern, woraus Spannungen erwachsen sein dürften, die Müntzers drohende Ermahnung verständlich machen. So erwartete er wohl auch nicht, daß der Rat Abhilfe schaffe, sondern verlangte nach Beratung der Angelegenheit durch die ganze Gemeinde und verwies auf die Entscheidungsgewalt des Haufens. Der Gemeine Nutzen wird hier nicht mehr traditionell verstanden. Der Mühlhäuser Haufe erscheint vielmehr als Organ, dem angesichts seiner Strafgewalt auch die Wahrung des Gemeinen Nutzens der Stadt angelegen sein muß. Als Müntzer am 9. Mai an die Gemeinde zu Eisenach schrieb, weil der Rat die Hauptleute des Werrahaufens hinterlistig festgesetzt und die Kasse des Haufens an sich gebracht hatte, da sprach er in diesem Zusammenhang von der „finsternus der aygennutzigen" ebenso, wie er Dan. 7 anführte, daß die Gewalt dem gemeinen Volk gegeben werden solle.[116]

Als Müntzer in Heldrungen in Gefangenschaft lag, trat er ein letztes Mal mit den Mühlhäusern in Kontakt. Er erkannte, daß nach der Niederlage von Frankenhausen weiterer Widerstand sinnlos sei. Die ihn bewegende Frage, warum Gott den Aufständischen in der Stunde der Entscheidung nicht beistand, sondern den Fürsten den Sieg überließ, kann er für sich nur dahingehend beantworten, es habe ein jeder seinen Eigennutz mehr gesucht „dan dye rechtfertigung der christenheyt".[117] Es ist also nicht das militärische Kräfteverhältnis, auch nicht der wortbrüchige Überfall während des Waffenstillstands, auf die Müntzer sich hätte berufen können, sondern die ganz grundsätzliche Feststellung, daß die Aufständischen nicht den Willen Gottes erkannt haben. Insofern kann er konstatieren, es sei der Eigennutz, „der zum undergang göttlicher warheyt gelanget".[118] Der Gegensatz besteht für Müntzer in der Erkenntnis des göttlichen Willens einerseits, dem Streben nach Eigennutz andererseits. Er kommt nicht mehr auf den Gemeinen Nutzen zu sprechen, sondern argumentiert nur noch mit dem Eigennutz, in dem er das größte Hindernis sah, um zur Erkenntnis des göttlichen Willens zu gelangen. Das korrespondiert mit seinem ständigen Ermahnen, sich vom Kreatürlichen abzuwenden. Da dies indes nicht erreicht wurde, verbleibt ihm nur die Feststellung vom Untergang der göttlichen Wahrheit. Das richtet sich allerdings nicht gegen das Volk, ist keine generelle Verurteilung des „gemeinen Mannes" wegen seines Versagens. Es dokumentiert vielmehr das Eingeständnis, daß die Bemühungen nicht hinreichten, dieses Volk zur Erkenntnis des göttlichen Willens zu führen.

Angesichts dieser Einsicht forderte Müntzer die Mühlhäuser auf, den Kampf nicht weiterzuführen, denn er habe seinen Sinn verloren. Sie sollen die Obrigkeit nicht länger verbittern, „wye vhil durch eygen nutz gethan haben".[119] Nach seiner Auffassung waren die Aufständischen nicht frei von subjektiven Interessen, sondern fochten ihre persönlichen Anliegen gegen die Obrigkeit aus. Wenn Müntzer schließlich schreibt, er wisse, daß die Mehrheit in Mühlhausen „dysser uffrurischen und eygennutzigen emporung nihe anhengig gewest",[120] dann dürfte das jetzt kein Vorwurf mehr sein. Es klingt eher wie eine Aufforderung, diese Entschuldigung gegenüber denen ins Feld zu führen, die in Kürze die Stadt zur Übergabe auffordern und sie ihrem Regiment unterwerfen werden.

IV Konturen der sozial-ethischen Position Müntzers

Gemeinnutz und Eigennutz waren Normen der ständischen Gesellschaft und überlagerten die Klassenstruktur im Sinne der Postulierung eines allgemeingültigen Prinzips der Politik gegenüber allen Ständen (Gemeinnutz) und der Benennung in allen Ständen, Klassen und Schichten existenter negativer Haltungen (Eigennutz). Diese Normen konnten allerdings unterschiedlich interpretiert werden, sowohl im Sinne der Stabilisierung bestehender gesellschaftlicher Verhältnisse als auch im Sinne von deren revolutionärer Umgestaltung. Die Kategorien tauchen in Müntzers Schriften und Briefen nur spärlich auf, weil sie unter theologischem Gesichtspunkt nicht erforderlich waren, und sie werden von ihm theologisch auch nicht eingehender reflektiert, wie das etwa im Thomismus in Hinsicht auf das bonum commune geschehen war. Aber Müntzer benutzt die Terminologie dennoch, weil sie geeignet war, in bestimmten Zusammenhängen seinen Standpunkt klarzustellen bzw. sich den Adressaten in einer ihnen gewohnten Sprache verständlich zu machen. Wenngleich also unter theologischem Gesichtspunkt entbehrlich, waren die Termini geeignet, die Beziehung zwischen theologischem Standpunkt und sozialen und politischen Erfordernissen zu vermitteln. In Hinsicht auf Zwinglis Lehre wurde konstatiert: „Die Entscheidung für das *Evangelium* ist auch eine Entscheidung für den *Gemeinen Nutzen*, das Verhaftetsein in *Menschenlehre* bringt nur *Eigennutz* hervor."[121] Dies dürfte verallgemeinerungswürdig sein.

Nun ist es im Fall Müntzers auffällig, daß der Gebrauch der Terminologie von Gemeinnutz und Eigennutz erst in das letzte Jahr seines Wirkens fällt. Wenn es zutrifft, daß vornehmlich die Städte das Prinzip des Gemeinen Nutzens vertraten, dann wäre zu erwarten, daß auch Müntzer schon früher darauf reagiert hätte, waren doch seine Wirkungsstätten so bedeutende Kommunen wie Braunschweig und Zwickau gewesen. Eine Erklärung ist vielleicht zu gewinnen, wenn man bedenkt, daß Müntzer zunächst die Unterstützung der Räte bzw. den Räten nahestehender Personen erfuhr und eine Konfrontation ausblieb. Dies änderte sich grundsätzlich erst, als er in Allstedt mit Graf Ernst von Mansfeld, den Naundorfer Nonnen und der Landesherrschaft in Konflikt geriet und als ihn schließlich in der Reichsstadt Mühlhausen die innerstädtischen Auseinandersetzungen während des Bauernkrieges zur Stellungnahme herausforderten bzw. die Niederlage der Aufständischen bei Frankenhausen nach einer Erklärung verlangte.

Als Müntzer in diesem Zusammenhang einerseits gezwungen war, sich auf die ganze Gesellschaft zu orientieren, andererseits nun auch heftiger mit feudalen bzw. städtischen Obrigkeiten zusammenstieß, wurde er auch mit deren gesellschaftlichen Normen offen konfrontiert. Sein seelsorgerliches Anliegen, das stets sein Handeln und seine Stellungnahme bestimmte, verband sich unter diesen Eindrücken mit der Frage, unter welchen gesellschaftlichen Bedingungen ihm entsprochen werden könne. Damit wurde Müntzers Blick intensiver auf die ganze Gesellschaft gelenkt und für ihn die Frage aktuell, inwieweit diese der Umgestaltung bedürftig sei.

Tyrannei der Herrschenden konstatierte Müntzer zuerst dort, wo diese ihren Untertanen den Zugang zum Evangelium verwehrten, so als Graf Ernst von Mansfeld seinen Untertanen den Besuch von Müntzers Messe in Allstedt untersagte. Dieser wurde dadurch zu der Erklärung herausgefordert, sie sollten das Regiment nicht allein zum Schutz der Untertanen, sondern auch des Evangeliums gebrauchen. Das hieß für ihn, das unverfälschte, von den Schriftgelehrten nicht entstellte Wort Gottes verkünden zu können. Im allgemeinen Sinne bedeutete das: „Reines Evangelium konnte von Bürgern und Bauern als Übersetzung des gemeinen Nutzens ins Theologische gelesen werden."[122] Umgekehrt ergab sich daraus, daß die

Erkenntnis des Willens Gottes von bestimmten sozialen Bedingungen abhängig war. Jedenfalls hat Müntzer das so gesehen, wenn er beklagte, daß die Menschen angesichts des „Geschäfts der Nahrung" sich nicht dem Evangelium zuwenden könnten.

Folglich konstatierte Müntzer Tyrannei bald auch dort, wo Fürsten und Herren ihre Untertanen „schinden und schaben", also feudaler Ausbeutung unterwerfen, so daß sie „vorm Geschäft der Nahrung" ihren Unglauben nicht erkennen könnten. In der Schärfe, in der Müntzer diesen Zusammenhang betonte, zeichnet sich ab, in welchem Maße er eine Veränderung der Situation der Untertanen für erforderlich hielt. Insofern fügte sich seine theologische Lehre nicht nur in einen sozialen Kontext, sondern erhob auch einen sozialen Anspruch: Die sozialen Bedingungen müssen verändert, die Herrschaft der Tyrannen muß bekämpft, die Gewalt muß dem gemeinen Volk gegeben werden.

Mit dem Prinzip des Gemeinen Nutzens war das nicht unbedingt abzudecken, denn seine traditionelle Interpretation tendierte stärker auf die obrigkeitliche Funktion. In diesem Sinne findet es sich auch bei Müntzer zunächst, als er den Mallerbacher Kapellenbrand verteidigte. Es ist nicht nur der erste Beleg dafür, daß die Terminologie ihm vertraut war, sondern mehr noch, daß er sie als Argument in der Stellungnahme der Allstedter gegen den Landesherrn einsetzte. Doch in Mühlhausen gewann die Kategorie für Müntzer eine tiefere Dimension, indem er jetzt nicht mehr nur den Landes- oder Stadtnutzen sah, sondern den Gemeinen Nutzen zur Aufstandsbewegung – sei es während des Mühlhäuser Aufstands im September 1524 oder während des Bauernkriegs im Frühjahr 1525 – in Beziehung setzte und in der Verhinderung des Gemeinen Nutzens ein Hindernis für die Entfaltung der revolutionären Bewegung sah.

Deutlicheres Profil erhielt in Müntzers Sprachgebrauch der Eigennutz, einerseits als Identifikationsfigur für das Kreatürliche, für die Bindung der Menschen an die Belange des täglichen Lebens und ihr Streben nach Reichtum und Macht, andererseits als Kategorie, mit deren Hilfe eine Erklärung möglich war, warum die Menschen den Willen Gottes nicht erkennen konnten. Die Wiederherstellung der „Ordnung Gottes" setzt deshalb nach dem Abfall die Lösung von allem Kreatürlichen voraus. „Das Maß der ‚kreatürlichen' Interessen entschied über die Nähe bzw. Ferne von Gott. Da war der Widerspruch zwischen jenen, denen sich Gott aufschloß, die außer seiner Macht keine andere Herrschaft über sich anerkannten, und den auf ‚kreatürliche' Interessen, Reichtum, Wohlergehen, Ehrgeiz und Titel bedachten Menschen, die nicht nur selbst Gott fernstanden, sondern die auch immerfort der Gesellschaft den Stempel des Kreatürlichen aufdrückten."[123]

Eigennutz im Sinne Müntzers meint – kurz gesagt – alles das, was über die Sicherung der alltäglichen Existenzbedürfnisse hinausgeht. Insofern liegt die Idee der Gleichheit[124] nahe, wie sie Müntzer im Bekenntnis während des Verhörs anklingen ließ.[125] Diese Aussagen und einige andere Informationen erwecken den Eindruck, als habe Müntzer vornehmlich die Vorstellung ständischer Gleichheit verfolgt, auf jeden Fall auf diese Weise den Eigennutz verworfen. Es gehört deshalb zu seinem Vermächtnis im Brief an die Mühlhäuser „die Mahnung, daß die Interessen der Gemeinschaft über denjenigen des Individuums stehen müssen"[126].

Gleichheit und Ungleichheit verhalten sich zueinander wie Erwartung und Wirklichkeit. Müntzers Schriften reflektieren, daß er diese Ungleichheit in der Gesellschaft sah und als hinderlich für die Verwirklichung seiner Lehre empfand. Insofern ergab sich folgerichtig, daß die Wiederherstellung der „Ordnung Gottes" nur denkbar war, wenn die sozialen Verhältnisse umgestaltet würden. Das von manchen Zeitgenossen vertretene radikale Gegenkonzept war die Gütergemeinschaft als Alternative und Experiment.[127] „Gütergemeinschaft war der

Ausdruck dafür, daß die Menschen den Eigennutz in ihrer ‚Gelassenheit' gegenüber dem Kreatürlichen überwunden hatten und bereit waren, einander in Liebe zu begegnen."[128] Müntzer hat sich für die Gütergemeinschaft nicht eindeutig ausgesprochen, jedenfalls hat er den Satz „Omnia sunt communia" nicht näher konkretisiert in Hinsicht auf die Markierung der Konturen eines Gesellschaftsbildes. Die Verwerfung des Eigennutzes und die Verteidigung des Gemeinen Nutzens kulminieren aber in der Wiederherstellung der „Ordnung Gottes", was zwar von Müntzer so verbal nicht ausgesprochen wurde, in seinem Denken aber substantiell existent war. Um dieses Ziel zu erreichen, mußten die Herrschaftsverhältnisse umgestoßen werden. Das provozierte die Gegenwehr derer, die ihrer Macht beraubt werden sollten, die aber nicht bereit waren, die Ursachen des Aufruhrs zu beseitigen. Müntzers Schlußfolgerung war konsequent: „So ich das sage, mu(o)ß ich auffru(e)risch sein, wol hyn."[129]

[1] MSB, 405,28 (50); zum Datum vgl. Siegfried BRÄUER: Die Vorgeschichte von Luthers „Ein Brief an die Fürsten zu Sachsen von dem aufrührerischen Geist". LuJ 47 (1980), 60, Anm. 87.

[2] MSB, 448, 1 (70).

[3] MSB, 462, 2 f (82).

[4] MSB, 303, 32.

[5] MSB, 473, 10. 20; 474, 5. 12 (94).

[6] Vgl. z. B. Manfred BENSING: Thomas Müntzer und der Thüringer Aufstand 1525. Berlin 1966, 69 f. 184 f. 231 f; ETM, 579 f. 723 f. 798 f; Eike WOLGAST: Thomas Müntzer: ein Verstörer der Ungläubigen. Göttingen / Zürich 1981, 87 f. 111 f.

[7] Vgl. dazu HLM, 11–32; Bräuer: AaO, 56–62; ETM, 417–443.

[8] Vgl. AKTEN ZUR GESCHICHTE DES BAUERNKRIEGES IN MITTELDEUTSCHLAND. Bd. 2/ unter Mitarbeit von Günther Franz hrsg. von Walther Peter Fuchs. Nachdruck der Ausgabe Jena 1942. Aalen 1964, 29 f (1114).

[9] MSB, 404–406 (50).

[10] MSB, 405, 25–36 (Hervorhebungen hier und im folgenden von mir. G. V.).

[11] Vgl. Günter VOGLER: Nürnberg 1524/25: Studien zur Geschichte der reformatorischen und sozialen Bewegung in der Reichsstadt. Berlin 1982, 215–223.

[12] Vgl. dazu MPSM, 24–27; HLM, 77–101; ETM, 463–535; Bräuer: AaO, 62–70.

[13] MSB, 417, 23–25 (57).

[14] StA 3, (82) 88–104.

[15] Karl Eduard FOERSTEMANN: Zur Geschichte des Bauernkriegs im Thüringischen und Mansfeldischen. Neue Mitteilungen aus dem Gebiet historisch-antiquarischer Forschungen 12 (Nordhausen 1868), 181 (23).

[16] MSB, 267–319.

[17] MSB, 300, 25–31.

[18] MSB, 302, 17–26.

[19] MSB, 303, 30–34; diese Stelle fehlte noch im „Gezeugnus . . .".

[20] Vgl. Bensing: AaO, 67–73; ETM, 577–580; Gerhard GÜNTHER: Mühlhausen in Thüringen: 1200 Jahre Geschichte der Thomas-Müntzer-Stadt. Berlin 1975, 53 f.

[21] WA 15, (230) 238–240.

[22] QGB, 492, 5–7 (165).

[23] MSB, 447–448 (70).

[24] MSB, 447, 20.

[25] MSB, 448, 1–11.

[26] Vgl. Bensing: AaO, 182–186; ETM, 718–733; Günther: AaO, 57 f.

[27] MSB, 461, 8–14 (81).

[28] MSB, 462, 2–7 (82).

[29] MSB, 473 f (94).

[30] MSB, 473, 7–12.

[31] MSB, 473, 20 f.

[32] MSB, 474, 3–5.

[33] Brita ECKERT: Der Gedanke des gemeinen Nutzens in der lutherischen Staatslehre des 16. und 17. Jahrhunderts. Phil. Diss. Frankfurt a. Main 1976, 185 (Faksimile).

[34] Vgl. die knappe Übersicht bei Heinz-Horst SCHREY: Gemeinwohl / Gemeinnutz. TRE 12 (1984), 340, 13 – 341, 47; Knut WALF: Bonum commune. Lexikon des Mittelalters. Bd. 2. München 1981, 435.

[35] Vgl. Antoine Pierre VERPAALEN: Der Begriff des Gemeinwohls bei Thomas von Aquin: ein Beitrag zum Problem des Personalismus. Heidelberg 1954, 47–79; Winfried EBERHARD: „Gemeiner Nutzen" als oppositionelle Leitvorstellung im Spätmittelalter. In: Renovatio et Reformatio: wider das Bild vom „finsteren" Mittelalter = Festschrift für Ludwig Hödl zum 60. Geburtstag/ hrsg. von Manfred Gerwing und Godehard Ruppert. Münster 1984, 196 f.

[36] Vgl. Jacob und Wilhelm GRIMM: Deutsches Wörterbuch. Bd. 3. Leipzig 1862, 99; Bd. 4, I–II, Leipzig 1897, 3176 f. 3261; Deutsches Rechtswörterbuch. Bd. 2. Weimar 1932, 1341; Bd. 4. Weimar 1939/1957, 188.

[37] Vgl. Walther MERK: Der Gedanke des gemeinen Besten in der deutschen Staats- und Rechtsentwicklung. In: Festschrift für Alfred Schultze zum 70. Geburtstag. Weimar 1934, 481; Adolf DIEHL: Gemeiner Nutzen im Mittelalter: nach süddeutschen Quellen. Zeitschrift für württembergische Landesgeschichte 1 (1937), 299; Ernst-Wilhelm KOHLS: Die Schule bei Martin Bucer in ihrem Verhältnis zu Kirche und Obrigkeit. Heidelberg 1963, 38.

[38] Vgl. Eberhard: AaO, 198–202.

[39] Vgl. Wilhelm SCHWER: Stand und Ständeordnung im Weltbild des Mittelalters: die geistes- und gesellschaftsgeschichtlichen Grundlagen der berufsständischen Idee. 2. Aufl. Paderborn 1952, 35 f.

[40] Vgl. Merk: AaO, 460–464; Diehl: AaO, 302–313.

[41] Karl ZEUMER: Quellensammlung zur Geschichte der deutschen Reichsverfassung in Mittelalter und Neuzeit. 1. Teil. 2. Aufl. Leipzig 1913, 89 (71). Zur Sache vgl. Eberhard: AaO, 204–206.

[42] AUSGEWÄHLTE URKUNDEN ZUR WÜRTTEMBERGISCHEN GESCHICHTE/ hrsg. von Eugen Schneider. Stuttgart 1911, 27; zur Sache vgl. Eberhard: AaO, 206–211.

[43] DEUTSCHE REICHSTAGSAKTEN: ältere Reihe. Bd. 1. München 1867, 206.

[44] Johannes JANSSEN: Frankfurts Reichscorrespondenz nebst anderen verwandten Aktenstücken. Bd. 1. Freiburg (Breisgau) 1863, 185.

[45] Vgl. Bernhard TÖPFER: Die Reichsreformvorschläge des Nikolaus von Kues. Zeitschrift für Geschichtswissenschaft 13 (1965), 626 f.

[46] Vgl. Hans-Christoph RUBLACK: Political and social norms in Urban Community in the Holy Roman Empire. In: Religion, politics and social protest: three studies in early modern Germany/ hrsg. von Kaspar von Greyerz. London 1984, 27–30; Kohls: AaO, 122; Hans-Christoph RUBLACK: Eine bürgerliche Reformation: Nördlingen. Gütersloh 1982, 30–34; Christoph SCHEURL: Epistel über die Verfassung der Reichsstadt Nürnberg 1516. In: Die Chroniken der deutschen Städte vom 14. bis ins 16. Jahrhundert. Bd. 11. Leipzig 1874, 785. 791. 803.

[47] Rublack: Eine bürgerliche Reformation, 34.

[48] Vgl. Eckert: AaO, 5, 10; Heinrich LUTZ: Normen und gesellschaftlicher Wandel zwischen Renaissance und Revolution – Differenzierung und Säkularisierung. In: ders.: Politik, Kultur und Religion im Werdeprozeß der frühen Neuzeit: Aufsätze und Vorträge/ hrsg. von Moritz Csáky . . . Klagenfurt 1982, 383 f.

[49] Winfried SCHULZE: Vom Gemeinnutz zum Eigennutz: Über den Normenwandel in der ständischen Gesellschaft der Frühen Neuzeit. Historische Zeitschrift 243 (1986), 597.

[50] Ebd, 600.

[51] Vgl. ebd, 606 f.

[52] Merk: AaO, 465.

[53] Eberhard: AaO, 201.

[54] DAS BUCH DER HUNDERT KAPITEL UND DER VIERZIG STATUTEN DES SOGENANNTEN OBERRHEINISCHEN REVOLUTIONÄRS. Edition und textliche Bearb. von Annelore Franke. Historische Analyse von Gerhard Zschäbitz. Berlin 1967, 199.

[55] Ebd. 199 f.
[56] Ebd, 339.
[57] Ebd, 391.
[58] Ebd, 393.
[59] Ebd, 420.
[60] Eine generelle Untersuchung fehlt, wäre aber für eine Gesamtbeurteilung eine Voraussetzung.
[61] Vgl. Annerose SCHNEIDER: Zur Argumentation in den Flugschriften der Bauernkriegszeit. Jahrbuch für Geschichte des Feudalismus 4 (1980), 283–285.
[62] FlB, 128, 6–12.
[63] FLUGSCHRIFTEN DER FRÜHEN REFORMATIONSBEWEGUNG (1518–1524)/ hrsg. von Adolf Laube, Sigrid Looß ... Bd. 2. Berlin 1983, 763, 12–15.
[64] Ebd 2, 766, 20–26
[65] Ebd 2, 912–917; Sigrid LOOSS: Reformatorische Ideologie und Praxis im Dienst des Rates und der Bürgerschaft Straßburgs. Jahrbuch für Geschichte des Feudalismus 5 (1981), 266. 275.
[66] Vgl. Hans SACHS: Die Prosadialoge/ hrsg. von Ingeborg Spriewald, Leipzig 1970, 123–149.
[67] Peter BLICKLE: Gemeindereformation: die Menschen des 16. Jahrhunderts auf dem Weg zum Heil. München 1985, 199.
[68] Einige Beispiele vgl. in Günther FRANZ: Der deutsche Bauernkrieg: Aktenband. 3. Aufl. Nachdruck der Ausgabe München 1935. Darmstadt 1972, 235 (780). 259. 261 (97). 263 (98). 273 (107). 375 (191); QGB, 448, 2–4; 449, 37–41; 450, 35–38; 451, 4 f (147); 469, 1–8 (156); vgl. Blickle: AaO, 68 f.
[69] QGB, 371–374 (123).
[70] QGB, 374, 26 f; 375, 4–8; 375, 40 – 376, 2; 378, 19–28; 381, 4–9 (124).
[71] QGB, 235, 16–21 (68).
[72] FlB, 115 f.
[73] QGB, 285, 24–32 (92); vgl. auch 287, 11 f; 288, 13–15; 289, 9–11 (92).
[74] FlB, (545) 547–557; Brigitta SCHREYER-KOCHMANN: Staatstheoretisches Denken und Wollen in Hans Hergots Flugschrift ,Von der neuen Wandlung eines christlichen Lebens'. In: Der deutsche Bauernkrieg 1524/25: Geschichte – Traditionen – Lehren/ hrsg. von Gerhard Brendler und Adolf Laube. Berlin 1977, 158–161.
[75] Peter BLICKLE: Die Revolution von 1525. 2., neu bearb. und erw. Aufl. München / Wien 1981, 223.
[76] MSB, 394, 15–18 (44).
[77] MSB, 396, 27 – 397, 2 (45).
[78] QGB, 479, 8–11; 483, 1–3. 5 f (161).
[79] QGB, 480, 5–8 (161).
[80] QGB, 484, 34–36 (161).
[81] QGB, 493, 1–27 (165).
[82] MSB, 448, 9 f. 26 f.
[83] Vgl. Helmar JUNGHANS: Ursachen für das Glaubensverständnis Thomas Müntzers 1524. In: Der deutsche Bauernkrieg und Thomas Müntzer/ hrsg. von Max Steinmetz. Leipzig 1976, 143–149.
[84] MSB, 23, 5–16
[85] MSB, 218, 5–8
[86] Vgl. z. B. MSB, 235, 2; 236, 30; 239, 6.
[87] MSB, 236, 30 f.
[88] MSB, 275, 29–34.
[89] MSB, 237, 10–12.
[90] MSB, 519, 8 f.
[91] MSB, 520, 12 f; zu der Lesart „Adam" vgl. Wolfgang ULLMANN: Ordo rerum: Müntzers Randbemerkungen zu Tertullian als Quelle für das Verständnis seiner Theologie. Theol. Versuche 7 (1976), 139, Anm. 55.
[92] Vgl. MSB, 161, 21–26; 163, 18; 226, 19; 242, 9; 243, 20 f; 430, 25; „arme christenheit" (64); 494, 2–6; 504, 1–4.
[93] MSB, 243, 20 f.
[94] MSB, 257, 18 f.
[95] MSB, 255, 24 f.
[96] MSB, 420, 26 f (38).

97 MSB, 421, 28–30 (59).

98 MSB, 411, 24 (55).

99 MSB, 165, 8; vgl. auch 325, 11–15.

100 MSB, 258, 32 f.

101 MSB, 299, 35 – 300, 8.

102 MSB, 231, 27 – 232, 1.

103 MSB, 282, 26–31.

104 MSB, 413, 14–19 (55).

105 MSB, 275, 26–34.

106 MSB, 293, 37 – 294, 1.

107 MSB, 275, 33; 283, 20–22; 329, 24 f; 421, 23 (59); 434, 20 (66); 574, 28.

108 MSB, 463, 19–22 (84).

109 MSB, 329, 27–29.

110 MSB, 258, 2–7.

111 Vgl. Bensing: AaO, 184 f.

112 Vgl. Günther: AaO, 58.

113 MSB, 462, 4–6 (82).

114 MSB, 462, 8–10 (82).

115 MSB, 546, 21 f.

116 MSB, 464, 14; 463, 11 f (84).

117 MSB, 473, 21 (94).

118 MSB, 473, 10 (94).

119 MSB, 474, 5 (94).

120 MSB, 474, 11 f (94).

121 Peter Blickle: Die Reformation im Reich. Stuttgart 1982, 50.

122 Ebd, 131.

123 Manfred Bensing: Grundfragen der Revolution in Thomas Müntzers Denken und Handeln. Mühlhäuser Beiträge zu Geschichte und Kulturgeschichte 4 (1981), 20.

124 Vgl. Günter Vogler: „Damit kein Unterschied der Menschen sei"; gesellschaftliche Ungleichheit und die Idee der Gleichheit im deutschen Bauernkrieg. In: „Vor Gott sind alle gleich". Soziale Gleichheit, soziale Ungleichheit und die Religionen/ hrsg. von Günter Kehrer. Düsseldorf 1983, 212–231.

125 MSB, 548, 4–6. 14–16; Akten zur Geschichte des Bauernkrieges in Mitteldeutschland, 202 f.

126 Ulrich Bubenheimer: Thomas Müntzer. In: Protestantische Profile: Lebensbilder aus fünf Jahrhunderten/ hrsg. von Klaus Scholder und Dieter Kleinmann. Königstein (Ts.) 1983, 46.

127 Vgl. James M. Stayer: Neue Modelle eines gemeinsamen Lebens. Gütergemeinschaft im Täufertum. In: Alles gehört allen: das Experiment Gütergemeinschaft vom 16. Jahrhundert bis heute/ hrsg. von Hans-Jürgen Goertz. München 1984, 21–49.

128 Hans-Jürgen Goertz: Die Täufer: Geschichte und Deutung. München 1980, 27 / Berlin 1988, 32.

129 MSB, 329,29.

Die Obrigkeits- und Widerstandslehre Thomas Müntzers

Von Eike Wolgast

I Fragestellung und Forschungsstand

Das Problem des Widerstandsrechts gehört, anknüpfend an die unter dem Stichwort „Tyrannenmord" geführte Diskussion des Spätmittelalters, im konfessionellen Zeitalter zu den besonders häufig erörterten, kontrovers behandelten Themen.[1] Bei den mit dem Widerstandsrecht zusammenhängenden Fragen waren drei Ebenen einzubeziehen:

Theologische Ebene: War die causa religionis Grund genug, um die neutestamentlichen Weisungen, sich gegenüber zugefügtem Unrecht passiv zu verhalten, zu suspendieren, bzw. durfte in der Abwehr über Bekenntnis und Wortprotest hinausgegangen werden?

Juristische Ebene: Bestanden positiv-rechtliche oder naturrechtliche Normen, die in der hierarchisch strukturierten Sozialordnung eine Abweichung von der Befehl-Gehorsams-Relation zwischen Obrigkeit und Untertanen zuließen, und wer durfte gegebenenfalls Widerstand ausüben – jeder, der einzelne magistratus inferior, die Stände als Körperschaft oder nur der ohnehin alle menschlichen Vorschriften in göttlicher Vollmacht durchbrechende vir heroicus?

Politische Ebene: War die Ausübung von Widerstand, auch wenn sie rechtlich zulässig war, opportun, oder konnte durch Widerstand nicht vielmehr größeres Unrecht das zu beseitigende ersetzen, Anarchie herbeigeführt, das Rechtsbewußtsein und die Gehorsamspflicht prinzipiell erschüttert werden?

Mit der Widerstandslehre als der Frage nach den Grenzen des Gehorsams und nach einer Handlungsanweisung jenseits dieser Grenzen war die Herrschafts- und Obrigkeitskonzeption untrennbar verbunden, denn die Frage nach erlaubter und zulässiger Gegenwehr ließ sich nur im Wissen um Definition, Legitimation und Funktion der Obrigkeit klären. Häufig ist lediglich über das Obrigkeitsverständnis die Widerstandslehre zutreffend zu beurteilen.

Auch Müntzers Lehre vom Widerstand gegen die Obrigkeit ist in den meisten Phasen ihrer Entwicklung nur indirekt zu erschließen. Es gibt von ihm keine Obrigkeitsschrift, die den Komplex „Glaube und Politik" abhandelte, sondern seine Auskünfte sind verstreut und stets auf die aktuelle Situation bezogen. Je nach Adressatenkreis differieren sie auch in Einzelheiten und stehen sehr häufig in einem polemischen Kontext. Obrigkeit und Widerstand sind für Müntzers Theologie trotz seines hohen Anspruchs als Prediger des weltverändernden Wortes Gottes kein zentrales Thema, sondern nur subsidiär wichtig als Teilaspekt der Frage: Wie können Menschen zum Glauben kommen? Eine systematische Lehre läßt sich bei Müntzer daher kaum rekonstruieren, wenn auch bestimmte Grundvorstellungen zeit seiner aktiven Wirksamkeit identisch bleiben. Im einzelnen formuliert hat Müntzer seine Widerstandslehre bis 1525 nicht, sie läßt sich nur ableiten, vor allem aus seiner jeweiligen Interpretation bestimmter Bibelallegate, insbesondere Dan. 7,27, und gilt dann nicht für jedermann, sondern nur für die Auserwählten und durch Leiden Geprüften.

Die Quellenlage ist außerordentlich ungünstig. Erst die letzten Allstedter Wochen sind einigermaßen dokumentiert, ebenso die Zeit von Müntzers zweitem Wirken in Mühlhausen bis zur Katastrophe im Mai 1525. Systematische Darlegungen zu Obrigkeit und Widerstand fehlen aber auch für diesen letzten Teil seines Lebens.[2] Der Mangel an eigenen Äußerungen wird nur in sehr bescheidenem Umfang durch Zeugnisse zweiter Hand ausgeglichen.[3] Hier hat vielfach Unverständnis oder haßerfüllte Polemik die Möglichkeit einer Objektivierbarkeit der Aussagen ebenso verstellt wie ängstliche Distanznahme, die frühere Verbindungen zu dem Besiegten und Verketzerten verdecken sollte. Das Bemühen, Müntzers Verständnis von Obrigkeit und Widerstand aus den Quellen zu erheben,[4] muß daher notwendigerweise fragmentarisch bleiben.

In der Forschung ist die Frage der politischen Konzeption Müntzers wiederholt erörtert worden, häufig aus ideologisch-aktuellem Interesse am „Gegenluther" und an der Stiftung einer demokratischen und revolutionären Tradition in der deutschen Geschichte.[5] Als erster hat Carl Hinrichs das Problem „Luther und Müntzer: ihre Auseinandersetzung über Obrigkeit und Widerstandsrecht" umfassend untersucht.[6] Daß er sich dabei auf die Allstedter Zeit und die unmittelbar mit ihr zusammenhängenden Schriften Müntzers beschränkte, entsprach seiner These eines statischen, früh abgeschlossenen religiös-politischen Denkens Müntzers; für ihn waren im Brief an Friedrich den Weisen vom Oktober 1523 „bereits alle die revolutionären Elemente enthalten . . ., zu denen Müntzer sich vor seinem Tode bekannt" hatte.[7] Die Werbung um die ernestinischen Fürsten 1523/24 erschien demgegenüber letztlich als von nur taktischer Bedeutung. Entsprechend war Müntzer für Hinrichs schon in Allstedt der Revolutionär, ohne daß dieser Begriff inhaltlich ausgewiesen würde. Auch wenn es Hinrichs durchaus bewußt war, daß Müntzers „soziale Revolution . . . einen über das Materielle hinausreichenden letzten Sinn" hatte, spürte er doch in allen Äußerungen Müntzers das Ideal der „klassen- und eigentumslosen Gemeinschaft"[8] der durch den Geist Auserwählten auf; dabei suchte er mit großem Scharfsinn häufig die gezwungene, nicht die dem Wortsinn plausibel entsprechende Erklärung. Die Übertragung eines modern-suggestiven begrifflichen Vokabulars auf die Texte des 16. Jahrhunderts[9] war neben der Negation jeder Entwicklung in Müntzers Vorstellungen von Obrigkeit und Widerstand die besonders gravierende Schwäche von Hinrichs' Werk, das trotz seiner Verdienste um das Verständnis der Theologie Müntzers in entscheidenden Punkten wegen seiner aktualisierenden Einseitigkeit in die Irre ging.

Bei der Untersuchung von Müntzers politischer Rolle im Bauernkrieg hat Manfred Bensing auch die Obrigkeits- und Widerstandsvorstellungen Müntzers erörtert; für ihn war Müntzer wie für Hinrichs der in seinem Gedankengut früh fertige Revolutionär, der die Umsetzung seiner ideologischen Prämissen in die Praxis 1525 systematisch vorbereitete.[10] Den Gesamtzusammenhang von Theologie und Revolution bei Müntzer hat als erster Thomas Nipperdey in einer bahnbrechenden Studie entschieden aufgewiesen.[11] Müntzer wurde dabei vor dem Hintergrund der Theologie Luthers interpretiert, seine politischen Anschauungen und Aktionen mit seiner Theologie als ganzer vermittelt und dadurch einsichtig gemacht. Das Verdienst, die mystische Komponente der Theologie Müntzers gebührend ins Bewußtsein gehoben zu haben, kommt Hans-Jürgen Goertz zu, der eine Fusion von mystischen und revolutionären Elementen in der Theologie Müntzers nachweisen wollte; die äußere Ordnung werde von der inneren her entworfen, die Kreuzesmystik sei das Bindeglied. „Es ist also nicht die Apokalyptik, sondern die Mystik, die seiner revolutionären Theologie die stärkeren Impulse zuschickt."[12]

Walter Elliger hat in seiner großen Biographie bewußt auf eine systematische Darstellung des theologischen und politischen Denkens Müntzers verzichtet, um den jeweiligen histori-schen Kontext seiner Stellungnahmen ungeschmälert zu bewahren.[13] Über der punktuellen Betrachtung gerieten allerdings die Zusammenhänge allzuoft aus dem Blick. Eine kurze und verläßliche Darstellung der Entwicklung von Müntzers „Social and political theology" bot Gordon Rupp, der insbesondere den Bundesgedanken bei Müntzer hervorgehoben und auf seinen Platonismus als Miterklärung seines „new equalitarianism" in der letzten Lebens-phase aufmerksam gemacht hat. Sein anschließendes Urteil über Müntzer faßt Rupp zusam-men: „He was a revolutionary, by temperament an agitator, and . . . he was forced by cir-cumstances, many of them his own fault, into an itinerant existence."[14]

James M. Stayer gab eine knappe Übersicht über Müntzers Auffassung vom „Sword un-sheathed for apocalyptic crusade", derzufolge das Schwert eine größere Aufgabe habe als bei Luther und Zwingli; es ist Gottes erwähltes Instrument zur Zerstörung der Hindernisse, die der Erlösung der Seelen entgegenstehen. Stayer zeichnete den Entwicklungsprozeß Müntzers nach und wies insbesondere darauf hin, daß er „by no means certain of the identity of the elect" gewesen sei und desillusioniert nacheinander die Böhmen, die sächsischen Fürsten und die Allstedter und Mühlhausener Bundesbrüder aufgegeben habe.[15] Für Rolf Dismer, dessen Ausführungen über Fürsten und Fürstenamt sehr kurz gehalten sind, steht dagegen die Konstanz von Müntzers Leben und Theologie fest: „. . . der Mann und seine Lehre [sind] konsequent geblieben . . ."[16]

Geleitet von einem besonderen Interesse an den Folgen für die deutsche Geistesgeschichte, kontrastierte Marianne Schaub Luthers Zwei-Reiche-Lehre, wie sie in der Obrigkeitsschrift entwickelt worden ist, mit den Grundgedanken der drei Schriften Müntzers von 1524, ins-besondere der Fürstenpredigt. Die Wertung wird bereits aus dem Untertitel der Arbeit deut-lich: „Le droit divin contre l'absolutisme princier". Müntzer vertritt für Schaub „une idéologie égalitaire révolutionnaire" im „recours à un Droit divin, stipulant l'égalité de tous de par la Loi, opposé à un Droit positif, justifiant la hiérarchie établie des ordres"; sein Scheitern bietet einen Schlüssel zur Erklärung des deutschen Sonderwegs.[17]

In verschiedenen Spezialstudien hat Siegfried Bräuer in subtiler Interpretation des gesam-ten Quellenmaterials den inneren und äußeren Weg Müntzers von Prag über Allstedt nach Mühlhausen und Frankenhausen überzeugend nachgezeichnet und dabei Einseitigkeiten und Überspitzungen der bisherigen Forschung korrigiert.[18]

II Grundfaktoren der Obrigkeitsvorstellung Müntzers

Müntzers Obrigkeits- und Widerstandslehre steht von vornherein unter dem apokalyptischen Vorzeichen der konkreten Naherwartung, mehr noch: der Gewißheit des unmittelbar bevor-stehenden Endes der bisherigen Welt mit ihren Macht- und Sozialbezügen. Genaue Ausfor-mulierungen und präzise Abgrenzungsdefinitionen mochten von daher überflüssig erschei-nen, da sie sich unter endzeitlichem Vorzeichen nicht mehr lohnten. Dennoch lassen sich Konstanten feststellen, die bei der Entwicklung von Müntzers politischer Theologie unver-ändert blieben, so daß es einen völligen Bruch und Neuansatz bei Müntzer nicht gegeben hat. Jedoch treten je nach politischer Konstellation und gemachter Erfahrung Faktoren, die bis dahin bestimmend gewesen waren, zurück, während andere stärker gewichtet werden. Grundsätzlich kommt Müntzer für seine Obrigkeits- und Widerstandslehre mit wenigen, für ihn zentralen Schriftbelegen aus: Röm. 13,3 f und Dan. 7,27 bzw. Luk. 1,52, später 1. Sam. 8,7–18 und Hos. 13,11. Dabei gilt auch für seine politische Theologie Müntzers

Überzeugung von der Übereinstimmung der Aussagen des Alten und des Neuen Testaments, denn „Gott kan heut nicht ja sagen und morgen nein".[19]

Müntzers Obrigkeitslehre, aus der sich seine Vorstellungen vom Widerstandsrecht ergeben, ist nicht eindeutig negativ vorgeprägt, trotz früh erkennbarer Skepsis gegenüber den bestehenden Gewalten. Sie läßt sich als ein vorbehaltliches Denken begreifen, mit einer spezifischen Erwartungshaltung, die sich aus seinem Funktionsverständnis von Obrigkeit ergibt. Wie Luther gründete Müntzer seine Obrigkeits- und Widerstandslehre auf Röm. 13. Gegenüber der Wittenberger Theologie erfolgte aber bei ihm eine entscheidende Akzentverlagerung. Nicht die Gehorsamspflicht der Untertanen und die göttliche Legitimation der Obrigkeit in Röm. 13,1 f stand im Mittelpunkt, sondern die Pflicht der Obrigkeit gegenüber ihren Untertanen nach Röm. 13,3 f; bezeichnenderweise hat Müntzer daher im Gegensatz zu Luther 1. Petr. 2,13 nur selten zur Argumentation herangezogen.[20] Die Wittenberger Dialektik von Untertanengehorsam und obrigkeitlichem Amtsethos wurde von Müntzer aufgehoben zugunsten der eindeutigen Priorität des Amtsethos, von dessen Beschaffenheit die Legitimität der Forderung nach Untertanengehorsam abhängig gemacht wurde. Dabei schränkte Müntzer seinen Begriff legitimer Obrigkeit letztlich auf die sich als christlich verstehenden Fürsten ein.

Die Obrigkeit ist für Müntzer nicht lediglich eine Notordnung zur Aufrechterhaltung des äußeren Friedens im Kampf gegen das Chaos, sondern steht unmittelbar im Dienste Gottes zu Schutz und Ausbreitung des Glaubens. Sehr charakteristisch identifizierte er ohne weitere Begründung „gut" und „böse" von Röm. 13,3 f mit „fromm" und „gottlos". Entsprechend hoch war die Forderung, die er an die christliche Obrigkeit stellte, indem er an sie nicht als an das brachium saeculare appellierte, das lediglich die äußeren Folgen ketzerischen oder heterodoxen Verhaltens zu bestrafen hatte, sondern aktiven Einsatz für die Förderung der Sache Gottes verlangte. Damit entfiel von vornherein auch eine Zuständigkeitsverteilung, wie sie in der Vorstellung der Zwei Regimente gegeben war. Für Müntzer mußte der Glaube des Herzens „auch zum Muster der Ordnung in der Welt" gemacht werden.[21] In der Erfüllung dieser Aufgabe bestand die vornehmste Pflicht der Fürsten und die eigentliche Legitimation ihres Amtes. Müntzer verlangte Entscheidung; Neutralität lehnte er ab, den Gamalielrat Apg. 5,38 f ließ er nicht gelten.[22]

Obrigkeit, die ihren göttlichen Auftrag nicht wahrnimmt, entartet zur Tyrannis. Entsprechend seiner Obrigkeitskonzeption griff Müntzers Tyrannenvorstellung über innerweltlichen Herrschaftsmißbrauch und Rechtsbruch hinaus. Tyrannei ist Herrschaft, die gegen Röm. 13,3 f in der Weise verstößt, daß statt der Gottlosen die Frommen die Obrigkeit fürchten, mithin die Menschenfurcht die Gottesfurcht überwiegt. Der Tyrann tritt im Gehorsamsbezug seiner Untertanen an die Stelle Gottes und verhindert durch seine falsche Prioritätensetzung den Glauben.

Die Qualität des Amtsethos der Obrigkeit bestimmt die Stellung der Untertanen zu ihr. Mit der Akzentverlagerung von Röm. 13,1 f auf Röm. 13,3 f wurde der Gehorsam konditional, insofern die Obrigkeit ihn nur bei sachgemäßer Erfüllung der Amtsaufgaben beanspruchen konnte. Die Einlösung der Ermahnung Röm. 13,1 hing von der Erfüllung der Pflichten nach Röm. 13,3 f ab.[23] Gleichwohl folgte für Müntzer aus dieser Verbindung zunächst keine Legitimation zum Widerstand gegen die Obrigkeit.

III Bis zur Flucht aus Allstedt

Bis zu seiner Allstedter Zeit hat sich Müntzer offenbar nicht eingehend mit Amt und Funktion der Obrigkeit sowie der Stellung der Untertanen zu ihr auseinandergesetzt. Über Zielsetzung und Gestalt des „verbuntnis", das er in seiner Jugendzeit in Aschersleben und Halle gegen den Magdeburger Erzbischof organisiert hat, gibt es außer seinem Geständnis 1525 keine Nachrichten;[24] wenn er 1515 von einem Bekannten als „vorfolger der unrechtverdicheyt"[25] angeredet wird, geht dies vermutlich auf die wenige Jahre zurückliegende Konspiration zurück.[26] Im sogenannten Prager Manifest (Langfassung) ließ Müntzer seine Vorstellungen von Herrschaft und Herrschaftsträger vorwiegend indirekt in der Polemik gegen falsche Priester und Schriftgelehrte erkennen.[27] In chiliastischer Gewißheit erklärte er, Christus werde „yhm kortzen" nach einem Zwischenspiel türkischer Herrschaft „das reich dysser welt . . . seinen auserwelten", zusammengefaßt in der „newen apostolischen kirche", übergeben.[28] Zur Legitimation dieser Überzeugung berief er sich erstmals – jedenfalls soweit es den überlieferten Quellenbestand betrifft – auf Dan. 7,27.[29] Mit den bestehenden Obrigkeiten setzte er sich in diesem Zusammenhang nicht auseinander und leitete aus der danielischen Verheißung auch kein Widerstandsrecht ab, sondern konstatierte lediglich den „endgeschichtlichen Umbruch"[30] am Ende des fünften Reiches. Die Aussage: „Aber am volk zcweiffel ich nicht",[31] die häufig für ein revolutionäres Denken Müntzers schon in jener Zeit in Anspruch genommen worden ist, enthielt weder eine Widerstandslehre, noch stellte sie bereits die Wendung zum gemeinen Mann als dem auserwählten dar; vielmehr kontrastierte Müntzer hier der Amtsvergessenheit des Geistlichen das Glaubensverlangen des frommen Laien.[32]

Deutliche Kritik am Verhalten einer Obrigkeit, die sich selbst als christliche verstand, übte Müntzer 1522, als er die Wittenberger aufforderte, sich der Endzeitsituation zu stellen und ihr Zögern aufzugeben. „Nolite adulari principibus vestris . . .,"[33] die inaktiv und unentschieden dem Verlauf der Ereignisse zusahen und denen die Wittenberger mit ihrem Verhalten in die Hände arbeiteten. Folgerungen aus dieser Kritik zog Müntzer jedoch nicht.

Die Allstedter Wirksamkeit 1523/24 eröffnete Müntzer eine neue Erfahrungsdimension und führte zur Klärung seiner Obrigkeits- und Widerstandsvorstellungen. Die Lage Allstedts als evangelischer Enklave im altkirchlichen Gebiet konfrontierte ihn unmittelbar mit dem Problem der unchristlichen Obrigkeit, die ihre Untertanen am Glauben hinderte, indem sie die evangelische Predigt in ihrem Gebiet und den Predigtbesuch in der kursächsischen Amtsstadt verbot. In dieser Reaktion auf die Allstedter Verkündigung entblößte sich die Obrigkeit für Müntzer als Glaubensverfolgerin, zunächst im Herbst 1523 Ernst von Mansfeld, dann 1524 Georg von Sachsen in Gestalt seines Amtmanns in Sangerhausen.[34]

Müntzer entfaltete seine Obrigkeits- und Widerstandslehre in zwei Richtungen, gegenüber den verfolgten Untertanen und gegenüber ihren Herren. Die Gemeinde seiner Heimatstadt Stolberg warnte er im Juli 1523 in einem gedruckten Sendbrief vor „unfuglichem auffrur",[35] wobei er zwei Argumente gegen die Ausübung von Widerstand geltend machte: die ungenügende geistliche Reife der Stolberger Brüder[36] und die Pflicht zur Hinnahme der unchristlichen Obrigkeit als Strafe Gottes. In der Form einer Auslegung von Ps. 93 hielt Müntzer der Gemeinde vor, ihre Hauptaufgabe sei es gegenwärtig, sich selbst durch Leiden für die Herrschaft Christi vorzubereiten. Bevor die Gläubigen nicht von ihrer Verhaftung an die irdischen Güter frei seien, könne keine Veränderung der äußeren Verhältnisse erwartet werden: „Das rechte regeren Christi mus volzogen werden nach aller entplossung der zyrde der werlt, dan kumpt der Herre und regert und stösth dye tyrannen zu bodem."[37] In welcher

Weise sich dieses „rechte Regieren Christi" vollziehen werde, blieb dabei unerörtert; wichtig war für Müntzer in der gegenwärtigen Situation nur, daß auf die Bedrückungen seitens der Obrigkeit von den Untertanen nicht mit Gewalt geantwortet wurde. Gefordert waren nicht äußere Aktivität und Ungeduld, sondern Heiligung des Menschen durch Arbeit an sich selbst. Wenn die Herrschaft Christi durch die Auserwählten vorbereitet werden sollte, war es notwendig, daß es diese wahren Christen, Menschen mit unumstößlicher Glaubensgewißheit, die durch die geistlichen Versuchungen geläutert waren, erst einmal gab.[38] Ungeläuterte Menschen konnten nicht regieren, ein entsprechendes Unterfangen war „unfüglicher Aufruhr".[39] Müntzer begnügte sich mit dieser negativen Feststellung, ohne zu explizieren, wie, wann und gegen wen ein „füglicher Aufruhr" unternommen werden könnte. Im Umkehrschluß ließ sich als Kriterium erheben: Vorhandensein der wahren Christen, die sich der Strafe Gottes durch die Tyrannen unterzogen hatten und nun diese Tyrannei als Hindernis der Glaubenspredigt und -ausbreitung beseitigen durften.

Mit der Warnung, im gegenwärtigen geistlichen Zustand ein Widerstandsrecht in Anspruch zu nehmen, verband Müntzer eine Belehrung über die fürstliche Funktion. Die ungerechte Herrschaft, die Tyrannis, ist zu verstehen als Strafe Gottes. Zur Deutung dieser ungerechten Herrschaft zog Müntzer 1. Sam. 8,7–18 heran.[40] Das tyrannische Regiment dient in geistlicher Perspektive dazu, als – unwissentliches – Instrument Gottes die Heiligung der Frommen durch Kreuz und Leiden zu fördern, damit – in Anlehnung an Ps. 93,2 – ihre Seelen zum Stuhl Gottes gemacht werden können.[41] Erst danach könnten sie die Herrschaft übernehmen, offenbar in „füglichem Aufruhr".[42] Wichtiger als die Perspektive künftiger Herrschaft war Müntzer jedoch in diesem Augenblick das seelsorgerliche Anliegen, die Selbstsicherheit des falschen Glaubens zu erschüttern und die Kriterien für den wahren Glauben aufzuzeigen. Die Überzeugung, daß die Herrschaft der Frommen und Auserwählten kommen werde, blieb davon unberührt.

Intensiv mit Legitimation, Dauer und Amtsethos der Obrigkeit setzte sich Müntzer im Brief an Friedrich von Sachsen vom 4. Oktober 1523 auseinander.[43] Anlaß für dieses Lehrschreiben war der Konflikt mit Ernst von Mansfeld, insbesondere der Streit über das Verbot des Predigtbesuchs in Allstedt. Müntzer stellte gegen dieses Verbot die Überzeugung: Das von ihm gepredigte Evangelium ist die Wahrheit; wenn Ernst von Mansfeld diese Wahrheit mit menschlichen Geboten behindern will, ist er unchristliche Obrigkeit. Friedrich wurde damit vor die Entscheidung gestellt: entweder Solidarität mit Müntzers Evangelium und damit Zugehörigkeit zu den Auserwählten oder Solidarität mit Ernst von Mansfeld und damit Verstoß gegen seine Amtspflichten. Da die Fürsten die Frommen schützen sollen, nehmen sie ihren Amtsauftrag nicht mehr wahr, wenn das Volk – bezeichnenderweise gleichgesetzt mit den „Frommen" von Röm. 13,3 – sie mehr fürchtet als liebt; dementsprechend wurde der Kurfürst aufgefordert, seiner „gottgewollten Schutzfunktion"[44] nachzukommen.

Aber Müntzer machte in diesem Zusammenhang auch auf die Vorläufigkeit menschlicher Herrschaft aufmerksam. Die göttliche Einsetzung der Obrigkeit nach Röm. 13 garantierte den Fürsten nicht ein dauerhaftes Überleben in ihrer Funktion, denn im Endzustand entfiel ihr Amt. Ihre Herrschaft stellte daher letztlich nur eine Art Übergangsstadium zur Herrschaft der Auserwählten dar, da am Ende der Zeit – und dies stand für Müntzer unmittelbar bevor – nach Dan. 7,27 das Schwert den Fürsten genommen und dem gläubigen Volke übergeben wurde. Die zutreffende Ausübung ihrer Kompetenzen zur Verchristlichung der Welt erleichterte jedoch den Fürsten das letzte Gericht, in dem Christus sie dann nur „gnediklichen zurbrechen"[45] werde. An eine Weiterexistenz des fürstlichen Amtes nach der chiliastischen Wende dachte Müntzer offensichtlich nicht.

Der Verweis auf Dan. 7,27 sollte 1523 noch kein Widerstandsrecht begründen, sondern nur die unausweichliche Entwicklung aufzeigen. Allerdings konkurrierte in dieser Zeit die Vorstellung der endzeitlich endgültigen Herrschaftsübertragung nach Dan. 7,27 noch mit einer anderen Konzeption, wenn Müntzer Röm. 13,3f und Dan. 7,27 kausal verknüpfte: Vernachlässigung der Amtsaufgaben führt zu Mandatsverlust zugunsten des „ynbrunstigen volkes"[46]. In dieser Zuordnung wurde es neben der Voraussetzung, daß dieses Volk der Auserwählten bereits vorhanden war, was Müntzer den Stolbergern wenig zuvor noch bestritten hatte, scheinbar von der subjektiven Entscheidung des Fürsten abhängig gemacht, die rasche Verwirklichung von Dan. 7,27 durch Amtsvergessenheit zu fördern oder aber sie zu behindern, indem er seine Amtsaufgaben wahrnahm und damit die unmittelbare Herrschaft des Volkes Gottes hinauszögerte bzw. selbst als Teil dieser Auserwählten amtierte. Offenbar sollte hier der Tyrannenbegriff eine zeitliche Überbrückungsfunktion ausüben. Der amtsvergessene Fürst verlor zwar seine göttliche Herrschaftslegitimation, regierte aber als Tyrann weiter und bildete in dieser Funktion das Volk Gottes durch Kreuz und Leiden erst heran; für die durch die Bedrückungen der Tyrannen geläuterten wahren Christen galt dann Dan. 7,27. Mißbrauch von Röm. 13,3f führte mithin zu Dan. 7,27, aber möglicherweise nicht sofort, und über das Wie der Herrschaftsübernahme – durch unmittelbares Eingreifen Gottes oder durch Legitimierung der Auserwählten zur Gewaltanwendung gegen den unchristlich gewordenen Fürsten – wurde nichts gesagt. Dieser Doppelaspekt von Dan. 7,27 gehörte seit Herbst 1523 zu den Wesensbestandteilen von Müntzers Obrigkeits- und Widerstandsdenken: Dan. 7,27 wird auf jeden Fall im göttlichen Heilsplan verwirklicht; Dan. 7,27 tritt bei Amtsversagen der Fürsten an die Stelle von Röm. 13,1–7.

Mit der Steigerung seines Endzeitbewußtseins gewann Müntzer um die Mitte des Jahres 1524 auch für seine Obrigkeitslehre eine neue Dimension. In den letzten Allstedter Wochen hat er sich eingehend mit den Problemen Obrigkeit und Widerstand auseinandergesetzt, in einem Zusammenhang, der bestimmt wurde einerseits von der apokalyptischen Gewißheit, daß die Zeit der Ernte da sei, die Welt sich völlig verändert habe,[47] andererseits von der konkreten Situation in Allstedt, insbesondere dem ungewissen Schicksal der Flüchtlinge. In diesem Kontext erörterte Müntzer für sich, die Fürsten und ihre Amtsträger sowie für die Untertanen die aktuellen Fragen und ihren theologischen Hintergrund.

Deutlicher als bisher arbeitete Müntzer unter dem Eindruck der glaubensverfolgenden Obrigkeit seine ambivalente Stellung zur Obrigkeit überhaupt heraus; der Bejahung eines Widerstandsrechts näherte er sich gleichwohl nur zögernd. Vor allem die Schreiben nach Sangerhausen[48] zeigen, wie weit er noch im Juli 1524 von einem aktiven Widerstandsrecht entfernt war, verstand er sich doch ausdrücklich als derjenige, der die durch die Verfolgung zu Gewaltanwendung Willigen noch zurückhielt.[49] Seine Ratschläge waren durchaus wittenbergkonform,[50] wenn er die Evangelischen von Sangerhausen aufforderte, dem landesfürstlichen Befehl, ihren Prediger zu entfernen, nicht zu folgen und sich auch zu weigern, dem Auslaufverbot zu gehorchen. Müntzer definierte das fürstliche Amt in diesem Zusammenhang durchaus im Sinne der Zweiregimentelehre. Die Kompetenzen waren klar verteilt: Die herrschaftliche Gewalt erstreckte sich nur auf den weltlichen Bereich, und hier sollten die Christen auch unrechtmäßigen Herrschaftsgebrauch, etwa bei rechtswidriger Steuererhebung, ohne Gegenwehr dulden; ein solches Verhalten war zugleich eine christliche Übung, sein Herz nicht an irdische Dinge zu hängen. Müntzer ging hier sehr weit und erwartete notfalls den Verzicht auf „leyb, gutt, hauß und hoff, kynder und weyber, vater und mutter sampt der ganzen welt".[51] Griff die Obrigkeit jedoch über ihren Zuständigkeitsbereich hinaus, wie beim Predigtverbot, trat die clausula Petri in Kraft. Ihre Folgen waren aber in passivem Ungehorsam und im Wortprotest zu ertragen, zumal Leiden um des Glaubens willen die eigene Läuterung zum wahren Christen förderte. Alles ist zu leiden, „allein behalt euer gewyssen frey und ledig".[52]

Der Wortprotest, wie Müntzer ihn von den verfolgten Christen von Sangerhausen als Mittel christlichen Verhaltens verlangte, bildete seither einen integralen Bestandteil der Widerstandslehre Müntzers. Müntzer hielt ihn für unmittelbar wirkungsvoll, denn nach seiner Überzeugung mußten unchristliche Obrigkeiten vor öffentlichen, auch im Druck verbreiteten Klagen zurückweichen; in der Vollmacht des Geistes ausgesprochene Drohungen mußten den Betroffenen einen „Gottesschrecken"[53] einjagen und ihre Aktivität lähmen oder sie zur Umkehr veranlassen.[54] Allerdings war er auch zuversichtlich, daß Gott bei offenem Bekenntnis seinen Gläubigen beistehen und die Verfolgung rächen werde, gewaltsamer Widerstand der Menschen war also unnötig.[55]

Wie im Vorjahr den Stolbergern deutete Müntzer auch den Sangerhausenern die glaubensverfolgende Obrigkeit als Tyrannen und als Strafe Gottes für ihren mangelhaften Glauben. „Darumb so last sie euch plagen", denn es geschah unter zwei Bedingungen: „. . . so lange es ynen Got gonnen wil und bys yr euer schuld erkennet."[56] Da die Tyrannen auch gegen ihren Willen der Verchristlichung der Welt dienten, sah Müntzer keinen Anlaß, die Verfolgten zu aktivem Widerstand gegen sie aufzurufen.

Zur Erfahrung von Allstedt gehörte für Müntzer aber nicht nur die unchristliche Obrigkeit, sondern auch die christliche, die sich freilich in seiner konkreten Situation auf die ernestinischen Fürsten reduzierte. Er bemühte sich um sie nicht nur, um den Einfluß Luthers abzuwehren, sondern auch, um ihr Handeln in der besonderen Lage Allstedts zu beeinflussen. Von der christlichen Obrigkeit verlangte Müntzer 1524 deutlich mehr als im Vorjahr vom Kurfürsten. Die Fürstenpredigt[57] wurde zu einer wichtigen Stufe bei der weiteren Entfaltung der Obrigkeits- und Widerstandslehre. Sie war weder ein Scheingefecht noch eine bloße Taktik, um den Beweis für das Nichtwollen der Obrigkeit zu führen und sich selbst in seinem a priori negativen Urteil bestätigt zu sehen, sondern Müntzer versuchte mit ihr ernsthaft, die „thewren veter von Sachssen"[58] für sein Obrigkeitsverständnis zu gewinnen. Daher wurde die Fürstenpredigt für beide Seiten zur wichtigen Erfahrung und Entscheidungshilfe: Die Fürsten lernten Müntzers theologisches Konzept kennen, Müntzer konnte das Selbstverständnis der Fürsten prüfen.

In der Fürstenpredigt gewann Müntzers Obrigkeitslehre eine neue Ausformung, die nicht zuletzt von einer präsentischen Endzeitgewißheit geprägt war. Mit ihr wandte sich Müntzer zum erstenmal seit Herbst 1523 wieder an seine zuständige Obrigkeit. Damals hatte er Friedrich den Weisen um Schutz gebeten, jetzt zeigte er den Weimarer Fürsten ihre Aufgaben in der Endzeit. In der Auslegung von Dan. 2 bildeten die dem fürstlichen Amt gewidmeten Abschnitte zwar umfangmäßig nur einen bescheidenen Teil, bestanden aber in einer eindringlichen Unterrichtung über den Gehorsam, den die Fürsten Gott schuldeten. Hatte sich Müntzer bisher vorwiegend mit der glaubensverfolgenden Obrigkeit auseinandergesetzt, ging es ihm nun um die Lehre von der christlichen Obrigkeit. Ihr wichtigster Bestandteil war 1524 die explizite Verwerfung der Zweiregimentelehre Luthers, die Müntzer als Kompromißtheologie ablehnte.[59] Hatte er noch kurz zuvor die lediglich weltliche Kompetenz der Obrigkeit herausgestellt,[60] so galt für die christlichen Obrigkeiten: Sie sind nicht „heydnische leuthe yres ampts halben". Ihre Aufgabe war es vielmehr, „Gottis gerechtigkeit" zu suchen und „die sache des evangelion tapffer" anzugreifen.[61]

Die Amtspflichten aus Röm. 13,3f, die der christlichen Obrigkeit „redlicher weyse und fuglich"[62] zustehen, erstreckte Müntzer 1524 weiter als bisher. Die Einsicht: „. . . ein gottloser mensch hat kein recht zcu leben, wo er die frumen vorhindert",[63] führte zur neuen Hauptaufgabe der christlichen Fürsten: Vernichtung der Gottlosen;[64] die Fürsten sollten sich nach dem alttestamentlichen Vorbild frommer, d. h. Gotteslästerung unterdrückender Fürsten · wie Jehu und Josia richten.[65] Müntzer verlangte Aktivität, die christliche Obrigkeit durfte nicht warten, ob Gott statt ihrer handelte. Passivität war Mißbrauch der Amtsgewalt.[66] In der Endzeitsituation galt keine Kompetenzabgrenzung – ob sie je gegolten hatte, blieb offen –, weder inhaltlicher Art gemäß der Zweiregimentelehre Luthers noch dem geographischen Herrschaftsbereich nach. Verteidigung der Frommen und Strafe der Gottlosen nach Röm. 13,3 f bedeutete für Müntzer in der Allstedter Situation 1524 durchaus auch ein Interventionsrecht in fremdes Territorium.[67] Daß mit einer solchen Intervention Bruch des Landfriedens und letztlich Sprengung der Reichsverfassung verbunden waren, ließ ihn offensichtlich unberührt. Der Schutz der Christenheit stand über positiv-rechtlichen Kategorien.[67a]

Nur wenig deutlicher als im Vorjahr entwickelte Müntzer 1524 das Alternativmodell der Herrschaft der Auserwählten bei Amtsversagen der christlichen Fürsten. Mißbrauch von Röm. 13,3 f setzte Dan. 7,27 in Kraft, ohne daß ein Automatismus konstruiert worden wäre. Dem Zweck der Predigt entsprechend, hat Müntzer die Widerstandslehre lediglich beiläufig angesprochen.[68] Nicht einmal der Träger der neuen Herrschaft wurde in diesem Zusammenhang ausdrücklich genannt.[69] Die Praxis der Herrschaftsablösung war nicht erwähnt, von Gewaltanwendung keine Rede, so daß eine Widerstandslehre aus der Fürstenpredigt nur sehr indirekt abgeleitet werden kann. Müntzer blieb im wesentlichen bei der Darlegung seiner Obrigkeitsvorstellungen stehen. Er ermutigte die Fürsten, die ihnen anvertraute Sorge für die Christenheit aktiv wahrzunehmen, indem er sie auf Gottes Beistand verwies. Zusätzlich gewährte er situativen Trost: Die Untertanen gottloser Obrigkeiten werden den evangelischen Fürsten beistehen. Eine vordergründige Erfolgsgarantie konnte es allerdings nicht geben – auch die Obrigkeit mußte durch Leiden und Kreuz bereitgemacht werden zum Glauben, Gottes Hilfe war nur um diesen Preis zu haben.[70] Das alttestamentliche Beispiel bot allerdings Trost: Der von Absalom vertriebene David blieb zuletzt Sieger.

Die Aufforderung an die Fürsten, ihren Amtsaufgaben nachzukommen, wurde ergänzt durch die Konzeption einer prinzipiellen Neuordnung der Beziehungen zwischen Obrigkeit und Untertanen und, damit verbunden, einer Neufundierung der Obrigkeit. Ein „getreulicher bund gotliches willes"[71] sollte das geltende Befehl-Gehorsams-Verhältnis ablösen; nur auf diese Weise konnte man „gotlicher weise zukunftigem aufrruhr begegnen".[72] Mit dem Bundesgedanken fügte Müntzer ein neues Element in seine Obrigkeits- und Widerstandslehre ein. Über die von ihm in Allstedt vorgenommenen Bundesgründungen ist wenig bekannt, noch weniger über die zahlreichen Verbündnisse, die es angeblich außerhalb Allstedts gab.[73] Wie weit Müntzer die Allstedter Zusammenschlüsse bewußt zur Ausübung von Widerstand angelegt hat, ist schwer zu sagen. Mindestens der erste Bund verstand sich als Schwureinung entschiedener Christen, die sich verpflichteten, „bei dem evangelio zu stehen",[74] die „erste reformatorische Form eines covenant", „eine Art endzeitlicher ‚Kerngemeinde'".[75] In der Erweiterung des Bundeszwecks auf den Schutz der evangelischen Predigt in Allstedt und vor allem auf den Schutz der Glaubensflüchtlinge war dann zwar durchaus ein Ansatz zum Widerstandsrecht gegeben, gegründet auf die Solidarität der christlichen Brüder, nur war dieser Ansatz kaum formuliert. Müntzer ließ lediglich wissen, daß ein Bund zwischen frommen Amtleuten und dem gemeinen Mann „nicht anderst den eyne nothwere" gegen die glaubensverfolgenden Tyrannen sei, um diese von Gewalt abzuhalten, „welche nymant geweygert wyrt nach dem natürlichen ortheil aller vornunftigen menschen". Sein Vertrauen durfte ohnehin niemand auf einen solchen Bund setzen. Mit dem Massencharakter mußte zudem der Grundgedanke des Zusammenschlusses der entschiedenen Christen fragwürdig werden, Müntzer ging selbst davon aus, daß sich auch „dye bosen" unter den Mitgliedern befänden.[76]

Der Vorschlag, nach der Präfiguration des Josiabundes einen Bund zwischen frommen Fürsten und frommen Untertanen abzuschließen, erging vor dem Hintergrund der Verschärfung der Exulantenfrage, insbesondere nach Verbreitung des Gerüchts, daß die Glaubensflüchtlinge ausgeliefert werden sollten. Müntzer stellte die Umformung des Obrigkeitsverständnisses, wie sie im Bundesgedanken zum Ausdruck kommt, in den apokalyptischen Zusammenhang. Prämisse aller Handlungsanleitungen ist die gegenwärtige Veränderung der Welt.[77] Damit waren auch die bisherigen rechtlichen Zuständigkeiten, die „pflicht und eyde der heydenschaft",[78] umgestoßen und die christlichen Obrigkeiten aufgerufen, sich neu zu orientieren. Eine Berufung auf den „alten gebrauch der ampter der fursten und yrer pfleger,"[79] auf bisherige Rechtsverhältnisse – von Müntzer als „alte kramanzen"[80] abgewertet –, war nicht mehr möglich. Das hieß zugleich: Luther paßt nicht mehr in die Zeit. Ob diese alten Zuständigkeiten je Geltung besessen hatten, blieb wiederum offen; nach der Ablehnung der Kompetenzverteilung gemäß der Zweiregimentelehre Luthers in der Fürstenpredigt war dies für die christliche Obrigkeit auch vorher nicht der Fall gewesen. Auslieferung der Glaubensflüchtlinge war jedenfalls ein Handeln nach altem Amtsverständnis und verstieß gegen die Pflichten des christlichen Fürsten.[81]

Müntzer argumentierte an diesem Punkt in doppelter Weise: normales Recht und neues Amtsverständnis. Eine Auslieferung war weder durch das natürliche noch durch das positive Recht gedeckt, da die Gegner selbst den Landfrieden gebrochen hatten.[82] Außerdem aber war die christliche Obrigkeit aufgefordert, ihre Herrschafts- und damit auch ihre Rechtsvorstellungen prinzipiell zu ändern und in einem „getreulichen bund gotliches willes"[83] die bisherigen politischen und rechtlichen Kategorien ihres Handelns zu überwinden. Beitritt der frommen Amtleute zum Bund bzw. Wiederholung des Josiabundes von Fürst und Volk mit Gott bedeutete vor allem die aktive Solidarisierung der Obrigkeit mit ihren nach dem Wort Gottes verlangenden Untertanen; denn letzter Zweck des Bundes war die Schaffung von Freiraum für das Wirken des Evangeliums. Die Beseitigung sozialer Nöte wurde daher als Bundeszweck ausgeschlossen, der Bund war „alleyne umbs evangelion willen"[84] eingegangen worden.

Die konkreten Vorstellungen, die er mit dieser Änderung der Beziehungen von Obrigkeit und Untertanen verband, ließ Müntzer offen. Die Obrigkeitsfunktion als solche blieb offensichtlich erhalten, nur ihre Pflichten waren deutlicher bestimmt: Solidarität mit den Verfolgten und Wendung gegen die Gottlosen. Die Bedrohung der Gottlosen versprach sich Müntzer zunächst schon von der Herstellung einer Art bewaffneten Gleichgewichts: „... eyn swert [muß] das ander in der scheyden behalten",[85] so daß durch die bloße Existenz des Bundes die Gottlosen in Schrecken versetzt und von der Glaubensverfolgung ablassen werden. Aber Müntzer blieb nicht bei diesem defensiven Zweck stehen, sondern verlangte Aktivität: die Ausrottung der Glaubensfeinde „wye dye wutenden hunde".[86] Diese Aufgabe mußte für die Ernestiner ein Hinausgreifen über ihren Herrschaftsbereich, in dem es Evangeliumsverfolger nicht gab, bedeuten, so daß an diesem Punkt die apokalyptische Dimension von Müntzers Bundestheologie jenseits jeder Obrigkeits- und Widerstandslehre deutlich wurde. Das eigentliche Ziel Müntzers war nicht die eher pragmatische Notwehrorganisation zum Schutz der frommen Untertanen und zur Abwehr der gottlosen Herren, sondern der Bund als Gemeinschaft der Auserwählten zur Reinigung der Christenheit.

Im Zusammenhang seiner Bundeskonzeption hat Müntzer auch seine Widerstandslehre in Richtung auf ein Widerstandsrecht der Untertanen weiterentwickelt. Unter dem Eindruck des Überfalls Friedrich von Witzlebens auf das Dorf Schönwerda hat Müntzer in der sogenannten Bundespredigt am 24. Juli 1524 über 2. Kön. 22 f die Untertanen unmittelbar zur defensven Gewaltanwendung aufgefordert: „Wue die gewalt (sc. die gottlosen Herren) ir schwert zuge, das sie (sc. die Untertanen) ir schwerdt auch ruckt und weiset"; dies sei von Gott erlaubt.[87] Wenn die Predigtaussage korrekt überliefert ist, war damit ein entscheidender Schritt über den Rat an die Brüder in Stolberg und die verfolgten Sangerhausener Christen hinaus getan. Zwar nahm Müntzer die sächsischen Fürsten ausdrücklich aus, wenn er auch ihren Mangel an Aktivität tadelte,[88] für die anderen, und das waren die glaubensverfolgenden Tyrannen, galt jedoch: „Do hat yhr gewalt auch eyn ende, sye wyrt in kurzer zeyt dem gemeinen volk gegeben werden."[89] Da es sich bei dieser Herrschaftsübernahme nach Dan 7,27 aber nicht um einen partiellen, geographisch beschränkten Akt handeln konnte, mußte Müntzer die christliche Obrigkeit in diesem Zusammenhang unter die Auserwählten einordnen. Dagegen galt die Drohung auch für die vermeintlich christlichen Fürsten, die sich durch Passivität mit den Glaubensverfolgern solidarisierten. Ohne ausdrücklich ein Widerstandsrecht zu proklamieren, stand für Müntzer fest: „wyrt der gemeine frid auch untergehen",[90] wenn die Untat des von Witzleben nicht bestraft werde, was nur durch bewaffnete Intervention unter Mißachtung von Rechtsvorschriften geschehen konnte. Den Aufstand der Untertanen gegen ihre Herren, hervorgerufen durch Glaubensverfolgung oder durch Vertrauensverlust wegen mangelnden Vorgehens gegen Verfolger,[91] sah Müntzer zu dieser Zeit noch eher mit Schrecken: „Do ist der orthsprung alles todschlahens also erbermlich ... anzusehen, das eynem bylliche das herz vor angst zyttert."[92] Eine Notwehrsituation war jedoch offenkundig gegeben: Widerstand gegen Glaubensverfolgung bei Versagen der eigentlich für den Schutz zuständigen christlichen Fürsten.

Den damaligen Stand seiner Obrigkeits- und Widerstandslehre hat Müntzer im Appell an Friedrich den Weisen vom 3. August 1524 zusammengefaßt, auch wenn seine eigenen Vorstellungen nur im Umkehrschluß aus der Polemik gegen Luthers Lehre vom Leidensgehorsam zu erheben sind. Insgesamt blieb Müntzer dem Kurfürsten gegenüber jedoch gemäßigt. Für Amtsvergessenheit im Verzicht auf Abwehr der Glaubensverfolgung drohte er zwar mit dem Untergang der Herrschaft nach dem alttestamentlichen Beispiel Jos. 11, verband dies aber nicht ausdrücklich mit Dan. 7,27. Von einem Widerstandsrecht des Volkes war mithin auch bei diesem Anlaß keine Rede.

IV Zwischen Allstedt und dem Bauernkrieg

Müntzers letzte Probe auf die Christlichkeit seiner Landesherren, von denen sich die Weimarer Instanzen durch ihre Anordnungen nach dem Verhör Ende Juli 1524 bereits unter die unchristlichen Obrigkeiten eingereiht hatten, bestand in der Bitte, ihm die Verteidigung gegen Luther zu ermöglichen und das Predigen nicht zu verbieten. Da er die Antwort nicht abwartete, schloß seine Allstedter Zeit mit der Erfahrung, daß die Ernestiner bei ihrer bisherigen Haltung des Abwartens blieben und nicht zur Aktivität im Dienste Gottes zu bewegen waren.[93] Damit vereinfachte sich Müntzers Obrigkeitslehre und entsprechend auch seine Lehre vom Widerstand. Bisher hatte es für ihn christliche und unchristliche Obrigkeiten gegeben, jetzt zog er die Konsequenz aus der Weigerung Friedrichs und Johanns von Sachsen, seinen theologischen Weg mitzugehen, und folgerte: Alle bestehende Obrigkeit ist gottlos, sie hat deshalb kein Recht, zu herrschen und Gehorsam zu verlangen. „... eyn christe [sol] den andern nicht also ganz gemmerlich auf dye fleyschbank opfern ..., und so dye grossen hense das nicht lassen wollen, sol man yhn das regiment nemen."[94]

Daneben hielt jedoch Müntzer übergangsweise an seinen bisherigen Positionen fest und differenzierte weiterhin zwischen christlicher, rechtmäßiger Herrschaft, die ihre Aufgabe erkannte, die Evangeliumspredigt zu unterstützen und zu fördern, und Tyrannei, die das Evangelium bekämpfte. Nur besaß die christliche Obrigkeit keinen Personalbezug mehr, nachdem die Ernestiner sich versagt hatten, so daß Müntzer seither zwischen zwei Obrigkeitskonzeptionen schwankte: christliche Verpflichtung nach Röm. 13,3f und widergöttliche Grundlegung nach 1. Sam. 8,7–18.[95] Mit der biblischen Neufundierung der fürstlichen Stellung auf 1. Sam. 8,7–18 erfuhr Müntzers Obrigkeitslehre eine grundsätzlich veränderte Bedeutung: das Königtum als Folge des Abfalls von Gott, Obrigkeit damit als widergöttliche Einrichtung, von Gott zugelassen in seinem Zorn gemäß Hos. 13,11, Abfall von Gott zu den Kreaturen in der Verkehrung der Prioritäten, mithin Menschenfurcht vor Gottesfurcht. Müntzer hatte das alttestamentliche Allegat bisher nur gelegentlich zur Beschreibung des tyrannischen Wütens verwendet, nicht für die Begründung obrigkeitlicher Stellung überhaupt.[96] Nachdem sich aber in Allstedt herausgestellt hatte, daß alle bestehende Obrigkeit unchristlich war, erstreckte sich der Anwendungsbereich weiter.

Den Konsequenzen aus dem Obrigkeitsverständnis näherte sich Müntzer jedoch nur zögernd. Die „Ausgedrückte Entblößung des falschen Glaubens der ungetreuen Welt" und die „Hochverursachte Schutzrede und Antwort wider das geistlose, sanftlebende Fleisch zu Wittenberg" zeigen eindringlich, wie widerstrebend er sich von der Vorstellung der christlichen Obrigkeit löste, jedenfalls soweit es seine bisherigen Landesherren betraf. Dennoch war ihm seit seiner Flucht aus Allstedt die Existenz von Obrigkeit prinzipiell identisch mit der Deklaration des Abfalls von Gott und dem Vorherrschen kreatürlicher Furcht. Obrigkeit als Herrschaft von Menschen über Menschen existierte mithin nur so lange, als falsche Prioritäten bestanden und Menschengehorsam vor Gottesgehorsam rangierte. Sie wurde in dem Augenblick unnötig, in dem es Christen gab, die die kreatürliche Furcht überwunden hatten und die richtige Reihenfolge des Gehorsams herstellten. In dieser Vorstellung unterschied sich Müntzer nicht grundsätzlich von Luther, für den gleichfalls die menschliche Obrigkeit überflüssig war, wenn die Welt aus Christen bestand. Die entscheidende Differenz zwischen beiden lag in der Realisierbarkeit der Verchristlichung der Welt, die Müntzer, seinem apokalyptischen Weltverständnis folgend, für möglich hielt, während für Luther die Christen weit auseinander wohnten.[97]

Das düstere Bild der Obrigkeit als Hindernis für den Glauben hat Müntzer bei der Erörterung der obrigkeitlichen Funktionen allerdings nicht zur Gänze beibehalten. Unter der Prämisse der Gottesferne aller Obrigkeit differenzierte er weiterhin und bis zum Schluß deutlich. Generell galt die Charakterisierung aller Obrigkeit nach 1. Sam. 8,7–18 und Hos. 13,11 als glaubenshindernd oder glaubensverfolgend.[98] Ihr Muster ist die Herrschaft des Herodes,[99] sie sind nichts als „hencker und bu(e)ttel"[100], d. h., sie leben nach einem lediglich weltlichheidnischen Amtsverständnis und sorgen, indem sie Furcht vor ihrer, nicht vor Gottes Macht verbreiten, für das Zurücktreten des Gottesgehorsams hinter den Menschengehorsam. Zur glaubensverhindernden Aktivität der Obrigkeit gehört auch die soziale Not des Volkes, die Ausbeutung des armen und gemeinen Mannes, die diesen nicht zum Glauben kommen läßt und damit den falschen Schriftgelehrten ausliefert.[101]

Neben dieser durch die Allstedter Erfahrungen gewonnenen Auffassung von Obrigkeit steht bei Müntzer aber nach wie vor die Vorstellung von der sich als christlich ausgebenden

Obrigkeit.[102] Diese Fürsten unterschieden sich von den glaubensverfolgenden Tyrannen, waren ihnen aber doch auch wieder gleich, denn sie wollten nur die heidnischen Pflichten und Ämter nach der Zweiregimentekonzeption wahrnehmen, obwohl sie damit ihre eigentliche Amtsaufgabe vernachlässigten, die Fürsorge für die Christenheit – in Müntzers Wortspiel: die Fürsten als Fürsteher.[103] Müntzer sprach ihnen also nicht von vornherein den Glauben ab; dieser war aber oberflächlich und damit eigentlich doch nicht vorhanden, da er sich nicht mit der Bereitschaft verband, das fürstliche Amt für den Glauben in Pflicht zu nehmen. Die sich als Christen verstehenden Fürsten fürchteten sich, richtig zu handeln, und fielen daher bei Gefahr vom Glauben ab, schwankten und beriefen sich auf ihr vermeintlich nur weltliches Amt. Damit zeigten sie „am allerho(e)chsten iren unglauben".[104] An die ernestinischen Fürsten erging in diesem Zusammenhang der konkrete Vorwurf, sie verteidigten ihre gläubigen Untertanen nicht, wenn diese von unchristlichen Nachbarn verfolgt würden. Müntzer muß dabei vor allem an sich selbst gedacht haben, denn der Vorwurf der Nichtverteidigung der Untertanen konnte sich nicht auf die Glaubensflüchtlinge und ihre mögliche Auslieferung beziehen, da es sich bei ihnen nicht um ernestinische Untertanen handelte. Mithin wurde in äußerster Zuspitzung des Problems die Stellung zu Müntzers Person und seiner Theologie zum Prüfstein für die Christlichkeit der Fürsten.[105]

Mit dem Rückzug auf den weltlichen Teil ihrer Amtspflichten wurden die angeblich christlichen Fürsten selbst zu Glaubensverfolgern und damit auch zu Gottlosen. Indem sie ihren eigentlichen Pflichten nicht nachkamen, verletzten sie ihre Aufgaben auch im weltlichen Bereich: „Meynst du, daß ein gantz landt nit wayß, wie sye schirmen oder schützen?"[106] Allerdings, und damit wurde der Bogen zur Fürstenpredigt, in der sich Müntzer den sächsischen Fürsten als Berater empfohlen hatte, geschlagen, entfiel der größere Teil der Schuld für das falsche Amtsverständnis und für den Rückzug aus der Verantwortung für die Christenheit in Müntzers Sicht auf die falschen geistlichen Berater, die den Fürsten mit der Zweiregimentelehre einen bequemen Ausweg aus der Gefahr eröffneten. Zum falschen Amtsverständnis gehörte es daher kausal, „Sant Peter und Paul zu(o) pütteln [zu] machen", d. h. die neutestamentlichen Obrigkeitsvorstellungen auf eine weltliche Zuständigkeit – „diebhencker"[107] – zu reduzieren.

In den Kontext der bisherigen Obrigkeitsvorstellung Müntzers gehörte auch die Frage nach dem Sinn der schlechten Obrigkeit, die ja die Existenz auch einer andersgearteten voraussetzte. Müntzer erklärte die böse Obrigkeit in der „Ausgedrückten Entblößung..." wie in der „Hochverursachten Schutzrede..." wie bisher als Strafe Gottes für die Sünde;[108] sie bestand so lange, bis die Untertanen den Sinn der Strafe erkannten, d. h. durch Leiden und Läuterung zu wahren Christen geworden waren. In einem Zeitpunkt, zu dem das Volk der Strafe nicht mehr bedurfte, wurde die Obrigkeit dann zu einem „schadlichen staubbessem",[109] der nichts mehr nützte, sondern nur noch schadete.

Die Konsequenzen aus der gespaltenen Obrigkeitsvorstellung zog Müntzer auch nach der Erfahrung von Allstedt 1524 nicht; eine eindeutige Widerstandslehre hat er auch damals nicht entwickelt. Aus seinen Äußerungen ist sehr viel deutlicher zu erheben, was er ablehnte, als wie er es beseitigen und was er an seine Stelle setzen wollte. Allerdings verwarf er die prinzipielle Gewaltlosigkeit aus der Haltung des Leidensgehorsams eindeutig, ebenso lehnte er Luthers Forderung ab, „auch die unvernu(e)nfftigen regenten in ehren [zu] halten, wiewol sie wider alle billigkeyt streben und Gottes wort nit annemen".[110] Für ihn stand nach Allstedt solcher Gehorsam mit dem Glauben in Widerspruch. Während Luther Glauben und weltlichen Gehorsam für vereinbar hielt, forderte Müntzer Entscheidung unter Berufung auf Matth 6,24.[111] Darauf zu warten, daß Gott die Fürsten richten werde, hielt er für unbiblisch;[112] die unchristlichen Fürsten unterdessen wüten zu lassen, „wer ein groß verderb-nuß".[113] Der Gottlose durfte das Herrschaftsmandat und die Gehorsamsforderung nicht in Anspruch nehmen, da er in der Verfolgung der Frommen den göttlichen Auftrag verfehlte. Das Schwert durfte nur im Dienste Gottes geführt werden; wer aus Gottlosigkeit oder aus Feigheit sich dieser Aufgabe versagte, verlor seine Amtslegitimation. Amtsverletzer traf die Strafe von 4. Mose 25,4.

An dieser Stelle von Müntzers Obrigkeitslehre war dann der Ort für die Konzeption der Herrschaftsübertragung nach Dan. 7,27 bzw., dem Kontext der „Ausgedrückten Ent-blößung..." entsprechend, nach Luk. 1,52. Diese Herrschaftsübertragung ist verbunden mit der Sonderung der Frommen von den Gottlosen. Nur noch die Armen und nicht vom Egois-mus Besessenen haben den bewährten Glauben. Bezeichnend für die Austauschbarkeit der Begriffe „arm" und „auserwählt" ist die Textänderung in der „Ausgedrückten Entblö-ßung..."; „die ausserwelten" der Erstfassung erschienen im Druck als „die armen du(e)rffti-gen leu(e)t".[114] Nicht im Sinne vordergründig politischer Herrschaftsübertragung konnte allerdings die Schlußwendung der „Hochverursachten Schutzrede..." verstanden werden: „...das volck wirdt frey werden und Got will allayn der herr daruber sein"; denn aus dem lateinischen Text „populus dei liberabitur a tyrannide tua" ging eindeutig hervor, daß ein Freiwerden von der Tyrannei der Schriftgelehrten gemeint war.[115]

Trotz des Hinweises auf die Herrschaftsablösung und -übertragung und trotz der Überzeu-gung von der Vorläufigkeit oder sogar Verwerflichkeit jeder obrigkeitlichen Ordnung ver-wahrte sich Müntzer auch noch 1524 gegen den von Luther erhobenen Vorwurf der Auf-ruhrpredigt.[116] Er begnügte sich mit einer Bemerkung über „fu(e)gliche empo(e)rung" im Gegensatz zum „auffru(o)r",[117] setzte aber die Kriterien nicht fest und definierte die „fügli-che Empörung" nicht. Ausdrücklich verwies Müntzer vielmehr auf die Fürstenpredigt, in der er die Herren auf ihr Schwertamt aufmerksam gemacht habe, „daß sye es solten brau-chen, auff das nit empo(e)rung erwüchsse",[118] d. h. ein Aufstand wegen ihrer Untätigkeit. Eine Rechtfertigung zum Widerstand ließ sich hieraus nur indirekt ableiten. Die von ihm befürchtete „Empörung" war offensichlich nicht identisch mit der Verwirklichung von Dan. 7,27.[119]

Verstand Müntzer in der „Ausgedrückten Entblößung..." und in der „Hochverursachten Schutzrede..." die obrigkeitssanktionierenden Allegate und Dan. 7,27 alternativ, so rückte er in Verteidigung gegen den Vorwurf der Aufruhrpredigt in der „Hochverursachten Schutz-rede..." Fürst und Volk in eine parallele und fast gleichberechtigte Stellung.[120] Diese Kon-struktion ist in Müntzers politischer Theologie singulär und sah von der apokalyptischen Wende von Röm. 13,3 f zu Dan. 7,27 ab. Dabei stimmte die Feststellung, die Fürsten seien Diener, nicht Herren des Schwertes, mit seinen bisherigen Auskünften überein; neu war dagegen die Feststellung, daß das Volk neben dem Fürsten – nicht anstatt seiner – die Schwertgewalt besaß. In nicht sehr klarer Zusammenordnung führte Müntzer neben Dan. 7,27 und 1. Sam. 8,7–18 Offb. 6,15 und Röm. 13,1–7 an, um eine Mitzuständigkeit der Untertanen zu begründen, und verwies zur Illustration auf den alten Rechtsbrauch, dem-zufolge die Gemeinde als „Umstand" dem Urteil der Großen zustimmen mußte,[121] was jetzt in Vergessenheit geraten sei.[122] Es scheint hier, als wollte er im Zustand der Vorläufigkeit vor der definitiven Herrschaftsablösung der Gesamtheit der Untertanen – „ein gantze gemayn"[123] – ein Aufsichts- und Revisionsrecht über Entscheidungen und Schwertgebrauch der Fürsten reservieren. Für ein Widerstandsrecht gab das deduzierte Kontroll- und konkurrierende Recht allerdings unmittelbar nichts her, zumal jede Aufforderung, dieses verlorengegangene Recht zurückzufordern und auszunutzen, um die gottlosen Fürsten zu entmachten, fehlte.[124]

An den bisherigen ambivalenten Positionen in der Obrigkeits- und Widerstandsfrage hat Müntzer auch im Konflikt zwischen Ratspartei und Bürgern in Mühlhausen, in den er im September 1524 eingriff, festgehalten.[125] Der Rat sollte nach seinem Vorschlag durch die Gemeinde brüderlich ermahnt werden, sein eigennütziges Regiment aufzugeben; falls dies nicht zum Ziele führte, riet Müntzer keineswegs zur Gewaltanwendung, sondern zum Wortprotest in göttlicher Vollmacht,[126] um Zeugnis für den eigenen Glauben abzulegen und die Obrigkeit, die das Wort Gottes und seine Prediger verfolge, anzuklagen. Wieder erscheint die Vorstellung des „Gottesschreckens",[127] der die gegnerischen Aktivitäten lähmen wird. Ob und inwiefern sich daraus eine reale Änderung der Herrschaftsverhältnisse ergeben konnte, ließ Müntzer unbeantwortet.

Daß Müntzer die Frage „de magistratu ... et de regno Christi" auch weiterhin beschäftigte, zeigt seine Unterredung mit Johannes Oekolampad Ende 1524 in Basel.[128] Soviel dem kurzen nachträglichen Bericht Oekolampads zu entnehmen ist, hat Müntzer dem strikt auf Röm. 13,1–7 aufbauenden Verständnis von Obrigkeit, „divina ordinatione ad coercendos malos datum et observandum", wie es Oekolampad vortrug, das Recht der „plebs" entgegengesetzt, die Obrigkeit an ihre Pflicht zu erinnern und sie zur richtigen Amtsausübung zu veranlassen.[129] Möglicherweise ist er in diesem Zusammenhang auch für Gehorsamsverweigerung und Vorgehen gegen die amtsvergessene Obrigkeit eingetreten, da Oekolampad im Gegenzug auf die Gehorsamspflicht bis zur clausula Petri hinwies. „Domini est transferre regna", wenn nicht das Volk ein Wahl- und Absetzungsrecht hat. „Videbatur [Müntzer] et huic responso non prorsus subscribere." Die dringende Mahnung Oekolampads, sich auf die Verkündigung zu beschränken und die weltlichen Angelegenheiten den dazu Befugten zu überlassen, war bei Müntzers Verständnis von der Aufgabe des Predigers von vornherein wirkungslos.

V Im Thüringer Aufstand

Die Ereignisse von 1525 führten zu einer letzten Entwicklungsstufe von Müntzers Obrigkeits- und Widerstandslehre. Als Müntzer vor dem Mühlhausener Aufgebot am 9. März 1525 eine Predigt hielt, versuchte er, die Anwesenden zu einer Schwurgemeinschaft zusammenzufassen. Das vorgesehene Versprechen, beim Wort Gottes zu bleiben, ging noch nicht über die Allstedter Bundesformel von 1523/24 hinaus und enthielt explizit keinerlei Verpflichtung zum Kampf gegen die Tyrannen und zur Vernichtung der Gottlosen.[130] Wenn Müntzer allerdings unter Bezug auf ein Mandat des Reichsregiments an Mühlhausen wegen des Bilder- und Klostersturms zur Befolgung von Matth. 22,21 mahnte, traf der Berichterstatter, wenn er überhaupt zutreffend referierte, sicher das Richtige: „Es soll aber seyn ernstliche meynunge nit gewest seyn." Zum bewaffneten Kampf gegen die glaubensverfolgenden Herren hat Müntzer auch in diesem Zusammenhang offensichtlich nicht aufgerufen, im Gegenteil Widerstand geradezu für überflüssig erklärt, denn Kaiser und Fürsten, die das Evangelium unterdrückten, würden „in korzer zeyt von irn eygen leuten vortriben".[131]

Da Müntzers Vorhaben der Schwureinung am Stadthauptmann scheiterte, blieb der Mühlhausener „Ewige Bund Gottes" der einzige Zusammenschluß, der Müntzer als etwaige Verkörperung des Volkes der Auserwählten nach Dan. 7,27 dienen konnte.[132] Die Ablösung der bisherigen Stadtregierung durch die Einsetzung des Ewigen Rats konnte insofern für die weitere Ausbildung seiner Widerstandslehre wichtig werden, als damit zum erstenmal – und zwar ohne Gewaltanwendung – eine unchristliche Obrigkeit beseitigt worden war. Was dieser Umsturz in Müntzers Sicht konkret bedeutete, bleibt unklar. Es erscheint ausgeschlossen, daß er angenommen hat, mit dem Ratswechsel in Mühlhausen auf einem geographisch derart beschränkten Raum die Herrschaft der Auserwählten Gottes nach Dan. 7,27 errichtet zu haben.

Der Anstoß zur Verwirklichung des danielischen Herrschaftswechsels kam für Müntzer bezeichnenderweise von außen. Er verstand die von Südwestdeutschland nach Thüringen fortschreitenden Bauernaufstände als Zeichen Gottes, daß jetzt der in Dan. 7,27 prophezeite Augenblick der Herrschaftsübertragung gekommen sei. Er nahm damit in apokalyptischer Ausdeutung der Situation den Bauernkrieg für seine Vorstellungen in Dienst, ohne nach den Intentionen der beteiligten Aufständischen zu fragen. Mithin ist der Bauernkrieg für die letzte Ausformung von Müntzers politischer Theologie von entscheidender Wichtigkeit.[133] Bis zum April 1525 hatte er auf eigene Aktivitäten zur Verwirklichung von Dan. 7,27 verzichtet und trotz aller Kritik an den Fürsten keine Widerstandslehre formuliert, keine konkreten Handlungsanleitungen jenseits des Wortprotests gegeben. Jetzt aber hatte Gott selbst das Zeichen zur Ernte gegeben, und entsprechend mahnte Müntzer die Allstedter: „. . . haltet eure bruder alle darzu, das sie gottlichs gezeugnus nicht vorspotten, . . .“[134] Seine Erwartungen und Verheißungen erfüllten sich: Das Ende der bisherigen Herrschaft war gekommen, das Strafgericht Gottes über die Gottlosen begann. Dieser Reaktion auf den Volksaufstand lag die Überzeugung zugrunde, jetzt als Werkzeug Gottes handeln zu müssen, keineswegs das bloße taktische Kalkül, abzuwarten, bis die militärische Lage ein Vorgehen erlaubte.

Die Situationsanalyse – der Bauernkrieg als Verwirklichung von Dan. 7,27 – führte konsequenterweise ein neues Element in Müntzers Widerstandslehre ein, die Widerstandspflicht. Allerdings ist Müntzers religiös-politisches Denken in jenen Wochen überhaupt nicht mehr mit dem Rechtsbegriff Widerstand zu fassen, denn es ging 1525 nicht um Abwehr, sondern um aktives Vorgehen in apokalyptischen Dimensionen. Das von Müntzer 1525 verlangte Handeln sollte nicht der Wiederherstellung oder Bewahrung eines bisherigen Rechtszustands dienen, sondern der Herbeiführung einer ganz neuen Ordnung.[135] Die Auserwählten hatten die Aufgabe, die vom Glauben abgefallenen und das Evangelium verfolgenden Obrigkeiten zu vernichten. „. . ., fanget an und streytet den streyth des Herren!“[136] Die Pflicht zu handeln ergab sich aus dem Streitgegenstand, der Sache des Evangeliums und dem Freiraum für den Glauben. Solange die gottlosen Obrigkeiten regierten, waren die Christen nicht von kreatürlicher Furcht frei, so daß ihnen das Wort Gottes nicht gepredigt werden konnte – aus dieser lange zurückliegenden Einsicht zog Müntzer jetzt Folgerungen. Die Amtsbestimmung des Fürsten und die Gehorsamspflicht der Untertanen nach Röm. 13,1–7 wurden jetzt endgültig durch die endzeitlichen Aussagen beider Testamente über Bestrafung der Großen und Könige, Umkehr und Reue des Volkes Gottes, das keine Obrigkeit mehr brauchte, schließlich durch Warnung vor falschen Propheten beleuchtet. Die apokalyptische Deutung der gegenwärtigen Auseinandersetzung machte rationale politische, rechtliche oder soziale Argumentationen und Begründungen überflüssig.

Allerdings stieß Müntzers Einpassung des Bauernkriegs in seine Lehre vom Widerstand gegen die gottlose Obrigkeit in der Realität mit den Interessen der Insurgenten zusammen. Er mußte, um seine Situationsanalyse zu rechtfertigen, in den Zügen des Mühlhausener Haufens den Kampf der Gottesstreiter sehen, die bewaffneten Thüringer Bauern als die kleine Schar Gideons deuten, als das Volk der Auserwählten nach Dan. 7,27. Obwohl er durchaus erkannte, daß im Haufen „viel ein grober volk“ war,[137] verstand er den Plünderungszug dennoch als Bestandteil des Strafgerichts Gottes an den Gottlosen; es war eine besondere Güte Gottes, daß er „die seinen also freuntlich lest dye widersacher peynigen allein am guthe“.[138]

das als Mittel zur Unterdrückung des Glaubens gedient hatte. Offensichtlich ersetzte diese Strafe die eigentlich fällige Ausrottung, die überflüssig wurde, wenn den Gottlosen ihre Machtinstrumente genommen wurden. Müntzer selbst wurde zum Sprecher des danielischen Volkes, das, Luk. 1,52 erfüllend, die Herren vom Stuhle stieß, „mit gewalt uns gegeben"[139].

Erstmals forderte Müntzer im Bauernkrieg zu aktiver Gewaltanwendung auf und praktizierte damit seine neue Auffassung von Widerstandsrecht und -pflicht. „..., gemeiner christenheyt czu helffen, wydder dye gotloßen und boßewychtischen tyrannen ... zustreyten",[140] war die Aufgabe. „Nachdem Gott ytzt dye ganze welt sonderlich fast bewegt zu erkentnus gottlicher warheit",[141] konnte es keine Obrigkeit mehr geben, das fürstliche Amt war aufgehoben durch Dan. 7,27. Wo in den von Müntzer zur Legitimation verwendeten Schriftallegaten – insbesondere Hes. 34 und 39 – von Gottes Handeln die Rede war, verband er dies mit Dan. 7,27 und leitete aus ihnen einen Befehl Gottes an seine Gläubigen ab, für ihn zu kämpfen.[142] Aus dieser Legitimation als Willensvollstrecker Gottes rührte die Siegeszuversicht Müntzers. Die Kraft Gottes konnte „eyn yder vorsichtygen augen greyffen"; „..., Gott gehet euch vor, volget, volget!"[143]

Auf seine Stellung zur vorhandenen Obrigkeit wirkte sich Müntzers Widerstandslehre in ihrer durch den Bauernkrieg verursachten Ausprägung unterschiedlich aus. Auch nach Anbruch der Endzeit gab es in der Praxis offensichtlich noch obrigkeitliche Funktionen, allerdings jetzt innerhalb der Herrschaft der Auserwählten. Die Verpflichtungen des anschlußwilligen thüringischen Adels zeigen, in welchem Rahmen obrigkeitliches Amt noch möglich war.[144] Die Herrenordnung war abgelöst worden durch die Gemeinde christlicher Brüder, in der die Fürsten lediglich ein Vorsteheramt, eine Leitungsfunktion ausübten; sie waren gewissermaßen die Ältesten innerhalb der chiliastischen Brüderordnung. Günther von Schwarzburg erschien demgemäß als „vorsteher christlicher gemeinde im Schwartzburger lande", als „lieber bruder".[145]

Bedingung für die Aufnahme in die antiobrigkeitliche Vereinigung war der Herrschafts- und Privilegienverzicht. Müntzer verlangte öffentliches Bekenntnis, wenn zuvor das Evangelium verfolgt worden war,[146] und Freiraum sowie Unterstützung für die Predigt; der Artikelbrief, dessen Inhalt vermutlich zum geringsten Teil auf Müntzer zurückging, sondern von den realen Interessen der Aufständischen bestimmt war, stellte außerdem die im Bauernkrieg üblichen Forderungen auf: Freigabe der Schöpfungsgüter sowie Abbruch der Schlösser. Auf Müntzer könnte die Bedingung zurückgehen, die großen Titel abzulegen, um „gott allein die ehre" zu geben.[147] Die Zusage an die Herren, das Kirchengut und etwa verpfändeten Besitz zu erhalten, macht deutlich, daß die bisherigen Obrigkeiten ihre Rechte mindestens auf materiellem Gebiet nicht völlig einbüßten und Müntzer die Brüderordnung nicht konsequent durchsetzen konnte.[148]

Gegenüber der tyrannischen Obrigkeit gab es für Müntzer kein Entgegenkommen.[149] Wenn Albrecht von Mansfeld den Frankenhausener Haufen ganz im Sinne Luthers mit der Zweiregimentelehre und den neutestamentlichen Obrigkeitstopoi zum Gehorsam ermahnt hatte, argumentierte Müntzer im Gegenzug durchaus auf seiner bisherigen Linie: Petrus und Paulus waren zu „stockmeystern"[150] gemacht worden, und die Obrigkeiten, obwohl sie sich als christlich ausgaben, hatten sich unzulässigerweise hinter den weltlichen Aufgaben ihres Amtes versteckt. Die biblische Sanktionierung der Obrigkeit galt nur bedingt, denn Gott lag mehr an seinem Volk als an der zum Tyrannen entarteten Obrigkeit. Aus den von ihm seit 1523/24 für seine Obrigkeits- und Widerstandslehre immer wieder herangezogenen Beweisstellen Dan. 7,27; Hos. 13,11 – zusätzlich 8,4.10 sowie Offb. 18 f – und Luk. 1,52[151] folgerte

Müntzer nun, daß Gott jetzt durch sein Volk gegen die Tyrannen vorgehe. Falls die tyrannische Obrigkeit den Herrschaftswechsel anzuerkennen bereit war, konnte sie als „gemeyner bruder"[152] angenommen werden; anders als den thüringischen Grafen eröffnete Müntzer seinen alten Mansfelder Widersachern als offenen Glaubensverfolgern jedoch nicht die Möglichkeit einer Leitungsaufgabe in der neuen Ordnung. Die Bekehrung bewahrte sie lediglich vor der physischen Vernichtung.

Nur von der Gewißheit des Sieges hier und jetzt ist Müntzer nach der Schlacht von Frankenhausen abgerückt, während er seine Obrigkeits- und Widerstandslehre im Zustand vor Ausbruch der thüringischen Erhebung nicht revozierte. Sein Irrtum lag in der Beurteilung des Charakters der Erhebung, mithin in der Identifikation der Aufständischen mit den Erwählten von Dan. 7,27. Die böse Obrigkeit rückte wieder in den Status des Staupbesens Gottes; so ist vermutlich die Aussage zu verstehen: „Ich habe euch oftmals gewarnet, das dye straffe Gottes nit vormiden kann werden, durch dye oberkeyt vorgenomen, es sey dan, das man erkenne den schaden."[153] Das entsprach der Warnung vor Widerstand im Vorjahr.[154]

Müntzers Obrigkeits- und Widerstandsvorstellungen in ihrer letzten Ausformung gewinnen ihr besonderes Profil im historischen Kontext eines Vergleichs mit anderen Bauernkriegsprogrammen. Zahlreiche Artikelbriefe und Feldordnungen beschäftigten sich 1525 mit dem künftigen Status der bisherigen Obrigkeit, wobei allerdings Kaiser und Landesfürsten im allgemeinen ausgenommen waren. Vor allem im sogenannten Schlösserartikel wurden zugleich programmatische wie pragmatische Regelungen getroffen, um durch Aufhebung der ständischen Gliederung in bezug auf Adel und Klerus eine einheitliche Untertanenordnung herzustellen.[155] Der Adel verlor seine Herrschaftsrechte politischer, rechtlicher und sozialer Art; die Entprivilegierung ersteckte sich auf alle Bereiche, außer auf das Grundeigentum. Symbol der Gleichheit war der Abbruch der Schlösser; als die thüringischen Grafen sich dieser Bedingung für ihre Anerkennung als christliche Brüder unterwerfen mußten,[156] war der Schlösserartikel schon nahezu zum festen Bestandteil bäuerlicher Forderungen geworden. Nirgendwo eine Entsprechung findet das außerordentlich radikale angebliche Programm des elsässischen Feldhauptmanns Erasmus Gerber: „Allen Oberkeiten, Hern, denen vom Adel und was reiche Burger und Leut seien, ... das ir nemen ... und nach dem allen die Oberkeiten, Hern, Edelleut, Weibe und Kinde zu Tod schlagen und die Wurzel des Adels und der häbigen Burger ustilgen."[157] Hier sollten im Unterschied zu Müntzer nicht die Verworfenen des Gottesgerichts, sondern die sozial Privilegierten vernichtet werden. Dagegen zählte bei Michael Gaismair zu den Gründen, aus denen „alle gotlosen menschen" ausgerottet werden sollten, an erster Stelle die Verfolgung des ewigen Wortes Gottes; erst danach folgte die Beschwerung des gemeinen armen Mannes und die Verhinderung des gemeinen Nutzens.[158] Balthasar Hubmaiers Artikel gaben Anweisungen zur Absetzung der tyrannischen Herren, die nicht in die christliche Vereinigung eintreten wollten, und zur Bestimmung einer neuen Landesherrschaft, die ohne Rücksicht auf Stand und Herkunft von der Landschaft zu wählen war.[159]

In ihrer Entschiedenheit Müntzer nahe, aber an einem ganz anderen Ausgangspunkt ansetzend, erörterte die anonyme Flugschrift „An die Versammlung gemeiner Bauernschaft" Obrigkeit und Widerstand.[160] Die Obrigkeit und die Notwendigkeit des Gehorsams gegen sie wurden zwar unter Hinweis auf Röm. 13,1 grundsätzlich anerkannt: „..., ist ein erschrokkenlicher frevel, dem gewalt widerstreben und im nit gehorsam sein",[161] aber der Begriff „Obrigkeit" galt nur für die Herren, die sich dem Gemeinwohl und der Nächstenliebe verpflichtet wußten. Obrigkeit legitimierte sich mithin wie bei Müntzer lediglich durch ihre

Handlungen. Mit einem großen Aufgebot teilweise originell interpretierter Bibelstellen[162] – auch 1. Sam. 8,5–20 ist angeführt[163] – wurde der Gemeinde das gute Gewissen zum Widerstand gegen ihre unchristlichen Herren gegeben. Ausdrücklich abgelehnt wurde Luthers Überzeugung: „Das evangelium beru(e)rt nit das weltlich schwert.“[164] Das Widerstandsrecht war defensiv konzipiert, wurde aber erweitert zu einer Widerstandspflicht: „. . . wir [die Christen] sind schuldig, uns zu(e) erlo(e)sen von dysen gotlosischen herren auß dyser Babilonischen gefencknuß, . . .“[165] Abgestützt war die Widerstandspflicht auf die clausula Petri, die aktivistisch ausgedeutet wurde, und auf 1. Kor 7,21. Der Leidensgehorsam galt nicht, wenn die Obrigkeit, statt Gottes Dienerin zu sein, Beelzebub als ihrem Hauptmann folgte. Aber auch das positive Recht lieferte dem Verfasser Argumente. Was für den Kaiser galt, mußte für seine Vertreter, die Fürsten und Herren, ebenso gelten. Für den Modus der Absetzung stellte die Schrift eine Stufenfolge auf, die mit der Wahl einer neuen Obrigkeit endete.[166] Ein solcher Aufstand war nicht Empörung, sondern Schutz von Landfrieden und christlicher Freiheit – eine für die Konzeption der Schrift bezeichnende Zusammenstellung.

In fast müntzerischer Terminologie warnte der anonyme Verfasser vor Eigennutz und egoistischen Zielen: „Sind fest im glawben! Sind nit ewer selbs, sonder sind gottes krieger, das evangelium zu(o) erhalten und die Babilonischen gefencknuß zu(o) zerreissen!“[167] Aber trotz der verbalen Ähnlichkeiten trennen diese Widerstandslehre fundamentale Unterschiede von Müntzer. Die endzeitliche Dimension, das Bewußtsein des sich vollziehenden Gottesgerichts fehlte dem Anonymus völlig; statt dessen herrscht ein systematisch-juristisches Denken vor, das die Veränderungen im Rahmen der bestehenden Welt- und Rechtsordnung vor sich gehen lassen will. Anders als Müntzer erkannte er Obrigkeit und bestehende Sozialordnung als solche an,[168] setzte nicht eine obrigkeitsfreie Ordnung an ihre Stelle. Dementsprechend war nicht die danielische Schar der Auserwählten Träger des Widerstands, sondern die Gemeinde als politische Korporation.

Ganz andere Vorstellungen entwickelte die 1527 veröffentlichte, unter dem Namen des Druckers Hans Hergot bekanntgewordene Schrift „Von der neuen Wandlung eines christlichen Lebens“,[169] die mit Müntzer die chiliastische Erwartung teilte, ebenso die Vorstellung der lebendigen Geistvermittlung durch Propheten und Wunder sowie die Polemik gegen Herren und Schriftgelehrte. Sie unterschied sich aber von Müntzer durch einen detailliert konstruierten Entwurf einer neuen Welt mit vollkommener Gleichheit der christlichen Brüder und einer gerechten Sozialordnung des bescheidenen Auskommens.

In der Konfrontation der politischen Theologie Müntzers mit den Flugschriften des Anonymus und Hans Hergots sowie den Forderungen, die von den aufständischen Bauern erhoben wurden, werden insgesamt zwar gelegentliche Übereinstimmungen sichtbar, vor allem aber tiefgreifende, bis in die Wurzel des Ansatzes reichende Unterschiede. Müntzers Obrigkeits- und Widerstandslehre, so zeigt sich im Vergleich, sprengte alle üblichen Vorstellungen, weil sie nicht mehr von vorfindlichen Rechtszuständen ausging. Darin liegt ihr singulärer Platz im umfangreichen Geflecht politisch-religiöser Widerstandslehren in der frühen Neuzeit begründet.

[1] Vgl. zusammenfassend Eike WOLGAST: Die Religionsfrage als Problem des Widerstandsrechts im 16. Jahrhundert. Heidelberg 1980.

[2] Bei der spärlichen Überlieferung kommt als zusätzliches Erschwernis hinzu, daß nicht jede Äußerung als programmatisch zu gewichten ist. Die Allstedter Abgesandten wiesen im Weimarer Verhör ausdrücklich auf das Temperament Müntzers hin und gaben zu bedenken: „. . . wiewol es nit an, das der Magister vnder weilen etwas heftig were" (vgl. ZUR GESCHICHTE DES BAUERNKRIEGES IM THÜRINGISCHEN UND MANSFELDISCHEN/ hrsg. von Carl Eduard Foerstemann. Neue Mitteilungen aus dem Gebiet historisch-antiquarischer Forschungen des thüringisch-sächsischen Altertumsvereins 12 [1869], 184 [24]); dasselbe zeigt sich auch in der scharfen Äußerung gegen die sächsischen Fürsten, zu der sich Müntzer am 3. August 1524 vor Schösser und Rat hinreißen ließ (vgl. ebd, 187). Vgl. auch die Entwürfe für den Abschiedsbrief an die Allstedter (MSB, 432–434 [66]).

[3] Etwa Johannes Oekolampad oder die herzoglich-sächsischen Beamten.

[4] Diese wichtigste methodische Vorgabe jeder Müntzerforschung wird eindringlich von Gordon RUPP: Patterns of Reformation. London / Philadelphia 1969, 262, formuliert: „The only satisfactory method is to read and re-read Müntzer's own writings until the undertones and overtones appear. The fatal method seems to be to rake Müntzer's works in terms of some preconceived ideological patterns, or with the categories of Lutheran orthodoxy."

[5] An wichtigen Literaturberichten vgl. Max STEINMETZ: Thomas Müntzer in der Forschung der Gegenwart. ZGW 23 (1975), 666–685; Siegfried BRÄUER: Müntzerforschung von 1965 bis 1975. LuJ 44 (1977), 127–141; 45 (1978), 102–137; Hans-Jürgen GOERTZ: Schwerpunkte der neueren Müntzerforschung. In: TMFG, 481–536; Rainer WOHLFEIL: Einführung in die Geschichte der deutschen Reformation. München 1982, 151–159. Im folgenden werden nur einige für das Thema „Obrigkeit und Widerstand" wichtige neue Interpretationsansätze vorgestellt. Von der älteren Literatur ist insbesondere zu vergleichen Annemarie LOHMANN: Zur geistigen Entwicklung Thomas Müntzers. Leipzig 1931.

[6] HLM.

[7] HLM, 23.

[8] Vgl. HLM, 53. 45.

[9] Vgl. etwa HLM, 158: Müntzers „Revolutionslehre".

[10] Vgl. die drei wichtigen Studien von Manfred BENSING: Idee und Praxis des „Christlichen Verbündnisses" bei Thomas Müntzer. Wissenschaftl. Zeitschrift der Karl-Marx-Universität Leipzig: gesellschafts- und sprachwissenschaftliche Reihe 14 (1965), 459–471 / TMFG, 299–338; DERS.: Thomas Müntzer und der Thüringer Aufstand 1525. Berlin 1966; DERS.: Thomas Müntzer. Leipzig 1965; 3., neubearb. Aufl. Leipzig 1983.

[11] Thomas NIPPERDEY: Theologie und Revolution bei Thomas Müntzer. ARG 54 (1963), 145–179 / DERS.: Reformation, Revolution, Utopie. Göttingen 1975, 38–76. In dem wichtigen Nachwort „Zur Müntzer-Forschung 1961–1974" hat Nipperdey seine These von der Schülerschaft Müntzers zu Luther dahingehend verdeutlicht, daß sie nicht als Ausschließungsgrund anderer Einflüsse verstanden werden soll (vgl. ebd, 83 f).

[12] H[ans]-J[ürgen] GOERTZ: Innere und äußere Ordnung in der Theologie Thomas Müntzers. Leiden 1967, Zitat, 148. Goertz hat seine Müntzerinterpretation unter dem Stichwort „Theologie der Revolution" zuletzt zusammengefaßt in Siegfried BRÄUER / Hans-Jürgen GOERTZ: Thomas Müntzer. In: Gestalten der Kirchengeschichte/ hrsg. von Martin Greschat. Bd. 5: Die Reformationszeit I. Stuttgart 1981, 347–352. Zur Korrektur dieser Überschätzung der Bedeutung der Mystik für Müntzer vgl. Nipperdey: Zur Müntzerforschung 1961–1974, 82–84; Rolf DISMER: Geschichte, Glaube, Revolution: zur Schriftauslegung Thomas Müntzers. Hamburg 1974, 145 f. 153–155 (MS) – Hamburg, Univ., theol. Diss., 1974.

[13] ETM.

[14] Rupp: AaO, 298–302, Zitat, 302.

[15] James M. STAYER: Anabaptists and the sword. 2. Aufl. Lawrence (Kansas) 1973, 73–90, Zitat, 89.

[16] Dismer: AaO, 80–84, Zitat, II.

[17] Marianne SCHAUB: Müntzer contre Luther: le droit divin contre l'absolutisme princier. Paris 1984, bes. 129–139, Zitat, 139. 183–243, sind französische Übersetzungen der „Fürstenpredigt", der „Ausgedrückten Entblößung . . ." und der „Hochverursachten Schutzrede . . ." abgedruckt.

[18] Vgl. vor allem Siegfried BRÄUER: Thomas Müntzers Weg in den Bauernkrieg. In: TMD, 65–85; DERS.: Die Vorgeschichte von Luthers „Ein Brief an die Fürsten zu Sachsen von dem aufrührerischen Geist". LuJ 47 (1980), 40–70; Bräuer / Goertz: AaO, 335–347.

[19] MSB, 260, 19.

[20] Indirekte Erwähnungen vgl. MSB, 333, 19; 469, 10 f (89).

[21] Leif Grane: Thomas Müntzer und Martin Luther. In: Bauernkriegs-Studien/ hrsg. von Bernd Moeller. Gütersloh 1975, 96 / TMFG, 100.

[22] Vgl. MSB, 290, 7–10; der Begriff „neutrales" ist hier auf die falschen Schriftgelehrten bezogen.

[23] Mit der Relativierung von Röm. 13 stand Müntzer keineswegs allein; Johannes Bugenhagen korrigierte 1529 die Obrigkeitslegitimation nach Röm. 13,1 durch 1. Sam. 15,23, bezog dies allerdings nur auf das Verhältnis von Kaiser und Fürsten; vgl. dazu Eike Wolgast: Bugenhagen in den politischen Krisen seiner Zeit. In: Johannes Bugenhagen: Gestalt und Wirkung/ hrsg. von Hans-Günter Leder. Berlin 1984, 105 f.

[24] Vgl. MSB, 548, 28 – 549, 3.

[25] MSB, 349, 4 (3), Datierung laut Ulrich Bubenheimer: Thomas Müntzer in Braunschweig. Braunschweigisches Jahrbuch 65 (1984), 45.

[26] Vgl. zu dieser Verschwörung Bensing: Idee und Praxis . . ., 459 / TMFG, 299 f: Nicht auf der Linie der späteren Bündnisse. Ähnlich ETM, 29–32: Wichtig für die Mentalität des jungen Müntzers, aber in seiner Bedeutsamkeit nicht zu überschätzen. Ulrich Bubenheimer: Thomas Müntzer. In: Protestantische Profile/ hrsg. von Klaus Scholder und Dieter Kleinmann. Königstein (Ts.) 1983, 41, folgert dagegen aus dieser Verschwörung, Müntzer sei bereits „Revolutionär von dem Moment an, in dem er deutlicher ins Licht der Geschichte tritt" – damit wird dann freilich die Interpretation der gesamten Wirksamkeit Müntzers in m. E. unzutreffender Weise prädisponiert; vgl. denselben Ansatz bei Dismer (siehe oben Anm. 16).

[27] Zur Wortwahl Müntzers bei der Polemik gegen Klerus und Kirche vgl. Hans Otto Spillmann: Untersuchungen zum Wortschatz in Thomas Müntzers deutschen Schriften. Berlin / New York 1971, 113–124.

[28] MSB, 504, 30 – 505, 4.

[29] Vgl. MSB, 505, 3 f.

[30] Reinhard Schwarz: Die apokalyptische Theologie Thomas Müntzers und der Taboriten. Tübingen 1977, 90.

[31] MSB, 500, 3.

[32] Noch deutlicher wird dies in der lateinischen Fassung: „Immo longo tempore universi homines esurierunt et sitiverunt fidei iustitiam" (MSB, 508, 5 f).

[33] MSB, 381, 25 f (31).

[34] Die erste bekannte Weisung Georgs an dem Amtmann stammt vom 18. Februar 1524 (vgl. ABKG 1, 609, 1–16 [604]).

[35] MSB, 22, 17 f; zur ganzen Schrift vgl. den Kommentar von Dismer: AaO, 115–136.

[36] Dismer: AaO, 114. 116–118, läßt den Brief „nur an Angehörige des Bundes" gerichtet sein; es erscheint aber fraglich, Anhänger und Bundesmitglieder in dieser Weise zu identifizieren.

[37] MSB, 21, 6–9.

[38] Vgl. ETM, 373: Das Hauptanliegen Müntzers in dieser Schrift ist „das innerliche Christlich-Werden der Christenheit".

[39] Vgl. MSB, 24, 10–12.

[40] Zur Verwendung dieses Bibelallegats 1524/25 vgl. oben Seite 206.

[41] Vgl. MSB, 23, 34; vgl. dieselbe Übersetzung ebd, 115, 9 f.

[42] Das Zitat Luk. 1,52 verwendet Müntzer nur im ungedruckten Entwurf; vgl. MSB, 21, 8 f.

[43] MSB, 395–397 (45); das Schreiben an Ernst von Mansfeld (MSB, 393 f [44]) gibt für das Thema Obrigkeit und Widerstand nichts her.

[44] Bräuer: Thomas Müntzers Weg . . ., 72.

[45] MSB, 397, 7 (45).

[46] MSB, 396, 28 – 397, 1 (45); zu Recht interpretiert Schwarz: AaO, 89: das „von wahrer Frömmigkeit ergriffene Volk". Bezeichnend, aber falsch übersetzt Hinrichs, HLM 35, „inbrünstig" mit „wütend".

[47] Vgl. MSB, 418, 5–8 (57); 420, 26 f (58); 422, 2 f (60).

[48] Vgl. MSB, 408–415 (53–55).

[49] Vgl. MSB, 410, 24 f (54).

[50] Vgl. Martin Luther: Ein Unterricht der Beichtkinder über die verbotenen Bücher, 1521 (WA 7, 290–298), ders.: Von weltlicher Oberkeit, wie weit man ihr Gehorsam schuldig sei, 1523 (WA 11, 267, 1–13).

[51] MSB, 411, 35 f; vgl. auch ebd, 413, 22–29 (55).

[52] MSB, 413, 1 (55); „euer" eingefügt nach MPSM, 243.

[53] Auf den „Gottesschrecken" als Absicht Müntzers hat Bräuer aufmerksam gemacht; vgl. Siegfried BRÄUER: Thomas Müntzers Selbstverständnis als Schriftsteller. In: Reform, Reformation, Revolution/ hrsg. von Siegfried Hoyer. Leipzig 1980, 227–230.

[54] Vgl. das Versprechen an die Gottesfürchtigen von Sangerhausen, falls ihnen etwas zustieße, würde „meyne fedder, predigen, syngen und sagen nit weyt von euch seyn" (MSB, 409, 21 [53]; vgl. auch 410, 6–9. 27–29 [54]). Entsprechend drohte Müntzer im September 1524 der Ratspartei in Mühlhausen mit der Veröffentlichung ihrer Schandtaten (vgl. MSB, 448, 20–25 [70]).

[55] Vgl. MSB, 414, 31 f (55).

[56] MSB, 413, 10 f (55).

[57] Der Entstehungsanlaß ist strittig; Hinrichs (HLM, 38 f) denkt – sicher unzutreffend – an eine Probepredigt, da Müntzer noch nicht von den Patronatsherren im Amt bestätigt worden war. Nach ETM, 443, bedurfte es eines solchen Vorwands nicht, „nach allem, was vorausgegangen war". Siegfried BRÄUER: Die Vorgeschichte . . ., 65 f, vermutet, daß Müntzer sich selbst zur Predigt erboten habe; möglicherweise seien die Fürsten erst kurzfristig am Abend des 12. Juli mit der Bitte Müntzers konfrontiert worden. Die Wahl des Predigttextes könnte nach Annerose SCHNEIDER: Zur Argumentation in den Flugschriften der Bauernkriegszeit. Jahrbuch für Geschichte des Feudalismus 4 (1980), 272, vielleicht auch darauf zurückgehen, daß „Daniel als Patron der Bergleute galt", die Müntzer für seinen Bund gewonnen hätte, eine sicher unzutreffende Vermutung.

[58] MSB, 259, 28.

[59] Grane: AaO, 85 / TMFG, 89, formuliert zugespitzt: „Luther dachte *vor-konstantinisch*",.während Müntzer an der Idee „Christenheit" festhielt.

[60] Gegenüber den Sangerhausenern; vgl. oben Seite 201.

[61] MSB, 257, 30. 4 f.

[62] MSB, 261, 16.

[63] MSB, 259, 14 f.

[64] Müntzer urteilt differenziert; die nicht aktiv den Glauben Verfolgenden sollen lediglich abgesondert und Gott zur Bestrafung überlassen werden (vgl. MSB, 258, 4 f; 261, 21–26; vgl. auch 262, 32 – 263, 1).

[65] Vgl. MSB, 257, 14 f; 261, 25 f.

[66] Vgl. die plastische Formulierung MSB, 259, 5 f: Gebt nicht vor, Gott solle es tun „an ewr zuthun des schwerts, es mo(e)cht euch sunst in der scheyden vorrusten".

[67] Deutlicher noch als in der Fürstenpredigt in den Briefen an den Schösser Hans Zeiß Juli 1524 (vgl. MSB, 421–423 [59]).

[67]a Wie sehr Müntzer mit seinem Appell die sächsischen Fürsten überforderte, zeigte sich auch ein Jahr später in der Reaktion der Räte des Herzogs Johann von Sachsen auf die Bitte des Frankenhausener Haufens, ihm gegen Ernst von Mansfeld zu helfen: „Habt ir zu beachten, wie s. cf. g. solchs wolle geburen, dieweil s. cf. g. ein churfurst des heiligen reichs und derwegen s. cf. g. nit tuenlich, kei. mt. und des heiligen reichs ordenungen und besonder dem aufgerichten landfriden zu widerstehen. So ist auch graff Ernst s. cf. g. untertaner nit" (AKTEN ZUR GESCHICHTE DES BAUERNKRIEGES IN MITTELDEUTSCHLAND. Bd. 2/ unter Mitarbeit von Günther Franz hrsg. von Walther Peter Fuchs. Nachdruck der Ausgabe Jena 1942. Aalen 1964, 278 [1431]).

[68] Vgl. MSB, 261, 18–26.

[69] Das Volk taucht nur in anderem Zusammenhang in der Fürstenpredigt auf: „Die armen leien und bawrn" nehmen den zertrümmernden Stein schärfer wahr als die Fürsten (vgl. MSB, 256, 20–24). Ein Widerstandsrecht läßt sich aus dieser Feststellung aber nicht ableiten. Daher urteilt Steinmetz über die Verwendung von Dan. 7,27 in der Fürstenpredigt m. E. überspitzt: „Hier war das dem Volk zugesprochene Widerstandsrecht zum ersten Male in der deutschen Reformation klar ausgesprochen, die Pflicht zur Schaffung einer revolutionären Gewalt des Volkes in einer konkreten Situation für die Zeit überzeugend begründet" (Thomas MÜNTZER: Die Fürstenpredigt. Ausgedrückte Entblößung. Hoch verursachte Schutzrede: Faksimileausgabe der Originaldrucke und Übersetzung von Otto Hermann Brandt/ mit einem Nachwort hrsg. von Max Steinmetz. Bd. 2. Berlin 1975, 89).

[70] Vgl. MSB, 259, 23–28.

[71] MSB, 422, 15 (60).

[72] MSB, 431, 34 f (64).

[73] Vgl. MSB, 408, 21–23 (53); 415, 18–23 (56); 572, 5–8 (56a).

[74] Vgl. das Bekenntnis von Jorg Senff (Akten zur Geschichte des Bauernkrieges in Mitteldeutschland 2, 470 [1654]).

[75] Nipperdey: AaO, 178 / 63; Gottfried Maron: Thomas Müntzer als Theologe des Gerichts: das „Urteil" – ein Schlüsselbegriff seines Denkens. ZKG 83 (1972), 219 / TMFG, 364. Rupp: AaO, 299, spricht von „Convenanted Bands of the Elect". Zu den Bundesgründungen vgl. auch Tom Scott: The „Volksreformation" of Thomas Müntzer in Allstedt and Mühlhausen. Journal of ecclesiastical history 34 (1983), 195–206.

[76] Vgl. MSB, 422, 35 – 423, 7 (60).

[77] Vgl. MSB, 422, 2 f (60): „. . . , nach dem sych die ganze welt also mechtig hochlich vorwandelt hat."

[78] MSB, 422, 14 f (60).

[79] MSB, 416, 26 f (57). Unklar ist allerdings, ob mit „Amt" territorialer Amtsbezirk oder Funktion gemeint war; vgl. auch 417, 23 (57); 422, 1 f (60).

[80] MSB, 420, 11 (58); 417, 29 (57).

[81] Zur Auslieferungsfurcht vgl. MSB, 417, 8–11 (57); 419, 26 – 420, 9 (58).

[82] Vgl. MSB, 417, 11–13. 34–36 (57); 421, 21–24 (59).

[83] MSB, 422, 15 (60).

[84] MSB, 422, 25 (60).

[85] MSB, 422, 20 (60).

[86] MSB, 420, 12 f (58).

[87] Über die Bundespredigt vgl. MSB, 421, 3 ff; Zur Geschichte des Bauernkrieges . . . , 180–182, Zitat, 180 (23).

[88] Vgl. ebd, 182 (23).

[89] MSB, 417, 24 f (57); vgl. auch Zur Geschichte des Bauernkrieges . . . , 182 (23).

[90] MSB, 418, 1 (57).

[91] Auch Müntzer war für seine Person bereit, einem sich mit Glaubensverfolgern solidarisierenden Fürsten den Gehorsam aufzukündigen, indem er gegenüber Johann von Sachsen sein Versprechen, sich der Zensur zu unterwerfen, nicht mehr einhalten wollte (vgl. MSB, 417, 27–33 [57]).

[92] MSB, 418, 3–5 (57).

[93] Deutlich geworden im Bundesverbot und in der Weisung an die Allstedter Amtsträger am 31. Juli 1524 in Weimar: „Sie wusten, das Ire churf. und f. g. Iren vnterthanen nit wehrten, das euangelion zu horen . . . Darumb sie ie kein vrsache zu solchen pundtnus hetten" (Zur Geschichte des Bauernkrieges . . . , 185 [24]).

[94] MSB, 434, 25–28 (67). Zur Wortwahl bei der Polemik gegen die gottlosen Regenten vgl. Spillmann: AaO, 123 f (87–94).

[95] Vgl. allgemein Annette Weber-Möckl: „Das Recht des Königs, der über euch herrschen soll": Studien zu 1. Sam. 8,11 ff in der Literatur der frühen Neuzeit. Berlin 1986; zu Müntzer vgl. bes. 112–115.

[96] Vgl. oben Seite 200.

[97] Auf die Diasporasituation der Christen beruft sich Luther vielfach, um die Notwendigkeit der Obrigkeit zu begründen (vgl. u. a. WA 11, 251, 35 – 252, 11; 15, 302, 13 f; 17 I, 149, 4–15; 20, 579, 4 f; 30 II, 117, 6–9; 31 II, 727, 15–18).

[98] Vgl. MSB, 284, 11 – 285, 3; 282, 22 – 283, 2.

[99] Vgl. MSB, 283, 6–10; 284, 32 – 285, 3.

[100] MSB, 285, 15 f; vgl. 313, 24 f.

[101] Vgl. MSB, 275, 23–34; 293, 37 – 294, 1; 294, 25–31; 303, 20–26; 329, 15–26.

[102] Die ambivalente Stellung Müntzers wird deutlich, wenn er den christlichen Fürsten in der Erstfassung der „Ausgedrückten Entblößung . . ." vorwirft, sie fürchteten sich vor den Tyrannen, und dies im Drucktext unter Berufung auf Jes. 1,23 umwandelt: Sie fürchten sich vor „iren gesellen" (vgl. MSB, 313, 10 f).

[103] Vgl. MSB, 313, 5–9.

[104] MSB, 313, 8.

[105] Zum personalen Bezug vgl. MSB, 342, 10 f. 18 f.

[106] MSB, 337, 25 f.

[107] MSB, 333, 19 f; derselbe Vorwurf wird 1525 gegenüber Albrecht von Mansfeld erhoben (vgl. 469, 10 f). Der Verweis auf Petrus bedeutet den Bezug zu der Gehorsamsermahnung 1. Petr. 2,13 f, die Müntzer sonst nicht zu zitieren pflegt.

[108] Vgl. MSB, 284, 4–10.

[109] So wird Ernst von Mansfeld 1525 bezeichnet; vgl. MSB, 468, 27 f (88); ebenso 451, 16–19 (72): Gegenüberstellung des „gunstigen vetterlichen stauppesen" in Gestalt der Predigt Müntzers und der „botten des teufels".

[110] MSB, 288, 19–23.

[111] Vgl. u. a. MSB, 342, 21 f.

[112] Vgl. MSB, 337, 1–5; die Vertröstung auf das Endgericht wird auch 342, 9–16, abgelehnt.

[113] MSB, 330, 24.

[114] MSB, 275, 24 f; zum Schaden des falschen Predigers für die Bauern vgl. 295, 4–13.

[115] MSB, 343, 13 f. 7. Schon die graphische Gestaltung der Schlußpassage zeigt, daß sie nicht als zentrale Aussage zu werten ist; sie ist der letzten Textseite zur Füllung des Blattes angehängt.

[116] Vgl. MSB, 328, 24–26.

[117] MSB, 335, 25 f.

[118] MSB, 328, 18–21. Vermutlich bezieht Müntzer sich auf 262, 26–18.

[119] Für Hinrichs muß allerdings „die Wiedergeburt der reinen Gottesfurcht, die Wiederherstellung der unmittelbaren Gottesherrschaft . . . sich sogleich als Empörung [!] gegen die Fürsten und Herren auswirken" (HLM, 112).

[120] Zum folgenden vgl. MSB, 328, 26 – 329, 9.

[121] Es geht offenkundig um ein Kontrollrecht der Gemeinde, nicht um die Ersetzung der „Fürstenjustiz" durch die „Volksjustiz", um dadurch „die im Klasseninteresse verfahrende Rechtsprechung der ‚Gottlosen'" zu beseitigen (so HLM, 179).

[122] Assoziativ knüpft Müntzer hieran seine Sozialpolitik. Weil der Brauch in Vergessenheit geraten ist und die Herren allein und willkürlich handeln, nimmt sich niemand der Bedürftigen an; daraus erwächst die soziale Not als Ursache des Aufruhrs (vgl. MSB, 329, 9–29).

[123] MSB, 328, 27 f.

[124] Hinrichs' Charakterisierung der „Ausgedrückten Entblößung . . ." und der „Hochverursachten Schutzrede . . ." als „Revolutionsschriften" (HLM, 164) ist daher stark überzogen.

[125] Über Müntzers Predigt in Mühlhausen berichtete der Langensalzaer Amtmann am 26. September 1524: „Der toricht pfaff von Alstat hat sye underweyset, das sy keyner obirkeyt gehorsam" sein sollen, keine Abgaben mehr bezahlen und alle Geistlichen vertreiben sollen (ABKG 1, 749, 4–6[738]).

[126] „. . . aus der pflicht gotliches wortes" (MSB, 448, 3 [70]).

[127] Vgl. oben Seite 202 und Anm. 53.

[128] Zum folgenden vgl. Briefe und Akten zum Leben Oekolampads/ bearb. von Ernst Staehelin. Bd. 2. Leipzig 1934, 21 f (465).

[129] „. . . a plebe officii sui magistratum admoneri et in ordinem redigi posse" (ebd 2, 21 [465]).

[130] Für eine offensive Bedeutung, die die Musterung in Müntzers Augen hatte, wie ETM, 685, meint, fehlt jeder Beleg. Die Musterung des städtischen Aufgebots erfolgte wegen des angeblich feindseligen Verhaltens der Schutzfürsten.

[131] ABKG, 2, 80, 25 – 81, 2 (834); ETM, 684: „Höhnende und provozierende Wiedergabe einer ihm von seinen Gegnern gemachten Vorhaltung" durch Müntzer. Möglich wäre auch, daß Müntzer, an Matth. 22,21 anknüpfend, erklärt hätte, daß dem Kaiser nichts mehr geschuldet würde, weil in der Endzeit alles Gottes sei. Dieser Interpretation widerspräche allerdings das berichtete Befremden der Zuhörer über die Diskrepanz zwischen den bisherigen und den jetzigen Aussagen Müntzers.

[132] Wann der Mühlhausener Bund gegründet wurde, ist ganz unklar, im August/September 1524, nach Pfeiffers Rückkehr Ende 1524, nach Müntzers Rückkehr Anfang 1525. Bensing: Idee und Praxis . . ., 467–469 / TMFG, 318–322, schreibt Müntzer die Initiative zu, ebenso Scott: AaO, 207, der sich für 1525 als Gründungszeit entscheidet.

[133] Erwin Iserloh: Revolution bei Thomas Müntzer. Historisches Jahrbuch 92 (1972), 283, urteilt daher m. E. unzutreffend, wenn er den Bauernkrieg für eine „kurze, später isolierte und in ihrer Bedeutung überschätzte Episode" hält.

[134] MSB, 454, 11 f (75).

[135] Vgl. Nipperdey: AaO, 177–179 / 62–64.

[136] MSB, 454, 10 (75).

[137] MSB, 461, 10 f (81).

[138] MSB, 463, 16 f (84). Auf die Diskrepanz zwischen Plünderern und Gottesstreitern hat insbesondere Elliger hingewiesen (ETM, 707 f).

[139] MSB, 468, 26 f (88).

[140] MSB, 471, 13 f (91); konkrete Hilfeersuchen vgl. 465, 19–21 (85); 470, 15–27 (90).

[141] MSB, 463, 8–10 (84). Vgl. auch das von Müntzers Anhänger Simon Hoffmann verfaßte Hilfeersuchen der Christlichen Gemeinde von Frankenhausen an die Gemeinde zu Erfurt, das von demselben Endzeitbewußtsein bestimmt ist: „Diweil gott sein wort, urteil und gerechtigkeit erwegket, solchen unchristlichen gewalt durch sein grim zu vorstoren" (Akten zur Geschichte des Bauernkrieges . . . 2, 281 [1436]).

[142] Vgl. MSB, 471, 15–24 (91); 468, 29 f (88); 469, 16 – 470, 9 (89).

[143] MSB, 471, 10 (91); 455, 19 (75). Auch in seiner Predigt im Frankenhausener Haufen hat Müntzer in der Gewißheit, daß Gott selbst den Krieg angefangen habe, den Sieg nahezu vorweggenommen (Akten zur Geschichte des Bauernkrieges . . . 2, 897 [2102]; vgl. auch 2, 378 [1574]).

[144] Nach Schwarz: AaO, 103, orientierte sich Müntzer an Augustins Vorstellung vom Urstand.

[145] MSB, 459, 1 f (79); vgl. auch die Selbstbezeichnung des Schwarzburger Grafen Günther: „vorsteher christlicher gemein, geborner von Swartzburg" (467, 12 f [87]). Müntzer nennt die Thüringer Grafen „unser bruder" (461, 4 f [81]) und spricht ebenso die Mansfelder Grafen als Bruder an (467, 14 [88]; 469, 7 [89]). Nach seiner Gefangennahme redete Müntzer Herzog Georg von Sachsen als „lieber Bruder" an (vgl. Akten zur Geschichte des Bauernkrieges . . . 2, 379 [1574]). Die Gemeinde von Walkenried adressierte ein Schreiben an Graf Ernst von Hohnstein an den „Schaffner des Landes Hohnstein" und redete ihn mit „lieber Bruder Ernst" an (vgl. ebd 2, 246 [1383]). Vgl. auch Hans Zeiß an Kurfürst Friedrich am 7. Mai 1525: Die Grafen müssen zu Fuß gehen, alle Titel aufgeben und sich „allein bruder heissen lassen" (ebd 2, 228 [1354]).

[146] Wie sich die Rechenschaftslegung im Ring vollzog, beschrieb Ernst von Hohnstein (ABKG 2, 337, 31–35 [1075]).

[147] Vgl. die beiden Forderungskataloge MSB, 459, 9–13 (79); ABKG 2, 336, Anm. 1. Die ABKG wiedergegebenen Artikel für die Grafen von Stolberg und Schwarzburg bezeichnet Bensing: Thomas Müntzer und der Thüringer Aufstand 1525, 138 f, als „Minimalprogramm" Müntzers, das Übergangscharakter trug und die Bewegung möglichst verbreitern sollte.

[148] Zu den dem Adel zugestandenen Ehrenvorrechten gehörte – entgegen Zeiß (siehe oben Anm. 145) – das Pferd (vgl. Müntzers Bekenntnis MSB, 545, 1 f; Akten zur Geschichte des Bauernkrieges . . . 2, 203 [1323]. 379 [1574]).

[149] Vgl. vor allem die Schreiben an die Mansfelder Grafen, „zur bekerunge geschrieben" (MSB, 467, 14 – 470, 14 [88 f]). Bei Nichtbekehrung sollten sie vertrieben und getötet werden (vgl. 548, 1–6).

[150] MSB, 469, 11 (89).

[151] 1. Sam. 8,7–18 fehlt jetzt; an Ernst von Mansfeld und an die Erfurter wird zusätzlich Hes. 34 und 39,4.18 f genannt (vgl. MSB, 468, 29 [88]; 471, 16–21 [91]).

[152] MSB, 470, 10 f (89).

[153] MSB, 474, 1–3 (94); „erkenne den schaden" = sich läutere durch die Strafe zu einem wahren Christen?

[154] Vgl. MSB, 284, 4–10.

[155] Vgl. zusammenfassend Günter Vogler: Schlösserartikel und weltlicher Bann im deutschen Bauernkrieg. In: Der deutsche Bauernkrieg 1524/25: Geschichte – Tradition – Lehren/ hrsg. von Gerhard Brendler und Adolf Laube. Berlin 1977, 113–121 / In: Der deutsche Bauernkrieg von 1525/ hrsg. von Peter Blickle. Darmstadt 1985, 425–438.

[156] Vgl. oben Seite 211.

[157] QGB, 257, 31–35 (80).

[158] Vgl. FlB, 139, 13–15.

[159] Vgl. QGB, 232, 16–30 (67). In der vieldiskutierten Frage nach dem Einfluß Müntzers auf die unter Hubmaiers Namen überlieferten Artikel scheint gerade der Abschnitt über die Obrigkeit deutlich zu zeigen, daß Müntzer nicht ihr Verfasser ist; für ihn ist die Alternative zur gegenwärtigen Herrschaftsordnung nicht eine aus Wahlen hervorgegangene neue Obrigkeit, sondern die unmittelbare Herrschaft der Auserwählten nach Dan. 7,27.

[160] AN DIE VERSAMMLUNG GEMEINER BAUERNSCHAFT: eine revolutionäre Flugschrift aus dem Deutschen Bauernkrieg 1525/ eingel., kommentiert und hrsg. von Siegfried Hoyer und Bernd Rüdiger mit einer sprachgeschichtlichen Einleitung von M. M. Guchmann. Leipzig 1975; vgl. Martin Brecht: Der theologische Hintergrund der Zwölf Artikel der Bauernschaft in Schwaben von 1525: Christoph Schappelers und Sebastian Lotzers Beitrag zum Bauernkrieg. ZKG 85 (1974), 202–208; Siegfried Hoyer: Widerstandsrecht und Widerstandspflicht in der Flugschrift „An die versamlung gemayner

pawerschafft". In: Der Bauer im Klassenkampf: Studien zur Geschichte des deutschen Bauernkrieges und der bäuerlichen Klassenkämpfe im Spätfeudalismus/ hrsg. von Gerhard Heitz, Adolf Laube, Max Steinmetz und Günter Vogler. Berlin 1975, 129–155.

[161] An die Versammlung . . ., 88, 3–5 / FlB, 112, 18 f.

[162] Besonders eindrucksvoll ist die Uminterpretation von 1. Petr. 2,18 mit der Behauptung eines Übersetzungsfehlers (An die Versammlung . . ., 97, 37 – 98, 13/ FlB, 119, 16–27).

[163] Vgl. An die Versammlung . . ., 103, 19–21 / FlB, 123, 15–17.

[164] An die Versammlung . . ., 109, 31 f / FlB, 127, 35 f, als Lehre von „etlich maulchristen".

[165] An die Versammlung . . ., 108, 11–13 / FlB, 126, 33 f.

[166] Zuvor sollte man abwarten, ob Besserung einträte, dann bewaffneter Aufstand, verbunden mit Erbieten zu Rechtsaustrag (vgl. An die Versammlung . . ., 111, 29–35 / FlB, 129, 14–19).

[167] An die Versammlung . . ., 111, 37–39 / FlB, 129, 20–22.

[168] Als Beispiele christlicher Fürsten werden Friedrich von Sachsen und Philipp von Baden genannt (vgl. An die Versammlung . . ., 98, 26–28 / FlB, 119, 37 f).

[169] Vgl. FlB, 547–557.

Thomas Müntzer als Bibelübersetzer[1]

Von Siegfried Raeder

I Die epochale Bedeutung Thomas Müntzers

Eine der anregendsten Arbeiten über Müntzer ist die von Wolfgang Ullmann verfaßte Untersuchung „Die sprachgeschichtliche Bedeutung von Müntzers Liturgieübersetzungen".[2] Das Besondere im Werk des Allstedter Pfarrers erblickt Ullmann nicht lediglich im Gebrauch der deutschen Sprache, sondern im Volkssprachlichen, und dieses hat eine umfassende gesellschaftliche Funktion: „Es ist der Prediger, der zusammen mit der Gemeinde eine Öffentlichkeit herstellt, in der so gesprochen werden kann, wie es Müntzers Liturgieübersetzungen tun: Volkssprache als Umgangssprache von Völkern, die in eine Kommunikation treten, so daß sie an der Höchstform der Sprache teilnehmen, nicht nur teilnehmen, sondern sie mitbestimmen."[3] Die so verstandene Volkssprache Müntzers stellt Ullmann der Sprache des jungen Friedrich Schleiermacher gegenüber, der sich schon im Titel seines berühmten Erstlingswerkes nicht an das ganze Volk, sondern nur „an die Gebildeten" gewandt habe.[4]

Es ist nicht recht einzusehen, warum Ullmann glaubt, die epochale Bedeutung der Liturgieübersetzungen Müntzers gerade dadurch unterstreichen zu müssen, daß er sie in einen künstlichen Gegensatz zu Schleiermachers „Reden über die Religion: an die Gebildeten unter ihren Verächtern" stellt. Bei allen unbezweifelbaren Unterschieden, die zwischen jenen beiden Theologen bestehen und die natürlich mit dem Abstand der Jahrhunderte zusammenhängen, die sie trennen, ist doch eine tiefere Gemeinsamkeit nicht zu übersehen. Worum ging es Schleiermacher? In einer Welt, in der die Religion entweder ganz zu verschwinden oder als etwas aus Metaphysik und Moral Abgeleitetes dahinzusiechen drohte, wollte er ihre Ursprünglichkeit und Selbständigkeit aufweisen: „Aus dem Innern jeder bessern Seele" muß sie „notwendig von selbst entspringen".[5] Deshalb gibt Schleiermacher den Gebildeten recht, die ein bloßes Nachahmen ursprünglicher Religion von sich weisen: „Ihr habt recht, die dürftigen Nachbeter zu verachten, die ihre Religion ganz von einem andern ableiten, oder an einer toten Schrift hängen ... Jede heilige Schrift ist nur ein Mausoleum, der Religion ein Denkmal, daß ein großer Geist da war, der nicht mehr da ist ... Nicht der hat Religion, der an die heilige Schrift glaubt, sondern der, welcher keiner bedarf und wohl selbst eine machen könnte."[6] Wer sollte bei diesen Worten nicht an Müntzers Polemik gegen den „Affenglauben" der „Schriftgelehrten" denken, an seine Forderung, das lebendige Gotteswort im Innern der Seele zu vernehmen, an sein Bestehen auf eigenen Offenbarungen, an seine Einschätzung der Bibel als Bestätigung dessen, was jeder „Auserwählte" in der unmittelbaren Begegnung mit Gottes Wirken erfährt? Es sind Grundsätze, die im wesentlichen schon im Prager Manifest ausgesprochen werden.[7]

Selbstverständlich sollen die Unterschiede zwischen Schleiermacher und Müntzer nicht geleugnet werden, auch ist nicht an eine direkte literarische Abhängigkeit Schleiermachers gedacht. Dennoch mutet die Betonung des eigenen religiösen Erlebens gegenüber dem Fest-

halten an kanonischen Normen beim jungen Schleiermacher wie eine Aktualisierung Müntzerischen Denkens an, transponiert in das Koordinatensystem des Idealismus und Humanismus um 1800 und vermittelt durch Zwischenglieder eines breiten Traditionsstromes, an dessen Anfang im 16. Jahrhundert Thomas Müntzer steht.[8] Gerade auch Schleiermachers Satz,
der wahrhaft religiöse Mensch bedürfe keiner heiligen Schrift, sondern könne selbst eine
machen, kann ungeachtet seiner Beziehung zur Romantik, wo man ähnliches sagte,[9] als
Fernwirkung und Radikalisierung von Müntzers Art des Bibelverständnisses und der Bibelübersetzung gelten, die sich grundlegend von der Luthers unterscheidet.

Die Vergleichbarkeit zwischen Müntzer und Schleiermacher erstreckt sich aber auch auf
die sozialen Konsequenzen der religiösen Unmittelbarkeit. Keinesfalls war Schleiermacher
nur der „Gebildete", der in seinen eigenen engen Gesellschaftskreisen lebte und dachte. Der
Verfasser der „Reden über die Religion" war Prediger an der Charité, einer Einrichtung, die
als Alters- und Pflegeheim sowie als Krankenhaus diente. Hier ging es anders zu als in den
Salons der Gebildeten. Schon in den Reden ist auch Bemerkenswertes über die Behinderung
des religiösen Lebens durch unmenschliche Produktionsverhältnisse zu lesen: „Jetzt seufzen
Millionen von Menschen beider Geschlechter und aller Stände unter dem Druck mecha-
nischer unwürdiger Arbeiten . . . Es gibt kein größeres Hindernis der Religion als dieses, daß
wir unsere eigenen Sklaven sein müssen; denn ein Sklave ist jeder, der etwas verrichten muß,
was durch tote Kräfte sollte bewirkt werden können."[10] Hat nicht die Sorge um „die armen
du(e)rfftigen leu(e)t"[11] Müntzer ähnliche Klagen abgepreßt? „Mit allen worten und wercken
machen sie es ya also, das der arm man nicht lesen lerne vorm beku(e)mernuß der narung,
und sie predigen unverschempt, der arm man soll sich von den tyrannen lassen schinden und
schaben. Wenn will er denn lernen, die schrifft lesen?"[12]

Dieser Ausblick von Müntzer auf Schleiermacher zeigt die Lebendigkeit des Erbes Müntzers. Trotz seines frühen gewaltsamen Todes steht er in seiner Wirkung Luther kaum nach.
Ein konzentriertes Zeugnis seiner Religiosität ist seine Übersetzung biblischer Texte.

II Der liturgische Charakter der Bibelübersetzung Müntzers

Müntzer hat nicht die ganze Bibel, auch nicht das ganze Neue Testament ins Deutsche übertragen, sondern nur einzelne zusammenhängende ͞alttestamentliche und neutestamentliche
Texte, vor allem innerhalb seiner liturgischen Werke, des „Deutschen Kirchenamtes"[13] und
der „Deutsch-evangelischen Messe".[14] Das Kirchenamt ist eine Ordnung der täglichen Gottesdienste (der Metten, Laudes und Vespern) für die fünf Festzeiten (Advent, Weihnacht,
Passion, Ostern, Pfingsten). Auch die „Deutsch-evangelische Messe" ist für die fünf Festzeiten gestaltet. Nach dem Titel der „Ordnung und Berechnung des Deutschen Amtes zu
Allstedt" hat Müntzer das Kirchenamt „ym vorgangen Osteren auffgericht",[15] d. h. „bald
nach seiner Übersiedlung nach Allstedt".[16] Das von Nikolaus Widemar in Eilenburg
gedruckte Werk ist „kaum vor Jahresende 1523 zur Auslieferung gekommen".[17] Die
„Deutsch-evangelische Messe" kam erst im August 1524 zur Auslieferung, nachdem im
April 1524 „mit Widemarschen Materialien die Presse in Allstedt eingerichtet" worden
war.[18] Die Drucklegung der beiden liturgischen Werke war wegen der eigens angefertigten
Holzschnittnotenzeilen kostenaufwendig. Etwa im November 1523 gab Müntzer die bei
Widemar in Eilenburg gedruckte kleine Schrift „Ordnung und Berechnung des Deutschen
Amtes zu Allstedt" heraus.[19] Sie bietet einen Abriß der Messe, verbunden „mit einigen
Angaben über den Vollzug von Taufe, Trauung, Sterbesakrament und Begräbnis".[20]

Insgesamt hat Müntzer in seinen liturgischen Schriften 59 biblische Texte übersetzt.[21] Es sind 35 Psalmen und 24 andere Bibeltexte.[22] Von diesen sind 7 dem Alten Testament und 17 dem Neuen Testament entnommen. Der größte Teil der übersetzten Bibeltexte steht im Kirchenamt: 35 Psalmen und 14 andere Bibelabschnitte. 8 Bibelstellen kommen nur in der Messe vor, 4 sowohl in der Messe als auch im Kirchenamt.[23] Außerhalb der liturgischen Werke ist in handschriftlicher Form Müntzers Übersetzung des Ps. 119,161–176 erhalten.[24] Ferner ist die große Menge der deutschen Bibelzitate zu erwähnen, die sich in Müntzers sonstigen Schriften und Briefen finden. Schließlich hat Müntzer noch ein handschriftliches Verzeichnis hebräischer Namen mit lateinischen Übersetzungen hinterlassen.[25]

Daß sich Müntzers Übersetzung biblischer Texte vor allem als Bestandteil seiner liturgischen Werke darstellt, ist aufschlußreich, zunächst schon in sozialer Hinsicht. Luthers Deutsche Bibel war zwar, was die Sprache betraf, jedem Deutschen, auch dem Laien, zugänglich; doch kostete es ein gewisses Vermögen, sie zu erwerben. Luthers „Neues Testament Deutsch", erstmals erschienen im September 1522, kostete 1/2 Gulden bzw. 10 1/2 Groschen, was dem Wochenlohn eines Zimmergesellen entsprach.[26] Der Preis für die im Herbst 1534 herausgekommene Vollbibel betrug 2 Gulden und 8 Groschen. Für diesen Betrag konnte man 5 Kälber kaufen.[27] Ferner setzte der selbständige Gebrauch der Lutherbibel die Fähigkeit zu lesen voraus; anderenfalls mußte man sich aus ihr vorlesen lassen oder sich mit dem Hören der Texte begnügen, die gegebenenfalls im Gottesdienst in der Volkssprache verlesen wurden. Müntzers Übersetzung biblischer Texte ist dagegen von vornherein und ausschließlich für den gottesdienstlichen Gebrauch bestimmt, und um mit diesen Texten vertraut zu werden, bedurfte es keiner wirtschaftlichen oder bildungsmäßigen Voraussetzungen, obwohl man natürlich die beiden gedruckten liturgischen Werke auch kaufen konnte. Aber das kam doch wohl eher für den Pfarrer in Frage als für das einfache Gemeindeglied. Die von Müntzer übersetzten biblischen Texte konnten zum geistigen Eigentum auch der Armen und Ungebildeten werden, sofern sie nur die reformatorischen Gottesdienste besuchten, in denen sie gesungen und gebetet wurden.

Doch nicht nur in soziologischer Hinsicht, sondern auch in theologischer ist Müntzers Bibelübersetzung durch ihren liturgischen Charakter geprägt: Die verdeutschten Texte der Heiligen Schrift sind nicht ein Buch, die Offenbarungsurkunde, in die man sich studierend vertieft, sondern Lebensäußerung der vor Gott versammelten Gemeinde.

III Aussagen Müntzers über Zweck und Art seiner Übersetzung

Welchen Zweck verfolgte Müntzer mit seiner Übersetzung biblischer Stücke? Darüber gibt er selbst in seinen liturgischen Werken Auskunft.

Das „Deutsche Kirchenamt" ist nach dem Wortlaut des Titels dazu „vorordnet, auffzuheben den hinterlistigen deckel, unter welchem das liecht der welt vorhalten war, welchs yetzt wideru(e)mb erscheynt, mit dysen lobgesengen und go(e)tlichen psalmen, die do erbawen die zunemenden christenheyt, nach Gottis unwandelbarn willen, zum untergang aller prechtigen geperde [Zeremonien] der gotlosen"[28].

Müntzer stellt hier sein Übersetzungswerk des Kirchenamts in einen heilsgeschichtlichen Zusammenhang: Das Licht, d. h. das Evangelium oder Gottes Offenbarung, war durch das hinterlistige Wirken der Gottlosen eine Zeitlang der Welt vorenthalten worden (vgl. Matth. 5,15). Nun aber beginnt es wieder zu erstrahlen. Dies geschieht durch die Lobgesänge und göttlichen Psalmen des Kirchenamts. Sie sind dazu bestimmt, die wachsende Christenheit aufzubauen. In demselben Maße, wie dieses geschieht, gehen die prächtigen liturgischen Zeremonien der Gottlosen zugrunde. In alledem verwirklicht sich Gottes unwandelbarer Wille.

Der Titel der *„Deutsch-evangelischen Messe"* lautet: „Deutsch Euangelisch Messze, etwann [vorzeiten] durch die Bepstische(n) pfaffen im latein zu grossem nachteyl des Christen glaubens vor ein opffer gehandelt und itzdt vorordnet in dieser ferliche(n) zeyt, zu entdecken den grewel aller abgo(e)tterey durch solche mißbreuche der Messen, langezeit getriben"[29].

Müntzer stellt seine „Deutsch-evangelische Messe" der päpstischen Messe gegenüber, an der er entsprechend den beiden Attributen „deutsch" und „evangelisch" den doppelten Gegensatz hervorhebt: das Lateinische und den Opfercharakter. Die deutsche Sprachform ist wesentlich mit dem evangelischen Verständnis der in Allstedt gefeierten Messe verbunden, wie umgekehrt das Lateinische ein wesentlicher Faktor in der Verfälschung des Gottesdienstes ist.

Der Herausgeber der „Schriften und Briefe" Müntzers, Günther Franz, hat an den Anfang der „Deutsch-evangelischen Messe" einen Text gestellt, der die Überschrift trägt: *„Vorrede yns buch disser lobgesenge"*[30]. Die Zuordnung dieses Textes ist umstritten.[31] Wahrscheinlich handelt es sich um ein Separatum, das Müntzer dem schon abgeschlossenen Druck des Kirchenamtes hinzufügte.[32] Dafür spricht die Bezeichnung „buch disser lobgesenge", die an die geläufige Benennung des Psalters anklingt. So trägt Luthers Wittenberger Psalterdruck von 1513 den Titel „SEPHER THEHILLIM HOC EST LIBER LAVDVM SIVE HYMNORUM".[33] Müntzer selbst spricht in jenem Separatdruck von seiner Übersetzung der „psalmen".[34] Dies alles deutet darauf, daß der Text sich auf das Kirchenamt bezieht, wo 35 Psalmen übersetzt sind, und nicht auf die Messe, die nur einen Psalm in vollem Umfang enthält (Ps. 43).

In der „Vorrede yns buch disser lobgesenge" stellt Müntzer wiederum sein Übersetzungswerk in den großen Zusammenhang der Kirchengeschichte: Den „schaden der christenheit"[35], von Jesus und Paulus vorausgesagt, bezeugen die alten Kirchengeschichtsschreiber Hegesippos und Eusebios: Bald nach dem Tode der Apostelschüler ist die „heilige braut Christi... zu einer unzu(e)chtigen ebrecherin" geworden.[36] Die Kirche befand sich also schon lange im Zustand des Verfalls, „do unser eltern fur sechshundert iarn zum glauben kommen seint".[37] Dennoch nennt Müntzer die damaligen Glaubensboten – es „waren Welsche und Franzosische mu(e)nche"[38] – achtungsvoll die „frommen, gutherzigen veeter"[39]. Im allgemeinen Niedergang der Christenheit hatte ihr Werk durchaus seinen relativen Wert. Es war die notwendige Grundlage für eine spätere Besserung. Daß jene Missionare die lateinische Form des Gottesdienstes einführten, beurteilt Müntzer aus heilsgeschichtlicher Sicht positiv: Zum einen war die deutsche Sprache damals noch „ganz und gar ungemustert",[40] d. h. für liturgische Zwecke noch nicht zugerüstet, noch nicht geeignet, zum anderen wirkte das Lateinische einigend, und Einheit tat not, da ganz Asien zum Islam abgefallen war. Was aber einst gut und nützlich war, muß nicht immer so bleiben; „dan aller vornunftiger wandel der menschen sich von tag zu tag gedengkt ho(e)cher zu bessern, und Got solt so amechtig [ohnmächtig] sein, das er sein wergk nicht solte daruber erfo(e)rer bringen [darüber weiter hinaus bringen]?"[41] Christus selbst hat dieses Streben nach Besserem mit den Worten geboten: „Offenbarlich sol die stadt ufm berge erscheinen. Man sol das liecht nicht unter den deckel storzen. Es sol allen leuchten, die yhm hause seint."[42] Dasselbe meint Paulus, wenn er sagt: „Wan die leuthe zusamenkomen, solten sie sich ergetzen mit lobgesengen und psalmen, auf das alle, die hineyngehen zu yhn, mu(e)gen gebessert werden."[43] Im Hinblick auf dieses von Christus und Paulus gewiesene Ziel ist nicht länger zu dulden, daß man im herkömmlichen Kultus „den Lateinischen worten wil eine kraft zuschreiben, wie die zaubrer thun, und das arme volgk vil ungelarter lassen aus der kirchen gehen dan hyneyn".[44] Vielmehr sollen durch den erneuerten Gottesdienst in deutscher Sprache „alle auserwelte von Got gelert"[45] und erbaut werden. Diesem Ziel will Müntzer durch sein liturgisches Werk dienen: „Drumb hab ich zur besserung nach der Deutschen art und musterung, ydoch in unvorrugklicher geheym [in unveränderlichem Geheimnis] des heyligen geists vordolmatzscht die psalmen, mehr nach dem sinne dan nach den worten. Es ist eine unfletige [scheußliche] sache, menlein kegen menlein zu mhalen, nachdeme [dementsprechend daß] wir zum geist noch zu zeit viel musterns [Rüstens] bedo(e)rfen, biß das wir entgro(e)bet werden von unser angenommen weiße."[46] An diesen inhaltsreichen Sätzen ist folgendes hervorzuheben:

1. Müntzers Übersetzung der Psalmen entspricht „der Deutschen art und musterung". Das Wort „Art" weist auf ein wirkliches Deutsch hin, in das Müntzer die fremden Texte übersetzt. Aber sein Deutsch ist nicht unreflektiert, sondern das Ergebnis einer „Musterung", d. h. einer prüfenden Sammlung. Die deutsche Sprache ist ein durchaus geeignetes Instrument zur Vergegenwärtigung des Gotteswortes. Um Müntzers theologische Bejahung der Volkssprache recht zu würdigen, muß man sich das Übersetzungsverbot vergegenwärtigen, das Erzbischof Berthold von Mainz am 22. März 1485 erließ. Darin heißt es: „Wir haben ... Bücher gesehen, welche die Offizien der Messe Christi enthalten und von göttlichen Dingen und dem Heiligsten unseres Glaubens handeln; die waren aus der lateinischen in die deutsche Sprache übersetzt und sind nicht ohne Entwürdigung der Religion in der Hand des Volkes ... Solche Übersetzer sollen doch sagen – wenn sie die Wahrheit ehren – ..., ob die deutsche Sprache dessen fähig ist, was griechische und lateinische ausgezeichnete Schriftsteller über die höchsten Gedankengänge der christlichen Religion und über die Wissenschaft genauestens und mit größtem Scharfsinn geschrieben haben. Sie müssen gestehen, daß die Armut unserer Sprache am wenigsten ausreicht und daß sie notwendig aus ihren Gehirnen unbekannte Begriffe bilden oder, wenn sie gewisse alte gebrauchen, den Sinn der Wahrheit verfälschen, was wir wegen der Größe der Gefahr besonders für die Heilige Schrift befürchten. Wer wird die Laien und ungelehrte Menschen und das weibliche Geschlecht, in deren Hände die Bücher der Heiligen Schrift fallen, das wahre Verständnis herauslesen lassen?"[47] Bedeutsam ist, daß Müntzer nicht nur die deutsche Sprache für ein vollgültiges Instrument des göttlichen Geistes hält, sondern auch den Menschen, die den deutschen Gottesdienst vollziehen, zubilligt, daß sie von Gott gelehrt sind. Die Tauglichkeit der Volkssprache und die geistliche Mündigkeit der Gemeinde gehören zusammen, wie umgekehrt in jenem Zensuredikt des Mainzer Erzbischofs die Abwertung der deutschen Sprache notwendig mit der Entmündigung der Gemeinde Hand in Hand geht. Natürlich kam Müntzer die „Musterung" zugute, die die deutsche Sprache durch die spätmittelalterlichen deutschen Mystiker und gewiß nicht zuletzt durch Luther erfahren hatte. Dies hebt aber die Originalität seiner Übersetzungen ins Deutsche nicht auf, wie sich noch zeigen wird.

2. Müntzer will die biblischen Texte frei und gebunden zugleich übersetzen. Er will – ähnlich wie Luther – „mehr nach dem sinne dan nach den worten" dolmetschen. Er lehnt eine sklavische Nachahmung der Vorlage ab. Das hieße „menlein kegen menlein ... mhalen". Dennoch will Müntzer nicht willkürlich und regellos übersetzen, sondern „in unvorrugklicher geheym des heyligen geists". Müntzer weiß sich in seinem Übersetzen an den Heiligen Geist gebunden. Dessen Wesen und Wirken ist ein Geheimnis und nicht jedermann offenbar, sondern nur den Auserwählten. Müntzer beansprucht also für seine Über-

setzung pneumatische Vollmacht, die etwas ganz anderes ist als Willkür; denn das Geheimnis des Geistes, das den Übersetzer umschließt, ist „unverrücklich". Man kann es nicht dorthin verrücken, wo es einem paßt. Der Geist ist das Maß des Menschen, nicht der Mensch das Maß des Geistes. Das Geheimnis des Geistes ist so unwandelbar wie Gott selbst.

3. In der zugleich freien und gebundenen Art seines Übersetzens weiß sich Müntzer als Erzieher seiner Gemeinde: Wir bedürfen „zum geist noch zur zeit viel musterns . . ., biß das wir entgro(e)bet werden von unser angenommen weiße". Eine sklavisch wörtliche Übersetzung wäre der Gemeinde unverständlich oder kaum verständlich, so daß es nicht zur Erfahrung des Geistes käme. Dazu bedarf es des Musterns, der Prüfung, bei der das Grobe, das Ungeistliche, „unsere angenommene Weise", von uns ausgeschieden wird wie Schlacken vom Gold im Schmelzfeuer. Diesem Läuterungsprozeß will Müntzer durch seine Art des Übersetzens dienen: Die geläuterte Liturgiesprache soll die Gemeinde läutern und für den Geist empfänglich machen.

Müntzers Werk ist nicht nur auf den Geist, sondern damit zugleich auf Christus ausgerichtet. Die fünf Ämter des Festzyklus lassen die feiernde Gemeinde durch den Geist Anteil haben am ganzen Heilsmysterium Christi: „Also wirt Christus durch den heiligen geist in uns durch sein gezeugnis erkleret, wie er vorkundigt ist durch die propheten [Advent], geborn [Weihnachten], gestorben [Passion] und erstanden [Ostern] ist, wilcher mit seinem Vater und dem heiligen geist regirt ewigk und uns zu seinen schulern mache" [Pfingsten].[48]

In der „*Vorrede" zur deutschen Messe*[49] sieht Müntzer sich genötigt, sein „Deutsches Kirchenamt" gegen Kritiker aus dem reformatorischen Lager zu verteidigen. Sie unterstellen ihm aus Neid, er wolle die päpstlichen Zeremonien aufrechterhalten.[50] Müntzer weist diesen Vorwurf zurück. Er will im Gegenteil „zur errettung der armen, elenden, blinden gewissen der menschen"[51] beitragen, jedoch in schonender Weise.[52] Es wäre deshalb nicht richtig, die schwachen Gewissen, die bisher an den abgöttischen Zeremonien hingen, von allem ihnen Vertrauten loszureißen oder sie andererseits „mit losen, unbewerten liedlen"[53] zu sättigen. Müntzer entscheidet sich vielmehr für den gesunden Mittelweg zwischen den Extremen des abergläubischen Traditionalismus und des seelsorgerlich unverantwortlichen Experimentierens mit Unerprobtem. Die schwachen Gewissen sollen „mit voranderung des Lateins in Deutsch, mit psalmen und gesengen zum wort Gottis und rechtem vorstant der biblien samt der meynung der guten veter, wilche solche gesenge etwan zur erbawung des glaubens . . . angericht haben, kommen"[54] und so vom Scheinwesen der Kirche gelöst werden.

Müntzer faßt seine liturgischen Werke nicht als gesetzliches Zeremoniell auf, sondern empfiehlt, sie in aller Freiheit zu gebrauchen. Nur was Gott selbst gesetzt hat, beansprucht unbedingte Geltung. Daher sollen „die psalmen den armen leyen wol vorgesungen und gelesen werden".[55] Denn sie enthalten die Summe des christlichen Lebens. In ihnen „wirdt gar klerlich erkant die wirckung des heylgen geistes, wie man sich kegen Got halten sol und zur ankunfft des rechten christen glaubens kummen. Ja auch wie der glaub soll bewert sein mit viel anfechtung, . . ."[56]

Zuletzt sei noch auf einige wichtige Gedanken hingewiesen, die Müntzer in seiner kurzen Schrift „*Ordnung und Berechnung des Deutschen Amtes zu Allstedt*" (1523) ausspricht. Entscheidend wichtig für das Gelingen des deutschen evangelischen Gottesdienstes ist ihm die Geistbegabung des Priesters. Wenn das Volk in der Messe auf die Salutatio des Priesters „Der Herr sey mit euch" antwortet: „Und mit deinem geist",[57] so geschieht dies, damit die des Geistes bedürftige Versammlung „nit einen gotlosen menschen habe zum prediger. Dann wer den geist Christi nit hat, der ist nit Gotis kinth, wie mag er dann umbs werck Gottis wissen, wilchs er nit erliden hat? Weis ers nu nit, wie wil ers denn sagen?"[58]

Neben dem Geist ist das andere Schwerpunktthema dieser Einführung die Sprache: Christus hat befohlen, das Evangelium jeder Kreatur zu predigen, und zwar „unvorwickelt und unvorblu(e)met, widder mit Latin odder yrgent einer zulage, sonder wie es ein yeder in seiner sprach vornimpt odder vornemen mag [kann]".[59] Folglich müssen die Einsetzungsworte des Abendmahls vernehmlich gesungen werden. Müntzer übersetzt sie übrigens nicht unmittelbar aus dem Neuen Testament, sondern genau aus dem römischen Meßkanon![60]

Schließlich rechtfertigt Müntzer seine „Deutsche evangelische Messe", indem er auf die ökumenische Vielfalt der Gottesdienstformen hinweist.[61] Im einzelnen nennt er neben dem römischen den mailändischen Ritus, den kroatischen, den armenischen, den böhmischen, den mozarabischen und den russischen. Im Ursprungsland des Christenglaubens gebe es sogar vierzehn „Sekten", deren jede ihren eigenen Ritus habe. Welche Engstirnigkeit ist es also, die römische Form des Gottesdienstes für die einzig berechtigte zu halten! Empört man sich schon über das Singen in deutscher Sprache, was wird man dann erst sagen, „wann wir unser bewegung zum glauben sollen vortragen"?[62]

IV Die sprachlichen Grundlagen der Bibelübersetzung Müntzers

1 Zum Problem der Textvorlagen

Der größte Teil der von Müntzer in seinen liturgischen Werken übersetzten Bibeltexte ist dem Alten Testament entnommen. Hier ist als Textgrundlage zunächst die *Vulgata* zu nennen. Müntzers Schriften zeigen eine sehr genaue Kenntnis der lateinischen Bibel. Wort für Wort vertraut war ihm vor allem der Psalter der Vulgata, den er nach der Ordnung des Stundengebetes als Priester zu lesen verpflichtet war. Müntzer dürfte große Teile der Bibel auswendig gewußt haben. Darauf deutet die Fülle der Bibelzitate in seinen Schriften und Briefen hin.

Als Textvorlagen für Müntzers Liturgieübersetzungen kommen das „Breviarium Romanum" und das „Breviarium Halberstadiense" sowie das „Missale Romanum" und das „Missale Halberstadiense" in Betracht.[63]

Zum Psalter gab es neben dem Vulgatatext noch weitere vollständige lateinische Übersetzungen. *Jacobus Faber Stapulensis* gab sie 1509 (2. Aufl. 1513) in seinem „Quincuplex Psalterium" heraus.[64] Es enthält das Psalterium Gallicum (Psalter der Vulgata), Romanum, Hebraicum, Vetus und Conciliatum. Das Psalterium Vetus ist die Psalmenversion der lateinischen Bibel vor Hieronymus, die auf der Septuaginta fußt. Diesen Psalter bearbeitete Hieronymus zunächst flüchtig nach der Septuaginta. Das Ergebnis ist das Psalterium Romanum, das „noch heute im Offizium von St. Peter und in den Psalmentexten der römischen Messe gebraucht"[65] wird. Eine zweite Bearbeitung nahm Hieronymus nach der Hexapla des Origenes vor. Diese Version nennt man Psalterium Gallicum, weil sie zuerst in Gallien im Gottesdienst gebraucht wurde. Sie verbreitete sich bald im ganzen Abendland. Schließlich übersetzte Hieronymus etwa in den Jahren 390 bis 405 das gesamte Alte Testament einschließlich des Psalters direkt aus dem Hebräischen. Der Psalter dieser Übersetzungsstufe ist das Psalterium Hebraicum (bzw. Psalterium iuxta Hebraeos). Das Psalterium Conciliatum ist eine von Faber selbst korrigierte Fassung des Vulgata-Psalters. Da sich Müntzer bei seiner Verdeutschung der Psalmen, wenn er von der Vulgata abweicht, sehr oft vom Psalterium Hebraicum abhängig zeigt, zuweilen auch von anderen Versionen der Faberschen Ausgabe, ist es durchaus möglich, daß ihm das „Quincuplex Psalterium" für seine Arbeiten zur

Verfügung stand.[66] Dieses Werk bietet ferner zu jedem Psalm fortlaufende Erklärungen und besondere Ausführungen über textlich schwierige Stellen. Eine weniger bekannte streng wörtliche lateinische Übersetzung des Psalters, versehen mit Erklärungen, verfaßte der vom Judentum konvertierte *Felix von Prato*. Das Werk erschien zuerst 1515 in Venedig und wurde 1522 in Hagenau unverändert nachgedruckt.[67] Auch die Benutzung dieser Übersetzung durch Müntzer ist zu prüfen.

Zu erwähnen ist ferner eine von *Caspar Amman* auf der Grundlage des hebräischen Textes angefertigte deutsche Übersetzung der Psalmen und anderer alttestamentlicher Cantica. Das handliche Oktavbüchlein erschien 1523 bei Sigmund Grimm in Augsburg.[68] Ein Empfehlungsschreiben Johann Böschensteins, das dem Werk vorangestellt ist, enthält die Orts- und Zeitangabe: „Geben zu(o) Augspurg / am xvj tag Februari Anno etc. 1523"[69]. Es ist nicht auszuschließen, daß Müntzer diese streng wörtliche Übersetzung aus dem Hebräischen benutzt hat.

Zu den alttestamentlichen Texten seiner liturgischen Werke lag Müntzer noch nicht *Luthers* Bibelübersetzung vor. Sie war erst 1534 abgeschlossen. Im Sommer 1523 erschien der 1. Teil (Pentateuch), der „2. und 3. Teil (historische und poetische Bücher) nebst der 1. Sonderausgabe des Psalters Anfang bzw. Herbst 1524".[70] Doch hatte Luther schon seit 1517 (die sieben Bußpsalmen) einzelne Bibeltexte übersetzt. In das Kirchenamt hat Müntzer Luthers Übersetzungen der Psalmen 51 (1517), 110 (1518) und 68 (1521)[71] „nahezu wortwörtlich übernommen"[72].

Luthers „Operationes in psalmos", 1519 bis 1521 erschienen, enthalten zu den Psalmen 1–22 zahlreiche das Hebräische betreffende Ausführungen. Hauptquelle der hebraistischen Kenntnisse Luthers war Johann Reuchlins Werk „De rudimentis hebraicis" (Pforzheim 1506). Bei Müntzers anfänglich engen Beziehungen zu Wittenberg überrascht es nicht, daß er jenes exegetische Werk Luthers kannte.[73]

Luther „Neues Testament Deutsch" erschien erstmals im September 1522 in Wittenberg. Müntzer hat die Abschnitte aus dem Neuen Testament „für das Kirchenamt in ziemlich freier, für die Messe in sehr enger Anlehnung an Luthers Übersetzung verdeutscht".[74] Die Tatsache einer fortschreitenden Aufnahme von Luthers Verdeutschung des Neuen Testaments steht in eigenartigem Gegensatz zu der sich verschärfenden Spannung zwischen dem Wittenberger und dem Allstedter Reformator. Daß Müntzer „Luther als Dolmetsch folgte, betrachtete er jedenfalls nicht als Minderung seiner eigenen Leistung"[75].

Einflüsse der mittelalterlichen deutschen Bibelübersetzungen auf Müntzers Werk konnten nicht nachgewiesen werden.

2 Zum Problem der Sprachkenntnisse Müntzers

Mehrfach erörtert, aber verschieden beantwortet worden ist die Frage nach Müntzers Kenntnissen des *Hebräischen*. Oskar Johannes Mehl kommt in seiner Dissertation „Thomas Müntzer als Bibelübersetzer", Jena 1942, zu dem Ergebnis: „Es ist also nur eine schwache Vermutung, wenn man es für möglich hält, daß Müntzer an einigen wenigen Stellen zur Quelle selbst gegangen ist, zum Hebräischen."[76] In der „Kritischen Gesamtausgabe" heißt es zu diesem Problem: „Müntzer hat für die Übersetzung die Vulgata benutzt, doch bei einzelnen Stellen auch den hebräischen Urtext herangezogen, während die Verwendung der Septuaginta nicht nachweisbar ist."[77] In sehr entschiedenem Ton stellt Walter Elliger in seiner umfangreichen Müntzerbiographie ohne gründliche Prüfung des Sachverhalts fest: „Wir haben somit keine Veranlassung, ihm [Müntzer] besondere hebräische und griechische

Sprachkenntnisse anzudichten oder seine Verdolmetschung in den Rang einer vom Urtext her kontrollierten Übersetzung zu erheben."[78] In diesem Zusammenhang ist nicht unwichtig zu wissen, daß Elliger Müntzer ein „mangelndes Verständnis für Fragen der Exegese schlechthin" zuschreibt.[79] Ullmann glaubt, in Müntzers Psalmenübersetzung auf einige Indizien für die Benutzung des hebräischen Textes zu stoßen. Da Müntzer aber selber „offenbar keine Hebräischkenntnisse besaß, muß er sich beim Übersetzen der Hilfe eines Hebraisten bedient haben".[80] Max Steinmetz äußert sich zu Ullmanns These wie folgt: „Hat er [Müntzer] damals den hebräischen Text benutzt, oder hat ihm eventuell ein Mitarbeiter diese Kenntnisse vermittelt?"[81]

In der Erörterung der Frage nach Müntzers Hebräischkenntnissen spielt auch das von ihm zusammengestellte Verzeichnis hebräischer Eigennamen mit lateinischen Übersetzungen eine Rolle.[82] Der Bearbeiter, Wilhelm Eilers, schreibt dazu in der „Kritischen Gesamtausgabe": „Die Namen selbst gibt Müntzer teils in der ihm von der Vulgata her geläufigen, teils in einer dem hebräischen Original näherstehenden Form und nicht ohne Lapsus wieder ... Die Übersetzung, soweit vom heutigen Standpunkt aus überhaupt möglich, ist teils zutreffend, teils halbrichtig, teils unverständlich und gelegentlich phantastisch. In jedem Fall ist sie aber doch als ernsthafter Deutungsversuch mit den natürlicherweise unzulänglichen Mitteln der damaligen Zeit zu bewerten. Da Müntzers Bemühung in dieser Richtung ohne wirklichen Vorläufer zu sein scheint, dürften die Namenserklärungen als Frucht seiner eigenen Gelehrsamkeit zu gelten haben. Sie halten den Vergleich mit anderen zeitgenössischen Sprachstudien ohne weiteres aus und verraten trotz allen Irrtümern im einzelnen eine beträchtliche Einsicht Müntzers in das Wesen der hebräischen Sprache und Namengebung."[83]

Hans Peter Rüger hat nachgewiesen, daß „Müntzers Erklärung hebräischer Eigennamen direkt oder indirekt von dem Liber de interpretatione hebraicorum nominum des Hieronymus abhängig" ist und Müntzers „originärer Beitrag im Grunde genommen nur darin" besteht, „daß er gelegentlich dem hebräischen Original näherstehende Namensformen an die Stelle der ihm aus der Vulgata vertrauten hat treten lassen".[84] Rüger schließt seine Untersuchung mit einer Liste ab, in der die Etymologien Müntzers teils auf Hieronymus („Liber de interpretatione hebraicorum nominum" und dessen Bibelübersetzung), teils auf den anonymen „Libellus de interpretatione nominum propriorum" zurückgeführt werden.

Zuweilen kombiniert Müntzer Bedeutungen, die in seiner Vorlage als verschiedene Übersetzungsmöglichkeiten (auf Grund verschiedener etymologischer Ableitungen) aufgeführt werden. So nennt Hieronymus für Rachel zwei verschiedene Etymologien: „Ovis [von רחל = Mutterschaf] aut videns deum [von ראה und אל]".[85] Müntzer zieht beide Übersetzungen zu einer zusammen: „Rachel ovis videns deum."[86] Ist hieraus zu folgern, daß Müntzer keine Hebräischkenntnisse besaß? Daß es logisch nicht möglich ist, aus zwei alternativen Übersetzungen durch Kombination eine dritte herzustellen, hätte Müntzer ganz unabhängig vom Hebräischen schon allein der disjunktiven Konjunktion „aut" entnehmen können. So sagen die etymologischen Kontraktionen wenig über Müntzers Hebräischkenntnisse. Sie sind eher ein Phänomen seines freien Umgangs mit philologischen Tatbeständen. Auch bei der Übersetzung des Bibeltextes kann er alternative Versionen miteinander verbinden.[87] Beim jungen Luther findet man ähnliches.[88]

Als Beispiel für eine „dem hebräischen Original näherstehende" Namensform nennt Rüger Gilead (Vulgata: Galaad) und Gibea (Vulgata: Gabaath), ohne freilich etwas über die Herkunft dieser Schreibweise zu sagen.[89]

Daß Müntzer an der hebräischen Sprache interessiert war, könnte auch aus einer Bücherliste von Ende 1520[90] hervorgehen, die sich in seinem Besitz befand. Dort ist unter Nr. 7 verzeichnet: „Elementale hebraicum de Philippi Noveniani Hasfartini".[91] Es handelt sich um das am 24. Januar 1520 bei Valentin Schumann in Leipzig erschienene „Elementale Hebraicvm in qvo praeter caetera eivs linguae rudimenta, declinationes et verborum coniugationes habentur, omnibus Hebraicarum literarum studiosis non tam vtile, atque necessarium. Philippo Noveniano Hasfurtino authore".[92]

Besaß Müntzer Kenntnisse der *griechischen* Sprache? Mit Sicherheit konnte er griechische Buchstaben lesen und schreiben. Seine grammatischen Kenntnisse scheinen dürftig gewesen zu sein. In einem Brief vom 3. Januar 1520 an Achatius Glov in Leipzig begrüßt er diesen mit den Worten: „Salus $Χρηστι$ tecum . . ."[93] Die Schreibweise mit dem Buchstaben „$η$" (gesprochen wie i) legt die Vermutung nahe, daß Müntzer zu der Zeit noch keinen griechischen Text kannte, in dem der Titel „$Χριστός$" vorkommt. Auffällig ist auch die dem Lateinischen entsprechende Kasusendung. Am Ende des Briefes steht die Formel: „. . . vale in $Χρο$ Jesu."[94] Wiederum ein Beweis für fehlende grammatische Kenntnisse. Was die Bezeichnung „$Χριστός$" betrifft, so erscheint sie ein gutes Jahr später in Müntzers eigenhändiger Aufzeichnung der Propositionen Egrans (Zwickau, 1521, vor April?) in korrekter Schreibweise, und zwar dreimal! Der Genitiv erscheint in der griechisch-lateinischen Mischform $Χρ$isti.[95] In den „Aufzeichnungen und Notizen" kommen drei griechische Wörter vor: $συνο[χ]δοχεν$,[96] $κακοξηλίαν$[97] und $καρποφορία$.[98] Das zuletzt genannte Wort ist in dem Verzeichnis hebräischer Eigennamen die Übersetzung von Ephrata. Woher Müntzer diese griechische Vokabel kannte, ist nicht nachgewiesen.

Griechische Textteile kommen auch in den Briefen des Johannes Agricola an Müntzer vor. Ein Schreiben vom 2. November 1520 enthält die Worte „in $τῷ$ $Χριστῷ$"[99], „$θεός$",[100] „in $Χρῷ$ $Ἰησοῦ$",[101] „$τοῦ$ $Χροῦ$",[102] „$τοῦ$ $Ἰησοῦ$"[103] und das Zitat aus der Ilias 17, 32 (20, 198): „$ρέχθεν$ $δετε$ $νήπιος$ $ἔγνω$."[104] Der Briefschreiber unterzeichnet als „$Ἰωαννῆς$ Agricola Eislebenn".[105] Ob Müntzer das unübersetzte Homerzitat verstanden hat, ist fraglich, obwohl nach unserem heutigen Verständnis von Höflichkeit ein Briefschreiber Fremdsprachiges in seine Worte nur einfließen lassen sollte, wenn er voraussetzen darf, daß der Leser es versteht. Aber im 16. Jahrhundert mochte es eine Auszeichnung gewesen sein, auch Unverständliches in schriftlicher Form zu erhalten, sofern es ein Ausdruck von Gelehrsamkeit war. In einem vor April 1521 verfaßten Brief an Müntzer zitiert Agricola – wiederum ohne Übersetzung – zwei Stellen aus dem Neuen Testament: „$Μὴ$ $ὑψηλοφρόνει$"[106] (Röm. 11,20) und: „$Μὴ$ $γίνεσθε$ $φρόνιμοι$ $παρ'$ $ἑαυτοῖς$"[107] (Röm. 12,16).

Zum Alten Testament führt Mehl Ps. 87,5 als einzigen Beleg an, der auf Müntzers Kenntnis des Wortlautes der Septuaginta hinweisen könnte. Müntzer übersetzt hier: „Do wirt der mensch die stat Syon seyn mutter heyssen, . . ."[108] Die Vulgata, die in diesem Falle als Vorlage nicht in Betracht kommt, lautet: „Numquid Sion dicet: Homo . . .?" Mehl hat recht, daß Müntzers Übersetzung der Septuaginta entspricht, nur berücksichtigt er nicht, daß auch das Psalterium Vetus und das Psalterium Romanum der Septuaginta folgen. In beiden Versionen liest man: „Mater Sion dicet homo . . ."

Nach Durchsicht der neutestamentlichen Texte, zu denen Müntzer Luthers Übersetzung von 1522 vorlag, kommt Mehl zu dem Ergebnis: „Keine der angeführten Stellen beweist unwiderleglich, daß Müntzer den griechischen Text benutzt hat; seine Übersetzungen können auch aus der Vulgata erklärt werden."[109]

3 Entsprechungen zum hebräischen Text in Müntzers Übersetzung

Es gibt in Müntzers Bibelübersetzung mehrere Stellen, die sowohl von der Vulgata als auch vom Psalterium Hebraicum des Hieronymus abweichen, aber dem hebräischen Grundtext entsprechen. Wenn sich derartige Übersetzungselemente aus anderen Quellen hinreichend erklären lassen, so kommen sie natürlich nicht als Beweis für die Benutzung des hebräischen Textes durch Müntzer in Frage; eine solche Erklärung hat aber andererseits auch nicht die Bedeutung eines strikten Gegenbeweises, weil wir ja nicht genau wissen, mit welchen Hilfsmitteln Müntzer arbeitete. Folgende Stellen verdienen in diesem Zusammenhang Beachtung:

1. Ps. 1,1: Müntzers Übersetzung „. . . die spo(e)ttischen"[110] entspricht nicht der Vulgata: „. . . pestilentiae", wohl aber dem Psalterium Hebraicum: „. . . derisorum". Noch genauer aber stimmt das Wort „Spötter" mit „illusor" überein, das Reuchlin unter „לוץ" neben „derisor" und „nugator" verzeichnet, wobei er auch erwähnt, daß Hieronymus im Psalterium Hebraicum die Stelle Ps. 1,1 richtiger als die Vulgata übersetze.[111] Müntzer hätte auch aus Luthers „Operationes in psalmos" erfahren können, daß im Hebräischen für „pestilentiae" „illusorum derisorumve" stehe.[112] Amman übersetzt: „. . . im sessel der spötter", Felix von Prato: „. . . in consessu irrisorum."

2. Ps. 1,2 lautet bei Müntzer: „Dann sein begir wirt erstreckt zum gesetz Gottes."[113] Dem entspricht in der Vulgata: „Sed in lege Domini voluntas eius." Für „voluntas" würde man im Deutschen eher das Wort „Wille" als „Begier" erwarten. „Begier" steht aber dem hebräischen Ausdruck näher. Reuchlin gibt „חפץ" wieder mit „placuit, voluptatem, voluntatem, complacentiam, delictionem habuit" und weist darauf hin, daß das Nomen mit der Bedeutung „voluntas, beneplacitum" in Ps. 1,2 vorkomme.[114] Erwähnt sei auch Luthers Bemerkung zu Ps. 1,2 in den „Operationes in psalmos": „Est autem voluntas haec purum illud beneplacitum cordis ac voluptas quaedam in lege." Noch näher kommen Müntzers Wortwahl die lateinischen Ausdrücke „desiderium" und „concupiscentia", die Luther im Zusammenhang mit Ps. 5,5 für Ps. 1,2 in seinen Operationes nennt: „. . . ‚hephtzo' . . ., idest voluntas eius . . . seu desyderium seu concupiscentia."[115] Felix von Prato bietet zwar die Übersetzung „voluntas", vermerkt aber am Rande: „Desiderium". Amman übersetzt: „. . . sein begerung." In seinem Brief an Amman bezieht sich Böschenstein auf Ps. 1,1 mit den Worten: „. . . und sein begirde darein setzet."[116]

3. Ps. 1,3 übersetzt Müntzer: „Es felt nit ein blat darvon und verweset auch nit."[117] Dafür liest man in der Vulgata: „. . . et folium eius non defluet." Den von Müntzer für „defluere" gebrauchten zwei Ausdrücken stehen aber „cadere", „putrescere" und „marcescere" näher. Mit diesen Verben gibt aber Reuchlin die hier vorkommende Vokabel „נבל" wieder.[118] Amman übersetzt: „. . . vnnd sein blat wirt nit erfaulen."

4. Ps. 1,5 lautet nach Müntzer: „Sie ku(e)nnen kein urteil bey yn [sich] beschliesen."[119] Dem entsprechen in der Vulgata die Worte: „. . . ideo non resurgent impii in iudicio." Im Hebräischen steht: „יקומו". Vielleicht läßt sich Müntzers merkwürdige Übersetzung mit Hilfe von Reuchlins Rudimenta erklären. Dort wird „קום" mit „surrexit" wiedergegeben und vermerkt: „Significat etiam sub alia verborum figura per iod in medio scriptum: ‚erigere', ‚fundare', ‚statuere', ‚confirmare'."[120] Es handelt sich also um die Bedeutung des Hifil. Sollte Müntzer ohne Berücksichtigung des hebräischen genus verbi diese Stelle etwa so verstanden haben: „Non confirmabunt impii in iudicio"?

5. Ps. 2,6 lautet nach Müntzer: „. . . auff dem berge seyner heyligkeit."[121] Die Vulgata vermeidet den Hebraismus durch ein adjektivistisches Attribut: „. . . montem sanctum eius."

Im masoretischen Text steht ein substantivisches Attribut, verbunden allerdings mit dem Suffix der 1. Person: „הר־קדשי‏". Dem Kontext der Vulgata entsprechend, verbindet Müntzer das Wort „heyligkeit" mit der 3. Person. Auch Felix von Prato verwendet ein substantivisches Attribut: „. . . montem sanctitatis meae." Amman: „. . . den berg meiner hailigkait."

6. Ps. 2,9 gibt Müntzer wie folgt wieder: „Du salt sie zurbrechen [תרעם] mit einer eysern stangen [בשבט].‏"[122] Hier könnte sich sogar an zwei Stellen der Einfluß des hebräischen Textes zeigen. In der Vulgata liest man: „Reges eos in virga ferrea." Das Psalterium Hebraicum bietet die Übersetzung: „Pasces eos in virga ferrea." Müntzers Wiedergabe „Du salt sie zurbrechen" entspricht offensichtlich keiner der beiden Versionen. Dagegen schreibt Reuchlin zu „רעה‏": „. . . Aliud significatum conquassare, conterere, confringere.‏"[123] Auf Ps. 2,9 weist er nicht hin. „Confringere" entspricht genau dem von Müntzer gebrauchten Ausdruck. Wiederum ist auf Luther hinzuweisen, der in den „Operationes in psalmos" zu Ps. 2,9 bemerkt: „‚Throem‘ . . . Johannes Reuchlin in rudimentis suis huius verbi multas ostendit significationes, scilicet pascere, regere, absumere, affligere, amicstu, cogitatio, conquassare seu confringere et conterere.‏"[124] Felix von Prato übersetzt: „Conteres eos virga ferrea." Amman gebraucht dasselbe Wort wie Müntzer: „Du solt zerbrechen sye . . ." Alle lateinischen Übersetzungen geben bei Ps. 2,9 „שבט‏" mit „virga" wieder, wofür man im Deutschen am ehesten „Rute" sagen würde. Müntzer entscheidet sich aber für den Ausdruck „Stange", der eher dem lateinischen „baculus" entspricht. Auch das Wort „fustis", „Knüppel", paßt gut zur Bezeichnung eines Werkzeuges, mit dem man etwas zerbricht oder zertrümmert. Diese Bedeutungen nennt Reuchlin aber neben anderen unter „שבט‏": „Virga, baculus, fustis, tribus, sceptrum." Für Ps. 2,9 zieht er allerdings die Bedeutung „sceptrum" vor,[125] für die sich auch Luther in den Operationes entscheidet. Anders als Müntzer übersetzt Amman: „. . . mit ainer eyßernen ru(o)t."

7. Ps. 22,8 übersetzt Müntzer: „Sie sperten auff [יפטירו] yre lippen.‏"[126] In der Vulgata steht dafür: „Locuti sunt labiis", im Psalterium Hebraicum: „Dimittunt labium." Beides entspricht nicht Müntzers Übersetzung. Reuchlin bemerkt aber zu „פטר‏": „. . . Significat etiam aperire.‏"[127] Luther beschreibt in seinen Operationes genau den Gestus, den das hebräische Wort bezeichnet, und nennt in diesem Zusammenhang die Bedeutung aperire: „Significat . . . hoc verbum proprie gestum deridentis, qui demisso porrectoque labio inferiore os detorquet in eum, quem deridet. Noster autem, quia os aperire in sacris literis significat loqui, ideo transtulit: ‚Locuti sunt labiis.‘ Verum aliud aperiendi verbum hic locus habet.‏"[128] Felix von Prato übersetzt: „Aperient labia." Ammans Psalter kommt hier als Quelle nicht in Frage: „Alle meine anseher werdend spotten mein."

8. Ps. 22,18 lautet nach Müntzer: „All mein gebeyne kan ich zelen.‏"[129] Die Vulgata und das Psalterium Hebraicum haben die Lesart „dinumeraverunt", also ein anderes Tempus und eine andere Person. Dagegen entspricht Müntzers Text genau dem hebräischen Ausdruck „אספר‏". Mehl weist auf die Möglichkeit hin, daß Müntzer Luthers Übersetzung dieser Stelle in den „Operationes in psalmos" gekannt habe.[130] Sie lautet: „Numerabo omnia ossa mea.‏"[131] Dieselben Worte stehen in der Übersetzung des Felix von Prato zu Ps. 22,18. Zu erwägen wäre ferner, ob die von Müntzer gebrauchte Bezeichnung „zählen" nicht dem Simplex „numerare" näher steht als dem Kompositum „dinumerare". Reuchlin nennt für „ספר‏" die Bedeutung „numeravit", ohne in diesem Artikel auf Ps. 22,18 hinzuweisen.[132] Amman übersetzt: „Ich wird zölen alle meine gebain."

9. Ps. 22,18: Den zweiten Halbvers übersetzt Müntzer: „. . ., das werden sie ansehn und yn mir beschawen.‏"[133] Auffällig ist der Tempuswechsel gegenüber allen Übersetzungen des

„Quincuplex Psalterium", die das Perfekt gebrauchen. Müntzers Wiedergabe entspricht aber dem hebräischen Text: „יביטו יראו־בי". Streng wörtlich übersetzt auch Felix von Prato: „. . . ipsi considerabunt, torvum respicient in me." Amman: „. . . sie werdend anschawen, sie werdend ansehen an mich."

10. In Ps. 22,25 liest man nach Müntzer: „Das hynwerffen [ענות] des do(e)rfftigen . . ."[134] Die Vulgata hat dafür „deprecationem pauperis", das Psalterium Hebraicum „modestiam pauperis", Felix von Prato „humilitatem pauperis", wobei er am Rand hinzufügt: „Afflictionem, orationem, responsionem". Amman übersetzt: „. . . die diemütigkait des armen". Wenn Müntzer meint, daß die Feinde den Leidenden „hinwerfen", so könnte seine Übersetzung mit Reuchlins Angaben zu „ענה" zusammenhängen: „. . . Inde nomen adiectivum ‚humiliatus‘, ‚humilis‘, ‚egenus‘, ‚inops‘,‚afflictus‘ . . . omnia quandam depressionem, paupertatem et humilitatem spiritus significant."[135] Luther bemerkt in den „Operationes in psalmos" zu unserer Stelle: „Diximus . . . ‚Aeni‘ pauperem ab afflictione et oppressione dici."[136]

11. Ps. 43,2 lautet nach Müntzer: „. . . warumb hast du mich vorlassen."[137] Die Vulgata hat: „. . . quare me repulisti?" Im masoretischen Text steht: „זנחתני". Es liegt nahe, Müntzers Übersetzung mit Ps. 22,2 in Verbindung zu bringen, wo in der Vulgata steht: „. . . quare me dereliquisti?" Aber was sollte Müntzer veranlaßt haben, den an sich klaren Text der Vulgata zu Ps. 43,2 nach Ps. 22,2 zu ändern? Faber interpretiert Ps. 43,2 folgendermaßen: „. . . quare me deseruisti . . .?" Reuchlin nennt für „זנח" die Bedeutung „dereliquit".[138] Felix von Prato übersetzt zwar: „. . . cur oblitus es mei?", bietet aber als Randglosse die Variante: „Cur dereliquisti me?" Ebenso Amman: „. . . warumb hast du mich verlassen?"

12. Ps. 48,15 übersetzt Müntzer recht frei: „Gott . . . ist allein unser hertzog, unter wilchs panir sollen wir kempffen byß in den todt."[139] Dafür stehen in der Vulgata die Worte: „. . . ipse reget nos in saecula." Die Version „in saecula", die auf die Septuaginta zurückgeht (εἰς τοὺς αἰῶνας), hat letztlich ihre Grundlage in der hebräischen Lesart „עלמות", die von vielen Handschriften überliefert wird. Im masoretischen Text stehen dafür aber zwei Worte: „על־מות", und dementsprechend übersetzt Hieronymus im Psalterium Hebraicum: „. . . ipse erit dux noster in morte." Dies könnte die Vorlage für Müntzers freie Wiedergabe des Textes gewesen sein. Allerdings hätte Müntzer eigentlich die Umstandsbestimmung „in morte" durch „im Tod" verdeutschen müssen. Auffälligerweise sagt er aber: „. . . byß in den Todt". Aus der Ortsangabe ist eine Richtungsangabe geworden. Dies entspricht aber der Präposition „על", die – im Unterschied zum lateinischen „in" mit dem Ablativ – eine Bewegungsrichtung ausdrücken kann und daher von Reuchlin mit „in, ad, super, supra" und „adversum" wiedergegeben wird.[140]

13. Ps. 80,3 übersetzt Müntzer: „Vor Ephraim, Beniamin und Manasse vorsuch dein sterck."[141] Die Vulgata verbindet diesen Textteil mit dem vorangehenden Vers: „. . . manifestare coram Ephraim, Beniamin et Manasse." Diese Versabgrenzung haben alle Übersetzungen des „Quincuplex Psalterium". Felix von Prato folgt wie Müntzer der Einteilung des hebräischen Textes: „Coram Effraim et Beniamin et Manasse excita potentiam tuam." Amman ebenso: „Vor dem angesicht effraym vnd beniamin vnnd manasse / erwo(e)ck dein sto(e)rckin."

14. Zu Ps. 104,2 heißt es bei Müntzer: „Du neygest [נוטה] den hymel wie ein decke [כיריעה]"[142] Hier zeigt sich an zwei Stellen der Einfluß des hebräischen Textes. In der Vulgata liest man: „Extendens caelum sicut pellem." Fast gleich lautet das Psalterium Hebraicum:„Extendens caelos ut pellem." „Neigen" entspricht aber nicht „extendere", sondern „declinare", das Reuchlin unter „נטה" nennt.[143] Dementsprechend übersetzt Amman: „. . . der do naigt den hymel als ain do(e)ckin." Auch zwischen „Decke" und „pellis" besteht

keine Sinngleichheit. Dagegen entspricht „Decke" genau dem Wort „velum", das Reuchlin unter „יריעה" verzeichnet, wobei er zu der Vulgatalesart von Ps. 104,2 bemerkt: „. . . rectius diceretur: ‚Expandens caelum sicut velum.'"[144] Faber hat diese Korrektur in seine Erklärung übernommen.[145] Siehe auch Amman!

15. Ps. 104,17 übersetzt Müntzer: „. . . die sto(e)rche werden auff dem fichtenbawm wonen."[146] Die Vulgata lautet hierzu: „. . . herodii domus dux est eorum." „Herodius" bedeutet „Reiher". Im Psalterium Hebraicum liest man an dieser Stelle: „. . . milvo abies domus eius". „Milvus" bedeutet „Weihe". Wie ist Müntzers Übersetzung zu erklären? Faber gibt die Meinung des Paulus von Burgos wieder, daß es „ciconia" heißen müsse.[147] Reuchlin nennt diese Bedeutung für „חסידה".[148] Auch Felix von Prato übersetzt: „. . . ciconiae abietes domus eius". Ebenso wörtlich übersetzt Amman: „. . . des storcken seynd die fu(e)chtenbaum sein hauß."

16. Bei der Wiedergabe von Ps. 148,14 gebraucht Müntzer das Futurum: „Und er wirt erheben das horn seynes volckes."[149] Im hebräischen Text steht das Imperfectum mit dem Waw consecutivum: „וירם", was die Vulgata ganz richtig ins Perfekt übersetzt: „. . . et exaltavit . . ." Es ist denkbar, daß Müntzer hier aus rein inhaltlichen Gründen das Tempus geändert hat. Es ist aber auch nicht auszuschließen, daß es sich bei seiner Übersetzung um die „Verschlimmbesserung" eines weniger geübten Hebraisten handelt, der nicht wußte, daß die futurische Bedeutung des Imperfekts durch ein Waw consecutivum in das Vergangenheitstempus umgewandelt wird.

17. 1. Sam 2,4 übersetzt Müntzer: „Der bogen der starcken ist zurbrochen [חתים]."[150] Reuchlin nennt für „חתת" die Bedeutung „confregit".[151] Die Vulgata lautet hier: „Arcus fortium superatus est." Anders als Müntzer übersetzt auch Amman: „Dye starcken fu(e)rchtend den bogen."[152] LXX: „ἠσϑένησεν."

18. 1. Sam. 2,8 lautet nach Müntzer: „Auff das er yn setze [להושיב] zu den fursten und ererbe [ינחילם] den stul des preysses."[153] In der Vulgata steht dafür: „. . . ut sedeat cum principibus et solium gloriae teneat." Müntzers Übersetzung des ersten Verbums entspricht der hebräischen Form des Hifil. Amman übergeht den Passus „ut sedeat cum principibus". In der Tat, in einer für eine ungelehrte Leserschaft bestimmten deutschen Übersetzung wären diese Worte nach dem Wormser Edikt und vor dem Ausbruch des Bauernkrieges nicht ungefährlich! Der zweite Versteil lautet bei Amman: „. . . vnnd macht sie o(e)rben den stu(o)l der eren."[154] Reuchlin nennt für „נחל": „Hereditavit."[155]

19. Jes. 12,2 übersetzt Müntzer: „Ich wil mich auff yn vorlassen [אבטח]."[156] Die Vulgata lautet: „. . . fiducialiter agam." Reuchlin verzeichnet unter „בטח": „Speravit."[157] Dementsprechend übersetzt Amman: „. . . ich will hoffen."[158]

20. Jes. 12,4 lautet nach Müntzer: „Verku(e)ndiget dem volcke seyne wunder [עלילותיו]."[159] Die Vulgata hat die Lesart: „. . . adinventiones eius". Amman übersetzt: „. . . machent kund in den vo(e)lkern seine werck."[160] Das Wort „עלילות" kommt auch in Ps. 9,12 vor.[161] Zu dieser Stelle bemerkt Luther in den „Operationes in psalmos": „. . . alii ‚mirabilia'".[162] So ist Ps. 9,12 im Psalterium Romanum übersetzt.

21. Zu Jes. 38,10 liest man bei Müntzer: „Ich hab gezalt [פקדתי] die überflu(e)ssigkeit [יתר] meiner jar."[163] In der Vulgata steht hier: „Quaesivi residuum annorum meorum." Müntzers Übersetzung stimmt aber wörtlich mit der Ammans überein: „. . . ich hab gezo(e)lt die u(e)berflu(e)ssigkait meiner jar."[164] Die Bedeutung der beiden hebräischen Ausdrücke ist auch bei Reuchlin zu finden. Unter „פקד" notiert er: „. . . significat quoque ‚numerare'".[165] Der Artikel „יתר" enthält die Angabe: „Inde יותר. Inde יתרון, superfluitas . . ."[166]

22. Zu Jes. 38,11 steht bei Müntzer: „. . . mit [עם] den einwonern der ruge."[167] Die

Vulgata hat die Lesart: „. . . et habitatorem . . .". Reuchlin verzeichnet unter „עם": „Cum vel in."[168] Amman übersetzt: „. . . mit den sitzenden der vermeidung".[169]

23. Jes. 38,12 lautet nach Müntzer: „Mein geschlecht ist vorgangen [נסע]."[170] Die Vulgata übersetzt: „Generatio mea ablata est." Reuchlin nennt unter „נסע" die Bedeutungen: „Profectus est, migravit, egressus est, recessit."[171] Im Sinne dieser Angaben übersetzt Amman: „Mein geburt ist außgangen . . ."[172]

24. Jes. 38,14 lautet nach Müntzer: „Wie ein junge schwalbe werd ich schreyen, wie ein kranich und wie eine taube werd ich trachten."[173] Elliger weist darauf hin, daß die Worte „wie ein kranich" „weder aus der Vulgata noch aus Hieronymus noch aus den LXX zu belegen" seien, sich aber im Hebräischen fänden. Dennoch nimmt Elliger hier nicht eine Benutzung des Grundtextes an, sondern hält es für denkbar, daß Müntzer „bei der Formulierung von Jesaja 38,14 unwillkürlich Jeremia 8,7 in die Feder floß, wo ‚Taube, Kranich und Schwalbe' zusammen genannt werden. Zwar zitiert er diese Stelle sonst nirgendwo wörtlich; doch spielt Jeremia 8,8 in seiner Polemik gegen die Schriftgelehrten eine hervorragende Rolle und war ihm der voraufgehende Vers sicherlich geläufig."[174] Diese Argumentation ist nicht sehr überzeugend. Wie ist der Quellenbefund? Jes. 38,14 lautet nach der Vulgata: „Sicut pullus hirundinis, sic clamabo; meditabor ut columba." Der masoretische Text beginnt mit den Worten: „כסוס עגור". Für den ersten Ausdruck ist „כסיס" zu lesen. Die Übersetzung lautet: „Wie ein Mauersegler, eine Kurzfußdrossel, so zwitschere ich . . ." Es werden also im Unterschied zur Vulgata (pullus hirundinis) zwei Vogelarten genannt. Auf diesen Umstand weist auch Reuchlin unter der Vokabel „סוס" hin: „Species avis quam authores varie nominant; nam Isaiae XXXVIII. dicitur: ‚Sicut pullus hirundinis.' Sed sunt ibi duo diversa vocabula per articulum hypodiastolis distinguenda, ut sit sensus: ‚Sicut hirundo et grus' seue ‚ardea' vel ‚ciconia'. Alii ‚cornicem' vocant."[175] Auch im Artikel „עגור" nennt Reuchlin die Bedeutung „grus", und zwar nur diese, und berichtigt die Übersetzung der Vulgata zu Jes. 38,14: „. . . alii: ‚Sicut irundo et grus."[176] In Jer. 8,7 stehen nach der Vulgata die Worte: „Turtur et hirundo et ciconia." „Grus" bedeutet „Kranich", „ciconia" dagegen „Storch". Müntzer hätte also nach Elligers Hypothese Jes. 38,14 in Anlehnung an Jer. 8,7 folgendermaßen übersetzen müssen: „Wie eine junge Schwalbe . . ., wie ein Storch und wie eine Taube . . ." Eine Parallele zu Müntzers Übersetzung bietet Amman: „Als ain schwalb und als ain kranch also wu(e)rd ich betrachten / ich will gedencken als ain taube."[177] Müntzer gebraucht zwar wie Amman das Wort „Kranich", weicht aber sonst von dessen Übersetzung merklich ab. Auffällig ist auch, daß Müntzer entsprechend der Vulgata (pullus hirundinis) „junge schwalbe" und nicht lediglich „schwalbe" übersetzt, aber dann doch entsprechend dem Grundtext drei Vogelarten (Schwalbe, Kranich, Taube) nennt.

Es ist schwierig, aus diesem komplizierten Befund sichere Schlüsse zu ziehen. Die hier untersuchten Stellen aus Müntzers Übersetzung betreffen die Versabgrenzung (Nr. 13), grammatische Formen (Nr. 8. 9. 16) und Wortbedeutungen (Nr. 1. 2. 3. 4. 5. 6 [2×]. 7. 10. 11. 12. 14 [2×]. 15. 17. 18 [2×]. 19. 20. 21 [2×]. 22. 23. 24). Letztere entsprechen zumeist eindeutig den lexikalischen Angaben in Reuchlins „De rudimentis hebraicis" (Ausnahmen: Nr. 5. 19. 20), die in den Übersetzungen des Felix von Prato und des Caspar Amman wiederkehren.

In 19 der untersuchten Fälle entspricht Müntzers Übertragung der Ammans (Nr. 1. 2. 3. 5. 6. 8. 9. 11. 13. 14 [2×]. 15. 19 [?]. 21 [2×]. 22. 23. 24), wobei Amman elfmal dasselbe Wort wie Müntzer gebraucht (Nr. 5. 6. 8. 11. 14 [2×]. 15. 21 [2×]. 22. 24). Zu Jes. 38,10 (Nr. 21) lautet sogar ein ganzer Satz bei Müntzer und Amman gleich. 12 Parallelen zwischen Müntzer und Amman betreffen den Psalter, die übrigen 7 alttestamentliche Cantica. In 9 Fällen besteht eine Entsprechung zwischen Müntzer, Amman und Felix von Prato (Nr. 1. 2. 5. 6

[?]. 8. 9. 11. 13. 15), viermal zwischen Müntzer, Amman, Felix von Prato und Luthers „Operationes in psalmos" (Nr. 1. 2. 6. 8), zweimal zwischen Müntzer, Amman, Felix von Prato und Faber (Nr. 11. 15), und einmal stimmt Müntzer zugleich mit Felix von Prato und Luther überein (Nr. 7). 7 Stellen bleiben übrig, an denen Müntzers Übersetzung eine Beziehung zum hebräischen Text verrät, die nicht aus einer anderen Quelle abgeleitet werden konnte (Nr. 3. 4. 6. 16. 17. 18. 20). Spricht dies für eine Benutzung des Grundtextes?

Man könnte natürlich in diesem Falle annehmen, Müntzer, selber des Hebräischen unkundig, habe sich eines uns unbekannten Helfers bedient; ist es aber tatsächlich erwiesen, daß wir Müntzer unter keinen Umständen zutrauen dürfen, er habe sich an einigen ihm besonders wichtigen Stellen mit Hilfe von Reuchlins „De rudimentis hebraicis" selber ein Urteil über den hebräischen Text zu bilden versucht? Auf gar keinen Fall ist es möglich, Müntzer ein völliges Desinteresse an philologischen Fragen zuzuschreiben, weil seine Übersetzung willkürlich sei. Dieses Vorurteil fällt in sich zusammen angesichts der zahlreichen Fälle, in denen Müntzer über die Vulgata und das Psalterium Hebraicum des Hieronymus hinaus eine – wie auch immer vermittelte – Kenntnis vom Wortlaut des Grundtextes zeigt.

V Methode und Charakter der Bibelübersetzung Müntzers, untersucht anhand der Psalmen 1 und 22

1 Psalm 1[178]

Vers 1

Müntzer: „Dem außerwelten ist all sein seligkeit dran gelegen, das er dem ratschlage der gottlosen kein stat gebe. Das er auch kegke [keck] den ubeltetern widder sey und die spo(e)ttischen in irem vornemen nit bestetige."

Vulgata: „Beatus vir, qui non abiit in consilio impiorum et in via peccatorum non stetit et in cathedra pestilentiae non sedit."

Erklärung: Müntzers Übersetzung „die spo(e)ttischen" entspricht im Unterschied zur Lesart der Vulgata „pestilentiae" genau dem hebräischen Grundtext. Reuchlin gibt die betreffende hebräische Vokabel mit „illusor" wieder.[179] Die Gegner nehmen die Sache Gottes nicht ernst, sie haben nur Spott für sie übrig.

Obwohl Müntzer sich hier deutlich am ursprünglichen Sinn des Grundtextes orientiert, übersetzt er den ganzen Vers erstaunlich frei. Den zweigliedrigen Nominalsatz „Beatus vir" gibt er in veränderter Konstruktion ausführlich wieder: „Dem außerwelten ist all sein seligkeit dran gelegen, . . ." „Vir" bezeichnet nicht irgendeinen Mann, sondern den eminenten Mann im theologischen Sinne: den „Auserwählten". Dieses Wort entfernt sich scheinbar weit vom hebräischen Text, wenn man nicht berücksichtigt, daß „אִישׁ" nach Reuchlin „heros, vir magnus et caput atque praecipuus" sowie „homo patricius et nobilis" bedeutet.[180] Wir wissen nicht sicher, ob Müntzer diese lexikographischen Angaben, die auch Luther in den „Operationes in psalmos" übernommen hat,[181] bekannt waren. Sie zeigen jedenfalls, daß seine Übersetzung nicht so willkürlich ist, wie es dem Unkundigen scheinen könnte. Mit seiner Verdeutschung „Dem außerwelten . . ." hat Müntzer zugleich den Gegensatz deutlicher gemacht, der den ganzen Vers und den ganzen Psalm bestimmt: Auf der einen Seite stehen „die Auserwählten", auf der anderen die „Gottlosen", „die Übeltäter", „die Spötter". Indem Müntzer in veränderter Konstruktion den Dativ „Dem außerwelten . . ." gebraucht, betont er im Unterschied zur Vulgata und zum hebräischen Text die

Beziehung auf das Subjekt: Es geht nicht um die Seligkeit an sich, sondern um ihre Bedeutung für den Auserwählten. Müntzer hätte sagen können: „Dem Auserwählten ist daran gelegen, daß . . .", was soviel bedeuten würde wie: „Dem Auserwählten kommt es darauf an, daß . . ." Aber nun wird als Subjekt das Wort „Seligkeit" eingesetzt, so daß sich etwa folgender Sinn ergibt: „Der Auserwählte sucht und sieht seine Seligkeit darin, daß . . ." Zu dem Wort „seligkeit" fügt Müntzer interpretierend das Attribut „all sein" hinzu. Damit wird die Totalität und Exklusivität des Geschehens betont: Der Auserwählte erblickt und erstrebt seine Seligkeit ausschließlich in dem, was der mit „daß" eingeleitete Folgesatz ausdrückt.

In der musikalischen Gestaltung sind die Worte „Dem außerwelten" und „gelegen" hervorgehoben, so daß auch dadurch das „Anliegen" des „Auserwählten" betont wird.

Worauf richtet sich nun das Trachten des Auserwählten?

1. „. . ., das er dem ratschlage der gotlosen kein stat gebe." Die Vulgata sagt nur negativ, daß der selige Mann nicht nach Art der Gottlosen lebt. Müntzer gibt diesem Versteil einen kämpferischen Akzent. Der Auserwählte gibt dem Rat der Gottlosen „kein stat", keinen Raum, keine Gelegenheit zu wirken.

2. Diese kämpferische Haltung kommt noch deutlicher in den folgenden Worten zum Ausdruck: Der Auserwählte hält sich nicht nur fern von der Lebensweise der Sünder, sondern führt mit ihnen einen Kampf, er „widersteht den Übeltätern" und tut es – wie Müntzer interpretierend hinzufügt – „kegke". In allen Übersetzungen steht das Wort „peccatorum". Müntzer spricht nicht von „Sündern" wie die deutsche Bibel vor Luther,[182] sondern von „Übeltätern". Es geht um das Tun des Bösen.

3. Auch in der dritten negativen Bestimmung des ersten Verses hebt Müntzer den aktiven Einsatz des Auserwählten hervor. Dessen Verhalten beschränkt sich nicht darauf, daß er selbst nicht auf dem Lehrstuhl der „spo(e)ttischen" sitzt; vielmehr „bestetigt" er sie nicht „in irem vornemen", d. h. in ihren Absichten und Plänen.

So hat Müntzer insgesamt den Gedanken des Sich-Fernhaltens von aller Gottlosigkeit zur Aussage des Widerstandes gegen sie verschärft.

Vers 2
Müntzer: „Dann sein begir wirt erstreckt zum gesetz Gottes, tag und nacht wirt er zubrengen, seynen willen durch ernst betrachten zurbrechen [zu zerbrechen]."
Vulgata: Sed in lege Domini voluntas eius, et in lege eius meditabitur die ac nocte."
Erklärung: Während die Vulgata Vers 2 mit der adversativen Konjunktion „Sed" einleitet, stellt Müntzer die logische Verbindung zu dem Vorangehenden durch ein begründendes „Dann", d. h. denn, her. Die Vulgata stellt dem, was der selige Mann nach Vers 1 nicht tut, in Vers 2 den positiven Inhalt seines Tuns gegenüber. Bei Müntzer gibt Vers 2 den Grund dafür an, weshalb der Auserwählte der Gottlosigkeit Widerstand entgegensetzt.

Die Bezeichnung „begir" steht dem hebräischen „חפץ" näher als das Wort „voluntas".[183] Es geht Müntzer um die affektuale Beziehung zum Gesetz. Während die Vulgata das Gesetz gleichsam als den Ort des Willens beschreibt, ist nach Müntzer das Gesetz das Ziel, das der „begir" die Richtung gibt. In der Wortstellung setzt Müntzer abweichend von der Vulgata das Subjekt „sein begir" an den Anfang des Satzes, wodurch es stärker betont wird.

Im Unterschied zur ersten übersetzt Müntzer die zweite Vershälfte sehr frei. Das am Ende stehende „die ac nocte" stellt er an den Anfang, so daß es der folgenden Aussage die Gesamtsignatur gibt. Vom Gesetz spricht Müntzer hier im Unterschied zur Vulgata nicht explizit. Während die beiden Vershälften in der Vulgata nach dem Stilgesetz des Parallelismus membrorum nahezu inhaltlich gleiche Aussagen über das Verhältnis des seligen Mannes zum Gesetz Gottes machen, will Müntzer in Vers 2b entfalten, worum es beim Umgang mit dem Gesetz geht. Das Stichwort „betrachten" nimmt das „meditabitur" der Vorlage auf. Tag und Nacht wird der Auserwählte damit zubringen, durch ernstes Betrachten seinen eigenen Willen zu zerbrechen. Das Attribut „ernst" unterstreicht, daß dies Betrachten keinerlei Ablenkung durch irgendwelche Nichtigkeiten duldet. Obwohl Müntzer nicht ausdrücklich das Gesetz nennt, meint er doch das Gesetz als Gegenstand der Betrachtung. Darauf deutet eine Stelle in der „Hochverursachten Schutzrede und Antwort wider das geistlose, sanftlebende Fleisch zu Wittenberg" (1524), wo es heißt: „... es mu(o)ß der wille Gottes und sein werk zu(o) podem [bis auf den Boden] durch betrachtung des gesetzes volfüret werden, Psalm. 1."[184]

Vers 3

Müntzer: „Er wirt sein wie ein baum auß (!)[185] wasser gepflantzet, der zur rechten zeit sein frucht gibet. Es felt nit ein blat darvon und verweset auch nit. Und alles, das er vornympt, wird er naussen furen."

Vulgata: „Et erit tanquam lignum quod plantatum est secus decursus aquarum, quod fructum suum dabit in tempore suo;
et folium eius non defluet; et omnia quaecumque faciet prosperabuntur."

Erklärung: Müntzers Übersetzung dieses Verses ist eher in sprachlicher als in theologischer Hinsicht aufschlußreich.

Vers 3a: Die einleitende Konjunktion „Et" ist weggelassen. Statt des Relativsatzes „quod plantatum est" verwendet Müntzer das kürzere Participium coniunctum: „... gepflantzet". Verkürzt gibt er auch die Worte „secus decursus aquarum" wieder: „... anß wasser". Die Zeitbestimmung „in tempore suo" wird vorangestellt und zugleich verdeutlichend wiedergegeben: „... zur rechten zeit". Bemerkenswert ist schließlich, daß Müntzer das in allen lateinischen Übersetzungen stehende „lignum" nicht wie die deutsche Bibel vor Luther sklavisch wörtlich mit „holtze",[186] sondern mit „baum" wiedergibt.

Vers 3b: Wieder läßt Müntzer das verbindende „et" am Anfang nach deutschem Stilempfinden weg. Die Worte „nit ein blat darvon" veranschaulichen schön die Blätterfülle des Baumes, von dem nicht einmal ein einziges Blatt herabfällt. Nach der Vulgata ist „folium" als Kollektivbezeichnung für das ganze Laub zu verstehen. Den Ausdruck „defluet", wörtlich „wird herabfließen", hat Müntzer offensichtlich als unpassend empfunden und daher durch zwei Verben wiedergegeben: „Es felt nit ... und verweset auch nit." Das Psalterium Vetus und das Psalterium Romanum haben statt „defluet" „decidet". Die Bedeutungen „cadere" und „marcescere" nennt Reuchlin für die hier im Grundtext stehende hebräische Vokabel.[187] Frei und zugleich textgemäß übersetzt Müntzer den Passus: „Und alles, das er vornympt, wird er naussen furen."

Vers 4

Müntzer: „Die gotlosen werden das nit vormu(e)gen, sie werden sein wie der staub vorm winde."

Vulgata: „Non sic impii, non sic; sed tanquam pulvis, quem proicit ventus a facie terrae."

Erklärung: Nach dem Psalterium Hebraicum hat Müntzer das zweite „non sic" weggelassen. Die Unvollständigkeit des Satzes „Non sic impii", die den Affekt der Rede anzeigt, ahmt Müntzer nicht nach, sondern er bildet einen voll ausformulierten Satz: „Die gotlosen werden das nit vormu(e)gen." Sie werden im Gegensatz zu den Auserwählten ihr „Vornehmen" nicht ausführen können, sondern sein „wie der staub vorm winde". Die Worte „a facie terrae" haben im Psalterium Hebraicum keine Entsprechung. Folglich läßt Müntzer sie weg. Den Relativsatz „. . . quem proicit ventus" gibt Müntzer verkürzt durch ein präpositionales Attribut wieder: „. . . wie der staub vorm winde".

Vers 5

Müntzer: „Sie ku(e)nnen keyn urteil bey yn [sich] beschliesen, man wirt sie vor offentliche ubelteter halten, do die außerwelten zusamen seint."

Vulgata: „ideo non resurgent impii in iudicio, neque peccatores in concilio iustorum."

Erklärung: Diesen Vers übersetzt Müntzer sehr frei. Seine Übersetzung ist hier ganz offensichtlich Deutung. Während er an anderen Stellen oft durch ergänzende Konjunktionen und Adverbien den logischen Zusammenhang von Sätzen und Satzteilen verdeutlicht, übergeht er hier das den Vers einleitende „Ideo". Er will also das in Vers 5 Gesagte nicht als Folgerung aus dem Vorangehenden kennzeichnen. Wahrscheinlich hat Müntzer Vers 5 als Explikation von Vers 4 verstanden. Dort wurde von den Gottlosen ein Unvermögen ausgesagt. In Vers 5 wird dies deutlicher beschrieben: Sie können kein wirksames Urteil unter sich beschließen. In diesem Sinne versteht Müntzer die Worte: „. . . impii non resurgent in iudicio." Wie er zu dieser Deutung gekommen ist, läßt sich schwer feststellen. Vielleicht liegt die Lösung des Problems im Hebräischen.[188] Über die Gottlosen wird ein Schuldspruch gefällt: „. . . man wirt sie vor offentliche ubelteter halten." Nach der Vulgata müßte man auch in diesem Versteil „resurgent" als Prädikat voraussetzen, so daß sich ein synonymer Parallelismus ergibt. Müntzer bildet eine Antithese: Die Gottlosen beschließen kein Urteil, sondern werden als öffentliche Übeltäter erwiesen. Ihre Entlarvung geschieht da, wo „die außerwelten zusamen seint". Die „iusti" sind die „außerwelten". Damit nimmt Müntzer den Begriff auf, der am Anfang des Psalms steht. Das Wort „concilium" wird nicht durch ein Substantiv, sondern durch einen Nebensatz wiedergegeben. Das „concilium" wird so deutlicher als ein Geschehen erfaßt.

Vers 6

Müntzer: „Also erkent Got den weg der gerechten, und die strasse der bo(e)ßewicht wirt vorhawen [abgehauen][189] werden."

Vulgata: „Quoniam novit Dominus viam iustorum, et iter impiorum peribit."

Erklärung: Müntzer leitet den Vers nicht wie die Vulgata mit einer begründenden Konjunktion ein, sondern mit „Also", d. h., auf die im Psalm beschriebene Weise verhält sich Gott zu den Gerechten und den Bösewichten.

2 Psalm 22[190]

Psalm 22 gehört im Kirchenamt zur Mette der Passionszeit.

Vers 2

Müntzer: „O Got, mein Got, sich an, warumb hastu mich verlassen, die wort meins geschreyß seint weyt von meinem heyle."

Vulgata: „Deus, Deus meus, respice in me, quare me dereliquisti? longe a salute mea verba delictorum meorum."

Erklärung: Der Anrede „Got" stellt Müntzer zur Verstärkung des Affekts die Exklamation „O" voran. In der Wiedergabe der Anrede folgt er der Vulgata, während das Psalterium

Hebraicum beide Male mit „Deus" das Possessivpronomen verbindet: „Deus meus, Deus meus". Das in der Vulgata nur an zweiter Stelle gesetzte „meus" bewirkt eine Klimax: Der Gott, den der Beter anruft, ist nicht nur Gott schlechthin, sondern sein Gott, ihm persönlich verbunden.

Nach der Vulgata übersetzt Müntzer auch: „. . . sich an", läßt aber das Personalpronomen „me" weg, so daß der Akzent auf das Tun als solches gelegt wird, uneingeschränkt durch seinen Gegenstand. Im Psalterium Hebraicum fehlt der ganze Passus „. . . respice in me". Die mit „. . . warumb" beginnende Frage ist wirkungsvoller, wenn Gott zuvor aufgefordert wird, (das ganze Elend des Beters) anzusehen.

Den letzten Versteil übersetzt Müntzer abweichend von der Vulgata nach dem Psalterium Hebraicum: „. . . longe a salute mea verba rugitus mei." Man sieht am Beispiel dieses Verses, daß Müntzer nicht sklavisch der Vulgata oder dem Psalterium Hebraicum folgt, sondern von Fall zu Fall entscheidet, welche Vorlage seinem Verständnis des Textes besser entspricht.

Vers 3

Müntzer: „O mein Got, tag und nacht hab ich zu dir geschrien, und du wilt mich nit erho(e)ren, du verleyest mir nit, stil zu schweygen."

Vulgata: „Deus meus, clamabo per diem, et non exaudies; et nocte, et non ad insipientiam mihi."

Erklärung: Auch hier verstärkt Müntzer den Affekt der Anrede durch ein hinzugefügtes „O". Den Parallelismus des Verses löst Müntzer auf, indem er die Zeitbestimmungen „per diem" und „nocte" zusammenzieht und betont an den Anfang stellt: „. . . tag und nacht".

Das Tempus wird im Gegensatz zu allen lateinischen Übersetzungen, die entsprechend dem hebräischen Imperfekt das Futurum „clamabo" bieten, geändert: „. . . hab ich . . . geschrien." Das unaufhörliche Schreien des Beters geht der ausbleibenden Erhörung voraus. Die Worte „zu dir" hat Müntzer erklärend hinzugefügt.

„Non exaudies" wird mit Hilfe eines modifizierenden Verbums wiedergegeben: „. . . du wilt mich nit erho(e)ren." Der Beter deutet die Erfahrung, daß er nicht erhört wird, als Wirkung des göttlichen Nicht-Wollens.

Dieser theozentrische Gesichtspunkt kommt noch deutlicher im zweiten Versteil zum Ausdruck. Müntzer folgt hier nicht der schwer verständlichen Lesart der Vulgata, sondern dem Psalterium Hebraicum: „. . . nec est silentium mihi." Aber diese Worte gibt er interpretierend so wieder, daß Gott als Urheber erscheint: „. . ., du verleyest mir nit, stil zu schweigen."

Vers 4

Müntzer: „Du bist ein besitzer der heilgen stat, Israhel singet dir vil guter lobsenge."

Vulgata: „Tu autem in sancto habitas, laus Israel."

Erklärung: Die Vulgata setzt Vers 4 durch die adversative Konjunktion „autem" betont von Vers 3 ab: Dem unaufhörlichen Schreien des Beters wird das erhabene Wohnen Gottes in seinem Heiligtum gegenübergestellt. Müntzer übergeht das „autem" und fügt Vers 4 ohne Konjunktion an Vers 3 an. Dadurch vermeidet er den Eindruck, als wäre Gott dem Leidenden fern. Er ist vielmehr inmitten seiner Gemeinde.

Die verbale Aussage „habitas" wandelt Müntzer – vielleicht in Anlehnung an die Lesart des Psalterium Hebraicum, „habitator" – in eine nominale um: „. . . besitzer". Zugleich wählt er eine andere Wortbedeutung, wozu ihn gewiß die etymologische Beziehung zwischen

„habere" und der Intensivform „habitare" (innehaben; wohnen) angeregt hat: Gott ist nicht nur Bewohner, sondern Besitzer, besitzender Herr.

Theologisch hängt der Begriff „Besitzer" mit Müntzers Gedanken über „das ursprüngliche Verhältnis zu Gott und zu den Kreaturen" zusammen.[191] In der „Ausgedrückten Entblößung..." (1524) spricht Müntzer von einem doppelten Besitzverhältnis nach der Ordnung Gottes, nämlich „von der besizung Gottes uber uns und von unser uber die creaturen".[192] „Wiederholt legt Müntzer in seinen Schriften darauf Wert, daß der Geist Gottes der Besitzer der Seele ist und der Mensch weder Reichtümer noch Ehre zum Besitzer nimmt."[193] Wie wichtig Müntzer die Worte „possidere" und „possessor" waren, zeigt auch ein von ihm angefertigtes Verzeichnis einiger alttestamentlicher Stellen, an denen sie vorkommen.[194]

„In sancto", das sowohl als Neutrum wie auch als Masculinum verstanden werden kann, übersetzt Müntzer in grammatischer Eindeutigkeit und zugleich anschaulich: „...besitzer der heilgen stat". Das Wort „stat" erweckt den Gedanken an eine Bürgerschaft oder Gemeinde.

Die als Anrufung Gottes gemeinten Worte „laus Israel" gibt Müntzer durch einen vollständigen Aussagesatz wieder: „Israhel singet dir vil guter lobsenge." Dabei wird „lobsenge" durch zwei Attribute verdeutlicht, die die Quantität und die Qualität betreffen. Man spürt an diesen sprachlichen Feinheiten Müntzers enge Beziehung zum gottesdienstlichen Leben.

Vers 5

Müntzer: „Unser vaeter haben sich auff dich vorlassen, sie hofften auf dich, darumb hastu sie erlo(e)set."

Vulgata: „In te speraverunt patres nostri; speraverunt et liberasti eos."

Erklärung: Abweichend von der Wortstellung der Vulgata, stellt Müntzer im ersten Halbvers das Subjekt „Unser vaeter" an den Anfang. Dadurch verlieren die Worte „auf dich" ihre Betonung. Die Väter werden nun mit ihrer Erfahrung dem Beter gegenübergestellt.

Durch Wiederholung desselben Wortes (speraverunt) hebt die Vulgata die Intensität des Hoffens hervor. Müntzer ist – wohl aufgrund seines deutschen Sprachempfindens – Wortwiederholungen abgeneigt und verwendet zwei verschiedene, aber sinnverwandte Ausdrücke: „sich verlassen" und „hoffen". Das zweite Wort ergänzt er entsprechend dem ersten durch das Präpositionalobjekt „auf dich". Allein auf Gott richtet sich die Hoffnung der Väter.

Während die Vulgata den letzten Versteil durch das gleichordnende „et" mit dem Vorangehenden verknüpft, präzisiert Müntzer durch die folgernde Konjunktion „darumb" den logischen Zusammenhang. Nach der Vulgata hätte Müntzer übersetzen können: „Darum hast du sie befreit." Wenn er dagegen sagt: „...darumb hastu sie erlo(e)set", so folgt er wahrscheinlich dem Psalterium Hebraicum: „...et salvasti eos." Erlösung ist mehr als nur äußere Befreiung.

Vers 6

Müntzer: „Sie schryen zu dir, und es wart in [ihnen] geholffen, du hast sie vorsichert, und seint nit zu schanden worden."

Vulgata: „Ad te clamaverunt, et salvi facti sunt; in te speraverunt, et non sunt confusi."

Erklärung: Im vorangehenden Vers hat Müntzer das doppelte „sperare" durch „sich verlassen" und „hoffen" wiedergegeben. Jetzt ändert er nicht nur den Ausdruck, sondern auch das Subjekt. Spricht die Textvorlage vom Verhalten der Väter, so Müntzer vom Tun Gottes, das diesem entspricht: Daß der Mensch sich auf Gott verläßt oder hofft und Gott diesen Menschen „vorsichert", d. h., ihm Sicherheit und Gewißheit schenkt, sind für Münt-

zer Korrelativa, Aussagen, die einander fordern und bedingen, wie „links" und „rechts"
oder „oben" und „unten" usw. Man kann diese Übersetzung, auch wenn sie nicht streng
textgebunden ist, nicht als sachlich unbegründet bezeichnen.

Vers 7
Müntzer: „Aber ich bin ein worm und kein mensch, ein schmach der leuthe und ein fußhader der buben."

Vulgata: „Ego autem sum vermis, et non homo; opprobrium hominum, et abiectio
plebis."

Erklärung: „Fußhader" bedeutet „Fußlappen".[195] Auf dem Beter des Psalms trampeln die
„buben" herum. Zu Müntzers Übersetzung ist der Gebrauch des Wortes „Fußtuch" bei
Heinrich Seuse zu berücksichtigen. So berichtet dieser in seiner Lebensbeschreibung, er habe
einst gesehen, wie ein Hund ein verschlissenes Fußtuch auf- und niederwarf. Daraus habe er
folgende Einsicht gewonnen: „sid es anders nút mag gesin, so gib dich dar in, und lu(o)g
eben, wie sich daz fu(o)sstu(o)ch swingende übel lat handeln; daz tu(o) och du!"[196] Das
„Deutsche Wörterbuch" von Jacob und Wilhelm Grimm gibt zu dem Stichwort „Fußhader"
die Erklärung: „. . . dann aber findet sich, zumal früher, das wort häufig im hinblick auf eine
person gesetzt, die zu den niedrigsten diensten misbraucht, auf die niedrigste und verächt-
lichste art behandelt wurde, überhaupt in niedrigster und verächtlichster weise diente."[197]
Belegt wird dieser Wortgebrauch u. a. durch zwei Zitate aus den Werken von Hans Sachs:

> „Wil dir nimmer untern füssen ligen
> wie ein fuszhadern vor dir schmiegen."
> „Wiewol er aber für und hin
> mich huret [eine Dirne schalt], säcket [‚Sack' schalt], raufft und schlug
> und wie ein fuzshadern umbzug."[198]

Das Wort „Fußhader" kommt auch sonst in Müntzers Schriften vor, z. B. in der „Protestation oder Erbietung": „Durch grosse ursachen hab ich meine erbietung must lassen auß-
gehen, dann der fußhadder muß auff die stange des creutzs, auff das die lere Cristi durch
mich keinen nachteyl leyde."[199] In der „Auslegung des anderen Unterschieds Danielis" heißt
es von Christus, er sei „worden zum fußhadder der gantzen welt".[200]

Den Beter des Psalms 22, Christus, behandeln also die „Buben" wie einen Fußlappen mit
größter Verachtung. Das Wort „Bube", das einen Schurken bezeichnet,[201] hat auch eine
Beziehung zum Obszönen: Das Bubenhaus ist das Bordell, der Bubensack die Dirne, der
Bubentanz ein unzüchtiger Tanz.[202]

Mit trefflicher Anschaulichkeit hat also Müntzer die Worte „abiectio plebis" verdeutscht.

Vers 8
Müntzer: „Alle, die mich ansahen, ru(e)mpfften mit spot yre nasen, sie sperten auff yre
lippen wider mich und nigkten mit yrem heubte."

Vulgata: „Omnes videntes me deriserunt me; locuti sunt labiis, et moverunt caput."

Erklärung: Die Worte (sie) „ru(e)mpfften mit spot yre nasen" übertreffen in ihrer Anschaulichkeit das lateinische „deriserunt me" der Vulgata und „subsannant me" des Psalterium Hebraicum. An letztere Version klingt das Stichwort „spot" in Müntzers Übersetzung
an.

„. . . sie sperten auff yre lippen" entspricht der Bedeutung der hier im Grundtext stehenden Vokabel.[203]

„Mit dem Haupt nicken" ist ein Gestus, der Zustimmung ausdrückt. Dagegen ist das Wort „movere" allgemeiner Art und könnte auch vom Kopfschütteln als Ausdruck ungläubigen Staunens verstanden werden. Wie Müntzer das Kopfnicken als Geste ironischer Zustimmung aufgefaßt wissen will, zeigt seine Übersetzung des folgenden Verses.

Vers 9
Müntzer: „Ja, er hat sich auff Got vorlassen, er wirt yn nu erredten, lieber ya, er solte wol vil mit ym zu schaffen haben."
Vulgata: „Speravit in Domino, eripiat eum, salvum faciat eum, quoniam vult eum."
Erklärung: Der Vers malt den Spott aus, mit dem die Feinde den Beter überschütten. Deren grausame Ironie verstärkt Müntzer in seiner freien Übersetzung. Zweimal fügt er das Wort „ja" ein, mit dem sie die absurde Hoffnung des Leidenden bekräftigen. Für „Dominus" setzt Müntzer nicht „der Herr", sondern „Gott". Es geht um Gottverlassenheit. Die ironische Aufforderung „eripiat eum" steigert Müntzer zur grausamen Nachäffung der Gewißheit des Beters: O ja, Gott wird ihn gewiß erretten, und zwar nicht irgendwann in ferner Zukunft, sondern „nu", d. h. „jetzt".

Wieder löst Müntzer den Parallelismus auf. Die sinngemäße Wiederholung des „eripiat eum" durch „salvum faciat eum" übernimmt Müntzer nicht, sondern er verläßt im zweiten Halbvers weitgehend die Textgrundlage, um einen neuen Gedanken zu formulieren. Zwei Interjektionen leiten ihn ein: „. . . lieber ya", d. h. „mit Verlaub, ja!"[204] Jetzt wird schonungslos der „wahre" Gott, wie ihn die Feinde sehen, dem „eingebildeten" Gott des Beters gegenübergestellt: Gott hätte wohl viel mit jenem „Wurm" und „Fußlappen" (Vers 7) zu schaffen, wollte er dessen Schreien und Hoffen zur Kenntnis nehmen!

Vers 10
Müntzer: „Ach, hast du mich doch von muterleibe beschirmet, ich vornam, das du hart bey mir stundest, seint das ich meiner muter bru(e)st gesogen habe."
Vulgata: „Quoniam tu es qui extraxisti me de ventre, spes mea ab uberibus matris meae."
Erklärung: Das einleitende „Quoniam", das die Hoffnung des Leidenden begründen soll, ersetzt Müntzer durch die Interjektion „Ach". Dem grausamen Spott der Feinde stellt er die Klage des Beters gegenüber, der Gott an den früher gewährten Schutz erinnert. Es ist aber keine Erinnerung im Tone ruhiger Feststellung, sondern der Klage, ja, fast der Anklage. Das kommt in der Wortstellung zum Ausdruck. Müntzer sagt nicht: „Du hast mich doch . . .", sondern: „Ach, hast du mich doch . . ." Im ersten Halbvers schließt sich Müntzer dem Psalterium Hebraicum an: „Tu autem propugnator meus ex utero." Das Substantiv „propugnator", „Verteidiger", löst er in eine verbale Aussage auf.

Den zweiten Halbvers gibt Müntzer sehr frei wieder. Aus den beiden Worten „spes mea", die wohl als Anruf zu verstehen sind, bildet er ein ganzes Satzgefüge: „. . . ich vornam, das du hart bey mir stundest, . . ." Der Hoffnung (spes) auf seiten des Menschen entspricht der sichere Beistand auf seiten Gottes: „. . ., das du hart bei mir stundest". Das Wort „hart" unterstreicht die Nähe und Intensität des göttlichen Beistandes. Von diesem Beistand hat der Leidende „vernommen", durch wen, bleibt offen. Will Müntzer, indem er vom göttlichen Beistand in Form eines abhängigen Aussagesatzes spricht, ausdrücken, daß dieser Beistand nur durch ein „Vernehmen" erfahren wird? Das präpositionale Gefüge „ab uberibus matris meae" löst Müntzer in einen temporalen Nebensatz auf: „. . ., seint das ich meiner muter bru(e)st gesogen habe."

Vers 11

Müntzer: „Auß mutterleyb hab ich mich dir zu eigen gegeben, das du mein Got sein soltest."

Vulgata: „In te proiectus sum ex utero; de ventre matris meae Deus meus es tu."

Erklärung: Der Beter ist nach Müntzer nicht passiv auf Gott „hingeworfen", wie die Vulgata sagt, sondern hat sich aktiv Gott „zu eigen gegeben". Diese Selbsthingabe geschah „Auß mutterleyb". Diese Zeitbestimmung stellt Müntzer betont an den Anfang des Satzes. Es gab keinen Augenblick im Leben des Beters, in dem er sich nicht ganz Gott zu eigen gegeben hätte. Es sei daran erinnert, daß dieser Passionspsalm in erster Linie von Christus gilt, davon abgeleitet aber auch allen wahren Christen als Aufforderung zur Nachfolge.

In der Vulgata bilden die beiden Vershälften einen synonymen Parallelismus, der in Müntzers Übersetzung verlorengeht. Müntzer ordnet die zweite Vershälfte als finalen Nebensatz der ersten unter: Die Selbsthingabe hat das Ziel, daß Gott der Gott des Beters sei. Die Worte „de ventre matris meae", die nach dem Stilgesetz des Parallelismus den Sinn von „ex utero" wiederholen, übergeht Müntzer.

Im ganzen ergibt sich zwischen der Vulgata, die hier dem Grundtext entspricht, und Müntzers Übersetzung ein bemerkenswerter inhaltlicher Unterschied. An die Stelle der völligen Passivität des auf Gott Geworfenseins tritt ein Aktivismus der Frömmigkeit. Hier wird etwas von Müntzers Verständnis christlicher Existenz deutlich.

Vers 12

Müntzer: „O weych nu nit von mir, dan mein tru(e)bsal geht mir zu hertzen, es wil mir niemandt helffen."

Vulgata: Ne discesseris a me, quoniam tribulatio proxima est, quoniam non est qui adiuvet."

Erklärung: Wieder gibt Müntzer durch die einleitende Exklamation „O" dem ganzen Vers eine stärkere Betonung des Gefühls. Das eingefügte „nu" unterstreicht die Dringlichkeit der Bitte. Das persönliche Betroffensein wird durch das hinzugefügte Possessivpronomen hervorgehoben: „. . . mein tru(e)bsal". Aus der hautnahen Drangsal wird bei Müntzer die verinnerlichte Trübsal: „. . . mein tru(e)bsal geht mir zu hertzen". Während nach der Vulgata kein Helfer da ist, will nach Müntzer dem Leidenden niemand helfen. Die begründende Konjunktion des letzten Satzes ist weggelassen, so daß er ein eigenes Gewicht erhält.

Vers 13

Müntzer: „Viel styerbo(e)gk [Stierböcke] haben mich umbgeben, und die gemesten [gemästeten] ochsen haben sich geryngst rumher [rings umher] uber mich gelagert."

Vulgata: „Circumdederunt me vituli multi; tauri pingues obsederunt me."

Erklärung: Den Chiasmus, den die Versglieder nach der Vulgata bilden, beseitigt Müntzer, indem er im ersten Halbvers das Subjekt an den Anfang stellt. Beide Vershälften verbindet er durch ein hinzugefügtes „und". Die Auswegslosigkeit des Eingeschlossenen beschreibt Müntzer mit noch stärkeren Worten als die Vulgata. Die Feinde bedrängen den Beter nicht nur von allen Seiten, sondern erdrücken ihn auch gleichsam von oben herab: „[Sie] haben sich geryngst rumher uber mich gelagert."

Vers 14

Müntzer: „Sie theten gegen mir auff yren mundt wie ein wu(e)tendter lewe, der do grausam schreyt."

Vulgata: „Aperuerunt super me os suum, sicut leo rapiens et rugiens."

Erklärung: „. . . gegen mir" entspricht eher dem Psalterium Romanum (und Vetus) „. . . in me". Müntzer malt in seiner Übersetzung die Furcht aus, die der Löwe verbreitet. „Rapiens" bezeichnet eigentlich ein zuständliches Tun. Das Attribut „ein wu(e)tendter" drückt den bedrohlichen Affekt aus. Der Relativsatz „der do grausam schreyt" verleiht dem einen Wort „rugiens" volle Anschaulichkeit. Die Wirkung des Schreiens wird durch die adverbiale Bestimmung „grausam" angedeutet. Im ganzen hat Müntzer durch seine Wortwahl das Bild mehr der Sache, den Löwen mehr den menschlichen Feinden angenähert, wenn er „Mund" statt „Maul" oder „Rachen", „wütend" statt „reißend" oder „raubend" und „schreien" statt „brüllen" sagt.

Vers 15

Müntzer: „Do zurfloß ich als das wasser, und es zurstrawten sich all mein gebeyne. Mein hertz in meinem leybe wart mir weich wie das wachs von der brunst des fewres."

Vulgata: „Sicut aqua effusus sum; et dispersa sunt omnia ossa mea. Factum est cor meum tanquam cera liquescens in medio ventris mei."

Erklärung: Die Verbindung mit dem Vorangehenden stellt Müntzer durch das Adverb „Do" her. Im zweiten Halbvers setzt er das Subjekt „Mein hertz" an den Anfang und verbindet es unmittelbar mit „in meinem leybe" als präpositionalem Attribut, während die entsprechenden Worte in der Vulgata sich als adverbiale Bestimmung auf „liquescèns" beziehen. Den Vergleich mit dem weich gewordenen Wachs vervollständigt Müntzer durch Hinzufügung der Worte „von der brunst des fewres", die das Läuterungsfeuer des Leidens andeuten.

Vers 16

Müntzer: „Wie ein obesschal [Obstschale] ist mein krafft vorwelgket, und mein zung klebet an meinem gawmen, dan du uberantwortst mich dem tode, wie man das außkerich wyrffet gegen dem wynde."

Vulgata: „Aruit tanquam testa virtus mea, et lingua mea adhaesit faucibus meis, et in pulverem mortis deduxisti me."

Erklärung: Im ersten Versteil stellt Müntzer betont den Vergleich an die Spitze. „Testa" kann sowohl „Tonscherbe" als auch „Schale" bedeuten, und zwar die der Schaltiere, aber nicht „Obstschale". Müntzer will offenbar mit der Übersetzung „Obstschale" die ursprüngliche Lebensfrische andeuten, die sich mit „Scherbe" nicht assoziieren läßt. „Aruit" wird nun entsprechend dem organischen Bereich, dem das Bildwort „Obstschale" entnommen ist, durch „vorwelgket" ersetzt. Die Worte „. . . an meinem gawmen" in dem zweiten Versteil beruhen auf der Lesart des Psalterium Hebraicum: „. . . et lingua mea adhaesit palato meo." Den letzten Versteil, der in der Vulgata durch „et" dem Vorangehenden gleichgeordnet ist, faßt Müntzer als einen Begründungssatz auf, eingeleitet durch „dan", d. h. „denn". Zugleich übersetzt Müntzer diesen Teil freier. Statt „hinabführen" (deducere) sagt er „überantworten": Gott übergibt oder überläßt den Beter der Macht des Todes. Die nominale Konstruktion „in pulverem mortis" löst Müntzer auf. Die Überantwortung an den Tod wird durch einen eindrücklichen Vergleich veranschaulicht: „. . ., wie man das außkerich wyrffet gegen dem wynde." Der Gedanke der vollständigen Vernichtung wird dadurch drastisch deutlich. Bleibt nach der Vulgata von dem von Gott Verlassenen, wie er klagt, schließlich nur noch Staub übrig, so nach Müntzer überhaupt nichts; denn der Wind trägt den „Auskehricht" davon.

Vers 17

Müntzer: „Die samlung der gotlosen umbgab mich; wie die beyssenden jagthundt durchgruben sie mein hende und fuesse."

Vulgata: „Quoniam circumdederunt me canes multi; concilium malignantium obsedit me. Foderunt manus meas et pedes meos."

Erklärung: Hier hat Müntzer durch Umstellung und Auslassung den Sinn der Textvorlage verändert. Das Prädikat des ersten Versteils, „circumdederunt", verbindet er mit dem Subjekt des zweiten, „concilium malignantium": „Die samlung der gotlosen umgab mich." „Malignantium" bedeutet eigentlich „der Böswilligen". Müntzer wählt einen Ausdruck, der das Wesen der Feinde in bezug auf Gott charakterisiert. Die Worte „obsedit me" im zweiten Versteil sind nun überflüssig geworden. Müntzer läßt sie deshalb einfach weg. Das Prädikat des dritten Stückes, „Foderunt", verbindet er mit dem Subjekt des ersten Stückes, nämlich mit den Worten „canes multi", wobei er durch ein hinzugefügtes „wie" den Satz zu einem Vergleich umgestaltet: „. . . wie die beyßenden jadthundt durchgruben sie mein hende und fuesse."

In der gesamten christlichen Tradition sind die Worte „Foderunt manus meas et pedes meos" als prophetische Beschreibung der Kreuzigung Christi verstanden worden. Mit Nägeln hat man die Hände und Füße des Herrn durchbohrt. Was hat Müntzer wohl veranlaßt, diese scheinbar so eindeutige und direkte Weissagung, die in der Polemik gegen die Juden eine bedeutende Rolle spielte, zu einer Metapher mit anderem Sinn abzuschwächen, und dies alles mit Hilfe fragwürdiger Umstellungen und Auslassungen von Satzteilen? Unverständlich ist der Wortlaut der Vulgata hier gewiß nicht. Noch deutlicher drückt das Psalterium Hebraicum die Beziehung der Stelle auf den Kreuzestod Christi aus: „. . . fixerunt manus meas et pedes meos." Vielleicht war Müntzer aber bekannt, daß die Juden den Christen vorwarfen, ihre Übersetzung dieses Textes sei falsch. Im Hebräischen stehe nämlich „כארי", was „wie der Löwe" bedeute. Paulus von Burgos schreibt, nach Meinung der Juden sei zu übersetzen: „Concilium malignantium obsedit me: quasi leo manus meas et pedes meos." Kritisch merkt er an, diese Übersetzung ergebe keinen vernünftigen Sinn, weil nicht einzusehen sei, warum der Löwe besonders Hände und Füße belagere.[205] Könnte die jüdisch-christliche Kontroverse Müntzer veranlaßt haben, in der Übersetzung von Vers 17 ganz neue Wege zu beschreiten? Was Müntzer mit den jüdischen Auslegern verbindet, ist das Verständnis des letzten Versteils als Vergleich, eingeleitet mit „quasi" bzw. „wie". Setzen die Juden die Hände und Füße des Leidenden vergleichsweise zum Löwen in Beziehung, so Müntzer zu den „beißenden Jagdhunden". Die Brücke zur Deutung der „canes" auf „Jagdhunde" mochte das Psalterium Hebraicum geliefert haben, das den ersten Versteil wie folgt wiedergibt: „Circumdederunt me venatores." Wenn Müntzer aus der jüdischen Übersetzung von „כארי" nur den ersten Teil, „wie" (כ = quasi), übernimmt, aber nicht den zweiten Teil, „leo", so mochte ihm eingeleuchtet haben, was schon Paulus von Burgos kritisierte, daß ein Löwe wohl kaum speziell Hände und Füße „belagere". Also behält er das „Foderunt" der Vulgata bei. Soll es sich aber in diesem Versteil um einen Vergleich handeln, so paßt „foderunt" ausgezeichnet zu „canes": die Feinde werden mit Jagdhunden verglichen, die Hände und Füße des von ihnen Verfolgten mit ihren scharfen, reißenden Zähnen durchbohren. Daß diese Übersetzung sprachlich nicht möglich ist, dürfte Müntzer kaum angefochten haben. Es gehört zu seiner Methode, in großer Freiheit das sprachliche Material nach dem „unverrücklichen Geheimnis des Heiligen Geistes" zu gestalten. Möglicherweise wollte Müntzer mit seiner Übersetzung von Ps. 22,17 auf einem völlig neuen Weg aus der jüdisch-christlichen Kontroverse herausführen.

Vers 18

Müntzer: „All mein gebeyne kan ich zelen, das werden sie ansehn und yn mir beschawen."

Vulgata: „Dinumeraverunt omnia ossa mea. Ipsi vero consideraverunt et inspexerunt me."

Erklärung: Die Übersetzung „... kan ich zelen" verrät den Einfluß des hebräischen Textes.[206] Bei der Verdeutschung der zweiten Vershälfte steht Müntzer dem Psalterium Hebraicum nahe: „... quae ipsi respicientes viderunt in me." Besonders die Worte „respicientes" und „in me" zeigen dies. Während man „quae" nach dem Psalterium Hebraicum auf „ossa mea" beziehen kann, weist Müntzer mit dem demonstrativen „das" auf den ganzen Inhalt des vorhergehenden Satzes hin. Auffällig ist bei Müntzer der Tempuswechsel gegenüber allen Versionen des „Quincuplex Psalterium", die das Perfekt gebrauchen. Müntzers Übersetzung entspricht aber dem Imperfekt des masoretischen Textes und dem Futur im Psalterium des Felix von Prato: „... ipsi considerabunt, torvum respicient in me." Nach Vulgata und Psalterium Hebraicum beschreibt die zweite Vershälfte das Verhalten der Feinde. Wen aber meint Müntzer, wenn er von denen spricht, die künftig „das" „in" (nicht „an"!) Christus, dem Subjekt von Psalm 22, „ansehen" und „beschawen" werden? Gibt diese Stelle einen Ausblick auf die Gemeinde Christi, die „in" gläubiger Vereinigung mit ihm seine Passion betrachten wird?

Vers 19

Müntzer: „Sie zurtrennen unter yn [unter sich] meine kleyder und worffen das los über mein gewant."

Vulgata: „Diviserunt sibi vestimenta mea, et super vestem meam miserunt sortem."

Erklärung: Müntzer folgt der Vulgata, wobei er das „sibi" in gutes Deutsch durch „unter yn" überträgt.

Vers 20f

Müntzer: [20] „O Got, sey nit fern von mir, o mein stergke, eyle mir zu helffen, [21] beschyrm mein sele vorm schwerte und erredte mein eynige [einzige] von der gewalt des hundes."

Vulgata: [20] „Tu autem, Domine, ne elongaveris auxilium tuum a me; ad defensionem meam conspice. [21] Erue a framea, Deus, animam meam, et de manu canis unicam meam."

Erklärung: Die Vulgata setzt durch die Konjunktion „autem" die Anrufung des Herrn deutlich von der vorangehenden Klage ab. Ebenso betont das Personalpronomen „Tu" den Gegensatz zwischen dem um Hilfe angerufenen Herrn und den Feinden. Müntzer läßt das einleitende „Tu autem" unberücksichtigt und setzt mit der Anrufung „O Gott" ein. Er bevorzugt auch hier wieder die Artbezeichnung „Gott" vor dem Wort „Herr". Wie üblich verleiht er der Anrufung durch die Exklamation „O" ein stärkeres Pathos. Die Worte „..., sey nit fern" entsprechen im Psalterium Hebraicum dem Passus: „... ne longe fias." Im Gegensatz zu dieser Version fügt er aber, der Vulgata folgend, „von mir" hinzu, da es sinngemäß erforderlich ist. In Vers 20b ist Müntzer ganz vom Psalterium Hebraicum abhängig: „... fortitudo mea, in auxilium meum festina."

Bei Vers 21 übergeht Müntzer die Anrede „Deus". Offenbar sieht er in ihr eine überflüssige Wiederholung. „Erue" – so lauten alle Übersetzungen bei Faber – überträgt Müntzer durch ein Wort von anderer Bedeutung: „... beschyrm". Aber in der zweiten Vershälfte fügt er das „Erue" entsprechende „erredte" ein. Im Unterschied zur Vulgata, die in der zweiten Vershälfte das in der ersten stehende Verbum voraussetzt, enthalten in Müntzers Übersetzung beide Vershälften einen Imperativ, wobei, um eine Wiederholung zu vermeiden, verschiedene Verben gebraucht werden. Den Hebraismus „... de manu canis" überträgt Müntzer in verständlicheres Deutsch: „... von der gewalt des hundes". Daß „manus" in derartigen Zusammensetzungen soviel wie „potestas" bedeutet, konnte Müntzer beispielsweise der Glossa interlinearis zur Stelle entnehmen.[207]

Vers 22
Müntzer: „Erlo(e)ße mich von dem munde des lewens und erho(e)re mich, das ich dem eynhorn nit zuteyle werde."
Vulgata: „Salva me ex ore leonis, et a cornibus unicornium humilitatem meam."
Erklärung: Das Psalterium Hebraicum hat den ersten Halbvers gleichlautend mit der Vulgata, den zweiten bietet es in der Lesart: „... et de cornibus unicornium exaudi me." Diesen chiastisch angeordneten Parallelismus löst Müntzer auf. Im zweiten Halbvers übersetzt er nach dem Psalterium Hebraicum: „... erhöre mich", wobei er diese Worte an den Anfang stellt. Das mit „a" bzw. „de" eingeleitete Präpositionalgefüge verwandelt er in einen finalen Nebensatz: „..., das ich dem eynhorn nit zuteyle werde." Das Wort „cornibus" übergeht Müntzer.

Vom zweiten Teil des Psalms (Verse 23–32) ist besonders Müntzers Übersetzung der Verse 25 und 30 f bemerkenswert.

Vers 25
Müntzer: [24] „... entsetzt euch vor ym alle außerwelten. [25] Das hynwerffen des do(e)rfftigen hat er wol gewust und hat es nit vorachtet. Er hat sein angesicht vor ym vorborgen, yn seinem geschrey hat er in erho(e)ret."
Vulgata: „Timeat eum omne semen Israel, quoniam non sprevit, neque despexit deprecationem pauperis; nec avertit faciem suam a me, et cum clamarem ad eum exaudivit me."
Erklärung: Die Worte „entsetzt ... außerwelten" schließen bei Müntzer Vers 24 ab. Dies ist auch die Versabgrenzung des Psalterium Hebraicum. „... entsetzt euch" ist ein stärkerer Ausdruck als „Timeat". Die Worte „alle außerwelten" sind eine aktualisierende Deutung der alttestamentlichen Bezeichnung „omne semen Israel".

In der Vulgata begründen die mit „quoniam" eingeleiteten Worte die Aufforderung, Gott zu fürchten. Müntzer übergeht diese Konjunktion. Vom ersten Versteil stellt er das Ende an den Anfang: „Das hynwerffen des do(e)rfftigen hat er wol gewust..." Ist das Wort „hynwerffen" als Wiedergabe von „deprecatio" gemeint? Denkt Müntzer an den Bittenden, der sich demütig vor Gott „hinwirft"? „Hinwerfen" ließe sich aber auch passiv verstehen als „hingeworfen sein". Dann wäre der Zustand der Bedrückung gemeint, in dem sich der „Dürftige" befindet. Wahrscheinlich bezieht sich Müntzer in seiner Übersetzung auf die genaue Bedeutung des hebräischen Wortes.[208] An die Stelle der beiden negativen Aussagen der Vulgata „... non sprevit, neque despexit" setzt Müntzer eine positive und eine negative: „... hat er wol gewust und hat es nit vorachtet."

Höchst erstaunlich ist, daß Müntzer im nächsten Versteil die Negation „non", die entsprechend dem Grundtext in allen Übersetzungen steht, wegläßt, so daß sich der gegenteilige Sinn ergibt: „Er hat sein angesicht vor ym vorborgen." Handelt es sich hier um einen Fehler der Ausgabe, oder will Müntzer sagen, daß Gott erhört, indem er verborgen ist? Dieser

Gedanke entspricht ganz und gar Müntzers Verständnis von Anfechtung und Glauben.[209] Der Gebrauch der dritten Person statt der ersten zeigt Müntzers Abhängigkeit vom Psalterium Hebraicum: „. . . et non abscondit faciem suam ab eo: et cum clamaret ad eum exaudivit." Auffällig ist Müntzers nominale Konstruktion: „. . . yn seinem geschrey". Sie entspricht genau dem hebräischen Ausdruck „בְּשַׁוְּעוֹ".[210]

Vers 30

Müntzer: „Die frischen gesellen, die das erdrich lieben, musten essen, daß erß ansah. Sie musten yre knie beugen, ym ehr ertzeigen, aber er hat doch keinen muht zu yn."

Vulgata: [30] „Manducaverunt et adoraverunt omnes pingues terrae; in conspectu eius cadent omnes qui descendunt in terram. [31] Et anima mea illi vivet."

Erklärung: Im ersten Halbvers übersetzt Müntzer frei nach der Vulgata. Den Subjektsteil, „omnes pingues terrae", den er an den Anfang stellt, gibt er wieder durch: „Die frischen gesellen, die das erdrich lieben." Die Vulgata beschreibt mit „pingues" die körperliche Beschaffenheit: Es sind wohlgenährte Leute, die sich, wie man schließen muß, ein üppiges Leben leisten können. Müntzer charakterisiert direkt die Lebensart dieser Menschen, ohne ihre körperliche Verfassung zu erwähnen. Zum Verständnis des Wortes „Gesell" ist es hilfreich zu wissen, daß ein „guter Gesell" ein „Bruder Lustig", ein „Zechkumpan" ist.[211] Mit dem Attribut „frisch" unterstreicht Müntzer das unbeschwerte, kecke Wesen dieser Lebenskünstler. Während die Vulgata durch den Genitiv „terrae" lediglich die Zugehörigkeit der „pingues" zur Erde ausdrückt – sie sind ganz schlicht Erdbewohner –, spricht Müntzer von ihrer affektualen Beziehung zum Irdischen: Sie „lieben" „das erdrich". „Manducaverunt" überträgt Müntzer mit Hilfe eines modalen Verbs: Sie „musten essen". Sie taten es offenbar nicht freiwillig, sondern unter Zwang. Was sie aßen, bleibt offen. Ihr erzwungenes Essen diente einem Zweck: „. . . das erß ansah." Diese Worte entsprechen dem Passus „in conspectu eius", der in der Vulgata den nächsten Versteil einleitet. Das Subjekt des Finalsatzes, „er", müßte nach dem vorangehenden Vers der „Herr" sein. Er erweist seinen Triumph, indem die „frischen gesellen" vor seinen Augen essen müssen. Das mit „Manducaverunt" verbundene „et adoraverunt" läßt Müntzer weg, wahrscheinlich weil eine ähnliche Aussage im zweiten Versteil steht. Hier lautet das Psalterium Hebraicum, das Müntzer als Vorlage diente: „. . . ante faciem eius curvabunt genu universi qui descendunt in pulverem." Wieder interpretiert Müntzer das „curvabunt genu" durch ein modales Verb: „Sie musten yre knie beugen." Dies wird erklärt durch die hinzugefügten Worte: „. . ., ym ehr ertzeigen". Das in allen Übersetzungen stehende Futur, das dem Grundtext entspricht, wandelt Müntzer ins Imperfekt um. Dafür war ihm zweifellos der Zusammenhang mit den vorangehenden Worten maßgeblich: Sie „musten essen". Die beiden Prädikate haben dasselbe Subjekt: die „frischen gesellen". Die Worte „qui descendunt in terram" übergeht Müntzer folglich. Nach seinem Verständnis des Verses sind sie eine überflüssige Wiederholung. Der ganze Vers 30 ist also nach Müntzer als Machterweis des Herrn über die irdisch Gesinnten zu verstehen. Sie müssen vor ihm sogar ihre Knie beugen. Aber weil sie es gezwungenermaßen tun, ändert sich Gottes Verhalten zu ihnen nicht. Das drücken die Worte aus: „. . ., aber er hat doch keinen muht zu yn [ihnen]." So gibt Müntzer jenen Passus wieder, der nach der Vulgata Vers 31 einleitet und nach dem Psalterium Hebraicum entsprechend dem Grundtext Vers 30 abschließt. Der Gebrauch der dritten Person und die Negation „keinen" zeigen Müntzers Abhängigkeit vom Psalterium Hebraicum, das er aber sehr frei übersetzt. Das „illi" der Vulgata beruht auf der Lesart „לוֹ", das „non" des Psalterium Hebraicum liest statt dessen „לֹא". „Anima" überträgt Müntzer durch „muht". Wenn das Pronomen „yn", d. h. „ihnen", eine Textvorlage haben sollte, kommt dafür „illi" in Betracht, wobei Müntzer statt des Singulars den Plural gebraucht hätte. Der Sinn des ganzen Passus ist: Es hilft den „frischen gesellen" nicht, daß sie dem Herrn widerwillig Ehre erweisen müssen; er hegt dennoch keine freundliche Gesinnung gegen sie.

VI Kritische Würdigung der Bibelübersetzung Müntzers

Müntzers Übersetzung biblischer Texte bedarf sowohl nach der sprachlichen als auch nach der theologischen Seite einer kritischen Würdigung.

Was den sprachlichen Gesichtspunkt betrifft, so beruht Müntzers Bibelverdeutschung nicht allein auf der Vulgata, sondern auch auf anderen Versionen. Schließlich ist auch der direkte Einfluß des hebräischen Originals, verbunden mit Reuchlins „De rudimentis hebraicis", in Betracht zu ziehen. Dies zeigt, daß man Müntzer zwar nicht zum humanistischen Philologen und Theologen erklären sollte, ihm aber andererseits keinesfalls ein wesentliches Interesse an philologischen Fragen absprechen darf. Durch das Bestreben, über die Vulgata hinaus den Sinn des hebräischen Textes zu erfassen, sei es auf direktem oder indirektem Wege, unterscheidet sich Müntzer von der gesamten vorlutherischen Tradition der deutschen Bibelübersetzung. Nicht selten freilich behält er gegen die hebräische Überlieferung die Lesarten des Septuagintatypus bei, kombiniert zuweilen beide Textfassungen oder entfernt sich sogar in seiner Verdeutschung sehr weit von der vorgegebenen Textgrundlage. Insofern hat Elliger recht, wenn er davor warnt, Müntzers „Verdolmetschung in den Rang einer vom Urtext her kontrollierten Übersetzung zu erheben".[212] Dazu waren, soweit es sich beurteilen läßt, Müntzers Kenntnisse des Hebräischen und des Griechischen wohl doch zu lückenhaft.

Im Gebrauch der deutschen Sprache hat Müntzers Dolmetschen eine Qualität, die es grundlegend von der vorreformatorischen Deutschen Bibel unterscheidet. Müntzer redet wirklich „nach der Deutschen art und musterung".[213] Im ganzen zeigt er gegenüber der älteren Übersetzungstradition – auch der lateinischen – eine Freiheit vom Buchstaben, die sich nur mit der Art vergleichen läßt, in der Luther die Bibel verdeutscht hat, nur daß Müntzer sich noch radikaler als Luther von der sprachlichen Form seiner Textvorlage lösen kann.[214] In der Wortwahl ist für Müntzer das entscheidende Kriterium nicht die Gleichheit der Bedeutungen, sondern Verständlichkeit, Anschaulichkeit, Einprägsamkeit und Wirkkraft des Ausdrucks. In der Wortstellung fühlt er sich nicht an die Vorlage gebunden. Oft setzt er an den Anfang des Satzes das Subjekt, während der lateinische Text dem Hebräischen entsprechend die Voranstellung des Prädikats bewahrt hat. Müntzer kann sogar die Anordnung ganzer Versteile ändern, wo es ihm sinnvoll erscheint. Konstruktionen gestaltet er um, wenn im Deutschen dadurch eine bessere Verständlichkeit erreicht wird. So löst er nominale Gefüge meist in Verbalsätze auf. Auch die Stileigentümlichkeiten des Hebräischen sucht er nicht um jeden Preis zu erhalten. Oft wird im Grundtext der Psalmen – und die lateinischen Übersetzungen bewahren dies nicht selten – ein und demselben Gedanken durch gehäuften Gebrauch eines bestimmten Wortes Nachdruck verliehen. Müntzer zieht es vor, verschiedene Ausdrücke zu verwenden, so daß die Sache nicht gleichsam Schlag für Schlag eingehämmert, sondern durch den Wandel der Bezeichnungen von verschiedenen Seiten nahegebracht wird. Dieselbe Abneigung gegen Wiederholungen zeigt Müntzer auch, wenn er oft die Parallelismen der Psalmenverse durch Zusätze, Auslassungen, Umstellungen, Wortwahl usw. beseitigt. Die dem Hebräischen eigene Bildhaftigkeit läßt er, selber ein Meister des plastischen Ausdrucks, nur gelten, soweit sie auch im Deutschen verständlich ist. Reich ist seine Verdolmetschung der Bibeltexte an Interpretamenten. Bestimmte nominale Bezeichnungen erhalten durch eingefügte Attribute, verbale Aussagen durch hinzugesetzte Umstandsbestimmungen eine besondere Note. Ganze Satzteile und Sätze können in die Übersetzung zur Verdeutlichung des Sinnes einfließen. In seiner erstaunlichen Freiheit von der wörtlichen Form der Textgrundlage stellt Müntzer sich ebenso wie Luther gegen den von Hieronymus ausgesprochenen Grundsatz, bei der Übertragung der Heiligen Schriften komme es anders als beim Übersetzen profaner Literatur nicht nur auf den Sinn an, sondern sogar auf „die Anordnung der Worte", die ein „Geheimnis" sei.[215]

Die sprachliche Gestalt von Müntzers Verdolmetschungen ist letztlich nur von ihren theologischen Voraussetzungen her zu verstehen. Auch darin ist der Allstedter dem Wittenberger grundsätzlich vergleichbar. Tatsächlich aber gehen Luther und Müntzer in ihrem Übersetzungswerk von unterschiedlichen theologischen Grundentscheidungen aus. Es ist letztlich der Begriff des Wortes Gottes, an dem sich ihre Wege scheiden. Für Luther ist das Wort Gottes gebunden an den Text, und zwar, wie er im Laufe der Jahre mit zunehmender Klarheit erkennt, an den Text in seiner grundsprachlichen Gestalt. Daher ist für Luther die Kenntnis der biblischen Sprachen die conditio sine qua non, zwar nicht der Frömmigkeit, wohl aber der Theologie. In den „Operationes in psalmos" kleidet er die Methode seiner Exegese in den programmatischen Satz: „Sed primo grammatica videamus, verum ea Theologica."[216] Bei aller Freiheit vom Buchstaben kann Luther deshalb nie so weit gehen, daß er auf die philologische Verifizierbarkeit seiner Übersetzungen und Exegesen glaubt verzichten zu können. Müntzer hat ein anderes Verständnis vom Wort Gottes, und dies wirkt sich auf sein Dolmetschen aus. Ihm geht das Wort Gottes nicht im Bibelwort auf, sondern ist als lebendige Rede Gottes von der „bloßen Schrift"[217] zu unterscheiden. Im eigentlichen Sinn ist für Müntzer Wort Gottes „das rechte lebendyge wort Gots",[218] das seine „Auserwählten" „von anbegyn" „von Got ausz seynem munde" gehört haben und allezeit hören.[219] Das „lebendige Wort Gottes" ist also die kritische Norm der Bibelübersetzung Müntzers. Deshalb kann er in der „Ordnung und Berechnung des Deutschen Amtes" sagen: „Dann wer den geist Christi nit hat, der ist nit Gotis kinth, wie mag er dann umbs werck Gottis wissen, wilchs er nit erliden hat?"[220] Müntzer kann und will in seiner Bibelübersetzung nur sagen, was er in der Unmittelbarkeit seines Gottesverhältnisses selbst „erliden hat". Was an der eigenen Erfahrung des göttlichen Geistwirkens vorbeigeht, ist „toter Buchstabe",[221] „bloße Schrift".[222] Daß das unmittelbar vernommene lebendige Wort Gottes wesentlich mit dem Bibelwort übereinstimmt, war gewiß Müntzers feste Überzeugung. Aber es handelt sich für ihn um eine Übereinstimmung höherer Art, die die Grenzen philologischer Kontrollierbarkeit auch überschreiten kann. Zur theologischen Beurteilung der Bibelübersetzung Müntzers genügt es deshalb nicht, sie allein auf ihre jeweilige Textgrundlage zu beziehen, sondern es geht letztlich um die Frage, ob die Botschaft, die Müntzer auszurichten sich berufen weiß, die Botschaft der Bibel ist. Wir stehen aber eher am Anfang als am Ende der theologischen Auseinandersetzung mit Müntzer.

[1] Oskar Joh[annes] MEHL: Thomas Müntzer als Bibelübersetzer. Jena 1942 – Jena, theol. Diss. 1942; Walter ELLIGER: Müntzers Übersetzung des 93. Psalms im „Deutsch kirchen ampt". In: Solange es „heute" heißt = Festgabe für Rudolf Hermann zum 70. Geburtstag. Berlin 1957, 56–63; ETM, 252–281; Wolfgang ULLMANN: Die sprachgeschichtliche Bedeutung von Müntzers Liturgieübersetzungen. Mühlhäuser Beiträge 5 (1982), 9–31; Max STEINMETZ: Luther, Müntzer und die Bibel: Erwägungen zum Verhältnis der frühen Reformation zur Apokalyptik. In: Martin Luther: Leben, Werk, Wirkung/ hrsg. von Günter Vogler u. a. Berlin 1983, 148–167. – Die Dissertation von Mehl ist weitgehend veraltet. In der bisherigen Forschung ist vor allem die Frage der Quellen von Müntzers Bibelübersetzung vernachlässigt worden. Herrn Dr. Helmar Junghans und Herrn Dr. Siegfried Bräuer habe ich für wichtige Hinweise zu danken, die in diesem Beitrag verwertet worden sind.

[2] Ullmann: AaO.

[3] Ebd, 28.

[4] Ebd, 29.

[5] Friedrich SCHLEIERMACHER: Über die Religion: Reden an die Gebildeten unter ihren Verächtern/ in ihrer ursprünglichen Gestalt mit fortlaufender Übersicht des Gedankenganges neu hrsg. von Rudolf Otto. 6. Aufl. Göttingen 1967, 40.

[6] Ebd, 93.

[7] MSB, 491–494.

[8] Ein wichtiges Zwischenglied zwischen Müntzer und der Neuzeit ist der mystische Spiritualismus im 17. Jahrhundert, der zu den vorbereitenden Kräften des Pietismus, der auch auf Schleiermacher nachhaltig wirkte, zählt (siehe hierzu DAS ZEITALTER DES PIETISMUS/ hrsg. von Martin Schmidt und Wilhelm Jannasch. Bremen 1965, XXV–XXVIII).

[9] Novalis suchte „eine Theorie der Bibel und eine Universalmethode des Bibelschreibens". Auch Friedrich Schlegel hatte vor, „eine Bibel zu schreiben, nicht in gewissem Sinne, sondern ganz buchstäblich" (Otto in Schleiermacher: AaO, 228).

[10] Schleiermacher: AaO, 158.

[11] MSB, 275, 24 f.

[12] MSB, 275, 26–34.

[13] MSB, (25) 30–155.

[14] MSB, (157) 161–206.

[15] MSB, 207.

[16] MSB, 26.

[17] Siegfried BRÄUER in seiner Rezension von ETM ThLZ 102 (1977), 218.

[18] Siegfried BRÄUER: Müntzerforschung von 1965 bis 1975. LuJ 45 (1978), 102.

[19] MSB, (207) 208–215.

[20] ETM, 310, Anm. 161.

[21] Siehe die Zusammenstellung in MSB, 27 f.

[22] Die Zählung der Psalmen erfolgt nach dem hebräischen Text. Ps. 1–3. 19. 22. 43–45. 48. 51. 55. 63. 67 f. 80. 87. 93. 95. 100. 104. 110–115. 118. 132. 140. 147–150; 1. Sam. 2,1–10; Jes. 7,14 f; 9,5; 11,1–5;   12,1–6;   38,10–20;   Weish. 2,1–3.6–8.12–15;   Matth. 20,17–19;   Mark. 16,1–7; Luk. 1,26–33.46–55.67–79 (drei Leseeinheiten); 2,1–11; Joh. 14,23; Apg. 2,1–4.14–17 (zwei Leseeinheiten); 20,28–31; Röm. 6,9–11; 8,9–11.14–16.26 f; 1. Kor. 15,12–15; Phil. 2,8–11; Kol. 2,1–4 (5a); Tit. 2,11–14; 1. Petr. 2,21–24.

[23] Siehe hierzu im einzelnen MSB, 27 f.

[24] MSB, 531.

[25] MSB, 539 f; vgl. oben Seite 229 mit Anm. 84.

[26] Hans VOLZ: Deutsche Bibelübersetzungen. Die Religion in Geschichte und Gegenwart. 3., völlig neu bearb. Aufl. Bd. 1. Tübingen 1957, 1202.

[27] Ebd, 1204.

[28] MSB, 30, 1–5.

[29] MSB, 157.

[30] MSB, 161 f.

[31] MSB, 157 f.

[32] ETM, 309.

[33] WA 55 I, 1, 1–3.

[34] MSB, 162, 21.

[35] MSB, 161, 2 f.

[36] MSB, 161, 24–26.

[37] MSB, 161, 28 f.

[38] MSB, 161, 31.

[39] MSB, 161, 29.

[40] MSB, 161, 33 f.

[41] MSB, 162, 3–6.

[42] MSB, 162, 8 f; vgl. Matth. 5,14 f; 10,27.

[43] MSB, 162, 11–13; 1. Kor. 14,5 und Eph. 5,19 frei zusammengezogen.

[44] MSB, 162, 14–16.

[45] MSB, 162, 17 f.

[46] MSB, 162, 19–24.

[47] Zitiert nach Joachim Leuschner: Die Kirche des Mittelalters. 3. Aufl. Stuttgart 1975, 46a, 18 – 46b, 1 (36); der lateinische Originaltext in: Quellen zur Geschichte des Papsttums und des römischen Katholizismus/ hrsg. von Carl Mirbt. 6., völlig neu bearb. Aufl. von Kurt Aland. Bd. 1. Tübingen 1967, 493, 30 – 494, 5.

[48] MSB, 162, 32–35.

[49] MSB, 163, 1 – 165, 11.

[50] MSB, 163, 7–10. Nach Elliger bleibt es „unbeantwortbar", ob Müntzer an dieser Stelle „Luther gemeint hat und worauf sich sein Vorwurf stützt" (ETM, 609, Anm. 77). Dagegen bemerkt Bräuer in seiner Rezension: „Die Polemik in der Vorrede zur Deutschen Messe richtet sich eindeutig gegen Luther" (ThLZ 102 [1977], 219). Daß Luther gerade Müntzer den Rückfall in päpstliche Zeremonien vorgeworfen haben soll, ist schwer verständlich. Die Kritiker scheinen eher Leute gewesen zu sein, denen Müntzer nicht radikal genug war. In ihrem Brief vom September 1524 üben Konrad Grebel und seine Gesinnungsgenossen Kritik an Müntzers liturgischen Werken, weil sie im Gegensatz zum Neuen Testament stünden. Interessanterweise haben diese Kritiker Müntzers Irrtum mit Luther in Zusammenhang gebracht: „. . . wilt du die meß abtu(o)n, musz nit mit tütschem gsang gschechen, daß din ratschlag fillicht oder [= aber] von dem Luther her ist" (MSB, 439, 33 f [69]).

[51] MSB, 163, 11 f.

[52] MSB, 163, 29–31: „. . ., ist billich und zymlich, wie dann die evangelischen prediger selbs bekennen, das man der schwachen schonen soll . . ." Hier scheint sich Müntzer gegen seine Kritiker auf Luther zu berufen, der vor allem in den Invokavitpredigten (9.–16. März 1522; WA 10 III, 1–61) forderte, die noch im Glauben Schwachen zu schonen.

[53] MSB, 163, 34.

[54] MSB, 164, 1–4.

[55] MSB, 164, 21 f.

[56] MSB, 164, 22–25.

[57] MSB, 169, 6 f.

[58] MSB, 209, 7–10.

[59] MSB, 210, 11–13.

[60] MSB, 176, 8 – 178, 4; vgl. William Nagel: Geschichte des christlichen Gottesdienstes. Berlin 1970, 134.

[61] MSB, 213, 16–33.

[62] MSB, 214, 7–10.

[63] MSB, 27, sowie die einzelnen Hinweise im Apparat.

[64] Zu den fünf Textformen des Psalters siehe Ernst Würthwein: Der Text des Alten Testaments. Stuttgart 1952, 67–70.

[65] Ebd, 70.

[66] Der Verf. verfügt über eine größere Sammlung von Parallelstellen zwischen Müntzers Übersetzung und den Faberschen Versionen. Hier mag der Hinweis auf die Untersuchungen zu den Psalmen 1 und 22 (Seite 236–250) genügen. Auf die mögliche Benutzung des Psalterium Hebraicum durch Müntzer hat schon Elliger (ETM, 260) hingewiesen.

[67] Näheres bei Ernst Kutsch: Pratensis Felix. Die Religion in Geschichte und Gegenwart. 3., völlig neu bearb. Aufl. Bd. 5. Tübingen 1961, 510; WA DB 10 II, 303 f, Anm. 49. In Luthers Psalmenübersetzung und Psalmenexegese finden sich schon vor 1522 Parallelen zum Psalterium des Felix Pratensis. Siehe Siegfried Raeder: Die Benutzung des masoretischen Textes bei Luther in der Zeit zwischen der ersten und der zweiten Psalmenvorlesung (1515–1518). Tübingen 1967, 51–57. 83–85. 94–96. Nach Ulrich Bubenheimer: Thomas Müntzer. In: Protestantische Profile/ hrsg. von Klaus Scholder und

Dieter Kleinmann. Königstein (Ts.) 1983, 37, hat Müntzer „1518/19 in Wittenberg" studiert. Die frühen Beziehungen zwischen Müntzer und Luther sind bei der Frage nach Müntzers Quellen mitzubedenken.

[68] Der Titel dieses Werkes, auf das mich dankenswerterweise Herr Gerhard Hammer aufmerksam gemacht hat, lautet PSALTER DES KÜNIGLICHEN PROPHETTEN DAUIDS GETEUTSCHT NACH WARHAFFTIGEM TEXT DER HEBRAISCHEN ZUNGEN. Am Schluß des Buches steht die Angabe: „Volendet in der kaiserlichen stat Augspurg durch doctor Sigmund grymm. MD XXIII." Das Werk wird eingeleitet durch ein Widmungsschreiben Ammans an Johann Böschenstein und Böschensteins Antwort, auf die seine deutsche Übersetzung des Gebetes Salomos (1. Kön. 8,23–53) folgt. Am Schluß hat Amman dem Psalter seine Übersetzung weiterer alttestamentlicher Cantica hinzugefügt. Das in der Württembergischen Landesbibliothek Stuttgart befindliche Exemplar hat die Signatur: B deutsch 1523 01. Weitere Exemplare befinden sich nach Herrn Hammers freundlicher Mitteilung in Leipzig (Universitätsbibliothek), Halle (Universitäts- und Landesbibliothek), München (Universitätsbibliothek), Wien (Nationalbibliothek) und London (The British and Foreign Bible Society). Böschenstein war Ammans „erster schu(o)lmaister biß in das fünfft jar der hebraischen zungen", und 1523 hat Amman nach eigenem Zeugnis „groß arbait bis in das achtzehend jar in diser zungen gehabt . . ." (a ii [3]). Böschenstein war 1518/19 für einige Monate Hebräischlehrer in Wittenberg, vielleicht also Müntzer persönlich bekannt (zu Böschenstein siehe WA Br 1, 211 f, Anm. 18; 13, 15).

[69] Ebd, Aii.

[70] Volz: AaO 1, 1203.

[71] WA 1, 184, 28 – 185, 34 / MSB, 83, 6 – 84, 29; WA 1, 690, 28 – 691, 4 / MSB, 93, 7 – 94, 5; WA 8, 4–35 / MSB, 138, 3 – 140, 27.

[72] ETM, 259.

[73] WA 5, (1) 19–673 / Neubearb. von Ps. 1,1 – 10, 8 AWA 2, 1–648. Zu Müntzers Kenntnis der „Operationes in psalmos" siehe MSB, 362, 9 (15); 363, 10 f (16).

[74] ETM, 279.

[75] ETM, 259.

[76] Mehl: AaO, 16. Mehl berücksichtigt bei seinen Untersuchungen nicht das Psalterium Hebraicum des Hieronymus.

[77] MSB, 27.

[78] ETM, 260.

[79] ETM, 38. Ebenso urteilt Elliger in seiner Untersuchung von Müntzers Übersetzung des 93. Psalms: Müntzer habe „die Frage nach dem Urtext nicht sonderlich beschwert". Es gebe keinen Anhaltspunkt dafür, „daß er sich, zunächst im Blick auf unseren Psalm, irgendwelcher biblisch-exegetischer Hilfsmittel bedient oder sonstige literarische Quellen für sein Dolmetschen ausgewertet habe" (Elliger: Müntzers Übersetzung . . ., 58).

[80] Ullmann: AaO, 22 f.

[81] Steinmetz: AaO, 161. Die Frage bleibt für Steinmetz offen.

[82] MSB, 539 f.

[83] MSB, 540.

[84] Hans Peter RÜGER: Thomas Müntzers Erklärung hebräischer Eigennamen und der Liber de interpretatione hebraicorum nominum des Hieronymus. ZKG 94 (1983), 83–87, Zitat, 84 f. Rüger nennt ebd, 84 wenige Ausnahmen, zu denen weder der „Liber de interpretatione . . ." noch der „Libellus de interpretatione . . ." noch die Vulgata als Quelle genannt werden können.

[85] CChr.SL 72, 104 (Lag. 36, 17). 1 Reg. / PL 23 (1845), 815.

[86] MSB, 540, 17.

[87] Ein Beispiel: Ps. 112,5a lautet nach der Vulgata: „Iucundus homo qui miseretur et commodat", nach dem Psalterium Hebraicum: „Bonus vir et clemens et foenerans." Müntzer kombiniert beide Übersetzungen folgendermaßen: „Ein guter man wirt wunsam sein und wucher thun" (MSB, 96, 1).

[88] Zu Luthers Methode der Harmonisierung verschiedener Übersetzungen bei Luther siehe Siegfried RAEDER: Das Hebräische bei Luther: untersucht bis zum Ende der ersten Psalmenvorlesung. Tübingen 1961, 12–15.

[89] Rüger: AaO, 85.

[90] MSB, 556–560.

[91] MSB, 556, 8.

[92] Siehe Rüger: AaO, 85, wo auch auf das fehlerhafte „non" im Titel hingewiesen wird. Das Werk

befindet sich in der Württembergischen Landesbibliothek Stuttgart, Signatur: Phil. oct. 7366. – Was Müntzers Hebräischkenntnisse betrifft, so sei noch erwähnt, daß er im „Sendbrief an die Brüder zu Stolberg" am 18. Juli 1523 „die raßa" [רשׁע] nennt, „das seindt di bo(e)ßewicht" (MSB, 23, 22 f). Johannes Reuchlin: De rudimentis hebraicis. [Phorce] 1506, 500, gibt für dieses Wort die Bedeutungen „iniquus, impius, peccator" an.

[93] MSB, 353, 20 (8).
[94] MSB, 354, 9 (8).
[95] MSB, 513, 2. 5. 9.
[96] MSB, 533, 6.
[97] MSB, 535, 10. Müntzer hat vermutlich Zeta mit Xi verwechselt.
[98] MSB, 540, 1.
[99] MSB, 362, 2 (15).
[100] MSB, 362, 3 (15).
[101] MSB, 362, 4 (15).
[102] MSB, 362, 5 (15).
[103] MSB, 362, 6 (15).
[104] MSB, 362, 19 f (15). Man beachte die falsche Akzentuierung!
[105] MSB, 362, 24 (15).
[106] MSB, 369, 4 f (21).
[107] MSB, 369, 5 (21).
[108] Mehl: AaO, 16; MSB, 56, 7.
[109] Mehl: AaO, 20.
[110] MSB, 103, 2.
[111] Reuchlin: AaO, 267.
[112] WA 5, 29, 3 f / AWA 2, 33, 5 f.
[113] MSB, 103, 4.
[114] Reuchlin: AaO, 187.
[115] WA 5, 33, 18 f / AWA 2, 40, 14 f und WA 5, 133, 16 f / AWA 2, 253, 7–9.
[116] Psalter des küniglichen prophetten . . ., Aii.
[117] MSB, 103, 8.
[118] Reuchlin: AaO, 302; vgl. Psalterium Vetus und Romanum: „. . . non decidet."
[119] MSB, 103, 12.
[120] Reuchlin: AaO, 465.
[121] MSB, 104, 12.
[122] MSB, 104, 17.
[123] Reuchlin: AaO, 494.
[124] WA 5, 64, 12–15 / AWA 2, 98, 10–14.
[125] Reuchlin: AaO, 505.
[126] MSB, 74, 5 f.
[127] Reuchlin: AaO, 424.
[128] WA 5, 617, 36 – 618, 2.
[129] MSB, 74, 28.
[130] Mehl: AaO, 15 f.
[131] WA 5, 636, 3.
[132] Reuchlin: AaO, 364.
[133] MSB, 74, 28 f.
[134] MSB, 75, 3.
[135] Reuchlin: AaO, 399.
[136] WA 5, 661, 6 f.
[137] MSB, 85, 6.
[138] Reuchlin: AaO, 154.
[139] MSB, 137, 26 f.
[140] Reuchlin: AaO, 391.
[141] MSB, 35, 5.
[142] MSB, 141, 7.
[143] Reuchlin: AaO, 319.
[144] Ebd, 227.

[145] „Adverte: . . . ‚Extendens celum sicut pellem‘, intelligi volunt ‚sicut tentorium‘, ‚velum‘ et ‚cortinam‘, et vocabulum, quod hic hebraice habetur, id etiam significare.“

[146] MSB, 142, 14 f.

[147] „Adverte: . . . Paulus Hebraeus non ‚erodium‘, non ‚milvum‘, non ‚fulicam‘, sed ‚ciconiam‘ esse putat.“

[148] Reuchlin: AaO, 185.

[149] MSB, 89, 16.

[150] MSB, 44, 13. Auch Luther übersetzt: „Der boge der Starcken ist zubrochen“ (WA DB 9 I, 189). Es ist aus chronologischen Gründen kaum anzunehmen, daß Müntzer hier von Luther abhängig ist.

[151] Reuchlin: AaO, 198.

[152] Psalter des küniglichen prophetten . . ., CCV^v.

[153] MSB, 44, 25.

[154] Psalter des küniglichen prophetten . . ., CCV^v.

[155] Reuchlin: AaO, 317.

[156] MSB, 63, 7.

[157] Reuchlin: AaO, 80.

[158] Psalter des küniglichen prophetten . . ., CCVI^v.

[159] MSB, 63, 14.

[160] Psalter des küniglichen prophetten . . ., CCVI^v.

[161] Vulgata: „. . . annuntiate inter gentes studia eius.“

[162] WA 5, 307, 14 f / AWA 2, 541, 18. Luther nennt hier das Wort „oelilloth“.

[163] MSB, 87, 15.

[164] Psalter des küniglichen prophetten . . ., CCVII^r.

[165] Reuchlin: AaO, 433.

[166] Ebd, 232.

[167] MSB, 87, 17.

[168] Reuchlin: AaO, 395.

[169] Psalter des küniglichen prophetten . . ., CCVII^r.

[170] MSB, 88, 1.

[171] Reuchlin: AaO, 327.

[172] Psalter des küniglichen prophetten . . ., CCVII^r.

[173] MSB, 88, 8 f.

[174] ETM, 278.

[175] Reuchlin: AaO, 350.

[176] Ebd, 373.

[177] Psalter des küniglichen prophetten . . ., CCVII^v.

[178] MSB, 102, 15 – 103, 15.

[179] Siehe oben Seite 231, Nr. 1.

[180] Reuchlin: AaO, 50 f, hat vier Artikel „איש“. Im vierten stehen diese Bedeutungen, während er unter dem ersten Ps. 1,1 zitiert.

[181] WA 5, 27, 19–23 / AWA 2, 30, 1–6: „‚Vir‘ . . . nomen est . . . Virtutis . . . hoc modo hic ‚beatus vir‘ dicitur.“

[182] Die erste deutsche Bibel/ hrsg. von W[illiam] Kurrelmeyer. Bd. 7. Tübingen 1910, 243: „. . . weg der sunder.“

[183] Siehe oben Seite 231, Nr. 2.

[184] MSB, 327, 12–14. Die Kenntnis dieser Stelle verdanke ich Herrn stud. theol. Jens Petersen, der in meinem Auftrag ein Bibelstellenregister zu Müntzers Schriften angefertigt hat.

[185] Es muß sich wohl um ein versehentlich für „n“ gesetztes „u“ handeln.

[186] Die erste deutsche Bibel 7, 243. Auch Amman übersetzt „. . . als ain holtz.“

[187] Siehe oben Seite 231, Nr. 3.

[188] Siehe oben Seite 231, Nr. 4.

[189] Vom Spätmittelhochdeutschen zum Frühneuhochdeutschen: synoptischer Text des Propheten Daniel in sechs deutschen Übersetzungen des 14. bis 16. Jahrhunderts/ hrsg. von Hans Volz. Tübingen 1963, Anhang, Nr. 4: Glossar, unter „vorhouwen“.

[190] MSB, 73, 9 – 75, 19.

[191] Siehe Reinhard Schwarz: Die apokalyptische Theologie Thomas Müntzers und der Taboriten. Tübingen 1977, 109–126.

192 MSB, 314, 9 f (handschriftliche Fassung).

193 Schwarz: AaO, 117 f, mit Belegstellen.

194 MSB, 528, 14–17. Die Verifizierung der Bibelstellen durch den Herausgeber ist teilweise zu berichtigen: statt Spr. 4,15: Spr. 4,5.7; 16,16. Zu Ps. 73 bezieht sich Müntzer auf Vers 2 (Vulgata: „possedisti"). In Ex. 6,8 stehen nicht die von Müntzer zitierten Worte „nosque possideas", sondern „. . . dabo illam [terram] vobis possidendam" (Vulgata). Dagegen ist „nosque possideas" Ex. 34,9 zu finden, obgleich Müntzer auf Ex. 6 verwiesen hat.

195 MSB, 580 (Glossar), unter „fußhader".

196 Heinrich SEUSE: Deutsche Schriften/ im Auftrag der Württembergischen Kommission für Landesgeschichte hrsg. von Karl Bihlmeyer. Stuttgart 1907, 58, 3–16, Zitat, 58, 11–13.

197 Jacob und Wilhelm GRIMM: Deutsches Wörterbuch. Bd. 4 I 1. Leipzig 1878, 1028.

198 Ebd 4 I 1, 1028 f.

199 MSB, 240, 9–11.

200 MSB, 245, 25. Wie hier der unmittelbare Zusammenhang zeigt, bedeutet die Metapher „fußhader" „gantz und gar mit fu(e)ssen zurtreten" werden (245, 24).

201 Siehe WA RN 41, 90 zu WA 41, 258, 3. 8.

202 Alfred GÖTZE: Frühneuhochdeutsches Glossar. 6. Aufl. Berlin 1960, 42.

203 Siehe oben Seite 232, Nr. 7.

204 Götze: AaO, 151.

205 Textus BIBLIAE CUM GLOSA ORDINARIA, NICOLAI DE LYRA POSTILLA, MORALITATIBUS EIUSDEM PAULI BURGENSIS ADDITIONIBUS, MATTHIAE THORING [Doering] REPLICIS. Bd. 3. Basel [1506/07], 116ʳ, additio 3: „. . . nulla enim convenientia rationabilis videtur ad hoc, ut leo obsideat specialiter manus et pedes."

206 Siehe oben Seite 232, Nr. 8.

207 „. . . ‚manu': Augustinus: de potestate Iudaeorum . . ." (wie oben in Anm. 205).

208 Siehe oben Seite 233, Nr. 10. Vgl. auch den Hinweis auf Ps. 22 in der „Auslegung des anderen Unterschieds Danielis": „Er wart vorweyset in den vihstall wie ein hinwerffen der menschen, Psa. 21" (MSB, 245, 1 f). Nach dem Herausgeber bezieht sich dies auf Vers 7 (Vulgata: „. . . opprobrium hominum et abiectio plebis"). Im Kirchenamt übersetzt Müntzer aber Vers 7 anders: „. . . ein schmach der leuthe und ein fußhader der buben." Wie dem auch sei, in seiner Übersetzung versteht Müntzer Vers 25 das „Hinwerfen" als einen objektiven Zustand der Erniedrigung, nicht als Gesinnung der Demut (humilitas).

209 Vgl. das „Prager Manifest": „So hab ich . . . von keynem munch adder pfaffen mugen vo(e)rstehn dye rechte ubungk des glaubens, auch dye nutzbarliche anfechtungk, dye den glauben vorclereth ym geyst der forcht Gots, . . ." (MSB, 491, 7–10).

210 Vgl. Psalter des küniglichen prophetten . . .: „. . . vnnd in seinem schreyen zu(o) im."

211 Götze: AaO, 104, unter „gesell".

212 ETM, 260. Im übrigen aber ist Elligers Urteil über die Bedeutung des Philologischen und Exegetischen für Müntzer (siehe oben Anm. 79) nicht aufrechtzuerhalten.

213 Siehe oben Seite 225.

214 Der Verfasser verzichtet bei der folgenden Zusammenfassung auf den Nachweis von Einzelbelegen, weil die hier untersuchten Psalmen 1 und 22 als Modell genügend Beispiele liefern.

215 Sophronius Eusebius HIERONYMUS: Epistola 57, 5, um 394 verfaßt (CSEL 54 [1910], 508, 9–13). Später hat Hieronymus seinen Standpunkt gemildert (vgl. Epistola 106, 3. 55, um 403 verfaßt – CSEL 55 [1912], 250, 3f; 275, 19–21).

216 WA 5, 27, 8 / AWA 2, 29, 4; vgl. Siegfried RAEDER: Grammatica Theologica: Studien zu Luthers Operationes in Psalmos. Tübingen 1977, 34–46.

217 Vgl. aus dem „Prager Manifest": MSB, 492, 1.

218 MSB, 493, 11.

219 MSB, 492, 3 f. 12.

220 MSB, 209, 8–10.

221 Vgl. 2. Kor. 3,6.

222 Siehe oben Anm. 217.

Thomas Müntzer als Wittenberger Theologe

Von Helmar Junghans

„Nu aber Thomas Mu(e)ntzer feylet [sein Ziel nicht erreicht hat] / ists am tage / das er unter Gottes namen / durch den teuffel geredt und gefaren [gehandelt] hat",[1] lautete Martin Luthers Urteil unmittelbar nach dem Scheitern Müntzers in der Schlacht bei Frankenhausen am 15. Mai 1525. Noch ehe der gefangene Prediger am 27. Mai hingerichtet wurde, erschien Luthers Stellungnahme „Eine schreckliche Geschichte und Gericht Gottes über Thomas Müntzer: darin Gott öffentlich desselbigen Geist Lügen straft und verdammt".[2] Im selben Monat brachte Johann Agricola die „Auslegung des XIX Psalm" heraus, worin er Briefe Müntzers veröffentlichte und kommentierte, um ihn zu „entlarven". Unmittelbar nach Müntzers Hinrichtung verfaßte Philipp Melanchthon „Die Historie Thomas Müntzers", die er ohne Nennung seines Namens drucken ließ. Anonym blieb auch „Ein nützlicher Dialog zwischen einem müntzerischen Schwärmer und einem evangelischen Bauern", den Agricola verfaßte und der vielleicht noch im Juni erschien.[3] Am 23. Juni 1525 ließ Melanchthon in Wittenberg über die „Schwärmerprediger" disputieren und die dafür formulierten Thesen deutsch und lateinisch verbreiten.[4] Am folgenden Tag schloß Andreas Bodenstein aus Karlstadt seine „Entschuldigung" ab, mit der er sich von der Verdächtigung reinigen wollte, ein Heerführer unter den „aufrührerischen Bauern" gewesen zu sein. Darin schildert er anschaulich, wie er von Anfang an Müntzers Vorbereitung zu einem „Aufruhr" widerstand.[5]

Diese entschiedenen Absagen durch Luther, Agricola, Melanchthon und Bodenstein standen am Ende einer über vierjährigen Entwicklung, in der zwischen Müntzer und Wittenberger Theologen eine Entfremdung eingetreten war, die sich bis zur Gegnerschaft gesteigert hatte. Diese Verurteilungen, die das Müntzerbild nachfolgender Generationen stark prägten, dürfen zwei Tatsachen nicht vergessen lassen: Dem Zeitraum der Entfremdung und Verfeindung war ein fast ebenso langer der Gemeinsamkeit vorausgegangen. Und: Diese hatte sich nicht auf Luther allein erstreckt, sondern auch andere Wittenberger Theologen einbezogen.

I Ansatz oder Programm?

Ein Versuch, Müntzer in die geistes- und theologiegeschichtlichen Strömungen des mitteldeutschen Raumes einzuordnen, muß sich auch Rechenschaft darüber geben, ob seine inhaltliche Orientierung – z. B. eine theologische Schlüsselerkenntnis – als Ansatz oder seine Arbeitsweise – der Umgang mit der theologischen Tradition – als Programm zum Ausgangspunkt für das Verständnis von Müntzers Entwicklung gewählt werden soll.

Als Karl Holl 1922 den entscheidenden Anstoß für das Werden Müntzers von Luther ausgehen sah,[6] eröffnete er der Müntzerforschung neue Möglichkeiten. Er befreite sie davon, heilsgeschichtliche oder psychische Ursachen zur Erklärung für Müntzers Verhalten in den

Vordergrund zu rücken, und er regte sie an, sich mit der Frage nach dem theologischen Ansatz Müntzers zu beschäftigen.[7] Eine allgemein anerkannte Antwort auf diese Frage konnte allerdings bislang noch nicht gefunden werden. Das liegt einerseits an einer alles auf Luther beziehenden Lutherforschung, andererseits aber auch an dem Modell „Ansatz", das leicht zu einer mechanistischen Geschichtsbetrachtung verleitet, die die Entwicklung einer Persönlichkeit in ihrer Komplexität in der Regel nicht erfassen kann.

„Thomas Müntzer, den Du durch das Evangelium gezeugt hast", setzte der an der Zwickauer Marienkirche wirkende Prädikant am 13. Juli 1520 unter das Konzept seines Briefes an Luther.[8] Hat Müntzer damit nicht selbst bezeugt, daß er sich für einen Lutherschüler hielt? Mußten diese und andere Aussagen Müntzers[9] nicht die Lutherforschung bestärken, die Bedeutung Luthers für Müntzer in den Vordergrund zu rücken? So überrascht es nicht, daß nach Holls Überzeugung Luthers Einfluß sowohl in den Grundanschauungen als auch in Einzelheiten auf Müntzer dauernd nachwirkte, Müntzer aber von Anfang an persönlich Empfundenes in das von Luther Übernommene hineingearbeitet habe.[10] Thomas Nipperdey folgte Holl mit der Überzeugung: „Ausgangspunkt für ein angemessenes Verständnis Müntzers ist sein theologisches Grundproblem, das heißt sein Verhältnis zu Luther. Müntzer ist nicht, wie häufig behauptet worden ist, zeitweiliger Mitläufer Luthers, der im Grunde der Welt spätmittelalterlicher Sekten und der Mystik zugehört, sondern er nimmt Luthers reformatorischen Ansatz durchaus auf. Und der Gegensatz zu Luther, der spezifische und revolutionäre Denkansatz Müntzers, entsteht auch nicht aus spätmittelalterlich bedingten Nebenmotiven, sondern gerade aus der Rezeption Luthers, aus der ursprünglichen, nämlich selbstverständlich vorausgesetzten Übereinstimmung mit Luther."[11] Walter Elliger hielt in seiner umfangreichen Müntzerbiographie trotz der Einwände gegen diese Müntzerinterpretation, die den theologischen Ansatz Müntzers bei Luther sucht, daran fest, Müntzer „als einen ‚Schüler' Luthers" zu betrachten, der allerdings schon mit einer persönlichen Fragestellung nach Wittenberg kam und dementsprechend Luthers Lehren aufnahm.[12]

Heinrich Boehmer fand – ebenfalls 1922 –, daß in Müntzers Kopf „wunderlich... Seusesche Mystik, Storchscher Enthusiasmus und blutgierige taboritische Apokalyptik durcheinander gährten".[13] Er benannte damit mittelalterliche Theologien als Ansatz für Müntzers Denken, deren Bedeutung für diesen danach unterschiedlich herausgestellt wurde. Hans-Jürgen Goertz wandte sich in dieser Forschungsrichtung bewußt gegen die Ableitung der – wie er sie bezeichnen will – Nebenreformationen von Luther her und arbeitete für sie, und damit auch für Müntzer, die mittelalterliche Mystik als Wurzelboden heraus.[14] Demgegenüber charakterisierte Gottfried Maron Müntzer als einen Geschichtstheologen und Geschichtspropheten, für den die taboritischen Einflüsse die entscheidenden waren, wobei er sich auf Boehmer, Moisej Mendelewič Smirin, Gordon Rupp und Franz Lau berufen konnte. Für ihn war es fehl am Platz, Müntzer als Schüler Luthers herauszustellen. Nach seiner Meinung diente das Gedankengut Luthers und der Deutschen Mystik nur als Füllung für ein bereits stehendes Fachwerk.[15] Zuvor hatte Erwin Mülhaupt untersucht, auf welche Lutherschriften Müntzer sich bezogen hatte, und war – ohne ungenannten und indirekten Einflüssen Luthers nachzugehen – zu dem Schluß gelangt: „Dieser Mann Thomas Müntzer ist von Anfang an konsequent an Luther vorbei seinen eigenen Weg gegangen..." Daher fand er die Quellen für Müntzers Theologie hauptsächlich in der Taulerischen Mystik und in hussitisch-taboritischen Traditionen, am wenigsten bei Luther.[16]

Gegen die Anstrengungen, eine bestimmte Theologie als *den* Schlüssel für Müntzers Theologie zu finden, wandte sich Reinhard Schwarz. Er hielt es für unmöglich, Müntzers Theologie und Aktivität zu begreifen, solange Einflüsse Luthers, der Mystik und der Taboriten auf

Müntzer gegeneinander ausgepielt werden, weil diese Theologien in den ersten Reformationsjahren sich nicht ausschließlich gegenüberstanden und in Müntzer eine eigentümliche Verschmelzung erlebten, durch die sich Müntzers Verknüpfung chiliastischer Ideen auch von den Anschauungen der Taboriten unterschied.[17]

Damit sind die Bemühungen um *den* theologischen Ansatz Müntzers als aussichtslos hingestellt worden. Die Versuche, den Hauptanstoß – wohinter eine mechanistische Vorstellung liegt – zu finden, der Müntzers Denken auf eine folgerichtige Bahn gebracht hat, oder die Quelle aufzudecken, aus welcher der Haupt(ein)fluß für ihn entsprang, oder die entscheidend prägende Kraft aufzuzeigen, die seine theologische Denkstruktur (Fachwerk) schuf, haben jeweils nur einzelne Seiten von Müntzers Denken in den Mittelpunkt gerückt, ohne auf Dauer als Gesamtschau Müntzers zu überzeugen. Das Bild vom „Verschmelzen" veranschaulicht schon mehr von dem Ineinander verschiedener theologischer Strömungen, birgt aber die Gefahr in sich, daß es an einen sich vollziehenden Vorgang denken läßt, ohne daß Müntzers Aktivität dabei zur Sprache gebracht wird. Daher scheint es mir angebracht, bei der Suche nach einem angemessenen Modell für die Entwicklung von Müntzers Denken und Handeln auf die Informationstheorie zurückzugreifen.

Ohne auf die Einzelheiten einzugehen, sei hier an den entscheidenden Vorgang erinnert, daß jemand vorgeprägt und zielgerichtet – also programmiert – aus einem Strom von Informationen auswählt. Die Erfahrung, die er dabei sammelt, gestaltet danach sein Auswählen – sein Programm – fortlaufend um.[18] Zu den Informationen, die auf Müntzer einströmten, gehörten eine thomistische Scholastik,[19] mittelalterliche Mystik, joachitische und vielleicht auch hussitisch-taboritische Anschauungen ebenso wie die Wittenberger Theologie. Gern wüßten wir, wie und wo er sich den einzelnen Theologien aussetzte. Abgesehen von einzelnen Studien, deren Gegenstand und Zeitpunkt bekannt ist, fehlt es bekanntlich an ausreichenden Überlieferungen, um diese Entwicklung nachzeichnen zu können. Es ist zwar möglich, aus seinen Schriften und Berichten über ihn Vorstellungen, die er aufgenommen hat, abzugrenzen und deren Ursprünge aufzuspüren, aber es konnte bisher noch nicht geschildert werden, wie und warum er seine Auswahl traf und das Ausgewählte umgestaltete. Liegt das nur daran, daß der entscheidende Ausgangspunkt noch nicht gefunden wurde oder daß – meist unreflektiert – im Rahmen eines falschen Modells gesucht wurde? Zwei Arten von Modellen bieten sich an.

Gabriel Biel entwickelte im Vorwort seines Sentenzenkommentars folgendes Programm: „Weil es folglich unser Ziel ist, die Lehren und das Geschriebene des verehrungswürdigen Inceptors Wilhelm Ockham aus England, des sehr scharfsinnigen Aufspürers der Wahrheit, zu den vier Büchern der ‚Sentenzen' [des Petrus Lombardus] zu einem Auszug zusammenzustellen, werden wir – von Gottes Leitung begünstigt – versuchen, zu dem Prolog und zu den einzelnen scholastischen Distinktionen Fragen zu formulieren und dort, wo der obengenannte Doktor ziemlich weitläufig schreibt, seine Aussage und seine Wörter zu straffen und ... an anderen Stellen, wo er wenig oder nichts schreibt, von anderen Doktoren Aussagen, die von den Grundsätzen des genannten Doktors nicht abirren – soweit ich vermag – aus den Bienenkörben[20] der hervorragendsten Männer zu einem Ganzen zusammenzutragen. Daher gefällt es uns auch, unser Werk ‚Collectorium' [Zusammengebrachtes] und gleichzeitig ‚Epitoma' [Auszug] zu nennen. Manchmal werden wir auch etwas zitieren oder sagen, was von seinen Grundsätzen unbestritten gesagt werden kann, obgleich der Doktor selbst das Gegenteil zu denken scheint, wie es der Brauch der scholastischen Ringkunst ist."[21] Damit gab Biel seinen Lesern kund, wie er die ockhamistische Theologie fortzuführen gedachte. Was er dabei offenlegte, kommt durch seine inhaltliche Bindung an die Theologie Ockhams zwar dem nahe, was man unter einem Ansatz zu verstehen pflegt, erfaßt aber zugleich auch die auswählende Arbeitsmethode. Und wenn jemand eine scholastische Schule fortgesetzt oder unter einem neuen Gesichtspunkt umgestaltet, ja auch wenn jemand mystische Frömmigkeit intensiviert hat, wird es sinnvoll und notwendig sein, nach einem Programm von solcher Art zu suchen, um seine Entwicklung besser zu verstehen.

Aber ein Programm kann auch ganz anders gestaltet, viel formaler – z. B. zunächst ohne Bindung an Lehrinhalte – geprägt sein. So kann es vorrangig aus Erwartungen und einem neuen Umgang mit der Tradition bestehen. Und das war in dem geistesgeschichtlichen Umbruch, der sich im mitteldeutschen Raum am Anfang des 16. Jahrhunderts vollzog, der Fall. Am Anfang der reformatorischen Bewegung standen nicht theologische Grunderkenntnisse, aus denen sich die folgenden Vorstellungen und Handlungen logisch und notwendig ergaben, sondern mehr das Suchen nach neuen Erkenntnissen, nach einer „Theologie, die den Kern der Nuß, das Mark des Weizens und das Mark der Knochen durchforscht",[22] mit Hilfe einer sich von der Theologie des Spätmittelalters unterscheidenden Wissenschaftsmethode. Informationstheoretisch ausgedrückt, eine ganze Gruppe von Theologen begann, aus den theologischen Informationen von der Heiligen Schrift an bis in die eigene Gegenwart hinein auf eine neue Art auszuwählen, Erfahrungen zu sammeln und neue Programme zu entwickeln. Daher gab es ein neues gemeinsames Verhalten gegenüber der theologischen Tradition, das zu verschiedenen Ergebnissen führen konnte.

Wenn das aber so war, dann hatten die Einstellung zur Überlieferung und die eigenen Zielvorstellungen für den jeweiligen Theologen eine größere Bedeutung als die Konzeption der jeweiligen Theologien, aus denen Informationen entnommen und weitergegeben wurden. Dann konnte jemand mystische Gedanken verwenden, ohne selbst je ein Mystiker sein zu wollen oder zu werden. In solchen Fällen muß sich die Forschung vorrangig der Methode und den Bestrebungen des jeweiligen Theologen zuwenden, ehe sie den Inhalt seiner Vorstellungen erhebt. Siegfried Bräuer benannte diese Aufgabe für die Müntzerforschung bereits vor zehn Jahren: „Abgesehen von der Klärung des theologischen Ansatzes wäre es sicher sinnvoll, einmal Müntzers eigene Äußerung über sein Denken, Wollen und Wirken zusammenzustellen und zu interpretieren."[23] Erst im Rahmen eines informationstheoretischen Modells wird die entscheidende Bedeutung einer solchen Untersuchung deutlich, ja es wird sichtbar, daß sie an die Stelle eines Suchens nach dem Ansatz treten muß. Ein solches Modell erleichtert es auch, bei der Darstellung der Theologie Müntzers seinen „Denkbewegungen" zu folgen, wie es Leif Grane gefordert hat.[24]

Eine solche Untersuchung steht noch aus und kann auch hier nicht vorgenommen werden. Aber wenn es auch noch nicht möglich ist, Müntzers Programm in diesem Sinne herauszuarbeiten, kann doch auf die geistige Bewegung hingewiesen werden, die am Anfang des 16. Jahrhunderts auf die Programmbildung der Wittenberger Theologie entscheidend einwirkte und offenbar auch Müntzer in ihren Bann zog.

II Müntzer als Bibelhumanist

Im Jahre 1808 prägte Friedrich Immanuel Niethammer den Begriff „Humanismus", um dadurch die ältere Pädagogik zu charakterisieren und von der philanthropischen zu unterscheiden. So war diesem Wort von Anfang an eine Konzentration auf die Anthropologie und die Möglichkeit bzw. den Willen zur Bildung des Menschen eigen. Als dieser Begriff danach zur Kennzeichnung einer geistigen Bewegung vom 14. bis zum 16. Jahrhundert verwendet wurde, galt das Interesse stark ihren erzieherischen Bestrebungen. So konnte noch 1974 definiert werden: „Deshalb bezeichnet dieser H[umanismus] zunächst eine Gelehrtenbewegung, die das antike Menschenbild zu erneuern trachtete."[25] Damit ist zwar die Überzeugung vieler Humanismusdarstellungen erfaßt, aber die Breite der humanistischen Bewegung nicht mehr wahrnehmbar. Die fortschreitende Humanismusforschung hat eine so große Vielfalt an Interessen und Gedanken zutage gefördert, daß eine umfassende Beschreibung des Humanismus viel formaler ausfallen muß, um alle Humanisten erfassen zu können.

Es handelte sich um eine von großer Begeisterung getragene neue Rückbesinnung auf die Antike, die deren mittelalterliche Interpretation verwarf und von ihrer Wiedergeburt (Renaissance) die Lösung eigener Probleme erwartete. Die Humanisten bevorzugten Philologie und Rhetorik, ahmten antike Poeten nach, weckten das Interesse für Geschichte und förderten geschichtliches Denken. Ihre Bestrebungen waren nicht neu, sie waren während des ganzen Mittelalters vorhanden. Aber ihre Beschäftigung mit der Antike wandte sich direkt den Quellen zu und hatte einen viel höheren Stellenwert als in der spätmittelalterlichen Philosophie und Theologie. Ihre philologischen und rhetorischen Interessen drängten die Logik zurück, ja wendeten sich teilweise gegen sie.

Trotz der gemeinsamen Begeisterung, der gemeinsamen Erwartungen und des gemeinsamen methodischen Vorgehens konnten die einzelnen Humanisten inhaltlich zu unterschiedlichen Ergebnissen gelangen, weil die Antike mit ihrer 1000jährigen Kultur selbst vielgestaltig war, zumal die Humanisten sich sowohl der heidnischen als auch der christlichen Antike zuwandten. Sie beschäftigten sich nicht nur mit verschiedenen Wissensgebieten, sondern stießen auch auf sich widersprechende Ansichten über denselben Gegenstand. Der Mensch konnte als das Maß aller Dinge gelten (Protagoras) oder ganz von seiner Gottebenbildlichkeit her verstanden werden (Augustinus). Es war sogar möglich, bei dem Studium desselben Kirchenvaters zu verschiedenen Ergebnissen zu kommen. Und nicht alle humanistischen Exegeten der Heiligen Schrift mußten dieselbe Theologie entwickeln.

Die ältere Humanismusforschung hat in ihrem Streben nach einer einheitlichen Definition des Humanismus oft einzelne Erscheinungen, die bei einigen Humanisten im Vordergrund standen, unsachgemäß verallgemeinert und dadurch Zusammenhänge innerhalb des Humanismus übersehen und zu rasch Gegensätze herausgestellt (z. B. heidnische Renaissance – christliches Mittelalter). Eine Unterteilung des Humanismus wird daher gut beraten sein, wenn sie der Entwicklung dieser Erscheinung Rechnung trägt und das gemeinsame Formale, Methoden und Interessen, voranstellt, aus dem dann die inhaltliche Differenzierung hervorging. So führten die von Humanisten betriebenen Studien der antiken Geschichtsquellen zu einer Verherrlichung der antiken Geschichte, dann aber auch zu einer Verherrlichung der Geschichte der eigenen Nation, so daß es schließlich auch einen deutschen nationalen Humanismus gab (Jakob Wimpfeling, Ulrich von Hutten). Aus der Beschäftigung mit den griechischen Platontexten erwuchs in Florenz die Academia Platonica, die eine Erneuerung des Platonismus brachte. Aber die Hinwendung zu den griechischen Aristotelestexten führte auch zu neuen Übersetzungen, einer neuen Aristotelesinterpretation in Padua und Bologna, ja sogar in Erfurt.

Andere wandten sich mit ihrem neuen wissenschaftlichen Instrumentarium der Bibel zu. Sie können daher Bibelhumanisten genannt werden. Auch sie griffen auf die Urtexte zurück und förderten darum das Studium des Hebräischen und des Griechischen. Kritik an der Übersetzung der Vulgata war die Folge, die Lorenzo Valla mit seinen von 1441 bis 1449 verfaßten, aber erst 1505 durch Erasmus von Rotterdam in Paris zum Druck gebrachten „In latinam Novi Testamenti interpretationem ex collatione grecorum exemplarium adnotationes apprime utiles" wirkungsvoll begann. Eine große Förderung erhielt diese Richtung durch Johannes Amerbach, der 1477 in Basel eine Druckerei eröffnete. Er brachte seit 1479 lateinische Bibeln heraus, in denen einzelne Stellen aufgrund des Urtextes korrigiert und auf dem Rand Parallelstellen angegeben waren. Seit 1481 übernahm er aus anderen Bibeln die „Interpretationes hebraicorum nominum secundum ordinem alphabetici". Unterstützt von seinem Lehrer Johannes Heynlin aus Stein bei Pforzheim, druckte er Werke von Kirchenvätern nach. 1492 begann er sogar mit Gesamtausgaben. Zuerst brachte er in drei Bänden die Werke des Aurelius Ambrosius heraus, von 1504 bis 1506 zusammen mit Johannes Petri und Johannes Froben in elf Bänden die des Aurelius Augustinus. Anschließend bereitete er eine Hieronymusausgabe vor, deren Vollendung er nicht erleben konnte, weil er 1513 verstarb. Im Jahr danach wurde Erasmus für die Leitung dieser Ausgabe gewonnen, so daß Froben 1516 in neun Bänden die Werke des Sophronius Eusebius Hieronymus veröffentlichen konnte. Als diese Gesamtausgaben 1492 zu erscheinen begannen, nannte Heynlin in einem Vorwort das Ziel dieses Unternehmens: Die Kirchenväter sollten helfen, die Rätsel der Heiligen Schrift zu lösen. Es ging also nicht darum, eine Gesamttheologie der Kirchenväter oder eine bestimmte Theologie eines Kirchenvaters zu repristinieren, sondern Hilfe zum Verständnis der Heiligen Schrift zu finden, die Kirchenväter also eklektisch auszubeuten. Es konnte freilich geschehen, daß das Studium der Kirchenväter zum Selbstzweck wurde. Um das zu verhindern, schlug Luther im Rahmen einer Universitätsreform 1520 vor, die Kirchenväter nur eine Zeitlang zu lesen, um dadurch in die Heilige Schrift hineinzukommen, zumal diese dafür geschrieben hätten, in die Bibel hineinzuführen.[26] Luther argumentierte hier ganz entsprechend der ursprünglichen Zielstellung der bibelhumanistischen Bewegung.[27]

Da Erasmus von Rotterdam 1516 mit seinem „Novum instrumentum", in dem er den griechischen Text des Neuen Testaments erstmals gedruckt vorlegte und mit einer eigenen Übersetzung ins Lateinische und mit Erläuterungen versah,[28] ein epochemachendes Werk herausbrachte, kann leicht übersehen werden, daß die humanistische Beschäftigung mit dem Alten Testament schon vorher beachtliche Hilfsmittel und Kommentare hervorgebracht hatte[29] und in bezug auf das Neue Testament gleichgerichtete Bestrebungen auch an anderen Orten bestanden. In Erfurt wurde das Studium des Hebräischen und des Griechischen seit 1501 gefördert, in Wittenberg mindestens seit 1504 Griechisch, ab 1507 Hebräisch und seit 1515 das Studium der Kirchenväter getrieben, um die Heilige Schrift recht verstehen zu können.[30] Aus diesen Studien erwuchsen zunehmend Kritik an der Scholastik und der mittelalterlichen Kirche, die Abkehr von scholastischen Wissenschaftsmethoden und Autoritäten sowie die Hinwendung zur Heiligen Schrift.

Hier ist nun die Frage aufzuwerfen: Geriet Müntzer unter den Einfluß dieser bibelhumanistischen Bewegung? Zunächst ist festzustellen, daß es am Anfang des 16. Jahrhunderts im mitteldeutschen Raum für einen Studenten viele Möglichkeiten gab, mit bibelhumanistischem Denken in Berührung zu kommen.[31] Nachdem Müntzer 1506 in Leipzig an der Artistischen Fakultät zu studieren begonnen hatte und in die via antiqua eingeführt wurde, hatte er seit dem Wintersemester 1507 Gelegenheit, bei Johannes Rhagius Aesticampianus eine Vorlesung über Briefe des Hieronymus zu hören und seine Forderung nach humanistischen Quellenstudien der Kirchenväter aufzunehmen. Von ihm konnte er auch die Ablehnung der scholastischen Methode lernen, durch die Aesticampianus sich die Feindschaft seiner Kollegen zuzog, so daß er auf zehn Jahre relegiert wurde und 1511 nach Italien zog.[32] Müntzer konnte auch den Humanisten Johannes Sylvius Egranus kennenlernen, der 1508 die Ausgabe von „De officiis ministrorum" des Ambrosius vorbereitete und 1510 zum

Druck brachte.[33] Frischte Müntzer eine alte Beziehung auf, als er im Herbst 1517 in Wittenberg in die Hieronymusvorlesung des Aesticampianus ging, ohne sich in die Matrikel eintragen zu lassen?[34] Müntzer kann seine Kirchenväterstudien auch erst später aufgenommen haben. Sicher ist, daß er vor dem 1. Januar 1520 Augustinus und Geschichtswerke wiederholt gelesen hatte.[35] Bei letzteren scheint es sich um die von Hieronymus und Tyrannius Rufinus ins Lateinische übersetzte und erweiterte Ausgabe der „Chronica" des Eusebios von Kaisareia und die unter dem Namen des Hegesippos verbreitete lateinische Bearbeitung des „Bellum Iudaicum" von Josephus Flavius[36] gehandelt zu haben, da Müntzer sie vorher in seinen Besitz gebracht hatte.[37] Aber auch die Kirchengeschichte des Eusebios war ihm vertraut.[38] Am 3. Januar 1520 interessierte er sich für den Ankauf der von Erasmus herausgegebenen Werke des Hieronymus – mit dem er sich tatsächlich beschäftigte[39] – und zweier Bände mit Briefen und Predigten des Augustinus.[40] Nach dem Juli 1521 arbeitete er sicher Schriften von Quintus Septimius Florens Tertullianus und vielleicht auch von Caecilius Cyprianus durch.[41] Manches weist auch auf eine Beschäftigung mit Origenes hin.[42]

Erwähnt sei auch, daß Müntzer sich mit antiken Autoren befaßte, z. B. mit Gaius Plinius Caecilius Secundus und Diogenes Laertios, und sich sogar der Platonausgabe des Marsilio Ficino zuwandte.[43] Diese war eine Frucht der von Florenz ausgehenden humanistischen Begeisterung für Platon, die sogar Luther 1518 zu der Behauptung hinriß, die Philosophie Platons sei besser als die des Aristoteles.[44] Müntzer mühte sich auch um einen humanistischen Briefstil und war mit der Rhetorik des Marcus Fabius Quintilianus vertraut.[45]

Am 1. Januar 1520 beklagte Müntzer es als ein bitteres Kreuz, daß er für ihn sehr notwendige Autoren nicht bekommen könnte.[46] Da er zwei Tage später bei dem Leipziger Buchhändler Achatius Glov neben Akten der Konzilien von Konstanz und Basel und einer Schrift des Hieronymus Emser gegen Luther vor allem über Kirchenväterausgaben verhandelte, kann davon ausgegangen werden, daß er sich zu dieser Zeit dem Studium der Kirchenväter widmen wollte, also ein bibelhumanistisches Programm verfolgte.

Das Studium altkirchlicher Kirchengeschichtsdarstellungen ließ in ihm als Idealbild der Christenheit ein Bild von den Gemeinden der Apostel und ihrer Schüler entstehen, von dem aus die zeitgenössische Kirche kritisiert werden konnte.[47] Im „Prager Manifest" bekannte er offen, daß er von der „alten veter gschichte" gelernt habe, daß nach dem Tod der Apostelschüler die Kirche durch geistlichen Ehebruch zur Hure geworden sei.[48]

Zu dem bibelhumanistischen Programm gehörte es auch, den Text der Vulgata anhand des Urtextes zu korrigieren und Kenntnisse im Hebräischen und im Griechischen zu fordern, ohne daß immer eine gründliche Revision durchgeführt oder umfassende Sprachkenntnisse erworben wurden. Daher sprach aus Müntzer bibelhumanistisches Bewußtsein, über eine bessere Methode zu verfügen als die Scholastiker, als er in Jüterbog 1519 den Bischöfen seiner Zeit vorhielt, weder Griechisch noch Hebräisch zu kennen.[49] Obgleich er seine Briefe wie andere Humanisten mit einigen griechischen Wörtern schmückte, sich eine Liste hebräischer Orts- und Personennamen zusammenstellte, Johann Agricola ihm das Verstehen griechischer Zitate aus dem Neuen Testament zutraute und Müntzer in seiner Bibelübersetzung über die Vulgata hinweg auf den Urtext zurückgreifen wollte, lassen sich bei ihm keine gediegenen Kenntnisse dieser Sprachen nachweisen.[50] Für seine Haltung zur Heiligen Schrift mußte aber schon das Programm Bedeutung haben, auch wenn seine Ausführung nicht sehr weit gedieh.

Sowohl Müntzers Einordnung in den Spiritualismus als auch das Suchen nach einem Ansatz in der Theologie-, Geistes- und Sozialgeschichte haben gleicherweise dazu beigetragen, meistens die zentrale Bedeutung zu übersehen, welche die Bibel für ihn hatte. Dabei hätte die Überlieferung zu denken geben können, nach der er eine eigene Vulgata besaß, die er mit sich führte.[51] Rupp charakterisierte zwar Müntzers Theologie als „deeply Biblical" und wies auf die unzähligen Bibelzitate in seinen Schriften hin, die der gesamten Bibel und keineswegs nur dem Alten Testament entnommen seien,[52] löste damit aber keine Neuorientierung der Müntzerforschung aus. Einerseits stand einer solchen Entwicklung Müntzer selbst im Wege. Es war nicht immer leicht zu erkennen, in welchem Umfang seine Aussagen Schriftauslegung sein wollten, da diese manchmal nicht nur eigenwillig war, sondern durch Kombinationen von Bibelstellen gerade das Gegenteil von dem ursprünglich Gemeinten aus dem Text erheben konnte, wenn er z. B. das Gleichnis vom Unkraut und vom Weizen mit der Ausrottung der Gottlosen verband[53] oder die neutestamentliche Eschatologie vom Alten Testament her deutete.[54] So war der Zusammenhang zwischen den von ihm auf dem Rand seiner Schriften aus der Bibel angegebenen Kapiteln und seinen Ausführungen im Text nicht immer ohne weiteres zu erheben. Daher gelang es auch der ersten Gesamtausgabe seiner Werke (MSB) nicht, stets die richtige Bibelstelle anzugeben. Weil Müntzer selbst gemerkt hatte, was er seinen Lesern zumutete, entschied er sich schließlich, auf solche Marginalien zu verzichten und zur Auslegung von Bibelstellen im Text überzugehen.[55] Andererseits war auch die Forschung nicht darauf vorbereitet, auf die Bedeutung der bibelhumanistischen Bewegung für den Anfang der Reformation im mitteldeutschen Raum zu achten. In ihrem Streben, die vermeintlich hinter den einzelnen Aussagen verborgene, in sich geschlossene Lehre – gewissermaßen die Idee – eines Reformators zu erfassen und darzustellen, gingen viele Forscher so weit, indirekte und selbst direkte Bibelzitate als Ausdruck – Abschattung – einer persönlichen Vorstellung seinen Schriften zu entnehmen und die vorhandenen Bibelstellenangaben wegzulassen. Dieses Vorgehen verschleierte, in welchem Ausmaß die Reformatoren und mit ihnen Müntzer vorrangig Ausleger und Vermittler der Botschaft der Heiligen Schrift sein wollten.

Müntzer teilte mit den Bibelhumanisten den Verzicht auf die scholastischen Autoritäten.[56] Er kritisierte wie sie die gesamte scholastische Theologie: „So hab ich alle meyne lebtag (Got weysz, das ich nit lyge) von keynem munch adder pffaffen mugen vo(e)rsthen dye rechte ubungk des glaubens, auch dye nutzbarliche anfechtungk, dye den glauben vorclereth ym geyst der forcht Gots, mitsampt inhaldungk, das eyn auserwelter, musz haben den heyligen geyst czu syben maln. Ich habe gar von keynem gelerten dye ordnungk Gots in alle creaturn gsatzt vornommen ym allergrinsten wortlin, unde das gantze eyn eynygher weck alle steyle [Teile] czu erkennen, ist nye grochen von den, dye do woltn christen seyn, unde sunderlich von den vormaledeygthen pfaffen."[57] Er selbst aber wollte sein Amt und seine Predigt, auch das Allergeringste, was er sagte und in seinen Liturgien sang, aus der Heiligen Schrift beweisen.[58] Und weil die Bibel für ihn einen so hohen Stellenwert hatte, warf er anderen mangelnde Bibelkenntnis vor,[59] forderte die tägliche Beschäftigung mit der Bibel[60] und war bestrebt, seine Gemeinde im Gottesdienst mit ihr vertraut zu machen. Dabei ließ er ganze Kapitel aus den Evangelien sowie aus den Episteln lesen und Psalmen vollständig singen, damit die Bibel nicht „stuckwerckische weyse" verwendet würde.[61] Damit brachte er gegenüber dem in der Scholastik häufig geübten Brauch, einzelne Sätze aus der Bibel in das eigene theologische Folgern einzubauen, entsprechend der bibelhumanistischen Forderung den Kontext zur Geltung. Er erwarb allerdings zuwenig philologische Akribie, um auch den historischen Hintergrund der einzelnen biblischen Bücher in seine Auslegung einzubeziehen und neben ihrer Zusammengehörigkeit auch ihre Unterschiede wahrzunehmen.[62]

Rolf Dismer hatte in seiner Dissertation schon 1974 deutlich gemacht, daß in Müntzers Theologie einzelne Begriffe einfach Auslegungen und Übersetzungen biblischer Wörter sind.

So entdeckte er zum Beispiel, daß bei Müntzer hinter „Kunst Gottes" Bibelstellen standen, in denen die Vulgata mit „scientia dei" übersetzt hatte, und daß er für seine Erläuterung der „Schlüssel" zum Verständnis der Heiligen Schrift nur Bibelkenntnisse und nicht die Bekanntschaft mit mystischen Schriften voraussetzte. Daher empfahl Dismer, bei Vorstellungen und Ausdrücken Müntzers stärker auf deren Abhängigkeit von der Bibel zu achten und weniger nach dem theologiegeschichtlichen Ursprung zu suchen.[63] Schwarz entsprach einem solchen Vorgehen, als er Müntzers apokalyptische Vorstellungen jeweils aus dessen Schriftauslegung erhob, ehe er sie mit taboritischen oder joachitischen Gedanken verglich.[64] Trotz dieser Hinweise auf die zentrale Bedeutung der Bibel für Müntzer blieb es dem marxistischen Historiker Max Steinmetz vorbehalten, mit aller Deutlichkeit die Bibel als gemeinsame Grundlage für die Theologie Luthers und Müntzers herauszustreichen. Seine Feststellung, daß die gemeinsame Grundlage „bei Theologen die Bibel, genauer gesagt die lateinische Übersetzung derselben, die sogenannte Vulgata" war,[65] läßt sich allerdings noch präzisieren.

Auch die scholastischen Theologen verwendeten die Heilige Schrift, und zwar viel häufiger, als aufgrund der reformatorischen Polemik zu vermuten ist. Aber sie bevorzugten es, deren Inhalt aufbereitet in theologischen Werken weiterzugeben, da es ihnen nachteilig, schwierig und schädlich erschien, Anfänger auf dieses große und weite Meer hinauszuschicken.[66] Im Gegensatz dazu mühten sich die Bibelhumanisten um eine von der scholastischen Tradition befreite Exegese und um Verbreitung der Bibel. Dementsprechend wünschte Luther, daß es neben der Bibel nur wenige Bücher gäbe und jedermann seine Kenntnis aus ihr direkt entnähme.[67] Diesem Ziel diente ja auch seine Bibelübersetzung. Müntzer war gleicherweise bestrebt, seine Theologie der Bibel direkt zu entnehmen und ihre Kenntnis auszubreiten. Damit standen beide im Gegensatz zur Scholastik und in Übereinstimmung mit den Bibelhumanisten.

Trotzdem entwickelten sie bekanntlich sich teilweise widersprechende Theologien. Wie kann dieser Vorgang einsichtig werden? Obgleich sie in dem bibelhumanistischen Programm weitgehend übereinstimmten und dieses entscheidende Bedeutung für ihren Umgang mit der theologischen Tradition hatte, wirkte doch auch das unterschiedliche scholastische Erbe noch nach. Ein solcher Vorgang läßt sich gut an der Entwicklung des Johannes von Staupitz verfolgen. In seinen „Tübinger Predigten", die er am Ende des 15. Jahrhunderts verfaßte, zitierte er ausgiebig Kirchenväter und Scholastiker; in seinem „Libellus de exsecutione aeternae praedestinationis" 1517 dagegen nur noch die Heilige Schrift. Trotzdem haben moderne Herausgeber dieses Büchleins viele altkirchliche und scholastische Anklänge in ihrem Kommentar festgehalten.[68] Die spätmittelalterliche Ausbildung wirkte also durchaus positiv und negativ nach, auch wenn Theologen sich bewußt nur noch auf die Bibel stützen wollten. Solche Nachwirkungen hatten allerdings nicht mehr die Funktion eines Ansatzes, der Auswahl und Deutung inhaltlich prägte, sondern sie lieferten Fragestellungen und einzelne Vorstellungen, ohne daß die Gesamtkonzeption, aus der sie stammten (Deutsche Mystik, thomistische oder ockhamistische Theologie), mit übernommen werden mußte.

Ein informationstheoretisches Modell läßt den Blick auch darauf richten, wie die mit der getroffenen Auswahl gesammelte Erfahrung auf das Programm zurückwirkt und dieses verändert. Es bringt neu entstehende Fragen voll ein und macht bewußt, wie das Auswählen aus der Tradition und aus der Bibel einem Wandel unterworfen war. Veränderte kirchliche Situationen ließen die Bedeutung anderer Bibelteile anwachsen, die anscheinend vergleichbare Vorgänge behandelten. Dismer hat im Zusammenhang mit Müntzers Verwendung des Bildes vom Unkraut zusammengefaßt: „Müntzers Deutung ist Konsequenz seiner Situationsanalyse."[69] Das läßt sich auch von seinem Interesse am erwählten Volk im Alten Testament als Vorbild für die christlichen Gemeinden sagen.[70] Steinmetz arbeitete als das Entscheidende für Müntzer heraus, daß dieser die Bibel apokalyptisch, von ihren apokalyptischen Teilen her sah.[71]

Diese kurze Skizze muß genügen, um zu umreißen, daß Müntzer in die breite bibelhumanistische Bewegung am Anfang des 16. Jahrhunderts hineingehörte, die keinesfalls mit den Anhängern des Erasmus von Rotterdam oder mit einer bestimmten Theologie eines „christlichen Humanismus" gleichgesetzt werden darf.

III Müntzer als Wittenberger Student

Nachdem feststeht, daß Müntzer im Herbstsemester 1517 nach Wittenberg kam,[72] erhebt sich die Frage, welche Wissenschaftsmethoden und welche Informationen während seines Aufenthaltes vorherrschten, auch wenn nicht bekannt ist, wie lange er dort blieb und in welchem Status er sich befand. Dabei ist im Auge zu behalten, daß wir einerseits über das Denken Wittenberger Theologen mehr wissen und es in seiner Bedeutung von den Folgen her besser einschätzen können als die Zeitgenossen, aber andererseits nur wenig über die täglichen persönlichen Beziehungen und den von den Reformatoren angeregten Gedankenaustausch erfahren.

Luther hatte am 4. Dezember 1516 das Fragment einer Schrift der Deutschen Mystik herausgebracht, das er in der Art „des erleuchten doctors Tauleri" abgefaßt vorstellte.[73] Am 14. Dezember empfahl er Georg Spalatin die Predigten Johannes Taulers als reine, echte und der alten Theologie sehr ähnliche Theologie.[74] Diese Hinwendung zur Deutschen Mystik verstärkte Luther, als er eine vollständige Ausgabe der 1516 erstmals veröffentlichten Schrift herausbrachte und ihr den Titel „Ein deutsch Theologia" gab. Ihr Druck war am 4. Juni 1518 abgeschlossen und erlebte bis zu Luthers Tod 17 Nachauflagen.[75] In der dazugehörigen Vorrede bekannte Luther, daß er nach der Bibel und den Schriften des Augustinus aus keinem Buch mehr über Gott, Christus, den Menschen und alle Dinge gelernt habe als aus diesem. Zugleich beweise es, daß die „Wittenbergischen Theologen" sich nichts Neues ausdenken.[76] In den im August 1518 ausgelieferten „Resolutiones disputationum de indulgentiarum virtute" erhob er Taulers Theologie über die der Scholastiker, denen er unbekannt sei.[77] In einer Predigt führte er ihn anerkennend als Autorität an, in seiner zweiten Psalmenvorlesung nannte er ihn einen „homo dei".[78] In seiner Vorrede zur Ausgabe von Fragmenten des Johann Pupper von Goch 1522 freute er sich über das Erscheinen der Werke echter deutscher Theologie, wozu er „Ein deutsch Theologia" und Tauler zählte. Dabei wird der Zusammenhang mit bibelhumanistischem Denken sichtbar, denn Luther brachte Tauler mit dem apostolischen Zeitalter in Verbindung.[79]

Luthers Befürwortung der Deutschen Mystik blieb nicht ungehört. Karlstadt verwendete mystische Gedanken nachweislich seit November 1517, beeinflußt von Tauler und „Ein deutsch Theologia" spätestens seit dem 2. Februar 1518 bis zum Oktober 1520 in wachsendem Maße.[80] Bei Agricola lassen sich Nachwirkungen eines eigenständigen Taulerstudiums aufspüren.[81]

Wenn Luther auch die Deutsche Mystik lobte, wurde er doch selbst kein Mystiker. Ihre Betonung der Glaubenserfahrung sowie des Leidens und Erleidens zog ihn an, weil sie im Gegensatz zu der spätmittelalterlichen Frömmigkeit stand, die sich durch menschliche Aktivität, durch Leistungen, die Gnade Gottes verdienen wollte. Er nahm aus ihr einzelne

Elemente auf und gestaltete diese um.[82] Nicht alle, die sich von ihm zum Studium der Deutschen Mystik anregen ließen, wußten mystische Vorstellungen ebenso nahtlos in eine reformatorische Rechtfertigungslehre einzubringen.

Im April 1517 brachte Luther „Die sieben Bußpsalmen mit deutscher Auslegung" heraus.[83] Darin verband er bibelhumanistische Bestrebungen und reformatorische Schriftauslegung richtungweisend. Er griff auf eine von der Vulgata abweichende Übersetzung des Psalters aus dem Hebräischen durch Hieronymus und die „Septem psalmi poenitentiales Hebraici cum grammatica translatione Latina" Johannes Reuchlins zurück, um eine dem Urtext entsprechende deutsche Übersetzung anfertigen zu können.[84] Luther entsprach damit auch humanistischen Bemühungen um die Volkssprachen. Er begann, Bibeltexte – verbunden mit ihrem reformatorischen Verständnis – lateinunkundigen Laien nahezubringen. Und er kündigte im erweiterten Titel an, nur den Literalsinn auszulegen, also auf den vierfachen Schriftsinn der mittelalterlichen Exegese zu verzichten. Inhaltlich betonte er die positive Bedeutung des Leidens für die Gottesbeziehung, arbeitete die Absage an die eigene Gerechtigkeit heraus und bezeugte die unverdiente Gnade Gottes. Daß diese Auslegung nicht von jedem als Bruch mit der spätmittelalterlichen Rechtfertigungslehre verstanden werden mußte, wird daran deutlich, daß sie noch in der Gegenwart von manchem als Ausdruck spätmittelalterlicher Demutstheologie gedeutet wird.[85]

Unter bibelhumanistischem Einfluß verstanden sich die Wittenberger Theologen als Erneuerer der Theologie der Kirchenväter.[86] In diesem Zusammenhang entstand über das rechte Verständnis des von den Scholastikern bevorzugt zitierten Augustinus ein Streit. Karlstadt ließ sich von Luther zu einem Studium der Schriften dieses Kirchenvaters herausfordern und gelangte zu einer antischolastischen Interpretation, die er am 26. April 1517 in 151 Thesen veröffentlichte. Luther lobte diese Thesen überschwenglich.[87] Er ließ am 4. September 1517 von seinem Schüler Franz Günther 100 Thesen verteidigen, die auch die antipelagianische Rechtfertigungslehre des Augustinus polemisch zur Geltung brachten.[88] Wer 1517 nach Wittenberg kam, konnte die Auseinandersetzung über die rechte Augustinusrezeption kaum überhören, aber gleichzeitig auch die Hieronymusdeutung des Aesticampianus verfolgen. Und wer am 29. August 1518 Melanchthons Antrittsrede hörte, lernte einen Humanisten kennen, der die Kenntnis der griechischen Sprache und der griechischen Kirchenväter für die Grundlage zum Verständnis der lateinischen Kirchenväter hielt und für Augustinus zunächst wenig Interesse zeigte. Welch hohe Bedeutung die Kirchenväter für die Wittenberger in ihrem Kampf gegen die scholastische Theologie hatten, wurde 1519 in der Auseinandersetzung zwischen Karlstadt und Johann Eck während der Leipziger Disputation einer breiten Öffentlichkeit bewußt. Dabei traten auch Unterschiede zwischen den Kirchenvätern hervor.[89] Wer diese Entwicklung seit 1517 verfolgte, konnte sich leicht genötigt sehen, mittels eigener Studien zu einem gefestigten Urteil zu gelangen, das nicht immer mit dem eines jeden Wittenberger Theologen übereinstimmen mußte. Wenn Müntzer bei seiner Beschäftigung mit Tertullianus besonderes Interesse für Beziehungen zu Origenes und Johannes Chrysostomos sowie Augustinus zeigte,[90] erhebt sich die Frage, wie stark Melanchthon ihn anregte, auf die griechischen Kirchenväter zu achten. Müntzer kann das abwertende „außdeinem Augustino" in der „Hochverursachten Schutzrede"[91] aus unterschiedlichen Einstellungen heraus geschrieben haben: Gab er einem antipelagianischen Augustinus gegenüber einem antimanichäischen den Vorzug?[92] War für ihn wie für viele Humanisten Hieronymus wichtiger als Augustinus?[93] Oder widerstrebte ihm überhaupt die Bevorzugung eines Kirchenvaters, wie er sie 1517 in Wittenberg kennengelernt hatte?

Ein aufschlußreiches Beispiel für eine mögliche Lutherrezeption um 1517 verkörpert

Agricola. Er kam 1516 nach Wittenberg, wo ihn Luthers Predigten zur Passion Christi tief beeindruckten. In einer Beichte bei Luther fand er seinen Seelenfrieden und wurde sein Anhänger.[94] Während der Fastenzeit 1517 schrieb er Luthers Predigten über das Vaterunser mit, worin dieser einem wortreichen und mechanischen Beten entgegentrat und zum geistlich vertieften Beten führen wollte. Agricola erarbeitete aus seinen Aufzeichnungen – ohne Rücksprache mit „seinem Lehrer"[95] zu nehmen – eine Veröffentlichung, die Anfang 1518 erschien und rasch nachgedruckt wurde.[96] Luther sah seine Anliegen dadurch nicht gut vermittelt, so daß er 1519 die „Auslegung deutsch des Vaterunsers für die einfältigen Laien" selbst herausbrachte.[97] Dieser Vorgang und Agricolas weitere Entwicklung zeigen, daß selbst ein Luther nahestehender Bewunderer, für den Luther ein unvergleichlicher Mann[98] war, ihn nicht in seiner Gesamtkonzeption begreifen mußte. Ihm fehlten die Voraussetzungen, um die kritischen Traditionsbezüge bei Luther zu erkennen und dadurch dessen Intention immer wahrzunehmen. So erfaßte er die Dialektik von Gesetz und Evangelium nicht, was zehn Jahre später sichtbar zu werden begann, als er seine Kritik gegen Wittenberger Theologen eröffnete.[99] Trotzdem empfing er von Luther so viel reformatorisches Gedankengut, daß er viele Jahre unangefochten und später von den Wittenbergern kritisiert als Reformator wirken konnte. Dabei erwiesen sich die ersten Wittenberger Eindrücke als entscheidend. Dazu gehörten Anregungen zur Meditation der Passion Christi, Luthers Ausführungen zur wahren Buße und Wiedergeburt während seiner Vorlesung über Röm. 8 und Taulerstudien.[100] Er täuschte sich aber, als er später glaubte, daß er als „Sachwalter von Luthers früher Theologie"[101] auftreten müßte, denn er hatte einzelne Elemente aus Luthers Theologie in eine von diesem abweichende Konzeption eingebracht, in der das Evangelium das Gesetz ablöste.[102]

Als Müntzer in Leipzig zu studieren begann, besuchte Agricola dort die Schule und nahm 1509 das Studium auf. Nach Erlangen des Bakkalaureats ging er als Lehrer nach Braunschweig, ehe er 1516 nach Wittenberg zog. Er konnte Müntzer also in Leipzig oder auch in Braunschweig kennenlernen, wo er etwas von Müntzers Wirken im Jahre 1514 wahrgenommen hat.[103] Sicher sind sie sich in Wittenberg begegnet und haben miteinander Umgang gepflegt.[104] Daher muß die Möglichkeit ins Auge gefaßt werden, daß Müntzer Luthers Theologie mindestens zum Teil mit Hilfe Agricolas rezipierte. In diesem Zusammenhang verdienen die Übereinstimmungen in Müntzers Abendmahlslehre mit Ausführungen Luthers in den von Agricola herausgegebenen Vaterunserpredigten Luthers Erwähnung.[105] Aber es ist auch bemerkenswert, daß Müntzer Luthers Unterscheidung von Gesetz und Evangelium ebensowenig übernahm wie Agricola, so daß Ronald F. Thiemann gerade darin die entscheidende Ursache für die späteren Auseinandersetzungen zwischen Luther und Müntzer sehen konnte.[106]

Im Herbstsemester 1517/18 erschienen auch Luthers 95 Thesen, die seine Kritik an dem spätmittelalterlichen Bußverständnis, am Ablaßhandel und damit an der Habsucht der römischen Kirche verbreiteten und eine rege Auseinandersetzung auslösten. Die Betonung der Heiligen Schrift als vorrangige Autorität, die schon in der Auseinandersetzung mit der scholastischen Theologie eine Rolle spielte, richtete sich allmählich auch gegen das kirchliche Lehramt. Karlstadt veröffentlichte 406 „Apologeticae conclusiones", in denen er die Angriffe von Eck und Johann Tetzel zurückwies. Darin legte er in den ersten 101 Thesen den Grund zu seiner Verteidigung, indem er die Autorität der Heiligen Schrift herausstellte, wobei er ihr den Vorzug vor der Autorität der Kirche gab und Konzilien für irrtumsfähig erklärte. Wenn er dabei auch aus seinen kanonistischen Kenntnissen heraus argumentierte, gewannen diese Thesen doch in Wittenberg eine neue Bedeutung. Luther knüpfte in seiner

Widerlegung des Prierias daran an und stellte fest, daß Päpste und Konzilien irren könn-ten.[107] Zu klarer Ausschließlichkeit gelangten die Thesen, die Melanchthon am 9. September 1519 verteidigte, um Bakkalaureus der Theologie zu werden:

16. Catholicum praeter articulos, quorum testis est scriptura, non est necesse alios credere.

17. Conciliorum auctoritas est infra scripturae auctoritatem.[108]

Ulrich Bubenheimer hat die Entwicklung dieser Thematik sorgfältig analysiert.[109] Dadurch wurden zwei Dinge deutlich, die für die Rezeption der Wittenberger Theologie in den Jahren von 1517 bis 1519 wichtig sind:

1. Obgleich Luther der führende Kopf war, bestand in dem „Wittenberger Kreis" eine Gemeinschaft, „in der man sich gegenseitig vorwärtstrieb oder zurückhielt und wechselseitig beeinflußte".[110]

2. Obgleich Karlstadt, Luther und Melanchthon gemeinsam die institutionelle kirchliche Autorität zugunsten der Autorität der Heiligen Schrift abbauten und dabei zusammen-wirkten, argumentierten sie doch in unterschiedlichem theologischem Zusammenhang. Luther dachte von seiner Worttheologie her, in der die Verheißungen des glaubenschaffen-den Wortes eine zentrale Bedeutung hatten, während Karlstadt und Melanchthon die kirch-liche Autorität durch eine solche der Heiligen Schrift ersetzen wollten, die sie ebenso gesetz-lich verstanden.[111]

Diese Feststellungen bedeuten, daß jemand, der sich in diesen Jahren in Wittenberg auf-hielt, zwar das Ringen um Probleme einer reformatorischen Verkündigung miterleben, sich auch mit hineinstellen konnte, aber schwerlich Luthers Gedanken allein auswählen und diese noch bewußt in ihrer ganzen Eigentümlichkeit erfassen mußte. Es läßt sich, wenn dabei die Unterschiede zwischen Luther und seinen „Mitarbeitern" nicht übersehen werden und mehr an diese gedacht wird, abschließend urteilen: „Er [Müntzer] stand in gutem Kontakt zu Luther und dessen Mitarbeitern."[112]

Ist Müntzer während dieser Zeit Luther selbst begegnet? Aus der Überlieferung kann nur angeführt werden, daß Müntzer im Sommer 1524 niederschrieb, er sei sechs oder sieben Jahre – also seit 1517/18 – nicht mehr bei Luther gewesen.[113] Das schließt nicht aus, daß Müntzer später noch in Wittenberg war, ohne Luther zu sprechen. Kaspar von Schwenckfeld will Müntzer 1522 im Gespräch mit Melanchthon und Johannes Bugenhagen erlebt haben. Karlstadt lud Müntzer in einem Antwortbrief am 21. Dezember 1522 zu sich ein und be-glückwünschte ihn dabei, daß er sich an ihn allein gewendet hatte.[114] Als gesichert können diese Besuche jedoch nicht angesehen werden.

IV Müntzer als Wittenberger Prädikant

Es ist nicht überliefert, wie Müntzer seit 1517 in Wittenberg persönliche Beziehungen knüpfte und pflegte, wenn man davon absieht, daß Nikolaus Hausmann am 13. August 1521 schrieb, er habe ihn vor vier Jahren in Wittenberg kennengelernt, ohne ihn jedoch predigen zu hören.[115] Dagegen tritt Müntzer seit 1519 deutlich als ein von den Wittenbergern empfoh-lener Prediger in Erscheinung. Am 11. Januar 1519 unterrichtete der Wittenberger Gold-schmied Christian Döring Müntzer davon, daß der Propst Bartholomaeus Bernhardi aus Feldkirch, den Luther als den einzigen Schüler seiner Anfangszeit bezeichnete,[116] bereit sei, ihn ab Ostern – 24. April – 1519 in Kemberg als Kaplan anzustellen.[117] An diesem Tag predigte Müntzer aber nicht in Kemberg, sondern in Jüterbog, wohin ihn der vom Rat der

Stadt an die Nikolaikirche berufene Prädikant Franz Günther zur Vertretung geholt hatte. Am 4. September 1517 hatte dieser Luthers Thesen gegen die scholastische Theologie verteidigt, um den Grad des Bakkalaureus biblicus zu erwerben.[118]

Müntzers kirchenkritische Predigten spiegelten vieles aus der Wittenberger Theologie wider, ebenso der wiederholte Vorwurf, das heilige Evangelium habe mehr als vier Jahrhunderte unter der Bank gelegen.[119] Mit dieser Redewendung kritisierte Luther Vernachlässigung und Umdeutung der Bibel durch die scholastische Theologie und rechtfertigte damit zugleich die neue biblische Theologie der Wittenberger, was die Zeitgenossen seit 1518 in seiner Vorrede zu „Ein deutsch Theologia" nachlesen konnten.[120] Günther und Müntzer forderten durch ihre Predigten den Jüterboger Franziskaner Bernhard Dappen heraus, den Brandenburger Bischof durch ein Schreiben über ihre Verkündigung zu unterrichten, das mit dem Titel „Articuli ... contra Lutheranos" gedruckt wurde.[121] Da es sich um eine Art Anzeige handelte, konzentrierte sich Dappen auf das, was bei ihm Anstoß erregte. Obgleich also nur eine einseitige Auswahl aus ihren Predigten überliefert ist, haben sich manche Forscher nicht gescheut, daraus weitreichende Folgerungen zu ziehen.

Manfred Bensing fand einen Unterschied zwischen dem Lutherschüler Günther und Müntzer darin, daß Günther feststellte, die Konzilien stünden im Widerspruch zum Evangelium, und daß er seine Polemik vor allem gegen den Papst richtete, während Müntzer nicht nur die Spitze der Hierarchie, sondern diese überhaupt und die Machtlosigkeit der Konzilien angegriffen habe.[122] Bei diesem Versuch einer Differenzierung wurde übersehen, daß Luther selbst z. B. in seiner „Auslegung des 109. [110.] Psalms" – deren Druck am 7. September 1518 abgeschlossen wurde und deren Psalmübersetzung Müntzer 1523 weitgehend in sein „Deutsches Kirchenamt" übernahm[123] – erklärte, dieser Psalm sei für Tyrannen, ehrgeizige Herren und Prälaten – also nicht nur für den Papst – erschreckend, für die Unterdrückten aber tröstlich. Er folgerte, wer wie Christus gesinnt sein wolle, müsse unter dessen Feinden leben, Angriffe erleiden, arm und gelästert werden.[124]

Shinzo Tanaka hob den Faden von Bensing auf und spann ihn zu der Behauptung fort, Müntzer habe bereits in Jüterbog sich von Luther unterscheidende Gedanken zu entwickeln begonnen. Er stellte einen Gegensatz zwischen einer konziliaristischen Anschauung Müntzers und dem Bestreiten der Autorität des Konzils bei Günther und ihn begleitenden Lutheranern fest,[125] ohne darauf einzugehen, daß Luther selbst in seiner Sache am 28. November 1518 an ein Konzil appelliert hatte.[126] Tanaka behauptete, Müntzer habe die Kirchenreform in der Form einer Revolution, eines Kampfes zwischen der oberen und der unteren Schicht, beabsichtigt und von der „Unvermeidlichkeit eines Massenmartyriums für die Restitution des Evangeliums" gesprochen. Als Eigenheit Müntzers hob er hervor, daß dieser „die oberen Schichten der bestehenden Kirche schonungslos", die unteren Schichten aber nicht angriff.[127] Woher weiß er das? Hätte etwa Dappen an der Kritik der unteren Schichten Anstoß genommen, so daß er es für anzeigungswürdig hielt? Müntzer selbst behauptete jedenfalls, daß er die Laien für mitschuldig an den kirchlichen Mißständen halte und ohne Ausnahme Mönche, Priester und Laien zur Umkehr ermahne.[128] Die aus der Ankündigung Jesu, daß seine Jünger wie er selbst Verfolgung werden erleiden müssen,[129] und den Erfahrungen der Gemeinden erwachsenen Aussagen über das Leiden des wahren Christen – wofür sich auch Beispiele aus Luther beibringen ließen –, die Müntzer übernahm, hat Tanaka ohne ausreichenden Nachweis als Ausdruck eines einkalkulierten Massenmartyriums gedeutet.

Luther empfand das Vorgehen der Franziskaner als einen Angriff auf seine Lehre, wie sie seit drei Jahren in Wittenberg diskutiert wurde. Er verteidigte sich und Müntzers Kritik an kirchlichen Würdenträgern einschließlich der Päpste, obgleich er nicht wußte, was dieser im einzelnen gepredigt hatte.[130] Die Jüterboger Vorgänge zeigen, daß Müntzer zu dieser Zeit sowohl von den Wittenbergern als auch ihren Gegnern für einen „Lutheraner" gehalten wurde und tatsächlich als Wittenberger Prädikant auftrat. Jede solide Interpretation wird sich hüten, spätere Unterschiede zwischen Luther und Müntzer in die Jüterboger Zeit zurückzuprojizieren.[131]

Unter Müntzers Nachlaß befand sich auch ein Zettel, auf dem der Magister Konrad Glitsch Aufträge notiert hatte, die im Sommer 1519 in Leipzig zu erledigen waren.[132] Glitsch, der als Vicarius perpetuus in Orlamünde die Amtsgeschäfte des Stelleninhabers Karlstadt wahrnahm, hat darauf nicht vermerkt, wem er diesen Zettel mitgeben wollte. Da er sich aber bei Müntzer befand, bietet sich die Annahme an, daß es Müntzer war. Später hat der 1524 in Orlamünde als Pfarrer eingesetzte Dr. Kaspar Glatz auf abwertende Weise berichtet, Müntzer habe in Orlamünde Taulerstudien betrieben. Wenn sich Müntzer tatsächlich im Frühjahr 1519 im Anschluß an Jüterbog in Orlamünde aufhielt, könnte sich darin Karlstadts Vertrauen zu ihm ausdrücken, der dort entweder Müntzer nach dem Rechten sehen ließ oder versorgte.[133]

Wenn Müntzer diesen Bestellzettel erledigt hat, war er auf der Leipziger Disputation. Dafür scheint auch seine Bemerkung im Brief vom 3. Januar 1520 an den Leipziger Buchführer Glov zu sprechen, daß er die „Chronica" des Eusebios zur Zeit der Disputation erworben habe.[134] Wenn seine Anwesenheit auf der Leipziger Disputation sich auch nicht unwiderlegbar eruieren läßt, kann doch festgestellt werden, daß er dort bei den Wittenbergern ein ungebrochenes Vertrauen genoß. Luther trug nämlich keine Bedenken, ihn hier dem Egranus für eine Predigtvertretung an der Zwickauer Marienkirche zu empfehlen, nachdem der Rat der Stadt Zwickau schon vorher Luther gebeten hatte, ihnen einen Augustinereremiten zur Verfügung zu stellen. Luther wußte offenbar zu diesem Zeitpunkt keinen anderen Wittenberger Prädikanten für diese bedeutende sächsische Stadt als Müntzer.[135] Doch vorerst führte sein Weg noch nicht nach Zwickau, denn er fristete sein Leben zunächst als Beichtvater der Zisterzienserinnen im Kloster Beuditz bei Weißenfels.

In dieser Zeit betrieb Müntzer intensive Studien, die sich auf Kirchenväter[136] und Mystiker[137] erstreckten. Eine Beschäftigung mit Mystikern ist bei mehreren Bibelhumanisten festzustellen. Es ist daher bezeichnend, daß der in Müntzers Besitz vorhandene Band „Liber trium virorum et trium spiritualium virginum" 1513 von Jacobus Faber Stapulensis herausgegeben wurde.[138] Am 3. Januar 1520 bat Müntzer Glov, ihm Aktenausgaben des Konstanzer und des Baseler Konzils zuzusenden.[139] Abgesehen davon, ob er diese Ausgaben je erhielt und durcharbeitete, geht daraus doch seine Absicht hervor, sich mit diesen Konzilien zu beschäftigen. Das überrascht nicht, nachdem die Verdammung des Jan Hus durch das Konstanzer Konzil und die Autorität der Konzilien überhaupt in der Leipziger Disputation eine so große Rolle gespielt hatten. Von einem Studium von Lutherschriften verlautet in dieser Zeit nichts, sondern nur vom Ankauf der Streitschrift „A venatione Luteriana Aegocerotis assertio" des Luthergegners Emser.[140] Die Überlieferung gestattet aber nicht den Schluß, daß Müntzer in dieser Zeit nichts von Luther las und „von Anfang an konsequent an Luther vorbei seinen eigenen Weg" ging.[141] Jede Erörterung über Müntzers Quellen darf nicht an der Beobachtung von Steinmetz vorübergehen, daß Müntzer nachweislich Bücher besaß und durcharbeitete, die er in seinen Schriften und Briefen nie erwähnte.[142] Das verbietet es, aus dem Nichterwähnen von Lutherschriften zu schließen, er habe keine gelesen. Hatte die Lektüre der Emserschrift nicht nur einen Sinn, wenn die dazugehörigen Lutherschriften gelesen wurden? Es fehlt hingegen auch an Zeugnissen, die folgendes Urteil erlauben: „Es bestätigt sich eher, daß er [Müntzer] Tauler mit den Augen Luthers gelesen hat und die Schriften des Reformators vom Jahre 1519 seine Verkündigung prägten, . . ."[143] Es läßt sich aber festhalten, daß der Grundzug seines Studiums nach Jüterbog weitgehend einem von den Wittenbergern befolgten und empfohlenen bibelhumanistischen Programm entsprach. Das Interesse an Konzilsakten erlaubt den Schluß, daß die Wittenberger Theologen seine Interessen stark beeinflußten.

Als Prediger in der Marienkirche gewann Müntzer ab Mai 1520 rasch die Zustimmung vieler Zwickauer und zugleich die Feindschaft der Franziskaner, deren Habgier er angriff. Während der daraus entstehenden Auseinandersetzungen entwarf er am 13. Juli 1520 einen Brief an Luther, dessen Interpretation auf die rhetorischen Elemente achten muß. Es ist nicht zu fragen, ob dieser Brief klare Sachfeststellungen trifft oder leere Floskeln verwendet, sondern zu beachten, daß er überhöhte Formulierungen gebraucht, um sein Anliegen auszudrücken. Es gehört zum humanistischen Briefstil, einen Briefwechsel unter Berufung auf einen Dritten zu beginnen,[144] den Adressaten mit Ehrentiteln wie „mein Schutz im Herrn Jesus" und „Vorbild und Leuchte der Freunde Gottes" zu umwerben[145] und im Gegensatz dazu sich selbst möglichst unbedeutend vorzustellen: „Thomas Müntzer, den Du durch das Evangelium gezeugt hast."[146] Dieser Brief läßt erkennen, daß vorher weder ein Briefwechsel noch enge Beziehungen zwischen Müntzer und Luther bestanden, daß er Luthers Unterstützung suchte und sich selbst von Luthers Theologie gefördert fühlte. In welchem Ausmaß das geschah, läßt die rhetorische Überhöhung nicht mehr erkennen. Immerhin gibt sich Müntzer in diesem Brief als ein Anhänger Luthers, der bereit ist, sich von ihm beraten zu lassen. Wie sehr ihn auch die Zwickauer als Wittenberger Theologen verstanden, läßt der Hinweis des ehemaligen Bürgermeisters Erasmus Studler in seinem Brief vom 3. September 1520 an Spalatin erkennen, der Müntzer als einen vorstellt, der schon lange Luthers Schüler sei.[147] Egranus nannte ihn noch im Frühjahr 1521 in einem Brief an Luther „Thomas tuus".[148] Eine Wittenberger Reaktion auf Müntzers Brief vom 13. Juli 1520 ist nicht überliefert. Ob keine erfolgte oder ob Luther sich bewußt nicht wieder wie im Jahr zuvor hinter Müntzer stellen wollte oder von ihm Bedrängenderem – z. B. von seinem römischen Prozeß – davon abgehalten wurde, muß dahingestellt bleiben.

Die Beziehungen Müntzers zu den Wittenbergern gerieten in einen neuen Abschnitt, als Egranus seine Predigttätigkeit an der Marienkirche wieder aufnahm und Müntzer ab 1. Oktober 1520 als Prediger an der Katharinenkirche wirkte. Die beiden Prediger, die den Zwickauern als reformatorisch galten, fanden nicht zueinander, sondern gerieten in einen Gegensatz, dessen Ursachen hier nicht alle aufgeführt werden können. Entscheidend war, daß Müntzer klar erkannte, daß Egranus sich von der Wittenberger Theologie inhaltlich unterschied und nur zögernd auf reformatorische Veränderungen einging.[149] Mußte da Müntzer nicht die Wittenberger Theologie, wie er sie verstand, Egranus gegenüber zur Geltung bringen? Konnte er nicht damit rechnen, daß die Wittenberger ihn dabei unterstützen würden? Weil Luther manche seiner Gegner heftig bekämpft hat, wird leicht übersehen, wie lange er oft Entgegnungen zurückhielt und wie viele er einfach totgeschwiegen hat.[150] Luther verfuhr darin zum Teil nach dem Wort Jesu: „Wer nicht wider euch ist, der ist für euch."[151] In bezug auf Zwickau kam noch hinzu, daß Eck den Namen des Egranus als Lutheranhänger in das Veröffentlichungsschreiben zur Bannandrohungsbulle gegen Luther hineingesetzt hatte, so daß diese auch für ihn galt.[152] Wie konnten da die Wittenberger sich von ihm distanzieren?

Sie beauftragten offenbar Agricola, auf den mit ihm befreundeten Müntzer beschwichtigend einzuwirken. Am 2. November 1520 beschwor er ihn eindringlich, „öffentlich nichts gegen Egranus aus Haß zu tun oder zu betreiben", und er fügte hinzu: „Wir wissen, wie rücksichtslos und unbeständigen Sinnes er ist und nichts an (Herzens)bildung, auch nicht die geringste, besitzt."[153] Diese Ermahnung hat Müntzer offenbar nicht als grundsätzliche Distanzierung der Wittenberger von ihm verstanden. Als der Zwickauer Rat am 15. Dezember das Entlassungsgesuch des Egranus annahm, beschloß er gleichzeitig, sich um den Lutherschüler Günther, Müntzers Jüterboger Kampfgefährten, als Nachfolger zu bemühen und bei ihm durch Luther oder Müntzer anfragen zu lassen.[154] Die Vermutung liegt nahe, daß Müntzer auf ihn aufmerksam gemacht und keineswegs vor den Wittenbergern gewarnt hatte.

Im April 1521 verfolgte ein weiterer Brief die im November eingeschlagene Richtung. Agricola bestätigte, daß Egranus die Heilige Schrift nicht verstehe und in bezug auf die wahre Theologie ein Kind sei.[155] Er ermunterte Müntzer, seine Verkündigung fortzusetzen,[156] ohne daß inhaltliche Gegensätze zu Müntzer anklangen.[157] Aber Agricola unterrichtete Müntzer auch davon, daß in Wittenberg Beschwerden über die Art seines Vorgehens eingegangen seien, sah sie als berechtigt an und ermahnte Müntzer verstärkt zur Selbstbescheidung, Zurückhaltung und Besonnenheit.[158] Außerdem bestritt er ihm das Recht, sich mit seiner Weigerung, seinen Glauben vor dem Zeitzer Official Caspar Tham mündlich zu bezeugen, auf die Flucht des Paulus aus Damaskus zu berufen.[159]

Müntzer scheint sich also während seiner Zwickauer Tätigkeit als Wittenberger Prädikant gefühlt zu haben. Als solcher wurde er von seinen Hörern[160] und den Wittenbergern selbst akzeptiert. Bei diesen wuchsen aber offenbar Bedenken gegen sein Vorgehen und auch sein Verhalten. Sie befürchteten, daß er zu maßlos war, Persönliches auf die Kanzel brachte[161] und das Bekenntnis der eigenen Glaubensüberzeugung vor anklagenden Autoritäten scheute, das Luther 1518 in Augsburg abgelegt hatte und das in Worms erneut abzulegen er sich gerade vorbereitete. Müntzer aber verstand die Zurückhaltung der Wittenberger nicht und war über ihre Ermahnungen erstaunt.[162] Indem er nicht bereit war, sie zu befolgen, begann er den Kreis der Wittenberger Theologen zu verlassen.

Ende 1520 erhielt Müntzer Luthers Apologie „Warum des Papstes und seiner Jünger Bücher verbrannt sind" und einige Bogen seines Kommentars „Operationes in psalmos" aus dem Hause Agricolas zugesandt.[163] Sowohl die Nachricht von Luthers Verbrennung der Bannandrohungsbulle und kanonischer Bücher am 10. Dezember als auch die erste der beiden Schriften waren geeignet, Neigungen zu „reformatorischen Handlungen" zu bestärken, ohne daß sich nachweisen läßt, daß diese Schrift schon die Predigt Müntzers am 26. Dezember prägte,[164] die zu Tätlichkeiten gegen den Marienthaler Pfarrer Nikolaus Hofer führte. Luthers Psalmenauslegung lenkte den Blick des Lesers – bedingt von Ps. 1 – auf den impius, den Luther trotz anderer Erläuterungen als den definierte, der im Unglauben lebt.[165] Er fand die impii besonders unter Priestern, Mönchen und Bischöfen sowie Theologen, die arme Seelen niederdrückten, indem sie in ihrem Lehren Gottes Wort wegließen.[166] Vielleicht bewirkte dieser Kommentar, daß Müntzer im „Prager Manifest" über Bibelzitate hinaus die Bezeichnung „impius" verwendete und in der deutschen Fassung mit „Ungläubiger" übersetzte.[167] Von „Gottlosen" sprach er erst, nachdem Luther in seiner Auslegung „Der 36. [37.] Psalm Davids", die am 12. August 1521 die Presse verließ, erklärt hatte: „Ich nenne impium eyn gotlo(e)ßen, . . ." Luther zählte dazu Papst, Bischöfe, Pfaffen, Mönche, Doktoren und dergleichen, die gegen das heilige Evangelium wüten.[168]

Kannte Müntzer noch weitere Frühschriften Luthers? Nachdem überliefert worden ist, daß Agricola ihm einmal solche Schriften zusenden ließ, darf angenommen werden, daß dies nicht das einzige Mal war. Sicher trifft Elligers Vermutung nicht zu, daß Luthers „Resolutiones disputationum de indulgentiarum virtute" Müntzer bewegten, nach Wittenberg aufzubrechen,[169] denn dieser war schon vorher dorthin gekommen. Aber in bezug auf Luthers Ausführungen zum Fegefeuer in dieser Schrift, daß manche Menschen es schon in diesem Leben durchlitten, erscheint eine Benutzung durch Müntzer wahrscheinlich.[170] Im August 1520 erschien Luthers „Ein Sermon von dem neuen Testament, das ist von der heiligen Messe", worin er seinen Wunsch ausdrückte, daß die Messe auf deutsch gelesen werde, und den Papst anklagte, als Tyrann den Gemeindegliedern im Abendmahl den Kelch entzogen zu haben.[171] Es ist schwer vorstellbar, daß dem späteren Reformer des Gottesdienstes diese noch 1520 zehnmal nachgedruckte Schrift unbekannt geblieben sein sollte.[172]

Schwieriger ist es, den Nachweis zu führen, daß Müntzer seine Betonung eines Glaubens, der durch Leiden und Anfechtung bewährt sein muß, und seine Forderung, daß der Mensch unmittelbar den Geist Gottes vernehmen müsse, auf bestimmte Stellen in Lutherschriften zurückgehen. Hayo Gerdes führte dazu Stellen aus den „Operationes in psalmos" an und verwies auf den Anfang von „Das Magnificat verdeutscht und ausgelegt", wonach Gottes Wort nur recht versteht, wer es ohne Mittel durch Erfahrung vom Heiligen Geist habe.[173] Elliger hat das aufgenommen und behauptet, Müntzer habe diesen Gedanken verengt und daraus ein methodisches Prinzip für seine Theologie entwickelt.[174] Solche Vorstellungen konnten auch aus anderen Autoren oder anderen Äußerungen Luthers – einschließlich nicht überlieferter Predigten – entnommen werden. Müntzers Erwartung, daß der Auserwählte die Strafe des Gesetzes nicht flieht, erinnert zwar an die 40. der 95 Thesen Luthers,[175] aber Müntzer selbst berief sich dafür auf Hieronymus und Ps. 6.[176] Auch in anderen Fällen, in denen Müntzer seine Quelle nicht nennt, kann er einen Gedanken jemand anderem als einem Wittenberger Theologen verdanken.

So bleibt nur die Annahme, daß Müntzer mehr Lutherschriften in die Hände bekam, als Mülhaupt zugestand, und ihre Benutzung sich manchmal weniger bestimmt feststellen läßt, als Elliger dies getan hat.[177]

Die zwischen Müntzer und den Wittenbergern eingetretene Entfremdung wurde nicht sogleich offenkundig. Als der zur frühreformatorischen Bewegung in Braunschweig gehörende Fernhändler Hans Pelt am 25. Juni 1521 einen Brief an Müntzer schrieb, den er am 6. September mit einem Nachtrag versah, bat er ihn, als seinen Nachfolger auf die von ihm aufgegebene Altarpfründe an der Michaeliskirche den Zollschreiber Marsilius zu erbitten, der Christus mit der Lehre Luthers anhänge. Gleichzeitig unterrichtete er Müntzer über Lutheranhänger in Braunschweig und Antwerpen, über Luthers Auftreten in Worms und die nachfolgende Reichsacht gegen ihn, zählte ihm Lutherschriften auf, die neu erschienen und in seine Hände gekommen waren, und teilte ihm auch die Absicht mit, Agricola über seine Auseinandersetzung mit dem altgläubigen Vikar Gerhard Ryschaw zu informieren.[178] Pelt setzte also voraus, daß Müntzer an Luthers Schicksal und der Ausbreitung der Wittenberger Reformation besonderes Interesse hatte.

Auch Müntzer selbst bestärkte diese Annahme. Er richtete bereits als Prediger der Zwickauer Katharinenkirche sein Augenmerk auf Böhmen,[179] wo das Interesse für Luther zu wachsen begann.[180] Als er dann nach Prag reiste, schrieb er zweieinhalb Meilen vor Prag die Thesen ab, die Melanchthon am 9. September 1519 in Wittenberg verteidigt hatte.[181] Auf der Außenseite dieses Blattes notierte er: „Emulus Martini apud dominum, distat duo semimiliaria a Praga". Verbarg sich hinter der Ortsangabe das Bewußtsein, in Prag einer Entscheidung entgegenzugehen, die mit der Luthers in Worms vergleichbar war? Müntzer hatte jedenfalls vor seiner Pragreise am 15. Juni 1521 die Möglichkeit des Todes mit eingerechnet.[182] Er bezeichnete sich auf diesem Zettel als Nachfolger Luthers vor Gott. Wenn auch nicht eindeutig auszumachen ist, wofür Müntzer diese Thesen abschrieb,[183] bezeugt diese

Aufzeichnung doch, daß Müntzer sich zu dieser Zeit sowohl in seinem Auftreten als auch in seiner Lehre als Wittenberger Theologe einführen wollte. Und so nahmen ihn auch die Tschechen auf, die ihn mit Luther in Verbindung brachten oder als einen Wittenberger ansahen.[184] Rupp vertrat daher die Meinung, Müntzer sei als „a Martian preacher" in Prag eingezogen.[185]

Wenn das so war, erhebt sich die Frage, ob er auch das „Prager Manifest" als Wittenberger Prediger verfaßte. Elliger hat das behauptet, Maron hat dagegen Bedenken erhoben.[186] Es darf wohl davon ausgegangen werden, daß Müntzer zunächst die Altgläubigen angreifen und für eine Erneuerung eintreten wollte, die als Folge der Wittenberger Theologie erschien.[187] Ob es schon Elemente enthielt, die Müntzer später auch gegen die Wittenberger verwendete, ist eine weitere Frage. Doch es kann hier nicht verfolgt werden, wie Müntzer auch weiterhin ein Wittenberger Theologe blieb – insofern er Wittenberger Theologie aufnahm[188] oder als Lutheraner akzeptiert wurde – und sich gleichzeitig zu einem Kritiker und schließlich zu einem Gegner der Wittenberger entwickelte.

V Müntzers theologische Entwicklung

Am 16. September 1527 erklärte Luther in der Vorlesung 1. Joh. 2,19: „Sie sind von uns ausgegangen, aber sie waren nicht von uns. Denn wenn sie von uns gewesen wären, so wären sie ja bei uns geblieben; aber es sollte offenbar werden, daß sie nicht alle von uns sind." Mit diesen Worten fand er die Situation der Wittenberger beschrieben, denen alles Schlimme zugerechnet werde, was in der Welt entstehe. Und dabei hielt er fest: „Thomas Müntzer war unter [inter] uns." Er gehörte zu denen, die zwar von ihnen ausgegangen, aber nicht von ihnen, nicht aus der Wahrheit des Evangeliums geboren, waren.[189] Luther scheute also auch nach der Hinrichtung Müntzers nicht das Bekenntnis, daß dieser eine Zeitlang zu ihnen gehört hatte. Aber wie hatte er zu ihnen gehört?

Luther hielt unter seinen „damaligen Anhängern" Müntzer gewiß nicht für denjenigen, „welcher ihn am tiefsten verstanden hatte".[190] Und daß Müntzer nicht aus der Wahrheit des Evangeliums geboren war, d. h., es nicht so begriffen hatte wie Luther, haben alle bisherigen Arbeiten gegen ihre Absicht erwiesen, die Müntzers Entwicklung von der Übereinstimmung mit Luther in einem entscheidenden Grundgedanken (Ansatz) oder eine enge Schülerschaft mit ihm ableiten wollten. Aber auch die Erklärungsversuche, die davon ausgehen, daß Müntzer Vorstellungen Luthers in ein bereits vorhandenes, von spätmittelalterlicher Theologie oder Mystik geprägtes Lehrgebäude einfügte, arbeiteten mit zu statischen Vorstellungen und konnten Müntzers Entwicklung bisher nicht überzeugend nachzeichnen. Auch der Versuch, in einer unterschiedlichen Rezeption der antiken Rhetorik durch Luther und Müntzer den Ausgangspunkt ihrer Differenzen zu erfassen,[191] leidet zu stark unter dem Bestreben, Unterschiede „auf den Punkt zu bringen". Die folgende Vorstellung von Müntzers theologischer Entwicklung scheint am besten zu ermöglichen, die überlieferten Fakten und Äußerungen in eine sachgemäße Beziehung zueinander zu bringen:

Als Müntzer 1517 nach Wittenberg kam, nahm er entweder schon an den Erwartungen und dem Arbeitsstil der bibelhumanistischen Bewegung Anteil[192] oder war wenigstens bereit, sich auf sie einzulassen. Er wurde in die Entstehung der Wittenberger Theologie mit hineingerissen, in der die bibelhumanistische Bewegung gerade eine eigentümliche, geschichtsmächtige Ausprägung erfuhr. Er begab sich in diese Art, Theologie zu treiben, mit seinem bisher Erworbenen hinein, ohne sich an Luther allein zu orientieren. Dabei empfing er zwar neue Einsichten, erfaßte aber nicht die damals noch nicht so leicht erkennbare Grundstruktur von Luthers Theologie. Seine persönlichen Verbindungen zu Wittenberger Theologen und auch seine geistigen Beziehungen zu ihnen dauerten über seinen Aufenthalt in Wittenberg hinaus und förderten ihn, Theologie selbständig so weiterzubetreiben, wie er es in Wittenberg gelernt hatte. Als ein Prädikant der Wittenberger konnte er ab 1519 in Gemeinden wirken, in denen Schriften der Wittenberger Theologen Hörer auf die evangelische Verkündigung vorbereitet hatten und in denen er als Vertreter der Wittenberger Theologie akzeptiert wurde. Das mußte ihn in seiner Entwicklung stark fördern. Zu dieser Entwicklung gehörte aber auch, daß er andere Situationen als die Wittenberger Professoren bewältigen mußte. Seine persönlichen Erfahrungen, sein Sendungsbewußtsein und seine Vorliebe für die Apokalyptik ließen ihn andere Schwerpunkte setzen und andere Betrachtungsweisen vorziehen, so daß er zu der Wittenberger Theologie in Gegensatz geriet, obgleich er ihr viel verdankte und zum Teil auch parallel zu ihr gearbeitet hatte. Gerade das Bewußtsein, die Theologie der Wittenberger zu betreiben, erklärt sein späteres Erstaunen darüber, daß sie andere Wege gingen: „Lieben bruder, last euer merhen, es ist zeyt!"[193]

[1] DIE LUTHERISCHEN PAMPHLETE GEGEN THOMAS MÜNTZER/ hrsg. von Ludwig Fischer. München / Tübingen 1976, 18, 20–22 / WA 18, 367, 16 f / FlB, 499, 17 f.

[2] WA 18, (362) 367–374 / Fl B, 499–505.

[3] Vgl. Die lutherischen Pamphlete . . ., 17–95. 123–200, wo alle vier Schriften herausgegeben und erläutert sind; außerdem drei davon FlB, 499–505. 517–543. 628–630. 635–642.

[4] Horst KOEHN: Philipp Melanchthons 24 Thesen zum Bauernkrieg. LuJ 50 (1983), 25–35.

[5] Andreas BODENSTEIN aus Karlstadt: Karlstadts Schriften aus den Jahren 1523–25/ ausgew. und hrsg. von Erich Hertzsch. Bd. 2. Halle (Saale) 1957, 109–118, bes. 110, 11 – 112, 8.

[6] Karl HOLL: Luther und die Schwärmer. In: ders.: Gesammelte Aufsätze zur Kirchengeschichte. Bd. 1: Luther. 7., unv. Aufl. Tübingen 1948, 425.

[7] Zur Frage nach dem theologischen Ansatz vgl. Siegfried BRÄUER: Müntzerforschung von 1965 bis 1975. LuJ 45 (1978), 126–139.

[8] MSB, 361, 10 (13) / WA Br 2, 141, 97 f (311). Die paläographischen Untersuchungen von Manfred Kobuch haben die Lesart „qu[em] g[en]u[isti] p[er] evangelium" bestätigt.

[9] Vgl. unten Seite 273.

[10] Holl: AaO 1, 425.

[11] Thomas NIPPERDEY: Theologie und Revolution bei Thomas Müntzer. ARG 54 (1963), 148 f / DERS.: Reformation, Revolution, Utopie: Studien zum 16. Jahrhundert. Göttingen 1975, 40.

[12] ETM, 7.

[13] Heinrich BOEHMER: Studien zu Thomas Müntzer. Leipzig 1922, 18.

[14] H[ans]-J[ürgen] GOERTZ: Innere und äußere Ordnung in der Theologie Thomas Müntzers. Leiden 1967, 10–13.

[15] Gottfried MARON: Thomas Müntzer als Theologe des Gerichts: das „Urteil" – ein Schlüsselbegriff seines Denkens. ZKG 83 (1972), 224 f / TMFG, 368 f.

[16] Erwin MÜLHAUPT: Welche Schriften Luthers hat Müntzer gekannt? Lu 46 (1975), 137.

[17] Reinhard SCHWARZ: Die apokalyptische Theologie Thomas Müntzers und der Taboriten. Tübingen 1977, 125 f.

[18] Vgl. Helmar JUNGHANS: Das bleibende Erbe des Humanismus in der reformatorischen Bewegung. In: Bullinger-Tagung 1975 = Vorträge, gehalten aus Anlaß von Heinrich Bullingers 400. Todestag/ hrsg. von Ulrich Gäbler und Endre Zsindely. Zürich 1977, 133–139; DERS.: Die Verwendung von Metaphern und kybernetischen Modellen in der Lutherforschung. LuJ 43 (1976), 113–128, wo Grundzüge entsprechender Modelle skizziert sind.

[19] Vgl. Helmar JUNGHANS: Ursachen für das Glaubensverständnis Thomas Müntzers 1524. In: Der deutsche Bauernkrieg und Thomas Müntzer/ hrsg. von Max Steinmetz. Leipzig 1976, 143–149.

[20] Mit Bienenfleiß zusammengetragene Werke.

[21] Gabriel BIEL: Collectorium circa quattuor libros Sententiarum. Prologus et Liber primus/ hrsg. von Wilfrid Werbeck und Udo Hofmann. Tübingen 1973, 7, 41–53.

[22] WA Br 1, 17, 43 f (5), Luther an Johannes Braun am 17. März 1509.

[23] Siegfried BRÄUER: Müntzerforschung von 1965 bis 1975. LuJ 44 (1977), 139.

[24] Leif GRANE: Thomas Müntzer und Martin Luther. In: Bauernkriegs-Studien/ hrsg. von Bernd Moeller. Gütersloh 1975, 89. Dabei können auch die persönlichen Erfahrungen einschließlich der sozialen – auf deren Bedeutung außer den marxistischen Historikern letzthin Paul P. KUENNING: Luther and Muntzer: contrasting theologies in regard to secular authority within the context of the German Peasant revolt. Journal of church and state 29 (1987), 305–321, hingewiesen hat – angemessen eingebracht werden.

[25] Clemens MENZE: Humanismus, Humanität. Historisches Wörterbuch der Philosophie/ hrsg. von Joachim Ritter. Bd. 3: G-H. Basel / Stuttgart 1974, 1218.

[26] WA 6, 461, 4–10 / StA 2, 157, 32–39.

[27] Vgl. zu dem ganzen Abschnitt Helmar JUNGHANS: Der junge Luther und die Humanisten. Weimar 1984 / Göttingen 1984, 109–115.

[28] ERASMUS VON ROTTERDAM: Novum instrumentum. Faksimile-Neudruck der Ausgabe Basel 1516/ mit einer historischen, textkritischen und bibliographischen Einleitung von Heinz Holeczek. Stuttgart–Bad Canstatt 1986.

[29] Es sei nur daran erinnert, daß Luther bereits in seiner ersten Psalmenvorlesung von 1513 bis 1515 das Lexikon „De rudimentis hebraicis" von Johannes Reuchlin und das „Quincuplex Psalterium" von Jacobus Faber Stapulensis verwendete und daß Melanchthon bereits 1518 den Eindruck gewann, Erasmus lasse die Verdienste seines Großonkels Reuchlin für die Bibelwissenschaft nicht genügend zur Geltung kommen (Wilhelm MAURER: Melanchthon als Humanist. In: ders.: Melanchthon-Studien. Gütersloh 1964, 26 f).

[30] Junghans: Der junge Luther..., 35. 58. 55; Maria GROSSMANN: Humanism in Wittenberg: 1485–1517. Nieuwkoop 1975, 48 f; Hans Peter RÜGER: Karlstadt als Hebraist an der Universität zu Wittenberg. ARG 75 (1984), 297–308.

[31] Ulrich BUBENHEIMER: Luther – Karlstadt – Müntzer: soziale Herkunft und humanistische Bildung: ausgewählte Aspekte vergleichender Biographie. Amtsblatt der Evang.-Luth. Kirche in Thüringen 40 (1987), 62, verweist darauf, daß um 1500 das Bürgertum Träger humanistischer Bildung wurde.

[32] Max STEINMETZ: Die Universität Leipzig und der Humanismus. In: Alma mater lipsiensis: Geschichte der Karl-Marx-Universität Leipzig/ hrsg. von Lothar Rathmann. Leipzig 1984, 37 f; Herbert HELBIG: Die Reformation der Universität Leipzig im 16. Jahrhundert. Gütersloh 1953, 20 f.

[33] Vgl. Max STEINMETZ: Müntzer und Leipzig. Leipziger Beiträge zur Universitätsgeschichte 1 (1987), 36. Welche Einflüsse in Frankfurt (Oder) auf Müntzer eingewirkt haben könnten, war noch nicht zu ermitteln (vgl. Günter VOGLER: Thomas Müntzer auf dem Wege zur Bildung: Anmerkungen zur Frankfurter Studienzeit. Mühlhäuser Beiträge zur Geschichte und Kulturgeschichte 4 (1981), 28–35; DERS.: Thomas Müntzer als Student der Viadrina. In: Oder-Universität Frankfurt: Beiträge zu ihrer Geschichte. Weimar 1983, 243–251.

[34] Vgl. unten Seite 307.

[35] MSB, 353, 6 f (7).

[36] Johannes KRAUS: Hegesippus. Lexikon für Theologie und Kirche. 2., völlig neu bearb. Aufl. Bd. 5. Freiburg 1960, 61.

[37] MSB, 353, 23 – 254, 2 (8).

[38] Vgl. Max STEINMETZ: Thomas Müntzer und die Bücher: neue Quellen zur Entwicklung seines Denkens. ZGW 32 (1984), 607 f.

[39] Siehe unten Seite 309–312.

[40] MSB, 354, 5f; 355, 8–11 (8 f).

[41] Siehe TOp und COp.

[42] Vgl. Wolfgang ULLMANN: Ordo rerum: Müntzers Randbemerkungen zu Tertullian als Quelle für das Verständnis seiner Theologie. Theol. Versuche 7 (1976), 128; unten Seite 348–351.

[43] Steinmetz: Thomas Müntzer und die Bücher, 609 f.

[44] WA 59, 424, 5–12.

[45] Bubenheimer: Luther – Karlstadt – Müntzer, 62 f.

[46] MSB, 353, 7 f (7).

[47] Rolf DISMER: Geschichte, Glaube, Revolution: zur Schriftauslegung Thomas Müntzers. Hamburg 1974, 55–57 (MS) – Hamburg, theol. Diss., 1974.

[48] MSB, 493, 31 – 494, 8.

[49] MSB, 563, 13 f (4) / Manfred BENSING / Winfried TRILLITZSCH: Bernhard Dappens „Articuli ... contra Lutheranos": zur Auseinandersetzung der Jüterboger Franziskaner mit Thomas Müntzer und Franz Günther 1519. Jahrbuch für Regionalgeschichte 2 (1967), 140/141.

[50] Max STEINMETZ: Luther, Müntzer und die Bibel: Erwägungen zum Verhältnis der frühen Reformation zur Apokalyptik. In: Martin Luther: Leben, Werk, Wirkung/ hrsg. von Günter Vogler. Berlin 1983, 160f; Hans Peter RÜGER: Thomas Müntzers Erklärung hebräischer Eigennamen und der Liber de interpretatione hebraicorum nominum des Hieronymus, ZKG 94 (1983), 83–87; MSB, 369, 4f (21); oben Seite 228–230.

[51] Steinmetz: Thomas Müntzer und die Bücher, 604 f.

[52] Gordon RUPP: Programme notes on the theme „Müntzer and Luther". In: Vierhundertfünfzig Jahre lutherische Reformation 1517–1967/ hrsg. von Helmar Junghans, Ingetraut Ludolphy und Kurt Meier. Berlin 1967 / Göttingen 1967, 304.

[53] Dismer: AaO, 93–105.

[54] Grane: AaO, 90–92.

[55] Dismer: AaO, 245; MSB, 398, 8–13 (46).

[56] Steinmetz: Thomas Müntzer und die Bücher, 610, weist darauf hin, daß Müntzer als einzigen Scholastiker Petrus Lombardus einmal (MSB, 526, 24–26 [4 f]) und Aristoteles nie zitierte.

[57] MSB, 491, 7–15; vgl. 495, 12 – 496, 4.

[58] MSB, 394, 21–24 (44); vgl. auch 388, 17–22.

[59] Dismer: AaO, 76–78.

[60] MSB, 242, 9–13.

[61] MSB, 209, 26 – 210, 6.

[62] Vgl. Dismer: AaO, 200–205. 94.

[63] Vgl. ebd, 161–163. 205–207.

[64] Vgl. Schwarz: AaO, 1–6.

[65] Steinmetz: Luther, Müntzer und die Bibel, 147.

[66] Biel: AaO 1, 6, 5–14, wo zugleich als Vorzug der Sammlung des Lombarden hervorgehoben wird, daß sie das Suchen in den Werken der Kirchenväter – also das Quellenstudium – erübrige.

[67] WA 10 I, 627, 16–21; 10 III, 176, 10–13.

[68] Johann VON STAUPITZ: Sämtliche Schriften/ hrsg. von Lothar Graf zu Dohna und Richard Wetzel. Lateinische Schriften. Bd. 1–2. Berlin / New York 1987, 1979.

[69] Dismer: AaO, 105.

[70] Vgl. Grane: AaO, 91 f, der vermutet, daß es sich lohnen würde, Müntzers theologische Entwicklung im Zusammenhang mit der Reaktion der Umwelt aufzuzeigen. Vgl. auch oben Anm. 24.

[71] Steinmetz: Thomas Müntzer und die Bücher, 165.

[72] Siehe unten Seite 309.

[73] WA 1, 153, 1–3.

[74] WA Br 1, 79, 58–60 (30).

[75] Josef BENZING: Lutherbibliographie. Baden-Baden 1966, 24 f (160–177).

[76] WA 1, 378, 21–27.

[77] WA 1, 557, 25–32; vgl. auch WA Br 1, 295, 10–13 (132).

[78] WA 9, 404, 14–20; 5, 165, 18 / AWA 2, 301, 17 f.

[79] WA 10 II, 329, 25–27.

[80] Gordon RUPP: Word and spirit in the first years of the Reformation. ARG 49 (1958), 18–20; Ulrich BUBENHEIMER: Consonantia theologiae et iurisprudentiae: Andreas Bodenstein von Karlstadt als Theologe und Jurist zwischen Scholastik und Reformation. Tübingen 1977, 178–185.

[81] Ernst KOCH: Johann Agricola neben Luther: Schülerschaft und theologische Eigenart. In: Lutheriana: zum 500. Geburtstag Martin Luthers von den Mitarbeitern der Weimarer Ausgabe/ hrsg. von Gerhard Hammer und Karl-Heinz zur Mühlen. Köln / Wien 1984, 148–150.

[82] Zur Verwendung und Umgestaltung mystischer Theologie im Zusammenhang mit der Rechtfertigungslehre vgl. Karl-Heinz ZUR MÜHLEN: Nos extra nos: Luthers Theologie zwischen Mystik und Scholastik. Tübingen 1972, 101–116. 198–203; allgemein Martin BRECHT: Martin Luther: sein Weg zur Reformation 1483–1521. Stuttgart 1981 / Berlin 1986, 138–144.

[83] WA 1„(154) 158–220; 9, 768.

[84] WA 1, 158, 5–10.

[85] Brecht: AaO, 143 f.

[86] Junghans: Der junge Luther . . ., 136–141.

[87] Hermann BARGE: Andreas Bodenstein von Karlstadt. Bd. 1: Karlstadt und die Anfänge der Reformation. Photomech. Nachdruck der Ausgabe Leipzig 1905. Nieuwkoop 1968, 73. 83. 463 f; WA Br 1, 94, 15–26 (38).

[88] WA 1, (221) 224–228 / StA 1, (161) 163–172.

[89] Wilhelm MAURER: Der Einfluß Augustins auf Melanchthons theologische Entwicklung. In: ders.: Melanchthon-Studien. Gütersloh 1964, 67–102.

[90] Ullmann: AaO, 128.

[91] MSB, 339, 17 f.

[92] Vgl. unten Seite 332 f.

[93] Vgl. oben Seite 45.

[94] Koch: AaO, 134–136.

[95] Vgl. WA 9, 124, 16 f.

[96] WA 9, (132) 123–159; Benzing: AaO, 35 (260–264).

[97] WA 2, (74) 80–130; Benzing: AaO, 35–37 (265–283).

[98] WA 9, 124, 16.

[99] Vgl. Joachim ROGGE: Agricola, Johann. TRE 2 (1978), 110–118; Steffen KJELDGAARD-PEDERSEN: Gesetz, Evangelium und Buße: theologiegeschichtliche Studien zum Verhältnis zwischen dem jungen Agricola (Eisleben) und Martin Luther. Leiden 1983.

[100] Koch: AaO, 136–140. 145–150.

[101] Ebd, 150.

[102] Es ist das Verdienst der Dissertation von Kjeldgaard-Pedersen (aaO), die unterschiedliche Funktion derselben Elemente in der Theologie Luthers und der Agricolas herausgearbeitet zu haben.

[103] Ulrich BUBENHEIMER: Thomas Müntzer in Braunschweig. Braunschweigisches Jahrbuch 65 (1984), 39.

[104] Siegfried BRÄUER: Die zeitgenössischen Dichtungen über Thomas Müntzer und den Thüringer Aufstand: Untersuchungen zum Müntzerbild der Zeitgenossen in Spottgedichten und Liedern, im Dialog und neulateinischem Epos von 1521 bis 1525. Leipzig 1973, 178 f (MS) – Leipzig, theol. Diss., 1973.

[105] Vgl. oben Seite 132. Im Gegensatz dazu erscheint der Zusammenhang zwischen WA 57 III, 166, 26 – 167, 16 und MSB, 366, 3–12 (19) – vgl. oben Seite 147, Anm. 37 – zu lose, um Abhängigkeit oder gar einen Besuch der im Herbstsemester 1517/18 gehaltenen Vorlesung (vgl. WA 57 III, XIX) annehmen zu können.

[106] Ronald F. THIEMANN: Law and gospel in the thought of Thomas Muentzer. Lutheran quarterly 27 (1975), 347–363.

[107] WA 1, 656, 30–33.

[108] Philipp MELANCHTHON: Melanchthons Werke in Auswahl/ hrsg. von Robert Stupperich. Bd. 1: Reformatorische Schriften. Gütersloh 1951, 24, 29–32.

[109] Bubenheimer: Consonantia theologiae et iurisprudentiae, 72–162.

[110] Ebd, 159.

[111] Ebd, 161.

[112] Siegfried BRÄUER / Hans-Jürgen GOERTZ: Thomas Müntzer. In: Gestalten der Kirchengeschichte/ hrsg. von Martin Greschat. Bd. 5: Die Reformationszeit I. Stuttgart 1981, 335.

[113] MSB, 341, 10 f.

[114] Dismer: AaO, 260–266; MSB, 387, 6–11 (37); ETM, 240–243.

[115] Paul KIRN: Friedrich der Weise und die Kirche: seine Kirchenpolitik vor und nach Luthers Hervortreten im Jahre 1517: dargestellt nach den Akten im thüringischen Staatsarchiv zu Weimar. Nachdruck der Ausgabe Leipzig 1926. Hildesheim 1972, 185 f.

[116] WA TR 5, 76, 10–12 (5346).

[117] MSB, 351, 3–7 (5). Eine vorherige Begegnung mit Luther oder Melanchthon erscheint möglich (Bensing / Trillitzsch: AaO, 119).

[118] Vgl. StA 1, 165, Anm. 1.

[119] MSB, 563, 15 f (4) / Bensing / Trillitzsch: AaO, 140 / 141 mit der vom zeitgenössischen Sprachgebrauch abweichenden Übersetzung „im Winkel".

[120] WA 1, 378, 23 – 379, 5. Zur Verfälschung der kirchlichen Lehren in den letzten vierhundert Jahren vgl. WA 1, 161, 35–38.

[121] Bensing / Trillitzsch: AaO, 132–147 / im Auszug MSB, 561–563 (4).

[122] Bensing / Trillitzsch: AaO, 124.

[123] MSB, 93, 7 – 94, 5.

[124] WA 1, 696, 31–39; 697, 36–38.

[125] Shinzo TANAKA: Eine Seite der geistigen Entwicklung Thomas Müntzers in seiner „lutherischen" Zeit. LuJ 40 (1973), 76. 79.

[126] WA 2, (34) 36–40.

[127] Tanaka: AaO, 80 f. 83.

[128] MSB, 358, 1–7 (13).

[129] Joh. 15,20.

[130] WA Br 1, 389, 21 – 390, 24; 392, 107–115 (174).

[131] Erwin MÜLHAUPT: Martin Luther oder Thomas Müntzer – und wer ist der rechte Prophet? Lu 45 (1974), 58 f / DERS.: Luther im 20. Jahrhundert: Aufsätze. Göttingen 1982, 345f.

[132] MSB, 554 f (2).

[133] Vgl. ETM, 66–68.

[134] MSB, 353, 23 f (8).

[135] WA Br 2, 345, 16 mit Anm. a (412); Paul WAPPLER: Thomas Müntzer in Zwickau und die „Zwickauer Propheten". Nachdruck der Ausgabe Zwickau 1908. Gütersloh 1966, 19 f.

[136] Vgl. oben Seite 263 f.

[137] Vgl. unten Seite 283–285.

[138] MSB, 538 (7h); Steinmetz: Thomas Müntzer und die Bücher, 605 f.

[139] MSB, 354, 7–9 (8).

[140] MSB, 355, 6 (9).

[141] Mülhaupt: Welche Schriften hat Luther gekannt, 125 f. 137.

[142] Steinmetz: Thomas Müntzer und die Bücher, 606.

[143] ETM, 93.

[144] MSB, 357, 12 (13) / WA Br 2, 139, 2 (311): „Commisit mihi senatus, . . ."

[145] MSB, 358, 18 f; 361, 8 (13) / WA Br 2, 140, 27; 141, 95 f (311).

[146] MSB, 361, 10 (13); WA Br 2, 141, 97 (311); vgl. oben Anm. 8.

[147] Wappler: AaO, 26; ETM, 102.

[148] WA Br 2, 345, 16 (412).

[149] Vgl. ETM, 105–108.

[150] Helmar JUNGHANS: Der Reichtum einer geschichtlichen Persönlichkeit – Martin Luther. Freiburger Zeitschrift für Philosophie und Theologie 31 (1984), 388–390; WA Br 7, 29, 26–30 (2093).

[151] Luk. 10,50; vgl. auch Phil. 1,18.

[152] Brecht: AaO, 382. 395 f.

[153] MSB, 362, 6–8 (15).

[154] ETM, 110 f.

[155] MSB, 368, 17–21 (21). Daß Agricola die Meinung der Wittenberger genau wiedergegeben hatte, geht aus Luthers Brief an Spalatin vom 4. November 1520 hervor (WA Br 2, 211, 52–55 [351]).

[156] MSB, 369, 3. 14–17 (21).

[157] Die neuere Forschung hinterfragt sehr kritisch die Annahmen, die es ermöglicht haben, die Wurzeln für Müntzers späteres sozialrevolutionäres Verhalten in der Zwickauer Zeit zu finden. Helmut BRÄUER hat in seinem Vortrag „Sozialstrukturelle Probleme der Zwickauer Kirchspiele: 1. Hälfte des 16. Jh." am 24. Oktober 1987 in Leipzig dargelegt, daß es in Zwickau zwischen der Marien- und der Katharinengemeinde kein soziales Gefälle gab. Susan C. KARANT-NUNN: Zwickau in transition, 1500–1547: the Reformation as an agent of change. Columbus (Ohio) [1987], 95–106, referiert zwar bisherige Darstellungen kritisch, geht aber noch von „the poorer Saint Katherine's congregation" (99) aus. Hier verdient der asketische Zug der Theologie Müntzers eine stärkere Beachtung.

[158] MSB, 368, 21 – 369, 2. 4 f. 13 f. 17 f (21).

[159] MSB, 369, 5–12 (21); vgl. Wappler: AaO, 33.

[160] Da die „Zwickauer Propheten" sich Ende Dezember 1521 in Wittenberg an Luther selbst wenden wollten, hat Elliger wohl zu Recht gefolgert, daß Müntzer in Zwickau seinen Zuhörern keine Abneigung gegen die Wittenberger eingeredet hatte (ETM, 168). Bei den Erwägungen, wie weit sie auf Müntzer einwirkten, muß Müntzers gesamte Beschäftigung mit der Mystik einbezogen werden.

[161] MSB, 369, 13 f (21).

[162] MSB, 389, 19–26 (40) / WA Br 3, 4–11 (630).

[163] MSB, 363, 10 f (16).

[164] Gegen ETM, 113.

[165] WA 5, 28, 20.10 f / AWA 2, 32, 9; vgl. 31, 16 f mit Anm.

[166] WA 5, 30, 31 – 31, 8; 32,5–8 / AWA 2, 36, 9 – 37, 2; 38, 6–10.

[167] Die Stellenangaben siehe Michael Müller: Die Gottlosen bei Thomas Müntzer mit einem Vergleich zu Martin Luther. LuJ 46 (1979), 99, Anm. 22, der dem möglichen Einfluß der „Operationes in psalmos" nicht nachgeht.

[168] WA 8, 219, 10–16; vgl. Müller: AaO, 99 f.

[169] Vgl. ETM, 50 f.

[170] Vgl. Hayo Gerdes: Der Weg des Glaubens bei Müntzer und Luther. Lu 26 (1955), 155–157 / TMFG, 19–21; vgl. oben Seite 148, Anm. 53.

[171] WA 6, 362, 29–35; 374, 10 – 375, 4 / StA 1, 297, 1–8; 308, 10–36.

[172] Benzing: AaO, 80 f (670–679). Weitere Einwirkungen Luthers auf Müntzers Liturgiereform siehe Steinmetz: Luther, Müntzer und die Bibel, 161 f.

[173] Gerdes: AaO, 153 / 17 (z. B. WA 5, 107, 11–15 / AWA 2, 178, 25–29; WA 7, 546, 24–29 / StA 1, 317, 4–9).

[174] ETM, 413 f.

[175] WA 1, 235, 16 f / StA 1, 180, 12 f.

[176] MSB, 330, 8 f.

[177] Mülhaupt: AaO, 125–137 / ders.: Luther im 20. Jahrhundert, 342–358. Gottfried Maron hat in seiner Besprechung von ETM Bedenken gegen dort vorgenommene Verbindungslinien zwischen Lutherschriften und Müntzervorstellungen geäußert (Göttingische Gelehrte Anzeigen 228 [1976], 280 mit Aufführung der betreffenden Stellen).

[178] MSB, 373, 25 – 375, 14. 18–21 (26); 377, 15–20 (28); Bubenheimer: Thomas Müntzer in Braunschweig, 57. 71–76 (2.5).

[179] MSB, 537, 13–19 (7 g), aufgrund der Entzifferung von Manfred Kobuch; vgl. unten Seite 368, Anm. 5.

[180] Amedeo Molnár: Luthers Beziehungen zu den Böhmischen Brüdern. In: Leben und Werk Martin Luthers von 1526 bis 1546: Festgabe zu seinem 500. Geburtstag/ hrsg. von Helmar Junghans. Berlin 1983 / Göttingen 1983, 629–631.

[181] MBW, 138 f (Anhang 5); Melanchthon: AaO 1, (23) 24 f.

[182] MSB, 371, 9 (24).

[183] Daß Müntzer in der Karlsuniversität disputieren wollte (vgl. unten Seite 364 f), hat Rupp: Programme notes . . ., 305, in Frage gestellt.

[184] Siehe unten Seite 365.

[185] Rupp: Programme notes . . ., 304 f; ebenso ausführlicher ETM, 184–186.

[186] ETM, 200–202; Maron in seiner Besprechung von ETM (aaO, 281).

[187] Vgl. unten Seite 365.

[188] Müntzer erwarb z. B. 1524 Luthers Postille (MSB, 424, 2 f [60]) – welche? (vgl. Benzing: AaO, 126 [1061–1065]).

[189] WA 20, 673, 34 – 674, 40.

[190] Gerdes: AaO, 154, der aber auch noch eine „Wurzeldifferenz" aufzeigt (aaO, 162 f).

[191] Bubenheimer: Luther – Karlstadt – Müntzer, 67 f. Übrigens erinnern die von Bubenheimer herausgestellten Unterschiede sehr stark an die zwischen der Logik der Via antiqua und der Via moderna.

[192] Siegfried Bräuer: Thomas Müntzers Beziehungen zur Braunschweiger Frühreformation. ThLZ 109 (1984), 637, nimmt einen Umgang Müntzers mit Braunschweiger Bürgern an, die – von der Devotio moderna beeinflußt – mystische und bibelhumanistische Vorstellungen teilten.

[193] MSB, 381, 23 (31), Müntzer an Melanchthon am 27. März 1522.

Thomas Müntzer und die Mystik

Von Reinhard Schwarz

I Müntzers Mystikquellen

Die Untersuchung über Müntzers Verhältnis zur mittelalterlichen Mystik muß sich aus methodischen Gründen auf bestimmte Texte der sogenannten Deutschen Mystik konzentrieren; denn auf den Einfluß der Deutschen Mystik geben Müntzers Werke selber die sichersten Hinweise, während sie uns kaum einen Anhalt dafür bieten, daß Müntzer von der lateinischen Mystik des Mittelalters beeinflußt worden ist. Nur in der lateinischen Nachschrift einer Predigt Müntzers in Zwickau am 8. September 1520, dem Fest der Geburt Mariä, findet sich ein Verweis auf Bernhard von Clairvaux (1090–1153), und zwar auf eine Predigt von ihm zu demselben Festtag.[1] In seiner Jüterboger Zeit (1519) soll sich Müntzer nach dem Bericht des Franziskaners Bernhard Dappe auch über Bonaventura und Thomas geäußert haben;[2] das war jedoch nur die Replik auf eine Reverenz, die der von Müntzer attackierte Franziskanerguardian diesen beiden Theologen als den doctores approbati der römischen Kirche erwiesen hatte.[3] Eigenes Vertrautsein Müntzers mit diesen Theologen, vor allem mit Bonaventura (1217–1274), der ganz besonders als Theologe der Mystik in Betracht käme, kann daraus noch nicht gefolgert werden. Inwieweit Müntzer in seinen sozusagen mystischen Gedanken nicht nur von Traditionen der Deutschen Mystik, sondern auch von Kirchenvätern beeinflußt worden ist, kann in diesem Beitrag nicht untersucht werden, da Müntzers Verhältnis zu den Kirchenvätern in einem anderen Beitrag behandelt wird.

Da Müntzer überwiegend in deutscher Sprache zu uns spricht, kann auch aus Sprache und Inhalt seiner Werke am ehesten der Einfluß deutschsprachiger Mystik erschlossen werden. Wirkungen lateinischer Mystik des Mittelalters können erst dann angenommen werden, wenn die Quellen der Deutschen Mystik versagen, aber die Indizien deutlich auf Wirkungen lateinischer Mystik hinweisen. Wichtige Texte der Deutschen Mystik lagen zur Zeit Müntzers bereits gedruckt vor. An diese Texte muß sich die historische Quellenanalyse in erster Linie halten. Müntzer war, wie wir wissen, an gedruckter Literatur interessiert, als Leser und sogar als Käufer. Es gab am Vorabend der Reformation eine solche Fülle gedruckter Literatur, daß vielerlei Interessen an theologischer Bildung durch Druckwerke befriedigt werden konnten. Nur dort, wo wir auf ganz spezifische Traditionen stoßen, die womöglich abseits der kirchlichen und gesellschaftlichen Öffentlichkeit überliefert wurden, muß den handschriftlichen Quellen größeres Gewicht zugemessen werden. Dann hat die historische Quellenanalyse unter Umständen sogar mündliche Überlieferung in Erwägung zu ziehen. Das mystische Gedankengut Müntzers läßt sich jedoch in beträchtlichem Umfang aus Werken der Deutschen Mystik ableiten, die damals bereits gedruckt vorlagen. Bei einigen dieser Werke kann Müntzers Bekanntschaft mit ihnen aufgrund der Indizien mit Sicherheit angenommen werden, obgleich Müntzer selber ausdrücklich keines dieser Werke in seinen Schriften und Briefen erwähnt.

An erster Stelle muß die Sammlung von Predigten des Dominikaners Johannes Tauler (um 1300) genannt werden. Nach einer glaubwürdigen Überlieferung hat Müntzer ein Exemplar der 1508 in Augsburg gedruckten Taulerausgabe besessen.[4] Diese Ausgabe enthielt in der Hauptmasse dieselben Predigten wie die einzige neuere kritische Ausgabe.[5] Unter den Taulerpredigten brachte die Ausgabe von 1508 (wie die von 1498) vier Predigten, die nicht authentisch sind, sondern der Meister-Eckhart-Überlieferung zuzuweisen sind.[6] Auch das sogenannte Meisterbuch stand schon in den beiden Taulerausgaben von 1498 und 1508.[7] Es ist nicht zu verwechseln mit dem „Buch von geistlicher Armut", das damals noch nicht gedruckt vorlag, sondern erst von Heinrich Suso Denifle zum ersten Male veröffentlicht wurde.[8]

Kaum zu bezweifeln ist, daß Müntzer die „Theologia Deutsch" gekannt hat, die Luther zuerst in einer unvollständigen Version 1516 und in vollständiger Fassung 1518 veröffentlicht hat.[9] Wir können vermuten, daß Müntzer ein Exemplar der Fassung von 1518 besessen hat, da die Ausgabe von 1516 mit zwei Drucken längst nicht so weite Verbreitung gefunden hat wie die Ausgabe von 1518, die in den Jahren 1518 bis 1520 neunmal gedruckt worden ist. Die Ende 1520 von einem Buchhändler zusammengestellte „Bücherliste", die sich in Müntzers Briefsack befunden hat, nennt auch die „Deutsch theologia".[10] Die bei Müntzer feststellbaren Einflüsse der „Theologia Deutsch" sprechen nicht dagegen, daß Müntzer erst zu diesem relativ späten Zeitpunkt mit dem Werk bekannt geworden ist. Diese Bücherliste, bei der es sich offenbar um ein Angebot für Müntzer und nicht um eine von ihm zusammengestellte Bestelliste handelt, steht andererseits nicht der Annahme im Wege, daß Müntzer sich schon ein bis zwei Jahre früher eine Ausgabe der „Theologia Deutsch" beschafft hat.[11]

Von den Werken der Deutschen Mystik waren zur Zeit Müntzers außer Taulers Predigten und der „Theologia Deutsch" auch schon die im sogenannten „Exemplar" zusammengefaßten Schriften Heinrich Seuses (1295/1300–1366) in zwei Augsburger Drucken von 1482 und 1512 veröffentlicht worden.[12] Beide Ausgaben vereinigten mit Seuses „Exemplar" – das ist „Seuses Leben", das „Büchlein der Ewigen Weisheit", das „Büchlein der Wahrheit", das „Briefbüchlein" – noch die „Bruderschaft der ewigen Weisheit" – das ist eine Übersetzung eines Kapitels (2, 7) aus Seuses „Horologium sapientiae" – und das aus dem Kreis der Gottesfreunde stammende, von Rulman Merswin (1307–1382) verfaßte Buch der neun Felsen.[13] Ob Müntzer Seuses Schriften gelesen hat, ist eine offene Frage. Einen Anhaltspunkt dafür könnte ein Brief geben, den eine Nonne Ursula im Frühjahr 1520 aus dem Kloster Beuditz an Müntzer geschrieben hat.[14] Er hatte in diesem Kloster etwa vom Sommer 1519 bis ins Frühjahr 1520 als confessor virginum seelsorgerliche Dienste versehen.[15] Die Nonne schreibt, wenn Müntzer sich so verhalte, wie sie in einer für uns kaum verständlichen Weise andeutet, so habe ihn das doch weder „der Taullerus noch pruder Sewß" gelehrt.[16] Das könnte darauf hindeuten, daß Müntzer im Beuditzer Kloster öfter von Tauler und Seuse gesprochen hat, weil er mit beiden Mystikern durch eigene Lektüre vertraut war.[17] Taulerlektüre hat Müntzer aller Wahrscheinlichkeit nach schon getrieben, ehe er nach Beuditz kam; denn während seines Aufenthalts in Orlamünde 1519 soll er Tauler gelesen haben. Das berichtete Kaspar Glatz, ein Wittenberger Theologe, der später als Nachfolger von Andreas Bodenstein aus Karlstadt die Pfarrstelle in Orlamünde übernahm.[18] Für einen Ausdruck eigener Gehässigkeit gegenüber Müntzer müssen wir allerdings Glatzens Bemerkung halten, die Pfarrköchin von Orlamünde habe Müntzer zum Verständnis Taulers verholfen.[19] Da die Taulerausgabe, die in Müntzers Besitz gewesen ist, aus dem Jahr 1508 stammt, kann Müntzer auch schon einige Jahre vor 1519 sein Exemplar erworben und darin zu lesen begonnen haben. Wer jedoch wie Müntzer für Anregungen aus Wittenberg empfänglich war, dessen Aufmerksamkeit konnte gerade seit 1518 auf Tauler gelenkt worden sein, seitdem Luther die vollständige Ausgabe der „Theologia Deutsch"[20] besorgt und in seinen Resolutiones zu den Ablaßthesen Tauler gegenüber den Universitätstheologen herausgestrichen hatte.[21]

Tauler, die „Theologia Deutsch" und Seuse werde ich für die folgende Untersuchung über Müntzers Verhältnis zur Mystik berücksichtigen, um auf einer einigermaßen gesicherten Quellenbasis zu möglichst eindeutigen Ergebnissen zu kommen. Wenn ich von „Mystik" spreche, meine ich nur diese Quellen, und zwar Tauler im Umfang der Ausgabe Augsburg 1508, Seuse im Umfang der Ausgabe Augsburg 1512, die „Theologie Deutsch" im Umfang der Wittenberger Ausgabe von 1518. Nicht mehr zu dieser Tradition deutschsprachiger Mystik gehört ein Buch, das mit Müntzers Taulerexemplar zusammengebunden gewesen ist. Das war eine eigentümliche Sammlung prophetisch-visionärer Schriften von drei männlichen und drei weiblichen Autoren, 1513 in Paris von dem französischen Humanisten Jacobus Faber Stapulensis herausgegeben.[22]

II Allgemeine Aussagen über den geistlichen Weg des Auserwählten

Einige Ausdrücke, mit denen Müntzer den Weg der auserwählten Menschen bezeichnet, sind Anzeichen für einen Einfluß der Mystik. Dazu gehört schon die Tatsache, daß er es liebt, von den Auserwählten zu reden, wenn er Menschen des wahren geistlichen Lebens im Sinne hat.[23] Der Ausdruck, der in Müntzers Schriften breit gestreut ist, häuft sich in der „Ausgedrückten Entblößung des falschen Glaubens der ungetreuen Welt", wo Müntzer durch Auslegung von Luk. 1 am Beispiel der Maria und der anderen Gestalten dieses Textes schildern kann, wie das Glaubensleben der Auserwählten von seinem Ursprung her beschaffen ist.[24] An der rechten, alle fromme Selbsttäuschung zerstörenden „Ankunft" des Glaubens erkennt ein Auserwählter den anderen, wie Maria und Elisabeth bei ihrer Begegnung sich erkannten. „Es findet der außerwelt freu(e)nd Gottes ein wunsame, u(e)berschwenckliche freu(e)d, wenn seyn mitbru(o)der auch also durch solche gleychformige ankunfft zum glauben kumen ist wie er."[25] Wie in diesem Satz, so nennt Müntzer noch öfter die Auserwählten auch die Freunde Gottes. Sein Grußwunsch in der Vorrede zur Messe lautet: „Allen außerwelten gottisfreunden wu(e)nsch ich, Tomas Mu(e)ntzer, ein knecht Gottis, gnad und frid mit der reynen rechtschaffnen forcht Gotis."[26] In einem seiner Lehrbriefe, und zwar einem lateinisch abgefaßten, bekennt Müntzer, seine ganze Hingabe richte sich auf den ewigen Willen Gottes, von dem gemäß Kol. 1,9 alle Gottesfreunde (amici Domini) in Weisheit und Einsicht des Geistes erfüllt werden sollen.[27] Müntzers Rede von den Auserwählten und den Gottesfreunden darf man gewiß nicht für sich allein auf Einflüsse der Mystik zurückführen. Zusammen mit anderen Indizien kann das jedoch Verbundenheit mit der Mystik anzeigen. Denn im Umkreis der Mystik war es besonders beliebt, den wahren Christen einen Gottesfreund zu nennen.[28]

Die Bindung an Gottes Willen bringt die Auserwählten in schroffen Gegensatz zu vielerlei Bindungen, die als unheilvoll begriffen werden, aus denen die Auserwählten sich deshalb lösen müssen. Die affektiv-willentlichen Bindungen an die Welt, an die Kreaturen, an das eigene kreatürliche Sein erfassen den Menschen in seiner Seele; sie ergreifen Besitz von seinem Inneren. Indem die Mystiker von der Befreiung aus diesen verderblichen Bindungen reden, bilden sie Verben mit der Vorsilbe „ent-": entblößen, entfremden, entgroben, entsetzen, entwerden.[29] Müntzer greift diese charakteristischen Verben auf. Auch für ihn sind es die Lüste, die den Menschen an das Kreatürliche fesseln. Der Auserwählte muß sich deshalb den Lüsten „entfremden". Ein Beispiel dafür gibt Johannes der Täufer „von des ernstes wegen, den die tapffer nu(e)chterheyt gepyret, der sich zur entfrembdung der lu(e)st erstreckt, da die krefft der selen emplo(e)sset werden".[30] Nach einer anderen Ausdrucksweise, die nicht so deutlich der Tradition der Mystik zugehört, muß die Seele leer werden „von aller ersettunge der creaturn" oder „von lusten".[31]

Das Entsetzen hat bei Müntzer ganz den Sinn des In-Furcht-versetzt-Werdens. Ein „entsetzter Mensch" wie Abraham ist ein gottesfürchtiger Mensch.[32] Im Kontext des geistlichen Lebens befreit das Entsetzen, das den Menschen in der Gottesfurcht erfaßt, von den Begierden.[33] In der Mystik hatte „entsetzen" außerdem noch die Bedeutung „aus dem Besitz bringen, berauben". Diese Bedeutung liegt bei Müntzer nicht mehr vor, obwohl das geistliche Leben auch für ihn an der Frage hängt, ob sich der Mensch im Besitzverhältnis der Kreaturen oder Gottes befindet.[34] – Ein typisches Verb der Mystik greift Müntzer mit dem Wort „entwerden" auf, allerdings nur einmal: „Wye kan ich wyssen, was Got adder teufel sey, eygen adder fromdt gut sey, es sey dan, das ich myr entworden byn."[35]

Einen starken Eigenklang, in dem mystischer Sprachgebrauch nachschwingt, hat das Adjektiv „grob" und das Verb „entgroben". In Müntzers Augen ist das Kirchenvolk seiner Zeit „grob", weil es für Gottes Geist kein Verständnis hat.[36] So „grob und unvorstendig wie ein hackebloch"[37] sollten die Christen nicht bleiben. Da Müntzer die geistliche Empfindungslosigkeit und Veräußerlichung unter anderem darauf zurückführte, daß die Leute die gottesdienstlichen Handlungen in der lateinischen Sprache nicht verstehen konnten, sollte das Kirchenvolk durch die deutschsprachige Liturgie „seiner heuchley ... entgro(e)bet" werden.[38] Das Verb „entgroben" korrespondiert dem Adjektiv „grob": Bestimmte Gewohnheiten des Christentums sollten beseitigt werden, weil sie die intendierten geistlichen Erfahrungen verhinderten. Das Wort „entgroben" begegnet zwar nur in den Vorreden Müntzers zu seinen beiden liturgischen Werken; trotz des seltenen Vorkommens gehört es jedoch zu den Worten, die einerseits den Einfluß mystischer Tradition belegen[39] und andererseits von Luther als unglückliche Wortbildung Müntzers kritisiert wurden.

III Streit um Terminologie und Verständnis des geistlichen Lebens

Als Luther im Dezember 1524 die Straßburger vor dem „Schwärmergeist" meinte warnen zu müssen, weil Karlstadt neuerdings dort Anhänger zu finden suchte, stellte er ihn in eine Reihe mit gewissen „Propheten", die vom christlichen Leben in eigentümlicher Weise redeten, weil sie vom Christen ungewöhnliche Erfahrungen erwarteten. Sie „gauckeln da her mit yhrer lebendigen stym vom hymel, mit der entgrobung, besprengung und to(e)dtung und der gleychen schwulstigen wort"[40]. Ähnlich spottete Luther in der ungefähr gleichzeitig abgefaßten Schrift „Wider die himmlischen Propheten, von den Bildern und Sakrament" darüber, daß diese Männer Entgrobung, Studierung, Verwunderung, Besprengung, Langweil und die „hohe neue Kunst Gottes aus der himmlischen Stimme" propagierten.[41]

Daß auch Müntzer sich dieses Vokabulars bediente, ist Luther bekannt gewesen. Denn unmittelbar nach der Niederschlagung des Thüringer Bauernaufstandes ließ er in einem Brief an den mansfeldischen Rat Johann Rühel, dem ebenfalls Müntzers Gedanken und Ausdrücke bekannt waren, die Bemerkung fallen: „Es ist nu zu ernst worden, was wyr zuuor von der entgrobung, langweyl vnd verwunderung geschertzt haben."[42] In späteren Jahren hat Luther in einer Tischrede behauptet, Müntzer habe gewisse gradus christianismi aufgestellt, und zwar Entgröbung, Studierung, Verwunderung, Langweil und tiefe Gelassenheit oder suspensio gratiae.[43] In anderen Tischreden berichtete Luther von den Zwickauer Propheten, sie hätten von Grobigkeit, Langweiligkeit und dem Besitz eines Pfundes gesprochen.[44]

Die Frage, inwieweit mit einem bestimmten Vokabular entsprechende Phänomene des wahren christlichen Lebens erfaßt werden sollen, hat Müntzer selber im Sommer 1523 in einem Brief an Luther angeschnitten.[45] Müntzer spielt dabei an auf Luthers Ablehnung der Zwickauer Propheten – Markus Stübner und Nikolaus Storch nennt er mit Namen – und erwähnt dann Luthers Widerwillen gegenüber bestimmten, auf das geistliche Leben bezogenen Vokabeln. Von den drei Worten, die Müntzer in seinem lateinisch geschriebenen Brief als Beispiele nennt, lassen sich zwei mit den später von Luther kritisierten deutschen Ausdrücken identifizieren;[46] erstens „longanimitas", dem in diesem Zusammenhang Langeweile entsprechen dürfte,[47] zweitens „talentum", das Luther selber in Matth. 18,24 und an anderen Stellen, die hier weniger von Belang sind, mit Pfund übersetzt hat. Müntzer versichert in seinem Brief an Luther, daß er nie etwas sagen werde, was er nicht durch klaren und echten, also biblischen Text bezeugen könne.[48]

Wie lassen sich die Fäden ordnen?

1. Müntzer hat das geistliche Leben mit einigen Ausdrücken beschrieben, die von Luther mißbilligt worden sind, während sie Müntzer für biblisch begründet hielt.

2. Diese Ausdrücke finden wir auch in den Schriften anderer, die entweder in jenen Jahren Müntzeranhänger gewesen sind – Simon Haferitz, Hans Hut, Jörg Haug aus Juchsen[49] – oder wie Karlstadt in eigener Aufnahme derselben Einflüsse zu Geistesverwandten Müntzers geworden sind.[50]

3. Die Einflüsse sind zum Teil von der Mystik ausgegangen. Die Texte der Mystik haben damals unterschiedliche Wirkungen ausgeübt, wenn man einerseits an Luther denkt, der vorübergehend von Tauler und der „Theologia Deutsch" angeregt wurde, und andererseits Müntzer, seine engeren Anhänger und Karlstadt in Betracht zieht.

4. Der Streit um die Terminologie war auch ein Streit um das Verständnis des geistlichen Lebens. Die Frage nach dem Grund und Wesen des geistlichen Lebens wurde unterschiedlich beantwortet. Für Müntzer, seine Anhänger und die Zwickauer Propheten wurde relevant, daß von ihnen übernommene Erwartungen einer endzeitlichen Vollendung der Christenheit sich auf ein Wirken von Gottes Geist in Unmittelbarkeit bezogen und daß auch die mystischen Texte – allerdings ohne diesen endzeitlichen Aspekt – von unmittelbarer Gotteserfahrung als gegenwärtiger Möglichkeit sprachen. Was Mystik und endzeitliche Erwartung als Vollkommenheit unmittelbarer Geisterfahrung begreifen ließen, schien auf dem Wege der Reformation realisierbar zu werden.

IV Der Sinn der strittigen Ausdrücke

Es ist im einzelnen zu prüfen, inwieweit die von Luther[51] kritisierten Vokabeln von Müntzer für die Beschreibung des geistlichen Lebens verwendet werden und ihm mit der mystischen Tradition zugeflossen sind. Müntzer meint, der „rechte weg zum leben", nach Matth. 7,14 „der enge weg", nämlich der von Christus gewiesene Weg der Leidensnachfolge, könne nur gegangen werden, wenn der Mensch seine „Urteile" nicht nach menschlichen Maßstäben und um angenehmer Zwecke willen trifft, sondern den „allerliebsten willen Gottes in seinem lebendigen wort studirth".[52] In ähnlicher Formulierung hat Müntzer schon im „Prager Manifest" die „Böhmen" angesprochen: „Ich begehr nicht anderst von euch, dann das yr fleyß sollet thun, das lebendige worth Gots auß Gots munde selbern solt studiren, . . .‟[53] Auf dem Wege des geistlichen Lebens soll sich der Mensch darauf konzentrieren, daß er Gottes Willen unmittelbar in unbedingtem Anspruch erkennt. Das geschieht durch ein Gleichförmigwerden mit Christus, weil in ihm Gottes Wille sich offenbart. Darin kommt Gottes Geist zur Wirkung; er belehrt den Menschen über Gottes Willen und gibt ihm Gewißheit in dieser Erkenntnis. Daß man in dieser Weise „auß der salbung des ge[i]st[es] studiren muß‟,[54] ärgert die „wollustigen menschen‟, das sind gerade auch jene Christen, die nach Art der Schriftgelehrten den Menschen daran hindern, Gottes fordernden Willen in seiner Unbedingtheit für sich anzuerkennen.[55] Die Studierung, das Bemühen um ein radikales Beanspruchtwerden von Gottes Willen, gehört demnach für Müntzer wesenhaft zum Leben der Auserwählten.

Ein vergleichbarer Gebrauch des Wortes „studieren‟ ist innerhalb des hier verglichenen Gebietes der Mystik bei Tauler dort zu finden, wo er vor frommer Selbsttäuschung warnt und von der unvoreingenommenen, ganz in Gott gegründeten Selbsterkenntnis sagt: „do geho(e)rt ein gros wunderlich flis zu(o) das der mensche sin meinunge wol bekenne; dar zu(o) geho(e)rt nacht und tag studieren und ymaginieren und sich selber visitieren und sehen was in tribe und bewege zu(o) allen sinen werken, und sol mit allen sinen kreften alles sin tu(o)n richten und in Got sunder mittel wisen; denne so sprichet der mensche enkeine lugene.‟[56]

Noch etwas stärker pointiert ist Müntzers Gebrauch des Wortes „Verwunderung‟. Damit bezeichnet er ein Widerfahrnis, das mit dem innersten Vernehmen von Gottes Wort verbunden ist. Auf die Frage, wie Gottes Wort ins Herz komme, antwortet er: „Es kumpt von Gott oben her nidder in eyner hochen verwunderung.‟[57] Die Umkehr von der Äußerlichkeit zur Innerlichkeit ist ein schmerzhafter Vorgang, bei dem gewohnte Sicherheiten zerbrechen und zunächst einmal die Frage aufkommt, ob die inwendig vernommene Stimme wirklich „Gotis wort sey oder nit‟.[58] An diesen Punkt muß der Mensch kommen, er „mu(o)ß seynen gestolnen, getichten christenglauben zu(o) tru(e)mmern verstossen durch mechtig hoch hertzleyd und schmertzlich betru(e)bnuß und durch unaußschlahlich verwundern‟[59]. Solchen Akt der Verwunderung erblickt Müntzer, wenn seine Andeutungen so zu verstehen sind, in der Luk. 1,12 und 29 geschilderten ersten Reaktion sowohl des Zacharias als auch der Maria auf das Erscheinen des Engels, der ihnen Gottes Werk ankündigt. Die Vulgata hat an beiden Stellen das Verb „turbari‟. Auf diese beiden Lukasstellen bezieht sich Müntzer zweifellos noch ein anderes Mal mit den Worten: „. . . Maria und Zacharias haben sich in der forcht Gottes entsetzt, biß das der glaub des senffkorns den unglauben u(e)berwunden hat, welches denn mit grossem zittern und beku(e)mernuß erfunden wirt.‟[60] An ein derartiges Geschehen denkt Müntzer offenbar auch wenig später: Der Heilige Geist sei es, „welcher uns den glauben leret mit der reynen forcht Gottes, wellche so hoch verwunderung gepirt im unmu(e)glichen werck des glaubens, do die krafft des allerho(e)chsten . . . [Verweis auf Luk. 1,35 und 24,49] allen getichten, heymlichen unglauben verwirfft‟.[61] Die Interpretation dieser Müntzertexte ergibt eine sachliche Kongruenz der Verwunderung mit dem Entsetzen.[62]

Daß „Verwunderung‟ Ende des 15./Anfang des 16. Jahrhunderts nicht nur Erstaunen, sondern auch Angst und Erschrecken bezeichnen konnte, belegt Grimms „Deutsches Wörterbuch‟.[63] Auch an der einzigen Stelle, an der Tauler das Verb „verwundern‟ verwendet, übersetzt er damit das lateinische „obstupescere‟.[64] Das geistliche Geschehen der Verwunderung, an dem Müntzer interessiert ist,[65] haben die Mystiker nicht in gleicher Weise zur Sprache gebracht, obgleich es auch ihnen vertraut gewesen ist.

Müntzers Gebrauch des Ausdrucks „Langweil‟ muß im Kontext des geistlichen Lebens vom Gegensatz der „Kurzweil‟ her aufgeschlüsselt werden. Die ungeordneten Lüste „verkurtzweylen" dem Menschen die Zeit so „u(e)ppig", daß er nicht zum wahren Glauben gelangen kann.[66] Denn das Wohlbehagen an den Lüsten verträgt sich keineswegs mit echter Gotteserfahrung. Darum muß sich der Mensch „zur offenbarung Gottis", also wenn er Gottes Stimme in seinem Innern vernehmen will, „von aller ku(e)rtzweil absondern",[67] er muß „der lust" zum Feind werden „mit langweyle",[68] indem er sich ganz auf ein entgegengesetztes Verlangen einstellt. Aus dem Gegensatz zur Kurzweil ist die Langweil zu interpretieren als das Verlangen nach Gott in der Absage an weltliche und sinnliche Begierden. Durch das Verlangen nach Gott kommt der Mensch zur Erfahrung von „Gottes werck".[69] Durch das Verlangen nach Gott in der Abkehr von den Lüsten entsteht in den Auserwählten auch ein fester Widerstand gegen die Sünden, den Müntzer einschließt in „die langweyl, die den wollustigen schweynen so spottisch yn die nasen geet".[70]

Die geistliche Füllung des Begriffs „Langweil" im Gegensatz zur Kurzweil geht möglicherweise auf Müntzer selber zurück. In der Mystik war ihm nur der Begriff der Kurzweil vorgegeben.[71]

Wie die Kurzweil durch die Lust am Kreatürlichen dem Menschen die Zeit zerstreut, so verliert sich der Mensch dadurch auch an das Mannigfaltige; er wird – so kann Müntzer im Anschluß an mystische Tradition[72] sagen – „durch der creaturen lüste... vermanchfeltigt".[73] In ihrer Mannigfaltigkeit wirken die Kreaturen auf den Menschen nach seinem Sündenfall verführerisch; die Kreatur tritt nun dem Menschen mit einer „Hinterlist" entgegen. Hingegen belehrt Gen. 1 über die „ordenung, die in Got und creaturn gesatzt ist": „Gotis einfeltigkayt" steht der Kreatur mit ihrer Mannigfaltigkeit gegenüber; dem Menschen ist ursprünglich eindeutig gesagt, daß er Gott zum Gehorsam verpflichtet ist und nicht an der Kreatur seine Lust haben soll.[74] Nach Gottes Willen, den Adam in einem einfachen Gehorsamsgebot zu hören bekam, soll der Mensch „allain in Got" sein Verlangen stillen, „wie geschriben [Ps. 36 / 37,4: „Delectare in Domino"]: In Got soltu dich belüstigen". Den Kontrast gegen die Mannigfaltigkeit der Kreaturen findet Müntzer nicht nur in dem einfachen Urstandsgebot Gottes, sondern auch in der „eynfeltigkeyt Christi" (2. Kor. 11,3). In Christus begegnet noch einmal der einfache Wille Gottes, nachdem die Menschheit durch die Sünde Adams der Lust an den Kreaturen verfallen ist. In Christus begegnet die Grundforderung für den Weg des geistlichen Lebens.[75] Müntzer hat sie in Anlehnung an die Mystik immer wieder ausgesprochen: Abkehr von der Lust an den Kreaturen, Hinkehr des innersten Verlangens zu Gott, um an der wahren Gotteserfahrung teilhaben zu können.[76] Ob Müntzer darunter noch deutlicher als die Mystik ein Leiden in der Konformität mit Christus versteht, bleibt zu diskutieren.

V Die Erfahrung unvermittelter Gottesgegenwart

Die Entfremdung von den Lüsten und alles, was sonst noch in der Reinigung der Auserwählten von unheilvollen kreatürlichen Bindungen geschehen soll, ist Voraussetzung für die Erfahrung von Gottes Präsenz. Daß Müntzer nach der Art der Mystiker von der Gotteserfahrung redet, ist leicht zu erkennen. In den Einzelzügen differenziert sich allerdings Müntzers Abhängigkeit von der Mystik.

Ganz im Einklang mit der Mystik spricht Müntzer von dem Abgrund der Seele,[77] des Herzens,[78] des Gemüts[79] oder auch des Geistes.[80] Diese anthropologischen Begriffe können wechseln; ihre Verwendung scheint zufällig zu sein. Deutlich bevorzugt sind die Begriffe „Seele" und „Herz". Es liegt keine sachliche Differenz darin, ob Müntzer vom Abgrund[81] der Seele oder von ihrem Grunde[82] spricht. Diese terminologischen Schwankungen teilt Müntzer mit der Mystik.[83]

Der Abgrund der Seele liegt tiefer als die Seelenkräfte; er kommt zum Vorschein, wenn die Seelenkräfte „entblößt" sind.[84] Solange die Seelenkräfte mit kreatürlichen Objekten befaßt sind, bleibt der Seelengrund verdeckt und verfinstert. Sobald aber die Seelenkräfte sich vom Kreatürlichen abgewandt haben und in der „Verwunderung" zu einem gewissen Stillstand gekommen sind, kann der Seelengrund hervorleuchten. Nach der Überzeugung der Mystik, der sich Müntzer angeschlossen hat, kann Gott in seiner Einfachheit[85] nicht so zum Objekt einzelner Seelenkräfte werden, wie das bei den Kreaturen in ihrer Mannigfaltigkeit der Fall ist. Deshalb kann die Gottesbegegnung nur in dem Abgrund der Seele stattfinden. Nach der Entleerung der Seele von den kreatürlichen Lüsten ist der Seelengrund nicht mehr dem Werk des Teufels ausgesetzt, nun hat Gott hier Raum für sein Werk.[86]

Wie wird die Gotteserfahrung in der Tiefe der Seele zur Sprache gebracht? Müntzer kann davon sprechen, daß man der Kraft Gottes im Abgrund der Seele gewahr werde,[87] oder davon, daß Gott, wenn er sein Werk in der Seele tut, den ungeheuchelten Glauben im Menschen hervorbringt.[88] In einer besonders charakteristischen Weise kann die Gotteserfahrung als eine Geburt von Gottes Sohn in der Seele bezeichnet werden.[89]

Auch die Mystik bediente sich der Vorstellung von der Geburt des Gottessohnes, um die innerste Gotteserfahrung zu beschreiben. Grundlegend war dafür der schon in der altkirchlichen Lehre entwickelte Gedanke, daß Gottes ewiges Wort – in der religiösen Sprache: Gottes Sohn – in Gottes Wesen gleichsam in einer Geburt hervortritt. Die altkirchlichen Bekenntnisse hatten darum ein Doppeltes ausgesprochen: die ewige Geburt des Gottessohnes in Gott und die zeitliche Geburt des Gottessohnes in seiner Menschwerdung. Theologen der Alten Kirche haben sich auch bereits darüber Gedanken gemacht, inwiefern man außerdem noch von einer geistlichen Geburt des Gottessohnes in den Christen sprechen könne, da mit der heiligmachenden Gnade, die in der Menschwerdung des Gottessohnes ihren Grund hat, Gott gegenwärtig wird.[90] Tauler hat diese Vorstellung von einer dreifachen Geburt Gottes oder des Gottessohnes aufgegriffen: „di erste und die überste geburt daz ist das der himelsche vatter gebirt seinen eingebornen sun in go(e)tlicher wesenlichkeit, in persönlicher underscheit. Die ander geburt ... das ist die mu(e)terliche berhaftekeit die geschach megdelicher kúschikeit in rehter luterkeit. Die drite geburt ist daz Got alle tage und alle stunde wurt werlichen geistlichen geborn in einer gu(o)ten sele mit gnoden und mit minnen."[91]

Die Reflexionen der theologischen Psychologie stießen auf ein Problem, das auch Tauler angeschnitten hat, und zwar, ob die Gottesgeburt, durch die Gott in seinem trinitarischen Wesen in der Seele gegenwärtig wird, in der Differenz der drei obersten Seelenkräfte – Gedächtnis, Verstand, Wille (gehugnisse, verstentnisse, wille) – erfahren werde[92] oder ob die geistliche Vergegenwärtigung Gottes im tiefsten Grunde der Seele ihren Ort habe.[93] Die Mystik – und so auch Tauler – bevorzugte die zweite Auffassung. Der Mensch könne der Gegenwart Gottes im Abgrund seiner Seele innewerden, wenn er in einem geistlichen Leben die Kräfte seiner Seele in den Seelengrund zurückkehren lasse. Die Gegenwart Gottes sei dann keine stumme oder unerfahrbare Anwesenheit. Tauler und erst recht Seuse legen Wert darauf, daß die Anwesenheit Gottes im Abgrund der Seele sich dem geistlich nach innen gewandten Menschen in Empfindungen von Freude, von erfüllter Liebe mitteile. Aber auch als ewiges Wort Gottes aus der Tiefe der Seele werde Gottes Anwesenheit erfahren.[94]

Nach der Deutung, die Müntzer der gottesdienstlichen Liturgie gibt, hat das Sanctus den Sinn, daß jeder Kommunikant des anschließenden Abendmahls wissen soll, „das Got in ym sey, das er yn nicht außtichte odder außsinne, wie er tausent meilen von ym sey, ..., und wie der vatter den son in uns on unterlaß gebiret, und der heilige geist nit anders dan den gecreutzigten in uns durch hertzliche betrubniß ercleret".[95] In diesem Vorstellungskreis zeigt sich bei Müntzer eine Gewichtsverlagerung gegenüber der Mystik. Er ist offenbar stärker als die Mystiker daran interessiert, daß Gottes Wort „vom abgrund der selen herko(e)mpt".[96] Das Wort „quillt aus dem abgrunde des hertzen"; man wird „gewar, wie es abgeht vom lebendigen Gotte".[97] Hier geschieht „dye lebendige rede Gots, do der vater den szon ausspricht im hertzen des menschen".[98] Schon der altkirchliche Gedanke der ewigen Geburt des Gottessohnes umschrieb den anderen Gedanken, daß der Gottessohn als das ewige Gotteswort vom Vater in Wesenhaftigkeit ausgesprochen wird. In Analogie dazu kann auch die geistliche Geburt des Gottessohnes im Abgrund der Seele als ein Aussprechen des Gotteswortes verstanden werden.

Müntzers Konzentration auf das Hören der lebendigen Stimme Gottes im Grunde der Seele schließt mit ein, daß für ihn die Erfahrung der innersten Gottesgegenwart sich noch weniger als für die Mystiker in geistlichen Glücksempfindungen niederschlägt. Für ihn offenbart sich in der inneren, lebendigen Stimme Gottes der Gottessohn als das Gotteslamm.[99] Der Leidensgedanke, der bei Müntzer schon den Reinigungsprozeß der Auserwählten begleitet, wird in die innere Offenbarung des Gottessohnes einbezogen. Es ist der gekreuzigte Gottessohn, der sich in der Geisterfahrung mitteilt und den Willen Gottes in dessen Gesetz erschließt.[100] Anders ausgedrückt, im ewigen Gotteswort, das die Signatur des gekreuzigten Christus trägt, erfährt der Mensch den Gesetzeswillen Gottes in Unmittelbarkeit.

Die Unmittelbarkeit der Gotteserfahrung betont Müntzer mit größtem Nachdruck. Wenn er allen Wert darauf legt, daß Gottes Stimme in ihrer Lebendigkeit vernommen wird, so meint er damit die Unmittelbarkeit dieser inneren Wahrnehmung. Die Lebendigkeit der Stimme Gottes steht und fällt mit dem Unvermitteltsein des eigenen Vernehmens dieser Stimme: „. . . wilcher mensch dieses nit gewar und empfindtlich worden ist durch das lebendige gezceugnis Gottis, Roma. 8 [Röm. 8,2 oder eher noch Röm. 8,16], der weiß von Gotte nichts gru(e)ndtlich zu sagen, wenn er gleich hunderttausent biblien hett gefressen."[101] Jede vermittelte Heilsgewißheit wird dadurch ausgeschlossen. An diesem Punkt geht Müntzer über das hinaus, was die Mystiker von der Unmittelbarkeit der Gotteserfahrung sagten.

Für die Mystiker eignet der Gotteserfahrung primär eine innere Unmittelbarkeit, da die Seelenkräfte durch ihre geistliche Einkehr in den Seelengrund ihre eigene vermittelnde Aktivität einstellen, damit vom Seelengrunde her unvermittelt Gott vernehmbar werde. Dadurch, daß die Seelenkräfte selbst von ihren geistlichen Werken, seien es innere oder äußere Werke, Abstand nehmen, werden die Werke der Frömmigkeit in ihrem Wert relativiert. Auch die äußere Vermittlung der Gotteserfahrung verblaßt in ihrer Bedeutung. Die Mystiker verwerfen jedoch nicht die religiösen Werke etwa der Beichte, des Stundengebets, der Meditation über Gegenstände der Heilswirklichkeit. Die Werke der Frömmigkeit sollen allerdings in einem graduellen Aufstieg zu dem Punkte hinführen, wo in innerer Unmittelbarkeit Gottes Werk und Geist erfahren wird.[102]

Werden die äußeren Vermittlungen des geistlichen Lebens von den Mystikern relativiert, so werden sie bei Müntzer zum Gegenstand scharfer Polemik. An zwei Fronten kämpft er gegen äußere Vermittlungen des Geistwirkens Gottes, an der einen Front gegen die altgläubige Berufung auf objektiv sakramentale Geistvermittlung,[103] an der anderen Front gegen die Wittenberger Berufung auf eine den Heiligen Geist vermittelnde und den Glauben weckende Verkündigung des Evangeliums. Die Bibel könne nicht glaubens- und geistvermittelnd wirken, sondern mit ihrem „Zeugnis" nur den Weg zeigen, auf dem die Auserwählten zur Gotteserfahrung im Geist gelangen; das biblische Zeugnis könne nur bestätigen, was den

Christen im unvermittelten Geisterlebnis zuteil wird. Darin erhält das biblische Zeugnis von der Geisterfahrung der Propheten und Apostel allerdings normative Bedeutung für die Christenheit. Kämpfte Müntzer im „Prager Manifest" hauptsächlich gegen die Altgläubigen, so erhielt in den folgenden Jahren der Kampf an der antilutherischen Front immer mehr Gewicht, je leidenschaftlicher der Allstedter Reformator sein Programm gegenüber den Wittenbergern durchzusetzen suchte. Sein Verständnis von der Erneuerung der Christenheit und vom Wesen des Christentums hing an der Überzeugung, Gottes Geist versage sich allen äußeren Vermittlungen und werde dem Menschen nur auf dem Wege des geistlichen Heiligungsprozesses erfahrbar.

Das äußere Unvermitteltsein wird bei Müntzer zur Bedingung der inneren Unmittelbarkeit der Gotteserfahrung. Hatte Müntzer damit einfach eine konsequente Ausweitung und Radikalisierung dessen vorgenommen, was bei den Mystikern nur eine Relativierung der äußeren Vermittlung gegenüber der innerlich unmittelbaren Gotteserfahrung war? Das hieße die historischen Zusammenhänge zu sehr vereinfachend zu rekonstruieren. Müntzer darf an diesem Punkte nicht bloß in seiner historischen Beziehung zur Mystik gesehen werden. In seinem Insistieren auf dem Unvermitteltsein der Geisterfahrung übernimmt er auch chiliastische Erwartungen. Denn ein Unvermitteltsein des Heiligen Geistes in der endzeitlich vollendeten Christenheit gehörte zu den Kerngedanken des spätmittelalterlichen Chiliasmus. Und Müntzer beruft sich, wenn er auf die unvermittelte Geisterfahrung zu sprechen kommt, auf Bibelstellen, die auch in den chiliastischen Texten der taboritischen Tradition, hingegen nicht in den Texten der Mystik begegnen.[104] Nachdem Müntzer unter den Einfluß chiliastischer Überlieferung geraten war und dann noch eine chiliastisch gefärbte Schrift kennenlernte, die Joachim von Fiore zugeschrieben wurde, konnte er sich zustimmend über Joachim von Fiore als Autorität des mittelalterlichen Chiliasmus äußern.[105] Die wirkungsgeschichtlichen Linien der Mystik und gewisser chiliastischer Traditionen kreuzten und überlagerten sich. Müntzer kam zunächst unter den Einfluß der Mystik – am stärksten vermutlich in den Jahren von 1518 bis 1520 –, und erst danach wirkte chiliastisches Gedankengut auf ihn ein, wahrscheinlich schon in seiner Zwickauer Zeit, spätestens jedoch, als er von Zwickau aus sich nach Böhmen begeben hatte. Die Einflüsse der Mystik mögen ihn aufnahmebereit gemacht haben für die nachfolgende Begegnung mit chiliastischen Traditionen. Bei der Verarbeitung dieser Einflüsse wird Luthers Theologie für Müntzer nicht bedeutungslos gewesen sein; denn Luther begründete das allgemeine Priestertum der Glaubenden damit, daß allen Glaubenden eine innere Belehrung durch den Heiligen Geist zuteil werde,[106] die Vermittlung der Heilswahrheit also nicht auf einer im Ritual verbürgten Amtsvollmacht beruhe. Allerdings hat Luther die Geisterfahrung nicht von äußerer Vermittlung des Wortes Gottes lösen wollen.[107]

VI Die Geisterfahrung als das „Ganze" überbietet alles Bedingte

In seiner Fürstenpredigt (1524) hat Müntzer ganz klar zwischen den Geisterfahrungen in Träumen oder Visionen einerseits und der reinen Geisterfahrung im Abgrund des Herzens andererseits unterschieden,[108] obwohl beide Arten der Geisterfahrung voraussetzen, daß die Seele frei ist von den Wollüsten dieser Welt. In einer unreinen Seele sind Träume und Visionen nur von der Natur oder vom Teufel und nicht von Gott gewirkt.[109] Auch um Gottes oder des Teufels Werk in der Seele unterscheiden zu können, muß der Mensch „mit seynem gemu(e)th und hertzen, auch mit seynem naturlichen vorstande abgeschiden sein von allem zeitlichen trost seines fleisches".[110] Die guten, von Gott gewirkten Träume und Visionen bleiben als etwas Bildhaftes ein partikulares Gotteswerk. Selbst das geistlich Bildhafte kann nicht den Willen Gottes in seiner Unmittelbarkeit zum Ausdruck bringen. Deshalb müssen die Träume und Visionen durch Übereinstimmung mit biblischem Zeugnis als gottgewirkt ausgewiesen werden.[111] Und sie müssen von denen, die solcher Erlebnisse gewürdigt sind, mit einer Einfalt vorgebracht werden, wie sie dem Willen Gottes gemäß ist.[112]

Im Unterschied zu den partikularen, ans Bildhafte gebundenen Geisterfahrungen ist die Gotteserfahrung im Abgrund des Herzens etwas Ganzheitliches. Müntzer verweist zu seiner Unterscheidung zwischen einer Gottesmitteilung „in den teilen durch bildreiche weyse" und einer anderen „im gantzen im abgrund des hertzen" auf 1. Kor. 13; er denkt an die Verse 9–13, wo Paulus die Gotteserkenntnis „ex parte"[113] durch die vollkommene Gottes-erkenntnis überbietet. Schon im „Prager Manifest" hatte Müntzer auf 1. Kor. 13 angespielt, als er den altgläubigen Priestern vorgehalten hatte, daß sie keine Erfahrungserkenntnis von dem Ganzen und Vollkommenen hätten.[114]

Einflüsse der Mystik dürften darin zu erkennen sein, daß Müntzer selbst die gottgewirkten Träume und Visionen für geistige Wirklichkeiten hält, die wegen ihrer Bildhaftigkeit nur partikularen Charakter haben.[115] Die auf 1. Kor. 13 verweisende Überbietung der partiku-laren Geisterfahrung durch die Geisterfahrung „im gantzen im abgrund des hertzen" erinnert deutlich an die „Theologia Deutsch". 1. Kor. 13,10 bildet den Rahmen der Aus-führungen der „Theologia Deutsch".[116] Der Traktat definiert eingangs das Vollkommene als „eyn weßen, das yn ym vnnd yn seynem weßen alles begriffen vnd beslossen hat, vnnd an das vnd vßwendig dem keine wares weßen ist".[117] Demgegenüber versteht der Traktat unter dem Geteilten oder Unvollkommenen alles Kreatürliche, „das vß dissem volkommende gevrsprungt ist ader wirt";[118] dazu muß man auch partikulare geistige Wirklichkeiten rech-nen. Mit 1. Kor. 13,10 kann man der „Theologia Deutsch" zufolge sagen, wenn das Voll-kommene erkannt werde, so werde „das geteilte, das ist creaturlicheit, geschaffenheit, icht-heit, selbheit, meinheit, alles vorsmehet vnd vor nichtnitz gehalden". Solange man hingegen noch an irgend etwas Kreatürlichem „hanget, so bleibet das volkommen vnbekant".[119] Sofern sich also der Mensch von seiner für sich selbst genommenen Kreatürlichkeit und Geschaffenheit abwenden kann, kann er das Vollkommene, das Ungeteilte, das Einfältige, in dem er selber seinen Ursprung hat, erkennen. Es ist einer der bedeutsamen Züge der „Theo-logia Deutsch", daß sie ganz schlicht die Erkenntnis des Vollkommenen und Ganzen an die Voraussetzung knüpft, daß das Leben Christi, obwohl es „aller natur vnd aller selbheit das bittirst leben" ist, doch als „das beste vnd das edelste" erkannt und ergriffen wird.[120] Wenn der Mensch das Christusleben als wahres Gut erkennt und ergreift, so geschieht das, weil er „von dem einfeldigen gut vnd volkummen", das sich im Christusleben verbirgt, innerlich berührt und gezogen wird. Das eine – die Erkenntnis des Vollkommenen im Christusleben – findet die „Theologia Deutsch" in Joh. 14,6 „Niemand kommt zum Vater denn durch mich" ausgesprochen, das andere – das vom Vollkommenen bewirkte Gezogensein im Er-greifen des Christuslebens – in Joh. 6,44 „Niemand kommt zu mir, der Vater ziehe ihn denn".[121]

Von hier aus erschließen sich noch weitere Gedanken Müntzers über das Ganze und seine Teile, einmal hinsichtlich des letzten Inhaltes der Gotteserfahrung, zum anderen hinsichtlich der Christusbindung, in der sich die Auserwählten befinden. Im Zusammenhang der Gottes-erfahrung ist schon deutlich geworden, daß deren Inhalt im unbedingten Willen Gottes liegt. Von Gottes Willen erklärt nun Müntzer, er sei „das ganze uber alle seyne teyle".[122] Seine „erclerung", d. h. seine klare Vergegenwärtigung, finde Gottes Wille, wie Müntzer hinzufügt, in der Erkenntnis Gottes und seiner Urteile, nämlich seiner Willensentscheidungen.[123] Und Gottes Werk fließe aus dem Ganzen; Gottes Werk müsse demnach im Rückgang auf Gottes unbedingten Willen verstanden werden.[124]

Da der vollkommene Wille Gottes in Christus offenbart ist, setzt Müntzer, indem er die neutestamentliche Rede von der Gemeinde als dem geistlichen Leib unter Christus als seinem Haupt aufgreift, Christus als das Ganze in Beziehung zu den Auserwählten, die als Teile sich in das Ganze einfügen müssen. Die Teile, so ist Müntzer zu verstehen, sind erst dann in das Ganze eingefügt, wenn sie dessen Gesetz folgen. Im Anschluß an Röm. 5,14–19 vertritt Müntzer die Ansicht, daß Christus „als ein haubt ... den ganzen schaden Adams gebu(e)st" hat, damit „durch den gehorsam des worts" das wiederhergestellt wird, was im Ungehorsam Adams und seiner Glieder verlorengegangen ist.[125] Was „im ganzen Christo" als dem Haupt geschehen ist, das müssen die einzelnen Auserwählten für sich übernehmen und nachvollziehen; so „erfüllen sie" nach den Worten von Kol. 1,24 „das, das dem leiden Christi hinterstellig ist", ihm also noch mangelt.[126] Auch an anderen Stellen fordert Müntzer, daß die Glaubenden mit Christus gleichförmig werden müssen, indem sie „seinen fußstapffen nachfolgen", wodurch ein Zusammenschluß des Hauptes mit seinen Gliedern geschieht.[127] – In dem Gedankenkreis, der durch die Stichworte „das Ganze" und „die Teile" bezeichnet werden kann, verarbeitet Müntzer offenbar Anregungen, die er aus der „Theologia Deutsch"[128] empfangen hat.

VII Die sieben Gaben des Heiligen Geistes

Müntzers Gedanken über das Leben der Auserwählten sind durchzogen von der Vorstellung, daß der Heilige Geist nach Jes. 11,2[129] mit sieben Gaben im Menschen wirksam wird. Diese Vorstellung hat eine breite Tradition[130] und kann nicht als spezifisch mystisch bezeichnet werden, wenngleich sie in der Mystik eine nicht unwichtige Rolle spielt. Die Lehre von den sieben Geistesgaben gehört zum traditionellen Bestand der mittelalterlichen Lehre von den religiösen Tugenden. Von den Mystikern, die in dieser Untersuchung im Hinblick auf Müntzer in Betracht gezogen worden sind, kommt nur Tauler mehrfach auf die sieben Geistesgaben zu sprechen. Schwerlich kann man aber für Müntzers Äußerungen über die sieben Geistesgaben eine reine Abhängigkeit von Tauler feststellen.[131] Während Tauler mehrmals über alle sieben Geistesgaben spricht,[132] begnügt sich Müntzer mit Anspielungen, wenn er z. B. im „Prager Manifest" erklärt, „es muß ein ider mensche den heiligen geist zcu sieben maln haben, anderst magk er widder horen noch vorstehn den lebendigen Goth"[133]. Und in seinem bedeutsamen Brief an Melanchthon vom 27. März 1522 billigt er einerseits die Wittenberger Kritik an der „papistischen" Fegfeuervorstellung, behauptet jedoch andererseits, wer sich besser als die Wittenberger auf die Heilige Schrift und die studia spiritus verstehe, der müsse von einem purgatorium christianum reden. Was er damit meint, deutet er an mit dem Satz: „Nullus potest ingredi requiem, nisi adaperiantur septem gradus rationis septem spiritibus."[134] Offensichtlich in einem sachlichen Zusammenhang mit dem Empfang der sieben Geistesgaben steht für Müntzer eine siebenfache Besprengung mit dem Heiligen Geist, für die er sich auf Num. 19 beruft.[135] Die kultischen Besprengungen und Waschungen, von denen in Num. 19 die Rede ist, dienten der Reinigung von Sündenbefleckung. In übertragener Weise denkt Müntzer an die innere Reinigung durch Wirkungen des Heiligen Geistes. Welche Abstufungen ihm hier im einzelnen vorschweben, bleibt unklar.[136] Wichtig ist ihm jedenfalls, in Anlehnung an biblisches Vokabular auf die inneren Wirkungen des Heiligen Geistes aufmerksam zu machen. Das Schlußgebet seiner Messe für die Pfingstzeit lautet: „O Herr, vorley uns die gnad des heyligen geysts, auff das der thaw deyner gu(e)the unsern grundt des hertzens in seyner besprengung fruchtbar mache durch Jesum etc."[137] Ebensowenig wie Müntzers Äußerungen über eine Besprengung durch den Heiligen Geist läßt sich seine Rede von der Salbe des Heiligen Geistes,[138] für die er sich ebenfalls auf Bibeltexte stützt, aus den hier verglichenen, ihm sicherlich bekannten Mystikertexten ableiten.

Müntzers Neigung, sich solcher Ausdrücke wie Besprengung oder Salbung durch den Heiligen Geist zu bedienen, ist nur ein Symptom dafür, daß die Gaben des Heiligen Geistes in seiner Theologie eine zentrale Rolle spielen, allerdings nicht alle Geistesgaben in gleichem Maße.[139] Die Gaben der Furcht Gottes (timor Dei), der „Kunst Gottes" (scientia Dei) und der Weisheit (sapientia) haben für Müntzer das größte Gewicht. Das läßt sich bis zu einem gewissen Grade damit erklären, daß auch in der Bibel die Gottesfurcht als „der Weisheit Anfang" (Ps. 111,10, vgl. Spr. 1,7 u. ö.) kräftig betont wird. Müntzers Interesse an der Gotteserkenntnis, der „Kunst Gottes", rührt, wie mir scheint, nicht nur daher, daß der Gotteserkenntnis im biblischen Sprachgebrauch einige Bedeutung zukommt, sondern auch daher, daß Müntzer im Anschluß an die traditionelle Lehre von den sieben Geistesgaben die „Kunst Gottes" direkt mit dem Glauben verknüpft.[140] Wie er die Gaben des Heiligen Geistes, vor allem der Gottesfurcht und der Gotteserkenntnis, in sein Bild vom Leben der Auserwählten einzeichnet, bedürfte einer eigenen Untersuchung, unabhängig von der Frage nach dem Verhältnis Müntzers zur Mystik. Allein unter dem Leitbegriff der Gottesfurcht könnte ein weiter Kreis von Aussagen Müntzers über das geistliche Leben der Auserwählten erfaßt werden. Hier muß nur der Hinweis genügen, daß der von der Mystik eigentümlich geprägte Begriff der Gelassenheit[141] von Müntzer mit der Gottesfurcht in engen Zusammenhang gebracht wird. „Gelassen" ist der Mensch, wenn er sich dem Willen Gottes überläßt, weil er ohne Menschenfurcht nur nach Gott und dessen Ehre fragt.[142] Der Auserwählte ist in der Gelassenheit zwar schwach im Hinblick auf die menschlich verfügbaren Möglichkeiten; doch wird ihm gerade in dieser Verfassung Gottes Stärke zuteil.[143] Die Gelassenheit gewinnt damit denselben Sinn wie die in der Mystik hochgeschätzte Armut im Geiste (Matth. 5,3); beide Begriffe interpretieren sich bei Müntzer wie in der Mystik wechselseitig.[144] Der „allergelassenste mensch" ist einer, der wie Johannes der Täufer aus dem Willen Gottes heraus handelt und auch andere Gottesfürchtige zu der Wahrheit zu führen vermag.[145]

Müntzer sah seinen Auftrag darin, die Auserwählten zu einem von Gottes Geist beherrschten Leben aufzurufen. In einem unverfälschten Glauben soll sich der Mensch aus aller Weltverfallenheit lösen und durch Leiden hindurch dem Wirken Gottes freien Raum geben. Eine Reinigung von den „Lüsten" soll die Voraussetzung schaffen für ein unvermitteltes inneres Wahrnehmen von Gottes unbedingtem Willen. Daraus erwächst den Auserwählten wiederum die Sicherheit, unbeirrbar den Weg der Heiligkeit zu gehen und Gottes Heiligkeitsforderung in der ganzen Christenheit durchzusetzen.[146] Fast in allem, was Müntzer über das geistliche Leben der Auserwählten sagt, lassen sich Einflüsse der Deutschen Mystik nachweisen. Diese Einflüsse sind bei ihm zusammengewachsen mit Gedanken, die er noch von anderen Seiten her empfangen hat.

[1]   MSB, 518, 21 f, und dort Anm. 11.

[2]   MSB, 562, 31 f.

[3]   MSB, 562, 23 f.

[4]   MSB, 538. Durch diese Ausgabe ist Luther mit Tauler bekannt geworden (vgl. WA 9,95). Eine erste Taulerausgabe war 1498 in Leipzig erschienen. Umfangreicher als diese beiden Ausgaben war die Baseler Taulerausgabe von 1521 (mit orthographischen Varianten 1522 ein zweites Mal in Basel gedruckt); sie enthielt auch eine größere Anzahl von Texten Meister Eckharts und fand in der Reformationszeit eine weite Verbreitung.

[5]   TPr.

[6]   Alle vier Stücke (Predigt Nr. 2. 6. 8. 9) bietet in der Reihenfolge Nr. 1. 2. 4. 3 MEISTER ECKHART/ hrsg. von Franz Pfeiffer. 4., unv. Aufl. Göttingen 1924, 3–10. 10–16. 16–24. 24–30.

[7]   Vgl. dazu Louise GNÄDINGER: Johannes Tauler von Straßburg. In: Gestalten der Kirchengeschichte/ hrsg. von Martin Greschat. Bd. 4: Mittelalter II. Stuttgart 1983, 176–198, bes. 179.

[8]   H[ans]-J[ürgen] GOERTZ: Innere und äußere Ordnung in der Theologie Thomas Müntzers. Leiden 1967, behandelt es so, als hätte es für Müntzer denselben Quellenwert wie Tauler und die „Theologia Deutsch".

[9]   Alle neueren Ausgaben sind überholt durch „Der Franckforter" („Theologia Deutsch"): kritische Textausgabe/ hrsg. von Wolfgang von Hinten. München 1982. Zu Luthers Ausgaben vgl. WA 1, 152 f. 375–378; 59, 1–3. Durch die neuen Textfunde, auf die sich von Hinten stützen konnte, ist erwiesen, daß Luthers Ausgabe von 1518 den Traktat in vollständiger, von ihm nicht substantiell veränderter Fassung wiedergibt („Der Franckforter", 52–57).

[10] MSB, 558, 19 (48). Da es sich bei vielen Titeln dieser Liste, vor allem bei den in unmittelbarer Nachbarschaft zur „Deutsch theologia" genannten, um neue Wittenberger Drucke handelt, wird mit der „Deutsch theologia" die Wittenberger Ausgabe 1520 gemeint sein; auch die Anzahl von neun Bogen, die in der Liste mit der Ziffer 9 hinter dem Titel notiert ist, trifft für diese Ausgabe zu (vgl. WA 1, 377 Druck I / Josef BENZING: Lutherbibliographie. Baden-Baden 1966, 25 [169]).

[11] Von Hinten verzeichnet in seiner kritischen Ausgabe der „Theologia Deutsch" die Varianten der Ausgabe Luthers von 1518. Goertz: AaO, benutzt die „Theologia Deutsch" nach einer Ausgabe, die ein mit K.E. (= Karl Ehmann) zeichnender Herausgeber 1857 in 1. Auflage und 1892 in 2. Auflage in Stuttgart bei Steinkopf erscheinen ließ. Diese Ausgabe griff auf eine von Johann Arndt besorgte Ausgabe zurück und bot eine für erbauliche Zwecke bearbeitete Textfassung.

[12] Vgl. Heinrich SEUSE: Deutsche Schriften/ im Auftrag der Württembergischen Kommission für Landesgeschichte/ hrsg. von Karl Bihlmeyer. Nachdruck der Ausgabe Stuttgart 1907. Frankfurt a. Main 1961, 159* f.

[13] Vgl. Seuse: AaO, 159*; [Rulmann] MERSWIN: Neun-Felsen-Buch (Das sogenannte Autograph)/ hrsg. von Philipp Strauch. Halle (Saale) 1929.

[14] MSB, 356, 13–22 (11). Die Nonne unterschrieb: „S[oror] Ursula Scho[lastica]". Sie war also Scholastica im Beuditzer Kloster; die Angabe „Scho" hinter ihrem Namen deutet nicht ihren Familiennamen an (so MSB, 356, Anm. 1).

[15] Vgl. MSB 354, 12 (8): „confessor virginum".

[16] MSB 356, 16 f (11).

[17] Daß er erst in Beuditz mit Tauler und Seuse bekannt wurde, ist damit nicht gesagt. Wie eifrig sich Müntzer von Beuditz aus um den Erwerb verschiedener theologischer Werke bemühte, beleuchtet sein Brief an den für den Leipziger Drucker Melchior Lotther tätigen Buchführer Achatius Glov am 3. Januar 1520 (MSB, 353 f [8]) und dessen Antwort (355 [9]). In einem Brief an Franz Günther vom 1. Januar 1520 (MSB, 353, 6 f [7]) erwähnt Müntzer seine damalige Lektüre von Augustin und von geschichtlichen Werken, vermutlich altkirchlicher Autoren. Er bedauert es, daß er eine Reihe von Werken, die ihm sehr nützlich wären, nicht erhalten könnte. Weder Tauler noch Seuse haben ihn anscheinend damals so beschäftigt wie die von ihm genannten altkirchlichen Werke.

[18] Kaspar Glatz hat das in einer Taulerausgabe notiert, die ihm Luther 1519 geschenkt hatte (ETM, 66 f).

[19] Elliger will Glatz insofern glauben, als die Pfarrköchin aus der Mentalität einer „pietistisch" gearteten Laienfrömmigkeit heraus Müntzer ein Verständnis des Mystikers Tauler erschlossen habe (ETM, 67).

[20] 1518 rühmt er die „Theologia Deutsch" in seiner Vorrede, ohne Tauler zu erwähnen (WA 1, 378 f). Damit hat er nicht seine 1516 getroffene Feststellung zurückgenommen, „die matery" der „Theologia Deutsch" sei „faßt nach der art des erleuchten doctors Tauleri, prediger ordens" (WA 1, 153).

[21] WA 1, 557, 25–32.

[22] LIBER TRIUM VIRORUM ET TRIUM SPIRITUALIUM VIRGINUM/ hrsg. von Jacobus Faber Stapulensis. Paris 1513; es vereinigt in lateinischer Fassung Schriften des Pastor Hermae (2. Jahrhundert), des Kanonikus Uguetinus, des Dominikaners Robert d' Uzès († 1296), der Hildegard von Bingen (1098–1179), der Elisabeth von Schönau (1129?–1164) und der Mechthild von Hackeborn (1241–1299); vgl. Max STEINMETZ: Thomas Müntzer und die Mystik: quellenkritische Bemerkungen. In: Bauer, Reich und Reformation = Festschrift für Günther Franz zum 80. Geburtstag am 23. Mai 1982/ hrsg. von Peter Blickle. Stuttgart 1982, 148–159.

[23] Belege bei Tauler unter „erwelen", bei Seuse unter „userwelen", „userwelt".

[24] MSB, 285, 33 – 286, 1. Müntzer bevorzugt das substantivische Adjektiv „Auserwählt" bei der Übersetzung biblischer Worte wie „sanctus", „iustus", „rectus"; er verwendet es an Stelle verschiedener biblischer Bezeichnungen des Gottesvolkes und seiner Glieder; vgl. Oskar Joh[annes] MEHL: Thomas Müntzer als Bibelübersetzer. Jena 1942, 48–50. – Jena, theol. Diss. 1942.

[25] MSB, 309, 39 – 310, 5. Zu „wunsamme" vgl. TPr, 83, 8; 120, 16.

[26] MSB, 163, 2 f. Die Verbindung „auserwählte Freunde Gottes" auch 21, 2 f; 22, 20; 218, 12. Bei Tauler und Seuse wird in den Registern unter „Gottesfreund" eine Reihe von Stellen nachgewiesen.

[27] MSB, 382, 12–14 (32). Kol. 1,9 nennt Müntzer auch MSB, 286, 26; 390, 8–10 (40); 418, 25 (57); 434, 16 (67); 521, 10. Weder Tauler noch die „Theologia Deutsch" zitieren Kol. 1,9.

[28] Vgl. Francis RAPP: Gottesfreunde. TRE 15 (1985), 98–100.

[29] Die Verben „entfremden", „entblößen", „entschlagen" (siehe unten Anm. 30) tauchen im Wortverzeichnis zu TPr nicht auf, hingegen im Wortverzeichnis zu Seuse: AaO.

[30] MSB, 306, 34–38; vgl. 307, 4–7: „in solcher emplo(e)ssung mu(o)ß ein prediger durch wunderliche weyß von jugent auff im untergang seyns willens getriben seyn". – Der „schaden der su(e)nd" (MSB, 305, 11–24), d. h. die verhängnisvolle Folge der in Adam geschehenen Sünde, liegt darin, daß nun „alle leybs lu(e)ste verhinderung der wirckung des heyligen geysts sind, sapi. 9 [Weish. 9,13–20]. Denselbigen schaden zu(o) erkennen und vermeyden mit ernstem entschlahen, sind alle tag des menschens schier zu kurtz, ecclesiastes am 2 [Pred. 2,1–11]". Vgl. MSB, 21,7; 304, 13 f b.

[31] MSB, 520, 7; 304, 14 b; vgl. 220.25; 286, 19; 298, 11; 318, 11.

[32] MSB, 287, 6–11. 18–28; vgl. 272, 13–17; 301, 8 f.

[33] MSB, 404, 18 f; 419,3 f.

[34] Vgl. Reinhard SCHWARZ: Die apokalyptische Theologie Thomas Müntzers und der Taboriten. Tübingen 1977, 116–118.

[35] MSB,426, 4–6. Für Tauler und Seuse vgl. dort das Wortverzeichnis.

[36] MSB, 164, 34 f; 245, 20; 247, 13; 284, 10; 286, 36; 289, 9; 294; 31, 295, 31; 296, 11; 299, 26; 301, 38; 304, 10; 498, 3. – 33, 15 übersetzt Müntzer bei Ps. 24 / 25,7 „ignorantiae" mit „grobheyt". In demselben Sinne wie Müntzer an den genannten Stellen verwendet Tauler das Adjektiv „grob" (TPr, 195, 21 f).

[37] MSB, 164, 7; 418,32 (57) hat „grob" etwa die Bedeutung von „handgreiflich, sinnenhaft, ungeistlich". Diese Bedeutung überwiegt in Taulers Verwendung von „grob".

[38] MSB, 164, 35 f; vgl. 162, 24: „. . . , biß das wir entgro(e)bet werden von unser angenommen weiße."

[39] Für Tauler ist „entgro(e)ben" nicht nachgewiesen, aber für Seuse: AaO, 94, 24; 158, 9; 327, 20.

[40] WA 15, 396, 22–24.

[41] WA 18, 71, 3–8; 101, 6–10; 137, 7–9; 138, 13 f; 178, 23–29; vgl. 179, 23.

[42] WA Br 3, 508, 35 f (874), 23. Mai 1525.

[43] WA TR 1, 599, 3–11 (1204).

[44] WA TR 3, 14, 4–9 (2837 a); 15, 8–15 (2837 b); 4, 483, 9–15 (4774).

[45] MSB, 391, 23–26 (40).

[46] Bei „angustia mentis" ist weniger deutlich, inwiefern es sich dabei um einen strittigen Ausdruck handeln könnte, da Luther die Anfechtung stets als unvermeidlich zum christlichen Leben gehörig angesehen hat.

[47] Bei Ps. 92 / 93,5b übersetzt Müntzer allerdings „longitudo dierum" mit „lanckweil seyner tage" (MSB, 115, 17 f).

[48] MSB, 391,26 f. Im Falle von „grob" und „entgroben" hätte sich Müntzer womöglich auf biblische Sätze mit den Worten „rudis" und „erudire" berufen.

[49] So spricht z. B. Hans HUT: Ain Christliche underrichtung, wie die Go(e)tlich geschrifft vergleycht . . .

soll werden ... [Augsburg: Ulhart, 1527], B 2ᵛ, davon, daß auf dem Weg des geistlichen Lebens „der mensch entgrobet, behawen und beschnitten wirt zum hawß Gottes von aller lust und lieb der welt und aller Creaturen". Andererseits wird „der mensch durch die lüst und lieb [scil. der Creaturen] verfinstert und grob" (B 3ᵛ); vgl. B 1ʳ: „grob werden ... durch die belustigung und lieb zu(o) den Creaturen"; und A 4ᵛ: „alle gescho(e)pff und Creatur werden grob durch den einzug und das annemen der Creatur in sich".

[50] Von den Zwickauer Propheten ist uns zuwenig über ihre Auffassung des geistlichen Lebens überliefert, um sie in diesen historischen Kontext genauer einordnen zu können.

[51] Über das eigentümliche Vokabular hat sich auch Johannes Agricola an etlichen Stellen seiner Gegenschrift „Auslegung des XIX. Psalm" (Die lutherischen Pamphlete gegen Thomas Müntzer/ hrsg. von Ludwig Fischer. München / Tübingen 1976, 43–78) gegen Müntzers Auslegung von Ps. 18 / 19 (MSB, 402–404 [49]) mokiert.

[52] MSB, 234, 30 – 235, 5.

[53] MSB, 504, 24–26.

[54] MSB, 528, 9 f.

[55] MSB, 528, 3–12; vgl. 404, 20–24, Paulus habe 2. Tim. 3,2–5 angekündigt: „Es werden die leute wollustig seyn, liebhaber der luste und werden sagen, man konne das werk Gottes nicht erleyden, nicht verstehen, das ist sie werden verleugnen die studierung, die betrachtung des gesetzs, das das werk Gottes erkant wird." Das Gesetz Gottes in seiner Unbedingtheit findet Müntzer im Gottessohn offenbart.

[56] TPr, 260, 13–18; vgl. Seuse: AaO, 256, 16–23; 376, 21–23.

[57] MSB, 251,10 f.

[58] MSB, 251, 12.

[59] MSB, 298, 29–35; vgl. 22, 5–11; 220, 30–33; 231, 16–19; 312, 6–18; 402, 21–23.

[60] MSB, 272, 12–17; vgl. im Kontext das Zitat Jes. 66,2.

[61] MSB, 274, 1–9. Falls Müntzer hier auch auf die Frage Marias an den Engel (Luk. 1,34), wie denn das angekündigte Werk Gottes an ihr möglich sein sollte, anspielt, so ist damit ein gleichzeitiger Bezug auf Luk. 1,29 nicht ausgeschlossen. Dem Werk Gottes, das im Hinblick auf ihr eigenes Vermögen „unmöglich" erscheint, sieht Maria mit der „Verwunderung" der Gottesfurcht entgegen; vgl. MSB, 271, 33 – 272, 17; 318, 1–7.

[62] Siehe oben Seite 286. Der Satz MSB, 402, 21–28 nimmt den vorhergehenden Satz 402, 19–21 auf, so daß hier die „verwunderung" dem „geyst der forcht Gottes" korrespondiert.

[63] Jacob und Wilhelm Grimm: Deutsches Wörterbuch. Bd. 12 I. Leipzig 1956, 2374–2378, belegt aus lexikalischen Werken einerseits für „torpor": „angst, virwonderunghe" und andererseits für „verwunderung, wunderung, erschrecken, erschrecknusz": „stupor"; außerdem der Beleg aus Hans von Gersdorff: Feldbuch der Wundarznei. Straßburg 1517, 88ᵛ: „stupor ist ein gähe verwunderung, minderung des sinns und gemüts". Luther übersetzt 1522 Luk. 2,47 f: Stupebant autem omnes ... Et videntes admirati sunt": „alle ... wunderten sich [ab 1526: verwunderten sich] ... Und ... entsatzten ... sich" (WA DB 6, 220).

[64] TPr, 286, 21 f zitiert Jer. 2,12 („Obstupescite, caeli"): „ir himele, verwunderent und verbildent úch".

[65] Vgl. z. B. auch Simon Haferitz: Ein Sermon vom Fest der heiligen drei Könige. [Eilenburg] 1524: „ ... das lebendige wort Gottis, wilchs die freund Gotis mit hocher verwunderung werden empfahen, wirt aller welt wollust zu boden stossen" (Flugschriften der frühen Reformationsbewegung: 1518–1524. Bd. 1/ hrsg. von Adolf Laube und Annerose Schneider unter Mitwirkung von Sigrid Looß. Berlin 1983, 322, 14–16).

[66] MSB, 300, 25–31.

[67] MSB, 252, 3 f.

[68] MSB, 419, 5; vgl. 403, 23.

[69] MSB, 300, 34 – 301, 2 mit Verweis auf Ps. 39 / 40,2 („Expectans exspectavi"); vgl. 282, 7–11. Der Glaube ist selbst für Menschen wie Maria, Elisabeth, Zacharias ein derart unbegreifliches Gotteswerk, daß „eynem nu(e)chtern, langweyligen [also schon den Lüsten abgekehrten], ernsten, biddern, wolversuchten [wohlerfahrenen, anfechtungsbewährten] menschen, der achtung drauff hat, die hare auffm haupt mo(e)chten krachen [knistern]" (MSB, 281, 7–11).

[70] MSB, 403, 17–24.

[71] Siehe z. B. TPr, 105, 5–16: „hu(e)tent úch vor ... der geselleschaft und kurtzewile der worte, der werg, der wisen ...; anders sicher, ir verjagent und verlierent den heiligen geist alzu(o)mole ...

o minnenclicher Got, wie mag daz sin . . . das die leidige versto(e)rende, verterbende, to(e)tende, un-sinnige creature, das du an der lust und genu(e)gede solt vinden und kurtzewile und fro(e)iden und frieden, und vertribest daz edel luter gu(o)t daz dich geschaffen hat, und tribest uz dime hertzen den minneclichen heilgen geist." Belege sind ebenso bei Seuse zu finden.

[72] Bei Tauler findet sich mehrfach das Verb „vermanecvaltigen", außerdem das Adjektiv „manecval-tec" und das Substantiv „manecvaltecheit"; Adjektiv und Substantiv auch bei Seuse.

[73] MSB, 334, 24 f.

[74] MSB, 219, 23–26.

[75] MSB, 334, 17–26.

[76] Vgl. „Theologia Deutsch", cap. 9 („Der Franckforter", 81, 12–14. 18–21).

[77] So z. B. MSB, 251, 7.

[78] So z. B. MSB, 280, 13 f.

[79] MSB, 496, 2.

[80] MSB, 307, 1.

[81] So an den oben in Anm. 77–80 genannten Stellen.

[82] MSB, 235, 20: „im grunde der selen"; 291, 20 f: „im grund seynes hertzens".

[83] Zum Terminus „Abgrund" oder „Grund der Seele" bei Tauler vgl. Paul WYSER: Der Seelengrund in Taulers Predigten. In: Lebendiges Mittelalter = Festgabe für Wolfgang Stammler/ hrsg. von der Philosophischen Fakultät der Universität Freiburg (Schweiz), 1958, 204–311; Teilabdruck (Kap. 2 [aaO, 216–242]) in: Altdeutsche und Altniederländische Mystik/ hrsg. von Kurt Ruh. Darmstadt 1964, 324–352 / Platonismus in der Philosophie des Mittelalters/ hrsg. von Werner Beierwaltes. Darmstadt 1969, 381–409.

[84] MSB, 306, 37 – 307, 2.

[85] Siehe oben Seite 289.

[86] MSB, 235, 19 f.

[87] MSB, 272, 37–40.

[88] So z. B. MSB, 233, 27–31.

[89] MSB, 187, 11 – 188, 2 (Gebet der Weihnachtsmesse): „O gu(e)ttiger Gott, ero(e)ffne uns den ab-grundt unser selen, das wir die unsterblichkeit unsers gemu(e)tes mu(e)gen vornemen durch die new gepurt deynes sones in der krafft seynes fleyschs und thewren bluts, . . ."

[90] Hugo RAHNER: Die Gottesgeburt: die Lehre der Kirchenväter von der Geburt Christi im Herzen der Gläubigen. Zeitschrift für kath. Theologie 59 (1935), 333–418.

[91] TPr, 7, 16–21.

[92] TPr, 300, 10–17.

[93] TPr, 300, 17–27.

[94] TPr, 192, 13–18; 302, 11–16; 303, 13 f: „kere dich in diesen grunt und blip dobi, und nim war der vetterlichen stimmen die in dir ru(o)ffet: die ru(o)ffet dich in sich."

[95] MSB, 210, 34 – 211, 2; vgl. 298, 16–27.

[96] MSB, 251, 7 f; vgl. 251, 3 f: Der Mensch, der sich dem Wirken Gottes öffnet, „wu(e)rde balde empfynden die wirckung go(e)ttlichs wordts auß seynem hertzen quellen, Joan. 4 [Joh. 4,14]"; 251, 15 f: Paulus redet in Röm. 10,8.20 – wo er Deut. 30,14 und Jes. 65,1 zitiert –, „do vom innerlichen worte zu ho(e)ren in dem abgrund der selen durch die offenbarung Gottis".

[97] MSB, 237, 9 f.

[98] MSB, 498, 28 f („anspricht" ist in „ausspricht" zu verbessern).

[99] MSB, 297, 8–12.

[100] MSB, 331, 4–11 (die Interpunktion ist zu ändern, so daß Zeile 4 mit „welichem" das Satzgefüge und Zeile 8 mit „Der" der dazugehörige Hauptsatz beginnt).

[101] MSB, 251, 16–19. Röm. 8,16 zitiert Müntzer auch MSB, 224, 7; 390, 27 (40); 492, 14 f; 496, 26 – 497, 2; 506, 12 f; vgl. 145, 1–6.

[102] TPr, 401, 20–24; vgl. 24, 27–32; 44, 16–32; 91, 30–92, 4; 173, 4 f.

[103] So z. B. im „Prager Manifest" und in der „Protestation oder Erbietung" (vor allem MSB, 229, 15–29).

[104] Vgl. Schwarz: AaO, 10–34.

[105] MSB, 398, 13–16.

[106] WA 5, 68, 16–20 / AWA 2, 106, 3–7; WA 6, 411, 25–30; 460, 30–36; 8, 415, 30–36; 424, 5–10 (bzw. 486, 34 – 487, 2; 497, 3–7).

[107] Die Auseinandersetzung mit Karlstadt und Müntzer nötigte ihn dann, den Zusammenhang zwischen

der äußeren Wortvermittlung und der unmittelbaren Gotteserfahrung des Glaubens zu unterstreichen (vgl. WA 18, 136, 19–23; 139, 23 f; 30 III, 88, 24–31; 164, 15 – 165, 6).

[108] MSB, 252, 31 – 253, 1: „Desselbigen [scil. des ‚Gottis gezeugnis'] wirt er itzt gewar in den teilen durch bildreiche weyse, itzt auch im gantzen im abgrund des hertzen, 1. Corint. 13 [1. Kor. 13,9–12]."

[109] MSB, 252, 10–21.

[110] MSB, 252, 12 f.

[111] MSB, 253, 1–4.

[112] MSB, 253, 6–9.

[113] Luther übersetzt 1522 mit „stuckwerk" (WA DB 7, 122).

[114] MSB, 491, 13 f und 496, 12–16 sind nach 506, 1–4 zu interpretieren. Ergänzend zu 1. Kor. 13[,9–13] verweist Müntzer 496, 15 noch auf Luk. 6 und Eph. 4; er denkt vermutlich an Luk. 6,38 und Eph. 4,13; vgl. die Kombination von Luk. 6 und Eph. 4 bei MSB, 240, 13 f am Rande.

[115] Vgl. die von Tauler häufig ausgesprochene Aufforderung, sich auch von den bildhaften Vorstellungen zu lösen und zu höheren, bildlosen Geisterfahrungen aufzusteigen; Seuses Leben, cap. 49: „Ein gelassener mensch mu(o)ss entbildet werden von der creatur, gebildet werden mit Cristo, und u(e)berbildet in der gotheit" (Seuse: AaO, 168, 9 f).

[116] 1. Kor. 13,10 wird „Theologia Deutsch", cap. 1. 18. 53 („Der Franckforter", 71, 1 f; 95, 9–11; 150, 31 f) zitiert.

[117] Ebd, cap. 1 (aaO, 71, 3–5).

[118] Ebd, cap. 1 (aaO, 71, 8 f).

[119] Ebd, cap. 1 (aaO, 72, 27–30).

[120] Ebd, cap. 18 (aaO, 95, 2 f. 19 f); 95, 9–13 wird der Begriff des Vollkommenen (perfectum) in 1. Kor. 13,10 durch den Begriff des Ganzen erläutert, wie auf der Gegenseite das Geteilte durch das Unvollkommene bzw. die „Teilung" durch die „Unvollkommenheit" interpretiert wird.

[121] Ebd, cap. 53 (aaO, 150, 26–30).

[122] MSB, 418, 23.

[123] MSB, 418, 23–26; zu dem Verweis auf Kol. 1,9 siehe oben Anm. 27.

[124] MSB, 418, 25 f: „..., aber das werk gottis fleusset aus dem ganzen und alle seynen teylen." Schwer erklärlich ist es, wie Müntzer trotz der Differenz zwischen dem Ganzen und den Teilen hier noch die Wendung „und alle seynen teylen" anfügen kann. Ist der Text verderbt? Oder meint Müntzer, daß Gottes Werk im Menschen nicht nur von der Ganzheitserfahrung, sondern auch von Partikularerfahrungen des Willens Gottes ausgeht oder daß nicht nur Gott selber, sondern auch seine Geschöpfe seinen Willen ins Werk setzen? Interpretationsschwierigkeiten bereitet auch MSB, 534, 15–18.

[125] MSB, 397, 25–29 (46).

[126] MSB, 397, 31 f (46).

[127] MSB, 234, 14–17; vgl. 165, 3–7; 308, 26–28; 318, 29 f; 399, 6–9 (47); 529, 17–21. Illustrativ ist dazu Jörg Haug: Ain Christlich ordenung aines warhafftigen Christen zu(o) verantwurtten die ankunfft seynes glaubens. [Augsburg: Ulhart, um 1526], B 4ʳ: Wer im Geist der Gotteserkenntnis „erfaren ist, dem ist offenbar, das alle tayl, so auß Got und von Got abgangen, wider ins gantz, das ist in iren ursprungk kommen und bracht werden . . . daher sy alle urspringklich geflossen seind. . . . Die gantz kunst Gottes steet im gegentayl des, das die welt liebt, das ist im Creutz und absterben; hierunder wirt sy beweyßt in der rechten Maysterschafft, im nachfolgen des gecreutzigten Christi".

[128] Tauler und Seuse nehmen auf 1. Kor. 13,9–12 keinen Bezug.

[129] Die Perikope Jes. 11,1–5 verwendet Müntzer statt der Epistellesung in seiner Adventsmesse, MSB, 169, 15–27; an diese Perikope – bzw. an Jes. 11,1–9 – denkt er offenbar auch MSB, 316, 10f. Ein direkter Verweis auf Jes. 11,2 erfolgt MSB, 327, 4; speziell auf Jes. 11,2 bezieht sich vielleicht auch der Marginalverweis bei MSB, 238, 33.

[130] Vgl. Karl Boeckl: Die sieben Gaben des Heiligen Geistes in ihrer Bedeutung für die Mystik nach der Theologie des 13. und 14. Jahrhunderts. Freiburg 1931; Gustav Bardy u. a.: Dons du Saint Esprit. Dictionnaire de spiritualité, ascétique et mystique. Bd. 3. Paris 1957, 1579–1641.

[131] Daß er die Gabe der scientia ebenso wie Tauler als die „Kunst" („Kunst Gottes") bezeichnet, entspricht der damals völlig selbstverständlichen Übersetzung von „scientia".

[132] TPr, 105, 32 – 109, 32; 194, 1–21; 301, 31 – 302, 5.

[133] MSB, 496, 7–9; vgl. 491, 10 f: „... eyn auserwelter musz haben den heyligen geyst czu syben maln"; 505, 14 f: „... disiderunt spiritum sanctum septies, et nisi quis toties eodem perfusus fuerit, deum audire et intelligere minime potest." Vgl. 508, 11 f, wo für das „septiforme numen" eher auf Jes. 11,2 als auf Offb. 1,4 zu verweisen ist.

[134] MSB, 381, 27–30 (31).

[135] MSB, 499, 31 – 500, 2; vgl. 492,11 f: „. . ., am dritten tage der besprengungk: wan den menschen ore vornunft wyrt ero(e)ffnet, . . ." Im Kontext erwähnt Müntzer, daß Gott nach Jer. 31,33 und Ez. 11,19 f sein Gesetz dem Menschen in die Vernunft schreibt, „so er andrst aufgethane vornunfft hatt" (492,9 f), dazu vgl. 381, 29 f (31); 508, 2–4: „Populus·autem dei tertio aspersus die vehementer lavari septimo desiderat, dum sentiat constantissimum testimonium in corde." Aus Num. 19 kommen die Verse 12 und 19 in Frage; vgl. Num. 31,19.24; MSB, 301, 2 f. 29–32. Tauler kennt diese metaphorische Rede von einer Besprengung durch den Heiligen Geist nicht.

[136] Karlstadt spricht in „Vrsachen das And: Carolstat ein zeyt still geschwigen" von einer siebenfachen Besprengung als Ausdruck der völligen Läuterung des Menschen in Analogie zum siebenfach geläuterten Silber (Ps. 11 / 12,7 – Andreas Bodenstein aus Karlstadt: Karlstadts Schriften aus den Jahren 1523–25/ ausgew. und hrsg. von Erich Hertzsch. Bd. 1. Halle (Saale) 1956, 15, 16–37).

[137] MSB, 206, 5–7.

[138] An vier Stellen nimmt Müntzer auf Pred. 10,1 Bezug: MSB, 253, 4–6; 390, 14 f (40); 410, 28 f (54); 527, 2 f. MSB, 283, 13–19 spricht er von „der gottlosen, unsinnigen menschen regiment und o(e)berkeyt" mit ihrem „toben und wu(e)tten . . . wider Got und alle seyne gesalbten, psal. 2 [Ps. 2,1–3], 1. Johan. 2 [1. Joh. 2, 16–27, vor allem 20.27]". Auf 1. Joh. 2,27 („unctio eius docet vos de omnibus") wäre auch MSB 390, 14 f (40) zu verweisen; vgl. auch 528, 9 f („das man auß der salbung des ge[i]st[es] studiren muß").

[139] Müntzers Anhänger Haug behandelt in seinem Traktat (siehe oben Anm. 127) alle sieben Geistesgaben.

[140] MSB, 407, 8; vgl. Thomas von Aquino: Summa theologiae, p. 2 II qu. 9 (ders.: Opera omnia/ iussu impensaque Leonis XIII. P. M. edita. Bd. 8. Romae 1895, 74–77). Eine sachliche Unterscheidung zwischen der „Kunst Gottes" und der Weisheit ist bei Müntzer nicht klar zu erkennen.

[141] Sowohl das Adjektiv „gelassen" als auch das Substantiv „Gelassenheit" begegnen bei Tauler und Seuse häufig und in der „Theologia Deutsch" mehrfach.

[142] MSB, 454, 19 f (75): „Wan euer nuhr drey ist, die in Gott gelassen allein seynen nahmen und ehre suchen, werdet ir hundert tausent nit furchten"; vgl. 454, 4 f (75). Entsprechend ist 435, 14–16 „in der forcht" und „gelassen gestanden" zusammenzulesen.

[143] MSB, 21,9 f: „Nach der swacheyth, dye dye auserwelten menschen yn der gelassenheyt haben, gibt er yhn unde zeuth sye an mit der stercke [vgl. Ps. 92/93,1], dye von ym apgehet [vgl. Mark. 5,30; Luk. 8,46]."

[144] MSB, 21,4 f; 22, 22–29.

[145] MSB, 308, 31–38.

[146] MSB, 380, 25 f (31): „Nullum preceptum (ut sic dicam) angustius stringit christianum quam sanctificatio nostra [vgl. 1. Thess. 4,3]."

Thomas Müntzer und der Humanismus[1]

Von Ulrich Bubenheimer

I Einleitung: Forschungsgegenstand, Quellenlage, Fragestellungen

Das apodiktische Urteil von Irmgard Höß, daß Thomas Müntzer „niemals ... Humanist gewesen ist",[2] kann auch heute noch als repräsentativ für die Stellung des Großteils der Müntzerforscher zum Thema „Müntzer und der Humanismus" gelten. In den meisten Veröffentlichungen kommt der Humanismus allerdings überhaupt nicht vor. Vereinzelt wird Müntzer negativ vom Humanismus abgegrenzt. So beschreibt Hubert Kirchner Müntzers Auseinandersetzung mit dem Erasmianer Johannes Sylvius Egranus als implizite Auseinandersetzung mit Desiderius Erasmus.[3] Der methodisch wichtige Sachverhalt, daß eine Auseinandersetzung mit dem erasmischen Humanismus eine eigene humanistische Herkunft und Prägung Müntzers nicht ausschließen muß, wird weder hier noch später in der breiten Darstellung der Kontroverse Müntzer – Egranus von Walter Elliger[4] berücksichtigt. Wolfgang Ullmann spitzt schließlich, ohne allerdings Bildungselemente aus humanistischer Tradition bei Müntzer zu verneinen, dessen Gegensatz zum Humanismus zu: Er sieht Müntzer in prinzipiellem Gegensatz zum zeitgenössischen „philologisch-theologischen Humanismus" schlechthin, zu Martin Luthers und Philipp Melanchthons Ausprägung des philologischen „Schriftgelehrtentums" ebenso wie zu derjenigen des Erasmus.[5] Im großen und ganzen scheint sich weder der Revolutionär noch der Mystiker oder Apokalyptiker im Bild der jeweiligen Autoren mit einem „Humanisten Müntzer" zu vertragen, d. h. mit einem Müntzer, der sowohl eine nennenswerte humanistische Bildung genossen haben als auch von dieser nachhaltig geprägt worden sein könnte.

In dem 1976 von Hans-Jürgen Goertz verfaßten Bericht über die Müntzerforschung des 20. Jahrhunderts taucht das Thema „Müntzer und der Humanismus" weder in den Literaturreferaten noch in den von Goertz benannten Forschungsdesideraten auf.[6] Symptomatisch für diese Situation ist das Buch von Marianne Schaub, die eine philosophiegeschichtliche Einordnung Müntzers zu bieten beansprucht und dabei den Humanismus im Blick auf Müntzer ignoriert,[7] obwohl der Humanismus auch die Philosophie jener Zeit entscheidend geprägt hat.

Das Verdienst, die Klärung von Müntzers Verhältnis zum Humanismus als eine wesentliche Forschungsaufgabe formuliert zu haben, kommt Max Steinmetz zu. Seit 1969 hat er mehrfach thetisch auf phänomenologische Parallelen zwischen Müntzerischen und humanistischen Theoremen aufmerksam gemacht und gefordert, die von ihm vermutete Beeinflussung Müntzers durch den Humanismus aufzuarbeiten.[8] Erste Ansätze eines konkreten Nachweises der Humanismusrezeption Müntzers machte Steinmetz selbst im Rahmen des Versuchs einer systematischen Zusammenstellung der von Müntzer gelesenen, zitierten oder erwähnten Schriftsteller.[9] Leider konnte Steinmetz den größeren Teil der von ihm formulierten Gedanken nicht über die heuristische Ebene der Hypothesenbildung hinausführen. Von anderen Müntzerforschern wurden sie vereinzelt aufgenommen,[10] aber kaum weitergeführt. Der Philosophiehistoriker Alexander Kolesnyk hat 1975 Steinmetz' Thesen wiederholt und dabei gefordert, Müntzers Platonrezeption näher zu untersuchen.[11]

Eine weitere Konkretion lieferten Renate Drucker und Bernd Rüdiger in einem Beitrag über Müntzers Studium in Leipzig, in dem sie den damals auch dort vertretenen Frühhumanismus als einen für Müntzer möglicherweise relevanten Faktor ins Auge faßten. Mit Hermann von dem Busche (in Leipzig 1503–1507) und Johannes Rhagius Aesticampianus (Leipzig 1508–1511) haben sie zwei potentielle Lehrer Müntzers benannt.[12] Damit haben sie in eine Richtung gewiesen, die im vorliegenden Aufsatz durch den Nachweis einer konkreten Studienbegegnung Müntzers mit Aesticampianus – allerdings nicht in Leipzig, sondern in Wittenberg – als richtig bestätigt werden kann.

Wie sehr die Müntzerforschung beim Thema „Humanismus" in Vorurteilen gefangen ist, spiegelt sich nicht zuletzt im editorischen Standard wieder. Die wichtigsten Texte, die einen direkten Einblick in die humanistische Bildung und die einschlägigen Interessen Müntzers geben könnten, sind nicht ediert. Günther Franz hat sie in seiner sogenannten „Kritischen Gesamtausgabe" weggelassen. Auch danach hat man sich wenig um diese Quellen bemüht, die immerhin in Form einer Faksimileausgabe der Handschriften zugänglich waren. Bekannte Handschriften blieben somit unbekannte Quellen:

1. In dem berühmten einst Dresdener, jetzt Moskauer Müntzerfaszikel,[13] dessen Grundbestand auf den in Mühlhausen beschlagnahmten literarischen Nachlaß Müntzers zurückgeht,[14] befinden sich mehrere noch unedierte Stücke, darunter sogar Müntzerautographen. Dazu gehört eine von Müntzers Hand geschriebene Aufstellung der Schriften Platons,[15] von Franz als ein aus der Platonausgabe Marsilio Ficinos vermeintlich nur abgeschriebenes Inhaltsverzeichnis beiseite gestellt.[16]

2. Zu diesem Verzeichnis der Schriften Platons schien inhaltlich ein Müntzerautograph[17] zu passen, das Franz „Auszüge über Plato" nannte,[18] in der Meinung, daß es sich nur um von Müntzer gefertigte Abschriften oder Exzerpte handle. Dieses falsche Urteil läßt eine nur fragmentarische Entzifferung des Textes erkennen. Der so stiefmütterlich behandelte Text kann hier als die vorläufig einzige Aufzeichnung Müntzers aus seinen im dunklen liegenden Universitätsstudien vorgestellt werden. Bei den „Auszügen" handelt es sich um eine Wittenberger Vorlesungsnachschrift Müntzers und damit um eine erstrangige Quelle für die Biographie und Bildung Müntzers.

3. Nicht nur eine Untersuchung der Quellen, die Müntzers eigene Bildung dokumentieren, verspricht Aufschluß über Müntzers Verhältnis zum Humanismus. Ebenso wichtig sind in diesem Rahmen die Quellen, die mit der Tätigkeit Müntzers als Lehrer und damit als eines möglichen Multiplikators humanistischer Bildung zusammenhängen. In dem genannten Müntzerfaszikel befinden sich auch mehrere von Schülern Müntzers geschriebene Texte,[19] die bisher noch nicht als für die Müntzerforschung editionswert eingestuft wurden.

4. Aus Müntzers reichhaltigen Randbemerkungen zur Tertullianausgabe des Beatus Rhenanus lieferte Franz nur wenige Stichproben.[20] Die Forschung konnte damit nichts anfangen, da Franz die zugehörigen Textstellen, auf die sich Müntzer jeweils bezieht, nicht bezeichnet hat. Schon die Art der Benutzung einer humanistischen Kirchenväterausgabe durch Müntzer wäre für sich interessant genug.[21] Die Randbemerkungen betreffen aber nicht nur den Tertulliantext. Mit Müntzers Glossen zu den der Ausgabe vorangestellten Beigaben des Beatus Rhenanus – Widmungsvorrede, „Vita Tertulliani", „Admonitio ad lectorem de quibusdam Tertulliani dogmatis" – besitzen wir die unmittelbare Stellungnahme Müntzers zu den Ausführungen eines zeitgenössischen Erasmianers.

Das in sich heterogene Quellenmaterial und die Vielfalt der in diesen Quellen angesprochenen Themen stellt den Forscher vor eine doppelte Aufgabe: *Erstens* muß eine allgemeine inhaltliche Definition des „Humanismus" gegeben werden, die eine Abgrenzung der im Rahmen des Themas „Müntzer und der Humanismus" zu untersuchenden Phänomene ermöglicht. *Zweitens* muß in dem so abgesteckten weiten Feld des Humanismus nach den konkreten Varianten des Humanistischen gesucht werden, denen Müntzer begegnet ist.

Unter dem Stichwort „Humanismus" steht hier nur der Renaissance-Humanismus zur Debatte. Als einen gemeinsamen Nenner des Renaissance-Humanismus setze ich hier ein philologisches und pädagogisches Ideal voraus, gemäß dem die studia humanitatis an den klassischen Quellen der Antike orientiert wurden. Ins Zentrum dieser Studien rückte die eloquentia. Ein Programm der Einheit von Gelehrsamkeit und rechtem Leben, von philologischer Bildung und moralischer Integrität sollte über die Pflege der Rhetorik verwirklicht werden, die nach antikem Vorbild nicht nur die Redekunst im engeren Sinn umfaßte, sondern Pädagogik und Ethik einschloß.[22] Diese den Humanisten gemeinsame Zielsetzung konnte mit verschiedenen philosophischen, theologischen und politischen Inhalten gefüllt werden.

Soweit in der Literatur Müntzers Verhältnis zum Humanismus bisher überhaupt angesprochen wurde, war meistens pauschal von „dem Humanismus" oder „den Humanisten" die Rede. Eine Ausnahme bildete die Darstellung der Kontroverse Müntzer – Egranus, insofern Egranus als Erasmianer eingestuft wurde. Eine differenziertere Unterscheidung verschiedener Erscheinungsformen des Humanismus, wie sie in der Humanismusforschung mittlerweile erreicht ist,[23] wurde in der Müntzerforschung noch nicht rezipiert. Die Differenzierung der humanistischen Einflüsse, die Müntzer erreichten, in verschiedene Traditionsstränge wird eine Aufgabe künftiger Forschung sein. Hier kann nur an einzelnen Beispielen darauf aufmerksam gemacht werden, daß Müntzer dem Humanismus nicht in einer einzigen und einheitlichen Ausprägung begegnete. In Aesticampianus traf Müntzer auf einen Vertreter des deutschen Frühhumanismus, der wiederum durch seine Studien in Italien Elemente des italienischen Humanismus weitertradierte, u. a. die Hochschätzung Platons. Über die Lektüre der Platonausgabe Ficinos begegnete Müntzer auch direkt dem Neuplatonismus der italienischen Renaissance. Wie zu zeigen sein wird, lassen sich bei Müntzer auch Erasmische Einflüsse nachweisen. In Egranus und Beatus Rhenanus begegnete er Humanisten, die als Erasmianer gelten, wobei man allerdings nicht von vornherein voraussetzen darf, daß die Anschauungen eines sogenannten Erasmianers mit denen des Erasmus deckungsgleich sein müßten. Wie komplex die humanistischen Strömungen miteinander verflochten sind, zeigt beispielhaft die Gestalt des Aesticampianus. In Leipzig ging er 1508 mit einer Hieronymusvorlesung programmatisch vom Studium der „heidnischen" Quellen zum Studium der „heiligen Schriften" über in der Absicht, die antiken Klassiker für die Theologie fruchtbar zu machen und die studia humanitatis auf das ewige Heil auszurichten.[24] Das Vorbild des Erasmus ist hier zu erkennen, der einige Jahre zuvor einen vergleichbaren Weg gegangen war.

Die skizzierte Forschungs- und Quellenlage zwingt zu inhaltlicher und methodischer Begrenzung des Themas. Die markierte große Lücke der Müntzerforschung kann nicht in einem Aufsatz ausgefüllt werden. Es ist nicht an der Zeit, zusammenfassende Ergebnisse und Deutungen über den „Humanisten Müntzer" liefern zu wollen. Zuerst müssen die genannten Quellen bekannt gemacht und wenigstens begrenzt aufgearbeitet werden mit dem Ziel, die Bedeutung des Humanismus für Müntzer exemplarisch nachzuweisen. Dies soll hier zunächst anhand einer Darstellung der zugänglichen Daten zur humanistischen Bildung Müntzers erfolgen. In diesem Rahmen wird der Wittenberger Vorlesungsnachschrift Müntzers ein besonderes Kapitel gewidmet. Der positive Niederschlag humanistischer Bildung in Müntzers Theologie wird an einem Beispiel systematisch dargestellt, nämlich an Müntzers mehrfach diskutiertem Begriff der Ordnung (ordo). Die andere Seite, nämlich die Abgrenzung Müntzers von Humanisten seiner Zeit, hat sich niedergeschlagen in seiner Auseinandersetzung mit Egranus und in seinen Randbemerkungen zu Beatus Rhenanus.

II Humanistische Bildung

Der biographische Hintergrund für Müntzers Bildungsweg, in dessen Verlauf er es bis zum Grad eines baccalaureus biblicus brachte, ist weitgehend unbekannt. Ein Studienaufenthalt Müntzers in Leipzig ab dem Wintersemester 1506/07 würde gut in den biographischen Kontext passen.[25] Gesichert ist, daß er im Wintersemester 1512/13 in Frankfurt an der Oder immatrikuliert wurde. Dort kann er allerhöchstens anderthalb Jahre studiert haben, da er im Mai 1514 bereits in Braunschweig ist. Im Wintersemester 1517/18 kann er an der Universität Wittenberg nachgewiesen werden. Hier erst wird seine Begegnung mit dem Frühhumanismus quellenmäßig greifbar.

Eine humanistische Schulung und entsprechende Interessen Müntzers haben sich deutlich in seinem schriftlichen Nachlaß niedergeschlagen. Griechischkenntnisse werden durch einige griechisch geschriebene Begriffe und Wendungen in seinen Aufzeichnungen und in der Korrespondenz belegt,[26] zuerst 1517/18 in der Wittenberger Vorlesungsnachschrift.[27] Einen Beleg für Hebräischkenntnisse Müntzers gibt es nicht,[28] aber eine von ihm hinterlassene Liste hebräischer Eigennamen[29] belegt doch das Humanisteninteresse an der hebraica veritas. Hier hat Müntzer bei seiner Bibellektüre – er las im ersten Samuelbuch und in Jeremia 32 – fortlaufend die hebräischen Eigennamen exzerpiert und ihnen lateinische, vereinzelt auch griechische oder deutsche Erklärungen beigegeben. Für die Worterklärungen hat Müntzer ein Onomasticon benützt, das in der Tradition des „Liber interpretationis hebraicorum nominum" des Hieronymus stand.[30]

In Müntzers nachgelassenen Briefschaften findet sich eine littera obscurata,[31] eine Nachahmung der durch die „Dunkelmännerbriefe" berühmt gewordenen humanistischen Gattung des pseudonymen Spottbriefs. Der Schreiber dieses unedierten und als littera obscurata bisher nicht erkannten Stücks[32] ist der Priester Mauritius Reinhart,[33] der in den Kreis von Müntzers Schülern und Korrespondenten gehört.[34] Reinhart unterzeichnet den Spottbrief, in dem er die Predigt der Franziskaner in Altenburg ironisiert, unter Verballhornung seines eigenen Nachnamens als „frater Langius Rumherius" („Bruder Lang, der Rühmer"). Den mit [15]20 datierten Brief scheint Reinhart bei Müntzer hinterlassen oder an diesen geschickt zu haben.

Humanistische Briefstellerei betreffen auch die einzigen, ebenfalls unedierten Stücke, die wir mit einiger Sicherheit auf Müntzers Privatunterricht zurückführen können. Bei Müntzer verblieben zwei Briefe des Ambrosius Emmen aus Jüterbog, der in Zwickau[35] und Allstedt[36] als Schüler und Helfer bei Müntzer war. Bei seinen Briefen handelt es sich um typische Übungsbriefe, deren fingiertes Thema die Notwendigkeit lateinischer Stilübungen ist. Die beiden Stücke – ein vielfach korrigierter Entwurf[37] und eine bessere Zweitfassung[38] desselben Übungsbriefs – geben einen Einblick, wie Müntzer seinem Schüler humanistischen Briefstil[39] beibrachte.

Diese Bruchstücke deuten bereits an: Müntzer besaß eine humanistische Bildung und gab solche auch weiter. Der Humanismus als eine der von Müntzer rezipierten geistigen Traditionen wird erkennbar auch in dem wenigen, was von der Lektüre und den Büchern Müntzers belegt oder erschließbar ist. Die Beschäftigung mit den neuen, von Humanisten herausgegebenen Kirchenväterausgaben ist für einen Mann mit dem Bildungsweg Müntzers selbstverständlich. Aus seiner Lektüre antiker Klassiker liegt mit dem von Müntzer geschriebenen Verzeichnis der Schriften Platons[40] ein bedeutsames Dokument vor. Wie Günther Franz erkannt hat,[41] basiert es auf der lateinischen Platonausgabe Marsilio Ficinos (1433–1499). Darüber hinaus läßt die Kollation der drei vor 1525 in Frage kommenden Ausgaben dieser Übersetzung[42] mit Müntzers Inhaltsverzeichnis erkennen, daß Müntzer den am 22. April 1517 in Venedig vollendeten Druck benützte.[43] Seine Inhaltsübersicht besteht aber nicht nur aus einer Abschrift der Tabula dieser Ausgabe.[44] In einem Fall geht die Titelformulierung Müntzers auf die Werkübersicht in Ficinos „Platonis vita" zurück,[45] die den Schriften Platons vorausgeht. In einem zweiten Fall läßt sich sogar nachweisen, daß sich Müntzer über die Lektüre der „Platonis vita" und das Exzerpt des Inhalts der Ausgabe hinaus auch mit Platonschriften dieser Ausgabe beschäftigt hat.[46] Platons „Politeia" erwähnt Müntzer 1524 in der „Ausgedrückten Entblößung des falschen Glaubens der ungetreuen Welt" zusammen mit dem „Goldenen Esel" (Metamorphoses) des Apuleius.[47] Im „Prager Manifest" benutzt Müntzer eine Metapher aus Vergils Aeneis.[48] Mauritius Reinhart setzt in seinem Brief an Müntzer vom Januar 1521 bei seinem Lehrer Kenntnis der „Facta et dicta memorabilia" des Valerius Maximus voraus.[49] Aus Müntzers Randbemerkungen zu seiner Wittenberger Vorlesungsnachschrift läßt sich noch die Beschäftigung mit den naturkundlichen „Collectanea rerum memorabilium" des C. Julius Solinus und mit der „Institutio oratoria" des Rhetors Marcus Fabius Quintilianus hinzufügen.[50]

Nur vereinzelte Belege gibt es für die vorauszusetzende Lektüre der Schriften zeitgenössischer Humanisten. Immerhin gehört dazu der älteste Druck, dessen Benützung durch Müntzer sich nachweisen läßt. Auf ein Notizblatt hat sich Müntzer zwei Zeilen aus den „Lucubraciunculae ornatissimae" des Straßburger Frühhumanisten Petrus Schott geschrieben. In diesem Epigramm spricht der Tod zum sterblichen Menschen:

„Den Bösen bin ich Schrecken, den Gerechten ersehnter Gewinn.
Jene schicke ich in die Qualen, diese in den Himmel."[51]

Aus einem dicken Band humanistischer Texte hat Müntzer hier bezeichnenderweise ein Zitat herausgenommen, das in seiner Kontrastierung von Bösen und Gerechten seinem Interesse an der Scheidung von Gottlosen und Auserwählten entgegenkam.

Zu Müntzers Buchbesitz gehörte die von dem Pariser Humanisten Jacobus Faber Stapulensis veranstaltete Ausgabe des frühchristlichen, visionären „Hirt des Hermas", die verbunden ist mit Werken von fünf Autoren aus dem Bereich mittelalterlicher Visionsliteratur.[52] Die mit zwei Widmungsvorreden des Humanisten eingeleitete Ausgabe verdient hier Erwähnung, weil sie ein auch im Blick auf Müntzer zu reflektierendes Muster der Verbindung von Humanismus und visionärer Mystik repräsentiert.

Müntzer begegnete der Gedankenwelt zeitgenössischer Humanisten allerdings nicht nur über Bücher. Eine einschlägige persönliche Begegnung des Lernenden soll nun anhand einer Wittenberger Vorlesungsnachschrift aufgezeigt werden.

III Eine Wittenberger Vorlesungsnachschrift Müntzers

Unter den in Mühlhausen beschlagnahmten Papieren Müntzers befindet sich ein Müntzerautograph,[53] das bislang nicht entziffert worden war.[54] Während Müntzer sonst eine regelmäßige und leicht lesbare Handschrift besaß, begegnet uns hier ein teilweise schwer entzifferbarer Text, der offensichtlich schnell und flüchtig niedergeschrieben wurde. Dementsprechend enthält er auch mehr Abkürzungen, als es sonst bei Müntzer üblich ist. Obendrein weist er·einzelne Verluste an den Rändern auf.

Auch der Textinhalt gab Rätsel auf; denn wir haben hier keinen fortlaufenden, in sich geschlossenen Text vor uns, vielmehr Notizen zu verschiedenen Einzelstichworten, deren innerer Zusammenhang zunächst unklar war. In längeren Scholien oder kürzeren Glossen werden vorwiegend biographische, natur- und sachkundliche oder auch sprachliche Erläuterungen zu einer Anzahl von Stichworten gegeben. Die Vermutung drängte sich auf, daß in Müntzers Aufzeichnungen ein darin nicht genannter Grundtext im Stil jener Zeit kommentiert wurde: Der Interpret griff einzelne Stichworte seines Textes heraus und knüpfte daran seine Erläuterungen. Müntzers Aufzeichnungen würden dann nur diese Stichworte mit den Erläuterungen bieten, nicht aber den zugehörigen Text selbst. Es war also der Text zu suchen, dem die Stichworte Müntzers entnommen sind. Eine lexikalische Erhebung zu Müntzers Stichworten erbrachte das Ergebnis, daß der nicht mitgelieferte Grundtext ein Brief des Kirchenvaters Hieronymus ist, nämlich die Epistula 53 ad Paulinum presbyterum.[55]

Hieronymus gibt im zweiten Teil des Briefs eine Anleitung zum Studium der Heiligen Schriften.[56] In einer Übersicht über die einzelnen biblischen Schriften wird hier kurz deren vorwiegend geistlicher Inhalt zusammengefaßt. Daher konnte das Schreiben, das im Mittelalter unter dem Titel „Epistola de omnibus divinae historiae libris" tradiert wurde, in den frühen lateinischen Bibeldrucken als Einleitung in die Heilige Schrift vorangestellt werden. Im ersten Teil des Briefs behandelt Hieronymus die Notwendigkeit, beim Studium einen Lehrer zu haben,[57] da die lebendige Stimme (viva vox) mehr Wirkungskraft habe als das geschriebene Wort.[58] Als Beispiele führt der Kirchenvater antike Gelehrte und biblische Gestalten vor.

Der Text des Hieronymusbriefs erschien 1517 als Separatdruck für Vorlesungszwecke bei Johann Rhau-Grunenberg in Wittenberg.[59] Dieser Druck ist mit weitem Zeilenabstand und breiten Rändern ausgestattet, damit die Studenten den Kommentar des Dozenten zwischen die Zeilen und auf den Rand schreiben konnten. Zwei Exemplare dieses Drucks konnten bislang nachgewiesen werden. Beide enthalten Vorlesungsnachschriften Wittenberger Studenten. Das erste Exemplar befindet sich in der Herzog August Bibliothek Wolfenbüttel[60] und ist von dem Studenten Kaspar Schmidt aus Siebenlehn, einem Schüler des Wittenberger Dozenten Aesticampianus, beschriftet worden.[61] Das zweite Exemplar, heute in der Stadtbibliothek Dessau,[62] enthält die Nachschrift Sigismund Reichenbachs aus Löbnitz,[63] zusammengebunden mit dessen Nachschriften weiterer Wittenberger Vorlesungen, darunter Luthers Römerbriefvorlesung.[64] Die weitgehende Übereinstimmung dieser Nachschriften mit den Aufzeichnungen Müntzers[65] liefert den Beweis, daß Müntzer in Wittenberg eine Vorlesung über den genannten Hieronymusbrief hörte und nachschrieb.

Der Dozent dieser Vorlesung war der Humanist Johannes Rhagius Aesticampianus (1457/58–1520), der zum 1. Oktober 1517[66] mit einer Schülerschar von Freiberg in Sachsen nach Wittenberg gekommen war. Hier wurde der weitgereiste Wanderlehrer, gekrönte Poet und Doktor der Theologie am 20. Oktober 1517 immatrikuliert.[67]

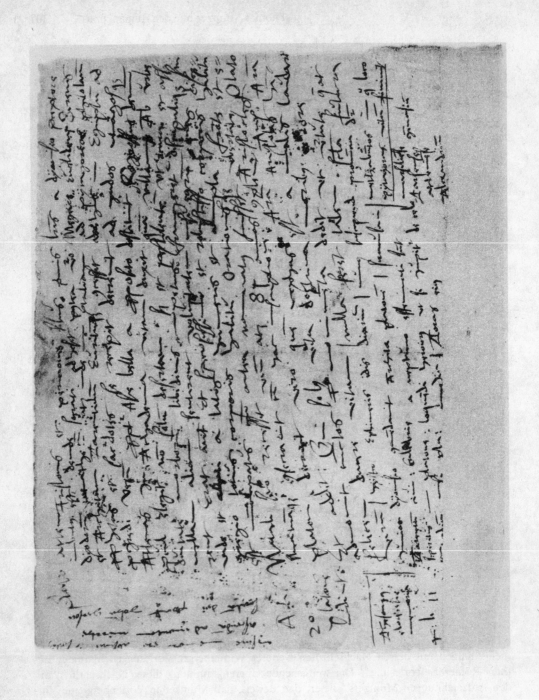

Im Zuge einer humanistischen Studienreform wurden in Wittenberg im Wintersemester 1517/18 drei neue Vorlesungen eingeführt: über die „Naturalis historia" von Plinius d. Ä., über die „Institutio oratoria" des Quintilianus und über die „Institutio de arte grammatica" des Priscianus.[68] Mit der Pliniusprofessur wurde Aesticampianus beauftragt.[69] Der Dozent beteiligte sich jedoch zunächst an den neuen Kirchenvätervorlesungen, für die Andreas Bodenstein aus Karlstadt in seiner Augustinvorlesung[70] warb: Während dieser selbst sein Kolleg über „De spiritu et littera" des Augustinus fortsetzte, lasen Petrus Lupinus über Ambrosius und Aesticampianus über Hieronymus.[71] Aesticampianus hielt seine Hieronymusvorlesung etwa ein Jahr lang. Für die anschließende Vorlesung über die pseudonym unter den Werken des Augustinus überlieferte Schrift „Liber de vita christiana" des Pelagius schrieb er die Widmungsvorrede am 19. Dezember 1518.[72]

Wie Aesticampianus einen Kompromiß zwischen Neigung und Pflicht suchte, zeigen die studentischen Nachschriften. Zwar legt er seiner ersten Vorlesung mit Hieronymus einen in Humanistenkreisen geschätzten Klassiker der Theologie zugrunde, aber er kommentiert ihn nicht im engeren Sinn theologisch, sondern konzentriert sich neben den üblichen sprachlichen Verstehenshilfen vorrangig auf die zahlreichen Realien des Textes. So diktiert er Kurzbiographien über Platon, den Weisen Apollonios und andere, aber auch über die zahlreichen von Hieronymus aufgeführten biblischen Schriftsteller, und nützt unter ausgiebiger Heranziehung von Plinius jede Gelegenheit zu geographischen und naturkundlichen Exkursen. Aesticampianus geht also nicht von Plinius aus, sondern versucht, das klassische naturkundliche Wissen, das durch Plinius' Standardwerk „Naturalis historia" repräsentiert wird, für die Kirchenväterauslegung fruchtbar zu machen. So wird den Studenten die Realienkunde im Rahmen eines theologischen Textes vermittelt.

Karlstadts Empfehlung für die Hieronymusvorlesung des Aesticampianus zeigt, daß das Experiment des neuberufenen Dozenten Unterstützung in der Kollegenschaft fand. Jedoch hat der damalige Rektor Balthasar Vach Aesticampianus zur Aufnahme einer eigentlichen Pliniusvorlesung noch im laufenden Wintersemester bewogen. Zum Einstieg gab der Humanist 1518 die Vorrede des Plinius ebenfalls als Vorlesungsdruck heraus und hielt das Pliniuskolleg nun neben dem Hieronymuskolleg zusätzlich als Privatvorlesung.[73]

Da die Grunenbergsche Ausgabe der „Epistola ad Paulinum presbyterum" des Hieronymus noch im Jahre 1517 gedruckt wurde, sind die Vorlesungen über diesen Brief in das Wintersemester 1517/18 zu datieren. Damit haben wir in Müntzers Nachschrift das erste Originaldokument für seinen Aufenthalt in Wittenberg vor uns. Müntzer ist in der Wittenberger Universitätsmatrikel nicht eingetragen. Die vorliegende Nachschrift zeigt nun, daß er in Wittenberg dennoch Vorlesungen besuchte. Auf dem erhaltenen Einzelblatt hat Müntzer Notizen aus zwei Vorlesungsstunden niedergeschrieben.[74] Jedoch zeigt der Zustand dieses Blattes, daß es sich um ein Fragment aus einer einstmals umfangreicheren Handschrift handelt,[75] so daß angenommen werden darf, daß Müntzer die Vorlesung über die durch das Fragment dokumentierte Dauer hinaus hörte.

Müntzer hat in Wittenberg sein Interesse also nicht nur den bekannten Theologen – Luther, Karlstadt – zugewandt. Seine Nachschrift aus der Hieronymusvorlesung des Aesti-

Abb. 2. Fragment einer Vorlesungsnachschrift Müntzers zu Hieronymus: Epistula 53, 1, beginnend mit dem Scholion über Platon, geschrieben in Wittenberg im Wintersemester 1517/18.
Staatl. Lenin-Bibliothek der UdSSR, Moskau (Hdschr.-Abt. Fonds 218, Nr. 390, 23ᵛ) – Reproduktion nach MBF, Tafel 58

campianus ist sowohl ein Dokument aus seiner humanistischen Ausbildung als auch ein Indiz für seine zur Zeit des ersten Aufenthalts in Wittenberg lebendigen humanistischen Interessen. In der Vorlesung des Aesticampianus begegneten ihm eine Fülle von klassischen, antiken Schriftstellern. In dem erhaltenen Fragment der Vorlesungsnachschrift sind bislang nachgewiesen: Plinius' d. Ä. „Naturalis historia" sowie die Plinius weitgehend zusammenfassenden „Collectanea rerum memorabilium" des Solinus, die „Facta et dicta memorabilia" des Valerius Maximus und die „Vita Apollonii" des Philostratos. Von Hieronymus ist noch dessen Schrift „Adversus Iovinianum" zitiert. Neben diesen antiken Autoren stehen Werke berühmter Humanisten. So schöpft Aesticampianus aus der „Platonis vita" des Italieners Marsilio Ficino, die dieser seiner lateinischen Übersetzung der Werke Platons vorangestellt hatte. Als philologisches Hilfsmittel ist das lateinische Dictionarium des Ambrosius Calepinus OESA († 1510) verwendet worden. Gelegentlich hat der Dozent die 1516 erschienene Hieronymusausgabe des Erasmus zitiert.[76] Diese neunbändige Ausgabe wollte sich Müntzer später, Anfang 1520, selbst kaufen.[77]

Die genannten Quellen sind von dem Wittenberger Professor in der Vorlesung sicher nicht ohne den Wunsch zitiert worden, die Hörer zu eigener Lektüre derartiger klassischer und humanistischer Literatur anzuregen; denn die eben in Angriff genommene Studienreform zielte genau in diese Richtung. Müntzer kam in Wittenberg nicht nur in den Beginn des reformatorischen Umbruchs, sondern auch in einen programmatischen humanistischen Aufbruch der Universität.

Sein Interesse an dem humanistischen Bildungsangebot der Universität Wittenberg reichte über das bloße Anhören der Hieronymusvorlesung hinaus. Er hat sich auch nach der Vorlesung mit seiner Nachschrift beschäftigt. Dies wird belegt durch Interlinearglossen und Randbemerkungen, die Müntzer dem Text seiner Nachschrift beifügte.[78] Interlinear erklärt er an zwei Stellen seltene lateinische Begriffe durch Synonyme.[79] Die Randbemerkungen erweitern unsere sehr fragmentarische Kenntnis über die von Müntzer benutzten Bücher. Er hat tatsächlich einzelne bereits in der Vorlesung zitierte Werke selbst zu Rate gezogen. So hat er ein in der Vorlesung gebotenes Zitat aus Solinus über die Albaner[80] nachgeschlagen und sich aus den bei Solinus folgenden Ausführungen[81] ein Stichwort notiert.[82] Den Inhalt eines längeren biographischen Scholions über Platon hat Aesticampianus zum großen Teil der „Platonis vita" Ficinos entnommen, darunter auch die Mitteilung über ein von Aristoteles dem verstorbenen Platon errichtetes Denkmal.[83] Müntzer ergänzte dazu aus Ficinos „Platonis vita", daß Aristoteles 20 Jahre lang Platon gehört habe.[84] Es schlägt sich hier das von vielen Humanisten gepflegte Ideal lebenslangen Lernens nieder. Damit sind wir bei solchen Randbemerkungen, die auch inhaltliche Stellungnahmen Müntzers zu den Ausführungen des Aesticampianus implizieren. In ihnen spiegelt sich die Vorbildfunktion wider, die die Gestalt Platon in einzelnen Aspekten für Müntzer gewonnen hatte. Eine Eigenschaft Platons, die ihn fasziniert, ist dessen Redegabe. Der rhetorische Heros Platon wird im Text der Nachschrift in die Nähe Jupiters gerückt.[85] Mit einem Zitat aus der „Institutio oratoria" des Quintilianus bekundet Müntzer sein Interesse am Weg zu jener Beredsamkeit: „Thesaurus eloquentie memoria. Quin(tilianus) li(bro) 11".[86] Diese Bemerkung ist auch insofern interessant, als im Wintersemester 1517/18 in Wittenberg Quintilianus als rhetorisches Lehrbuch eingeführt wurde. Auf die Bedeutung der klassischen Rhetorik für Müntzers Theologie werde ich zurückkommen.

Platon als Vorbild ist nicht erst ein Aspekt von Müntzers Randbemerkungen, sondern schon ein in der Vorlesung des Aesticampianus vorgegebenes Thema. Es lohnt sich deshalb, unter dieser Perspektive einen Blick auf den Inhalt der biographischen Scholien über Platon,

Apollonios von Tyana und Pythagoras[87] zu werfen. Bei ihrer Gestaltung hat Aesticampianus seine studentischen Hörer im Auge. Den Schwerpunkt legt er auf den Bildungsweg der drei Weisen. Sie dienen allesamt als pädagogische Vorbilder. Bei Platon ist dieses Thema am breitesten entfaltet. Die Philosophen werden als wandernde Scholaren und Lehrer vorgeführt. Ihre Reisen sind Ausdruck des universalen Bildungshungers des Gelehrten. Aesticampianus selbst hat in seinem Leben gezielt zahlreiche solcher Bildungsreisen unternommen.[88] Er war in Europa unterwegs als ewiger Student wie als Lehrer auf der Suche nach der Wahrheit – im Raum zwischen Krakau, Rom, Paris und Köln. Teils zog er aus eigenem Antrieb weiter, teils gezwungenermaßen, denn mit seinem kämpferischen Antischolastizismus schuf er sich auch Feinde, so in Frankfurt an der Oder, Leipzig und Köln.[89]

In Müntzers Leben können wir ein analoges Verhaltensmuster beobachten, ohne daß dieses bisher mit dem zeitgenössischen Phänomen wandernder humanistischer Scholaren in Verbindung gebracht wurde. Auch er hat bereits seine Bildungsphase an wechselnden Orten zugebracht, von denen uns bislang nur ein Teil faßbar ist: Vermutlich studierte er in Leipzig, sicher in Frankfurt an der Oder; er hielt sich in Braunschweig, Frose und an der Universität Wittenberg auf. Daß Müntzer als Lehrer tätig war, ist konkret belegt seit seinem Aufenthalt im Kanonissenstift Frose 1515/16.[90] Altgläubige Gegner in Braunschweig kritisierten 1521 Müntzers Reiselust,[91] und zwar schon vor dessen bekannten Reisen nach Böhmen und Prag.[92]

Der häufige Wechsel des Aufenthaltsortes ist bekannt als eine spezifische Form mönchischer Askese. Auch das Wanderleben des humanistischen Scholaren konnte neben der pädagogischen Begründung in den Kontext einer asketischen Lebenseinstellung gerückt werden. Hinneigung zu einer quasimönchischen Askese ist bei Aesticampianus wie bei vielen Humanisten belegt. Dazu gehört mitunter auch die Bevorzugung der Ehelosigkeit. Diese Haltung wurde bei den deutschen Humanisten durch ihren hochgeschätzten Erzkirchenvater Hieronymus genährt. 1508 gab Aesticampianus erstmalig in Leipzig mehrere Hieronymusbriefe für Vorlesungszwecke heraus. Der programmatische Titel zeigt die pädagogische Abzweckung: „... zur Zurüstung der Lebensführung der Sterblichen...".[93] Unter diesen Briefen befindet sich eine anderweitig auch pseudohieronymianisch tradierte Epistula „Valerii ad Ruffinum ne ducat uxorem dissuasoria".[94] Hieronymus selbst hat seine negative Bewertung ehelicher Sexualität am ausführlichsten in den zwei Büchern „Adversus Iovinianum" vorgetragen. Dieses Manifest der Sexualaskese wollte Aesticampianus im Mai 1519 anstelle von Plinius einer Vorlesung zugrunde legen.[95] Ein bezeichnendes Zitat aus jener Schrift hat Aesticampianus in der Wittenberger Hieronymusvorlesung in seine ansonsten aus Ficino exzerpierte Kurzbiographie Platons eingebaut, um die Platon nachgesagten asketischen Züge stärker zu betonen. Demnach habe Platon für seine Akademie vorsätzlich einen ungesunden Ort gewählt, damit durch die Geißel der Krankheiten die fleischliche Lust seiner Schüler abgetötet und so deren Begierde allein auf die Lerninhalte gerichtet würde.[96] Die phänomenologische Nähe einer solchen Leidenspädagogik zur Leidenstheologie Müntzers liegt auf der Hand, zielt letztere doch ab auf das Absterben aller Lust zugunsten einer alleinigen Ausrichtung auf das Lernen des göttlichen Willens.[97] Diese Verbindung von pädagogischen und theologischen Motiven einer Erziehung zu Askese und Leidensbereitschaft spiegelt sich in drei Randbemerkungen Müntzers zu den genannten Ausführungen des Hieronymus über Platons Akademie wider.[98] Zunächst bietet Müntzer Stichworte aus zwei Bibelstellen: „Wahrlich, ich werde des Wermuts und der Galle gedenken" (nach Klagel. 3,19f), und: „Ich will auf den Myrrhenberg steigen" (Hohesl. 4,6). Gemeinsamer Nenner dieser beiden Bildworte ist die Bitterkeit, die für Leiden und Askese steht und später in Müntzers Schriften breit belegt ist im Rahmen seines unermüdlichen Aufrufs, die Passion Christi aufzunehmen und nicht nur den süßen, d. h. gnadenreichen Christus zu predigen. Das Zitat aus Hohesl. 4,6 belegt, daß Müntzer selbst in dem Traktat „Adversus Iovinianum" des Hieronymus gelesen hat. Hieronymus deutet hier den Myrrhenberg auf die Menschen, die ihren Körper mit seinen Lüsten abtöten.[99]

Diese Hieronymusschrift bietet auch einen Schlüssel zur Erklärung einer eigentümlichen Erwähnung Johannes Gersons (1363–1429) durch Müntzer im Anschluß an die genannten Bibelzitate: „Johannes Gerson führt die ‚scala dei' an." Müntzer griff auf Gersons Traktat „De non esu carnium" zurück, in dem dieser den Verzicht der Kartäuser auf Fleischgenuß verteidigt. In diesem Zusammenhang empfiehlt Gerson die Lektüre von „Adversus Iovinianum", wo Hieronymus „aus den ältesten Historien der Heiden die Enthaltsamkeit belegt".[100] Gerson vertritt die den pädagogischen Ausführungen des Aesticampianus analoge Auffassung, daß eine Schwächung des Körpers und Verkürzung des Lebens vertretbar sei, u. a. im Dienste wahrer Bußbereitschaft oder zum Erwerb der Tugenden und zur Ausrottung der Laster.[101] Gerson verweist auf die „Scala paradisi" des Johannes Klimakos († um 649?), in der dieser von einem als „Carcer" bezeichneten abgeschiedenen Ort radikaler Büßer berichtet.[102] Während Gerson die Schrift des Johannes Klimakos als „scala mystica" bezeichnet, nennt sie Müntzer „scala dei". Seine Notiz impliziert den Vergleich des einsamen und ungesunden Ortes, an dem die platonische Akademie erbaut worden sei, mit dem bei Johannes Klimakos beschriebenen und von Gerson angeführten „freiwilligen Kerker" der Büßer.

Müntzers Wertschätzung der Askese können wir nun anhand der zitierten Notizen bereits für seine Wittenberger Zeit belegen. Ab 1522 geht er zunächst in merkliche Distanz gegenüber den reformatorischen Priesterehen. Eheliche Sexualität kann er schließlich nur im Horizont aktueller göttlicher Weisung zur Zeugung auserwählter Nachkommenschaft legitimieren. Im Lichte der Wittenberger Hieronymusvorlesung und der Randbemerkungen Müntzers dazu erweist sich als *ein* geistesgeschichtlicher Hintergrund für diese Position die hieronymianische Tradition körperlicher Askese, die Müntzer auch im asketischen Schrifttum Gersons bestätigt fand.

Damit sind eine Reihe von ersten Hinweisen dafür gegeben, daß Müntzer seinen Studien in Wittenberg nicht nur – woran man zuerst denken möchte – reformatorische Positionen verdankte, sondern daß dort auch seine humanistische Bildung und Prägung vertieft wurde, die bleibende Spuren in seinem Denken und Verhalten hinterließ. Dazu gehört insbesondere auch das Erbe der antiken Rhetorik in Müntzers Theologie, das nun ausführlicher dargestellt werden soll.

IV Rhetorik und Theologie: die Ordnung der Dinge (ordo rerum)

Die Bedeutung der Rhetorik für die Theologie Müntzers illustriere ich zunächst an einem Einzeltext, in dem Müntzer den Rückgriff auf eine rhetorische Kategorie explizit vornimmt. Im Rahmen einer Auslegung von Ps. 117 / 118,24 – „Dies ist der Tag, den der Herr gemacht hat"[103] – geht Müntzer auf einen rhetorischen Tropus, die Synekdoche,[104] ein. Von den verschiedenen Möglichkeiten der Synekdoche greift er die Stilmuster pars pro toto[105] und totum pro parte[106] auf. Ich gehe hier nur auf Müntzers Beispiele zum ersten Muster ein. Zunächst wendet Müntzer die Synekdoche pars pro toto als Interpretationskategorie auf eine biblische Überlieferung an: Christus ruhte drei Tage im Grab (Matth. 12,40; 27,63 f). Versteht man diese Aussage pars pro toto, so ist nach Müntzer mit den drei Tagen auf unsere ewige Ruhe hingewiesen, in der wir Gott schauen werden. Die drei Ruhetage Christi sind der Teil, die ewigen Tage das Ganze. Hier hat die Annahme einer Synekdoche im Text also die Funktion, allegorische Textauslegung zu methodisieren.

Das zweite theologische Beispiel[107]: Der Mensch gewordene Christus war allein gerecht. Als Mensch war er ein Teil des Menschengeschlechts. Dieser Teil, Christus, steht für das Ganze, nämlich für alle Glieder des Menschengeschlechts, die nach Röm. 3,22–26 im Glauben an Christus gerecht genannt werden.[108] Während im ersten Beispiel die rhetorische Kategorie eine texthermeneutische Funktion hat – Rechtfertigung einer Allegorese –, geht hier die Synekdoche über die Textebene hinaus und wird gewissermaßen zu einer heilsgeschichtlichen Größe ausgeweitet: Was in dem Menschen Christus geschieht, dem Teil der Menschheit, geschieht für ein Ganzes und in einem Ganzen, das Müntzer als das Kollektiv der Auserwählten präzisiert.[109] Die rhetorische Kategorie dient hier dem Erfassen und Beschreiben der Heilsökonomie und ist somit zu einem systematisch-theologischen Strukturelement geworden. Eine Ausweitung des Anwendungsbereichs rhetorisch-hermeneutischer Begriffe über die Wort-Text-Ebene hinaus wird sich im folgenden als typisch für Müntzer erweisen.

Die Frage legt sich nahe, wie ein Theologe überhaupt auf die Idee kommen konnte, das Verhältnis zwischen Christus und den Gläubigen in ein Muster der Rhetorik zu fassen. Der Hintergrund liegt in der auf die Bibel (Joh. 1; Gen. 1) zurückgehenden Tradition theologischer Logosspekulation. Das hier vorgegebene Verständnis von Christus als dem Logos, ja des ganzen Offenbarungshandelns Gottes, beginnend mit der Schöpfung, als des einen und ewigen Gottesworts ermöglichte es der theologischen Reflexion, auch auf das so verstandene nichttextliche Wort Gottes und auf Christus „das Wort"[110] rhetorische Kategorien anzuwenden.

Diese weitgehende Deutung braucht sich nicht nur auf das vorgestellte Einzelbeispiel zu stützen. Nach der exemplarischen Interpretation eines Einzeltextes ist nun zu zeigen, in welcher Breite Müntzer rhetorische Kategorien theologisch adaptiert hat. Ich greife zunächst zurück auf Müntzers Zitat aus dem klassischen rhetorischen Lehrbuch des Quintilianus am Rand seiner Wittenberger Vorlesungsnachschrift: „Der Schatz der Beredsamkeit ist das Gedächtnis." In dem Kapitel des Quintilianus über das Gedächtnis (11, 2), dem jenes Zitat entnommen ist, stößt man auf eine zentrale Kategorie Müntzerischer Theologie: ordo rerum. Weitere Quintilianlektüre bestätigt den ersten Eindruck: Eine Reihe zentraler Begriffe der Theologie Müntzers, darunter seine Kategorie „ordo rerum", entstammt der antiken Rhetorik.

Da die Verbindung zwischen Müntzer und der antiken Rhetorik der Forschung bislang entgangen ist, ist ein kurzer forschungsgeschichtlicher Seitenblick angebracht. Hans-Jürgen Goertz hat in seiner 1967 erschienenen Dissertation „Innere und äußere Ordnung in der Theologie Thomas Müntzers" den ordo-Begriff im Titel hervorgehoben. Er deutete Müntzers Rede von der „Ordnung Gottes" als Ausdruck einer grundlegenden „formalen Denkstruktur".[111] Dies ist die bleibende Entdeckung von Goertz, wenngleich präziser der weitere Begriff „ordo rerum" als Ausdruck einer „*formalen* Denkstruktur" zu bezeichnen wäre, während „Ordnung Gottes" bereits eine theologische inhaltliche Füllung jenes „*formalen*" Begriffs ist. Als unhaltbar erweist sich allerdings die einseitige Ableitung von Müntzers ordo-Begriff aus der Mystik. Für diese Ableitung bietet Goertz je ein Zitat aus Eckhart und der „Theologia deutsch",[112] wo zwar der allgemein geläufige Begriff „Ordnung" im Sinne von göttlicher Ordnung auftaucht, ohne daß aber hier die Begriffe „Ordnung Gottes" oder „Ordnung der Dinge" als spezifische, feste Termini wie bei Müntzer begegnen. Goertz hat selbst eingeräumt, daß der ordo-Begriff in den von ihm herangezogenen mystischen Quellen „in losem und austauschbarem Gebrauch" vorkomme, während bei Müntzer eine „konzise Formel" vorliege.[113]

1976 ist Wolfgang Ullmann bei der Untersuchung einiger Randbemerkungen Müntzers zu Tertullianus[114] erneut auf „ordo rerum" als einen von Müntzer hervorgehobenen Begriff gestoßen.[115] Allerdings begegnet in den von Müntzer glossierten Tertulliantexten nur einmal der Begriff „ordo rerum"[116] und einmal in demselben Sinne der Begriff „ordo".[117] An beiden Stellen wird dies von Müntzer positiv hervorgehoben.[118] Ferner entdeckt er zweimal bei Tertullianus in der Sache die Berücksichtigung des ordo rerum, ohne daß Tertullianus den Begriff verwendet.[119] Aufgrund dieses relativ mageren Befundes hielt Ullmann die Herkunft des Begriffs selbst aus der Mystik weiterhin für möglich, deutete ihn aber inhaltlich von Tertullianus her. Ullmann hatte allerdings nur einen Teil der einschlägigen Randbemerkungen Müntzers herangezogen. Eine Berücksichtigung aller Randbemerkungen zeigt, daß Müntzer die Kategorie „ordo rerum" nicht aus Tertullianus entnommen hat, sondern an diesen bereits heranträgt. An zwei Stellen führt er diese Kategorie glossierend ein, ohne daß sie im Tertulliantext vorkommt.[120] Das stärkste Gewicht haben aber insgesamt acht Belege, an denen Müntzer Tertullianus wegen Ignorierung oder gar Leugnung des ordo rerum kritisiert.[121]

Ebenso wie an Tertullianus trägt Müntzer seinen ordo-Begriff an die mystischen Quellen heran. Der methodische Mangel an dem Vorgehen von Goertz besteht darin, daß er einen Einzelbegriff statt eines ganzen Begriffsfeldes untersuchte und daher die bei Müntzer zum ordo-Begriff gehörigen Kontextbegriffe für seinen Versuch einer geistesgeschichtlichen Herleitung nicht berücksichtigt hat. Mit „ordo rerum", dessen deutschsprachiges Äquivalent bei Müntzer meistens einfach „die Ordnung" ist,[122] gehören unter anderem als Kontextbegriffe zusammen: „Anfang" (principium) und „Ende" (finis); das „Ganze" (totum) und „die Teile" (partes);[123] „(zusammen) fügen", „zusammen verfassen" oder synonyme Ausdrücke für den Vorgang der Verknüpfung (conexio) oder Zusammensetzung (compositio) der Teile zum Ganzen.[124]

Diese Zusammenstellung, die keine eigentlichen Theologumena enthält, zeigt bereits, daß es sich hierbei um Formalbegriffe handelt. Sie entstammen der antiken Rhetorik und waren Müntzer mindestens aus dem Werk des Quintilianus bekannt. Nach Quintilianus ist der ordo in der Rhetorik die richtige Anordnung (dispositio bzw. conlocatio);[125] dabei handelt es sich um die richtige Abfolge und Verknüpfung des jeweils Vorhergehenden mit dem Folgenden.[126] In diesem ordo haben Anfang[127] und Ende[128] ihren naturgegebenen Platz und finden in der Redekunst besondere Aufmerksamkeit: Einer Rede ohne ordo „ist weder Anfang noch Ende gesetzt, und sie folgt mehr dem Zufall als einem Plan (consilium)". Indem Quintilianus einräumt, daß selbst die Natur auf einem ordo rerum beruhe,[129] deutet sich eine über den engeren rhetorischen Bereich hinausgehende Weite der Kategorie ordo rerum an. Das verdient hervorgehoben zu werden im Blick auf Müntzers Interesse an der Ordnung der Natur im Rahmen der Gotteserkenntnis. Das dialektische Verhältnis des Ganzen zu seinen Teilen ist ebenfalls in der ordo-Lehre der Rhetorik vorgegeben;[130] bei Müntzer wird es unter anderem bezogen auf Gott und seine Werke.

Inhaltlich hat Goertz Müntzers ordo-Begriff vornehmlich soteriologisch als ordo salutis gedeutet,[131] während Ullmann ihn von Tertullianus her heilsökonomisch als den festen Plan Gottes, nach dem sich die Heilsgeschichte vollzieht, interpretiert hat.[132] Beide nennen damit *einen* systematischen Locus, auf den Müntzers Begriff von der „Ordnung der Dinge" angewendet wird. Die Entdeckung der rhetorischen Herkunft dieses Begriffs sowie der zugehörigen Kontextbegriffe zeigt aber, daß diese Kategorien noch vor einzelnen theologischen Loci angesiedelt sind: Die rhetorischen Begriffe haben in Müntzers Theologie die Funktion von hermeneutischen Grundkategorien erhalten.

Ein dem beschriebenen Sachverhalt gerecht werdendes rezeptionstheoretisches Modell könnte folgendermaßen aussehen: Die über Quintilianus vermittelten Kategorien der antiken Rhetorik wurden von Müntzer als hermeneutische Strukturbegriffe rezipiert, die bei seiner Lektüre theologischen Traditionsgutes eine ordnende und selektive Funktion hatten. Mit Hilfe eines „Programms", bestehend aus der nunmehr theologisch-hermeneutischen Hauptkategorie des ordo rerum und der dieser Kategorie kontextuell zugeordneten Begriffe, las Müntzer die Bibel, Kirchenväter, Mystiker und wahrscheinlich noch weitere theologische Literatur. Wie Müntzers Tertullianlektüre belegt, hat er Aussagen jener theologischen Quellen zur Ordnung bzw. Ordnung Gottes seinem auf die Rhetorik zurückgehenden ordo-Begriff integriert oder die Texte im Sinne dieser Kategorie gedeutet, auch wo sie nicht explizit von ordo oder Ordnung redeten. Wie durch diesen komplexen Rezeptionsvorgang die rhetorischen Begriffe ihre inhaltliche theologische Füllung bekamen und wie sich diese näherhin zum ursprünglichen rhetorischen Gehalt jener Begriffe verhält, bedarf der Klärung in weiterer Forschungsarbeit. Zu untersuchen ist auch die Frage, ob Müntzer für seine spezifische Art der Adaptation von Elementen der klassischen Rhetorik bereits theologische Vorbilder hatte.

Das Besondere an Müntzers Rezeption antiker Rhetorik kann schärfer bestimmt werden durch einen Vergleich mit Luther,[133] bei dem bereits einige Forscher die Aufnahme antiker rhetorischer Elemente registriert haben. Nach Helmar Junghans sind bei Luther die rhetorischen Begriffe in erster Linie exegetisches Hilfsmittel: „... die antike Rhetorik... verhilft ihm zum Verständnis des biblischen Sprachausdruckes... und fördert die Trennung von der mittelalterlichen Exegese und Theologie... Dies scheint in bezug auf Luthers theologische Entwicklung die rechte Zuordnung von Exegese und Rhetorik zu sein."[134] Bei Müntzer geht das Gewicht der von ihm rezipierten rhetorischen Begriffe über ihre exegetische Hilfsfunktion hinaus. In Anlehnung an eine rhetorische Unterscheidung könnte – unter Inkaufnahme einer gewissen Vereinfachung – die Differenz zwischen Luther und Müntzer folgendermaßen charakterisiert werden: Luther interessiert sich in einem exegetisch-hermeneutischen Sinn vorwiegend für den ordo verborum der von ihm ausgelegten Texte. Müntzer geht es in einem systematisch-hermeneutischen Sinn um den ordo rerum. Dieser findet im ordo verborum des geschriebenen Bibeltextes nur *einen* Niederschlag neben der in die Natur gelegten Ordnung und der Ordnung der aktuellen Anrede des lebendigen Gottes, die zu hören ist im Hier und Jetzt nach und neben der in Texten zur Historie geronnenen Gottesrede. Hermeneutik kann sich daher nicht vorrangig auf Schriftauslegung beschränken, sondern muß sowohl eine Hermeneutik der Naturauslegung und der im Herzen ergehenden Rede Gottes einbeziehen als auch diese drei Bereiche systematisch verbinden. So erklärt es sich, daß bei Müntzer die rezipierten rhetorischen Elemente nicht wie bei Luther vorrangig Begriffe der Texthermeneutik sind, sondern daß er rhetorische Grundkategorien zu systematischen Strukturelementen seiner Theologie macht. Der ordo verborum betrifft rhetorisch die Redegestalt, hermeneutisch die Textgestalt. Der ordo rerum umgreift rhetorisch ein Spektrum von einer sachimmanenten Ordnung bis zur Redegestalt, theologisch bei Müntzer einen Offenbarungsprozeß, der Gott den Schöpfer, sein in jeder Zeit lebendig gesprochenes Schöpfungswort und die Schöpfung als sein gestaltetes Werk umfaßt. Die Heilige Schrift ist ein herausgehobener, jedoch historisch begrenzter Niederschlag dieses Offenbarungsprozesses, ein *Teil* des Offenbarungs*ganzen*.

V Müntzers Abgrenzung von den Erasmianern

Für Müntzers Abgrenzung von Humanisten seiner Zeit steht die Auseinandersetzung mit seinem Zwickauer Amtskollegen Johannes Wildenauer, genannt Sylvius Egranus († 1535), die für den Zeitraum von November 1520 bis April 1521 dokumentiert ist. Egranus hat sich selbst als Schüler des Erasmus verstanden.[135] Hubert Kirchner vertritt sogar die Auffassung, daß Müntzer mit dem Angriff auf seinen Kollegen „einzig und allein Erasmus von Rotterdam" meinte.[136] Auch zu dem Thema „Müntzer und die Erasmianer" kann die Quellenbasis erweitert werden. Erstens wurde bisher nicht registriert, daß Müntzer in einem Teil seiner Randbemerkungen zur Tertullianausgabe des Beatus Rhenanus diese Auseinandersetzung in der Sache weiterführt. Zweitens wurde hinsichtlich der von Müntzer inkriminierten Positionen des Egranus zwar allgemein vorausgesetzt, daß hinter Egranus Erasmus stehe. Eine Prüfung der einschlägigen Aussagen des Erasmus ermöglicht nicht nur ein präziseres Erfassen der Streitpunkte zwischen Müntzer und Egranus, sondern erlaubt auch die weitergehende Fragestellung, ob Müntzer bei aller Abgrenzung von dem Erasmianer Egranus nicht auch seinerseits durch die Schule Erasmischer Schriften gegangen sein könnte. Das beschriebene methodische Vorgehen soll hier exemplarisch an einem ausgewählten Sachverhalt demonstriert werden, nämlich an den zwischen Müntzer und Egranus umstrittenen Fragen der Schrifthermeneutik.

Hauptquelle für den Standpunkt des Egranus sind zunächst seine Zwickauer und Joachimsthaler Predigten (1519–1522).[137] Ein Teil der von Müntzer formulierten und zusammengestellten „Propositiones probi viri d. Egrani"[138] kann ebenfalls als Quelle für die Anschauungen des Egranus in Anspruch genommen werden. Denn ein Vergleich mit den Predigten des Egranus ermöglicht, weitgehend persönliche Invektiven Müntzers gegen Egranus von den Sätzen zu unterscheiden, in denen Müntzer die Äußerungen des Egranus sinngemäß zitiert.[139] Natürlich sind diese Propositiones gleichzeitig eine Quelle für Müntzers Gegenposition. Da einige Thesen Kenntnis der Passions- und Osterpredigten des Egranus aus dem Jahr 1521 voraussetzen (Ostern am 31. März), kann als Abfassungszeit der Propositiones der April 1521 erschlossen werden.[140] Die zweite Quelle für Müntzers Position ist dessen Handexemplar der Tertullianausgabe des Beatus Rhenanus, im Juli 1521 in Basel erschienen. Die Benutzung dieser Ausgabe ist bereits im Oktober 1521 in Wittenberg belegt.[141] Müntzers Einzeichnungen in sein Exemplar enthalten nirgends ein konkretes Datum. Der Inhalt der Randbemerkungen steht den Zwickauer Auseinandersetzungen (1520/21), der „Prager Protestation" (November 1521) und den wenigen brieflichen Zeugnissen des Jahres 1522 nahe, so daß sich eine hypothetische Datierung wenigstens des Großteils der Randbemerkungen in die Jahre 1521/22 nahelegt. Mit der Tertullianlektüre dürfte Müntzer entweder schon in Prag oder bald nach der Rückkehr (Dezember 1521?) begonnen haben.

Weder Egranus noch Müntzer bieten in den genannten Quellen ausdrücklich ein Erasmuszitat. Jedoch legt sich für einen Vergleich der beiden Theologen mit Erasmus in bibelhermeneutischen Fragen der Rückgriff auf die Vorreden des Erasmus zu seinem Neuen Testament nahe, von denen hier die „Paraclesis" und der „Methodus" (beide 1516) sowie die erweiterte Fassung der letzteren Schrift, die „Ratio seu methodus compendio perveniendi ad veram theologiam" (1518), herangezogen werden.[142] Diese weitverbreiteten Programmschriften gehörten in jenen Jahren zur Standardlektüre des humanistisch interessierten Theologen, für den ohnehin die Benutzung jener griechisch-lateinischen Ausgabe des Neuen Testaments selbstverständlich war.

Es gibt eine einzige Stelle, an der Müntzer „die Erasmianer" beim Namen nennt. Sie findet sich in seinem Tertullianexemplar als Randbemerkung zur Widmungsvorrede des Beatus Rhenanus an Bischof Stanislaus Thurzo von Olmütz. Rhenanus war auf die „Antitheseis" Markions zu sprechen gekommen, in denen dieser den Widerspruch (discrepantia) zwischen Altem und Neuem Testament behauptet hatte.[143] Müntzer assoziierte dazu die Haltung „der Erasmianer" gegenüber dem Alten Testament: „Markion macht einen Unterschied zwischen Altem und Neuem Testament ebenso wie die Erasmianer und die Pickarden."[144] Der unmittelbare historische Kontext für diese auf den ersten Blick undifferenziert erscheinende Bemerkung ist Müntzers Auseinandersetzung mit Egranus. Erasmus hatte 1516 in der „Paraclesis" für die Verbreitung des Neuen Testaments in den Volkssprachen plädiert. Er hob wiederholt die Evangelien und die Paulinischen Briefe als lesenswert hervor,[145] während das Alte Testament unerwähnt blieb. In der gleichzeitigen „Methodus" bemerkte er beiläufig, daß das Neue Testament heute allein ausreichen könnte.[146] In der „Ratio seu methodus . . ." lieferte er 1518 die Begründung für jene Auffassung nach. Die Autorität des Alten Testaments war einst zum Zweck der christlichen Judenmission notwendig. Dieser Gesichtspunkt sei heute weitgehend entfallen. Einen bleibenden begrenzten Nutzen kann Erasmus dem Alten Testament insoweit zugestehen, als es in Auswahl auf Christus oder die Sittlichkeit gedeutet werden könne.[147] Egranus hat diese Grundposition nicht nur übernommen, sondern die Abwertung des Alten Testaments gegenüber dem Neuen noch zugespitzt.[148] Es bleibt bei dem Nutzen des Alten Testaments in der Judenmission, da in ihm angekündigt sei, was im Neuen erfüllt ist. Dieser Umstand spreche nun aber nicht zugunsten einer christlichen Nutzung der Bibel der Juden, sondern dagegen. Da im Neuen Testament alles Heilsnotwendige, das im Alten nur dunkel angedeutet ist, klar und vollkommen enthalten sei, werde das Alte Testament für den Christen überflüssig. Es bleibe noch ein Restnutzen für den Christen insofern, als gelegentlich Zweifel an einzelnen Aussagen des Neuen Testaments durch das Alte ausgeräumt werden könnten.[149] Aber im großen und ganzen „reumett sich das alde und neue testament wie der sommer und winter".[150] „Drumb ists ein irthumb, das man das alde under das neue testament mengett . . ."[151] Müntzer gibt die Position des Egranus in Propositio 8 zutreffend wieder: „Das Alte Testament brauchen die Christen nicht anzunehmen, denn es ist lediglich den Juden gegeben."[152] Müntzers Gegenposition scheint Egranus noch 1522 in Joachimsthal abzuwehren, wenn er hier den bei jenem zentralen Gedanken der Vergleichung im Blick auf das Verhältnis von Altem und Neuem Testament zurückweist: „Warumb wollen wir nuh das alde testament dem neuen vorgleichen und ßagen, wir kunnen eins an das andere nit verstehen, wenngleich das alde Testament nit wehre, möchten wir dennoch ßelig werden . . ." Eine Vergleichung von Altem und Neuem Testament disqualifiziert Egranus als unchristlich und jüdisch: „Drumb ist das alde einem Christen nit groß von nothen. Es ubertrifft auch das neue das alde wie die sonne andere stern. Darumb ists ein unchristlicher handell, ßage ein Judischer, das man das neue testamentt den alden will vorgleichen etc."[153]

Man wird wohl kaum auf den Gedanken kommen, Egranus hier eine bewußte Polemik gegen Erasmus zu unterstellen, auch wenn man weiß, daß der Begriff der Vergleichung (collatio oder comparatio) in den Vorreden des Erasmus ein positiver hermeneutischer Terminus technicus ist. Bei Erasmus wird die Rolle des Alten Testaments gerade im Kontext seiner Ausführungen über die Technik der Vergleichung hermeneutisch genauer greifbar. Die Vergleichung wird von Erasmus im Horizont der humanistischen Loci-Methode behandelt.[154] Danach sammelt der Leser bei der Lektüre der Bibel – entsprechend auch bei der Lektüre anderer Literatur – Belegstellen zu einer Vielzahl theologischer Themen (loci). So entsteht eine thematisch geordnete Konkordanz, die zu einem Thema alles enthält, „was überhaupt an wesentlichen, miteinander übereinstimmenden oder widersprüchlichen Aussagen in allen Büchern des Alten Testaments, in den Evangelien, der Apostelgeschichte und den Apostelbriefen enthalten ist".[155] Mit diesem Hilfsmittel kann der Interpret bei der Deutung einer Textstelle einen Stellenvergleich (locorum collatio) durchführen. Für die jeweilige systematische Gewichtung der verschiedenen Belegstellen bietet Erasmus eine Rangfolge der biblischen Bücher: Hier ist dem Neuen das Alte Testament untergeordnet. Innerhalb des letzteren differenziert er weiter nach dem Grad größerer oder geringerer Übereinstimmung der alttestamentlichen Bücher mit dem Neuen Testament,[156] weil er implizit voraussetzt, daß Teile des Alten Testaments, insbesondere das Gesetz Moses, nicht mit dem Neuen Testament übereinstimmen.

Im Blick auf diese letztere Voraussetzung unaufhebbarer Diskrepanzen zwischen Altem und Neuem Testament steht Egranus Erasmus wieder nahe. Daß er die Anwendung des Begriffs der Vergleichung im Blick auf das Verhältnis von Altem und Neuem Testament zurückweist, spiegelt zwar einerseits auch wieder seine Radikalisierung jener Erasmischen Abstufung zwischen den beiden Testamenten wider, dürfte sich aber letztlich als Reaktion auf die Müntzerische Rezeption des Gedankens der Vergleichung erklären.

Der hohe Stellenwert, den die „Vergleichung" bei Müntzer als exegetische Methode hat, ist auch *ein* Niederschlag seiner humanistischen Bildung: „Dann es muß die kunst Gotis betzeugt werden aus der heyligen biblien in einer starcken vorgleichung aller wort, die in beyden testamenten clerlich beschriben stehn, . . ."[157] Formal spiegelt sich diese Methode im Reichtum der Stellenkonkordanzen wider, die sich im Haupttext oder am Rand von Müntzers Schriften finden und den Eindruck erwecken, als habe er die Bibel auswendig gelernt,[158] zumal ihm nach Quintilianus „das Gedächtnis der Schatz der Beredsamkeit" war.

Erweist sich Müntzer durch die Aufnahme der Vergleichung in formal-methodischer Hinsicht zunächst als ein Erasmusschüler, so führt die systematisch-inhaltliche Handhabung der Vergleichung alsbald zu einem Konflikt zwischen Müntzer und Erasmus. Rhenanus provozierte mit seiner Widmungsvorrede zu Tertullianus eine einschlägige Stellungnahme Müntzers. Da schon Erasmus Tertullianus als einen Vertreter der Methode der collatio locorum vorstellte,[159] kam auch Rhenanus auf die Vergleichung zu sprechen: In der Auseinandersetzung mit Markion „vergleicht er [Tertullianus] das ganze Evangelium und alle paulinischen Briefe mit dem Alten Testament und zeigt so eindrückliche Übereinstimmungen, wo jener diametrale Gegensätze behauptete".[160] Müntzer entdeckte in diesem Satz nicht zu Unrecht die erasmische Bevorzugung der Evangelien und der Paulusbriefe und, insofern die Blickrichtung des Rhenanus vom Neuen Testament hin zum Alten Testament ging, eine systematische Vorordnung des Neuen vor das Alte Testament. Müntzer widerspricht daher auch Rhenanus mit der Bemerkung, daß „*alle* Schriften wechselseitig miteinander zu vergleichen sind"[161]. Müntzer bringt hier erstens seine Auffassung von der hermeneutischen Gleichwertigkeit des Alten und Neuen Testaments zum Ausdruck, in deren Rahmen das Neue Testament ebenso vom Alten her zu interpretieren ist wie umgekehrt. Zweitens legt Müntzer Wert darauf, die von Rhenanus nicht erwähnten neutestamentlichen Schriften einzubeziehen. Dabei mußte ihn insbesondere stören, daß weder Erasmus in seinen Vorreden noch Rhenanus die Apokalypse würdigten. Zweimal notiert er zu „De resurrectione mortuorum" des Tertullianus seine Beobachtung, daß der Kirchenvater häufig die Apokalypse zitiere.[162]

Wir werden hier darauf aufmerksam, daß die Vergleichung nicht nur methodisches Prinzip zur Harmonisierung von Altem und Neuem Testament ist, sondern überall innerhalb der Bibel und ihrer jeweiligen Teile angewandt wird als eine Methode der Erschließung des

gemeinsamen tieferen Sinns mehrerer, gegebenenfalls vordergründig miteinander divergie-
render Schriftaussagen durch vergleichend-wechselseitige Interpretation. Egranus lehnt diese
Methode ab, wie Müntzer in Propositio 11 wiedergibt: „Jede Schrift muß ohne eine andere
Schrift ausgelegt werden, weil Geistliches mit Geistlichem nicht verglichen werden (comparari) kann. Vielmehr muß man die Klarheit [jeder einzelnen Schrift] beachten, damit die
Autoritäten in sich ohne Interpretation von anderen Stellen her erhalten bleiben und so jeder
Einzelschrift ihr Eigenwert zuerkannt wird."[163] Egranus tritt hier mit Verständnis für den
historischen Charakter der biblischen Schriften für die Individualität der einzelnen bibli-
schen Schriftsteller ein, die nicht dem Bedürfnis nach Harmonisierung geopfert werden
dürfe.[164] In diesem Anliegen geht er so weit, daß er nur noch einen sensus historicus im
Sinne des buchstäblichen Wortlauts anerkennt.[165] Die Konsequenz ist, daß Egranus in seinen
Predigten paraphrasierendes Nacherzählen der Texte in den Vordergrund rückt, um an den
Text herangetragene Deutungen zu vermeiden.[166] Natürlich braucht er historische Sachinfor-
mationen, die er den Kirchenvätern entnimmt. Allegorische Auslegung lehnt er ab.[167]

Mit einer solchen konsequenten Beschränkung der Textauslegung auf den sensus litteralis
historicus weicht Egranus von Erasmus ab,[168] der bei allem Gewicht, das er in der Exegese
auf die Herausarbeitung des Literalsinns legt, einen geistigen Sinn der Schrift anerkennt.
Daher schätzt er auch die Allegorese, wenngleich er vor deren einseitiger Bevorzugung auf
Kosten des sensus historicus warnt.[169] Vorbild in der allegorischen Schriftauslegung ist ihm
Origenes.[170]

Müntzer vertritt keine absolute Gegenposition gegen den Literalismus des Egranus in dem
Sinne, als wolle er nur noch einem geistlichen Schriftsinn einen Wert zuerkennen. In der
Theorie steht er zunächst Erasmus nahe, insoweit er die Notwendigkeit eines sowohl litera-
len als auch spiritualen Schriftverständnisses anerkennt. Er lobt Tertullianus dafür, daß er
die Auferstehung des Fleisches sowohl literal als auch allegorisch aus der Schrift beweist.[171]
Und von einer im Übermaß betriebenen Allegorese grenzt er sich ebenfalls ab.[172] Origenes ist
ihm wie Erasmus Vorbild in Sachen Allegorese.[173] In der exegetischen Praxis legt Müntzer
die Gewichte aber deutlich anders als Erasmus. Zwar stimmt er noch mit diesem überein,
wenn er nach Tertullianus heraushebt, daß mehr das Verstehen des tieferen Sachgehalts als
des bloßen Wortlauts eines Textes eingeübt werden müsse.[174] Jedoch steht bei Müntzer in
ganz anderem Ausmaß, als dies bei Erasmus der Fall ist, die geistliche Auslegung über der
Literalexegese, der er letztlich Überzeugungskraft nicht zuschreibt.[175] Deshalb muß er an
anderer Stelle Tertullianus auch wieder wegen Vernachlässigung des geistlichen Sinns
tadeln.[176] Das Modell der Vergleichung liefert ihm seine spezifische Methode zur Erhebung
des geistlichen Sinns,[177] insbesondere angesichts des Phänomens der schriftinternen Widersprüche.[178] Diese führten zu endlosen Streitereien unter den Doktoren, die sich auf den
Buchstaben berufen.[179] Dieses Problem sei auch nicht durch systematische Setzung eines
Kanons im Kanon zu lösen, wie das auch Erasmus tut. Die Einheit und Ganzheit der Schrift
als *einer* Rede Gottes gebe jeder einzelnen Aussage gleichen Rang, so daß Widersprüche nur
dialektisch gelöst werden könnten. Gott habe diese Widersprüche gewollt. Die Offenbarung
„im Gegenteil" sei ein Prinzip der Ordnung Gottes.[180]

Ist dieses Prinzip ein Teil des ordo rerum, dann erklärt sich, daß der Anwendungsbereich
der „Vergleichung" ebenso, wie wir das bei „ordo rerum" beobachtet haben, über den bibelhermeneutischen Bereich hinaus ausgeweitet wird auf andere Bereiche göttlicher Offenbarung: die lebendige Rede Gottes, die Natur, die Geschichte. Da die göttliche Rede eine
Einheit ist, sind Traumbilder, in denen sich Gottes Stimme lebendig zu Wort melden kann,
zu interpretieren durch Vergleichung mit den Figuren der Schrift.[181] Auch die Natur, die

Schöpfung, ist eine Quelle der Rede Gottes und daher eine Fundgrube für Vergleichungen. Das Buch der Natur ermöglicht Müntzer eine natürliche Theologie,[182] die nicht nur etwa die natürliche Erkenntnismöglichkeit der Existenz eines Gottes und seines Sittengesetzes einschließt. Auch die Christologie gehört dazu. Die Kreaturen zeugen vom gekreuzigten Gottessohn.[183] Wenn Müntzer Vergleichungen aus der Natur[184] für die Erkenntnis der Ordnung heranzieht,[185] dann sind diese für ihn nicht „nur" bildliche Vergleiche, sondern die verwendeten Bilder aus der Natur sind selbst Realitäten der göttlichen Ordnung. In diesem Sinne vertritt Müntzer einen symbolischen Realismus.

Die Ordnung Gottes, der ordo rerum, wiederholt sich unablässig, in der Natur ebenso wie in der Geschichte. Daher dienen auch die Vergleichungen zwischen den verschiedenen Phasen göttlicher Heilsgeschichte, die sich auch in Müntzers Zeit manifestiert, der Erkenntnis jener Ordnung. Eine Form dieser heilsgeschichtlichen Argumentation ist der Vergleich biblischer Gestalten und Ereignisse mit der Gegenwart. Alles, was für Christus gilt, gilt auch für die Gläubigen.[186] Daher kann Müntzer auf dem Titelblatt der „Protestation oder Erbietung" sagen: „Ich predige dir Jesum Christum den gecreutzigten, zum newen jare und dich und mich mit ym."[187] Die Geschichte von Jakob und Esau wiederholt sich in Müntzer und Luther ebenso wie der Kampf zwischen Christus und den Schriftgelehrten.[188] So erfolgt die Deutung der eigenen Geschichte durch Vergleichung mit der biblischen Geschichte, der eine wiederholbare Geschichtsordnung zugrunde liegt.

Mit dieser weiten, nicht auf die Bibel beschränkten hermeneutischen Konzeption sieht Müntzer sich in einem Gegensatz zu *allen* Theologen, die in ihrer Begrenzung der Offenbarung auf die Bibel Hermeneutik nur als Schrifthermeneutik auffassen. In diesem Sinn verharren nicht nur die Humanisten, sondern alle Doktoren im Buchstaben.[189] Schon bei Tertullianus beobachtet Müntzer, daß die Theologen die Ordnung von Anfang an nicht gekannt hätten.[190]

Vergleichen wir die humanistischen Studien Müntzers, wie sie in Wittenberg belegt sind, mit den zuletzt dargestellten hermeneutischen Gedanken, dann läßt sich ahnen, welche Entwicklung er zwischen 1517/18 und 1521/22 durchgemacht hat. Der Streit mit Egranus macht zum erstenmal eine Abgrenzung Müntzers von der Welt der Erasmianer offenkundig. Daß Müntzer nicht lange nach jenem Streit Rhenanus auf einer Linie mit Egranus sah und beide als „Erasmiani" zusammenfaßte, könnte mitbedingt sein durch den Umstand, daß Egranus im Sommer 1520 eine Bildungsreise unternommen hatte, die ihn unter anderem zu Erasmus und Rhenanus führte.[191] „Ja, ja, er lügt in Ewigkeit", polemisiert Müntzer gegen die Auffassung des Rhenanus, Hieronymus vertrete eine reinere Theologie als Tertullianus.[192] Während Rhenanus sich einen weltweiten theologischen Durchbruch von den humanistischen Kirchenväterausgaben verspricht, ist Schriftgelehrsamkeit nach Art der Erasmianer für Müntzer 1521/22, als er die Tertullianausgabe des Rhenanus las, bereits tote Theologie. Er hält ihr entgegen: „Erst wenn lebendige Theologie (viva theologia) sich ereignet, wird die wahre Kirche wachsen."[193]

Und doch bleibt Müntzer in gewisser Hinsicht auch Humanist. Rhenanus erzählt in seiner Widmungsvorrede, wie er an die seiner Ausgabe zugrunde gelegten Tertullianhandschriften gelangt ist. Müntzer stimmt in Rhenanus' Freude über die Handschriften ein: „Ein unvergänglicher Schatz."[194] Müntzer verdankt dem Humanismus jedoch nicht nur die Begeisterung für die alten Quellen, nicht nur Sprachkenntnisse und Briefstil, sondern zentrale Begriffe seines Denkens, mit deren Hilfe er sein eigenes theologisches System gebaut hat.

[1] Ich danke Dr. Walter Simon und Gerhard Hammer, Institut für Spätmittelalter und Reformation der Universität Tübingen, die mir mehrfach weitergeholfen haben.

[2] Irmgard Höss: Humanismus und Reformation. In: Geschichte Thüringens/ hrsg. von Hans Patze und Walter Schlesinger. Bd. 3. Köln / Graz 1967, 38.

[3] Hubert Kirchner: Johannes Sylvius Egranus: ein Beitrag zum Verhältnis von Reformation und Humanismus. Berlin 1961, 49.

[4] ETM, 126–166.

[5] Wolfgang Ullmann: Die sprachgeschichtliche Bedeutung von Müntzers Liturgieübersetzungen. Mühlhäuser Beiträge 5 (1982), 15, 25–29.

[6] Hans-Jürgen Goertz: Schwerpunkte der neueren Müntzerforschung. In: TMFG, 481–536.

[7] Marianne Schaub: Müntzer contre Luther: le droit divin contre l'absolutisme princier. Paris 1984.

[8] Max Steinmetz: Das Erbe Thomas Müntzers. ZGW 17 (1969), 1 124 f; ders.: Thomas Müntzer in der Forschung der Gegenwart. ZGW 23 (1975), 682 f.

[9] Max Steinmetz: Thomas Müntzer und die Bücher: neue Quellen zur Entwicklung seines Denkens. ZGW 32 (1984), 603–611.

[10] Erwähnt von Siegfried Bräuer: Müntzerforschung von 1965 bis 1975. LuJ 45 (1978), 138.

[11] Alexander Kolesnyk: Probleme einer philosophiegeschichtlichen Einordnung der Lehre Thomas Müntzers. Deutsche Zeitschrift für Philosophie 23 (1975), 589 f.

[12] Renate Drucker / Bernd Rüdiger: Thomas Müntzers Leipziger Studentenzeit. Wissenschaftliche Zeitschrift der Karl-Marx-Universität Leipzig: gesellschafts- und sprachwissenschaftliche Reihe 23 (1974), 451 f.

[13] Siehe die Inhaltsübersicht von Franz in MSB, 16 f; zugänglich in MBF.

[14] Zur Überlieferung siehe Bräuer: AaO, 110, Anm. 70; Ulrich Bubenheimer: Thomas Müntzer in Braunschweig. Teil 1. Braunschweigisches Jahrbuch 65 (1984), 42, Anm. 26; 66.

[15] MBF, 67 / MLB, 86^r.

[16] Franz in MSB, 17, Anm. 13.

[17] MBF, 58 / MLB, 23.

[18] MSB, 16, Anm. 7.

[19] MBF, 55 / MLB, 3; MBF, 67 / MLB, 82; MBF, 67 / MLB, 84^r–85^v; MBF, 68 / MLB, 88^r; näheres siehe unten.

[20] MSB, 539.

[21] Vgl. Wolfgang Ullmann: Ordo rerum: Müntzers Randbemerkungen zu Tertullian als Quelle für das Verständnis seiner Theologie. Theol. Versuche 7 (1976), 125–140.

[22] Diese Definition schließt sich insbesondere an die Forschungen von Paul Oskar Kristeller und Hanna H. Gray an. Vgl. Paul Oskar Kristeller: Studies on Renaissance humanism during the last twenty years. Studies in the Renaissance 11 (1962), 22; Hanna H. Gray: Renaissance humanism: the pursuit of eloquence. Journal of the history of ideas 24 (1963), 497–514. Ferner siehe den Überblick über das Definitionsproblem bei Heiko A. Oberman: Quoscunque tulit foecunda vetustas: ad lectorem. In: Itinerarium Italicum: the profile of the Italian Renaissance in the mirror of its European transformations. Dedicated to Paul Oskar Kristeller on the occasion of his 70th birthday/ hrsg. von Heiko A. Oberman und Thomas A. Brady. Leiden 1975, XI–XV. XVIII f und angeführte Literatur.

[23] Siehe Lewis W. Spitz: Humanismus / Humanismusforschung. TRE 15 (1986), 656–658.

[24] Sophronius Eusebius Hieronymus: Septe(m) diui Hieronymi epistole. ad vitam mortaliu(m) instituendam accomodatissime. cu(m) Johan(n)is Aesticampiani Rhetoris ac poete Laureati et Epistola (et) Sapphico carmine... Leipzig: Melchior Lotter d. Ä., 1508, A 2^r–6^r (London, British Library: C.107.bb.14): Widmungsvorrede des Aesticampianus an seinen Neffen Fabianus Judicis, Leipzig, o.D.

[25] Dazu vgl. Ulrich Bubenheimer: Thomas Müntzer und der Anfang der Reformation in Braunschweig. Nederlands archief voor kerkgeschiedenis 65 (1985), 21.

[26] Eine Zusammenstellung bei Max Steinmetz: Luther, Müntzer und die Bibel – Erwägungen zum Verhältnis der frühen Reformation zur Apokalyptik. In: Martin Luther: Leben, Werk, Wirkung/ hrsg. von Günter Vogler. Berlin 1983, 160.

[27] MBF, 58 / MLB, 23^r, Zeile 2.

[28] So Steinmetz: Luther, Müntzer..., 160 f, und Hans Peter Rüger: Thomas Müntzers Erklärung hebräischer Eigennamen und der Liber de interpretatione hebraicorum nominum des Hieronymus. ZKG 94 (1983), 83–87, gegen Wilhelm Eilers in MSB, 539 f, der die gleich zu nennende Liste hebräischer Eigennamen als einen Beleg für Hebräischkenntnisse Müntzers gewertet hat.

[29] MBF, 61 / MLB, 49^r–50^r (unbrauchbar die Edition MSB, 540).

[30] Das ergibt sich aus den Forschungen von Rüger: AaO, 83–85, und Steinmetz: Luther, Müntzer . . ., 160 f.

[31] MBF, 55 / MLB, 3.

[32] Vgl. die irrigen Angaben von Franz in MSB, 16, Anm. 4.

[33] Wegen fehlender paläographischer Analyse des Moskauer Müntzerfaszikels ist bisher nicht erkannt worden, daß hier dieselbe Schreiberhand vorliegt wie in dem identifizierten Autograph Reinharts in MBF, 16 / MLB, 39 (Brief Reinharts an Müntzer, siehe unten Anm. 34). Von Reinharts Hand ist auch der theologische Text (Nachschrift) in MBF, 67 / MLB, 84 f geschrieben (vgl. Franz in MSB, 17, Anm. 12: „Notizen von fremder Hand").

[34] Mauritius Reinhart aus Naumburg – immatrikuliert Leipzig Sommersemester 1508; baccalaureus artium 5. September 1510 (DIE MATRIKEL DER UNIVERSITÄT LEIPZIG/ hrsg. von Georg Erler. Bd. 1. Neudruck der Ausgabe Leipzig 1895. Nendeln/Liechtenstein 1976, 486b; Bd. 2. 1897, 1976, 457) – am 21. April 1520 in Diensten Heinrichs von Bünau, des Pfarrers und Archidiakons zu Elsterberg (MSB, 354, 5–7 [8]). MBF, 16 / MLB, 39 ist ein Brief Reinharts an Müntzer erhalten, datiert mit Januar 1521 aus Elsterberg („. . . ym Jan Mz ein xx jar zcu Esterberg". Falsch entziffert und datiert von Franz in MSB, 364, 16; 363 [17]: „1520"). Reinhart redet Müntzer an mit „preceptori parenti et patri meo" (MSB, 363, 2). Zum Zeitpunkt seines Briefes schuldete er Müntzer Bettlaken. Vermutlich hielt er sich nicht lange zuvor bei Müntzer auf.

[35] Brief der Mutter des Ambrosius Emmen an diesen, o.O.u.D. (MBF, 56 / MLB, 20): Ambrosius besuchte gegen den Willen des Vaters und mit heimlicher finanzieller Unterstützung der Mutter die Griechischschule in Zwickau. Der Umstand, daß dieser Brief bei Müntzer blieb, ist ein Hinweis darauf, daß Ambrosius schon in Zwickau Müntzers Schüler war.

[36] Müntzer an Ambrosius Emmen am 3. September 1524 aus Mühlhausen (MSB 436 f [68]).

[37] MBF, 67 / MLB, 82^r.

[38] MBF, 68 / MLB, 88^r. In beiden Stücken nennt sich der Schreiber Ambrosius Guterboch. Dieser ist mit Ambrosius Emmen identisch. Auf dem Brief der Mutter des Ambrosius Emmen (siehe oben Anm. 35) findet sich ein Rückenvermerk von der Hand des Ambrosius Guterboch. Zur Jüterboger Familie Emmen, in der der Vorname Ambrosius eine feste Tradition hat, vgl. die Immatrikulationen folgender Familienmitglieder in Wittenberg: Bartholomäus, 18. März 1513; Wenzeslaus, Wintersemester 1515/16; Liborius, Matthäus, 1551; Gallus, Ambrosius, Petrus, 1558; Ambrosius, Jonas, 1594. ALBUM ACADEMIAE VITEBERGENSIS: ältere Reihe 1502–1602. Bd. 1/ hrsg. von Karl Eduard Förstemann. Neudruck der Ausgabe Leipzig 1841. Aalen 1976, 49b. 61b. 268. 337; Bd 2/ hrsg. von Otto Hartwig. Neudruck der Ausgabe Halle an der Saale 1894. Aalen 1976, 411a, 42 f.

[39] Am Anfang und Schluß des Übungsbriefs wird das klassische Briefformular verwendet, wie es u. a. von Konrad Celtis und Nikolaus Marschalk empfohlen wurde (vgl. Helmar JUNGHANS: Der junge Luther und die Humanisten. Weimar 1984 / Göttingen 1984, 220–225). Im Briefinhalt wird das Bewußtsein des Humanisten ausgedrückt, in einer glücklichen Zeit zu leben, in der die studia litterarum wieder aufblühen.

[40] MBF, 67 / MLB, 86^r/ Ulrich BUBENHEIMER: Thomas Müntzer: Herkunft und Bildung. Leiden 1989, Quelle 3.

[41] MSB, 17, Anm. 13.

[42] Florenz [1484/85], Venedig 1491, Venedig 1517.

[43] PLATON: Opera Platonis. Venetiis: Philippus Pincius Mantuanus, 22. April 1517 (Zürich, Zentralbibliothek: V E 4; Provenienz: Huldrych Zwingli).

[44] Ebd, vi^r.

[45] Den Titel der zweiten Schrift gibt Müntzer mit „Amatores de philosophia" in Anlehnung an Marsilius FICINUS: Platonis vita, in: Opera Platonis, iiii^r („Amatores vel de philosophia") wieder, während es in der Tabula heißt: „De philosophia liber seu amatores" (vi^r). Zu Müntzers Lektüre der „Platonis vita" siehe ferner unten Anm. 84.

[46] In der Tabula der Ausgabe von 1517 lautet der 18. Titel: „Euthydemus sive litigiosus". Müntzer notierte: „Euthydemus Dionysi(dorus)" und schrieb darüber: „Sophistarum genus". Die Kenntnis von Dionysodoros, dem Bruder des Euthydemos, sowie die Kennzeichnung der beiden als Sophisten konnte Müntzer entweder Platons Dialog „Euthydemus" selbst (Opera Platonis, 101^r) oder dem vorangestellten Argumentum Ficinos (ebd, 100^r) entnehmen.

[47] MSB, 290a, 21–24.

[48] MSB, 507 mit Anm. 31.

[49] MBF, 16 / MLB, 39[r]; MSB, 364, 8 f (17) bringt Reinhart in einem mehrfach fehlerhaft geschriebenen Satz eine Anspielung auf den Römer Marcius Coriolanus nach VALERIUS MAXIMUS: Facta et dicta memorabilia 5, 3, 2b (hrsg. von Karl Kempf. 2. Aufl. Leipzig 1888, 235, 21–24), die der Adressat nur bei Quellenkenntnis entschlüsseln konnte.

[50] Siehe bei Anm. 80–82. 86.

[51] MBF, 68 / MLB, 87[r] / MSB, 537, 9 f: „Horrida sum pravis, iustis optabile lucrum, Illos suppliciis, hos ego mitto polis" (Petrus SCHOTT: . . . Lucubraciunculae ornatissimae. [Straßburg:] Martin Schott, 2. Oktober 1498, 176[v] – Tübingen, Universitätsbibliothek: Kf IV 11.4°).

[52] LIBER TRIUM VIRORUM (ET) TRIUM SPIRITUALIUM VIRGINUM/ hrsg. von Jacobus Faber Stapulensis. Paris: Henricus Stephanus, 1513 (Marburg, Universitätsbibliothek: XIXc A 571[d]). Dazu Max STEINMETZ: Thomas Müntzer und die Mystik: quellenkritische Bemerkungen. In: Bauer, Reich und Reformation = Festschrift für Günther Franz zum 80. Geburtstag am 23. Mai 1982/ hrsg. von Peter Blickle. Stuttgart 1982, 148–159.

[53] MBF, 58 / MLB, 23. Das Blatt ist im Moskauer Müntzerfaszikel verkehrt eingebunden: Der Text beginnt 23[v] und wird 23[r] fortgesetzt. Siehe Abbildung von 23[v].

[54] Franz bemerkt in MSB, 16, Anm. 7, zu der Handschrift nur: „Auszüge aus Plinius, Epistolae libri decem (darin auch De viris illustribus) und Diogenes Laertes [!], De Vita . . . philosophorum über Plato von M.s. Hand". Diese Angaben haben sich als falsch erwiesen. Ich werde den Text in meinem Buch „Thomas Müntzer" – siehe oben Anm. 40 – als Quelle 2 edieren. Ebd., Kap. 4 werden auch die Konsequenzen für die Biographie Müntzers ausführlich dargestellt. Hier gehe ich auf den Text und seine Entstehung so weit ein, wie er Müntzers humanistische Bildung betrifft. Alle hier nicht im einzelnen belegten Erkenntnisse werden aaO näher begründet.

[55] CSEL 54 (1910), 442–465. Müntzers Stichworte beziehen sich auf epistula 53, 1 (CSEL 54, 443, 4–15; 444, 6–13).

[56] Hieronymus: Epistula 53, 8 f (CSEL 54, 454, 13 – 463, 12).

[57] Hieronymus: Epistula 53, 1–7 (CSEL 54, 442, 3 – 454, 12).

[58] Hieronymus: Epistula 53, 2 (CSEL 54, 446, 1–3).

[59] Sophronius Eusebius HIERONYMUS: Epistola Diui Hieronymi ad Paulinu(m) presbyterum de omnibus diuinae historiae libris. Wittenberg: Johann Rhau-Grunenberg, 1517.

[60] Wolfenbüttel, Herzog August Bibliothek: K 151 Helmst. 4° (40), in einem Sammelband des 16. Jahrhunderts.

[61] Der in Anm. 60 genannte Sammelband der Herzog August Bibliothek (K 151 Helmst. 4°) enthält als Druck (27) folgende Flugschrift: Lignacius STÜRLL (Pseud.) = Andreas BODENSTEIN: Gloße / Des Hochgelarten / yrleuchten / Andechtigen / vnd Barmhertzigen / Ablas Der tzu Hall in Sachsen / mit wunn vn(d) freude(n) außgeruffen. [Wittenberg: Nickel Schirlentz, 1521]. Auf dem Titelblatt des genannten Exemplars befindet sich folgende handschriftliche Adresse: „Hern Gasparum Schmidt itzundt bey der frauen vonn Mergentaln zuubersenden genn Hirschfelt". Der hier genannte Kaspar Schmidt ist identisch mit „Caspar Fabri de Sieben [= Siebenlehn] Misnen. dio.", der am 9. Oktober 1517 als einer der Schüler des Aesticampianus (dazu siehe unten Anm. 67) in Wittenberg immatrikuliert wurde (Album Academiae Vitebergensis: . . . 1, 68a).

[62] Dessau, Stadtbibliothek: Georg 1049a (2).

[63] In Wittenberg immatrikuliert am 23. Februar 1514 (Album Academiae Vitebergensis: . . . 1, 49a).

[64] Der Band ist beschrieben in WA 57 I, XL f.

[65] Näheres in der Edition (siehe oben Anm. 54).

[66] Walter FRIEDENSBURG: Die Berufung des Johannes Rhagius Aesticampianus an die Universität Wittenberg 1517. ARG 20 (1923), 148.

[67] Am 9. Oktober 1517 wurden in Wittenberg 20 Schüler des Aesticampianus gemeinsam immatrikuliert (Album Academiae Vitebergensis: . . . 1, 68, von Petrus Reitter bis Jacobus Houeman). Um einen ehrenvollen Platz in der Matrikel zu erhalten, wurde Aesticampianus selbst unter dem Datum vom 20. Oktober 1517 als erster des Wintersemesters 1517/18 eingetragen (ebd 1, 69a).

[68] Ebd 1, 69.

[69] Ebd 1, 69a; URKUNDENBUCH DER UNIVERSITÄT WITTENBERG. Teil 1: (1502–1611)/ bearb. von Walter Friedensburg. Magdeburg 1926, 99 f (82).

[70] Widmungsvorrede an Johannes von Staupitz vom 27. November 1517 (Ernst KÄHLER: Karlstadt und Augustin: der Kommentar des Andreas Bodenstein von Karlstadt zu Augustins Schrift De spiritu et litera. Halle [Saale] 1952, 6, 18 f).

[71] Ebd, 10, 5–8. 12–14.

[72] Pseudo-Augustinus: Diui Aurelij Augustini libellus de vita Christiana: ad sorore(m) suam vidua(m)/ hrsg. von Johannes Rhagius Aesticampianus. Leipzig: Melchior Lotter d. Ä., 1518, A 2^{r-v} (Wolfenbüttel, Herzog August Bibliothek: 97.5 Th. [16]): Widmungsvorrede des Aesticampianus an Herzog Barnim von Pommern, datiert am 19. Dezember 1518 in Wittenberg.

[73] WA Br 1, 123, Anm. 7 (52).

[74] Der Vergleich mit der Wolfenbütteler Nachschrift (siehe oben Anm. 60) ergibt, daß Müntzers Nachschrift aus der 2. und 4. Stunde der Vorlesung über diesen Brief stammt.

[75] Näheres in der der Edition (siehe oben Anm. 54) vorangestellten Handschriftenbeschreibung.

[76] Nachschrift Reichenbachs (siehe oben Anm. 62), A 2^r. In den bei Müntzer fehlenden Teilen der Vorlesung werden weitere Quellen zitiert, die ich hier nicht aufführe.

[77] MSB, 354, 5 f (8); 355, 8 f (9).

[78] Sie fehlen sämtlich in den beiden anderen Nachschriften.

[79] MBF, 58 / MLB, 23^r, Zeile 22. 30.

[80] Müntzers Nachschrift MLB, 23^r, Zeile 21–30: „Albani Iasonis posteri, [a]lbo crine nascuntur, caniti[em habent] auspicium capillorum. Glauca ([interlinear:] cerulea cesia) oculis inest pupilla, ideo nocte plusquam die cernunt." Fast wörtlich nach C. Iulius Solinus: Collectanea rerum memorabilium 15, 5 (hrsg. von Theodor Mommsen. Berlin 1895, 83, 3–6). Die Quelle ist in der Wolfenbütteler Nachschrift genannt (A 1^r).

[81] Auf die in Anm. 80 zitierte Stelle folgen bei Solinus: AaO, 15, 6–8 (83, 7–18), Ausführungen über die Hunde (canes) der Albaner.

[82] Müntzer ergänzt nur das Stichwort „canes" am Rand seiner in Anm. 80 zitierten Aufzeichnungen. Auch nach der Wolfenbütteler Nachschrift war in der Vorlesung nicht von den Hunden der Albaner die Rede. In der Nachschrift Reichenbachs fehlt die betreffende Glosse.

[83] Müntzers Nachschrift MLB, 23^v, Zeile 15–21, nach Ficino: Platonis vita, v^r.

[84] Randbemerkung Müntzers: „Ari(stoteles) 20 [scil. annos] Platonem audivit", nach Ficino: Platonis vita, iv^v.

[85] Müntzers Nachschrift MLB, 23^v, Zeile 24 f: „... loquendi heroicus ut si Iupiter de celo [...]" (Textverlust am unteren Rand).

[86] MLB, 23^v links neben den Zeilen 20–24; nach M[arcus] Fabius Quintilianus: Institutio oratoria (hrsg. von Ludwig Radermacher. Erw. und verb. von Vinzens Buchheit. Bd. 2. Leipzig 1965, 314, 9).

[87] Das Scholion über Pythagoras in der Wolfenbütteler Nachschrift (A 1^v).

[88] Das Programm „Bildung durch Reisen" hat Aesticampianus explizit als sein Vorhaben formuliert. Siehe Gustav Bauch: Johannes Rhagius Aesticampianus in Krakau, seine erste Reise nach Italien und sein Aufenthalt in Mainz. Archiv für Litteraturgeschichte 12 (1884), 332. 336 f.

[89] Zusammenfassend Heinrich Grimm: Aesticampianus, Johannes Rhagius. Neue deutsche Biographie. Bd. 1. Berlin 1953, 92 f; im einzelnen Bauch: AaO; ders.: Die Vertreibung des Johannes Rhagius Aesticampianus aus Leipzig. Archiv für Litteraturgeschichte 13 (1885) 1–33.

[90] Klaus [Winkeler] an Müntzer am 25. Juli 1515 aus Halberstadt; Bubenheimer: Thomas Müntzer in Braunschweig. Teil 1, 68, 5–10 (MSB, 349, 7–15 [3]). Zur Datierung siehe Bubenheimer: AaO, 68, 15.

[91] Hans Pelt an Müntzer am 25. Juni 1521 [aus Braunschweig]; Bubenheimer: Thomas Müntzer in Braunschweig. Teil 1, 73, 16 f.

[92] Zu Müntzers frühen Reisen siehe Ulrich Bubenheimer: Thomas Müntzer in Braunschweig. Teil 2. Braunschweigisches Jahrbuch 66 (1985), 98–100. Ebd, 100, hatte ich zur Erklärung der mutmaßlichen Bekanntschaft Müntzers mit dem Antwerpener Augustinermönch Johann van Essen (Esche) mit einer Reise Müntzers in die Niederlande gerechnet. Die Bekanntschaft der beiden Männer findet jedoch eine näherliegende Erklärung in dem Umstand, daß sich van Essen eine Zeitlang im Eislebener Augustinerkonvent (gegründet 1515) aufhielt. Siehe Julius Boehmer: Die Beschaffenheit der Quellenschriften zu Heinrich Voes und Johann van den Esschen. ARG 28 (1931), 123–133.

[93] Siehe oben Anm. 24.

[94] Hieronymus: Septe(m)... epistole, E 6^r – H 1^v. Zu diesem Brief (Pseudo-Hieronymus: Epistula 36 / PL 30 [1846], 254–261), der eigentlich von Gualterus Map OP im 13. Jahrhundert verfaßt wurde, siehe Clavis patrum Latinorum/ hrsg. von Eligius Dekkers. 2. Aufl. Steenbrugge 1961, 145 (633).

[95] WA Br 1, 407, 7 f (181).

[96] Müntzers Nachschrift MLB, 23^v, Zeile 7–11: „... quam villam [scil. Academiam] ab urbe procul elegit, non solum desertam, sed et pestilentem, ut cura et assiduitate morborum libidinis impetus

frangeretur discipulique sui nullam aliam sentirent voluptatem nisi earum [rerum] quas discerent."
Nach Sophronius Eusebius HIERONYMUS: Adversus Iovinianum 2, 9 (PL 23 [1845], 298 B–C).

[97] MSB, 237, 10–12.

[98] Müntzer schrieb neben die in Anm. 96 zitierten Ausführungen drei Zeilen vertikal an den linken Rand: „Sane memor ero absintii et fellis. Ascendam ad montem mirrhe. Scalam dei ponit Iohan(nes) Gerson" (MLB, 23ᵛ).

[99] „... omnes amputans voluptates. Ibo, inquit, ad montem myrrhae: ad eos scilicet qui mortificave-runt corpora sua . . ." Hieronymus: Adversus Iovinianum 1, 30 (PL 23, 233 A).

[100] Jean GERSON: Œuvres complètes/ hrsg. von Palémon Glorieux. Bd. 3. Paris / Tournai / Rom / New York 1962, 79.

[101] Ebd, 87 f. 90–93.

[102] Ebd, 87: „Legatur Joannes eremita montis Sinai qui Climacus dicitur, in illo gradu scalae mysticae in quo de poenitentia loquitur. Refert profecto stupenda et forte magis admiranda nobis quam imitanda super voluntario carcere quorumdam Deum placare volentium." Siehe Johannes KLIMAKOS: Scala paradisi, gradus 5 (PG 88 [1864], 763–782).

[103] MBF, 69 / MLB, 91ʳ (MSB, 533, 1–19 fehlerhaft und ohne Bibelstellennachweise).

[104] Quintilianus: AaO, 8, 6, 19–22 (2, 117, 17 – 118, 18); Heinrich LAUSBERG: Handbuch der literari-schen Rhetorik. Bd. 1. München 1960, 295–297 (§ 572 f).

[105] MSB, 533, 4–7 („a parte totum").

[106] MSB, 533, 7–13 (ohne Nennung des rhetorischen Terminus technicus), siehe unten Anm. 109.

[107] Davor noch ein Lehrbuchbeispiel: „Qui enim facie albus, totus [scil: albus est]" (MBF, 69 / MLB, 91ʳ / MSB, 533, 7).

[108] „Talis dicitur Χριστος pars generis humani solus iustus et per eum omnes iusti dicunter ad Ro. 3" (ebd / MSB, 533, 7 f).

[109] Die MSB, 533, 8 aus Röm. 3,22 f übernommene Rede von den „omnes" (zitiert oben Anm. 108) deutet Müntzer als figura (533, 9) totum pro parte im Interesse seiner Unterscheidung von Auser-wählten und Verworfenen (533, 12 f).

[110] Vgl. Müntzers Randbemerkung TOp.M, 71 in Aufnahme der Gedanken des Tertulliánus: „1ᵘˢ [scil. homo] choicus limacius terrenus, 2ᵘˢ Celestis homo verbum dei". Zu Quintus Septimius Florens TERTULLIANUS: De resurrectione mortuorum 49, 2–5 (CChr.SL 2 [1954], 990, 4–23 / CSEL 47 [1906], 101, 7–26).

[111] H[ans]-J[ürgen] GOERTZ: Innere und äußere Ordnung in der Theologie Thomas Müntzers. Leiden 1967, 39–45.

[112] Ebd, 40, Anm. 3; 42, Anm. 2.

[113] Ebd, 40.

[114] TOp, angebunden an COp, letztere mit vereinzelten Notizen Müntzers im Register.

[115] Ullmann: Ordo rerum, 128–132.

[116] TRM 12, 7 (CChr.SL 2, 935, 27 f / CSEL 47, 41, 20 f): „Totus igitur hic ordo revolubilis rerum testa-tio est resurrectionis mortuorum." Dazu Müntzer TOp.M, 43: „Conclusio pulcherrima de resurrec-tione mortuorum". Beatus Rhenanus hat die Formulierung des Tertullianus in sein Argumentum aufgenommen, das er „De resurrectione mortuorum" vorangestellt hat (TOp.R, 34): „Mox ex revolu-bili rerum ordine resurrectionem persuadet . . ."; dazu Müntzer: „Ex ordine rerum probat resurrec-tionem."

[117] TRM 2, 7 (CChr.SL 2, 922, 31 f / CSEL 47, 27, 6): „. . . nam et ordo semper a principalibus deduci exposcit . . ."; dazu Müntzer TOp.M, 36 in Großbuchstaben: „Ordo rerum".

[118] Außerdem hat Müntzer TOP.M, 71 unterstrichen: „Ordo enim meritorum"; TRM 48, 10 (CChr.SL 2, 988, 41 / CSEL 47, 100, 2). Entsprechend hat er in der Admonitio ad lectorem des Rhenanus das Wort „ordinis" unterstrichen (a 6ᵛ). Diese Stellen zeigen, daß ordo für Müntzer ein Reizwort war.

[119] TOp.M, 28 zu Quintus Septimius Florens TERTULLIANUS: De carne Christi 16, 5 (CChr.SL 2 [1954], 903, 30–38 / CSEL 70 [1942], 231, 30–38: „Ordo rerum hac unica vice tangitur"; TOp.M, 28 zu TCCh 17, 5 f (CChr.SL 2, 905, 31–46; CSEL 70, 233, 31 – 234, 46): „Hic rursus tangit ordinem rerum de conceptione diversorum."

[120] TOp.M, 23 zu TCCh 11, 1 (CChr.SL 2, 894, 3–9 / CSEL 70, 218, 3 – 219, 9): „Omnes heretici igno-raverunt ordinem"; TOp.M, 39 zu TRM 6, 5–7 (CChr.SL 2, 928, 9–32 / CSEL 47, 33, 19 – 34, 6): „Heretici contempserunt viles creatures, quia ordinem rerum minime intelligunt."

[121] TOp.M, 15 zu TCCh 3, 1 (CChr.SL 2, 875, 5 – 876, 9 / CSEL 70, 193, 5–9): „Ex ordine nihil probat,

de innocentia Christi et peccato Adam probanda est Nativitas domini." TOp.M, 17 zu TCCh 5, 3 (CChr.SL 2, 881, 20–24 / CSEL 70, 200, 20–24): „Quare non probas ex ordine rerum contra negantem scripturas?" TOp.M, 17 zu TCCh 5, 7 f (CChr.SL 2, 882, 45–53 / CSEL 70, 201, 45 – 202, 53): „Pulchrius illa omnia ex natura probantur." TOp.M, 18 zu TCCh 6, 4 f (CChr.SL 2, 884, 28–33 / CSEL 70, 205, 28–33): „Nullus doctorum scripsit ordinem, ob id non potuerunt vincere unum hereticum, nisi scripturis, que possunt vario glossemate involvi et comparari." TOp.M, 19 zu TCCh 6, 10 f (CChr.SL 2, 885, 60–68 / CSEL 70, 206, 60 – 207, 68): „contra ordinem". TOp.M, 25 zu TCCh 12, 6 (CChr.SL 2, 897, 32–35 / CSEL 70, 222, 32–35): „Apertissime cognoscis quod hic negat ordinem rerum." TOp.M, 27 zu TCCh 15, 4 (CChr.SL 2, 901, 27–30 / CSEL 70, 229, 27–30): „Optime contrariati sunt [scil. ethnici], quia voluerunt ordinem, quem theologi ignoraverunt a principio." TOp.M, 37 zu TRM 4, 2 (CChr.SL 2, 925, 3–11 / CSEL 47, 30, 3–11): „Nausea naturalium rerum in Tertuliano."

[122] Vgl. MSB; 510, 3 f / 494, 6 f / 504, 11 f.

[123] MSB, 505, 16 – 506, 4 / 492, 12–14 / 496, 10–16; 534, 15 – 535, 6; 519, 14–20; 519, 21 – 520, 2. 12–14 zusammen mit 397, 25–30; 228, 13 – 229, 13; 235, 28 – 237, 23; 270, 1; 271, 22–26; 227, 30–33; 273, 39 – 274, 12; 314, 3 – 315, 5; 326, 13 – 327, 17.

[124] MSB, 228, 13 – 229, 13; 220, 25–28; 236, 5–7; vgl. Quintilianus: AaO 9, 4, 1–147 (2, 196, 27 – 231, 18); Lausberg: AaO 1, 455 (§ 911). Die lateinischen Termini „conexio" und „compositio" sind bei Müntzer nicht nachgewiesen.

[125] Quintilianus: AaO 3, 3, 8 (1, 133, 9–11).

[126] Ebd 7, 1, 1 (2, 1, 10–13); Lausberg: AaO 1, 241–247 (§ 443–452).

[127] Quintilianus: AaO 4, 1, 1–5 (1, 184, 2–185, 2); Lausberg: AaO 1, 150 f (§ 263. 266).

[128] Vgl. Lausberg: AaO 1, 241–244 (§ 443).

[129] Quintilianus: AaO 7, pr. 3 (2, 1, 21 f).

[130] Ebd 3, 3, 14 (1, 134, 9–11).

[131] Goertz: Innere und äußere Ordnung . . ., 43–45.

[132] Ullmann: Ordo rerum, 129 f.

[133] Zum Vergleich mit Luther und Karlstadt siehe auch Ulrich Bubenheimer: Luther – Karlstadt – Müntzer: soziale Herkunft und humanistische Bildung: ausgewählte Aspekte vergleichender Biographie. Amtsblatt der Evang.-Luth. Kirche in Thüringen 40 (1987), 67 f.

[134] Junghans: Der junge Luther . . ., 218. Gleichzeitig räumt Junghans: ebd, 216, ein, daß rhetorische Kategorien Luthers Gottesbild (deus dicens) beeinflußt haben. In dieser Hinsicht stehen Luther und Müntzer bereits in einer alten, auf die Kirchenväter zurückgehenden theologischen Tradition. So ergaben sich auch partielle Berührungspunkte zwischen Luther und Müntzer. Die im folgenden dargestellten Unterschiede wurden jedoch von beiden Theologen stärker betont und ausgearbeitet.

[135] Kirchner: AaO, 10 f.

[136] Ebd, 49.

[137] Johann Sylvius Egranus: Ungedruckte Predigten . . . (gehalten in Zwickau und Joachimsthal 1519–1522)/ hrsg. von Georg Buchwald. Leipzig 1911.

[138] MBF, 50 / MLB, 66 f / MSB, 513–515.

[139] Diese Analyse haben Kirchner: AaO, 19–21. 33–33. 38–60, und ETM, 132–166, geleistet.

[140] Die Passions- und Osterpredigten des Egranus aus dem Jahr 1521 sind nicht überliefert. Jedoch enthalten die 1520 in Zwickau und 1522 in Joachimsthal gehaltenen Passions- und Osterpredigten direkte, teilweise fast wörtliche Parallelen zu den Propositiones 5. 8. 11. 16; vgl. MSB, 513, 16 mit Egranus: AaO, 98 (25); MSB 514, 6 f. 14–17 mit Egranus: AaO, 116 (26). 124 (28). 134 (30); MSB 514, 30 f mit Egranus: AaO, 31 (3). 115 (26). Der Vergleich der Predigtjahrgänge untereinander zeigt, daß Egranus Inhalte der jeweils früheren Predigten wiederholte. Daher kann angenommen werden, daß sich Müntzer auf die nicht erhaltenen Predigten der Osterzeit 1521 bezieht. Ostern 1520 war er noch nicht in Zwickau, Ostern 1522 predigte Egranus in Joachimsthal, wo Müntzers Anwesenheit nicht vorausgesetzt werden kann. Außerdem zeigt der Vergleich von MSB, 514, 36 f mit 515, 15 f, daß die Propositiones in der Zeit abgefaßt wurden, als Egranus mit dem Ortswechsel von Zwickau nach Joachimsthal beschäftigt war. Dies war im April 1521 der Fall (Abschiedspredigt in Zwickau am 21. April 1521). Vgl. Otto Clemen: Johannes Sylvius Egranus. Mitteilungen des Altertumsvereins für Zwickau und Umgegend 6 (1899), 26 / ders.: Kleine Schriften zur Reformationsgeschichte (1897–1944)/ hrsg. von Ernst Koch. Bd. 1. Leipzig 1982, 150.

[141] Albert Burer an Beatus Rhenanus am 19. Oktober 1521 aus Wittenberg (Beatus Rhenanus: Briefwechsel/ hrsg. von Adalbert Horawitz und Karl Hartfelder. Leipzig 1886, 294 [212]).

[142] Erasmus von Rotterdam: Ausgewählte Schriften. Lateinisch und deutsch/ hrsg. von Werner Welzig. Bd. 3. Darmstadt 1967.

[143] TOp.R, a 4ᵛ–5ʳ / Beatus Rhenanus: Briefwechsel, 287 (207).

[144] TOp.R, a 5ʳ: „Marcion facit differentiam veteris et novi testamenti instar Erasmitarum et pyckardorum."

[145] Erasmus: AaO 3, 14. 26. 28.

[146] Ebd 3, 68.

[147] Ebd 3, 458 f.

[148] Auch Erasmus ging in der Ablehnung des Alten Testaments gelegentlich noch weiter als in den Vorreden zum Neuen Testament. Siehe Heiko A. Oberman: Wurzeln des Antisemitismus: Christenangst und Judenplage im Zeitalter von Humanismus und Reformation. 2. Aufl. Berlin 1981, 49.

[149] Egranus: AaO, 119 (27). 123 f (28). 134 (30).

[150] Ebd, 116 (26).

[151] Ebd, 134 (30).

[152] MSB, 514, 6 f.

[153] Egranus: AaO, 119 (27). 124 (28).

[154] Erasmus: AaO 3, 64–68 (Methodus). 452–464 (Ratio).

[155] Ebd 3, 452.

[156] Ebd 3, 460.

[157] MSB, 228, 20–23. Weitere Belegstellen zu „Vergleichung" bei Müntzer sind ohne Diskussion der Herkunft dieses Begriffs zusammengestellt bei William Lowell Hopkins: From interpretation to revolution: Thomas Müntzer's use of „starcke vorgleichung", „leyden" and „gesetz". Madison 1983, 110–138 (MS). – Madison, Univ. of Wisconsin, phil. Diss., 1983.

[158] Unter frühhumanistischem Einfluß wurden in den Bibelausgaben des Basler Druckers Johannes Amerbach seit dem Neuen Testament von 1479 am Rand biblische Parallelstellen angegeben, weshalb sich der Titel „Biblia cum concordantiis" einbürgerte (Junghans: Der junge Luther . . ., 112 f). Diese Ausstattung der Bibeln förderte die Methode der Vergleichung.

[159] Erasmus: AaO, 3, 460.

[160] TOp.R, a 4ʳ / Beatus Rhenanus: Briefwechsel, 286 (207).

[161] „Omnes scripture sunt conferende in invicem" (TOp.M, a 4ʳ).

[162] TOp.M, 52 zu TRM 25, 1 f (CChr.SL 2, 953, 1–9 / CSEL 47, 61, 4–12): „Apocalypsim allegat." TOp.M, 62 zu TRM 38, 4 (CChr.SL 2, 971, 12–15 / CSEL 47, 80, 27 – 81, 1).

[163] „Omnis scriptura debet exponi non per alteram scripturam, quia spiritualia spiritualibus non possunt comparari. Sed debet observari sinceritas, ut maneant auctoritates in se sine intellectu aliarum, ut singulis sua tribuantur" (MBF, 50 / MLB, 66ᵛ / MSB 514, 14–17).

[164] Vgl. Kirchner: AaO, 20; ETM, 152 f.

[165] Propositio 9: „Novum testamentum non debet aliter intelligi quam littera sonuerit. Ob id hystorie evangelice non sunt exponende, sed per se sufficiunt ad salutem quamvis non de nobis sed de cecis et claudis conscripte sint" (MBF, 50 / MLB, 66ᵛ / MSB 514, 8–10).

[166] Vgl. Egranus: AaO, 24 (3). 98 (25).

[167] Ebd, 118 (27).

[168] Kirchner: AaO, 19.

[169] Ernst-Wilhelm Kohls: Die Theologie des Erasmus. Bd. 1. Basel 1966, 132–136.

[170] Erasmus: AaO 3, 152.

[171] TOp.M, 55 zu TRM 29, 1 (CChr.SL 2, 957, 29 – 958, 3 / CSEL 47, 66, 9–11): „Firmissime et manifestis scripturis et allegoriis resurrectionem probat."

[172] TOp.M, 48 zu TRM 19,2 (CChr.SL 2, 944, 5–9 / CSEL 47, 51, 10–14): „Allegoriarum nimius amor". TOp.M, 48 zu TRM 20, 2 (CChr.SL 2, 945, 5–10 / CSEL 47, 52, 13–17): „Non simpliciter omnia imagines rerum", wobei er typischerweise „simpliciter" hinzugefügt hat. TOp.M, 49 zu TRM 20, 7 (CChr.SL 2, 946, 30–35 / CSEL 47, 53, 10–15): „Discutit [scil. Tertullianus] allegorias." TOp.M, 55 zu TRM 30, 1 (CChr.SL 2, 959, 1–7 / CSEL 47, 67, 20–26): „Allegoriam faciunt ex Ezechiele [37,1–14]."

[173] Müntzer an Luther am 9. Juli [1523] aus Allstedt (MBF, 36 / MLB, 8ʳ / MSB 392, 1–6 [40] / WA Br 3, 106, 75–79 [630]).

[174] Müntzer entnimmt der Admonitio ad lectorem des Rhenanus (TOp.R, b 1ʳ), der seinerseits Tertullianus zitiert, den Gedanken: „Plus ad sensum rei quam ad sonum vocabuli exercitandi sumus."

[175] TOp.M, 37 zu TRM 3, 6 (CChr.SL 2, 925, 31 f / CSEL 47, 29, 26 f): „Littera non vincit."

[176] TOp.M, 32 zu TCCh 22, 1 (CChr.SL 2, 912, 1–7 / CSEL 70, 244, 1–7): „Testimonia scripturarum producit testimonium spiritus pertransiens."

[177] MSB, 234, 10–12; 268, 1–14.

[178] Bemerkung zur Widmungsvorrede des Rhenanus TOp.R, a 4ʳ / Beatus Rhenanus: Briefwechsel, 286 (207):˙ „Directissimo dyametro scripture distant nisi conferantur omnes in unum contra insanissimos homines."

[179] TOp.M, 37 zu TRM 4, 1 (CChr.SL 2, 925, 1–3 / CSEL 47, 30, 1–3): „Nihil nisi contentiones sunt in doctoribus." Dazu gehört die oben Anm. 175 zitierte Bemerkung.

[180] MSB, 268, 14–23.

[181] MSB, 253, 1–4; Hopkins: AaO, 121 f.

[182] TOp.M, 43 zu TRM 12, 7 – 14, 2 (CChr.SL 2, 935, 27 – 936, 7 / CSEL 47, 41, 20 – 42, 23): „Natura iuvat prophetias." – „Maxima ignorantia creaturam nihil designare." – „Docet natura." – Omnia plasmata sunt parabole divine." TOp.M, 47 zu TRM 18, 1 (CChr.SL 2, 942, 1–3 / CSEL 47, 48, 29 f): „Munivit sensus scripturarum ex natura." In diesem Zusammenhang fällt hier TOp.M, 47 zu TRM 18, 3 (CChr.SL 2, 942, 14–16 / CSEL 47, 49, 12–14) das in der Literatur mehrfach herangezogene Wort Müntzers: „Sine scriptura etiam perseverat veritas.Christiana." „Etiam" ist über der Zeile nachgetragen. Die Randbemerkungen zu Tertullianus erhärten zusätzlich den auf Müntzers Schriften und Briefe gestützten Nachweis von Gordon Rupp, daß Müntzer eine natürliche Theologie vertrat (Gordon Rupp: Thomas Müntzer, Hans Huth and the „gospel of all creatures". Bulletin of the John Rylands Library Manchester 43 (1960/61), 493–498. 508–519 / ders: Thomas Müntzer, Hans Hut und das „Evangelium aller Kreatur". In: TMFG, 178–184. 193–204; ders.: Patterns of Reformation. London 1969, 292–295. 325–331. 342–353). Steven E. Ozment: Mysticism and dissent: religious ideology and social protest in the sixteenth century. New Haven / London 1973, 88 f, und Ullmann: Ordo rerum, 131 f, bestreiten das Vorliegen einer natürlichen Theologie bei Müntzer ohne hinreichende Gegenargumente. Siehe auch Michael G. Baylor: Thomas Müntzer's first publication. The sixteenth century journal 17 (1986), 457, Anm. 39. Die Frage bedarf einer umfassenden Untersuchung.

[183] MSB, 324, 12 f. Franz verweist ebd, Anm. 48 auf die Erklärung der Stelle in MPS, 74, 55. Doch grenzt Hinrichs unzutreffend „creaturen" auf die „menschliche Kreatur" ein.

[184] Beatus Rhenanus: Admonitio ad lectorem (TOp.R, b 2ʳ⁻ᵛ) bietet ein Zitat aus Aurelius Augustinus: De genesi ad litteram 10, 26 (CSEL 28 I [1894], 330, 20 – 331, 11), wo Augustinus seinerseits Quintus Septimius Florens Tertullianus: De anima 37, zitiert. Tertullianus vergleicht die Entwicklung der Seele mit den Zustandsveränderungen von Gold und Silber, was Müntzer TOp.M, b 2ʳ heraushebt: „Comp[a]ratio de auro". Augustinus verwendet hier den Ausdruck „similitudo". Für Vergleichungen aus der Natur verwendet Müntzer sowohl „comparatio" (vgl. noch MSB, 518, 4) als auch „similitudo". TOp.M, 43 zu TRM 12, 1 f (CChr.SL 2, 934, 1 – 935, 9 / CSEL 47, 40, 23 bis 41, 3): „Ortus diei post noctem similitudo resurgentis carnis."

[185] MSB, 518, 2–19; 533, 1–5 (vgl. damit das in Anm. 184 wiedergegebene Zitat aus TOp.M, 43); 534, 15–20 und 535, 1–6; 529, 29 – 530, 1.

[186] TOp.M, 29 zu TCCh 18, 6 (CChr.SL 2, 906, 33 f / CSEL 70, 235, 33 – 334, 1): „Omnia in Christo et in credentes eius." Vgl. TOp.M, 22 zu TCCh 9, 4 (CChr.SL 2, 892, 16–24 / CSEL 70, 215, 16 – 216, 24): „Caro Christi similis carni nostre." Ferner siehe oben bei Anm. 107 f.

[187] MSB, 225, 4 f.

[188] MSB, 340, 14–16; 341, 1–4.

[189] TOp.M, 21 zu TCCh 7, 11 (CChr.SL 2, 889, 70 f / CSEL 70, 211, 70 f): „In littera versantur omnes doctores, palpant ubique tenebras."

[190] TOp.M, 27 (zitiert oben Anm. 121).

[191] Clemen: AaO, 19 / 143; Kirchner: AaO, 7.

[192] TOp.M, a 3ᵛ, Bemerkung zur Widmungsvorrede des Beatus Rhenanus (Briefwechsel, 285 [207]): „Ja, ja, mentitur in evum."

[193] TOp.M, zu TOp.R, a 4ʳ / Beatus Rhenanus: Briefwechsel, 285 (207): „Dum viva theologia usuevenerit: crescet vera ecclesia."

[194] TOp.M, a 3ʳ: „Thesaurus immarces[c]ibilis".

Thomas Müntzers Kirchenväterstudien

Der dogmengeschichtliche Inhalt der Auseinandersetzung zwischen Reformation und Humanismus

Von Wolfgang Ullmann

I Müntzers Kirchenväterstudien im Rahmen der humanistischen Patrologie

Auch dies ist eine Sonderbarkeit der Müntzerforschung: Wie oft schon hat man nach den hypothetischen Quellen der Theologie Müntzers gefragt. Man hat das in den verschiedensten Richtungen getan, je nachdem, ob man für ein taboritisch-revolutionäres, joachitisch-apokalyptisches oder ein dominikanermystisch-spiritualistisches Bild des umstrittensten aller Reformatoren plädierte. Auffallend gering ist demgegenüber das Interesse für jene Quellen, von denen Müntzer selbst sagt, er habe sie wieder und wieder gelesen,[1] an Quellen, die er als selbstverständliche Autoritäten zitiert, ohne ihnen gegenüber solche Vorbehalte wie gegenüber dem joachitischen Schrifttum anzumelden,[2] Quellen, die er als für seine Arbeit „valde necessarios" bezeichnet,[3] Quellen, deren Bedeutung für Müntzer schon dadurch genau erfaßt werden kann, daß seine erhaltenen Randbemerkungen einen genauen Einblick in die Art und Weise und die Intentionen seiner Lektüre gewähren.[4] Das Register der umfangreichsten Müntzerbiographie des letzten Jahrzehnts, die Walter Elliger vorgelegt hat, ist ein genaues Spiegelbild dieser Interessenlage. Die für Müntzer besonders wichtigen Kirchenväter Augustinus, Eusebios von Kaisareia und Origenes sind jeder nur ein einziges Mal gestreift. Der für Müntzers Position höchst einflußreiche Tertullianus aber ist nicht einmal einer Erwähnung wert befunden worden.[5]

Demgegenüber hat der Verfasser schon vor längerer Zeit versucht, wenigstens einen ersten Überblick über die in der Franzschen Gesamtausgabe der Werke Müntzers nur ungenügend dokumentierten Tertullianusmarginalien zu geben und sie in die Quellen für Müntzers Geschichtsverständnis überhaupt einzuordnen.[6] Daß die von dieser Quellenlage aufgeworfenen Fragen diskutiert und bearbeitet worden wären, wird man kaum behaupten können.[7] So bleibt nichts übrig, als die damals gestellten Fragen hier wieder aufzunehmen und in einem neuerlichen Resümee festzustellen, welche Aufgaben und Perspektiven sich für die weitere Forschung und das Verständnis der Reformation ergeben.

Jedem, der auch nur einen annähernden Überblick über die Tertullianusstudien Müntzers gewonnen hat, wird sich die Frage aufdrängen: An welche Stelle seiner theologischen Entwicklung gehört diese intensive Auseinandersetzung mit dem karthaginensischen Vater aller lateinischen Theologie?[8] Welche Rolle spielt hierbei der offenkundig die Tertullianusstudien Müntzers weithin leitende Begriff „ordo rerum", und was genau ist sein theologischer Inhalt, welches seine Stelle und Funktion in Müntzers Denken?[9]

Aufgrund von Müntzers heilsökonomischer Interpretation dieses Terminus drängt sich eine alte und schon oft erörterte Thematik der Müntzerforschung erneut in den Vordergrund: Wie verhalten sich ordo rerum und ordo salutis zueinander? Vor allem: Wie verhalten sich Kreuz und Auferweckung Christi zu einer Auffassung der Heilsökonomie, die als ordo rerum inhaltlich zusammengefaßt werden kann? Und wenn Müntzer diese seine theologische Position in der Diskussion von Kirchenvätertexten gewinnt und aufbaut: Wie verhält sich dann diese seine Position zu der der Humanisten,[10] deren patristische Editionsarbeit er voraussetzt und nutzt?

Diese letzte Frage sei hier als erste aufgegriffen. Denn ohne eine Klärung in ihrem Bereich ließe sich über das Gewicht unserer bisherigen Feststellungen im kirchengeschichtlichen und allgemeingeschichtlichen Kontext nichts Endgültiges ausmachen.

Man weiß, welche Bedeutung der patristischen Arbeit der Humanisten für alle kirchlichen Reformbewegungen vom Ausgang des 15. Jahrhunderts an zukommt. Hier fand der sich gerade erst entwickelnde Buchdruck eines seiner bevorzugten Betätigungsfelder. Ebenso ist bekannt, daß der Nürnberger Reichstag von 1523 den Versuch unternehmen konnte, die reformatorische Kontroverse durch eine Verpflichtung auf die vier klassischen Kirchenlehrer Ambrosius, Augustinus, Hieronymus und Gregorius beizulegen. Unsere Darlegungen über Müntzer werden bald zeigen, daß dieser Vorschlag nicht nur daran scheiterte, daß man den Augustinus in Wittenberg ganz anders las als schon in Erfurt oder gar in Paris oder Rom. Es lag auch nicht nur an einem Antagonismus zwischen einem innerkirchlichen und außerkirchlichen Humanismus. Wir werden vielmehr zu zeigen haben, daß es eine dem Humanismus bis heute immanente Widersprüchlichkeit ist, die seine geschichtlichen Wirkungsmöglichkeiten begrenzt, eine Widersprüchlichkeit, auf die Müntzer gerade bei seinen Kirchenväterstudien gestoßen war. Man versteht es heute nur zu gut, in welche isolierte Lage er unter seinen Zeitgenossen geraten mußte, als er diese Widersprüchlichkeiten in einer Weise thematisierte, die nicht nur damals kaum jemand gern hören mochte.

Aber erinnern wir uns zunächst noch einmal möglichst inständig daran, daß die Anfänge der neuzeitlichen Patristik in der Reformationszeit liegen. Damit wird ein allgemein bekannter Sachverhalt angesprochen. Aber noch besteht Grund zu der Anmerkung, daß das im allgemeinen Bewußtsein verankerte laizistische Verständnis von Humanismus und Renaissance (am erfolgreichsten vertreten durch Jacob Burckhardt und Friedrich Nietzsche)[11] zu verkennen geneigt ist, daß es ein wichtiges Motiv gerade des erasmianischen Humanismus gewesen ist, die Gleichgewichtigkeit der christlichen und der nichtchristlichen Antike bewußtzumachen und festzuhalten, beide als miteinander im Dialog stehende Kulturmächte zu begreifen. Gerade so ließ sich am besten demonstrieren, daß für die Humanisten die vorchristliche Antike aufgehört hatte, mit Heidentum identisch und darum theologisch verwerflich zu sein.[12]

Nirgendwo kann man diese Perspektive schöner erkennen als in den Vorreden der humanistischen Editoren zu ihren Kirchenväterausgaben. Wie aus einem Brief Müntzers an Franz Günther hervorgeht,[13] hat Müntzer Augustinus in der Ausgabe von Johannes Amerbach, Basel 1506, benutzt. Die Vorrede im ersten Band, in welcher der Bischof von Hippo verglichen wird mit Plato als „deus philosophorum" und mit Aristoteles als dem „subtilissimus criticorum", beginnt auf echt humanistische Weise mit einem Zitat aus dem Eröffnungskapitel der „Metamorphosen" des Apuleius: „Lector intende, laetaberis." Mit dieser einladenden Sentenz faßt Apuleius zusammen, welche Art von Kunstgenuß er seinem Leser verspricht. Er will den Stil der lasziven milesischen Anekdote verbinden mit der Tradition attischer Rhetorik, diesen aber zugleich transformieren in das Pathos römischen Quiritentums; und nicht ohne Witz entschuldigt er sich schon im voraus für die ihm, dem Neuling auf Latiums Foren, unvermeidlichen Schnitzer.[14] Wie gut konnten die Humanisten sich selber wiederfinden in einem Literaturwerk, das griechische und lateinische Tradition, milesische Anekdote und tiefen philosophischen Gehalt verband. Und welch ganz neue Aspekte gewann dieses Programm, wenn es das Schrifttum eines Bischofs und Kirchenvaters neu einbezog, der seinen Stil an Vergil und Cicero gebildet, griechische Philosophie wenigstens in lateinischen Übersetzungen ebenso gelesen hatte wie die poetisch-rhetorischen Raffinessen eines Apuleius, das alles aber auf dem Wege einer exemplarischen christlichen Existenz. Augustinus konnte damit nur als der Inbegriff all dessen wiederentdeckt werden, was ein Humanist von einem christlichen Klassiker wie von einem klassischen Christen erwartete, oder, wie es Erasmus ausdrücken konnte: „In una tabula vividum quoddam exemplar episcopi."[15]

Wir werden bald zu bemerken Gelegenheit haben, daß Müntzer den hier geschilderten Auffassungen des Humanismus entschieden kritisch gegenüberstand. Ganz anders verhielt es sich aber wohl mit dem, was wir aus der Feder Jacques Merlins, des Herausgebers der von Müntzer benutzten Origenesausgabe,[16] in deren Vorwort über den großen Exegeten lesen können.[17] Merlin setzt ein mit einer volltönenden Eloge, die die Namen aller antiken Klassiker in Philosophie, Dichtung und Geschichtsschreibung aufbietet, um den Höchstrang des Origenes so superlativisch wie möglich zu feiern. Man kann auch vermuten, daß es nach dem Sinne Müntzers war, wenn er einen Bibelkenner vorgestellt bekam, von dem man, wie Merlin es über Origenes tut, sagen kann: „Iam non loquitur Moyses in parabolis, iam in Montis cacumine apertis oculis transformationis mysterium cernimus."[18] Und zweifellos stimmte Müntzer dem Pariser Gelehrten auch dort zu, wo er die Kirche seiner Zeit aufruft, das an Origenes durch seine Verketzerung getane Unrecht wiedergutzumachen. Ein Vorstoß, zu dem damals beachtlicher Mut gehörte, wie der in Paris von seinem Kollegen Noël Beda gegen Merlin angestrengte Prozeß alsbald zeigte.[19] Aber auch Müntzers kritischer Haltung gegenüber der kirchlichen Tradition entsprach es, die Häresievorwürfe gegen Origenes nicht ungeprüft zu übernehmen: „contra errorem qui Origeni ascribitur", notiert er sich in seinem Tertullianustext zu „De carne Christi" 14,2.

Uns interessiert, wie Müntzer über die Position des humanistischen Herausgebers Beatus Rhenanus gedacht hat, der die Schriften des Tertullianus 1521 in Basel erscheinen ließ. Seine Vorrede unterscheidet sich von den beiden anderen dadurch, daß sie mehr auf historische Detailfragen eingeht, auch eine Darstellung und kirchengeschichtliche Einordnung der Theologie des Tertullianus versucht. Aber auch sie ermangelt nicht des rhetorischen Schwungs, wenn das humanistische Zeitalter gepriesen wird, das neben anderen Klassikern auch den lange gänzlich vergessenen Tertullianus wieder ans Licht gebracht hat. Müntzer teilt offenbar diese Begeisterung, denn er hat gerade diese Zeilen der Vorrede des Beatus Rhenanus unterstrichen. Und auch die politische Dimension des Humanismus kommt zur Sprache, wenn Beatus Rhenanus seine „Opera Tertulliani" dem Bischof Stanislaus von Olmütz widmet und dabei anmerkt, dies geschehe besonders im Hinblick darauf, daß der Olmützer Bischof Berater des Königs Ludwig von Ungarn sei.

Müntzers Randbemerkungen bestätigen das im oben zitierten Brief an Günther[20] zutage tretende Bild. Müntzer studiert die Väter so, wie er es in diesem Brief über seine ausgedehnte Augustinuslektüre beschreibt. Neben ihr einher geht ein intensives Studium altkirchlicher Geschichtsquellen. Aus den Randbemerkungen zur Vorrede des Beatus Rhenanus werden drei für Müntzer besonders wichtige spezielle geschichtliche Komplexe sichtbar: die Tatsache, daß Tertullianus in einer Zeit gewirkt hat, als die Gemeinde noch an der Wahl der Geistlichen beteiligt war; daß er der Lehrer des Cyprianus gewesen ist und daß seine Lehre vielfältigen Anlaß gibt, kritisch über die altkirchlichen Bischofssynoden nachzudenken.[21] Es bestätigt sich aber auch schon hier, was oben angedeutet worden ist: Wenn es eine Auseinandersetzung Müntzers mit dem Humanismus gegeben hat, dann auf keinen Fall deswegen, weil er dessen kirchen- und traditionskritische Haltung nicht geteilt hätte. Da er die Humanisten auch nicht in der Perspektive des neuzeitlichen Laizismus sah, die sich schon in Luthers Kennzeichnung des Erasmus als eines epikuräischen und lukianischen Spötters, einer Art Voltaire des 16. Jahrhunderts,[22] bemerkbar macht, brauchte er sie auch an dieser Front nicht anzugreifen. Selbst der Text, der einer solchen Position am nächsten zu kommen scheint, die sogenannten Egranuspropositionen, hat eine ganz andere Zielsetzung, wie wir unten zeigen werden. Die Gegensätze liegen auf einer Ebene, die es erst freizulegen gilt.

II Augustinus, Eusebios und die Frage nach der Gemeinschaft mit der apostolischen Kirche

Wir haben gesehen: Wenn die Humanisten „Ad fontes" riefen, dann nicht, um zu den Ursprüngen einer religiös indifferenten, allein ästhetisch gemeinten Humanität aufzubrechen, sondern um hinter der scholastisch archivierten Tradition wieder lebendige Menschen zu entdecken, Persönlichkeiten, die den Kulturdialog der großen Epochen geführt hatten und weiter führen sollten. Befand sich der die humanistisch bevorworteten Väterausgaben studierende Müntzer auf dem gleichen Weg?

Wir haben oben die Bereitschaft erkennen lassen, diese Frage wenigstens teilweise zu bejahen. In einem wie eingeschränkten Sinne das gilt, wird sich sogleich zeigen. Denn auf dem Rand der Vorrede des Beatus Rhenanus zu den „Opera Tertulliani" hat Müntzer den Ausruf festgehalten: „Ei miseri fuerunt antiqui patres."[23] Er war also weit davon entfernt, die neuedierten Kirchenväter summarisch als Klassiker zu bewillkommnen oder wenigstens zu respektieren. Er nennt auch neben jenem Ausruf den theologischen Grund für seine kritische Haltung: „Marcion facit differentiam veteris et novi testamenti instar Erasmitarum et picardorum." Ein Stichwort, das uns auf unserem Wege fortan begleiten wird, und eine höchst aufschlußreiche historische Perspektive. Im Unterschied zu den Humanisten urteilt Müntzer nicht kultur- und sprachkritisch, sondern theologisch. Und überraschenderweise ist es die antimarkionitische Ausrichtung der Theologie des Tertullianus, die sie für Müntzer so aktuell erscheinen läßt; denn seiner Meinung nach sind es die humanistischen Erasmianer, die den christlichen Glauben neomarkionitisch entstellen und damit alle Unkundigen in die Irre führen. Zugleich – und darauf deutet das Schlagwort „Picardi" – zeigt sich für Müntzer hier, daß die Scholastik trotz aller theologischen, kanonistischen und inquisitorischen Aktivitäten sich als unfähig erwiesen hat, mit der dualistischen Häresie des Katharertums fertigzuwerden, die die lateinische Kirche seit dem 12. Jahrhundert heimsuchte und gegen die sie sich mit den kirchenrechtlichen und dogmatischen Dekreten des 3. und 4. Laterankonzils zu wehren versuchte.

Natürlich ergibt sich aus diesem Ausgangspunkt auch, daß Müntzer den antiken Hauptbekämpfer des Manichäismus, Augustinus, mit ganz anderen Augen gelesen haben muß als Luther und Melanchthon, für die das antipelagianische Schrifttum des Bischofs von Hippo mit „De spiritu et littera" im Zentrum alles Interesse auf sich zog. Daß Müntzers Lektüre anders ausgesehen haben muß, bezeugt uns der schon mehrfach zitierte Brief aus Beuditz, in dem Müntzer mitteilt, er habe die Bücher des Augustinus bis zum 6. Band wieder gelesen.[24]

Wenn man die polemischen Werke des Augustinus in die drei Hauptkomplexe des antimanichäischen, antidonatistischen und antipelagianischen Schrifttums einteilt, dann zeigt sich, daß die ersten sechs von Müntzer seinen eigenen Worten nach mehrfach gelesenen

Teile der im ganzen elfteiligen Ausgabe Amerbachs die antimanichäischen Hauptschriften „Contra epistulam, quam vocant fundamenti" und „Contra Faustum Manichaeum" ebenso enthalten wie die antidonatistischen, während von den antipelagianischen nur einige dabei sind, unter ihnen freilich auch die für die Wittenberger so wichtige Schrift „De spiritu et littera". Man wird also nicht fehlgehen in der Annahme, daß für Müntzer die Manichäismuspolemik einen ganz anderen Stellenwert hatte als in dem Augustinusbild der anderen Reformatoren. Auch spricht vieles dafür, daß die antidonatistische Front für ihn diejenige war, von der er auf die Auseinandersetzung mit dem Pelagianismus blickte und nicht umgekehrt.

Wir können diese Auffassung substanzialisieren durch einige Randbemerkungen zu den theologie- und kirchengeschichtlichen Teilen der Vorrede des Beatus Rhenanus zu den „Opera Tertulliani". Hier schreibt Müntzer: „Tertullianus vixit, quando adhuc eligebantur sacerdotes contra periculum Antichristi, ne homines damnati dominarentur super Christianos." Die antischolastische und wohl auch antiaugustinische Tendenz dieses Satzes ist unüberhörbar. In die gleiche Richtung geht eine andere Randnotiz Müntzers, die sich auf des Beatus Rhenanus Darstellung der Lehre des Tertullianus über Beichte und Buße („De paenitentia" und „De pudicitia") bezieht, aber zugleich den grundsätzlichen Unterschied von Müntzers Kirchenbegriff gegenüber dem der Wittenberger Reformation hervortreten läßt: „Omnia falsa de confessione. Extra veram electorum ecclesiam nullum demittitur peccatum." Während es müßig ist, über taboritische Einflüsse auf Müntzer zu spekulieren, kann man hier eine andere Quelle seiner Theologie so identifizieren, daß jeder Zweifel ausscheidet. Es sind die in Konstanz 1415 verworfenen Artikel von Jan Hus, deren erster lautet: „Unica est sancta universalis ecclesia, quae est praedestinatorum universitas. Et infra sequitur: universalis sancta ecclesia est una, sicut tantum unus est numerus praedestinatorum."[25] Müntzer war dieser Text aus den Konstanzer Konzilsakten bekannt, über deren Ankauf einer seiner Briefe an den Buchführer Achatius Glov informierte.[26] Freilich ist unverkennbar, daß der Hussche Satz über die Universalkirche als die Gesamtheit der Prädestinierten eine andere Zuspitzung, ja man wird sagen müssen, einen anderen Inhalt gewinnt, wenn Müntzer die universitas praedestinatorum als ecclesia electorum interpretiert. Nicht nur bleibt der Terminus „electio" näher beim Sprachgebrauch der Bibel. Er läßt auch deutlicher erkennen, inwiefern es hier um einen Akt Gottes geht, der den Erwählten nicht nur einbezieht, sondern auch verwandelt, ja ihm sein eigenes Geschaffensein in ganz neuer Weise offenbar werden läßt.

Damit aber nähern wir uns schon dem Komplex der Neudiskussion der Probleme des Pelagianismus und Antipelagianismus in der Reformationszeit. These 20 der Egranuspropositionen bezeugt, wie genau Müntzer diese Thematik vor Augen gehabt haben muß.[27] Und wenn er die in den ersten sechs Bänden der Amerbachschen Augustinusausgabe enthaltenen antipelagianischen Texte (unter ihnen „De spiritu et littera"!) mehr als einmal gelesen hatte – was man von der Mehrzahl der heutigen Müntzerexegeten kaum wird sagen können –, dann war er auch sehr wohl in der Lage, sich ein eigenes Urteil in dieser Sache zu bilden. Wie weit es von dem der Wittenberger und insbesondere dem Luthers abwich, zeigt eine Äußerung aus der „Hochverursachten Schutzrede": „Das hast du mit deinem fantastischen verstandt angericht auß deinem Augustino, warlich ein lesterliche sache, von freyem willen die menschen frech zu(o)verachten."[28] Der sich aus dem Kontext ergebende Sinn kann nur der sein, daß Müntzer sagen will, die aufgrund der antipelagianischen Schriften des Augustinus geführte Kontroverse habe in der Leugnung des freien Willens zu menschenverachtenden Konsequenzen geführt.

Müntzer wirft hier Luther vor, unter Bezugnahme auf Jes. 45,7, Gott zum Urheber des Bösen[29] und den Menschen zu seinem verächtlichen Werkzeug machen zu wollen. Die Ursache für diese häretische und unmenschliche Gotteslehre findet Müntzer darin, daß Luther die Einheit von Gerechtigkeit und Barmherzigkeit in Gott verleugnet und damit das Zentrum des biblischen Zeugnisses gegen sich habe. Zum ersten Mal ahnen wir hier, was sich hinter Müntzers Vorwurf des Neomarkionitismus gegen seine theologischen Zeitgenossen verbirgt, vor allem gegen die Erasmianer unter ihnen.

Aber Müntzer bleibt nicht bei der Polemik stehen, sondern gibt auch eine Diagnose der Ursache für die bei seinem Gegner vollzogene Fehlentscheidung. Unter Hinweis aus Ps. 85,9 unterstreicht er: Gottes Urteilen, wie es an jener Jesajastelle beschrieben wird, ist ein Handeln sprachlichen Charakters. Während es in der äußeren Welt Licht und Finsternis, gut und böse scheidet, wirkt es im Herzen des Erwählten Frieden. So wie Gott in seinem Volk redet, so redet er im Herzen zum Herzen dessen, der ihm glaubt. Wie diese Lehre vom urteilenden und offenbarenden Sprechen Gottes zur humanistischen Auffassung von Sprache und Gottes Handeln stimmt, werden wir weiter unten zu untersuchen und zu bedenken haben.

Viel gäben wir darum zu wissen, an welchen Augustinustext Müntzer hier bei seiner Kritik an der theologischen Willenslehre und ihren verhängnisvollen Konsequenzen gedacht hat. Daß es die in jenen obenerwähnten sechs Bänden der Amerbachausgabe enthaltene Schrift „De libero arbitrio" gewesen sein könnte, wird keiner annehmen, der diesen Text, in dessen Zentrum der berühmte von Anselm von Canterbury aufgegriffene und weiterentwickelte Gottesbeweis steht, kennt. Es gibt aber Indizien, die darauf deuten, daß Müntzer in diesem Sommer 1524, der kritischsten Zeit seiner Auseinandersetzung mit Luther, noch ganz andere Augustinusstudien getrieben haben muß als die in dem Beuditzer Brief erwähnten. Eine viel umrätselte Stelle aus der anderen Hauptschrift dieser Monate „Ausgedrückte Entblößung des falschen Glaubens der ungetreuen Welt" gibt den entscheidenden Fingerzeig.[30] Am Schluß des zweiten Kapitels steht hier eine Anspielung auf Platons „Politeia", deren Kombination mit dem Eselsroman des Apuleius seit jeher Rätselraten verursacht hat.[31] Sicher haben die Herausgeber der Franzschen Edition hier gegen ihren Vorgänger Carl Hinrichs recht, wenn sie nicht wie dieser annehmen, Müntzer habe hier Platon und Apuleius positiv zitieren wollen, gewissermaßen als Kronzeugen für die bergeversetzende Kraft des Glaubens. Aber auch die Herausgeber irren, wenn sie meinen, Müntzer spiele hier auf das Kapitel 3,24 aus dem Roman des Apuleius an, jenes, in dem die Verwandlung des hübschen Jünglings Lucius in einen struppigen Esel beschrieben wird. Was in aller Welt hat das mit Platons „Politeia" zu tun, die Müntzer hier ebenfalls erwähnt? Und der Vergleich dieser mit einer Art Wolkenkuckucksheim, der sie mit den Flugwünschen des Lucius in Beziehung bringt, ist allzu witzig, als daß er überzeugen könnte.

Gehen wir lieber davon aus, daß Müntzer, wenn er ihn nicht sonst gelesen hatte (was nicht gerade selbstverständlich ist bei Müntzers übriger Lektüre), den Apuleius schon aus der Amerbachschen Vorrede zu den Augustinusbänden kennen mußte. Und überdies gibt es ein Werk des Augustinus, in welchem Apuleius mehr als einmal zitiert und ausführlich kommentiert wird. Es handelt sich um „De civitate dei", in deren achtem Buch die Schrift „De deo Socratis" behandelt wird, und zwar als ein Beispiel dafür, wie die platonische Philosophie über Dämonen lehrt.[32] Aber es gibt noch eine andere Stelle des großen Werkes, an der der afrikanische Philosoph und Dichter erwähnt wird, und zwar so, daß diese Erwähnung, wenn nicht eine literarische Tradition geschaffen, dann sie doch wenigstens autorisiert hat. Es ist die, die den ältesten Beleg für jenen Titel darstellt, der dem von seinem Verfasser „Metamorphoses" genannten Werk seither anhaftete und darum auch von Müntzer gebraucht wird: „Der goldene Esel" („Asinus aureus"). Denn hier heißt es bei Augustinus: „. . ., sicut Apuleius in libris, quos Asini aurei titulo inscripsit, sibi ipsi accidisse, ut accepto ueneno humano animo permanente asinus fieret, aut indicauit aut finxit."[33] Das Zitat zeigt: Nicht um Fiktionen schlechthin geht es, sondern um eine magische Verfremdung, die doch am Grundcharakter der Wirklichkeit ebensowenig ändern kann wie der platonische Staatsentwurf an der gegebenen geschichtlichen Wirklichkeit oder das Eselsäußere am menschlichen Bewußtsein des Lucius bei Apuleius. Und die am Ende stehende Anspielung auf Jes. 29 macht Müntzers Meinung unmißverständlich: Der im Traum gestillte Hunger oder Durst läßt den Träumer hungrig oder durstig. So aber wird es denen gehen, die mit ihrem falschen Glauben gegen Zion kämpfen, gegen den Berg der Wandlung zum Heil, den Ort, an dem vom alten Menschen nichts übrigbleibt. Man fühlt sich wieder an jenen Platonzettel Müntzers erinnert, an dessen Rand er mit schwer leserlichen, kleinen Buchstaben gekritzelt hat, er werde des abwesenden Jesaja eingedenk sein und eifrig auf den Berg der Myrrhe steigen.[34] Da Müntzer die Hinweise auf Platon und Apuleius erst nachträglich[35] in seine Langfassung der Auslegung des ersten Kapitels des Lukasevangeliums aufgenommen hat, legt sich der Gedanke nahe, daß die Auseinandersetzung mit Luthers Angriff in „Ein Brief an die Fürsten zu Sachsen von dem aufrührerischen Geist" Müntzer zu neuen Augustinusstudien veranlaßt hat, in die dieses Mal auch „De civitate dei" einbezogen wurde. Und in demselben Kapitel, dem der Apuleiushinweis entnommen ist, konnte Müntzer auch jene von ihm abgelehnte Lehre von einer absoluten und darum indifferenten Omnipotenz Gottes finden, deren anthropologisches Pendant die Lehre vom unfreien Willen ist: „. . . credendum est, omnipotentem Deum omnia posse facere quae voluerit."

Damit ist klargestellt: Es hatte für Müntzer einen wohldefinierten theologischen Inhalt, wenn er als Thema seiner geschichtlichen Studien die Frage nach dem Glauben angeben konnte, und zwar als Frage nach den „infallibilia orthodoxae fidei exercitia".[36] Man beachte wohl: Es ist hier nicht allein vom Glauben oder seinen Gegenständen, seinen Inhalten die Rede, sondern von seiner Praxis, den exercitia fidei. Daran ist nicht nur bedeutsam, daß hier Glaube und Nachfolge ineinsgesetzt werden, sondern daß Müntzer auch den Begriff der „fides orthodoxa" im gleichen Sinne transformiert.

Abermals eine Position, die merklich abweicht von der Art und Weise, in der sich der Humanismus in der Wiederentdeckung und Neuerschließung verschütteter Quellen betätigt. Für diese Arbeit kam es vor allem auf Sprachen-, Kunst- und Geschichtsverständnis an. Die Müntzerische Frage nach dem Glauben in den Anfängen und in der Geschichte der Kirche ist mit Sprach- und Geschichtskenntnissen keineswegs zureichend beantwortbar. Und mußte an dieser Stelle nicht auch früher oder später ein Dissens zu den Wittenbergern aufbrechen, jedenfalls sofern sie den Glauben zwar auch nicht lediglich an der historia, aber doch wenigstens am effectus historiae orientieren wollten[37] und damit jedenfalls schon den Weg betraten, an dessen Ende Friedrich Schleiermacher die Apostolizität der Kirche durch ein sogenanntes „Urchristentum" ersetzte.[38]

Für Müntzer war die Gemeinschaft mit der Kirche der Apostel erst dort hergestellt, wo man sich mit diesen einig war in der Erfahrung des persönlichen und uneingeschränkt präsentischen, d. h. nicht bloß überlieferten, Christusglaubens. Und an dieser Stelle bekam eine bei Eusebios erhaltene Väterüberlieferung eine immer neu von ihm beschworene und bestätigte Bedeutung: das Hegesipposfragment, in dem berichtet wird, die Kirche sei bis zum Tod der Apostelnachfolger Jungfrau genannt worden, unbefleckt von nichtigen Lehren. Danach aber sei sie unter den Einfluß der sieben Häresien geraten, die Hegesippos mit jüdischen Ketzereien in Verbindung bringt.

Müntzer hat das, was Hegesippos hier über die Gemeinde von Jerusalem berichtet, auf den Gesamtzustand der frühen Kirche übertragen. Für ihn folgt aus dem von Eusebios überlieferten Hegesipposbericht, daß längst, ehe die großen Konzilien gegen die Häresien vorgehen konnten, der verderblichste aller Einbrüche schon geschehen war, die Ansteckung mit jener Irrlehre, die die Beziehung zwischen Altem Testament und Neuem Testament zum Inhalt hatte. Es ist für Müntzer also keineswegs nebensächlich gewesen, daß Hegesippos an der zitierten Stelle auf jüdische Irrlehren hinwies, die sich dann über die Simonianer auch in der Kirche Geltung zu verschaffen gewußt hätten.

Wie wichtig ihm diese kirchen- und dogmengeschichtlichen Zusammenhänge waren, zeigt sich daran, daß er jedesmal auf sie zu sprechen kommt, wenn er sein Reformationsprogramm zu entfalten und zu begründen versucht. So schon in den verschiedenen Fassungen des „Prager Manifestes".[39] Am präzisesten drückt es die kürzere deutsche Fassung aus. Durch geistlichen Ehebruch sei die jungfräuliche Kirche zur Hure geworden. Und die lateinische Fassung knüpft hieran das Urteil, daß die Entmündigung der Gemeinden auch die Autorität der Konzilien zweifelhaft mache.[40] Das zeigt, daß es Müntzer hier nicht nur um kirchliche Verfassungsgeschichte geht, sondern um den christlichen Glauben selbst, der der Art der Gemeinschaft im Volk der Gläubigen nicht indifferent gegenübersteht.

Daß es sich bei der Diagnose jener Urhäresie nicht um eine Glorifizierung des Ursprungs und ein simplifizierendes Abfallsschema handelt, zeigt Müntzers „Vorrede ins Buch dieser Lobgesänge", wo unter Hinweis auf Eusebios / Hegesippos der Zustand der Kirche zur Zeit der Missionierung der Elbgebiete kritisch charakterisiert, zugleich aber die Latinisierung der Liturgie durch die fränkische Kirche gerechtfertigt und verteidigt wird.[41]

Im ersten Teil der Danielpredigt kommt Müntzer abermals auf diese Eusebiosstelle zurück und interpretiert sie mit Hilfe der Apostelgeschichte als Nachricht über den Einbruch der von Paulus den ephesinischen Presbytern vorausgesagten Häresie.[42] Es ist unverkennbar: Müntzer schwebt hier ein ganz bestimmtes, theologisch spezifisches Verständnis von Häresie vor. Nicht Abweichungen von bestimmten Glaubensartikeln sind gemeint, sondern von Zentrum und Form des Glaubens selbst. Wie weit haben wir uns damit von dem humanistischen „Ad fontes" entfernt! Nicht auf eine Rückkehr zum philologisch korrekt aufgeschlossenen Urtext kam es ihm an, sondern um die Gemeinschaft mit der jungfräulichen Kirche jenseits des nachapostolischen Ehebruches. Und diese Gemeinschaft war gewiß nicht allein durch editorische und philologische Pionierleistungen zu erringen.

III Müntzers Angriff auf die dualistische Häresie des christlichen Schriftgelehrtentums

Vorläufig aber haben wir noch zu tun, um den Inhalt dessen klar zu erfassen, was Müntzer mit jenem „geistlichen Ehebruch" der Kirche in der zweiten Generation des nachapostolischen Zeitalters eigentlich gemeint hat. Auch die Wittenberger Reformation ging mit ihrem Kampfruf „Sola scriptura" von einem grundsätzlichen Qualitätsgefälle im nachneutestamentlichen Zeitalter aus, das in manchem den Urteilen Müntzers nahekam. Aber Luther, Melanchthon und auch Andreas Bodenstein aus Karlstadt betrachteten z. B. Augustinus als einen hochangesehenen Bundesgenossen im Kampf gegen die Anmaßungen klerikaler und hierokratischer Tradition.

Wir hatten bereits Gelegenheit, Müntzers Reserven und Vorbehalte an dieser Stelle zu bemerken, hatte er doch Luthers Fixierungen an der Willenslehre auf den nachteiligen

Einfluß des Augustinus zurückgeführt.[43] Aber er hatte dort von „deinem Augustino" gesprochen. Meinte er damit den von Luther mißverstandenen Augustinus? Gibt es doch, wie man sich erinnern wird, einen Müntzertext, der ganz in diese Richtung zu deuten scheint: die 20. Egranusproposition: „Pelagiani, quos indocti haereticos dicunt, sunt cristiani pociores Augustino indoctissimo, Bernhardo inconvenientissimo etc., vagis hominibus Martinianis omnibus."[44] Diese provozierend formulierten Worte klingen nun in der Tat so, als wolle Müntzer sich mit den Martiani zusammen als Verteidiger des „allerungelehrtesten Augustinus" und des „allerunziemlichsten Bernhard" in die vorderste Front stellen. Kein Wunder, daß Walter Elligers ausführlicher Kommentar zu dem gerade dogmengeschichtlich erstrangigen Text von dieser Fragestellung geleitet wird.[45] Aber ein Sätzchen geht dann nicht in die Diskussion ein: „Nec Manichei fuerunt in mundo."[46] Hier sieht man, daß Müntzer in dem Kampf zwischen Pelagianern und Augustinisten ein Dilemma sieht, das mit seiner Fixierung am Willen des Menschen den finsteren Hintergrund des ganzen Streites, den Verlust der Erkenntnis von der Einheit Gottes und der Einheit seines Werkes, aus den Augen verloren hat. Und darum bemerken die reformatorischen Antipelagianer nach Müntzer gar nicht, daß sie sich ständig in bedrohlicher Nähe des neomanichäischen Dualismus in der Gotteslehre bewegen.

Und obwohl es schon oft gesagt worden ist – es besteht noch immer Anlaß, daran zu erinnern, daß für Müntzer der theologische Dissens nicht an der Frage der Gewalt aufbrach, wie alle Welt aufgrund Luthers „Brief an die Fürsten zu Sachsen . . ." glaubt. Nein, schon ein ganzes Jahr früher schreibt Müntzer – übrigens in einem Brief, der abermals versucht, Luther die eigene Position gegen dessen Mißverständnisse zu erläutern –, daß er betroffen war darüber, daß die Wittenberger zwar halbherzig, aber unübersehbar in seinem Streit mit Egranus des letzteren Partei ergriffen haben. Die 20. Egranusthese hat darum den Sinn, die Wittenberger darauf aufmerksam zu machen, daß sie von der Position des Erasmianischen Humanismus aus gesehen auf jene Seite des Dilemmas zu stehen kamen, auf dem der trotz aller Berühmtheit in Sachen der menschlichen Willensfreiheit „allerungelehrteste" Augustinus seine unglückliche Rolle zu spielen gezwungen war.

Warum aber will Elliger trotz dieser deutlichen Sprache der Texte hier nicht – worum es sich doch offenkundig handelt – das Präludium zu der großen Auseinandersetzung zwischen Luther und Erasmus sehen, sondern die Egranuspropositionen nur „in den weit gespannten Rahmen" von deren „allgemeiner Vorgeschichte" einordnen[47] und ihnen damit ihre dogmengeschichtliche Bedeutung absprechen? Der Grund liegt auf der Hand: Weil er Müntzers Position in Unkenntnis von dessen Väterstudien und Häresieverständnis an der ganz falschen Stelle sucht. Müntzer spricht hier nicht als Anwalt des Wittenberger radikalen Augustinismus, sondern er prophezeit diesem, in welchem Dilemma er sich an der Seite des Egranus früher oder später wiederfinden wird.

Und wir sind nicht auf bloße Vermutungen angewiesen, wenn wir davon ausgehen, daß Müntzer seine Angriffe auf Egranus als auf einen typischen Repräsentanten der von ihm erkannten, die Kirche unwiderlegt bedrohenden dualistischen Häresie richtete. Sagt es Müntzer in seinen Randbemerkungen zu Tertullianus doch selbst, und zwar indem er just zu „Adversus Marcionem" schreibt, also gerade jenem Teil der Polemik des Tertullianus, die von dem Verhältnis von lex und evangelium handelt: „contra Egranum".[48] Und als wollte er jeden Zweifel an seiner Position ausschließen, schrieb er nicht weit davon an den Rand (mit sehr großen Buchstaben) „Impletio legis", und: „Arbitrio non oboedimus legi divinae" – eine der klarsten Aussagen, weswegen er der Auseinandersetzung um die Willenslehre so kritisch gegenüberstand: Sie machte die Erfüllung von Gottes Gesetz zu einem Willensakt, wo es um eine Verwandlung der ganzen Existenz, aber eben darum auch um ein nicht nur konsekutives, sondern revelatives und prophetisches Tun ging.

Und niemand wundere sich, daß Müntzer den neomarkionitischen Dualismus gerade bei dem weltoffenen Erasmianer Egranus entdeckt. Man erkennt hier nur, was freilich in dieser Sache oft übersehen zu werden pflegt: Es ist von Dualismus in einem theologischen Sinne des Wortes die Rede. Mit der beliebten Vokabel von Weltbejahung oder -verneinung ist hier gar nichts auszurichten, denn irgendeine Lichtwelt ist noch von jedem und auch dem dualistischsten Gnostiker – wie z. B. den Manichäern – bejaht worden. Und gerade am Polytheismusvorwurf des Tertullianus gegen Markion erkannte Müntzer: Das Häretische am Dualismus ist seine Leugnung der Einheit Gottes, eine Leugnung, die auch dort impliziert ist, wo nur de facto oder auch expressis verbis die Einheit des Werkes und des Handelns Gottes bestritten wird. Aber eben hier bemerkt man auch den Unterschied zur altkirchlichen Häresie. Sie sprach offen von mehreren Göttern, die sich als Offenbarungs- und Schöpfergott, guter und böser Gott, Gott der Gerechtigkeit und Gott der Liebe gegenüberstanden bzw. einander über- und untergeordnet waren. Die dualistische Häresie des 16. Jahrhunderts scheitert am Handeln Gottes, vermag es nicht, Gesetz und Evangelium, Gerechtigkeit und Barmherzigkeit mit der Einheit der Offenbarung Gottes in Einklang zu bringen. Das alles macht die alte Häresie in ihrer neuen Gestalt so schwer durchschaubar. Man kann ihr keine der von den ökumenischen Konzilien verurteilten Häresien nachweisen. Und selbst für den 431 in Ephesos verurteilten Pelagianismus gilt das. Wer wird sich offen zu ihm bekennen, wo das Sündenbewußtsein einen Teil des Epochenbewußtseins ausmacht?

Aber genau diese Lage hat Müntzer vor Augen, wenn er von Häresie gegen die sincera fides und damit von Gestalt und Struktur der fides orthodoxa spricht. Dies hat auch einen Aspekt der Praxis, auf den Müntzer in einer anderen Marginalie zu „Adversus Marcionem" hinweist: „Omnes haeretici obtentu lenitatis deceperunt ecclesiam Dei." Indem sie es den Leuten leicht machen wollen, verleugnen sie das Gesetz Gottes, obwohl man ihnen keinen Verstoß gegen eines der überlieferten Dogmen nachweisen kann. Auf diese Weise aber kann Müntzer es geradezu zum Wesen des Häretikers erklären, was er zu Tertullianus' „De carne Christi" notiert: „Haereticus propria vocabulo credens incredulus est".[49] Der Häretiker bejaht alle tradierten Glaubensartikel, aber Gott selber ist gerade nicht Gegenstand seines Glaubens. Und so wird sein äußerlich so korrekter Glaube zu dem, was Müntzer fides ficta, gedichteten oder falschen Glauben nennt. Und wie wichtig ihm dies war, erkennen wir daran, daß er die Häretikerdefinition aus den Tertullianusmarginalien in einem Randtext seiner „Protestation oder Erbietung" von 1523 wiederholt, wo es über die häretischen Schriftgelehrten ebenfalls heißt: „credentes non credunt."[50]

Unter welch eigenartigen und der kirchlichen Tradition gänzlich ungewohnten Bedingungen stellt sich hier die Frage nach dem theologischen Inhalt der Häresie! Der nächstliegende Vergleich wäre der mit der Position, die der um 1000 in Byzanz lehrende Symeon der Neue Theologe in seinem Traktat „Περὶ ἐξομολογήσεως" („Über das Beichtbekenntnis") vertritt, wenn er eine von geistlicher Vollmacht verlassene formale Orthodoxie der in apostolischer Vollmacht wirksamen frühen Kirche konfrontiert.[51] Aber Müntzers Vorstoß geht insofern über diese Bestreitung von Bußgewalt und geistlicher Vollmacht hinaus, als er nicht nur eine durch geistliche Praxis nicht beglaubigte Orthodoxie entlarven, sondern demonstrieren will, daß der Geistverlassenheit der Kirche eine nicht diagnostizierte Häresie zugrunde liegt. Und was seine Fragestellung noch mehr zuspitzt: Er stellt die Frage, in welcher Beziehung das nachchristliche Judentum und der nachchristliche Islam zu dieser fundamentalen Häresie der Christenheit stehen. Eine Betrachtungsweise, der fast um die gleiche Zeit auch Luther recht nahekam, wenn er in seinem Traktat „Daß Jesus Christus ein geborener Jude sei" fragt, ob nicht die ablehnende Haltung der Juden gegenüber christlicher Predigt auch auf deren Unzulänglichkeit zurückzuführen sei.[52] Müntzer freilich sieht hier mehr als eine katechetische und pastorale Aufgabe. Kann Christus recht gepredigt werden, wenn er gar nicht dem Vollmaß seiner Offenbarung entsprechend geglaubt wird? Man versteht anhand dieser Frage auch, warum Müntzer sich so kritisch über die altkirchlichen Konzilien äußern konnte. Sie alle behandeln die Häresie grundsätzlich als ein innerkirchliches Phänomen, ganz anders als der Paulus des Galaterbriefes und der Korintherbriefe, dem es in seinem Kampf gegen das Pseudoevangelium immer um das Verhältnis des Evangeliums zu Christen, Juden und Heiden zugleich geht. Aber weder nehmen die beiden Konzilien des 4. Jahrhunderts zum Manichäismus Stellung, der das Leben eines Augustinus so tief gezeichnet hatte, noch erwähnt das 7. ökumenische Konzil mit einer Silbe den Islam, dessen Auslegung des Bilderverbots es doch de facto anathematisierte.

Jetzt aber, unter den Auspizien der Türkeninvasion in Südosteuropa nach 1453, liest Müntzer die antimarkionitischen Traktate des Tertullianus und wird überwältigt von der Erkenntnis: „Marcion est fundamentum Turcarum." Wie ist diese unseren Ohren so befremdlich klingende Sentenz zu verstehen? Eine andere Notiz zur gleichen Seite des Tertullianus erläutert es, wenn sie die Gotteslehre Markions diagnostiziert als eine, die über Gott spricht als „deus sine spiritu dei".[53] Und offenkundig sieht Müntzer hier den Ursprung einer Gotteslehre, wie sie im Islam weltgeschichtlich Macht erlangt hat; denn Gott ohne den Geist Gottes, das meint eine Lehre von der Offenbarung Gottes, die zwar Informationen über Gott enthält, aber das Verhältnis zwischen Gott dem Schöpfer und seinen Kreaturen nicht verändert. Wenn es sich aber so verhält, dann wird hiermit das Verständnis von Inkarnation in ganz neuer Weise herausgefordert.

Schon Tertullianus selber hatte den Begriff des Doketismus erweitern müssen, um den theologischen Kern der markionitischen Häresie zu fassen und zu treffen. Nicht mehr nur die physische Realität der Leiblichkeit Christi stand zur Debatte, sondern die Realität der Inkarnation; daß eben diese fleischliche Realität und nichts anderes Ort der Offenbarungsidentität Gottes sei.[54] Darum kann Tertullianus Inkarnation und Trinität so aufeinander beziehen: „... non dicetur homo Christus sine carne nec hominis filius sine aliquo parente homine, sicut nec deus sine spiritu dei nec dei filius sine deo patre."[55] Das heißt: Ohne die Inkarnation als Voraussetzung und als aktuell wirksame Energie kann kein Geschöpf, vor allem der Mensch nicht, von Offenbarung Gottes sprechen. Ohne seine Offenbarung aber geht Gottes Identität unter in der Chaotik des Götzendienstes, der, weil er das 1. Gebot bricht, die Verletzung aller anderen impliziert.

Müntzer aber tut noch einen weiteren Schritt der theologischen Verallgemeinerung, indem er sogar Ebionitismus und Dualismus identifiziert, wenn er zu „De carne Christi", 14 notiert: „Ebion cum Turca." Tertullianus weist in diesem Kapitel alle Arten von Engelchristologie mit dem Satz zurück: „Quia autem spiritus Dei et virtus altissimi, non potest infra angelos haberi, deus scilicet et dei filius."[56] Wieder argumentiert Tertullianus nach zwei Richtungen, um ihren theologischen Zusammenhang ans Licht zu bringen: Eine ebionitische nudus-homo-Christologie ist auch eine falsche Lehre von Gott, weil sie ihm gerade jene Macht und Aktivität abspricht, von der die Inkarnation zeugt: sich in der fleischlichen Existenz zu offenbaren. Müntzers Randbemerkung gibt dem eine ganz neue Wendung, indem er Ebionitismus und Islam in Verbindung bringt, und zwar gerade auf dem Boden des markionitischen Dualismus im Bereich der Gottheit. Der nudus homo dieser Lehre ist auch kein vere homo, weil er abstrahiert von jener Identifikation zwischen homo und deus, die sich in Jesus Christus zwar exklusiv, aber für alles Menschsein wirksam vollzogen hat. Und wenn die Zeitgenossen Müntzers es auch weit von sich weisen würden, irgendeinen dem markionitischen Götterdualismus ähnlichen Dualismus zu vertreten – Müntzers Notizen besagen demgegenüber: Wer den Menschen ansieht in Abstraktion von der aktuell wirksamen Offenbarungskommunikation mit Gott, der hat ein dualistisches Bild von Gott und seinen von ihm abhängigen Geschöpfen. Und das muß auch auf die Gotteslehre zurückwirken. Wie an die Stelle des vere homo die Abstraktion des nudus homo tritt, so in Gott selber der Dualismus zwischen der Schöpfungsomnipotenz und der partiellen Selbstzurücknahme derselben in einer Offenbarung, die das Übergewicht der absoluten Willensübermacht in einer Ausnahme durchbricht, zu deren Wesen es gehört, keine Beziehung zu jener Übermacht zu haben. Das unterscheidet die Häresie des neuen Dualismus von der alten: Sie verschärft die Situation theologisch maximal, weil sie nicht vom Dualismus göttlicher Mächte, sondern von einem Dualismus in Gott selber ausgeht. Sie kann das aber nur, indem sie einer doketischen Gotteslehre Tür und Tor öffnet, einer Gotteslehre, in welcher Gott zum Konkurrenten des Geschöpfes und der Welt wird, Schöpfung, Offenbarung und Erlösung entweder Verkleidungen einer absoluten Potenz oder einander entgegengesetzte mythische Personalisierungen sind: Schöpfung eine unvorgreifliche Vergangenheit, Offenbarung eine immer neu zu aktualisierende Information und Erlösung eine erst zukünftige Apokalyptik.

In einer der beiden vor dem Bruch mit Luther geschriebenen Programmschriften drückt Müntzer diesen Sachverhalt so aus, daß er die Christologie des Korans beschreibt. Sie halte zwar an der Jungfrauengeburt fest (weil sie als creatio ex nihilo verstanden werden kann), erkläre die Kreuzigung aber zum Täuschungsmanöver, in welchem Christus durch einen zum Tode verurteilten Verbrecher ersetzt worden sei.[57] Das heißt Doketismus in der Gotteslehre: Gottes definitionslose Allmacht kann sich immer nur metaphorisch, wenn nicht wie im Fall der Kreuzigung sub contrario offenbaren, weil eine sprachliche Kommunikation Gottes mit seinen Kreaturen theologisch und ontologisch unmöglich ist.[58]

An anderer Stelle ist erläutert worden, welche Bedeutung dem Begriff „ordo rerum" in Müntzers Theologie zukommt.[59] In unserem jetzigen Kontext zeigt sich zusätzlich, inwiefern ordo rerum als Kriterium gegen die geschilderten doketischen Gefahren dienen kann. Dies wird besonders klar dort, wo Tertullianus das Verhältnis der menschlichen Seele zur Inkarnation erörtert. Es ist jene Stelle, anhand derer wir den Inhalt von Müntzers ordo-Lehre expliziert haben.[60] Tertullianus will hier klarmachen, daß die Seele durch die Inkarnation nicht erst ihr Wissen über sich selbst erlangt, sondern dadurch, daß diese Offenbarung im Fleische geschieht, Lebensbereiche erkennt, die ihr gerade von ihrem Selbstbewußtsein als Seele prinzipiell verschlossen geblieben wären, wie der der Auferstehung des Fleisches. Wie grundsätzlich er das meint, zeigt Tertullianus dadurch, daß er auf sein eigenes Werk „De testimonio animae" hinweist, jenen so häufig mißverstandenen Gedankenblitz, der schon das Werk „Apologeticus" des Karthagers erleuchtet: „O testimonium animae naturaliter Christianae."[61] Nicht etwa daß die Seele von Natur aus christlich sei, wird damit behauptet. Wie könnte das derselbe Autor, der schon im nächsten Kapitel lehrt: „Fiunt, non nascuntur Christiani".[62] Nein, naturaliter christiana – das ist eine bewußte Paradoxie: Auch die ganz und gar nicht christliche Seele spricht jedesmal dann, wenn sie zu sich kommt (resipiscit), die Sprache des Geschöpfes und legt somit ein testimonium christianum ab. Denn eben in der Sprache der Schöpfung redet der Schöpfer mit seinem Geschöpf, mit dem Ziel der Inkarnation, daß die Seele Christus in sich selber findet, jener Inkarnation, die das „In sich" als das Innerste der fleischlichen Existenz interpretiert, fernab von allen Reduktionen auf subjektive Innerlichkeit: „Non enim se ignorando de salute periclitabatur, sed dei verbum."[63]

Müntzer findet hier die Verbindung des ordo rerum, weil es um die Seele als Geschöpf und ihre Abhängigkeit vom Sprechen Gottes ihres Schöpfers geht. Und die Dualismusproblematik spitzt sich zu der Alternative zu: Spricht die Seele lediglich die Sprache ihres Selbstbewußtseins, Gott die seiner Selbstoffenbarung – oder spricht die Seele die Sprache ihrer kreatürlichen Existenz im Fleische, inmitten deren sie, diese fleischliche Existenz, durch die Inkarnation vom Wort Gottes angeredet wird.

Wie aber soll man Gewißheit darüber gewinnen, daß dieses Wort sie wirklich im Innersten ihrer Existenz getroffen und umgewandt hat? Man weiß, wie die kirchliche Tradition auf diese Frage antwortet: Die erlösende und rettende Kraft des Wortes Gottes manifestiert sich in seiner Kraft, die Sünde zu besiegen und unwirksam zu machen. Aber genau an dieser Aussage pflegte die dualistische Häresie anzuknüpfen. Denn wie sollte die Sünde überwunden werden, bei der es sich nicht um ein einzelnes Vergehen von einzelnen handelt, sondern um die, an der alle Menschen wie an einem gemeinsamen Zustand partizipieren? Ist das anders möglich als durch den Eingriff und die Freilegung einer von der sündhaften Physis nicht tangierten Natur, einer Natur, die dann aber nach der obigen Voraussetzung eben nicht mit der physisch-sündhaften Natur des Menschen identisch sein konnte? Bekannt ist der seit Augustinus immer wieder eingeschlagene Ausweg aus diesem Dilemma mittels der Lehre von der ontologischen Nichtigkeit des Bösen. Denn wenn es sich in ihm lediglich um eine Perversion des Willens handelte, dann mußte sie und nicht der ontische Bestand des Menschen verändert werden. Ein Gedanke, schon wegen seiner Wirkungen nicht mit leichter Hand abzutun. Aber schwierig war an ihm von Anfang an, daß die Voraussetzung der Allgemeinheit der Sünde, die die gesamte menschliche Natur betraf, sogar auf eine Veränderung in der außermenschlichen Welt, auf die superbia des Engels Luzifer, zurückgehen sollte. Wie löst man diesen kontradiktorischen Widerspruch zwischen Einzelwillen und ontologisch belangvollen Wirkungen? Die Antworten, die im Laufe der Kirchengeschichte gegeben wurden, sind ebenso zahlreich wie wirkungslos.

Um so wichtiger, daran zu erinnern, daß Tertullianus diesen Weg nicht betreten hat, sondern der dualistischen Häresie mit dem Argument entgegengetreten ist: Die biblische Paradies- und Adamüberlieferung besagt, daß von der Möglichkeit einer Einheit von kreatürlich-fleischlicher Existenz und Sündlosigkeit ausgegangen werden kann. Die Sünde ist dann als eine durchaus auch ontologisch relevante Veränderung im Verhältnis zu diesem physischen Charakter des Lebens anzuerkennen, aber so, daß gerade dieser sein irdischer Charakter, seine Herkunft aus der Ackererde, wie es die biblische Adamüberlieferung ausdrückt, nicht identisch ist mit seiner Sündhaftigkeit. Die Lehre von der Inkarnation Christi besagt dann auch, daß in ihm etwas geschieht, was in seinen Wirkungen bis an die adamitischen Anfänge des Menschen zurückreicht. Tertullianus macht darum gegen Markion gerade Paulus, dessen angebliche Hauptstütze im Neuen Testament, geltend, und zwar den Paulus der Adam-Christus-Entsprechung aus dem 1. Korinther- und dem Römerbrief.[64] Und wenn Müntzer dem Augustinismus und seiner von den Wittenbergern übernommenen Willenslehre so kritisch gegenüberstand, dann gerade um dieses Gegenübers von Adam und Christus in der Inkarnationslehre willen. An der oben angeführten Stelle hat sich Müntzer gerade jene Passagen unterstrichen, die die Identität des Fleisches Christi mit dem unsrigen hervorheben, gleichzeitig aber das Faktum der Verwandlung dieses Fleisches in den Zustand der Sündlosigkeit betonen. Tertullianus sieht solche Sündlosigkeit unwidersprechlich manifestiert in dem Faktum, daß das sündlose Fleisch Christi zum Träger und Offenbarer des Wortes

Gottes werden konnte: „. . . , ita et dei verbum potuit sine coagulo in eiusdem carnis transire materiam." Und hier begnügte sich Müntzer nicht nur mit einer Unterstreichung. Wegen der Bedeutung für seine Lehre von der Offenbarung und vom Wort Gottes schrieb er an den Rand: „Ordo rerum unica hic vice tangitur. Adam non est factus ex semine viri – sic in Christo."[65]

Wie bekannt, hat Tertullianus auf den Spuren des Eirenaios die Paulinische Adam-Christus-Gegenüberstellung erweitert zur Beziehung Eva – Maria. Müntzer hat gerade dieser Wendung des Gedankens einen für seinen eigenen Kontext wichtigen Zug entnommen. Eva und Maria werden für ihn Paradigmen für das Verhältnis von Schöpfer und Geschöpf. So wie Eva der Schlange geglaubt hat als dem dämonisierten Geschöpf, so hat im Gegenteil dazu Maria dem Gabriel geglaubt, dies aber als äußerer Ausdruck dafür, daß so wie in die noch jungfräuliche Eva das Wort des Teufels sich einschlich als Infektion des Todes, so der Logos Gottes in die Jungfrau Maria einging als Ursprung für den neuen Organismus des Lebens.[66]

Müntzers Randbemerkungen und Unterstreichungen zeigen meines Erachtens hier zweierlei. Er hat sehr genau empfunden, wie die Geflissentlichkeit, mit der Tertullianus die physische Seite der Inkarnation in einer wahrscheinlich auch für heutiges Empfinden befremdlichen Weise hervorkehrt, Markions ebenso deutliche Gereiztheit gegen alles, was mit Zeugung und Geburt zusammenhängt, treffen will. Natürlich handelt es sich hier auch um den bekannten psychologischen Vorgang: Die pubertären und nichtpubertären männlichen Sexualneurosen erzeugen Aggressionen gegen alles, was an die weiblichen Aspekte des Lebens erinnert. Aber es geht um mehr, zumal bei den Müntzerischen Randbemerkungen. Denn ganz offenkundig liest Müntzer hier Zeugnisse eines Widerwillens gegen das Faktum der Geschöpflichkeit schlechthin und damit auch Zeugnisse einer ganz bestimmten Konsequenz des Unglaubens. Umgekehrt wird Maria für Müntzer im Vorgang der Inkarnation zum Urbild und Ursprung aller Glaubenden – Gedanken, deren Inhalt und theologische Konsequenzen wir im letzten Teil unserer Studie explizieren wollen.

Für Müntzer hat dieses Verständnis von Glauben unter anderem auch die Konsequenz, daß das Verhältnis von Fleisch und Geist zum Inbegriff des Verhältnisses von Schöpfer und Geschöpf werden kann, nicht lediglich ein Teilaspekt der Soteriologie, sozusagen deren applikativer Bereich. Wie das erste Kapitel des Johannesevangeliums, dessen von Tertullianus zitierten 13. Vers Müntzer sich noch einmal auf den oberen Rand der entsprechenden Seite schreibt, bringt Müntzer die Inkarnation in Verbindung mit der Veränderung, welche die Offenbarung des Schöpfers im Geschöpf bewirkt.[67] Und auch hier markiert eine seiner Unterstreichungen erneut seine kritische Reserve gegen alle Fixierungen an der Willenslehre. „Negans autem ex carnis voluntate natum non negavit etiam ex substantia carnis", lautet der Tertullianussatz, der hier seine diesbezügliche Aufmerksamkeit erregt hat.[68] Wir sehen: Wieder ist es das Interesse, die substantia carnis nicht in den Schatten der voluntas geraten oder sie gar von ihr verdrängt werden zu lassen. Und die ganze Dynamik dieser Schöpfungsauffassung wird manifest, wenn wir sehen, wie begierig Müntzer Tertullianus' Auslegung von 1. Mose 2,7 in diesem Zusammenhang aufgreift. Für Tertullianus zeigt dieser Vers, daß es der heiße Atem des Schöpfers ist, der aus irdischem Lehm die lebendige Seele des Menschen werden ließ und darum auch das von Christus getragene und erlöste Fleisch zum ewigen Leben erwecken kann. Müntzer ist dieses auch uns noch beeindruckende Bild so wichtig, daß er das Wort vom heißen Atem Gottes in Majuskeln an den Rand schreibt: FLATUS VAPOREUS.[69]

Von hier aus ist es nur ein Schritt zu der Einsicht, daß die Geistbezogenheit der Schöpfung auch in der Auferweckung wirksam wird. Müntzer spricht sie im Zusammenhang mit Äußerungen des Tertullianus aus, in denen dieser anhand des Römerbriefes Paulus als Kronzeugen der leiblichen Auferstehung auftreten läßt. Müntzer greift das in einer Randbemerkung auf, die den Wortlaut von Röm. 8,11 in einer Weise variiert, die doch kein Mißverständnis zuläßt hinsichtlich dessen, worum es Müntzer hier geht: „Spiritus sanctus qui habitat in nobis suscitebat mortalia corpora nostra. Hic clarissimus est Paulus."[70] Man ermesse an dieser Marginalie, welchen Sinn es hat, Müntzer unter der Rubrik des „Spiritualismus" in die Theologiegeschichte der Reformationszeit einzureihen.[71]

Für Müntzer ergab sich aus der hier eingenommenen Position auch eine unnachsichtige Kritik an jeder Spiritualisierung der Eschatologie. Für sein Verhältnis zu Luther und seine eigene so vielfach mißdeutete Eschatologie sind vor allem zwei Äußerungen über den Antichristen wichtig, mit denen Müntzer jeder Form der Allegorisierung des persönlichen Widersachers Christi den Weg verlegen will. Er beruft sich dafür auf Passagen aus „De resurrectione mortuorum", in denen Tertullianus noch zur Erfüllung ausstehende prophetische Verheißungen aufzählt, darunter auch das Auftreten des Antichristen. „Antichristus in propria persona", schreibt Müntzer hier neben den Text des nordafrikanischen Kirchenvaters.[72] Er unterstreicht damit, daß er es nicht für angängig hält, den Antichristen als eine unpersönliche geschichtliche Macht aufzufassen, die sich in allen möglichen Verkleidungen manifestieren kann. In diesem Licht hat man auch jene berühmte und außerordentlich wichtige Kritik an Luthers Antichristauffassung zu lesen, die vom Verfasser an anderer Stelle publiziert und interpretiert worden ist.[73] Zusätzlich zu dem dort geltend gemachten Gesichtspunkt, daß Luther nach Müntzers Überzeugung sich einer unberechtigten Vorwegnahme noch ausstehender Endzeitereignisse schuldig gemacht hat, möchte ich hier noch unterstreichen, daß Müntzer offenbar auch daran Anstoß genommen hat, wie Luther das Papsttum als Larve des Antichristen angesehen und ihn damit gerade nicht als der Person Christi persönlich entgegentretenden Feind ernst genommen hat.

Fassen wir diesen Überblick über die Tertulianusstudien Müntzers unter dem Gesichtspunkt der Häresie zusammen, von dem wir ausgegangen waren, so verdienen speziell zwei Randbemerkungen unser Interesse, in denen zuerst die Scholastik, aber dann auch die Theologie der doctores überhaupt der Unfähigkeit geziehen wird, die dem Glaubensverfall zugrunde liegende Häresie überhaupt wahrzunehmen und zu erfassen. Wenn Tertullianus Markion und seine Anhänger fragt: „Quid alieno uteris clipeo, si ab apostolo armatus es?", dann bezieht Müntzer dies auf die Verquickung der scholastischen Theologie mit vorchristlicher Philosophie und bemerkt: „Contra scholasticos omnes qui naturalia divinis (hier fehlt offenkundig das Prädikat des Satzes, ein Wort wie „miscuntur" o. ä.).[74]

Noch grundsätzlicher ist eine Feststellung zu „De carne Christi", in der auf den fundamentalen Selbstwiderspruch der markionitischen Häresie hingewiesen wird, die das Schriftzeugnis des Gottes verwirft, mit dessen Welt und dessen Geschöpfen sie tagtäglich umgeht, weil sie auf sie angewiesen ist. Aber in derselben Lage sieht Müntzer jene Schultheologie, die, allein auf dem Schriftzeugnis und der dasselbe kommentierenden Tradition basierend, Häretiker zwar verurteilen, aber niemals wirklich widerlegen kann, mit ihnen in den seiner Natur nach endlosen Streit um die Auslegung der Heiligen Schrift verwickelt, auf die sich alle streitenden Parteien berufen. Denn der Rekurs auf die exklusive, ja göttliche Autorität der Schrift trägt selbst dort nichts aus, wo er von beiden Seiten anerkannt wird, und der regressus in infinitum ist unvermeidlich, wo dasselbe Schriftzeugnis, dasselbe Bibelwort, verschieden interpretiert wird. Denn wie will die eine Partei beweisen, daß ihre Auffassung die allein richtige sei? So drückt es Müntzer aus: „Nullus doctorum scripsit ordinem. Ob id non potuerunt vincere unum haereticum, nisi scripturis, quae possunt vario glossemate innotui et comparari."[75]

Das aber hört Müntzer aus Tertullianus als das Kriterium der Theologie heraus, dem auch die Häretiker sich beugen müssen, die die durch ihr eigenes Verhalten unglaubwürdig gewordene kirchliche Autorität verwerfen: die Beziehung von scriptura und mundus, das, was Müntzer ordo rerum nennt, die Erkenntnis des Glaubens davon, daß die einzigartige Autorität der Bibel nicht eine bloße Behauptung der Tradition ist, sondern darauf beruht, daß sie Zeugnis eines Geschehens ist, das Himmel und Erde, Gestern, Heute und alle Zeiten umfaßt. Aber eben, wenn es sich so verhält, dann ist es nicht nur lächerlich, sondern geradezu blasphemisch, allein aufgrund von Schriftgelehrsamkeit eine Autorität beanspruchen zu wollen, die wiederum mit der Autorität jener Tradition begründet werden soll, für die erst Autorität beansprucht wird. Ist es nicht mehr als ein circulus vitiosus, ein Wort als Wort Gottes anzuführen mit der Begründung, daß das ein Wort Gottes sei, ja in jenem Buch stehe, aus dem es angeführt wird? Wird hiermit nicht gerade das Gebot übertreten, den Namen Gottes nicht auf das Nichtige zu übertragen?

So oder ähnlich mögen die Fragen gelautet haben, die Müntzer aufstiegen, als er die Schriftgelehrsamkeit die Herrschaft in der Christenheit beanspruchen sah. Mußte auf diesem Hintergrund nicht die am Kreuze endende Opposition Jesu gegen das Schriftgelehrtentum für ihn jene unheimliche Aktualität gewinnen, die aus jeder Zeile seiner „Hochverursachten Schutzrede" spricht?

Aber blicken wir noch einmal auf seine Arbeit, um anhand seiner Tertullianusstudien so präzise wie möglich zu formulieren, welche fundamentale Häresie es war, die die Kirche seiner Zeit in eine so desolate Verfassung gebracht hatte. Im zweiten Kapitel von „De resurrectione mortuorum" unterstreicht sich Müntzer die Worte: „. . . nullum alium credendum deum praeter creatorem, dum talem ostendimus Christum, in quo dinoscitur deus, qualis promittitur a creatore."[76] Müntzer hat hier bemerkt: Schöpfung und Offenbarung können in einer Theologie, die nicht ein Zwitter aus vorchristlicher Philosophie und christlicher Tradition bleiben will, nicht voneinander gelöst werden. Denn weder wissen wir, wer unser Schöpfer und Herr ist, ohne seine Offenbarung in Christus, noch können wir uns zu ihm bekennen, ohne in ihm den Heiland des Alls der Schöpfung zu erkennen. Denn wenn Christus nicht der Heiland des Alls, der Schöpfung ist, dann auch nicht mein Herr und Heiland, denn in meiner physischen, fleischlichen Existenz bin ich allen Kräften dieses Alls so ausgesetzt, wie es Müntzer immer wieder in seinem Bild von den Wassertiefen ausgedrückt hat. Dies also muß man wissen, wenn man Müntzers Begriff des „ordo rerum" in angemessener Weise verstehen will. Es handelt sich schon dabei um das, was die altkirchliche Tradition unter Heilsökonomie verstand. Ganz neu aber ist der Akzent, der jetzt auf dem Verhältnis „Creator – Christus – creaturae" liegt. Das Bekenntnis zu Christus unterliegt einem ganz neuen Test auf seine Orthodoxie, wenn danach gefragt wird, ob der Glaube sich zu Christus als dem Retter der Schöpfung oder nur zu dem traditionellen Herren der Christen bekennt. Müntzer sieht die Christenheit von einem ganz neuen Typ der Gottlosigkeit bedroht: dem einer schöpfungs- und weltlosen Soteriologie, deren ganzes Denken um die Willensprobleme des menschlichen Sündenbewußtseins kreist. Und so mußte er zu seinem verallgemeinerten Begriff des Doketismus und Dualismus kommen, deren Verderblichkeit darin bestand, die Wirksamkeit der Inkarnation auf einen bestimmten Ausschnitt der Geschichte zu begrenzen, statt das Ganze der Schöpfung als ihren Horizont zu bekennen.

IV Der Humanismusstreit der Reformation als Vorstufe und Voraussetzung der neuzeitlichen Konkurrenz von Anthropologie und Theologie

Jedem, der diesem Weg durch die Tertullianusstudien Müntzers aufmerksam gefolgt ist, wird es, wenn er wieder auf den Text der Egranuspropositionen blickt, wie Schuppen von den Augen fallen: Nicht das ist die Frage, inwiefern Müntzer hier als ein Martinianer auftritt (dies der Skopus der Elligerschen Interpretation, wie wir oben gesehen haben), sondern ob die Propositionen vor oder nach der Tertullianuslektüre niedergeschrieben worden sind. Wie oben gezeigt wurde, müssen die Randbemerkungen in die Zeit der Egranuspolemik fallen, das heißt in die Mitte oder die zweite Hälfte des Jahres 1521. Dann erhebt sich freilich die Schwierigkeit, wann denn Müntzer in den Besitz der von Beatus Rhenanus herausgegebenen „Opera" des Tertullianus gelangt sein soll, die erst im Juli 1521 in Basel erschienen sind. So ergibt sich als Alternative, daß die Datierung der Propositionen „vor dem 16. April 1521"[77] zu früh ist oder wir – was das wahrscheinlichere ist – davon ausgehen müssen, daß die Tertullianusmarginalien nach den Propositionen niedergeschrieben sind. Auch in diesem zweiten Fall erscheint es sachgemäß, beide Texte nebeneinander zu lesen. Das sich in ihnen aussprechende Problembewußtsein ist an den gleichen Fronten orientiert.

Denn jeder, der die christologischen Kernthesen 1, 2 und 5 liest, wird in ihnen genau jene Häresie ausgesprochen finden, gegen die der Tertullianus studierende Müntzer das kirchliche Anathema fordert: die Lehre, daß das Kommen Christi an der rerum natura nichts geändert habe, er darum auch nur der Heiland der Christen ist und seine Passion nur die Folge hat, daß den Christen das Kreuz aufgrund ihres Glaubens durch die Indulgenz Gottes erlassen wird. Man versteht, wieso er gerade in Egranus das Muster jener den ordo rerum nicht einmal kennenden und ihn dennoch verleugnenden doctores sehen mußte: „Heretici contempnunt viles creaturas, quia ordinem rerum minime intelligunt."[78] Für Müntzer dagegen galt das Gegenteil. Denn für ihn war die Fleischwerdung des Wortes Gottes wirksam für alles Fleisch, hatte die Aussage volle Geltung: „Caro Christi similis carni nostrae."[79]

Hat man diesen Hintergrund einmal wahrgenommen, so versteht man auch: In der Egranuskritik geht es nicht so sehr um die Verbindlichkeit von Nachfolge,[80] als zuallererst darum, Inkarnation und Kreuz als realpräsent wirksam und den gegenwärtigen Glauben auch formal und strukturell bestimmend anzuerkennen. Oder, wie es die lateinische Fassung des „Prager Manifestes" ausdrückt: „..., ut ipsae [sc. oves] audiant et sentiant certissimum proprii evangelii praeconem Iesum Christum in tota anima, carne, cute, medullis et ossibus earum."[81]

Wir sehen jetzt auch, welches Paulusverständnis den Egranuspropositionen 12 bis 14 zugrunde liegt. Müntzer bezieht sich hier vor allem auf Röm. 6–8 und wirft dem humanistischen Häretiker vor, er mißdeute Paulus ebenso, wie er Inkarnation und Kreuz um ihren Offenbarungscharakter bringe, indem er sie in einen begrenzten Ausschnitt der Geschichte eingrenze. Genau so habe Paulus manchmal zu Juden und manchmal zu Heiden gesprochen, keineswegs aber zu Christen, Juden und Heiden gemeinsam. Darum seien die zugespitzen Aussagen aus Röm. 7 auf den vorchristlichen Zustand zu beziehen, da noch vergeblich um die Erfüllung des Gesetzes gekämpft wurde. Im achten Kapitel dagegen seien die Christen gemeint, für die das Gesetz samt der endlosen Mühsal seiner Erfüllung der Vergangenheit angehört.[82] Liest man aber mit Müntzer die Paulusbriefe in der Dynamik des Gegenübers von Adam und Christus, des psychischen und geistlichen Menschen, von Fleisch und Geist, dann werden diese Kapitel zur Beschreibung des aktuellen Kampfes von Unglauben und Glauben, dem einzigen Inhalt aller Kreuzesnachfolge. Also eine kreuzestheologische Interpretation des Paulus vertritt Müntzer hier, in der freilich das Kreuz immer auch Lebensstruktur des Glaubens ist. In seiner brieflichen Psalmauslegung an Christoph Meinhard vom 30. Mai 1524 charakterisiert Müntzer seine Paulusauslegung so, daß er der Wittenberger Exegese vorwirft, sie betone nur das Umsonst der Gnade, ohne an die Umstände dieses Geschehens zu denken, nämlich die Erfüllung des Alten Testaments im Leidenszeugnis alles Glaubens, der sein Zentrum im Kreuze Christi hat. Gerade weil Paulus den Glauben lehre unter Absehung vom Verdienst der Werke, darum verweise er, Müntzer, immer wieder darauf, daß eben dieser Glaube in nichts anderem als dem Erleiden des Werkes Gottes bestehe.[83]

Das ist dann auch der Grund dafür, warum Müntzer eine unumkehrbare Beziehung zwischen Gottes Offenbarung und Glaube wieder und wieder konstatiert hat. Diese Beziehung kann nur so aussehen, daß der Glaube der Offenbarung Gottes selber glaubt und nicht etwa einem Bericht über sie: „... ait electorum corda esse tabulas; in quas digito dei eas findente exarantur vivi verbi mysteria, ...".[84] Müntzers Versuch, die altkirchliche Lehre vom Logos Gottes mit Hilfe der vornicäischen Väter zu erneuern, mußte deswegen auf so enorme Verständnisschwierigkeiten schon in seiner allernächsten Umgebung stoßen, weil diese Lehre einerseits ein bis zur Unkenntlichkeit formalisierter Bestandteil der Gotteslehre der Schuldogmatik geworden war, andererseits mit dem Bibelwort identifiziert worden und darüber hinaus die Überlieferung des christlichen Glaubens in anderthalb Jahrtausenden zu einem unübersehbaren Literaturkomplex angewachsen war. Um es nochmals an den Egranuspropositionen zu demonstrieren: Wem konnte es aufgrund dessen, was im Locus „De deo trino" in Sentenzenkommentaren und Summen über Dei verbum stand, klarwerden, was Müntzer meinte, wenn er dort die vierte Vaterunserbitte in Verbindung brachte mit dem Lebensbrot, das Jesus Christus auch nach Joh. 6,33–35 selber ist, weil er dem Kosmos Leben spendet?[85] Wie sollte man das verstehen, wenn man – wie Luthers Invokavitpredigten das gerade getan hatten – in der Auseinandersetzung mit der kirchlichen Tradition polemisch und summarisch Schriftwort, Gotteswort und Predigtwort bis zur Ununterscheidbarkeit einander annäherte?

Am verhängnisvollsten hat sich dieses Unverständnis im Disput zwischen Luther und Müntzer ausgewirkt. Alle uns bekannten Äußerungen des ersteren zeigen, daß er Müntzer die Auffassung unterstellte, sich vom Schriftzeugnis durch den Subjektivismus persönlicher Offenbarungen zu entfernen. Müntzer hat genau dieses Mißverständnis in einem klaren und detaillierten Brief an Luther zu entkräften gesucht.[86] Aber nicht einmal das bloße Textverständnis der entscheidenden Passagen dieses Briefes kann als gesichert gelten.[87] Folgende Übersetzung des zentralen Satzes in Müntzers Darlegung seiner Offenbarungslehre wird präsentiert: „In allen muß die Erkenntnis des göttlichen Willens, durch die wir per Christum mit Weisheit und geistlicher Einsicht und unfehlbarem Wissen um Gott erfüllt werden müssen, wohnen (eben) so, daß wir aus dem Munde des lebendigen Gottes gelehrt erfunden werden, damit wir mit aller Bestimmtheit wissen, daß die Lehre Christi nicht von einem Menschen erdichtet, sondern uns untrüglich von dem lebendigen Gott geschenkt ist."[88] Diese Übersetzung, eine erhebliche Verschlimmbesserung gegenüber der älteren WA Br 3, 107, Anm. 108, gebotenen, liest den entscheidenden Satz so, als wolle er sagen, daß alle Christen auf persönliche Offenbarungen von Gott angewiesen seien. Ein komplettes Mißverständnis, nicht zuletzt dadurch verschuldet, daß, wie auch sonst häufig, Müntzers Bibelzitat aus dem Kolosserbrief völlig falsch gedeutet worden ist, weil begrenzt auf einen einzigen Vers. Wie oft

hat Müntzer betont, daß dieser „stückwerkische" Umgang mit der Bibel einer seiner Haupt-
vorwürfe gegen die „Schriftgelehrten" ist!

Hier die korrigierte Übersetzung, wie sich aus Wortstellung und Interpunktion völlig
unmißverständlich ergibt: „Die Erkenntnis des göttlichen Willens, mit welcher wir durch
Christus in Weisheit und geistlicher, unfehlbarer Erkenntnis erfüllt werden müssen, muß bei
allen als Erkenntnis Gottes angesehen werden, wie der Apostel die Kolosser belehrt, damit
wir als solche erwiesen werden, die aus dem Munde Gottes selbst belehrt sind, damit wir
dadurch aufs gewisseste einsehen, daß die Lehre Christi nicht von einem Menschen erdacht,
sondern uns ohne Trug vom lebendigen Gott geschenkt ist."[89] Hat man die Müntzerische
Pointe nunmehr erkannt? Es geht um die Behauptung, daß die Erkenntnis des göttlichen
Willens nicht etwas anderes oder zweites neben der Erkenntnis Gottes, sondern mit ihr identisch ist. Daher auch der Hinweis auf den Kolosserbrief. Dabei hat Müntzer keineswegs
allein den 9. Vers des 1. Kapitels vor Augen, sondern ebensosehr den 10., wo das für ihn ent-
scheidende Stichwort „scientia Dei" überhaupt erst auftaucht. Aber ebenso wichtig für das
Verständnis des Zusammenhanges sind die Verse Kol. 2,2 f, die die Identifikation der
Erkenntnis des Willens Gottes mit der Erkenntnis Gottes selbst damit begründen, daß alle
Schätze der Weisheit und Erkenntnis Gottes in Christus verborgen sind, der das Erkennen
des Geheimnisses Gottes des Vaters allererst erschlossen hat. Das heißt aber: Der Ausdruck
„Mund des lebendigen Gottes" ist nicht eine beliebig deutbare metaphorische Formel. Er hat
vielmehr den präzisen theologischen Sinn zu erklären, daß Jesus Christus deswegen „Wort",
„Logos" ist, weil sich in ihm der Mund des lebendigen Gottes uns in seiner Anrede zuwen-
det.

Darum ist der Tenor der weiteren Aussagen des Briefes an Luther auch nicht etwa der, die
„revelationes in Träumen und Gesichten als spezifische der göttlichen Bezeugung"[90] zu
legitimieren, sondern im Gegenteil, ein theologisches Kriterium aufzustellen, mittels dessen
über die Legitimität und den Offenbarungsgehalt von Träumen und Gesichten entschieden
werden kann. Denn daß es eines solchen Kriteriums bedarf und daß der naive Verweis auf
die Schriftgemäßheit ein solches Kriterium schon liefert oder überflüssig macht – das wird
man angesichts der Aporien einer grammatisch-historischen Exegese hoffentlich nicht einzu-
wenden wagen. Völlig übersehen haben Müntzerinterpreten gleich Elliger, daß Müntzers
Darlegungen auch hier eine deutlich kritische Zuspitzung gegen die theologische Willenslehre haben, nach welcher die Erkenntnis des Willens Gottes sich von der Gotteserkenntnis
selber in mehrfacher Hinsicht unterscheidet, wie man schon am Akutwerden des Prädestina-
tionsproblems erkennen kann. Eben das charakterisiert Gott als den lebendigen Gott, daß
wir ihn gar nicht erkennen können, ohne in unserer Erkenntnis zugleich seines Willens
nicht nur ansichtig, sondern teilhaftig zu werden. Aber dies hat eine weitere Konsequenz, die
von der Willensdiskussion der Reformationszeit meist nicht beachtet worden ist: Was unseren eigenen Willen anbelangt, so kann er des Willens Gottes gar nicht teilhaftig werden,
ohne dem Willen Christi gleichgestaltet zu werden, der den Willen Gottes offenbart hat. Das
aber geschah im Kreuz: „Nullus mortalium cognoscit doctrinam vel Christum an mendax
vel verus sit, nisi sua voluntas conformis crucifixo sit, . . ."[91] Nach Joh. 7,17 – von Müntzer
hier in vollem Wortlaut zitiert – ist das Kreuz die Willensform, in der das Gesetz erfüllt und
darum Gottes Wille erkannt wird. Was aber heißt dem Gekreuzigten konform werden anderes, als den chaotischen Charakter der gottlosen geschöpflichen Existenz, ihr Tohuwabohu
aufgedeckt zu bekommen und erst vom Felsen Christus her des ganzen Ausmaßes der Ferne
des Schöpfers innezuwerden?

So erklären sich dann auch Müntzers Schrifthinweise Röm. 8, 1. Kor. 2 und Jes. 8. Sie sind die Kronzeugen für seine Offenbarungslehre: Röm. 8, weil hier die Unmittelbarkeit der Konfrontation des Geistes Gottes mit dem Menschengeist beschrieben wird; 1. Kor. 2, weil hier gerade die tiefsten Tiefen der Verborgenheit Gottes als Inhalt des von Christus Offenbarten bezeichnet ist; Jes. 8, weil hier der geschichtliche Charakter der Gotteserkenntnis im Chaos der welthistorischen Mächte sich bewährt im Gegensatz der Offenbarung Gottes gegen alles Magie-, Orakel- und Beschwörerwesen. Nur wenn man wieder wie Elliger sich an einem einzelnen Vers fixiert, kann man behaupten, daß die Bibelstelle nur aufgrund einer gewaltsamen Auslegung das sage, was Müntzer in ihr finden wolle.[92] Kann es ein anderes Kapitel der Bibel geben, in welchem das „Gott mit uns" der wörtlich-sprachlichen Offenbarung klarer von der Vieldeutigkeit einer kriterienlosen Apokalyptik, einer uferlos orakelnden Wahrsagerei abgehoben ist? Aber eben dies war doch die theologische Aufgabe, die Müntzer sich in seinem Brief an Luther gestellt hatte: das Kriterium zu benennen, das die Offenbarung Gottes eindeutig von allem unterscheidet, was den bloßen Anspruch erhebt, solche zu sein, sei es aufgrund literarischer oder nichtliterarischer Tradition, sei es aufgrund persönlicher Inspirationen.

In dem schlecht, aber noch lesbar überlieferten Postskript dieses Briefes taucht wiederum der Name eines Kirchenvaters auf. Diesmal ein Name, der die weitesten historischen und theologischen Perspektiven öffnet, der des Origenes. Man weiß, daß die eigentlich schwerwiegenden theologischen Argumente, die Erasmus in seiner Diatribe für den freien Willen ins Feld führt, Darlegungen des Origenes aus dessen Exodusexegese sind, die Erasmus aus der lateinischen Fassung von „Περὶ ἀρχῶν" bekannt waren. Die Auseinandersetzung mit dem Humanismus vollzieht sich also in einem wichtigen Stück auf dem Boden der Bibeltheologie des Origenes. Kann man wirklich sagen, daß dieser Sachverhalt in unserem Bild von der Dogmengeschichte der Reformationszeit seinem sachlichen Gewicht entsprechend präsent ist und nicht nur durch den Gemeinplatz von der alexandrinischen Allegorese neutralisiert wird?

Die Frage ist unausweichlich auch aus innertheologischen Gründen. Denn wenn die Reformation ohne Augustinus ihre Position gar nicht hätte formulieren können, auch dort nicht, wo sie über ihn hinausging, dann war sie eben damit auch eingetreten in den Diskurs mit der vorchristlichen und nachchristlichen philosophischen Anthropologie, wie sie gerade Augustinus in allen Phasen seines Dialogs mit dem Platonismus in seinen antiakademischen Schriften, seinen „Confessiones" und schließlich in den Büchern vom Gottesstaat geführt hatte: Wie verhält sich Einzigkeit und Universalität des Heilsweges Christi zu der Gotteserkenntnis jeder einzelnen Seele?

Dazu kam noch, daß die Reformation durch ihre Abkehr von Papalismus und Scholastik die Verpflichtung übernommen hatte, das Verhältnis zur Gnade Gottes nicht mehr von der abstrakten Natur des Menschen, sondern von seiner konkreten, von Sünden und Sündenbewußtsein gekennzeichneten Natur her zu durchdenken. Und Müntzer war in diesem Zusammenhang bewußt geworden: Die konkrete Menschennatur, das ist auch die historische, und zwar so, daß die christliche nicht die Möglichkeit hat, sich von der heidnischen, der jüdischen oder moslemischen zu isolieren. Aber was heißt dann Gnade Gottes, wenn Heiden, Muslim, Juden, Christen derart verschieden über Gott denken, obwohl sie doch alle seine Geschöpfe sind?

Wie wir wissen, sah Luther im Bewußtsein der Sünde, im „erschrockenen Gewissen", dasjenige, was die Menschen aller Religionen verbindet. Gewissen und Bewußtsein, beides sind für Müntzer keine leitenden Kategorien; denn Glauben ist nach Müntzer ein Gesamtzustand der Kreatur. Und erst die Erfahrung der Existenz als Kreatur, die Erfahrung des eigenen

Ursprungs in Gott – nicht in irgendeiner gleichzeitigen oder vergangenen Kreatur! – schafft allererst Voraussetzungen dafür, sich in einer Weise zu verändern und umzukehren, wie es die Verwerfungskategorie „Sünde" impliziert. Andererseits: Erst die Kreatur, welche so etwas wie das Verwerfungsurteil „Sünde" vollzogen hat, kann die Erfahrungsbasis für theologische Aussagen darüber abgeben, wessen die Kreatur aus sich selber fähig oder nicht fähig ist. Wer sagt uns z. B., ob nicht, was als Ernstnehmen der Sünde an negativen Aussagen über die Kreatur Mensch vorgebracht wird, nicht in Wirklichkeit lediglich Ausfluß kreatürlichen Hochmuts, trotzig-verzagter Verzweiflung ist? Denn nicht darauf kommt es für den Glauben an, wie und in welchem Umfang kreatürliche Selbstherrlichkeit, die Neigung zur Kultivierung und der Hunger nach Zuwachs für die eigenen Kräfte unterdrückt werden könne oder müsse. Nein – entscheidend ist, welche Richtung das kreatürliche Leben „von ganzem Herzen, von ganzer Seele, aus ganzem Gemüte, mit allen seinen Kräften" einschlägt, zum Heil oder zum Verderben, zum Leben oder zum Tode. Und dafür, daß das viel mehr als eine bloße Willensfrage ist, dafür wird Origenes ein für Müntzer gewichtiger Zeuge.

Müntzer erörtert es am Beispiel der christlichen Ehe, in Fortführung seiner Polemik gegen die Wittenberger Doktrinen über den weltlichen und nichtsakramentalen Charakter der Ehe, die er schon in dem Brief an Melanchthon aus Anlaß der Invokavitpredigten[93] hatte verlauten lassen. Jetzt hält er Luther entgegen: Er habe doch wohl nicht im Ernst sagen wollen, daß Christus der Hochzeit grundsätzlich fernbleibe. Und nun erläutert er seine eigene Überzeugung mit Hilfe der Auslegung der Hochzeit zu Kana durch Origenes, die er im vierten Buch der lateinischen Version von „$\Pi\varepsilon\rho\grave{\iota}\ \dot{\alpha}\rho\chi\tilde{\omega}\nu$" gelesen hatte.[94] Müntzer argumentierte: Wo in unserem Leben soll denn nach Wille und Offenbarung Gottes gefragt werden, wenn nicht just in einem so tiefen Geheimnis wie der Ehe? Denn gerade hier muß doch gelten „inquirendum semper os domini".[95] Sollte etwa menschliches Leben gerade in seinem Zentrum in einer prinzipiellen Ferne von Christus verharren müssen? Warum soll nicht gerade die Ehe zu einem Zeugnis der Gleichgestaltung mit dem Gekreuzigten werden, so wie Jesus gerade bei der Hochzeit zu Kana auf seine Leidensstunde verweist, aber bei eben dieser Gelegenheit die Wasser der Reinigung in Wein der festlichsten Freude verwandelt. Müntzer sieht sich hier in Übereinstimmung mit Origenes, wenn er sich an der Ehe einerseits die Kreatürlichkeit des Menschen bewußt werden läßt, zugleich aber diese Kreatürlichkeit nach 2. Kor. 4,7 als irdene Gefäße der verherrlichenden Kraft Gottes versteht.

Wieso aber beruft er sich dafür gerade auf jene Origenesstelle, die vom mehrfachen Schriftsinn handelt? Meines Erachtens gibt es zwei Anlässe für Müntzer, gerade diesen Origenestext in Erinnerung zu rufen. Kurz vor der Bezugnahme auf die Kanaperikope steht ein Satz, in dem Müntzer eine Grundvoraussetzung seiner Theologie wiederfinden konnte: „Ipse vero quae ab spiritu sancto didicerat non per litteras neque per libellum, sed viventi voce jubetur annuntiare presbyteris ecclesiarum Christi id est his, qui maturum prudentiae sensum pro capacitate doctrinae spiritalis gerunt."[96] Und was sich anschließt, sind Feststellungen über das Verhältnis von Offenbarung, Heiliger Schrift und Schriftlichkeit. Gerade weil der Inhalt der Heiligen Schrift den ganzen Menschen nach Körper, Seele und Geist beansprucht, darum kann er nicht nur auf der Ebene der historischen Buchstäblichkeit oder der psychischen Ethik und Paränese liegen, sondern auch auf der des Geisteszeugnisses an unseren menschlichen Geist. Darum – so versteht Origenes Joh. 2,1–11 – gibt es Zwei- und Dreimaßkrüge unter den sechs Gefäßen der Reinigungswasser, deren Zahl sechs – eine Zahl, die der Bildungsformel der vollkommenen Zahlen genügt – auf die Ganzheit der Schöpfung hinweist und dadurch darauf, daß mitten in dieser Schöpfung und bei deren Fortbestand jenes Reinigungswunder der Christusgegenwart geschieht, das im Wandlungswunder von Kana dargestellt ist.

An diesen letzten Gedanken knüpft Müntzer an, wenn er die Aussagen des Origenes auf die Ehe anwendet: Auch sie ist ein irdenes Gefäß, fähig, die reinigende und verwandelnde Kraft Gottes in der Nachfolge Christi in sich zu fassen. Derselbe Gedanke wird von Müntzer auch in anderen Texten vertreten. So in der „Protestation oder Erbietung" zum sechsten, wo es über Joh. 2 heißt: „Aber im andern capittel werden solche unser wasser zu wein. Unsere bewegung werden lustig zu leyden."[97] Und offenbar den gleichen Sinn hat Müntzers Vorschrift, die Kanaperikope als wichtigste Lesung des Traugottesdienstes liturgisch zu gebrauchen.[98]

Was Müntzer nicht ahnen konnte: In seiner Aufnahme der origeneischen Auslegung von Joh. 2 hat er einen zentralen Gedanken der Bibeltheologie des altkirchlichen Exegeten zu fassen bekommen, der ihm und den Zeitgenossen sonst nicht greifbar war, weil die Merlinedition den Johanneskommentar – das Hauptwerk des Origenes, mit dem er den größeren Teil seines Lebens beschäftigt war – gar nicht enthielt. Freilich gehört die Auslegung der Kanaperikope zu den verlorenen Teilen des Kommentars. Aber durch Selbstzitate des Origenes können wir uns wenigstens in Umrissen vorstellen, was darin gestanden haben mag. Der eine Hauptgedanke seiner Auslegung bezieht sich auf den johanneischen Ausdruck „ἀρχὴ τῶν σημείων" (Joh. 2,11), was Origenes interpretiert als „Anfang bzw. Ursprung der Zeichen", also nicht „erstes Zeichen" (denn das müßte Griechisch heißen „τὸ πρῶτον σημεῖον" oder besser „τὸ σημεῖον τὸ πρῶτον"), um daraus zu schließen, die Kanaperikope wolle ein Vorzeichen von Jesu ganzem weiteren Weg sein und ihn im universalsten Sinne offenbarungstheologisch präjudizieren, so sehr, daß der soteriologische Sinn seines Kommens als eine Konsequenz des offenbarungstheologischen erscheint und nicht etwa umgekehrt.[99] Der zweite Skopus dieser Exegese von Joh. 2 ist das besondere Augenmerk auf die Tatsache des doppelten Kommens Jesu nach Kana. Origenes fand hier das ganze Geheimnis der christlichen Eschatologie ausgesprochen. Weist der erste Besuch Jesu in Kana auf die sakramentale Metamorphose der Schöpfung hin, so der zweite (Joh. 4,46) auf die eschatologische und erlösende. Aber eben aufgrund dieser Beziehung muß die sakramentale Wandlung der Schöpfung als Prophetie der eschatologischen verstanden werden.[100] Man staunt, mit welcher Sicherheit Müntzers Intuition diese Zusammenhänge getroffen hat; denn seine Verallgemeinerung der hermeneutischen Sätze des Origenes, die es erlaubt, sie auf die christliche Ehe anzuwenden, geht genau in jene Richtung des Verhältnisses von Schöpfung und Eschaton, wie es hier dargestellt wurde.

Eine dogmengeschichtliche Würdigung der Reformation wird nicht unser geschichtliches Wissen gegen das der damals handelnden Personen ausspielen dürfen, weil das zu anachronistischen Urteilen führen würde. Andererseits: Unser historisch-kritisches Bewußtsein kann nicht davon abstrahieren, daß die Auseinandersetzung um den Humanismus, die Polemik zwischen Erasmus und Luther Gräben aufwirft, die das monumentale Gebäude der Theologie des Origenes anschneiden, auch wenn den Kontrahenten weitgehend das Bewußtsein davon ermangelt, welches Ausmaß das Ganze des Gebäudes hat, auf dessen Grundmauern sie bei ihrer Arbeit gestoßen sind. Erinnern wir uns kurz des Ortes, den Origenes in dem Streit um den freien Willen einnimmt. Wie bekannt, bedient sich Erasmus dort der Exegese des Origenes, wo es ihm darauf ankommt, die Verstockung des Pharao als biblisches Hauptargument für eine göttliche Prädestination zum Verderben außer Kraft zu setzen. Luther weist das zurück in der Überzeugung, daß Origenes wie Erasmus hier das in sich eindeutige biblische Zeugnis durch hermeneutische Künsteleien um seinen klaren Sachbezug bringt.[101]

Wichtig für unseren Zusammenhang ist an diesem Stück des Diskussionsverlaufs, daß zwar Erasmus und Luther die Autorität des Origenes als Schriftausleger sehr verschieden beurteilen, beide gemeinsam aber wiederum weit entfernt sind von einer Art theologischen Denkens wie die des den Origenes in seinem Briefpostskript heranziehenden Müntzer. Luther stützt sich ganz auf das, was er aus der Schulüberlieferung über den Tropologus (den Allegoriker) Origenes weiß, und verläßt sich im übrigen auf das, was er bei dem vom Origenesschüler zum Origenesbekämpfer gewordenen Hieronymus gelesen hatte, nämlich, daß des Origenes Auslegung des Alten Testaments die Angriffe des Porphyrios provoziert und auch Areios seine Anregungen von Origenes empfangen habe.[102] Wir halten fest: Origenes wird hier nicht diskutiert als einer, der etwas zum Freiheitsproblem beizutragen hatte, sondern als Vertreter einer bestimmten Auslegungsmethode, die von Erasmus bejaht, von Luther aber verworfen wird.

Denn das muß man gleich hinzufügen: Auch wenn Erasmus seine Argumente aus dem dritten Buch von „Περὶ ἀρχῶν" entnimmt, das dem gleichen Thema wie sein Disput mit Luther, nämlich der Frage περὶ αὐτεξουσίου (über die Entscheidungsfreiheit) gewidmet ist, so stützt er sich doch nicht auf die von Origenes vorgebrachten theologischen Sachgründe, sondern auf dessen sprachliche Erläuterung zu der Aussage, daß Gott selber das Herz des Pharao verhärtet habe.[103]

Man könnte also zu dem Urteil kommen, Erasmus und Luther hätten hier über Origenes gesprochen, ohne auch nur zu ahnen, daß er in der Dogmengeschichte einer der gewichtigsten Lehrer jener Frage gewesen ist, die zwischen ihnen beiden verhandelt wurde. Aber für Erasmus läßt sich das mit Sicherheit ausschließen. Denn schon als er 1517 den Römerbrief interpretierte, hatte er sich von Origenes darin bestärken lassen, daß doch trotz der scharfen Aussagen des Paulus ein minimum quiddam dem freien Willen eingeräumt werden müsse.[104] Und auch Luther greift in „De servo arbitrio" nicht nur die Hermeneutik, sondern ebenso die trichotomische Anthropologie des Origenes an.[105] Also auch ihm ist bewußt, daß der altkirchliche Exeget im Streit um Anthropologie und Theologie als Zeuge herangezogen wird.

Eine Betrachtungsweise, welche den Streit zwischen Erasmus und Luther nicht lediglich im Sinne konfessioneller Polemik oder Irenik, sondern historisch-kritisch unter dem Gesichtspunkt seines Platzes im Verlauf dogmatischer Entscheidungen der Kirche würdigt, wird sich hier zu der Feststellung genötigt sehen: Das Auftauchen des Origenes im Humanismusstreit deckt die Beziehungen dieser Kontroverse zu den altkirchlichen Lehrstreitigkeiten auf. Man wird es bereits geahnt haben: Es handelt sich um die Auseinandersetzung mit der Gnosis, speziell in ihrer innerkirchlichen Zuspitzung durch Markion, also genau jener Diskussionsfront, in der Müntzer seine Egranuspropositionen formuliert hat.

Auch Müntzer hatte keine Kenntnis des theologischen Kontextes der Freiheitslehre des Origenes;[106] denn in der von ihm benutzten Merlinschen Origenesausgabe fehlte der Johanneskommentar. Aber wir haben es schon gezeigt: Müntzer kannte die allgemeine theologische Relevanz des Dualismusproblems nur zu genau und hatte seine kritischen Bedenken gegen die Traditionen des Augustinischen Voluntarismus mehrfach laut werden lassen. Die christologische Orientierung seines Glaubensverständnisses ließ ihn auch eine ganz andere Behandlung des Willensproblems ins Auge fassen. In gewisser Weise folgt er der altkirchlichen Zwei-Willen-Lehre Maximos' des Bekenners und des 6. Ökumenischen Konzils, wenn er in einer Niederschrift über den Zusammenhang von Menschwerdung und Glauben erklärt, wie Gottes Wille durch die Willensunterwerfung und Willensaufgabe Christi in Gethsemane und am Kreuz offenbart werde.[107] Hier ist die Dimension des theologischen Freiheitsverständnisses wieder erreicht. Denn weder wird nach den Fähigkeiten der menschlichen Natur in sich noch nach deren Vervollkommnung durch die Gnade gefragt, sondern durchdacht, welcher Wandel durch Christus im Verhältnis zwischen Gott und Mensch eingetreten und wie seither der Wille Gottes zu verstehen ist und der menschliche Wille kreuzeskonform werden kann.

Aber genau das ist Glaube nach Müntzer: den Weg der Verwandlung zum Kreuz hin einschlagen. So mußte Müntzers Versuch, den theologischen Dualismus von Glaube und Werk zu überwinden, notwendigerweise wieder die Gestalt eines Traktats über den Glauben annehmen. Und was er in den Schriften von 1523 schon mehrfach angekündigt hatte,[108] das wollte er nunmehr wenigstens exemplarisch verwirklichen: seine Lehre in Form von Bibelerklärungen darlegen. Warum seine Wahl dabei auf das erste Kapitel des Lukasevangeliums fiel, wollen wir sogleich erläutern. Durch Luthers brieflichen Angriff vom Sommer 1524 wurde diese Absicht insofern modifiziert, als nun der polemische Zweck hinzukam, die Lehre vom evangelischen Glauben am Zeugnis von Luk. 1 zu entfalten, gleichzeitig aber das Schriftgelehrtentum als die schlimmste Form der fides ficta zu entlarven (zu „entblößen") – ein plausibler Grund, den Text zur „Ausgedrückten Entblößung . . ." zu erweitern.[109]

Daß sich Müntzer aber Luk. 1 eigens zuwandte, geschah nicht von ungefähr. Schon in den Thesenreihen von 1523 werden Zacharias, Elisabeth und Maria mehrfach als Zeugen des wahren Glaubens und damit als Zeugen der Überwindung des Unglaubens angeführt.[110] Mittlerweile aber hatte sich die Frage zugespitzt: Wenn Glaube Christus als das lebendige Wort Gottes zu seinem Ursprung und Gegenstand hat – inwiefern kann dann vor dem Erscheinen Christi überhaupt in diesem theologisch präzisen Sinn von Glauben gesprochen werden? Und was soll dann von Zacharias, Elisabeth und Maria gelten, die alle schon mit der Geburt und dem Wirken Christi in Beziehung stehen? Kann ihr Glaube bereits Christusglaube genannt werden? Etwa gar im Fall der Maria, bei dem das Dilemma entsteht: Sollte ein allgemeiner Glaube, der Christus noch gar nicht zum Gegenstand haben kann, weil er noch nicht geboren ist, etwa größere Wirkungen zeitigen als aller späterer Christusglaube, nämlich die Inkarnation selbst? Es ist die Frage Kaspar von Schwenckfelds, die hier schon im Hintergrund steht: Welche substantielle Veränderung geschieht mit dem Geschöpf, wenn es aus seinen eigenen kreatürlichen Kräften schlechterdings den Glauben nicht hervorbringen kann, ebensowenig wie Maria aus eigenen Kräften das Jesuskind hervorbringen kann? Und Schwenckfelds theologische Lösung des Dilemmas zeigt nun unmißverständlich, wie das theologische Denken trotz aller entgegengesetzten Absichten auf dualistische Bahnen gerät: Maria wird für Schwenckfeld der Hauptbeweis dafür, daß der Glaube eine nichtgeschaffene göttliche Substanz im Geschöpf wirksam werden läßt.[111] Drei Aspekte des Glaubens hat Müntzer in Zacharias, Maria und Elisabeth sich realisieren sehen: in Zacharias den zu überwindenden Unglauben; in Maria das Werk Gottes, das die Frage nach der Möglichkeit des Glaubens beantwortet; in Elisabeth die Gemeinschaft des Heiligen Geistes, in der die Glaubenserfahrung des einen durch die des anderen bewährt wird. Darum können die beiden cantica, das Magnifikat und das Benedictus, die Brennpunkte der ganzen Auslegung werden, Hymnen der vom Heiligen Geist aus ihrem Unglauben befreiten Kreatur.[112]

Aber die Fragestellung ist völlig neu konzipiert, wenn Müntzer den Glauben als das „unmo(e)gliche werck"[113] definiert, ihn nicht als vertrauende Haltung gegenüber einer Person oder einem Sachverhalt versteht, sondern als Verweis auf eine in keiner Möglichkeit begründete Zukunft, genau wie die Ansage einer vaterlosen Geburt an Maria.[114] Wir bemerken: Die Schwierigkeit ist nicht mehr, wie vor Christus vom Christusglauben gesprochen werden kann, sondern wie überhaupt für etwas Unmögliches Glauben gefordert werden kann. Nach Müntzer ist aber genau das die eigentliche theologische Frage, seit Abraham etwas verheißen worden ist, was jenseits aller Denk- und Vorstellbarkeit liegt. Und weil es sich so verhält, eben darum entsteht Glauben nur dort und kann nur dort entstehen, wo der Unglaube nicht ohne gewaltsame Veränderungen im Zustand des Geschöpfes überwunden worden ist. Zweierlei ist damit festgestellt: das Urteil über Möglichkeit und Unmöglichkeit wird hier nach dem Kriterium von Gottes Werk und nicht nach positiven oder negativen Selbsteinschätzungen des Geschöpfes Mensch gefällt. Und zweitens: Wenn sich hier das Beispiel Abrahams aufdrängt, dann ist das nicht zufällig, und es könnten noch zahlreiche andere, gerade aus dem Alten Testament, hinzugefügt werden. Müntzer z. B. verweist auf Gideon im Richterbuch.[115] Alle haben sie die Spannung von Zeichen und Erfüllung, Gehorsam und Ungehorsam in sich, das für alttestamentliche Prophetie, prophetischen Glauben und damit für das charakteristisch ist, was die kirchliche Tradition die „sacramenta veteris testamenti" nannte.[116] Müntzer gewinnt hier eine ältere Schicht kirchlicher Sakramentstradition zurück, die der heilsökonomischen, die in der neutestamentlichen Tradition über Wunder und Zeichen sich am gebieterischsten ausspricht. Sie war seit dem Hochmittelalter in der lateinischen Kirche durch den ganz anderen kirchenrechtlichen und pastoraltheologischen Sakramentsbegriff überlagert worden, welcher der nicht abzählbaren Menge der Heilsmysterien die sieben Sakramente der kirchlichen administratio und cura animarum gegenüberstellte.

Wenn die ältere, heilsökonomische Sakramentsauffassung von Typ und Antityp sprach,[117] dann ist das eine Weise zu reden, wie sie auch Müntzer eigen ist, wenn er am Beginn seiner Lukasauslegung die methodische Richtschnur aufstellt, die Lehre des Geistes Christi werde betätigt „durch die Vergleichung aller Geheimnisse und Urteile Gottes. Denn es haben alle Urteile das höchste Gegenteil mit sich. Wenn sie aber nicht zusammengefaßt werden, mag keines ganz und gar verstanden werden."[118]

Der Terminus „Gegenteil" taucht schon in den Marginaltexten der Schriften von 1523 mit einer offenbar für Müntzers Theologie technischen Bedeutung auf. Am ausführlichsten wird er in der letzten großen Schrift Müntzers, der „Hochverursachten Schutzrede ..." gegen Luther mit Hilfe von 1. Kor. 2,13 erklärt. Der Paulinische Ausdruck „Geistliches mit Geistlichem vergleichen" wird hier von Müntzer angewandt auf die Aspekte Güte und Ernst in der Einheit des Werkes Gottes, einer Einheit, die ihrerseits durch den „unterschayd des heyligen geysts"[119] artikuliert wird und eben damit jene Lehre vom „Gegenteil" in der Lukasauslegung ermöglicht.

Man sieht hier aber auch, inwiefern Müntzer einen Schritt über den heilsökonomischen Sakramentsbegriff hinaus tut durch eine offenbarungstheologische Verallgemeinerung, die alle Wunder und Zeichen des einen Werkes Gottes als Typen und Antitypen seines lebendigen Wortes faßt in der „Vergleichung aller Geheimnisse und Urteile Gottes". Aber ist das denn überhaupt eine lösbare Aufgabe, wenn wir die Zahl dieser Mysterien, die sich überall an und in der Schöpfung vollziehen, nie überblicken können? Müntzer kann die Frage bejahen, weil alle Urteile von einem, alle Worte von einem abhängen. Denn keine andere Aufgabe hat prophetische Predigt, als zu weisen „auff die offenbarung des goetlichen lemblyns, im urteyl des ewigen worts vom vatter abgehend".[120] Gottes ewiger Wille und ewiges Urteil ist das Lamm, das die Sünde des Kosmos hinwegnimmt: dies zugleich Müntzers inhaltliche Feststellung über die Einheit des Werkes Gottes und die Erfüllung des Gesetzes, die nicht etwa als eine einmalige Abgeltung des verwirkten Urteils angesehen werden darf, sondern als die Befähigung aller Geschöpfe dazu, an dieser Erfüllung mitzuwirken und darin zu offenbaren, wie sie jedes einzeln an dem „Sehr gut" der Schöpfung Anteil haben.

In diesem Sinne ist es denn auch zu lesen, wenn Müntzer den altkirchlichen Terminus der

Vergottung für seine Glaubenslehre aufnimmt: „. . ., das wir fleyschlichen, yrdischen menschen sollen go(e)tter werden durch die menschwerdung Christi und also mit im Gotes schu(o)ler seyn, von im selber gelert werden und vergottet seyn, ja wol vil mher, in in gantz und gar verwandelt, auff das sich das yrdische leben schwencke in den hymel, Philip. 3 [Phil. 3,20f].“[121]

Und solche Worte sind gewiß kein leerer Überschwang; denn sie zeigen, wie die hier gelehrte Einheit des Werkes Gottes auch als Kriterium des Glaubens wirksam zu werden vermag. Die Inkarnation ist deswegen in jedem Sinn Voraussetzung des Glaubens, weil sie – Überwindung des Unglaubens – auch Überwindung der Sünde Adams ist, Erneuerung des Menschen bis zur Integration seiner paradiesischen Ursprünge.[122] Einheit heißt darum hier auch Vollständigkeit, und Müntzer muß die Einheit des Werkes Gottes dann auch trinitarisch aussprechen, um jedem theologischen Dualismus den Weg zu verlegen: „Die summa dises ersten capitels ist von der sterckung des geysts im glauben, ist nichts anderst, denn das der allerho(e)chste Gott, unser lieber Herr, wil uns den allerho(e)chsten christenglauben durch das mittel der menschwerdung Christi geben, so wir im gleychfo(e)rmig in seynem leyden und leben werden durch umbschetigung des heyligen geysts, . . .“[123] Und der Satz zuvor hatte in einer einmaligen Verbindung von höchster Präzision und theologischem Gehalt ausgesprochen, daß dieser Glaube des Menschen zugleich eine Heilsverheißung für den Kosmos ist: „Da gepyrt die krafft des allerho(e)chsten das unmu(e)gliche werck Gottes in unserm leyden, durch die umbschetigung des heyligen alten bunds, und wirt gantz und gar durchglastet vom liecht der welt, welchs ist der warhafftig, ungetichte su(o)n Gottes Jhesus Christus.“[124]

Weil das Verhältnis Gottes zu seinem Geschöpf niemals in einer einheitlichen Ontologie eingefangen und ausgedrückt werden kann, auch nicht per analogiam, auch nicht vermöge der berühmten lateranensischen Vorbehaltsklausel, der „maior dissimilitudo“, darum gerät auch das Bekenntnis zur Einheit Gottes immer aufs neue in die Fallstricke immanenter theologischer Dualismen, die nicht begrifflich, sondern allein in der Kraft der Glaubenserkenntnis zerrissen werden können. So ist Müntzers Stellungnahme zum Prädestinationsproblem gemeint. Glaube ohne Antwort auf die Prädestinationsfrage, oder vielmehr Glaube als Form des frommen Verzichts, Glaube als Unterdrückung der Prädestinationsfrage – das alles ist in Müntzers Augen wie Platons Entwurf eines idealen Staatswesens unter den fortbestehenden Bedingungen der Ungerechtigkeit oder wie der Lucius des Apuleius eine Eselsgestalt mit menschlichem Bewußtsein.[125] Für Müntzer zieht dies das unvermeidliche Urteil nach sich: fides ficta – die in die Antithesen, die „Gegenteile“ der Heilsökonomie, noch gar nicht eingetreten ist.

Wir aber müssen feststellen: Was Müntzers Glaubenslehre hier entrollt hat, ist nichts anderes als eine Alternative sowohl zur Position des Erasmus wie der Luthers. Eine Alternative schon insofern, als sie die Freiheits- und Prädestinationsfrage nicht als eine innerchristliche Unklarheit der ferneren gelehrten Untersuchung anheimstellt, auch nicht als eine wohlbekannte biblische Wahrheit, sondern als die Erfahrung davon erkennt, daß der christliche Glaube seinen Anfang immer im Kontext des selbstverständlichen Unglaubens nimmt.

Von dem hier erreichten Standpunkt aus erscheint die These des Erasmus von der Freiheit, sich dem, was zum Heile dient, ab- oder zuzuwenden,[126] als gleichbedeutend mit der Sentenz, das Verhältnis des Reiches Gottes zur Schöpfung insgesamt hänge ab von der bejahenden oder verneinenden Haltung der Menschen.

Aber wie steht es um die vernichtende Humanismuskritik durch Luthers theologischen

Voluntarismus? Auch hier stoßen wir auf eine schwerwiegende Konsequenz. Da der Wille Gottes über die Gesamtschöpfung uns nur quoad nos, und soweit die kirchliche Administration reicht, bekannt ist, sehen wir uns mit dem schrecklichen Urteil der Gotteslehre konfrontiert: „Caeterum Deus absconditus in majestate neque deplorat neque tollit mortem, sed operatur vitam, mortem et omnia in omnibus. Neque enim tum verbo suo definivit sese, sed liberum sese reservavit super omnia."[127]

Es ist der ganze Sinn dieser Abhandlung, eines zu unterstreichen: Müntzers Lehre vom Glauben ist eine Alternative sowohl zum probabilistischen Humanismus wie zum theologisch-voluntaristischen Determinismus. Diese Alternative besteht in nichts Geringerem als in der Wiederentdeckung der prophetischen Freiheit des Glaubens. Freiheit prophetischen Glaubens: Mit dieser Redeweise verbinden wir die Überzeugung, daß mit ihm der theologische Freiheitsbegriff erreicht ist, wie ihn Origenes schon einmal in der antiken Kirche besessen und entwickelt hatte und der dann, vor allem in der lateinischen Kirche, unter der Dialektik von Sünde und Gnade so weit zugedeckt wurde, daß Erasmus und Luther beide den anthropologischen Freiheitsbegriff zum Ausgangspunkt ihrer Theologie nehmen, um von da aus freilich in entgegengesetzte Richtungen vorzustoßen.

Theologischer Freiheitsbegriff, das meint: Freiheit zur Erkenntnis Gottes als des Schöpfers sowohl des erkennenden Geschöpfes wie seiner Erkenntnis und darum Erkenntnis des dreieinigen Gottes in der Einheit seines Werkes, seines Handelns.

Diesem Inbegriff von Freiheit im theologischen Verständnis des Wortes stehen Erasmus und Luther unverkennbar in ein- und derselben Front gegenüber. Man kann sie am prägnantesten mittels der zwei Sinngebungen vergegenwärtigen, in denen Luther das antike Sprichwort „Quae supra nos nihil ad nos" in „De servo arbitrio" verwendet. Einmal zitiert er es zur Charakteristik des antidogmatischen Skeptizismus des Erasmus,[128] das andere Mal als Ausdruck für die prinzipielle Unzugänglichkeit des deus absconditus: „Quatenus igitur sese abscondit et ignorari a nobis vult, nihil ad nos. Hic enim vere valet illud: Quae supra nos nihil ad nos."[129] Erasmus wie Luther argumentieren hier beide im Gegenüber von Gott und Mensch. Auf dem Standpunkt des Erasmus nimmt es die Gestalt des Dualismus zwischen dem arbiträren Menschen und dem nicht arbiträren Gott, auf dem Luthers die des Dualismus zwischen der Allwirksamkeit Gottes und der dieser Allwirksamkeit ausgelieferten Welt an. Nicht nur, daß hier das Prädikat der Willensfreiheit vom Menschen auf Gott übertragen wird: Es verwandelt sich auch in das einer unbegrenzten und absoluten Allwirksamkeit. Die Dreieinigkeit Gottes kann auf dem Boden dieser Gotteslehre zwar noch als ein überlieferter Glaubensartikel unter dem Titel des deus revelatus erhalten bleiben. Die Struktur des Glaubens selber aber ist nicht mehr trinitarisch bestimmt, sondern unterliegt jenem fundamentalen Dualismus von Gott und Welt, und man übertreibt gewiß nicht, wenn man in diesem Dualismus so etwas wie das Grundgesetz europäischen geschichtlichen Bewußtseins nach Kolumbus und nach Kopernikus sieht.[130]

[1] MSB, 353, 6 f (7); 494, 1 f; 509, 31.
[2] MSB, 398, 13–18 (46).
[3] MSB, 353, 8 f (7).

[4] MSB, 539, 1–18.

[5] ETM, 837–840.

[6] Wolfgang ULLMANN: Ordo rerum: Müntzers Randbemerkungen zu Tertullian als Quelle für das Verständnis seiner Theologie. Theol. Versuche 7 (1976), 125–140; DERS.: Das Geschichtsverständnis Thomas Müntzers. In: TMD, 45–59.

[7] Siegfried BRÄUER: Müntzerforschung von 1965 bis 1975. LuJ 44 (1977), 127–141; 45 (1978), 102–137, umfaßt nur den im Titel genannten Zeitraum. Was dem Verf. an Rezensionen zu Gesicht gekommen ist, bestätigt nur die im Text oben getroffene Feststellung. In der buntscheckigen Angebotsliste der „Luther-und-…"-Themen des Sechsten Internationalen Kongresses für Lutherforschung in Erfurt vermißt man „Luther und Müntzer" (vgl. das Inhaltsverzeichnis LuJ 52 [1985], 5 f).

[8] Vgl. Ullmann: Ordo rerum, 128.

[9] Ebd, 129.

[10] Vgl. hierzu ebd, 133–137; Wolfgang ULLMANN: Die sprachgeschichtliche Bedeutung von Müntzers Liturgieübersetzung. Mühlhäuser Beiträge 5 (1982), 25–30.

[11] Zur Kritik an den Einseitigkeiten dieses Renaissancebildes vgl. Leonid M. BATKIN: Die historische Gesamtheit der italienischen Renaissance. Dresden 1979; zur Entwicklung der Humanismusforschung Lewis W. SPITZ: Humanismus / Humanismusforschung. TRE 15 (1986), 639–661.

[12] Vgl. Batkin: AaO, 324–399.

[13] MSB, 353, 6 f (7), 1. Januar 1520.

[14] APULEIUS: Metamorphoses 1 (hrsg. von Rudolf Helm. Berlin 1956, 28). Zu den Stilbesonderheiten der Romanform des Apuleius vgl. Michail Michailowič BACHTIN: Untersuchungen zur Poetik und Theorie des Romans. Berlin 1986, 293–314.

[15] ERASMUS VON ROTTERDAM: Opus epistolarum/ hrsg. von P[ercy] Stafford und H[elen] M[ary] Allen. Bd. o. Oxonii 1900, Nr. 1534; vgl. Ullmann: Das Geschichtsverständnis . . ., 49.

[16] ORIGENES: Opera/ hrsg. von Jaques Merlin. 2 Bde. Paris: Jean Petit und Josse Bade, 1512.

[17] Vgl. Max SCHÄR: Das Nachleben des Origenes im Zeitalter des Humanismus. Basel 1979, 191.

[18] Origenes: Opera 1, aii^r.

[19] Schär: AaO, 212–221.

[20] Vgl. oben Anm. 13.

[21] Da es sich um noch immer ungedruckte Texte handelt, muß ich den Leser für die Belege leider wieder auf die oben in Anm. 6 zitierten Aufsätze verweisen.

[22] Martin LUTHER: De servo arbitrio (WA 18, 610, 13–19 / StA 3, 187, 16–22).

[23] Vgl. oben Anm. 21.

[24] MSB, 353, 7 (7).

[25] CONCILIORUM OECUMENICORUM DECRETA/ hrsg. von Centro di documentazione Bologna. Basel / Freiburg / Rom 1962, 405, 19–21.

[26] MSB, 354, 7 f (8).

[27] MSB, 515, 3–6.

[28] MSB, 339, 17–19.

[29] MSB, 339, 12.

[30] MSB, 290, 20–25.

[31] MSB, 290, 21–24; Gustav Adolf BENRATH: Die Lehren außerhalb der Konfessionskirchen. In: Handbuch der Dogmen- und Theologiegeschichte/ hrsg. von Carl Andresen. Bd. 2. Göttingen 1980, 568 bis 573; DERS.: Die Lehre des Humanismus und Antitrinitarismus. In: ebd. Bd 3. Göttingen 1984, 7 f.

[32] Aurelius AUGUSTINUS: De civitate dei 8, 16 (CSEL 40 I [1899], 381, 1 – 382, 17).

[33] Ebd 18, 18 (CSEL 40 II [1900], 290, 5–7).

[34] Ullmann: Ordo rerum, 134.

[35] Der Auffassung Elligers (ETM, 567) von der Priorität der kürzeren Fassung stimme ich zu.

[36] MSB, 505, 11.

[37] Confessio Augustana 20 (BSLK, 79, 6–15).

[38] Friedrich Daniel Ernst SCHLEIERMACHER: Kurze Darstellung des theologischen Studiums/ hrsg. von Heinrich Scholz. Leipzig 1910, 35 (§ 83).

[39] MSB, 494, 1–6; 503, 32 – 504, 7; 509, 31 – 510,1.

[40] MSB, 510, 1–4.

[41] MSB, 161, 21 – 162, 2. Übrigens wird hier im Kommentar des Herausgebers der von Eusebios überlieferte Hegesippos irrig mit dem lateinischen Flavius Josephus identifiziert.

[42] MSB, 243, 23 – 244, 4.

[43] MSB, 339, 17–19.

[44] MSB, 515, 3–5.

[45] ETM, 132–169. Wichtig das dort aus Egranustexten bereitgestellte Vergleichsmaterial.

[46] MSB, 515, 6.

[47] ETM, 168.

[48] TOp.M, 230 zu Quintus Septimius Florens Tertullianus: Adversus Marcionem 4 (CSEL 47 [1906], 422–568).

[49] TOp.M, 27 zu TCCh 15, 4 (CChr.SL 2, 901 f).

[50] MSB, 235, 25 f.

[51] Symeon: Περὶ ἐξομολογήσεως 13 (Karl Holl: Enthusianismus und Bußgewalt beim griechischen Mönchtum: eine Studie zu Symeon dem Neuen Theologen. Leipzig 1898, 122 f).

[52] WA 11, 314–336.

[53] TOp.M, 16 zu TCCh 4; 5, 6 (CChr.SL 2, 878, 4–880, 51; 881, 39 f / CSEL 70, 196, 3 – 198, 51; 201, 41 f).

[54] TCCh 1, 4 (CChr.SL 2, 874, 22–27 / CSEL 70, 190, 22–27).

[55] TCCh 5, 6 (CChr.SL 2, 881, 40–42 / CSEL 70, 201).

[56] TOp, 26 zu TCCh 14 (CChr.SL 2, 899 f). Ich halte gegen die Herausgeber diesen Satz für echt.

[57] MSB, 232, 20–23.

[58] Der Versuch, die Möglichkeit des Doketismus an mythisches Denken zu binden (Gerhard Ebeling: Theologie und Verkündigung. Tübingen 1962, 22), zeigt, in welchem Ausmaß auch eine sich als Lutherinterpretation verstehende Theologie erasmianischem Denken folgt. Als ob die Einführung der Kategorie „Historizität" im mindesten Gewähr böte, daß wir uns aus dem Bannkreis menschlicher Phantasmata befreit haben!

[59] Vgl. oben Anm. 6; Ulrich Bubenheimer: Luther – Karlstadt – Müntzer: soziale Herkunft und humanistische Bildung: ausgewählte Aspekte vergleichender Biographie. Amtsblatt der Evang.-Luth. Kirche in Thüringen 40 (1987), 66–68.

[60] Ullmann: Ordo rerum, 129 zu TCCh 12, 4–7 (CChr.SL 2, 896, 18–897, 45 / CSEL 70, 221, 18 bis 223, 45).

[61] Quintus Septimius Florens Tertullianus: Apologeticum 17 (CSEL 69 [1939], 44–46).

[62] Ebd 18 (CSEL 69, 46).

[63] TCCh 12, 6 (CChr.SL 2, 897, 34 f / CSEL 70, 222, 34 f).

[64] TCCh 16, 2–5 (CChr.SL 2, 902, 10 – 903, 38 / CSEL 70, 230, 10 – 231, 38).

[65] TCCh 16, 5 (CChr.SL 2, 903, 36–38 / CSEL 70, 231, 36–38).

[66] TCCh 17, 5 (CChr.SL 2, 905), von Müntzer TOp, 27 unterstrichen.

[67] TOp.M, 29 zu TCCh 19, 2 (CChr.SL 2, 907, 1–7 / CSEL 70, 236, 1–7).

[68] TOp.M, 29 zu TCCh 19, 3 (CChr.SL 2, 907, 18–20 / CSEL 70, 237, 18–20).

[69] TOp.M, 40 zu TRM 7, 3 (CChr.SL 2, 929, 13–15 / CSEL 47, 34, 25 – 35, 2).

[70] Zu TRM 46, 6 (CChr.SL 2, 983, 21–23 / CSEL 47, 94, 5–8).

[71] Vgl. Benrath: AaO 2, 568–573.

[72] Zu TRM 22, 10 (CChr.SL 2, 949, 50–53 / CSEL 47, 56, 14–17).

[73] Ullmann: Das Geschichtsverständnis . . ., 48.

[74] TRM 3, 4 (CChr.SL 2, 924, 19 f / CSEL 47, 29, 14 f).

[75] Zu TCCh 6, 4 (CChr.SL 2, 884).

[76] TRM 2, 6 (CChr.SL 2, 922, 24–26 / CSEL 47, 26, 28 – 27, 2).

[77] MSB, 513.

[78] Zu TRM 6, 5 (CChr.SL 2, 928, 19–25 / CSEL 47, 33, 19–25).

[79] Zu TCCh 9, 4 f (CChr.SL 2, 892, 16–29 / CSEL 70, 215, 16 – 216, 29).

[80] Gegen ETM, 138.

[81] MSB, 508, 24–26.

[82] MSB, 514, 18–27.

[83] MSB, 403, 28, – 404, 13 (49).

[84] MSB, 507, 7 f („Prager Manifest").

[85] MSB, 514, 11–13 (These 10).

[86] MSB, 389–392 (40), 9. Juli 1523.

[87] Man sehe Elligers Kommentar zu diesem Brief (ETM, 361–367).

[88] MSB, 390, 8–12 (40), übersetzt ETM, 361 f.

[89] MSB, 390, 8–12 (40).

[90] ETM, 363.

[91] MSB, 390, 17 f (40).

[92] ETM, 362.

[93] MSB, 380, 4 – 381, 4 (31).

[94] Elligers auf Quellenunkenntnis beruhende Fehldeutung der Stelle ist schon anderswo korrigiert worden (Ullmann: Das Geschichtsverständnis . . ., 61, Anm. 33).

[95] MSB, 392, 3 (40).

[96] ORIGENES: Περὶ ἀρχῶν 4, 2, 4 (GCS 22 [1913], 312, 1 – 315, 19).

[97] MSB, 229, 1–3.

[98] MSB, 215, 7–10.

[99] ORIGENES: Johanneskommentar 10, 8. 12 (6.10) (GCS 10 [1903], 178, 20–28; 182, 32 – 183, 6).

[100] Ebd 13, 57. 62 (GCS 10, 287, 27–32; 294, 25–29).

[101] WA 18, 700, 1 – 701, 4 / StA 3, 268, 2 – 269, 20.

[102] WA 18, 701, 4–8 / StA 3, 269, 20–24.

[103] Zum Origenesverständnis des Erasmus vgl. Schär: AaO, 273.

[104] Ebd, 274.

[105] WA 18, 774, 38–42 / StA 3, 342, 27–30.

[106] Der Zugang zu den Haupttexten der Freiheitslehre ist schon deswegen schwierig, weil sie in seinem verlorengegangenen Genesiskommentar gestanden haben. Einige Fragmente dieses Kommentars in der „Philokalie", die Basileios der Große und Gregorios der Theologe aus den Werken des Origenes hergestellt haben, lassen seine Argumentation aber deutlich genug erkennen. Sie ist dieselbe wie in der Hauptquelle zur Sache, dem 20. Buch des Johanneskommentars, das keinen Zweifel daran zuläßt, daß und wie Origenes die Freiheitsfrage mit der der Gotteserkenntnis verknüpft hat.

[107] MSB, 521, 20–29.

[108] MSB, 398, 7–13 (46), 2. Dezember 1523; 228, 20 – 229, 8.

[109] Ähnliche Auffassung der Redaktionsgeschichte ETM, 567 f.

[110] MSB, 219, Marginaltext; 233, Marginaltext.

[111] Vgl. dazu Isaak August DORNER: Entwicklungsgeschichte der Lehre von der Person Christi. Teil 2. Berlin 1853, 631; Emanuel HIRSCH: Schwenckfeld und Luther (1922). In: ders.: Lutherstudien. Bd. 2. Gütersloh 1954, 35–67 / Wirkungen der deutschen Reformation bis 1555/ hrsg. von Walter Hubatsch. Darmstadt 1967, 198–235; Horst WEIGELT: Luthers Beziehungen zu Kaspar von Schwenckfeld, Johannes Campanus und Michael Stiefel. In: Leben und Werk Martin Luthers von 1526 bis 1546/ hrsg. von Helmar Junghans. Berlin 1983 / Göttingen 1983, 473–480. 882–884.

[112] MSB, 267–319.

[113] MSB, 274, 4 f.

[114] MSB, 271, 34–37.

[115] MSB, 273, 15–25.

[116] Vgl. z. B. Philipp MELANCHTHON: Apologia Confessionis Augustanae 24, 35–38 (BSLK, 360, 15 bis 361, 42).

[117] Vgl. Hebr. 9,24: MSB, 268, 9–16.

[118] MSB, 226–228.

[119] MSB, 331, 11.

[120] MSB, 297, 9–12.

[121] MSB, 281, 22–32.

[122] MSB, 305, 13–24.

[123] MSB, 318, 22–32.

[124] MSB, 318, 13–21.

[125] MSB, 290, 21–24.

[126] WA 18, 661, 29–32 / StA 3, 230, 4–7.

[127] WA 18, 685, 21–24 / StA 3, 253, 31–34.

[128] WA 18, 605; 685, 5 f / StA 3, 183; 253, 16 f.

[129] Siehe oben Anm. 128.

[130] Eine Vermittlung zwischen dualistischer und trinitarischer Gotteslehre versucht die Lutherinterpretation von Eberhard JÜNGEL: Quae supra nos, nihil ad nos: eine Kurzformel der Lehre vom verborgenen Gott – im Anschluß an Luther interpretiert (1972). In: ders.: Entsprechungen: Gott – Wahrheit – Mensch. München 1980, 202–251, eine These, die freilich nur mittels einer nicht gerechtfertigten Abschwächung der entscheidenden Sätze aus „De servo arbitrio" aufgestellt werden kann.

Thomas Müntzer und Böhmen

Von Siegfried Hoyer

Über Thomas Müntzers Aufenthalt(e) in Böhmen geben neben den wenigen Hinweisen im Briefwechsel vier zeitgenössische Quellen knappe Nachrichten. Václav Husa stellte sie 1957 am Ende der bisher einzigen monographischen Bearbeitung dieses Lebensabschnitts Müntzers zusammen.[1] Auf Husa stützen sich weitgehend die folgenden biographischen Darstellungen über den revolutionären Theologen,[2] wenn darin den Böhmenreisen überhaupt mehr als einige flüchtige Sätze gewidmet werden.

Die spärliche Überlieferung gab zu ausgreifenden Hypothesen über die den Reisen zugrunde liegenden Interessen Müntzers, über die Reiserouten bzw. die besuchten Orte sowie über die Einflüsse in Böhmen auf die Entwicklung seiner theologischen Position Raum. Wohl wurde die lateinische Fassung des „Prager Manifestes" textkritisch ediert[3] und ihr Zusammenhang mit den anderen Textfassungen untersucht, diese erste größere Schrift Müntzers auch mehrfach interpretiert,[4] aber kaum (oder gar nicht) nach Einflüssen gefragt, die Müntzer aus der Umgebung, auf die er in Prag traf, aufgenommen haben könnte.

Das intensive Interesse Müntzers für Böhmen begann spätestens Anfang 1521, auf dem Höhepunkt seiner Predigertätigkeit an St. Katharinen in Zwickau. Das belegt ein vor kurzem vollständig entzifferter fragmentarischer Briefentwurf an die Ratsherren der böhmischen Städte.[5] Was Müntzer ihnen mitteilen wollte, bleibt leider verborgen, da der eigentliche Brieftext nach wenigen Zeilen abbricht. Interessant ist jedoch sein weiter Blick, sich an alle Stadtobrigkeiten im Nachbarland zu wenden. Welches Bild Müntzer bis zu dieser Zeit von der religiösen Situation im Nachbarland, insbesondere über den Hussitismus, hatte, steht auf einem anderen Blatt. Wirtschaftliche Beziehungen, infolgedessen auch intensive personelle Kontakte über das Grenzgebirge hinweg bestanden, ohne daß wir wegen der fehlenden Vorarbeiten etwas über deren Stärke, ihr Profil u. a. sagen können. Händler aus dem Nachbarland lassen sich auf dem Zwickauer Markt nachweisen.[6] Als Zwickauer Bäcker 1522 gegen den illegalen Zuzug von Schneeberger Gesellen protestierten, wanderten sie schließlich nicht zufällig in das böhmische Kaden aus.[7] Unter den Handwerkern der Stadt, insbesondere unter den Tuchknappen, befanden sich, wie in anderen sächsischen Städten des Erzgebirgsvorlandes, solche aus Böhmen. Einige von ihnen gehörten zu den Storchianern, so „hans lebe der pheme", der Müntzer Mitte Juni 1521 seine Teilnahme an der Reise nach Böhmen brieflich ankündigte.[8]

Sehr viel komplizierter ist es, die vielschichtigen geistigen Einflüsse heterodoxer Strömungen aus Böhmen, insbesondere solche der Hussitenbewegung, zu erfassen, die dann möglicherweise auf die Laiengemeinschaft der Storchianer und über sie oder direkt auf Müntzer sowie auf die reformatorischen Kräfte in Zwickau insgesamt gewirkt haben. Vom Zentrum der Waldenserbewegung, Saaz, wo sich 1456 die Ältesten der „treuen Brüder" nochmals getroffen hatten,[9] bestanden schon im 15. Jahrhundert Verbindungen zu Sympathisierenden im Vogtland. Das läßt sich aus abgefangenen Boten vermuten.[10] Selbst wenn sich solche

Kontakte bis zur Aufspürung der Waldensergemeinde um Altenburg und Zwickau 1462 fort-
setzten, besteht zwischen den theologischen Positionen der auf Bibelexegese orientierten
waldensischen Lehren und dem Spiritualismus der Laiengemeinschaft um Nikolaus Storch
ein grundlegender Unterschied.[11] Zur Hypothese Paul Wapplers von der Verbindung Storchs
zu den böhmischen Nikolaiten[12] bemerkte schon Husa realistisch, daß spiritualistische Vorstellungen weiter verbreitet waren und ihre Existenz in Zwickau nicht dieses Einflußkanals
bedurfte.[13]

Nun lassen sich doch aus dem Zwickau der zwanziger Jahre des 16. Jahrhunderts Verbindungslinien zu den nachhussitischen religiösen Gruppen des Nachbarlandes nachweisen. Da
ist einmal der Druck von zwei Schriften der Brüderunität in deutscher Übersetzung 1525 bei
Jörg Gastel, die über die Ziele und die Situation der Gemeinschaft berichten.[14] Bisher waren
im Reich nur die Polemiken gegen die „Pickarden“ im Nachbarland von Jacob Lilienstejn[15],
Jakob Ziegler und Hieronymus Dungersheim gedruckt worden.[16] Sie enthielten nicht nur
wichtige Informationen über die Brüdergemeinde, sondern auch Originaltexte von ihr selbst.
Hinzu kam die Apologie des Lucas von Prag, die in einer geringen Anzahl von Exemplaren
1511 in Nürnberg gedruckt worden war[17] und Dungersheims Polemik ausgelöst hatte.
Zwickau war aber nun der erste Ort, über den mittels Flugschriften in deutscher Übersetzung
Gedanken der Brüderunität wirksam wurden. Das hängt sicher mit der Lage der Stadt nahe
der böhmischen Grenze im Kurfürstentum Sachsen zusammen, ebenso mit den gewachsenen
Beziehungen zwischen Luther und den Böhmischen Brüdern seit etwa 1521, die Molnár als
Wende von der „negativen Voreingenommenheit“ zur „positiven Einstellung“ charakteri-
sierte.[18]

Die kirchlichen Verbindungen aus dem kursächsischen Raum zu Joachimsthal jenseits des
Gebirgskamms, die mehrfache Berufung reformerisch gesinnter und reformatorischer Prediger in die aufblühende Bergstadt auf der böhmischen Seite[19] sind über den engen Kontakt der
Bergorte untereinander hinaus auch unter dem Aspekt zu sehen, daß Joachimsthal zur Herrschaft der Grafen von Schlick gehörte. Luther widmete dem der Reformation aufgeschlossenen Sebastian von Schlick, „dem allerchristlichsten Laien“, am 15. Juli 1522 die lateinische
Fassung seiner Schrift „Contra Henricum regem Angliae“ und ging in der Vorrede auch auf
das Gerücht ein, er sei nach dem Reichstag von Worms nach Böhmen zu den dortigen
Ketzern geflüchtet.[20] Die solcherweise vermuteten Beziehungen des Wittenberger Reformators zu Böhmen sind als Hintergrund der Reise Müntzers mit in das Kalkül zu ziehen.
Natürlich waren das Gerüchte, ausgestreut meist von Gegnern der Reformation; lediglich die
spätere darstellende Literatur verwechselte in einigen Fällen Gerüchte über Luther mit
dessen Absichten.[21]

Die Kenntnisse Müntzers über die Hussiten und deren religiöse Nachfolger in Böhmen
dürften aus der gleichen Quelle, d. h. den polemischen Schriften gegen die Brüderunität,
geprägt worden sein, die auch Luthers Bild beeinflußten. Belegt ist nur sein Interesse an einer
gedruckten Ausgabe der Konstanzer und Baseler Konzilsakten,[22] in der die Artikel enthalten
waren, die Jan Hus und John Wyclif als Ketzerei vorgeworfen wurden. Konnte er auf diesem
Weg etwas über den radikalen Flügel der Hussiten, die Taboriten, erfahren? Smirin meinte
zur späteren Anmerkung Müntzers im „Prager Manifest“ über die Stadt des teuren und
heiligen Kämpfers Hus: „Es steht außer Zweifel, daß Müntzer, wenn er hier von Hussitismus spricht, die Bewegung der Taboriten meinte, deren Lehre weitestgehend seiner Stim-
mung und seinem Programm entsprach.“[23] Als wohl einzige gedruckte Informationsquelle
über die taboritische Gemeinde – entstanden etwa 15 Jahre nach der Niederlage des revolutionären Flügels der Hussiten bei Lipany – ist die „Historia Bohemica“ des Aeneas Sylvius

de Piccolomini, des späteren Pius II., anzusehen. Sie bietet anhand persönlicher Eindrücke anschauliches Material über die apostolische, antihierarchische Gemeindestruktur der Taboriten. Nach dem Erstdruck 1475 lagen um die Wende zum 16. Jh. zwei neue Ausgaben in Venedig (1496 und 1503) sowie ein Baseler Druck von 1489 vor.[24] Diese konnten möglicherweise auf den Büchermärkten in Leipzig oder anderen Orten des thüringisch-sächsischen Raumes erworben werden, eventuell auch in dortigen Bibliotheken vorhanden sein. Ob sie Müntzer gekannt hat, ist freilich ungewiß, eigentlich auch unwahrscheinlich, denn sein Interesse an böhmischer Geschichte war begrenzt.

Wenn wir nach dem Bild Müntzers über Böhmen und seine Kirche vor 1521 fragen, werden wir auf den Bericht über die Auseinandersetzung zwischen ihm, Franz Günther und den Franziskanern in Jüterbog im April 1519 verwiesen. Bernhard Dappen unterstellt beiden die Äußerung: „Die Böhmen sind bessere Christen als wir."[25] Luther war zu dieser Zeit, Monate vor der Leipziger Disputation, noch sehr viel kritischer gegenüber dem Abfall der Christen des Nachbarlandes von der römischen Kirche eingestellt,[26] obwohl sein anfangs völlig negatives Bild von der „Pickardischen Ketzerei" sich zu wandeln begann. Allerdings legte Dappen Müntzer und Günther nur eine allgemeine Hochschätzung der Nachfahren von Hus in den Mund, keinen spezifischen Bezug auf ihre theologische Position. Es sieht so aus, als ob beide, klarer als dies bei Luther Anfang 1519 der Fall war, die Böhmen der einfachen, frühchristlichen Gemeinde näher sahen als die verfallene gegenwärtige Kirche – dahinter stand allerdings auch die fehlende Differenzierung zwischen den dort vorhandenen Bekenntnissen. An anderer Stelle wirft Dappen Müntzer die Äußerung vor: „. . . das heilige Evangelium habe seit dreihundert oder vierhundert Jahren im Winkel . . . gelegen, und es werden müssen viele dem (Henker-)Schwert ihren Hals hinhalten, damit das heilige Evangelium wieder aus dem Winkel hervorgeholt werde."[27] Außer einer allgemeinen Betonung des Märtyrertums kann das im Kontext mit der Äußerung über die wahren Christen in Böhmen auch eine Anspielung Müntzers auf den Märtyrertod von Hus und Hieronymus von Prag sein, über den er sicher schon vor dem Studium der Konzilsakten in allgemeinen Zügen informiert war.

Am 16. April 1521 wurde Müntzer vom Zwickauer Rat als Prediger entlassen. Die Forschung ist bis heute der Auffassung gefolgt, daß er bald danach ein erstes Mal in Böhmen war. Quelle für die frühe Reise ins Nachbarland, der dann in der zweiten Hälfte Juni eine zweite folgte, ist die Bemerkung im Brief an Nikolaus Hausmann vom 15. Juni „Demum cognoscito me Bohemiam visitasse . . ."[28] An der Perfektform in diesem Satz besteht kein Zweifel. Wenn der folgende Satz: „His volo, ne mysterium crucis per me praedicatum extirpari possit", keine temporale Ungenauigkeit ist, wechselt Müntzer in diesem nächsten Satz das Tempus und sagt, daß er das Land wieder besuchen will, was ja auch aus anderen in diesen Tagen geschriebenen Briefen hervorgeht.

Lassen wir die Einordnung der apokalyptischen Worte dieses Briefes: „. . . non ob gloriolam meam, non ob pecuniarum ardorem, sed spe futurae necis meae", beiseite, da sie im Zusammenhang mit Müntzers Endzeiterwartung in diesen Monaten und der Entwicklung seiner Geisttheologie zu interpretieren sind. Amedeo Molnár hatte diesen Gedanken allerdings in die Nähe der Husschen Leidenstheologie gerückt,[29] die der Prager Theologe kurz vor seinem Ende in Konstanz in dem Traktat „De peccato mortali" formulierte.[30] Müntzer dürfte vor seiner Pragreise davon kaum eine Handschrift gekannt haben.

Von den zeitgenössischen Quellen weiß allein der 1941 von J. Charvát in einer verbesserten Fassung herausgegebene alttschechische Annalist (Stare letopy české) von einem Besuch sowohl in Saaz wie in Prag.[31] Die Stelle ist eindeutig; sie kennt zwei Reisen. Walter

Elliger muß sie mißverstanden haben, wenn er schreibt, daß darin nur von einer Reise die Rede sei.[32] Ein späterer Weg über Saaz nach Prag, von dem gelegentlich in der Literatur die Rede ist, verbietet sich aus Gründen der genauen Datierung! Wenn seine erste Böhmenreise nach Saaz in die Periode zwischen Ende April und Ende Mai 1521 fällt, ist zugleich äußerst unwahrscheinlich, daß er Joachimsthal berührte. Als Beleg für Müntzers Spuren in dieser Bergstadt wird ein handschriftlicher Bericht über einen Aufruhr am 23. Juli 1521 – das wäre dann etwa zwei Monate später – genannt. Wegen dieses Aufruhrs wurden sechs Personen auf den Rabenstein in Verwahrung gebracht.[33] Husa zog außerdem eine Bemerkung aus der „Sarepta" des Johannes Matthesius heran, nach der Egranus im Sommer 1521 wegen einer gefährlichen und nutzlosen Diskussion Joachimsthal verlassen mußte.[34] Otto Clemen hat wohl richtig gesehen, daß Egranus nach seiner Ankunft in der Bergstadt durch seine Predigten gegensätzliche Reaktionen erzeugte; den Altgläubigen waren sie zu kühn, den Lutheranern zu lau, so daß er sich bald einer allgemeinen Opposition gegenüber sah.[35] Es ist sehr unwahrscheinlich, daß er geschwiegen hätte, wenn sein alter Gegner Müntzer hinter der Ablehnung durch die Joachimsthaler Bevölkerung gestanden hätte. Graf Stephan von Schlick fragte am 30. Mai 1525 bei Herzog Georg von Sachsen an, ob der verhaftete Thomas Müntzer nicht in Verbindung zu den Joachimsthaler Predigern stünde, die im Aufruhr der Knappen und Lohnarbeiter hervortraten.[36] Nach der Kenntnis der Quellen können wir heute sagen: was direkte Verbindungen und ähnliche ideologische Positionen betraf, sicher. Aber das ist wohl nicht aus einem Besuch Müntzers vier Jahre zuvor (1521) in der Stadt abzuleiten. Ein Aufenthalt in Joachimsthal auf dem Wege nach Saaz fand im Frühsommer 1521 nicht statt!

Saaz, das bedeutende Zentrum des Hopfenhandels in Nordböhmen, war Anfang des 16. Jahrhunderts eine überwiegend tschechisch besiedelte Stadt.[37] Das schloß eine Wirksamkeit Müntzers als Prediger aus. In ihr befanden sich aber einflußreiche Persönlichkeiten der Utraquisten, Anhänger der Brüdergemeinde und möglicherweise auch noch Reste der Waldenser, die nicht in der Unität aufgegangen waren. Von den reformatorisch und humanistisch gesinnten Kreisen der Stadt liefen zahlreiche Fäden in andere Städte Böhmens: nach Leitmeritz, nach Prag u. a. Als Kontaktmann Müntzers ist Mikoláš Černobyl (Artemisius),[38] Magister der Freien Künste und ehemaliger Student in Wittenberg, wahrscheinlich. Müntzer könnte ihn während seines ersten Aufenthalts dort im Frühsommer 1519 kennengelernt haben. Über seine weiteren Verbindungen und Tätigkeiten in Saaz haben wir allerdings nicht den geringsten Anhaltspunkt. Die wahrscheinlichen Kontakte erlauben lediglich einige Hypothesen:

Müntzer wurde von seinen Partnern als „Martinianer" angesehen und als solcher offenbar den utraquistischen Kreisen in Prag vermittelt. Černobyl besaß hierfür ohne Zweifel den nötigen Einfluß. Müntzer suchte eine Wirkungsmöglichkeit als Prediger in Böhmen, wie er selbst in der zitierten Briefpassage an Hausmann sagte, nicht nur aus materiellen Gründen – obwohl solche nach seiner Entlassung in Zwickau vorhanden gewesen sein dürften –, sondern mit dem Ziel, „daß das von ihm gepredigte Mysterium des Kreuzes nicht ausgelöscht werde".[39] Zur Interpretation der vorhergegangenen Bemerkung („sed spe futurae necis meae") sollten zwei Bemerkungen aus dem gleichzeitigen Brief an seinen Jenaer Bekannten Michael Gans beachtet werden. Müntzer kündigt an: „Ich werde, wenn ich sterben sollte, durch einen Boten ein eigenhändiges Testament senden."[40] Er ging einer ungewissen Zukunft in einem ihm unbekannten Land entgegen, mußte also mit allen Möglichkeiten rechnen, wollte allerdings – das besagt dieser Satz wohl auch – vor Gerüchten über seinen Tod warnen! „Du sollst keinem Menschen glauben, wenn er Dir nicht meinen Brief mit dem

Siegel gegeben hat."[41] Wenige Sätze zuvor hatte er Gans allerdings mitgeteilt: „Ich hoffe, Dich im kommenden Winter persönlich zu besuchen; bis dahin werde ich das Werk der Predigt durch das Wort erfüllt haben."[42] Er hoffte also gleichzeitig auf den Erfolg seiner Mission, war optimistisch, im Winter wieder zurück zu sein! Stand dahinter vielleicht auch eine begrenzte zeitliche Absprache, die in Saaz getroffen worden war?

Zum Verständnis der eschatologischen Erwartungen Müntzers in diesen Wochen sollte nicht nur die Entwicklung seiner Geisttheologie schon in der Zwickauer Zeit, sondern auch die Situation der gesamten reformatorischen Bewegung gesehen werden. Im April stand Luther vor dem Reichstag in Worms; Anfang Mai war er für Freunde und Gegner verschwunden, das Wormser Edikt erlassen und die Verfolgung auf alle Anhänger des lutherischen Glaubens eröffnet. Das Verschwinden des Reformators, die vielleicht mehr oder weniger stark bekanntgewordenen Festlegungen des Wormser Edikts ließen ohne Zweifel bei Freunden und Anhängern, die die Hintergründe des Verschwindens nicht kannten, eine Ratlosigkeit zurück. Für Krisenerscheinungen in der reformatorischen Bewegung Ende 1521/Anfang 1522 waren allerdings auch innere Gründe verantwortlich. Müntzer konnte schon, auch aus diesen Gründen, darum bangen, daß sein theologisches Werk ausgelöscht werde. Angesichts der starken Gegner der Reformation in den deutschen Städten und Territorien richtete er seinen Blick auf das Land von Hus, traf umfassende Reisevorbereitungen. Sein Bestreben, eine Gruppe Gefährten aus der Zwickauer Zeit mitzunehmen, deutet darauf hin, daß er für größere Gefahren und Auseinandersetzungen gewappnet sein wollte.

Müntzer mußte in diesen Tagen, als er von einem unbekannten Ort[43] aus diese Reise vorbereitete und ihn auch die Nachricht vom Tod seiner Mutter erreichte, klare Vorstellungen besessen oder Zusicherungen erhalten haben, wohin ihn der Weg führen sollte. Im übrigen drängte er Markus Thomae, vielleicht den einzigen Bekannten aus der Wittenberger Zeit in der Gruppe, in einem Brief vom 15. Juni 1521 zur Eile, „damit der Satan unsere Reise nicht verhindere".[44] Offenbar erwarteten ihn seine neuen Gastgeber. „Sieh zu", schrieb er Thomae nach Elsterberg, „daß Du morgen da bist."[45] Sicherlich schon an diesem Tage dürfte er mit seinen Gefolgsleuten zu dem Treffpunkt in der Nähe der vogtländischen Stadt Elsterberg unterwegs gewesen sein. Zwischen Elsterberg und Prag, das die Gruppe am 20. Juni erreichte, hatte sie auf dem kürzesten Weg über Eger (Cheb) eine Entfernung von etwa 230 km zurückgelegt. Dazu benötigten sie, da sie keine Botenreiter waren, vier ordentliche Tagesreisen. Für Zwischenaufenthalte oder Abstecher, etwa nochmals nach Saaz, blieb da keine Zeit!

Müntzer traf auf komplizierte politische und kirchenpolitische Verhältnisse in der Stadt an der Moldau, die bis zu einem gewissen Grad das Kräftespiel zwischen den konfessionellen Gruppen und den Ständen im ganzen Königreich Böhmen widerspiegelten. Er fand allerdings – das machte Josef Macek in der Besprechung zu Husas Buch deutlich – keine zugespitzten sozialen Gegensätze, keine revolutionäre Situation vor.[46] In der utraquistischen Kirche drängte seit etwa 1517 der linke Flügel nach vorn, der konsequent antirömisch und gegenüber der immer noch außerhalb der kirchlichen Legalität stehenden Brüdergemeinde aufgeschlossen war.[47] Er besaß eine doppelte soziale Basis, einmal im gelehrten Bürgertum, Teilen des niederen Adels sowie der Universitätsmagister und zum anderen in den unteren Schichten der Gesellschaft. Beide fochten mit unterschiedlichen Mitteln gegen die romtreuen Gegner. Die utraquistische Oberschicht war weitgehend mit der aus Städtern und niederem Adel zusammengesetzten Widerstandspartei gegen den Landesregenten und die Vertreter der alten Kirche identisch. So bestand ein enger Zusammenhang zwischen dem politischen Kampf der Stände und den konfessionellen Auseinandersetzungen. Diese wiederum wurden mit unterschiedlicher Intensität auf drei Ebenen geführt: zwischen den Altgläubigen und den Utraquisten, zwischen den beiden Flügeln des Utraquismus, wobei der rechte, konservative Flügel, stark der römischen Seite zuneigte, eine Versöhnung mit Rom anstrebte, und zwischen den Altgläubigen wie den Utraquisten und der Brüderunität. Verfolgungen der Brüderunität hatte es seit 1508 allerdings nicht mehr gegeben. In Prag konnten die Böhmischen Brüder sogar Sympathisierende unter Geistlichen gewinnen. Solche wandten sich gegen die Bilderverehrung, die Ornate bei der Liturgie, die Heiligenverehrung und gegen die Lehre von der Realpräsenz Christi in Brot und Wein sowie gegen die Anbetung der Hostie in der Monstranz, sahen in der Heiligen Schrift die einzige kirchliche Norm und strebten eine Rückkehr zu frühchristlichen Formen an. Haupt dieser probrüderischen Gruppe innerhalb der utraquistischen Geistlichkeit war Jan Mirus.

In der Prager Teyngemeinde, von der sozialen Zusammensetzung her mehrheitlich an sich eine Gemeinde der städtischen Oberschicht, war nach dem Tod von Jan Poduška (1520 an der Pest), der früh Schriften Luthers in den Händen hatte, der Baccalaureus Václav Pfarrer geworden; jedoch kurze Zeit später, da er radikale Neuerungen eingeführt hatte, mußte er auf Druck der konservativen Gemeindeältesten die Kirche wieder verlassen. Er wie auch Mirus, Václav Rožďálovský – der nach der Leipziger Disputation Hus' „De ecclesia" an Luther gesandt hatte – und der Jurist, altstädtische Kanzler und Stadtschreiber Burian Sobek z Kornic[48] gehörten zu jener linksutraquistischen Gruppe in Prag, die mit einer Orientierung an Luther eine bessere Perspektive für die reformatorische Bewegung im Land erhoffte, aber auch eine Überwindung der in den Baseler Kompaktaten festgelegten Bindung des Utraquismus an die Papstkirche.[49]

Unabhängig von ihr wirkte seit Ende 1510 als Laienprediger der Eremit Bruder Mathěj, genannt Poustevnik, ein Kürschner aus Saaz,[50] dessen Predigten starke apokalyptische Züge trugen und von ihm nicht in den Kirchen, sondern auf Straßen und Plätzen gehalten wurden. Der insgesamt deutlich in der Minderzahl befindliche linke Flügel der Utraquisten duldete offenbar sein Wirken, zumal sich einige Übereinstimmungen zu den eigenen Positionen ergaben: die Kleruskritik, die Orientierung an Luther. Andererseits konnten die Linksutraquisten die Labilität des Zusammenwirkens mit den städtischen Unterschichten in konfessionellen Fragen nicht übersehen, da diese mehr zu radikalen Aktionen – Bildersturm u. a. – neigten und immer wieder soziale Konflikte in der Stadt aufbrachen. Die tumultartige Prager Gemeindeversammlung 1519, in der den Ratsherren das zur Finanzierung des Etats notwendige Faßgeld verweigert wurde, tat ein übriges, auch die Anhänger der radikalen Gruppe unter den Ratsherren gegen selbständige Aktionen des Volkes allergisch zu machen. Dabei ist der zunehmende Druck der römischen Partei, in Übereinstimmung mit dem konservativen Flügel der Utraquisten Böhmen wieder voll zur römischen Kirche zurückzuführen, in Rechnung zu stellen. Er kulminierte in einem entsprechenden Ansuchen an den König auf dem Prager Landtag vom 28. März 1522. Danach gab es Geheimverhandlungen zwischen den Altgläubigen und den konservativen Utraquisten (d. h. ihrem rechten Flügel). Als Luther davon erfuhr, sandte er am 15. Juli 1522 sein bekanntes „Schreiben an die böhmischen Landstände".[51]

Ein offizielles Ehrengeleit Müntzers, vielleicht von Saaz aus organisiert,[52] für die letzte Strecke vor Prag und seine Unterbringung zunächst im Großen Kolleg sind überliefert. Außerdem hatte er Disputationsthesen im Reisegepäck, bei denen es sich um die von Philipp Melanchthon anläßlich seiner Promotion zum Baccalaureus biblicus 1519 in Wittenberg verteidigten Sätze handelte.[53] Husa wies richtig darauf hin, daß Müntzer sie sicher der Karlsuniversität in der Erwartung übermittelte, darüber disputieren zu können, was er auch selbst handschriftlich auf dem Exemplar der Thesen vermerkte.[54] Übrigens würde dies auch die Unterbringung zunächst im Collegium Magnum erklären, zu der der offenbar gut informierte alte tschechische Annalist allerdings schreibt, daß sie von einigen großen Herren auf deren Kosten ausgegangen sei.[55] Dazu ist die eigene Betonung seiner akademischen Titel in dem Briefentwurf an die Ratsherren der böhmischen Städte in Bezug zu setzen.[56] Es scheint, daß Müntzer auf diese akademischen Grade Wert legte. Er wird sie weder in späteren Briefen noch in den Fassungen des Prager Anschlags wieder gebrauchen. Das spricht nicht nur von einem seit Ende 1521 veränderten Selbstverständnis, sondern auch von einer veränderten Haltung zum Lehrbetrieb an den Universitäten. Im übrigen haben wir keinen Anhaltspunkt dafür, daß eine Disputation mit ihm stattgefunden hat.

Man muß noch einmal kurz über die Absicht Müntzers nachdenken, die er mit der Zusendung dieser ja nicht von ihm stammenden Gedanken verband. Eindeutig scheint es zu sein, daß er sich damit noch als Gefolgsmann der „Wittenberger" bekannte. Drei der vier tschechischen Quellen ziehen direkt die Verbindung zu Luther, eine schreibt sogar, daß er von Wittenberg gekommen sei![57] Letztlich sind die Ratschläge an Hausmann vor seiner Abreise nach Böhmen zwar kritischer Natur, nämlich standhafter und unduldsamer gegenüber Egranus und dessen Gesinnungsgenossen zu sein; es sind aber Ratschläge eines Verbündeten in gleicher Sache, wobei die spiritualistische Position des Absenders deutlich hervortritt, was dieser selbst wohl noch nicht als trennend empfand.

Ein Angebot von Disputationsthesen, deren geistiger Vater Melanchthon, ein angesehener und bekannter Humanist, war, barg bei der unterschiedlich zusammengesetzten Fakultät der Karlsuniversität sicher weniger Sprengstoff in sich als solche von Luther. Sie sprachen auch humanistisch gebildete Utraquisten, die eher dem konservativen Flügel zuneigten, an – vielleicht sollte es gerade darauf ankommen. Es ging Müntzer wohl darum, das Interesse der utraquistischen Magister an der Lutherischen Reformation zu vergrößern, eventuell deren Anhängerschaft zu erweitern. Mehr konnte mit diesen Thesen wohl nicht erreicht werden.

Die ersten Schritte Müntzers in Prag als Prediger, die Orte seiner Predigten in deutscher und lateinischer Sprache wurden zuletzt von Husa zusammengestellt.[58] Es scheint bei dem öffentlichen Auftreten zunächst keine Probleme gegeben zu haben, die für die Quellen anmerkungswert waren, auch nicht im Hinblick darauf, daß er sich, um sich den einfachen Menschen verständlich zu machen, eines Dolmetschers bedienen mußte.

Dagegen hatte Hans Pelt in Braunschweig schon davon gehört, als er Müntzer einen älteren Brief mit einer kurzen Nachschrift am 6. September nach Prag nachsandte.[59] Es scheint aber, daß die Hilfe durch „zwei gelehrte Böhmen" nicht bis zum Ende vorhanden war. Das zeigt wohl die tschechische Fassung des „Prager Manifestes", auf die wir noch kurz zurückkommen müssen.

Wann kam es zu den ersten Differenzen zwischen Müntzer und seiner Umgebung, die dann seinen ganzen weiteren Aufenthalt in der Moldaustadt überschatteten? Husa weist auf eine Stelle des alten tschechischen Annalisten hin und folgert, daß die ersten Predigten Müntzers Anlaß zu einer Demonstration gegen Prager Klöster wurden, die am Sonntag nach dem Jahrestag von Hus' Tod (das war der 6. Juli) stattfand.[60] Die Stadtväter reagierten übrigens umgehend, schlossen die Stadttore und sperrten die Brücke zur Kleinseite, da sie die Träger der Unruhen in den dort ansässigen armen Schichten bzw. in der Bevölkerung aus den Vorstädten jenseits der Moldau vermuteten. Allerdings läßt sich aus der Passage des Annalisten Husas Feststellung nicht vollständig ableiten. Zwischen den ersten Predigten Müntzers (am 22./23. Juni) und den Unruhen lagen 14 Tage. Sollte allein sein Auftreten der Funke zu deren Auslösung gewesen sein, dann gab es eine lange Zündstrecke! Zudem zieht die Quelle keine direkte Verbindung zwischen Müntzer und den Unruhen. Denkbar ist sie, obwohl wir den Inhalt der Predigten, deren Aussagen nicht kennen. Allerdings predigte Müntzer von den Kanzeln der Kirchen, im Unterschied zu einigen radikalen Laienpredigern! Als Müntzer bald darauf die Gasträume des Großen Kollegs verlassen mußte, hat offenbar noch immer keine Disputation stattgefunden. War an diesem Hinauswurf sein radikales Auftreten in der Stadt schuld? Gerüchte kamen nach Zwickau, man habe ihm Gift gegeben, er sei sehr krank oder sogar tot.[61] Reflektierten diese die Schwierigkeiten Müntzers in Prag, oder entsprangen sie lediglich dem Wunschdenken seiner Gegner?

Ein Ereignis verdeutlicht die Kompliziertheit der Situation in Prag. Im Sommer 1521 gelang es dem konservativen Flügel der Utraquisten auf einer Synode noch einmal, die „jüngsten Neuerungen" – und dazu gehörte auch die Öffnung zu Luther – abzulehnen und die alten theologischen Grundsätze der Utraquisten zu bekräftigen. Keine günstige Zeit für eine akademische Disputation lutherischer Glaubenssätze vor der heterogen zusammengesetzten Fakultät!

Müntzer wurde nun von einem „ziemlich berühmten Prager Bürger" in sein Haus aufgenommen. Es könnte sich, wie die neuere Literatur relativ einhellig vermutet, um den Kanzler der Altstadt und Stadtschreiber Burian Sobek z Kornic gehandelt haben,[62] der nicht schlechthin auf dem linken Flügel der Utraquisten stand, sondern auch ähnlich radikale Ansichten gehabt haben soll wie Müntzer, obwohl Husa für diese Feststellung keinen Beleg bringen kann.

Konnte er Müntzer vor Verfolgungen schützen? Stand dieser vielleicht zeitweise unter Hausarrest, oder war er eingekerkert? Eine lateinische Notiz am Schluß der Spottgedichte, mit denen im Frühjahr 1521 Anhänger von Müntzer und Egranus den jeweiligen Gegner bedachten, weiß, daß Müntzer nach einer Aufsicht in einem Haus, das er nicht verlassen durfte, in Gefangenschaft überführt worden sei.[63] Zur Zeit der Abfassung des „Prager Manifestes", in der zweiten Hälfte des Monats Oktober, ist er sicher wieder frei gewesen. Oder handelte es sich nur um Hausarrest?

Es kamen auch andere Nachrichten nach Sachsen. So weiß die Neue Zeitung vom 6. Januar 1522 in Wittenberg zu berichten, daß Marcus Stübner, der ja gerade zu dieser Zeit als einer der Zwickauer Propheten die Universitätsstadt an der Elbe aufsuchte, vorher aber mit Müntzer in Böhmen war, dort gepredigt habe und mit Steinen beworfen worden sei.[64] Für eine Predigttätigkeit Stübners in Böhmen gibt es allerdings keine Belege. Eine solche von der Kanzel ist auch unwahrscheinlich, da der Elsterberger keinen akademischen Grad besaß. Sollte eine Verwechslung mit Müntzer vorliegen?

Im einzelnen ist die Tätigkeit Müntzers in Prag seit etwa Mitte Juli bis zu seiner Rückkehr unbekannt. Husa idealisiert stark, wenn er schreibt: „In zahlreichen Bibliotheken der Universitätskollegs und Pfarren wie auch in privaten Büchern seiner Freunde fand der leidenschaftliche Leser Müntzer die Abschriften der alten Hussitentraktate."[65] Zur anschließenden Bemerkung, daß er seine Aufmerksamkeit vor allem auf die Zeugnisse des taboritischen Chiliasmus richtete, bemerkte Macek, Müntzer konnte bestenfalls Gegenschriften,[66] so die des Mikuláš Pelhřimov kennenlernen, keine Originale. Der überwiegende Teil der bekanntgewordenen chiliastischen Artikel und Traktate der Taboriten in der Phase des Chiliasmus ist zudem tschechisch. Eine der Ausnahmen bildet lediglich die lateinische Redaktion der pickardischen Artikel in der Chronik des Laurentius von Březova. Müntzer konnte eine handschriftliche Fassung dieser Quelle in Prag gelesen haben, darauf machte schon Smirin aufmerksam.[67] Eine Verbindungslinie zwischen seinen eschatologischen Anschauungen und denen der Taboriten durch das Studium von deren Schriften ist auszuschließen.

Ohne Zweifel las Müntzer im Haus Sobeks und anderer Linksutraquisten, kaum jedoch in Universitätskollegien, in Kirchen oder gar in Klöstern Traktate und Handschriften. Welche er las, bleibt unbekannt. Es waren aber bittere Wochen für Müntzer. Das Werk der Predigt durch das Wort zu erfüllen, war er nach Böhmen gegangen. Nun blieben ihm die Kanzeln verschlossen. Er selbst war fast isoliert, verhaftet oder von der Verhaftung bedroht. Die Entbehrung der Predigt klingt deutlich in der lateinischen Fassung des „Prager Manifestes" an: „Dilectissimi fratres Bohemi, inclytam vestram suum ingressus regionem, nihil desiderans, nisi quod vivum suscipiatis verbum, quod ego vivo et spiro, ne vacuum revertatur . . . Date dumtaxat locum predicaturo. Paratus inveniar omni poscenti sufficere."[68]

Nach der Analyse von Eberhard Wolfgramm erfuhr auch die deutsche Vorlage des „Prager Manifestes" durch die tschechische Übersetzung eine Bedeutungsentleerung. Der Übersetzer mißverstand nicht nur einige Müntzerische Termini, sondern war auch nicht in der Lage, den Sprachstil des Autors zu berücksichtigen.[69] Sollte dies damit zusammenhängen, daß Müntzer gegen Ende seines Prager Aufenthalts auch von einer qualifizierten sprachlichen Unterstützung zum Verstehen der Landessprache entblößt war? Um die Jahreswende 1521/22 war Müntzer zurück. Seine Freunde hatten wohl von dem Mißgeschick der zweiten Böhmenreise gehört, und Franz Günther schreibt am 25. Januar 1522 an ihn: „Dicunt Boemos non pergere, sed stare in aliquibus evangelicis, quod maxime te fugavit, . . ."[70]

Wie beurteilte Müntzer nach Wochen der Isolierung in Prag, ehe er Böhmen verließ, das Land und seine Bewohner? Geblieben ist in dem Ende Oktober entstandenen[71] „Prager Manifest" die Hochschätzung des „berühmten Landes", seiner „geliebten böhmischen Brüder"[72] und die erneute Berufung auf den „unvergeßlichen und berühmten Streiter Christi Jan Hus".[73] Müntzer ist weiter der Überzeugung, in diesem „lande wirt dye newe apostolische kyrche angehen".[74] Hatten ihn darin auch die Rückschläge der letzten Wochen nicht erschüttern können, oder billigte er Hus und seinen theologischen Reformgedanken einen historischen Vorsprung gegenüber Luther zu, da doch dessen Werk durch das Wormser Edikt und das Verschwinden des Reformators große Gefahr drohte? Viele Fragen bleiben zu diesem Satz offen, auch die nach der Lektüre weiterer Schriften von Hus, die in Prag sicher handschriftlich verbreitet waren. Allerdings warnt Müntzer auch, die Zeichen der Stunde zu mißachten, denn das würde das Land in die Hände derer bringen, die es gegenwärtig begehren.[75] Damit spricht er sicher vor allem seine Widersacher im utraquistischen Klerus an, denn das Land begehrten theologisch die Papstkirche und politisch die Habsburger, die Bastion der Altgläubigen. Korrespondiert mit diesen kritischen Worten die in allen Fassungen des „Prager Manifestes" ausgedrückte Hochachtung des armen Volkes,[76] an dem er nicht zweifle? An die Laien hatte er sich bereits in Zwickau gewandt, sie hochgeachtet, so daß sich im „Prager Manifest" diese Tendenz nur verschärft zu haben scheint.[77] Andererseits bedeutete dies nicht Bruch mit Luther oder Abwendung von den Wittenbergern, wie dies Annemarie Lohmann interpretierte,[78] denn der Laie hatte im Bild Luthers von einer reformierten Kirche einen erheblichen Spielraum. Bestenfalls läßt sich aus dem „Prager Manifest" erkennen, daß sich Müntzers spiritualistische Position weiter ausprägte.

Es bleibt die Frage nach der Bedeutung von Müntzers zweiter Böhmenreise. Husa warnte zwar davor, deren Einflüsse auf Müntzer zu überschätzen, folgert aber, daß die Monate eine Zeit des Studierens und der Sammlung bedeutender revolutionärer Erfahrungen waren.[79] Es sollte festgehalten werden: Vom Ziel her war er gescheitert. Offenbar blieben in Böhmen auch keine Freunde zurück, mit denen Müntzer Briefverbindung hielt. Hus und die Hussiten spielten in seinen Schriften nach 1522 verbal, d. h. im direkten Bezug, keine Rolle mehr.

Das soll aber nicht besagen, daß das Ergebnis der Böhmenreise für Müntzer insgesamt negativ war. Für seinen Lernprozeß zwischen Juli und November 1521 besitzen wir allerdings keinerlei Quellen. Dennoch war er vorhanden, verstärkte gewonnene Positionen, vermittelte vielleicht auch neue Anregungen. Bei diesen allgemeinen Feststellungen müssen wir es belassen, denn Ansichten über die einfache Kirche, die Kritik an Rom waren auch aus anderen Quellen zu beziehen, nicht nur aus der Theologie der Taboriten und der Brüderunität.

[1] Václav Husa: Tomáš Müntzer a Čechy (Thomas Müntzer und Böhmen). Praha 1957 (Rozpravy ČSAV, Roč, 11); mit Ergänzungen von Amedeo Molnár: Thomas Müntzer und Böhmen. Communio viatorum 1 (1958), 242–245; Rezension von Josef Macek: Československý časopis historický 6 (1958), 346–351.

[2] Vor allem ETM, 181–213; Manfred Bensing: Thomas Müntzer. 3. Aufl. Leipzig 1983, 41–43.

[3] Thomas Müntzer: Prager Manifest. Einführung von Max Steinmetz. Mit einem Beitrag zur Textgeschichte von Friedrich de Boor. Textneufassung und Übersetzung von Winfried Trillitzsch. Faksimiledruck der lateinischen Originalhandschrift aus der Forschungsbibliothek Gotha und deren Herkunftsgeschichte von Hans-Joachim Rockar. Leipzig 1975.

[4] ETM, 192–212; Hans-Joachim Goertz: Lebendiges Wort und totes Ding: zum Schriftverständnis Thomas Müntzers im Prager Manifest. ARG 67 (1976), 153–178.

[5] Der bisher als Fragment unbestimmter Zuordnung aus dem durch Herzog Georg konfiszierten Briefsack Müntzers in MSB, 537, 13–19 (7 g) gedruckte Text enthält nach der Entzifferung der durch Tinte unkenntlich gemachten Anrede durch Manfred Kobuch (Dresden) ein neues, überraschendes Gewicht. Ich danke Herrn Kobuch, daß er mir die Einsicht in den vollständigen Text, der in der Neubearbeitung des Briefwechsels durch ihn und Siegfried Bräuer erscheinen wird, ermöglichte.

[6] Susan C. Karant-Nunn: Zwickau in Transition, 1500–1547: the reformation as an agent of change. Columbia (Ohio) 1987, 106.

[7] Max Rau: Zwickauer Bäckerleben im 16. Jahrhundert. Alt-Zwickau 9 (1924), 34.

[8] MSB, 370 f (23).

[9] Amedeo Molnár: Die Waldenser: Geschichte und europäisches Ausmaß einer Ketzerbewegung (Valdenští: Evropský rozměr jejich vzdoru [dt.])/ übers. von Erich Emmerling. Berlin 1980, 283–285.

[10] Horst Köpstein: Über die Teilnahme der Deutschen an der hussitischen revolutionären Bewegung – speziell in Böhmen. ZGW 11 (1963), 128 mit Anm. 168 (dort auch ältere Literatur); Husa: AaO, 30 f.

[11] Siegfried Hoyer: Die Zwickauer Storchianer: Vorläufer der Täufer? Jahrbuch für Regionalgeschichte 13 (1986), 73; Reinhard Schwarz: Die apokalyptische Theologie Thomas Müntzers und der Taboriten. Tübingen 1977, 1.

[12] Paul Wappler: Thomas Müntzer in Zwickau und die „Zwickauer Propheten". Wissenschaftliche Beilage aus dem Jahresbericht des Realgymnasiums mit Realschule Zwickau. Ostern 1908. Zwickau 1908, 12 f / Gütersloh 1966, 29 f.

[13] Husa: AaO, 38.

[14] Helmut Claus: Die Zwickauer Drucke des 16. Jahrhunderts. Teil 1. Gotha 1985, 1166 f (88 f).

[15] Jacob Lilienstejn: Tractatus contra Waldenses fratres . . . quos vulgo vocat Pickardos. [1905].

[16] Zusammenstellung bei Amedeo Molnár: Luthers Beziehungen zu den Böhmischen Brüdern. In: Leben und Werk Martin Luthers von 1526 bis 1546: Festgabe zu seinem 500. Geburtstag/ hrsg. von Helmar Junghans. Berlin 1983 / Göttingen 1983, 627 f; Erhard Peschke: Die Böhmischen Brüder im Urteil ihrer Zeit: Zieglers, Dungerheims und Luthers Kritik an der Brüderunität. Berlin 1964.

[17] Georg Wolfgang Panzer: Annales typographici. Bd. 7. Norimbergae 1799, 449 (72). Zur Existenz von Abschriften in der Bibliothek der Erfurter Augustinereremiten Molnár: Luthers Beziehungen . . ., 950. Joseph Theodor Müller: Geschichte der Böhmischen Brüder. Bd. 1. Herrnhut 1922, 531, konnte in seiner Zusammenstellung der Schriften des Lucas von Prag kein existierendes Exemplar dieses Druckes mehr belegen.

[18] Molnár: Luthers Beziehungen . . ., 627–634.

[19] Siegfried SIEBER: Geistige Beziehungen zwischen Böhmen und Sachsen zur Zeit der Reformation. Teil 1: Pfarrer und Lehrer im 16. Jahrhundert. Bohemia 6 (Praha 1965), 147.

[20] WA 10 II, 180–182; Martin BRECHT: Martin Luther. Bd. 2: Ordnung und Abgrenzung der Reformation: 1521–1532. Stuttgart 1986 / Berlin 1989, 78.

[21] Karl SEIDEMANN: Thomas Müntzer. Dresden und Leipzig 1842, 18; M[oisej] M[endelewič] SMIRIN: Die Volksreformation des Thomas Müntzer und der große Bauernkrieg (Narodnaja reformacija Tomasa Mjuncera i velikaja krest'janskaja vojna [dt.])/ übers. von Hans Nichtweiß. Berlin 1952, 66.

[22] MSB, 354, 7 f (8).

[23] Smirin: AaO, 253.

[24] Jarold K. ZEMAN: The Hussite movement and the Reformation in Bohemia, Moravia and Slovakia (1350–1650). Ann Arbor, Mich. 1977, 9. Die Angaben Zemans sind durch zwei Exemplare (Venedig 1503 und s. l. et d.) zu ergänzen; vgl. Georg Wolfgang PANZER: Annales typographici. Bd. 4. Norimbergae 1796, 435 (2353); Bd. 8. Norimbergae 1800, 359 (165).

[25] Manfred BENSING / Winfried TRILLITZSCH: Bernhard Dappens „Articuli . . . contra Lutheranos": zur Auseinandersetzung der Jüterboger Franziskaner mit Thomas Müntzer und Franz Günther 1519. Jahrbuch für Regionalgeschichte 2 (1967), 132 f. 137–139.

[26] WA 2, 605, 12–22.

[27] Bensing / Trillitzsch: AaO, 142; vgl. auch Martin SCHMIDT: Thomas Müntzer und Böhmen, insbesondere das Prager Manifest vom November 1521. Erbe und Auftrag der Reformation in den Böhmischen Ländern 15/18 (1975/76), 79.

[28] MSB, 372, 27 f (25).

[29] Molnár: Thomas Müntzer und Böhmen, 243.

[30] František M. BARTOŠ / Pavel SPUNAR: Soupis pramenů k literarní činnosti M. Jana Husa a Jeronyma Pražského (Verzeichnis der Quellen zur literarischen Tätigkeit der Magister Jan Hus und Hieronymus von Prag). Praha 1965, 125–127.

[31] Husa: AaO, 36.

[32] ETM, 183.

[33] Das Original befindet sich im Statní ustředni archiv Praha. F. 64; dazu Ingrid MITTENZWEI: Der Joachimsthaler Aufstand 1525: seine Ursachen und seine Folgen. Berlin 1968, 89.

[34] Husa: AaO, 55; Johann MATTHESIUS: Sarepta oder Bergpostill. Nürnberg 1562.

[35] Otto CLEMEN: Johann Sylvius Egranus. In: ders.: Kleine Schriften zur Reformationsgeschichte. Bd. 1. Leipzig (1983), 68.

[36] AKTEN ZUR GESCHICHTE DES BAUERNKRIEGES IN MITTELDEUTSCHLAND. Bd. 2/ unter Mitarbeit von Günther Franz hrsg. von Walther Peter Fuchs. Nachdruck der Ausgabe Jena 1942. Aalen 1964, 256, 19–21 (1007).

[37] Husa: AaO, 51; im URKUNDENBUCH DER STADT SAAZ BIS ZUM JAHRE 1526/ bearb. von Ludwig Schlesinger. Prag 1891, gibt es seit dem zweiten Drittel des 15. Jh. nur lateinisch- und tschechischsprachige Stücke.

[38] Notizen zur Biographie von Černobyl bei Husa: AaO, 52, Anm. 166; Jaroslav VLČEK: Dějiny české literatury (Geschichte der tschechischen Literatur). Bd. 1. Praha 1960, 287 f.

[39] MSB, 372, 29 f (25).

[40] MSB, 371, 9 f (24).

[41] MSB, 371, 5 f (23).

[42] MSB, 371, 6 f (24).

[43] Da Müntzer am 15. Juni Markus Stübner in Elsterberg auffordert, am nächsten Tag, an dem er offenbar in Richtung böhmische Grenze ziehen wollte, zu ihm zu stoßen (MSB, 370, 6 f [22]), muß er sich nördlich oder nordwestlich der kleinen vogtländischen Stadt, wohin der Brief gerichtet ist, befunden haben.

[44] MSB, 371, 9 f (22).

[45] MSB, 371, 9 (22).

[46] Macek: AaO, 349.

[47] Winfried EBERHARD: Konfessionsbildung und Stände in Böhmen 1478–1530. München / Wien 1981, 114–119. 130–133.

[48] Husa: AaO, 65, Anm. 208; WA Br 3, 363 f (786), Luther an Burian Sobek z Kornic am 27. Oktober 1524.

[49] Eberhard: Konfessionsbildung und Stände . . ., 129.

[50] Husa: AaO, 67 f, Anm. 214.

[51] WA 10 II, 172–174.

[52] Seidemann: AaO, 109 (Beilage 5).

[53] Druck siehe Seidemann: AaO, 124 (Beilage 15); Hinweis auf spätere Drucke bei Wilhelm HAMMER: Die Melanchthonforschung im Wandel der Jahrhunderte. Bd. 3. Gütersloh 1981, 442 (1 770).

[54] Husa: AaO, 62.

[55] Ebd, 96; Eberhard: Konfessionsbildung und Stände . . ., 134, Anm. 72.

[56] Vgl. oben Anm. 5 (MSB, 537, 13 f [7 g]): „Thomas Munczer de Stolberg artium magister et sancte scripture baccalaureus." Eine Zusammenstellung der akademischen Titel, die Müntzer selbst für sich verwendete und mit denen er von anderen angesprochen wurde, bei Günter VOGLER: Thomas Müntzer als Student der Viadrina. In: Die Oder-Universität Frankfurt: Beiträge zu ihrer Geschichte. Weimar 1983, 249 f.

[57] Husa: AaO, 96 f. In der Teynkirche predigte Müntzer deutsch.

[58] Ebd, 63 f.

[59] Eine neue Edition des Briefes bei Ulrich BUBENHEIMER: Thomas Müntzer in Braunschweig. Braunschweigisches Jahrbuch 65 (1981), 71–76, korrigiert auch den MBW, 30 f (28), vermuteten und MSB, 377 (28), übernommenen Absendeort Halberstadt.

[60] Husa: AaO, 96.

[61] MSB, 376, 29–31 (27).

[62] Husa: AaO, 96.

[63] Zur Person vgl. ebd, 65, Anm. 208.

[64] Nikolaus MÜLLER: Die Wittenberger Bewegung 1521 und 1522: die Vorgänge in und um Wittenberg während Luthers Wartburgaufenthalts. 2. Aufl. Leipzig 1911, 160 (68).

[65] Husa: AaO, 76.

[66] Macek: AaO, 349.

[67] Smirin: AaO, 257.

[68] Müntzer: Prager Manifest, 19; MSB, 510, 12–23 (2c).

[69] Eberhard WOLFGRAMM: Der Prager Anschlag des Thomas Müntzer in der Handschrift der Leipziger Universitätsbibliothek. Wissenschaftliche Zeitschrift der Karl-Marx-Universität Leipzig: gesellschafts- und sprachwissenschaftliche Reihe 6 (1956/57), 300.

[70] MSB, 379, 2 f (30).

[71] Müntzer: Prager Manifest, 12; ETM, 188.

[72] MSB, 510, 12 f (2c).

[73] MSB, 505, 1 f (2c).

[74] MSB, 504, 30 (2b).

[75] MSB, 509 (2c).

[76] MSB, 500.

[77] Hoyer: AaO, 66.

[78] Annemarie LOHMANN: Zur geistigen Entwicklung Thomas Müntzers. Leipzig 1931, 11 f.

[79] Husa: AaO, 90 f.

Bibelstellenregister

Bearbeitet von Beatrix Eisenhuth

Personen- und Ortsregister

Bearbeitet von Beatrix Eisenhuth

Auf –: folgen die von einem Autor verfaßten oder herausgegebenen Veröffentlichungen. Der Gedankenstrich trennt die einzelnen Titel, die jeweils nach dem Alphabet geordnet sind. Bei Martin Luther und Thomas Müntzer sind nach –: nur Aussagen über ihre Schriften aufgenommen, ohne die Zitate aus ihnen aufzureihen.

Eine *kursive* Seitenzahl weist darauf hin, daß sich in der nachfolgenden Anmerkung ausführliche bibliographische Angaben befinden. Zahlen nach Komma verweisen auf die Anmerkungen der vor dem Komma stehenden Seite.

AT	Altes Testament	Hg	Herzog	Lgf	Landgraf
Bf	Bischof	Kf	Kurfürst	Mgf	Markgraf
Ebf	Erzbischof	Kg	König	ngw	nachgewiesen
Gf	Graf	Kr	Kreis	NT	Neues Testament

Synoptische Tabelle

zu Thomas Müntzers Briefwechsel in MSB und der in Vorbereitung befindlichen Neuedition von Siegfried Bräuer und Manfred Kobuch (bis Ende 1523)

MSB Seite	Nummer	Bräuer/Kobuch Nummer	MSB Seite	Nummer	Bräuer/Kobuch Nummer
347	(1)	(7)	371–373	(25)	(39)
347–348	(2)	(8)	373–375	(26)	(40)
349	(3)	(3)	375–376	(27)	(41)
350	(4)	(1)	377	(28)	(40)
351	(5)	(9)	378	(29)	(45)
351–352	(6)	(14)	378–379	(30)	(46)
352–353	(7)	(15)	379–382	(31)	(47)
353–354	(8)	(16)	382–383	(32)	(62)
355	(9)	(17)	383	(33)	(69)
355–356	(10)	(18)	383–384	(34)	(52)
356	(11)	(19)	384–385	(35)	(48)
357	(12)	(20)	385–386	(36)	(50)
357–361	(13)	(21)	386–387	(37)	(54)
361	(14)	(33)	387–388	(38)	(55)
362	(15)	(23)	388–389	(39)	(56)
363	(16)	(26)	389–392	(40)	(57)
363–364	(17)	(25)	392	(41)	(59)
365	(18)	(10)	392	(42)	(60)
366–367	(19)	(28)	393	(43)	(61)
367–368	(20)	(31)	393–394	(44)	(63)
368–369	(21)	(30)	395–397	(45)	(64)
369–370	(22)	(36)	397–398	(46)	(66)
370–371	(23)	(37)	398–400	(47)	(68)
371	(24)	(38)